6/23

Frédéric Lenoir, Violette Cabesos
Der Fluch des Mont-Saint-Michel

SERIE PIPER

Zu diesem Buch

Als der junge Mönch Roman im 11. Jahrhundert den Auftrag erhält, eine neue Abtei auf dem Felsen des Mont-Saint-Michel in Nordfrankreich zu errichten, fühlt er sich angesichts der Aufgabe geehrt. Die Kraft, mit dem Bau beginnen zu können, verdankt er der schönen Keltin Moira, die ihn nach einem Unfall gesund pflegte. Roman zeigt ihr stolz seine Baupläne und versetzt sie damit in größte Angst. Verzweifelt offenbart sie dem Mönch das Geheimnis des Mont-Saint-Michel und löst damit eine Folge grausiger Ereignisse aus ... Tausend Jahre später wird die junge Archäologin Jeanne von wirren Träumen über den Mont-Saint-Michel heimgesucht. Sie versucht, das düstere Rätsel des Felsens zu lösen, und bringt damit sich und ihre Kollegen in tödliche Gefahr. – Ein atemberaubender historischer Thriller, der in Frankreich über ein Jahr lang auf der Bestsellerliste stand.

*Frédéric Lenoir*, geboren 1962, ist Autor, Journalist, Philosoph und Frankreichs bekanntester Religionssoziologe. Auf deutsch erschienen bereits »Das Geheimnis des Weinbergs« und die gemeinsam mit Marie-France Etchegoin verfaßte wissenschaftliche Studie »Das Geheimnis des Da-Vinci-Code«.

*Violette Cabesos*, geboren 1969, ist Juristin, Romanautorin, Mittelalter-Spezialistin und vom mystischen Charme des Mont-Saint-Michel fasziniert.

Frédéric Lenoir
Violette Cabesos

# Der Fluch des Mont-Saint-Michel

Historischer Thriller

Aus dem Französischen von
Elsbeth Ranke

Piper München Zürich

*Mehr über unsere Autoren und Bücher:*
*www.piper.de*

Von Frédéric Lenoir liegen bei Piper im Taschenbuch vor:
Das Geheimnis des Da-Vinci-Code (mit Marie-France Etchegoin)
Der Fluch des Mont-Saint-Michel (mit Violette Cabesos)

**Mix**
Produktgruppe aus vorbildlich bewirtschafteten Wäldern und anderen kontrollierten Herkünften
www.fsc.org Zert.-Nr. GFA-COC-1223
© 1996 Forest Stewardship Council

Ungekürzte Taschenbuchausgabe
1. Auflage September 2008
2. Auflage Oktober 2008

Titel der französischen Originalausgabe:
»La promesse de l'ange«

Umschlag: Büro Hamburg. Anja Grimm, Stefanie Levers
Bildredaktion: Büro Hamburg. Alke Bücking, Charlotte Wippermann
Umschlagabbildung: creativ connect, Karin Huber, München
Autorenfotos: Bruno Charoy
Satz: Uhl + Massopust, Aalen
Papier: Munken Print von Arctic Paper Munkedals AB, Schweden
Druck und Bindung: CPI – Clausen & Bosse, Leck
Printed in Germany ISBN 978-3-492-25257-7

*»Um in den Himmel zu gelangen,*
*muß man in der Erde graben.«*

# I

Der letzte Satz der Beethoven-Symphonie war im Schmettern der Blechbläser verklungen. Jeannes Schädel hallte noch von diesem Finale wider, und sie mußte sich auf das nächste Stück konzentrieren, um es überhaupt wahrzunehmen. Unmerklich ergriff die Melodie Besitz vom Innenraum des Autos, und die wehmütigen Harmonien ließen Jeanne den Atem stocken. Die Klage war bitter und eindringlich wie ein antiker Trauergesang, ein getragener, einfacher Refrain, der so einnehmend und unabwendbar war wie das Leben.

Ravels *Pavane für eine tote Infantin*, erkannte die junge Frau. Sie wandte das Gesicht zum Seitenfenster, damit der Mann, der den Wagen lenkte, nicht die Wehmut sah, die diese Melodie stets in ihr hervorrief.

Trotz der Septembersonne war die Landschaft, die draußen vorüberzog, fahl wie der Tod. Dies und die Musik trieben ihr die Tränen in die Augen.

Pierrot, mein Bruder, dachte sie, das ist dein Gesang – der Gesang deines so kurzen Lebens, in dem es keinen Zorn gab, nur lauter Zärtlichkeit…

Wie Pierre kannte auch Ravels Infantin kein Aufbegehren. Sie ließ sich im Traum dahinraffen, im Klang der Flöten, die sie aufnahm wie engelsgleiche Glutfunken, und im tiefen Vibrato der Geigen. Der Komponist hatte zu einem irritierenden Schluß gefunden: Man hörte ein zärtliches Aufbäumen, dann kampfloses Hinnehmen, und sanft, beinahe friedlich blieb der Atem der Musik stehen und ließ den Zuhörer auf eine erneute Aufnahme des Refrains warten, die aber nicht kam. Es war zu Ende, aber

Jeanne konnte nicht anders als weiterzuwarten auf die fehlenden Noten, wie auf eine Hoffnung auf die Auferstehung.

Sie schaltete das Radio aus, um ihrer Rührung den Garaus zu machen.

»Aha«, sagte sie mit bebender Stimme, »wir sind an der Abzweigung nach Le Havre vorbei. Also fahren wir Richtung Caen und Basse-Normandie. Hoffentlich bringst du mich nicht nach Deauville. Ich habe wirklich keine Lust, das mondäne Paris aufmarschieren zu sehen.«

»Ich weiß«, gab François ruhig zurück. »Keine Sorge, wir fahren nicht nach Deauville. Glaub mir, du wirst bestimmt nicht enttäuscht sein. Wir machen uns ein romantisches Wochenende voller Geheimnisse, wie du es magst.«

»Cabourg?« fragte Jeanne. »Du wirst es doch nicht etwa so weit treiben, mich in dein Haus in Cabourg zu entführen?«

François errötete. Er hatte wegen seines Verhältnisses mit Jeanne schon genügend Schuldgefühle; er würde es nie wagen, sie in sein Ferienhaus nach Cabourg mitzunehmen, das Marianne gehörte, seiner Frau.

Jeanne merkte, welches Unbehagen sie mit ihrer Bemerkung bei ihm ausgelöst hatte. »Entschuldige, François«, sagte sie, »das war ungeschickt von mir. Ich bin wirklich nicht eifersüchtig auf deine Frau und deine Kinder. Ich interessiere mich nur für alles, was mit dir zu tun hat, und du hast gerade einen ganzen Ferienmonat mit ihnen verbracht, aber nichts davon erzählst du mir!«

»Ich interessiere mich auch für alles, was mit dir zu tun hat, Jeanne – und sogar für das, was dich nicht unmittelbar betrifft.« François verspürte keine große Lust, über seine Familie zu sprechen. »Aber im Gegensatz zu dir bin ich sehr wohl eifersüchtig!«

»Wirklich?« Jeanne gab vor, überrascht zu sein.

»Ja. Da ist ein anderer Mann, der deine Gedanken in Beschlag nimmt und der alles, was du tust, bestimmt – und das pausenlos!«

Jeanne runzelte die Stirn.

»Du hast diesen Sommer keine Ferien gemacht, damit du bei ihm sein konntest«, fuhr François fort. »Na ja, eher vielleicht bei seinem Gespenst, denn ihn selbst suchst du zwar überall, aber bis jetzt ist er ja unsichtbar geblieben.«

Jeanne begriff, wen François meinte. Sie lachte herzhaft auf und streichelte die breite Hand ihres Liebhabers. »Du redest von ihm wie von einem Rivalen! Du bist eifersüchtig auf Hugo von Semur, den Abt von Cluny, gestorben 1109! Darf ich dich daran erinnern, daß ich es dir verdanke, daß sich mein Leben allein um ihn dreht?«

»Ja, aber wenn ich gewußt hätte, daß er dich dermaßen in Beschlag nimmt... Außerdem ist dein Liebhaber zwar vielleicht im 12. Jahrhundert gestorben, aber sein bleiches Knochengerippe fasziniert dich offenbar mehr als meines!«

»Ich lege Wert auf den Hinweis, daß ich mich erst seit zwei Jahren in Cluny aufhalte«, antwortete Jeanne. »Aber ich gebe nicht auf: Ich bin sicher, daß das Grab dort ist, und ich werde es finden, auch wenn ich mein ganzes Leben darauf verwenden muß – was mich übrigens nicht daran hindert, auch an dir Geschmack zu finden.«

»Also ich weiß nicht – dein ganzes Leben in Cluny, in diesem Loch zusammen mit den Toten! Du wirst noch im gleichen Zustand enden wie dein verehrter Hugo!«

Jeanne ließ François' Hand los. »Mach dich nur über mich lustig! Wenn wir sein Grab endlich finden würden«, fuhr sie fort, den Blick träumerisch verhangen, »ist dir klar, was das bedeuten würde, auch für dich? Ein seit Jahrhunderten verschollenes Grab, von dem niemand weiß, wo es liegt und ob es überhaupt noch existiert? Das Grab des Abts, der an der Spitze des Klosters stand zur Zeit seiner größten Blüte, der also wie ein König war? Ein mittelalterlicher Tutenchamun! Stell dir doch mal vor, was für Schätze sein Grab bergen muß. Wenn wir es entdecken, könnten wir so viel Neues über diese Zeit erfahren.«

»Alles klar, jetzt hält sie sich für Howard Carter im Tal der Könige und träumt vom großen Ruhm!«

»Der Ruhm ist mir völlig egal, so wie er auch Carter egal war«, entgegnete sie in schneidendem Ton. »Außerdem vergißt du gerade, daß ich bei dieser Ausgrabung assistiere und nicht die Leiterin bin. Also werde nicht ich die Entdeckerin des Grabes sein, falls wir es eines Tages finden sollten. Und das ist mir auch völlig gleich. Alles, was ich will, ist graben, graben und noch mal graben!«

»Genau das habe ich ja gesagt – eines Tages wirst du noch zum Maulwurf!«

Jeanne wurde nachdenklich. Ihr Beruf, die Archäologie, war nicht ihre zweite, sondern ihre eigentliche Natur. Wo immer sie hinkam, konnte sie nicht anders und mußte auf die Botschaft der von Menschen bearbeiteten Steine lauschen. Und die Steine sprachen zu ihr. Selbst wenn sie verschüttet waren, erzählten ihr die Mauerreste zauberhafte Geschichten, und rastlos versuchte sie, diese Geschichten aus der Erde wieder auferstehen zu lassen, unter der sie begraben lagen wie unter dem Vergessen selbst. François bedrückte es, daß sie sich für ein Leben entschieden hatte, das nicht in erster Linie den Lebenden galt, sondern eben der Liebe zu allem Toten.

»François«, murmelte sie und küßte seine Finger, »dein Maulwurf verspricht dir, sich um dich zu kümmern, zumindest dieses Wochenende. Ich werde dich mit einem kleinen Pinsel kitzeln wie einen romanischen Stein und harte Spatenstiche vermeiden.«

Er beugte sich zur Seite und versuchte sie zu küssen, wobei er den Blick von der Autobahn abwandte.

»He, Vorsicht!« schrie sie.

Brummend fand er auf seinen Platz zurück.

Jeanne lachte und schaute in die Landschaft. Sie hatten gerade die Gegend von Caen erreicht. »Also, François, was hast du dir für dieses Wochenende einfallen lassen?«

»Ich habe mir nichts einfallen lassen«, erklärte er trocken. »Ich mag es nicht, Marianne anzulügen. Ich habe ihr gesagt, daß ich eine künftige Ausgrabung besichtigen fahre, ein heikler, komplizierter Fall, und daß ich den vom Denkmalschutzamt abgestellten Verwalter treffen muß. Ob du dabei bist oder nicht, jedenfalls habe ich die Wahrheit gesagt!«

Jeanne nahm ihre kleine Brille ab und knabberte mit mißtrauischem Blick an einem der Bügel. »Denkmalschutz… Was erzählst du da?«

Soeben ließ François Caen und die Autobahn rechts liegen und nahm eine Landstraße Richtung Saint-Lô, bevor er auch an diesem Städtchen vorbeifuhr und den Wagen weiter Richtung Südwesten steuerte.

»Also nicht die Normandie«, schloß Jeanne. »Bretagne? Denkmalschutz … Saint-Malo?«

François strahlte sie mit seinem schönsten Lächeln an. »Eine Überraschung bleibt eine Überraschung! Ich sage dir nichts, bevor wir nicht da sind!«

»Na gut, wenn es so ist, dann schlafe ich eben. Der urlaubsreife Grubenarbeiter ruht sich aus, um nachher fit zu sein.«

»Ich beeile mich!«

Sie kuschelte sich in ihren Sitz, schloß die Augen und fragte sich, wohin sie wohl unterwegs waren. Ein bißchen ärgerte sie sich schon, daß François schon wieder Arbeit und Vergnügen miteinander verband, aber sie wußte ja, daß er sich irgendwie mit seinen Schuldgefühlen gegenüber Marianne arrangieren mußte, damit sie sich weiterhin sehen konnten. Plötzlich fühlte sie sich sehr müde. Vielleicht hätte sie doch Urlaub nehmen sollen, richtig Ferien machen – sie hatte noch so viele Urlaubstage übrig. Aber ihre Freunde hatten sich nicht freinehmen können, und allein hatte sie nicht wegfahren wollen. Und dann war da dieses Grab, von dem sie einfach sicher war, daß es existierte, auch wenn ihre Nachforschungen noch nichts ergeben hatten. Und wenn sie sich getäuscht hatte und es anderswo lag? Nein, wirklich, sie grübelte ja schon wieder über die Arbeit! Nein, nicht dieses Wochenende! Sie war bei *ihm* und nicht in ihrem Graben. Sie legte François die Hand auf den Oberschenkel und döste ein.

François umgab eine Aura von Intelligenz und Zärtlichkeit, die sie sogleich fasziniert hatte, als sie sich vor zwei Jahren in einem schlammigen Loch in Cluny zum erstenmal begegnet waren. Er hatte an den besten Elitehochschulen Frankreichs Geschichte und Verwaltung studiert und war inzwischen Stellvertretender Direktor der Abteilung für Archäologie im Kulturministerium.

In Begleitung seines Stabes von Mitarbeitern war er nach Cluny gekommen, um eine neue Ausgrabungsstätte zu begutachten, die sein Amt in Auftrag gegeben hatte und finanzierte. Eigentlich war das nicht seine Aufgabe. Seine Aufgabe, die gewisse Begehrlichkeiten hervorrief und ihn häufig unter Druck setzte, war es, in einem Pariser Büro zu hocken und im Namen des Ministers zu beschließen, welche Ausgrabungen von nationalem Interesse waren und genehmigt oder abgelehnt wurden. Doch er mochte solche Ausflüge auf das Terrain der alten Steine, und er setzte viel auf das Gespräch mit den Leuten vor Ort.

An jenem Tag war er allein durch die traurigen Reste des burgundischen Klosters gestrichen. Paul, der Leiter der Ausgrabung, war nicht dagewesen, und so war Jeanne mit ihren Kollegen aus der Grube geklettert, um den hochrangigen Staatsvertreter zu empfangen. Sie erinnerte sich, wie sehr er sie sofort beeindruckt hatte: mit seiner hochgewachsenen Gestalt, seinem tadellos sitzenden Anzug und seiner hochoffiziellen Funktion. Sie hatte sich wegen ihrer verdreckten Kleider geschämt, und schüchtern hatte sie ihm gegenübergestanden, eher wie ein U-Bahn-Arbeiter als wie die Spezialistin für mittelalterliche Archäologie, die sie war. Er aber hatte ihr seine feste und zugleich feingliedrige Hand hingehalten und sie mit dem Blick seiner Bernsteinaugen offen und interessiert angeschaut. Da hatte sie sich entspannt, und während sie ihm durch die Ausgrabung führte, hatten sie lange über ihre ungeheuere Leidenschaft gesprochen, über das Salz ihres Lebens: die romanische Kunst, die ihn ebenfalls begeisterte. Trotzdem hatte François fast ein Jahr gebraucht, um Jeanne zu erobern. Doch der Grund für den langen Widerstand hatte weniger bei der jungen Frau gelegen, die sofort von ihm eingenommen gewesen war, als bei ihm selbst: Trotz seines Charmes war er kein Verführer, noch weniger ein Schürzenjäger, und er hatte panische Angst empfunden bei dem Gedanken, seine Ehe aufs Spiel zu setzen. Der Grund dafür war keine falsche Moral gewesen, sondern eine tiefe, aufrichtige Liebe zu seiner Frau, der er schlicht kein Leid zufügen wollte.

Diese Anhänglichkeit hatte Jeanne keineswegs entmutigt, sondern sie im Gegenteil beruhigt: Sie hatte gerade ein stürmisches Abenteuer mit einem anderen Archäologen hinter sich, und in ihrer nächsten Beziehung wollte sie vor allem Ruhe und Frieden. Wenn der Preis für eine harmonische Liebe, die sich nicht auf den Sinn ihres Lebens – also ihre Arbeit – niederschlug, der war, daß sie diesen Mann mit einer anderen Frau teilen mußte, dann würde sie diesen Preis eben bezahlen.

Inzwischen hatte sie François mit ebensoviel Geduld wie Taktgefühl davon überzeugen können, daß sie trotz der Gefühle, die sie für ihn empfand, niemals seine Ehe gefährden würde: Seit zehn Monaten waren sie ein Paar, trafen sich in allergrößter Heimlichkeit. Gelassen nahm Jeanne die Gesetze des Dreiecksverhältnisses hin, und da ihre Beziehung zu François auf so unregelmäßige Treffen begrenzt blieb, konnte sie sich weiterhin auf ihre Ausgrabungen konzentrieren, und das war ihr am wichtigsten.

Als sie die Augen wieder öffnete, fiel ihr Blick auf ein Schild, und sie wurde sofort blaß. Hastig setzte sie ihre Brille auf, um sich zu vergewissern: Doch, es stimmte, sie hatte nicht geträumt.

»Ah, da bist du ja wieder!« rief François. »Wir sind fast da. Hast du gut geschlafen?«

Jeanne blieb stumm. Obwohl sie ganz bleich geworden war, bemühte sie sich, ihre Verstörtheit, ja, ihre Panik zu überspielen.

»Na, hat dein Schläfchen dir die Sprache verschlagen?« fragte er. »Du hast ja die Schilder gesehen – jetzt weißt du, wohin wir fahren.«

Jeanne wußte es nur allzu gut. Ihre Finger lagen verkrampft auf ihren Beinen, sie starrte auf einen eingebildeten Fleck auf der Windschutzscheibe und war unfähig, einen Ton von sich zu geben.

»Geht's dir nicht gut?« Beunruhigt schaute François sie an. »Ist dir schlecht? Du bist ja ganz bleich im Gesicht! Aber… sag doch was!«

»Ich… es geht schon«, brachte sie mühsam hervor. »Mir ist ein… ein bißchen übel von der ganzen Reise wahrscheinlich. Erst der Zug von Mâcon aus, dann die Autofahrt. Ich hätte nicht schlafen sollen. Mir ist ganz dusselig…«

François öffnete das Handschuhfach und hielt Jeanne ein paar Erfrischungstücher hin. »Hier, mein Herz, tupf dir das Gesicht ab, dann wird dir besser. Zum Glück sind wir gleich da, und am Ziel erwartet uns ein schnuckeliges Hotelzimmer… Oh, schau doch, schau!« rief er voller Begeisterung.

Hinter einer Kurve zeichnete sich im Dunst der Dämmerung eine unglaubliche Silhouette über einem Feld voller lila Blumen ab. Das Auto fuhr ein paar Kilometer an der Umfriedung entlang, und der steinerne Kegel kam näher. François war stumm vor Staunen, Jeanne vor Schreck.

Plötzlich wich die Erde vom Fuß des riesenhaften Totems, machte dem tosenden Wasser Platz, und wenig später rollte das Auto über den Damm.

»›Ein Feenschloß mitten im Meer‹«, deklamierte François. »›Grauer Schattenriß vor dem vernebelten Himmel… Die Unendlichkeit des Sandes leuchtete rot im Sonnenuntergang, die ganze riesenhafte Bucht war rot; nur die steil aufragende Abtei, die da draußen emporwuchs, so fern von der Erde wie ein Zauberschloß, verblüffend wie ein Traumpalast, unwahrscheinlich fremd und schön, blieb beinahe schwarz im Purpur des dahinsterbenden Tageslichts!‹ Natürlich Maupassant! – Heute ist Tagundnachtgleiche, und so darf ich dir den *Mons Sancti Michaelis de Periculo Maris* bei Flut vorstellen – den ›Mont-Saint-Michel zum Trutz des Meeres‹!«

Eine halbe Stunde später saß Jeanne auf dem Rand eines Doppelbetts. François kniete vor ihr, hielt ihre Hüften umschlungen und knabberte an ihrem Hals. Sie sank auf den Rücken, er knöpfte ihr die Bluse auf und griff an ihre Brüste. Sie legte ihre Hände sanft auf seinen Oberkörper, auf diese Haut, die sie so verstörte – eine braune, dunkle, haarlose Fläche, makellos. Eine irgendwie einladende Haut, leicht glänzend und seidig, wie unter einem Schwarm von Liebkosungen poliert.

Das Weiß der Zimmerdecke war so kalt, so glatt. Aber nach und nach glitten Bilder darüber hinweg. Sie schaute François an, um sie nicht sehen zu müssen, verkrampfte die Finger in seinen Haaren, saugte sich an seinen Lippen fest und atmete an seinen Schultern – sie liebte den Duft seines Schweißes… Zucker, Wärme… Sie legte ihr Gesicht in François' Halsbeuge und zitterte wie eine Katze. Sein Körper war breit und groß, auf angenehme Weise füllig, aber zugleich fest, weich und kuschelig. Ihr eigener Körper reagierte auf dieses wohlbekannte und unwiderstehliche Gefühl und rief sie. Ihr Blick aber starrte hoch zur weißen Decke, wo eine menschliche Gestalt tanzte, eine dunkle Figur mit verschwommenen Konturen.

Sie schloß die Augen, als er in sie eindrang. Er sagte etwas, aber sie hörte ihn nicht. Dafür waren da andere Worte, und ein Satz grub schmerzende Furchen in ihre Stirn, ihren Nacken, ihren Hals, vermengte das Jubilieren ihres Körpers mit dem Leid ihres Denkens. Dunkle Steine erschienen auf der Decke, eine Treppe führte hinauf ins Nichts. Ihr Blick erklomm die Stufen und traf auf eine schwarze Gestalt, die sich langsam umdrehte…

Sein eigener Schrei ließ François wieder zur Besinnung kommen. Den Blick noch immer verschwommen, spürte sie, daß er noch in ihr war. Schließlich löste er sich von ihr.

»Jeanne…« François kam langsam wieder zu Atem. »Jeanne«, wiederholte er und drückte sie an sich, »war es in Ordnung für dich? Ich hatte das Gefühl, du warst so weit weg. War es nicht gut?«

»Doch, doch, mein François.« Sie schmiegte sich an ihn. »Das hast du dir nur eingebildet. Ich schwör' es dir, es ist alles bestens. Laß mich nicht los, halt mich fest…«

Er gehorchte ihr mit grenzenloser Zärtlichkeit, glücklich, mit ihr zusammenzusein. Er erinnerte sich an ihre erste Begegnung, als er sie zum erstenmal gesehen hatte, in ihren schmutzstarrenden Stiefeln, den ausgewaschenen Jeans im gleichen Himmelblau wie ihre Augen hinter der kleinen Brille, mit dem stolzen Kinn, der hohen, vom Schlamm verschmierten Stirn, den lustigen Sommersprossen auf der Nase, den langen braunen Haaren, die sie zu einem Pferdeschwanz zusammengebunden hatte, und der Baseballmütze darüber. Der Beruf des Archäologen war hart, elitär und ein Stück weit frauenfeindlich, man traf dort also nur wenige Frauen, und – hatte er sich gesagt – so schöne wie sie eigentlich überhaupt nicht.

Die Überraschung hatte sich in heftige Zuneigung gewandelt, als Jeanne mit blitzenden Augen von der romanischen Kunst zu sprechen begann. Mit achtundzwanzig hatte sie ihre Doktorarbeit über Cluny III in der Tasche gehabt und die Aufnahmeprüfung in die nationale Forschungsgesellschaft im selben Aufwasch bestanden. Dieses dreiunddreißigjährige Mädchen, das so fasziniert erzählte, wie Tonnengewölbe und Rundbogen aufgekommen waren, hatte etwas ganz Außergewöhnliches. Diese junge Frau strahlte eine machtvolle Leidenschaft für ihre Kunst aus, die ihn auf Anhieb für sie eingenommen hatte. Dann hatte er Angst bekommen, panische Angst davor, daß er sich in sie verlieben könnte, und vor den verheerenden Folgen für seine Familie, die ihm Halt im Leben gab, die sein Sinnstifter war, seine einzige Energiequelle. Er hatte gegen seine Gefühle angekämpft, gleichermaßen um sich selbst zu retten wie um Marianne zu schützen. Aber Jeanne war stärker gewesen. Jedesmal, wenn sie sich getroffen hatten, hatte ihn ungeheures Verlangen gepackt – nie zuvor hatte er das verspürt, auch nicht für seine Frau –, eine solche Lust nach dem sinnlichen wie nach dem geistigen Genuß, daß er zu guter Letzt die Waffen gestreckt hatte. Er litt unter den Gesetzen des Dreiecksverhältnisses, aber da seine Beziehung zu Jeanne heimlich blieb, konnte er seine Familie aus der Sache heraushalten, und das war ihm am wichtigsten.

Sie verließen das Hotel, und François zog seine Begleiterin auf einen frühabendlichen Spaziergang um die Befestigungsmauern aus dem hundertjährigen Krieg. Sie fühlte sich dabei wie ein Ritter auf dem Wachrundgang. Sie hatte ihre enge Hose und die weich fallende Bluse gegen ein kurzes Seidenkleid getauscht und trug rote Ballerinas, aber obwohl das Kleid leicht und luftig war, spürte sie eine Beklemmung wie von einer eisernen Rüstung.

»Du siehst wunderbar aus«, flüsterte er ihr zu. »Genauso zauberhaft wie dieser Ort hier… Übrigens, ich habe dir gar keine Gelegenheit dazu gegeben, mir zu sagen, was du von meiner Überraschung hältst: Ich denke mal, du dürftest den Berg in- und auswendig kennen, aber diesmal werden wir ihm gemeinsam erliegen.«

Jeanne zwang sich, tief durchzuatmen, bevor sie antwortete. »Ich… ich werde dich jetzt wohl auch überraschen, aber ehrlich gesagt habe ich mich in der kurzen Zeit sehr auf Cluny und Vézelay spezialisiert, und da das Kloster auf dem Mont-Saint-Michel in keinster Weise von Cluny abhängig war, kenne ich mich hier alles andere als wirklich gut aus.«

François blickte zuerst verwundert drein, dann strahlte er. »Das ist ja unglaublich! Du hast dich nie mit dem Berg befaßt! Wunderbar – dann kann ich dich in seine Mythologie einweihen! Sie fasziniert mich seit meiner Kindheit, und ich kann endlos davon erzählen.«

In tiefer Niedergeschlagenheit beobachtete Jeanne die grauen Wellen, die an den Stützpfeilern des Damms nagten, die Parkplätze überfluteten, an den Wachtürmen leckten.

»Die Bucht zum Beispiel: Die Gezeiten kamen hier früher in einem unglaublichen Tempo! Einen Meter pro Sekunde, bei fünfzehn Meter Tidenhub! Ich sage ›früher‹, weil das hier im Jahr 1000 eine vom Festland abgeschnittene Insel war, ohne Damm und ohne Polder, die das Land teilweise haben versanden lassen. Zum Glück soll das alles wieder rückgängig gemacht werden, und auch diese lächerliche Landzunge soll weg, die den Felsen mit dem Festland verbindet. Wenn das geschehen ist, muß man hier demnächst wieder zu Fuß gehen, so wie die Pilger damals. Dann ist Schluß mit diesen verdammten Autos hier! Seine Motorkutsche muß man dann drüben stehen lassen, am anderen Ufer, und dann nimmt man die Fähre oder geht wie damals über einen Steg auf Pfählen!«

Jeanne blieb stumm. François nahm dieses Schweigen als den Mißmut der Gelehrten auf.

»Du hast ja recht, Liebling, ich bin ein schlechter Führer – ich fange mit dem Ende an! Dabei muß man mit dem Anfang beginnen. Und um das zu tun, muß man hinaufsteigen, die Stufen hoch, um in der Zeit zurückzugehen. Komm!«

Aufgeregt nahm er sie bei der Hand und zog sie über die gepflasterten Straßen und die engen Treppen, die durchs Dorf führten. Auf beiden Seiten hingen an den zahllosen Touristenlädchen mehr oder weniger geglückte Imitationen der gußeisernen Ladenschilder von einst. Die Wohnhäuser im Dorf waren herrlich restauriert, stellten ihr Fachwerk zur Schau und trugen so klangvolle Namen wie »Haus Artischocke«, »Logis Tiphaine«, »Du Guesclin« oder »Zur rennenden Sau«.

Während sie die Steintreppen emporstiegen, kamen sie auch immer wieder an Gärtchen vorbei und an über hundertjährigen Bäumen, bis sie schließlich oben anlangten: Imposant und majestätisch reckte sich die vergoldete Turmspitze in den Himmel, und die Abtei ließ beide den Kopf in den Nacken legen und die Münder aufsperren.

»Hier!« erklärte François, noch immer atemlos. »Hier hat vor dreizehnhundert Jahren alles angefangen! Laß uns noch nicht hineingehen, einverstanden? Lieber erst nachher, nach dem Abendessen. Jetzt komm erst mal mit!«

Auf wieder anderen Stufen stiegen sie noch weiter hinauf und gelangten auf den Vorplatz der Klosterkirche, außer Atem und mit weichen Knien. Das herrliche Panorama mit seinem zartromantischen Ambiente zog zahlreiche Besucher an, vor allem Paare.

Das Wasser umspülte inzwischen den Fuß des Berges, den der unselige Damm mit dem Rest der Welt verband. Die Fluten berührten den Himmel, dessen Blau immer mehr verblaßte und über den rosa Streifen hinwegzogen. Jeanne setzte sich auf die Brüstung, tief berührt vom Anblick der roten Scheibe der ersterbenden Sonne. François räusperte sich und legte ihr die Hände auf die Schultern, während sich sein Blick über dem Meer verlor.

»Inmitten einer Wüste aus Sand und Wasser, umwabert von Nebeln, so daß Legenden dort besonders gut gediehen, lag einst ein granitener Felsen namens Mont Tombe, der Grabberg. Als steinerne Statue, die zum Himmel aufragte, war der Berg den Kräften der Natur ausgeliefert, seit im 8. Jahrhundert der umliegende Wald von Scissy, der sich bis Brocéliande hinzog, in einem höllischen Sturm vernichtet worden war. Seitdem folgte das Meer mit seinen Fluten zweimal am Tag dem Ruf der Sonne und des Mondes, erhob sich und umspülte den Felsen mit seiner schäumenden Wut, so daß er vom Rest der Welt abgeschnitten wurde.«

Jeanne lächelte und schien sich zu entspannen. François war nicht nur ein kundiger Historiker, sondern er wußte auch, wie er sie mit seinen Erzählungen zum Träumen bringen konnte.

»Am äußersten Rand der Wolken am Himmel und der irdischen Ufer«, fuhr er fort, »zwischen dem Hier und dem Jenseits, war diese seltsame ›Toteninsel‹ zum Wohnort eines göttlichen Erzengels geworden, der nach Christus der oberste Fürst in Gottes Reich ist und der die Seelen in die andere Welt geleitet: Der heilige Michael war Aubert, dem Bischof von Avranches, im Traum erschienen, damit der ihm auf dem Mont Tombe eine Andachtsstätte errichtete. Dreimal hatte der Prälat den Erzengel im Traum gesehen, und bei der dritten Erscheinung entschloß er sich, den Befehl von Gottes Herold zu befolgen.«

»Wann war das?« fragte Jeanne, die François an den Lippen hing.

»Immer noch im 8. Jahrhundert, meine Liebe. Am 16. Oktober 709 segnete Aubert das Oratorium, das dem heiligen Michael geweiht war – ein Gotteshaus, das direkt auf dem Felsen aus den Steinen des Berges errichtet wurde. Trotz der zahlreichen Gefahren, denen sie sich aussetzten – der Treibsand, die Gezeiten, Unwetter und Wegelagerer –, kamen von da an die Pilger zur Andachtsstätte, in der zwölf bretonische Kanoniker von den Almosen der Christen lebten, von den Fischen, die das Meer auf die Ufer spülte, vom Ertrag der Erde und einer wunderbaren Quelle, die der heilige Michael aus dem Felsen hatte entspringen lassen: dem Saint-Aubert-Brunnen. Den gibt es immer noch – sieh nur dort unten!«

Jeanne wagte einen Blick in die Tiefe, aber die Höhenangst packte sie, so daß sie lieber in die Ferne schaute.

François drückte ihr einen Kuß ins Haar und fuhr fort: »Im 11. Jahrhundert trat der König von Frankreich den Mont-Saint-Michel an die Bretonen ab. Aber der bretonische Frieden dauerte nicht lange an, denn die Horden der barbarischen Wikinger kamen auf ihren seltsamen Drachenbooten aus dem Norden, und der König von Frankreich mußte einem skandinavischen Piraten namens Rollo ein Gebiet abtreten, das später ...«

»... die Normandie wurde!« rief Jeanne.

»Ja. Du weißt, wie es weiterging: Im Jahr 933 traten die Wikinger oder Normannen mit ihren Horden den Bretonen entgegen und schlugen sie in einer gewaltigen Schlacht. Der König von Frankreich mußte die Halbinsel Cotentin an Wilhelm Langschwert abtreten, Rollos Sohn, und so wurde der Mont-Saint-Michel normannisch, sehr zum Unwillen der Bretonen! Die Grenze zwischen den beiden Nachbargebieten, die fortan Feinde waren – und zwar für viele Jahrhunderte –, liegt hier vor deinen Augen – jedenfalls bei Ebbe: Es ist der Fluß Couesnon, der zu Füßen dieses berühmten Felsens fließt und noch heute die Grenzlinie zwischen Bretagne und Normandie darstellt. Doch die barbarischen, blutrünstigen Piraten bekehrten sich schließlich zum Christentum und entwickelten sich allmählich zu den normannischen Feudalherren, und diese Fürsten bedachten den Klerus vom Mont-Saint-Michel mit großzügigen Gaben in Form von Geldspenden, von Ländereien und Lehndörfern.«

»Dabei waren die Kanoniker, die seit dem 8. Jahrhundert auf dem Mont lebten, doch Bretonen, oder?« fragte Jeanne.

»Richtig. Und der normannische Herzog Richard I., der nicht ohne Grund den Beinamen ›Ohnefurcht‹ trug, hegte auch bald schon seine Zweifel an der Loyalität der bretonischen Kanoniker, die in ihren eher ›lockeren‹ Sitten, so die normannischen Legenden, lieber das Abendmahl mit den Dorfbewohnern teilten, als dem heiligen Michael ihre Ehrerbietung zu erweisen.

Mit der Zustimmung des Papstes verjagte Richard deshalb im Jahre 966 die Kanoniker gewaltsam vom Mont-Saint-Michel und überließ die heilige Stätte zwölf Benediktinermönchen aus normannischen Klöstern. Und so begann die goldene Legende des Mont-Saint-Michel, die die Benediktiner über die Jahrhunderte ausgestaltet haben. Ohne Unterlaß mehrten sie das Ansehen dieses Ortes, indem sie diese riesige Abtei erbauten, die reichste in der Gegend, ein Ort der Verehrung und der Wallfahrt, einst einer der bedeutendsten im ganzen westlichen Christentum!«

Bei diesen Worten konnte Jeanne in ihrem Trägerkleid, obwohl ihr die Haare bis auf die Schultern herabfielen, einen Schauer nicht unterdrücken.

»Du zitterst ja!« François war beunruhigt. »Etwa, weil ich von den Benediktinern spreche und dabei weder deinen lieben Hugo von Semur noch Cluny erwähne?«

Jeanne wandte in einer abweisenden Geste das Gesicht von ihm ab, und ihr Blick verlor sich in der hereinbrechenden Dunkelheit.

»Oh, entschuldige, ich wollte dich nicht kränken!« flüsterte er. »Nimm das hier!« Er legte ihr seine Jacke um die Schultern. »Dieses Kleidchen ist wirklich süß, aber für die Meeresbrise hier ist es zu leicht! Was hast du? Geht es dir nicht gut?«

»Nicht besonders. Dein Bericht war spannend, aber ich habe

seit heute morgen nichts zwischen die Zähne bekommen. Gleich wird mir übel«, antwortete sie. »Gehen wir essen.«

Ihr Tisch stand auf einer Terrasse fern von der Menge, und von dort aus hatten sie einen herrlichen Blick auf die inzwischen tintenschwarze Bucht. Jeanne ging sich die Hände waschen, kam zurück und sank auf den Stuhl. Sie war sehr blaß.

»Laß uns schnell bestellen«, erklärte François. »Du bist sicher unterzuckert. Kein Wunder, besonders viele Reserven hast du ja nicht gerade!« Er tätschelte ihr den nackten Schenkel.

Kurz darauf saß die junge Frau vor einem Berg Scampi, die auf einer riesigen Platte mit Meeresfrüchten thronten. Sie war vollauf mit dem grünen Fleisch eines Taschenkrebses beschäftigt, während sich François über eine riesige Auster aus dem nahen Cancale hermachte.

»Schenkst du mir bitte noch etwas Wein nach?« bat sie ihn.

»Gern. Sag mal, Jeanne …« Er zögerte. »Wir kennen uns jetzt seit fast zwei Jahren, seit einem Jahr sind wir zusammen, und ich habe dich noch nie in so einem Zustand erlebt. Du bist immer so stark, so energisch, aber auf einmal fehlen dir die Worte, wirst du leichenblaß, bist du … bist du woanders, wenn wir uns lieben. Du kannst nicht mehr richtig laufen, du trinkst mehr als sonst … Bist du nicht glücklich, mich wiederzusehen? Gibt es etwas, was du mir sagen willst? Wenn es das ist, dann …«

Jeanne hörte auf zu kauen, blickte auf und schaute ihm direkt in die Augen. »Es geht nicht um dich«, sagte sie.

»Nicht um mich? Worum denn dann?« François wurde auf einmal rot im Gesicht. »Um deine Arbeit? Oder bist du … bist du etwa einem … anderen begegnet?«

Sie konnte sich ein mitleidiges Lächeln nicht verkneifen, das sie aber hinter ihrem Weißweinglas verbarg. François war tief verstört und erwartete eine Erklärung. Sie fand ihn rührend wie einen ausgesetzten Welpen.

»Ja, ich bin jemandem begegnet – vor sehr langer Zeit, genau hier, und diese Begegnung hat mein Leben völlig verändert.«

François hüstelte – vor Erleichterung ebenso wie vor Verwirrung. »Erzähl es mir«, bat er und griff nach ihrer Hand, die auf der Tischdecke lag.

Jeanne zögerte, dann gab sie dem erwartungsvollen Blick ihres Geliebten nach. »Es ist eine verrückte Geschichte. Ich habe noch nie jemandem davon erzählt«, begann sie. »Aber sei's drum. Ich war sieben Jahre alt – das heißt, ich wurde am 15. August sieben Jahre alt. Meine Eltern und ich waren in den Sommerferien in Agon-Coutainville im Cotentin, wo wir eine zauberhafte Hütte gemietet hatten. Das war mal etwas anderes als die Drôme und der Mistral. Nun, meine Mutter, frömmlerisch wie sie war, erklärte meinem Vater, daß sie am 15. August zur Messe auf den Mont-Saint-Michel wollte. Falls du deinen Katechismus nicht mehr parat haben solltest, das ist das Fest Mariä Himmelfahrt. Und dieser Tag war also auch mein Geburtstag und für meine Eltern und mich zugleich auch ein schmerzlicher Tag, denn es ist auch der Geburtstag von Pierre, meinem Zwillingsbruder, der… der mit drei Monaten an plötzlichem Kindstod gestorben ist! Ja, ich weiß, ich habe dir nie davon erzählt. Aber ich rede eben nie davon, und ich habe natürlich keinerlei Erinnerung an ihn. Also, wir gingen alle drei auf den Mont-Saint-Michel. Wir waren zum erstenmal hier, und wie die anderen Tausenden von Touristen waren wir sehr beeindruckt davon, wie schön es hier ist. Dort oben in der Klosterkirche herrschte trotz der Menschenmenge eine ganz eigene Atmosphäre! Das Hochamt, die kühlen Mauern, der Weihrauch, die allgegenwärtige Vergangenheit, die Inbrunst in den Gesängen der Pilger, die über das Watt gekommen waren… als wäre die Zeit stehengeblieben. Und so hatten wir überhaupt keine Lust, nach Coutainville zurückzufahren.«

»Ja, ja, die Magie der alten Steine!« faßte François zusammen, noch immer erstaunt darüber, daß Jeanne einen Zwillingsbruder gehabt hatte.

»Bestimmt. Nach der Messe zog sich meine Mutter in eine kleine Chorkapelle zurück, um im Gedenken an meinen Bruder zu beten, und mein Vater und ich stiegen hinunter ins Dorf, um für die Nacht ein nicht allzu teures Hotelzimmer zu finden. Ich erinnere mich sogar, daß Papa mir einen riesigen roten Lolli in Form eines heiligen Michael gekauft hat. Wir haben ein Zimmer gefunden…«

Sie schenkte sich etwas Sancerre nach, bevor sie fortfuhr:

»Ich konnte überhaupt nicht einschlafen. Mir war so heiß. Unter der rosa Bettdecke erstickte ich fast. Schließlich dämmerte ich doch in den Schlaf – und da sah ich …«

Jeanne blickte um sich wie ein verängstigtes Tier.

»Da sah ich … einen engen gemauerten Raum voller Seilzüge, wahrscheinlich einen Glockenturm. Ein Mönch stand reglos am Rand der riesigen dunklen Öffnung, dann stürzte er! Plötzlich endete sein Fall – in einem Geräusch von berstenden Knochen. Unten trat ich an den Turm heran. Der Wind pfiff, es war dunkel, aber ich konnte das Klatschen der Wellen hören. Ich stand unterhalb einer Abtei, die aufs Meer hinausging, vielleicht war es der Mont-Saint-Michel, vielleicht auch nicht. Aber was ich weiß, ist, daß da oben, mir gegenüber … die Leiche des unseligen Mönchs hing! Sie schaukelte in der Luft wie eine Marionette. Ich konnte das Gesicht nicht sehen, nur seine Kutte von grobem Wollstoff, mit einem langen Strick zusammengehalten, die gegen den Glockenturm schlug. Ein Gehängter – ja, ein Gehängter! Vor Entsetzen blickte ich zu Boden, und plötzlich war ich woanders, an einem unbekannten Ort, eine Kapelle ohne Licht, mit unverputzten Steinen. Dunkle steinerne Gewölbe.

Eine dicke Kerze brannte auf einem Altar, über dem sich ein Bogen spannte, und darüber waren die Stufen einer endlosen Treppe. Von hinten sah ich einen Mönch, der genauso gekleidet war wie der Erhängte. Er stieg langsam nach oben – und plötzlich drehte er sich zu mir um!«

Jeanne schloß für einen Moment die Augen. François hing an ihren Lippen.

»Da merkte ich plötzlich, daß ihm … daß er keinen Kopf hatte! Da war nur ein leeres schwarzes Loch in der Kapuze seiner Kutte. Er hob die Arme, faltete die Hände zum Gebet, und … und eine tiefe, feierliche, hohl klingende Stimme artikulierte überdeutlich jede Silbe wie in einem Urteilsspruch des letzten Gerichts: *Ad accedendum ad caelum, terram fodere opportet.* Die Steine der Kapelle warfen das Echo dieser seltsamen Worte zurück …«

François verstand die Bedeutung des Satzes, aber er hielt sich zurück. Jeanne seufzte. Es war ein befreiendes Seufzen.

»Am nächsten Morgen regnete es. Die Wassertropfen zeichneten Gitterstäbe auf die Fenster. Die Bucht war düster und verhangen. Ich erzählte nichts von meinem Traum. Papa zahlte, und wir fuhren zurück nach Coutainville. Ich schrieb schnell den Satz auf einen Heftrand, nach dem Gehör, ohne ihn verstanden zu haben – ich kannte diese Sprache nicht, ich dachte, es wäre die Sprache der Traumzauberer. Drei Jahre danach wurde mein Vater versetzt, und wir zogen in die Nähe von Paris. Mama hielt es in der Drôme nicht mehr aus. Vom Mistral bekam sie dauernd Migräne. Ich fand mich also in der 6. Klasse einer noblen Mittelschule in Fontainebleau wieder. Dort lernten wir Latein. Am Klang erkannte ich die Sprache wieder, die der Zauberer in meinem Traum gesprochen hatte, die Sprache des rätselhaften Satzes, die man eine ›tote Sprache‹ nannte. Da hielt ich es nicht mehr aus, und nach der Stunde zeigte ich meinem Lehrer das Heft; ich behauptete, ich hätte diesen lateinischen Ausspruch in einer Messe bei den Mönchen gehört. Er lächelte über meine Schreibfehler, flüsterte dann den Satz vor sich hin, und seine Augen begannen zu leuchten. Er korrigierte meine Patzer und meinte schließlich, das sei ›sehr schön und sehr wahr, eine Lektion fürs Leben‹, und ich sollte weiterhin Latein lernen. *Ad accedendum ad caelum, terram fodere opportet*: ›Um in den Himmel zu gelangen, muß man in der Erde graben.‹«

»Und du bist Archäologin geworden«, flüsterte François.

»Ja«, antwortete sie leise. »Ich weiß, das ist kein Zufall. Ich verbringe mein Leben damit, in der Erde zu graben, aber ich habe den enthaupteten Mönch nie wiedergesehen, und ich bin nie wieder am Mont-Saint-Michel gewesen – bis heute nicht.« Mit Tränen in den Augen und mit ausgetrockneter Kehle leerte sie ihr Glas auf einen Zug.

»So so!« sagte François gerührt. »Wirklich, Jeanne, du erstaunst mich immer wieder. Ich dachte, ich würde dir eine freudige Überraschung bereiten, indem ich dich hierher bringe. Du bist wirklich jemand ganz Außergewöhnliches – und jetzt verstehe ich dich besser. Jeanne, die brillante Mediävistin, Spezialistin der romanischen Kunst, Archäologin, die in der Erde von Cluny gräbt.«

Jeanne fiel ihm gereizt ins Wort. »Na und?«

»Na und? Du läufst einem Kindertraum nach! Deine wunderbare Berufung als Archäologin, deine wilde, nur auf eine Sache konzentrierte Leidenschaft rührt von einem Traum her, mein Liebes, von einem Alptraum aus Kindertagen, der Ausdruck deiner Phantasie ist und wohl vor allem des verdrängten Schuldgefühls gegenüber deinem toten Zwillingsbruder!«

Jeanne wurde stocksteif. Die Zornesröte stieg ihr ins Gesicht, und ihre Stimme war auf einmal schneidend wie eine Rasierklinge. »Spar dir deine Stammtischpsychologie. Ob es dir gefällt oder nicht: Ich habe immer das Gefühl gehabt, daß dieser Traum mir etwas Reales gezeigt hat, etwas so Reales, daß es mir davon noch immer kalt den Rücken hinunterläuft, als wäre ich Zeuge einer längst vergangenen Tragödie gewesen – einer Tragödie, so mächtig, daß sie viel später im Traum eines kleinen Mädchens wieder hochkommen mußte. Aber wer weiß, vielleicht hatten ja über die Jahrhunderte hinweg auch andere Leute schon denselben Traum. Haben die Steine nicht ein Gedächtnis?«

# 2

Durch die Fenster mit ihren Rundbögen wirkt der Himmel wie eine Mönchskutte: schwarz, schwer, undurchdringlich. Von unsichtbaren Kräften getrieben, rücken Wind und Wellen wie schneidende Peitschen dem Berg zu Leibe, brechen sich unten, aber ganz oben verstärkt das Echo ihres Ansturms noch das machtvolle Wehen, das auf die Kirche einstürzt.

»*Michael archangele… gloriam predicamus in terris…*«

Von einer Reihe nachtschwarzer Mönche steigt das gesungene Leuchten empor, flackernd wie die Flammen der Kerzen, die auf dem Altar brennen.

»*Eius precibus adiuvemur in caelis…*«

Taub gegenüber den Sturmböen, die durch die Öffnungen in der Mauer eindringen, antwortet eine zweite Reihe von Benediktinern, die parallel zur ersten steht, in harmonischem Wechselgesang.

Zwei lange Stunden hält sich das schwarze Heer inmitten der Dunkelheit aufrecht, wacht vor dem Altar, singt Psalmen, stellt dem Toben der irdischen Elemente die Macht des Wortes entgegen, einen Schild des Gebets, der mit der himmlischen Welt der Engel verbunden ist.

Die Ansprache des Priesters, der diese Woche die Messe liest, beschließt das Stundengebet der Vigil. In Zweierreihen verneigen sich die Mönche vor einem kleinen blauäugigen Greis, der jeden seiner Söhne segnet, bevor sie die Abteikirche in einer langsamen geordneten Bewegung verlassen. Draußen schlagen die Männer stumm die Kapuzen hoch und verschmelzen mit dem plötzlichen Dunkel. Der rasende Sturm stört nicht ihre Prozession, die von einer tanzenden Laterne angeführt wird. Gebäude aus Holz und Stein umgeben die Kirche wie ein Schutzwall in der Form eines Hufeisens.

Die Tempelwächter betreten den Schlafsaal, ein feuchter Raum, der mit Stoffbahnen in einzelne Zellen unterteilt ist. Jeder Diener des Erzengels tritt an sein Lager, eine Strohmatte, ein mit Heu gestopftes Kissen und eine dünne Decke, die auch sein Leichentuch sein wird, wenn einst seine Stunde gekommen ist.

Die Mönche legen zuerst das Messer ab, dann die wachsüberzogene Schreibtafel und den Griffel, die an ihrer Taille hängen, und anschließend ziehen sie das schwarze Skapulier mit der Kapuze aus und legen sich im Unterkleid hin.

In dieser frühen Herbstnacht ist es nicht sehr kalt, noch nicht. Doch in diesem entlegenen Winkel des Herzogtums Normandie ist es nicht der Schnee – der ist eher selten –, nicht die Kälte – an sie gewöhnt man sich –, sondern vielmehr das Meer, das die Männer fürchten, das erbarmungslose Meer, das den Berg von der Welt der Lebenden trennt und sich mit dem Schnauben des Luzifers verbündet, damit die Schiffe zerbersten oder sich in den undurchdringlichen Nebeln verirren, um die Pilger mit seinen Armen zu packen, sie zu ertränken oder fortzureißen. Das Meer, dessen brackige Ausdünstungen sowohl den Geistlichen wie den Laien das Herz zernagen und sie anfällig machen für die schlimmste aller Todsünden: *acedia*, die Trägheit, die Hoffnungslosigkeit.

Während die meisten Brüder in den Schlaf sinken, den die Vigil unterbrochen hat, bleibt einer von ihnen wach: In der Mitte des Schlafsaals zündet der *significator horarum*, der Bewacher der vergehenden Zeit, die dritte Kerze dieser Nacht an, die letzte. Wenn sie heruntergebrannt ist, ist das Dunkel gegangen, und die Dorfbewohner, die Bauern und die Herren werden erneut erwachen und wieder ihren Platz in der Weltordnung einnehmen.

Die letzte Kerze brennt und sendet ihren Schein in das Schweigen der Menschen und den Zorn der Natur. Als sie halb niedergebrannt ist, tritt der Herr der Stunden zu einer Glocke in einer Ecke und läutet. Da erhebt sich das Heer, legt die Kukullen um und schreitet erneut zur Kirche. Wieder formieren sich die Reihen, und unversehens beginnt der Gesang der Laudes und übertönt das Klagen des Windes. Je länger die Psalmen und Wechselgesänge erklingen, desto mehr zerschmilzt der Himmel und verliert von seinem trüben Schwarz. Ein leichter Schleier verfärbt ihn grau, so langsam und allmählich, wie die Flamme auf dem Altar am Leib der Kerze knabbert. Die dicken Mauern, massive Quader mit Fugen aus Kalk und dem Sand der Dünen, heben sich von der Dunkelheit ab, und die beiden Reihen schwarzer Mönche wiederum von den Mauern.

Die Zeremonie der Laudes nimmt ihren Gang. Der Morgen graut, düster, noch ohne Sonne, doch der Kampf zwischen den beiden Mächten ist zu Ende, der Auftrag der Brüder erfüllt. Die Welt dort unten schlummert noch, aber am Rand von Himmel und Erde haben sie über die Seelen der Schlafenden gewacht, die verloren gewesen wären während der zwölf Stunden der Nacht, solange die Dämonen tobten. Die Mönche kehren ins Dormitorium zurück und schlafen noch einmal bis zur ersten Stunde, der Stunde, in der sich die Sonne siegreich erhebt, und alle, Laien und Geistliche, stehen auf, um nach dem Maß des göttlichen Lichts zu leben.

In den strohgedeckten Hütten klettern die Dorfbewohner nackt aus dem einzigen Familienbett, und jeder bekreuzigt sich dreimal, bevor er ein Gebet spricht. Während oben die Mönche ihre Skapuliere überziehen und Messer und Schreibwerkzeug am Cingulum befestigen, schlüpfen die Bauern in Hemd und Hose, Wams, Schuhe, Kappe, in die übrige Kleidung, und schließen ihre Gürtelschnalle. Dann waschen sich alle Hände und Gesichter. Unten schwatzt man und tut sich an Speck, Suppe, Brot mit Knoblauch, Senf und normannischem Wein gütlich, während die Mönche stumm wieder in die Kirche gehen, um die Prim zu zelebrieren, auf die die Morgenmesse folgt. Sie brechen das Fasten erst am Mittag, zur sechsten Stunde, wenn die Sonne hoch am Himmel steht.

Nach der Morgenmesse stülpt einer der Geistlichen die schwarze Kapuze über seine filigranen Züge. Eilig durchschreitet der Neunundzwanzigjährige das Klostertor, dann eine Lücke in jenem Bretterzaun, den Richard I. bei der Ankunft der Benediktiner hat errichten lassen. Seine braunen Brauen zusammengezogen und die Stirn in Falten gelegt, steigt er mit ausgreifenden Schritten ins Dorf hinab, das aus nicht mehr als ein paar Hütten mit Mauern aus Schiefer besteht, mit einem Dach aus Schilfrohr sowie Ölpapier anstelle von Fensterscheiben.

Er schaut hoch zur Sonne, die allmählich die Nebelbänke durchbricht, und legt auf dem schlammigen Pfad noch einen Schritt zu. Einen besorgten Blick aufs Meer gerichtet, erwidert er beiläufig den ergebenen Gruß der Dorfbewohner, die gerade Wasser vom Brunnen holen, die Hühner und Gänse füttern oder ihr steil am Hang gelegenes Gärtchen umgraben, wo sie ihr Gemüse anbauen, vor allem Bohnen, Kohl und Erbsen.

Bruder Roman gelangt endlich an den Strand, wo ihn ein kleines Segelboot und ein Fischer aus der Bucht erwarten. Kaum ist der Mönch an Bord, als sie sich vom günstigen Wind auf die hohe See treiben lassen. Romans Blick verliert sich auf den Wellen, die vom selben Anthrazit sind wie seine Augen. Seine schmalen Lippen, seine Adlernase und seine hohe Stirn verleihen seinem Gesicht trotz seiner Jugend großen Ernst. Seine blasse Haut, die langen feingliedrigen Hände eines Intellektuellen verraten seine aristokratische Herkunft, wie sie überall in den Klöstern keine Seltenheit bei Priestern ist. Zur Stunde der Terz erreicht das Boot Granville und wendet gen Westen.

Roman kniet im Schiffsheck nieder und betet im Stillen, so wie es die Regel des heiligen Benedikt verlangt. Kurz darauf ist Land in Sicht. Land – oder vielmehr eine Anhäufung kleiner Landflecken, vom Sturm niedergedrückt und manche vom wirbelnden Wasser überflutet, so daß sie nur dann existieren, wenn die Flut sinkt und das Wasser in den Prielen steht.

Das Boot legt an der größten Insel an. Roman verabschiedet sich von dem Fischer mit einer kurzen Geste, dann wandert er über die Felsenwüste. Keinerlei Besiedelung. Sandstrände wechseln ab mit steilen Klippen, und überall erheben sich nackte graue Felsen, von einer Riesenhand planlos verstreut wie Kiesel und zerfressen vom salzigen Atem des Himmels. Der Wind bläst stark, und Roman muß seine Kapuze auf der Tonsur festhalten.

Er gelangt auf ein unheimliches Gelände, eine Art römisches Amphitheater. Auf den riesigen Stufen haben Männer Löcher in den Fels gebohrt, in die sie Keile aus frischem Holz treiben. Diese werden mit Wasser aufgeschwemmt, so daß sie anschwellen und den Granit in Blöcke sprengen, die die Steinmetze direkt im Steinbruch behauen.

Jehan, der Meister der Steinmetzgesellen, empfängt Bruder Roman und führt ihn herum. Roman hat die Pergamente bei sich, auf denen Pierre de Nevers, der Mönch aus Cluny und Baumeister der neuen Abteikirche, seine Skizzen aufgezeichnet hat, und so kann er die Qualität des Materials und die Maße der Steinblöcke überprüfen.

Roman war vierzehn, als er dem berühmten burgundischen Mönch zum erstenmal begegnete. Der war damals nach Franken gekommen, um den Bamberger Dom zu erbauen, und als Freund seines Vaters Siegfried von Marburg, einem großen Feudalherrn seiner Region, war Pierre de Nevers auf dem Anwesen der Familie untergebracht. Drei Jahre lang hatte Roman – sein Taufname war Johann – Gelegenheit, den Gelehrten näher kennenzulernen, und er begeisterte sich für dessen Kunst, während er ihn auf die Baustelle begleitete und sich in die Arithmetik einweihen ließ, in die Materiallehre. Er war fasziniert davon, wie die Striche, die Pierre de Nevers aus seinem Kopf zauberte, in die Höhe wuchsen, kaum daß sie auf Papier niedergelegt worden waren. Doch da er der Zweitgeborene ist – der, den man Gott anvertraut –, mußte Johann von Marburg seine Familie verlassen und seinen Ehrgeiz, Baumeister zu werden, aufgeben, um im Benediktinerkloster von Köln ein Noviziat und ein Theologiestudium zu absolvieren. Er war damals siebzehn Jahre alt.

Gleich nach seiner Priesterweihe – er hatte inzwischen den Klosternamen Bruder Roman angenommen – schrieb Pierre de Nevers an Johanns Abt, und in seinem Brief schlug er vor, den jungen Bruder als Gehilfen zu sich zu nehmen und ihn seine eminente Kunst zu lehren. Mit dem Segen des verehrten Paters Romuald, dem Oberhaupt des Ordens, folgte Roman seinem Meister quer durch Europa.

In Jahre 1017 arbeiteten sie gerade auf einer Baustelle in Italien, als der Abt des Mont-Saint-Michel den berühmten Baumeister zu sich rief, um ihm die Planung und den Bau der neuen Abtei zu übertragen. Der Bauherr, umgeben von seinen gelehrtesten Mönchen, überreichte Pierre de Nevers das ehrgeizige Auftragsbuch, und fünf Jahre lang arbeitete dieser daran, die verlangten Formen und Symbole in die Begriffe der Architektur umzusetzen. Als rechte Hand von Pierre de Nevers betrieb Roman in dieser Zeit viele Studien und schloß damit seine Lehrzeit ab. Ihm stand Bruder Bernard zur Seite, ein Mönch in fortgeschrittenem Alter, der in der Abtei Handschriften illuminierte.

Als die Pläne fertig waren, ließ Pierre de Nevers seinen treuen Gehilfen auf dem Berg zurück, damit dieser die Arbeiten beaufsichtigt. Er selbst machte sich auf nach Cluny, wo sein Heimatkloster liegt, um dort endlich den Bau der Kirche Saint-Pierre-le-Vieil zu vollenden, mit dem 955 begonnen wurde und der immer wieder unterbrochen worden ist. Sein enger Freund Abt Odilo hat ihm diesen Auftrag erteilt, an dem er seit sechzehn Jahren arbeitet.

Bevor der eigentliche Bau auf dem Berg begonnen werden kann, der dann mehrere Jahrzehnte in Anspruch nehmen wird, muß Roman alle Voraussetzungen prüfen, allen voran den Granit der Chausey-Inseln. Der Steinmetz ist der wichtigste Handwerker beim Kirchbau, daher muß Roman auf Meister Jehan zählen können. Glücklicherweise ist der ein verläßlicher Mann, und der Ruf der Gilde, an deren Spitze er steht, reicht weit über die Grenzen von Normandie und Bretagne hinaus. Der Meister kann fehlerlos schreiben, lesen, beherrscht auch das Lateinische und versteht also die Anmerkungen auf den Skizzen des Baumeisters. Der Stein ist von hervorragender Stabilität, die Inselgruppe hat im Gegensatz zum Mont-Saint-Michel unerschöpfliche Reserven davon, und die Arbeit, die Meister Jehans Steinmetze an einigen Blöcken vorgenommen haben, entspricht den Wünschen des Pierre de Nevers.

Das größte Hindernis bleibt der Transport der Steine zum Berg. Doch wieder einmal soll das unbeständige Meer den Männern helfen, denn es ist stark wie ein Herkules, nur muß man seine Strömungen berücksichtigen und die Stürme meiden: So werden bei Flut hölzerne Schuten die auf Chausey behauenen Steine zum Berg des Erzengels bringen.

Während Bruder Roman und Meister Jehan noch die Einzelheiten regeln, zeigt die hochstehende Sonne bereits die sechste Stunde an. Die Gesellen legen ihr Werkzeug ab und holen Messer und Laibe schwarzen Brotes, Eier, Speck, Käse und Weinflaschen aus ihren Taschen.

Getreu der benediktinischen Regel, die es einem Mönch verbietet, außerhalb des Klosters zu essen, wenn er nur für einen Tag unterwegs ist, fastet Bruder Roman weiter. Er verläßt Meister Jehan und seine Steinmetze und kehrt zu dem Fischer zurück, der ihn in freundlichere Gefilde bringen wird, genau auf dem Weg, dem auch die Steine folgen werden. Zur Stunde der Non gelangen sie in den kleinen Hafen von Genêts, wo sich das stehende Wasser in gewundene nasse Pfade verzweigt. Ganz in der Nähe erhebt sich zwischen dem Mont Dol und Tombelaine die Silhouette des heiligen Bergs, mit seinem kuppelförmigen Gipfel, den beinahe glatten Abhängen, ganz wie der Berg Ararat, auf dem die Arche Noah auf Grund gelaufen ist.

Bald wird dort oben eine neue Arche das Licht der Welt erblicken, und die Pilger werden in wogender Inbrunst herbeiströmen, um dort Rettung zu finden, träumt Bruder Roman. Der ehrerbietige Gruß macht ihn auf einen wandernden Freibauer aufmerksam, der ein Pferd am Zügel führt.

»Mein Herr«, sagt der Bauer in der Volkssprache, »Euer Reittier!«

Im Jahr 966 hat Herzog Richard I. den Benediktinern nicht nur den Berg und die umliegenden Ländereien gestiftet: Auch über die Bewohner dieses Landstrichs hat der Abt seitdem die geistige und weltliche Autorität inne. Die Vasallen beklagen sich kaum über ihren klerikalen Lehnsherrn, der ihnen erlaubt, fruchtbares Land zu bebauen, Schafe und Schweine zu züchten und damit nicht nur für das Wohlergehen der Abtei, sondern auch für ihren eigenen Unterhalt zu sorgen.

Bruder Roman nickt dem Bauern zu und steigt auf das Pferd, um sodann in Richtung Wald zu galoppieren. Er ist ein hervorragender Reiter und überquert eilig eine Lichtung, auf der Schweine heißhungrig Eicheln und Bucheckern verschlingen.

Jedesmal, wenn er durch diese Wälder reitet, erinnert er sich an die fränkischen Wälder, in denen er mit seinem Vater auf die Pirsch ging oder wo er mit ihm auf der Beize war, mit Falke oder dem Sperber, der den Herren vorbehalten ist. Er erinnert sich an Otto, den Falken, den er aufgezogen und dressiert hat und den er, nicht ohne Rührung, seinem älteren Bruder geschenkt hat, als er ins Kloster eintrat. Mönche gehen nicht auf die Jagd, allenfalls auf die Jagd nach Dämonen. Doch wenn er an sein vergangenes Leben denkt, empfindet er keinerlei Sehnsucht, keine Reue. Seine wahre Inbrunst wächst von Tag zu Tag, seit er für die Entfaltung seines Glaubens den entsprechenden Freiraum gefunden hat: die Architektur.

Über Romans Antlitz huscht ein Lächeln, als er Meister Roger gewahrt, den Zimmermann der künftigen Abteikirche. Dieser kräftige, lebenslustige Mittvierziger mit den langen Haaren und der von der frischen Luft gegerbten Haut, der kräftige Muskeln hat und dennoch nicht ohne Witz und Gelehrtheit ist, ruft bei dem jungen Mönch stets ein Gefühl echter Freundschaft hervor. Tatsächlich hat Meister Roger einen höchst erstaunlichen Zug: Er hat die gleichen Augen wie Heinrich, Romans älterer Bruder, dieser Prinz mit dem eleganten und doch männlichen Auftreten – riesige Augen in einem sehr ausgefallenen Grau, ein helles Grau mit grünlichen Sprenkeln, von denen man schwören könnte, ein großer Maler hätte sie geschaffen. Wenn er Meister Roger in die Augen schaut, meint Roman für einen winzigen Moment, er würde seinen Bruder anschauen. Aber dann besinnt er sich des dichten blonden Barts des Zimmermanns, seiner breiten Schultern, seiner kräftigen Stimme, und er erfreut sich selbst mit dem Gedanken, Heinrich würde ihm einen Streich spielen und gleich in seinem Rittergewand aus dem Wald treten.

Es ist den Mönchen verboten, ihrer Familie zu schreiben oder persönliche Briefe zu erhalten; indem sie in die Familie Gottes eintreten, brechen sie mit ihrer leiblichen Familie. Daher hat Roman seinen Bruder und den Rest seines Geschlechts seit zwölf Jahren nicht mehr gesehen. Doch dieser Handwerker stellt eine Art Verbindung dar zu seiner Kindheit, und diese zufällige Verbindung, von der der Zimmermann nichts weiß, trägt einen Funken Freude in das Herz des jungen Mönchs.

»Seid mir gegrüßt, Bruder Roman!« ruft Meister Roger.

Rund um den Meister schlagen Holzfäller mit der Axt Eichen und Kastanien – Eiche wegen ihrer Stabilität, und Kastanie, weil sie den Blitz fernhält. Dieser Teil des Waldes wird ausschließlich für die Bedürfnisse des Klosters bewirtschaftet. Abseits liegen aufgestapelt unter Schutzdächern entrindete Stämme zum Trocknen, die im Winter bei abnehmendem Mond gefällt und abgeviert wurden, bevor sie ein Jahr lang im Wasser gelegen haben, damit sie ihr Harz und Salz abgeben und so nicht faulen.

Roman steigt vom Pferd und bindet es an einem Baum fest. Freundlich dreinblickend geht er auf den Zimmermann zu.

»Ich grüße Euch, Meister Roger!« Er umarmt ihn und schaut ihm fest in die Augen. »Wie geht es Euch und den Euren?«

»Bestens. Abgeshenen von meiner kleinen Brigitte, die vierte von meinen Töchtern, kaum zehn Jahre alt. Seit zwei Tagen ist sie in seltsamer Verfassung, sie kann nicht mehr den kleinsten Löffel Suppe schlucken, alles kommt zum Mund wieder heraus.«

»Habt Ihr nach dem Arzt geschickt?« fragt Roman, den diese Nachricht sichtlich besorgt.

»Er ist gestern dagewesen«, antwortet Meister Roger händeringend. »Er hat das Mädel zur Ader gelassen, aber sie hat heute nacht dennoch die Suppe ausgespuckt, und heute morgen auch! Sie hat keine Kraft mehr, sie verkümmert.«

Der Handwerker verstummt plötzlich, aber seine Augen scheinen noch etwas hinzufügen zu wollen. Roman kennt die Sprache des Schweigens, er wartet still, und sein Blick ermuntert Meister Roger, der schließlich auch fortfährt:

»Ich … ich weiß nicht, was ich tun soll, aber … aber meine Frau sagt, wenn die Brigitte heute abend noch immer krank ist, geht sie die Gesundbeterin von Beauvoir holen.«

Erneut unterbricht sich Meister Roger. Er wartet gespannt auf Romans Antwort, müßte doch der hochgebildete Mönch als guter Christ und Gelehrter den Quacksalbern und Knochenbiegern jeglichen Schlages, die man in dieser Gegend »Aufleger« nennt, eher mißtrauisch gegenüberstehen. Doch Roman kann Meister Rogers Sorgen nachvollziehen und sagt kein Wort. Sein Blick bleibt sanft und ermutigend.

»Ich weiß wohl, was Ihr denkt«, wagt sich der Zimmermann weiter vor. »Manche Leute behaupten, sie treibe Händel mit dem Beelzebub, aber im Dorf kennt man sie, und man sagt, sie sei eine gute Christin, und mit ihren Kräutern hat sie den kleinen Andelme geheilt, dem der Arzt keine zwei Tage mehr gab; er hatte Fieber, und sie hat ihn gerettet. Und sie hat auch das Bein des alten Herold wieder hergerichtet, der nicht mehr laufen konnte, und ...«

Nun ist es Zeit für Roman einzugreifen. »Ich habe von den Wohltaten dieser Frau gehört, wie jedermann im Kloster«, fällt er Meister Roger ins Wort. »Der Beelzebub heilt nicht die darniederliegenden Leiber – er hascht nach ihren Seelen. Wenn diese Jungfer den Leib der Kranken pflegt, ohne daß deren Geist dadurch von verdächtigen Anwandlungen ergriffen wird, warum solltet Ihr sie dann nicht auch ans Bett Eurer Tochter rufen?«

Erleichtert durch die Worte des Geistlichen, lächelt Meister Roger.

»Dennoch«, fügt Roman hinzu, »vergeßt nicht, daß das Gebet die beste aller Arzneien ist und Christus der beste aller Heiler. Von Stund an empfehle ich Brigitte Unserem Herrn an.«

»Danke, Bruder Roman, möge Er Euch erhören.«

»Er hört alle Gebete, Meister Roger, und er entscheidet über das Schicksal von uns Menschen.«

Roman wendet sich einem der Lehrbuben zu, der seine langstielige Besäumaxt ablegt. Er läßt den Mönch den Stamm begutachten, den er eben behauen hat. Dann wählen Meister Roger und Bruder Roman den ganzen Nachmittag über die Bäume aus, aus denen die Granitschuten entstehen sollen, und jene, die jahrelang unter Schutzdächern ablagern werden, bis sie die Arche krönen dürfen.

Danach sitzt der Priester wieder auf, um vor der Flut und vor dem Beginn der Vesper wieder in der Abtei zu sein. Die Glocken erschallen auf dem Berg, als er ihn gerade emporreitet. Er überläßt das Pferd dem für die Stallungen zuständigen Laienbruder und reiht sich bei den Mönchen ein, die in der Kirche gerade vor dem Altar Aufstellung nehmen. Die rechte der beiden Reihen steht an der von Fenstern durchbrochenen Mauer, aber die linke zieht sich an zwei großen Steinbögen entlang, die die Kirche nicht von der Außenwelt, sondern von einem anderen Gotteshaus zu trennen scheinen. In der Tat zeichnet sich neben dem Oratorium, in dem die Fratres dem Herrn lobsingen, eine zweite Andachtsstätte ab, und beide gleichen sich architektonisch, so wie sich die beiden Reihen der Mönche gleichen: parallele Lage, identische Ausgestaltung – zwei gleichförmige eckige Kirchenschiffe, und beide enden in einem gleichen kleinen tonnenüberwölbten Chor mit je einem Altar, darüber eine Empore, auf der eine Treppe bis unter das steinerne Gewölbe reicht.

Nur ein Detail unterscheidet die gleichgestaltigen Beträume: Der Altar, auf dem die Kerzen strahlen und an dem die Gesänge der Messe erklingen, ist der heiligen Dreifaltigkeit geweiht, auf der anderen Seite der Bogenjoche aber trägt sein Doppel eine Holzstatue der Maria, die das Jesuskind im Schoß hält – eine schwarze Jungfrau mit schmalen Augen, deren Gesicht dunkel ist vom Ruß der Kerzen und des Weihrauchs. Man ruft sie zum Schutz der Reisenden und um die Fruchtbarkeit der Frauen an.

*De Angelis, fetivis diebus ad Vesperas…*

Unser guter Richard, Herzog der Normandie, hat recht, überlegt Roman. Diese doppelschiffige Kirche ist ein Unding. Wenn ich an seine Hochzeit mit Prinzessin Judith de Bretagne denke, an die bretonischen und normannischen Adeligen, die aus Platzmangel draußen vor der Kirche bleiben mußten…

*Te Deus omnipotens rogamus… Hic est prepositus paradisi archangelus…*

Dieses karolingische Mauerwerk! denkt Roman. Wie die Römer arbeiteten diese Kanoniker noch, diese langhaarigen Wilden in ihren Ziegenhäuten. Was für eine Barbarei!

*Sancte Michael archangelus defende nos in prelio…*

Diese Steine! durchfährt es den jungen Mönch. Sie haben sie in einem Mörtelbad ertränkt, diese nackten Mauern ohne jeden Versuch, zu einem Rhythmus zu finden!

*Deus qui miro ordine…*

Besser hätten sie das Oratorium des heiligen Aubert beibehalten sollen, wie es war – ein Rundbau nach dem Vorbild der Stätte auf dem Monte Gargano –, statt an seiner Stelle diesen eckigen, doppelten Tempel zu errichten, noch dazu im Westen, auf der Seite der sinkenden Sonne, des Schattens, der Totenwelt!

*Deus cuius claritatis…*

Gelobt seiest du, Herr! denkt Roman. Mit der Hilfe deines göttlichen Erzengels wird dieser unwürdige Bau bald nicht mehr sein, und ein neuer wird sich zu dir aufschwingen – ein neues Jerusalem!

*Amen.*

Kurze Zeit später wäscht sich Roman die Hände, das obligatorische Ritual vor jeder Mahlzeit. Der Abt, dem heiligen Benedikt zufolge der Vertreter Christi, wäscht seinen Gästen, einer kleinen Gruppe von Pilgern, die Füße, wie Jesus die Füße seiner Jünger wusch. Im Refektorium steht jeder schweigend neben seinem Sitz und wartet, bis der Abt und die Pilger eintreten und sich am gesonderten Tisch des Oberen setzen. In diesem Jahr – dem Jahr 1022 – gibt es im Kloster noch kein Gästehaus, aber es gewährt den Reisenden Unterkunft, die darum bitten. Wie jedes Jahr wird der immer stärkere Andrang zum Michaelistag Ende des Monats einen ganzen Haufen Probleme mit sich bringen.

Die meisten Pilger werden für ein paar Groschen in den umliegenden Dörfern unterkommen, aber man wird für Kost und Logis der Ärmsten sorgen und zudem jene unterbringen müssen, die dem Erzengel einen bedeutenden Obulus für den Bau der neuen Kirche gestiftet haben.

Der Abt spricht das Gebet, und nach dem *De verbo Dei* setzen sich die Brüder. Der Tischleser trägt einen Abschnitt aus der Ordensregel vor. Die Mönche, die diese Woche zum Tischdienst abgestellt sind, bringen Brot und das *pulmentum*, die fleischlose Bohnensuppe. Nach der Suppe gibt es einen Teller Gemüse, das in Walöl gebraten und mit Knoblauch gewürzt ist.

Mit einem Kopfnicken dankt Roman dem Bruder, der ihm aufgibt. Ohne zu ahnen, daß die Zeichensprache der Klöster später den Taubstummen eine große Hilfe sein wird, macht er eine Handbewegung, als würde ein Koch eine Soße anrühren, um daraufhin ebenso wortlos den Senf gereicht zu bekommen. Mit einem weiteren Zeichen bittet er um eine zusätzliche Essensportion. Dem heiligen Benedikt, der stets um *moderatio* bemüht war,

war es wichtig, daß seine Mönche ihr Essen »mit Rücksicht auf die Schwäche einzelner« erhalten und daß jeder beim Fastenbrechen genug bekommt, um seinen Hunger zu stillen.

Roman ißt die halbe Schüssel leer, ein Heringsgericht, das er mit einem seiner Brüder teilen muß. Mit beiden Händen hält er den Kelch, aus dem er den Gascogner Wein trinkt, den der Cellerar aus Bordeaux kommen läßt. Der Wein aus dieser Gegend, der Brioner Wein, ein widerliches Gesöff, das die Mönche verabscheuen, bleibt den Bauern vorbehalten; nur zur Zeit der Weinlese gelangen ein paar Trauben roh und ungepreßt als Nachtisch in die Abtei.

Der Weinanbau ist für die Gottesmänner eine wichtige Sache, und der heilige Benedikt mußte das wohl oder übel hinnehmen: Da er der Meinung war, dieses Getränk habe symbolischen Wert und müsse auf die Feier der Messe beschränkt bleiben, wollte er den Brüdern verbieten, außerhalb der Kirche davon zu trinken. Doch seine Mönche hatten eine umfassendere Vorstellung von den Wohltaten dieser eucharistischen Gabe und wollten sie bis ins Refektorium einführen. So brüteten sie eine geheime Rebellion gegen Benedikt aus, und angesichts dieses Aufstands gab der weise Mann nach: So kam es zu der Besonderheit, daß seine Regeln eine bestimmte Menge Wein festlegen, die jedem Bruder zur Mahlzeit zusteht. Ja, die benediktinische Bruderschaft geriet nicht in Versuchung, als ein Priester aus dem weltlichen Klerus, der dem aufkommenden Orden seinen Erfolg neidete, auf den Klostermauern von Subiaco einen Aufmarsch nackter Mädchen tanzen ließ; Benedikt rettete die Keuschheit seiner Novizen, indem er sie auf den Monte Cassino umsiedelte. Und auch die Räubzüge der Barbarenhorden erschütterten den Orden kaum. Nur ein Umstand drohte sie zu verderben: die Liebe der Söhne des heiligen Benedikt zum Blut des Weinstocks.

Während Roman zerstreut der Lesung lauscht, nimmt er von dem Käse, dem »Angelot«, einer Erfindung eines Mönchs, der die übriggebliebene Milch nicht verkommen lassen wollte. Dann kostet er von den herrlichen Herbstfrüchten und den Oblaten, kleinen Gebäckstücken, und schließlich dreht er seinen leeren Kelch um, bedeckt ihn mit einem Eck des Tischtuchs und wartet, bis der Abt mit einem Handzeichen die Mahlzeit beendet. Gleichzeitig mit seinen Brüdern steht er auf, spricht ein Dankgebet, verneigt sich, begibt sich mit den Mönchen in einem Zug in die Kirche, und sie singen, während die Glocke läutet.

Die Komplet, das letzte Stundengebet des Tages, setzt dem Wort ein Ende, danach ist es verboten zu sprechen. Die See kehrt nun zum Felsen zurück, ebenso die Nacht und der Kampf, den die Geistlichen gegen die Elemente der Dunkelheit führen. Roman vergißt nicht, dem Erzengel die kleine Brigitte anzuempfehlen.

Während der Mesner und der Subkantor die beiden Altäre der Kirche mit Weihwasser besprengen und sie beweihräuchern, bevor sie zu ihren Brüdern und zu ihrem Lager zurückkehren, um bis Vigil zu ruhen, macht sich Roman auf zur Zelle des Abts. Sie klebt an der Seite der Kirche und ist ein Überbleibsel des Klosterlebens vor dem Brand von 992, die einzige Einzelzelle, die nicht der Feuersbrunst anheimfiel.

Der Pater tritt mit dem langsamen Schritt eines Greisen auf Roman zu und geleitet ihn in die Holzhütte. Sie ist nur mit dem Nötigsten eingerichtet: ein Tisch, zwei Stühle und eine ebenso bescheidene Matte, die sich in nichts von denen der anderen Mönche unterscheidet. Das einzige offensichtliche Privileg des Abts ist der offene Kamin, den er aber sogar im Winter nur selten benutzt.

Seine überragende Stellung in der Hierarchie des Klosters bezeugt ein Wandteppich, der über dem Schreibpult hängt: Er zeigt den heiligen Michael mit einem Schwert in der Rechten und einer Waage in der Linken, wie er gerade die Seelen der Menschen wiegt, die in ihren letzten Schlaf gesunken sind. Das Motiv imitiert eine Skulptur aus dem ersten europäischen Heiligtum, das im 5. Jahrhundert dem heiligen Michael geweiht wurde, dem Monte Gargano in Italien.

Abt Hildebert ist der Sohn eines adeligen Ritters aus Rotoloi auf der Halbinsel Cotentin. Er ist dem Herzog der Normandie ebenso vollständig ergeben wie dem Amt des Klosterabts, das er seit dreizehn Jahren ausübt. 1009 bat Abt Maynard II., von Alter und Krankheit geschwächt, seinen Beschützer Richard II., ihn in seinem Amt zu ersetzen. Dem Gesuch der Klostergemeinschaft, des Bischöflichen Rats und der Adeligen folgend, übergab der Herzog den Krummstab des Abts an Hildebert, der zu dieser Zeit Klosterprior war. Der ehrbare Mönch war damals, so Richards Worte, »im besten Jugendalter, aber auffallend durch die Schärfe seiner lebendigen Verständigkeit und würdevoll dank der Reife seines Gebarens«. Die Mönche stimmten diesem Urteil zu, und so duldeten sie den Eingriff des Fürsten und des weltlichen Klerus in die Wahl des neuen Abts, obwohl dies vom heiligen Benedikt so nicht vorgesehen war.

Doch wie der Herzog sollten sie mit dieser Wahl überaus zufrieden sein, denn Hildebert erwies sich als äußerst umsichtiger Abt, der die Ländereien, die Wälder und die Menschen, die zur Abtei gehören, fehlerlos zu lenken weiß. Er brachte das Kloster zur Blüte und ist bei seinen Söhnen recht beliebt, obwohl er zwar streng mit ihnen umgeht, doch immer im zutiefst benediktinischen Bemühen um Mäßigung und Gerechtigkeit.

Der Bau der großen Abteikirche, den Richard II. nach seiner Hochzeit mit Judith de Bretagne in der drangvollen Enge der karolingischen Kirche 1017 beschloss, scheint Hildebert nun zu verjüngen, so sehr legt er alle seine geistigen Kräfte in den Plan. Dieses Vorhaben ist sein Lebenswerk. Er weiß wohl, daß er das vollendete Bauwerk nie mit eigenen Augen erblicken wird, aber dennoch wird er zukünftig als derjenige gelten, der diese strahlende Ehrerbietung an den Erzengel erdacht hat: den Mont-Saint-Michel, die prächtigste Abtei der abendländischen Christenheit!

Hildebert hat Jahre, Monate, Tage und Nächte gemeinsam mit Pierre de Nevers damit verbracht, die symbolische Aussage jedes einzelnen Steins festzulegen. Bevor der Bau begonnen wird, der weitere, noch viele Jahre mehr in Anspruch nehmen wird, will er an diesem Abend jedes Detail prüfen, und mag es noch so nebensächlich scheinen. Und ein Besuch Romans beim Steinmetz und beim Zimmermann ist kein nebensächliches Detail. Er war selbst schon auf den Chausey-Inseln, aber er ist begierig zu hören, was Roman über die Arbeit von Meister Jehan denkt.

Als Hildebert an diesem Abend dem jungen Werkmeister gegenübersitzt, leuchtet sein Blick so leidenschaftlich, daß man sich, wäre er nicht Abt und ginge es nicht um die Abtei, fragen würde, woher dieses Feuer wohl rühren mag.

»Nun, mein Sohn«, sagt er freundlich, aber fordernd zu dem jungen Mönch, »worauf wartet Ihr? Sprecht, ich gestatte es Euch!«

Roman wagt sich nicht zu setzen, sondern berichtet hastig von seinem Tag, breitet die Aufrisse seines Meisters auf dem Tisch aus, löst Schreibtafel und Griffel von seinem Cingulum und liest die verschiedenen Stichpunkte vor, die er auf der Tafel notiert hat.

»Gut, gut.« Der Abt nickt. »Wann kann es Eures Erachtens losgehen?«

»Mit den Fundamenten der Chorkrypta kann wie geplant im Frühjahr begonnen werden, Pater, wenn die Hebevorrichtungen und die verschiedenen Trupps von Steinschleppern eingetroffen sind.«

»Haben wir genug Männer, oder muß ich meine Leute in den Süden entsenden, um zusätzliche Arbeiter anzuwerben?«

»Keine Sorge, Pater«, beruhigt ihn Roman. »An Männern mangelt es nicht.«

»Gut. Und die Boote, Bruder Roman? Habt Ihr genügend Schuten für den Transport der Steine eingeplant? Es wäre eine Katastrophe, müßte der Bau unterbrochen werden, weil nicht genügend Granit geliefert werden kann!«

»Seid ganz beruhigt, Pater«, antwortet Roman ergeben. »Wir haben genug Bäume ausgewählt, es gibt davon in Hülle und Fülle, und Meister Roger hat heute mit dem Bau der Schuten begonnen. Er hat eine vielköpfige tüchtige Mannschaft, und zur Mitte der Fastenzeit dürften die Boote fertig sein. Trotzdem werde ich regelmäßig überprüfen, wie diese Arbeit vorankommt; wenn ich meine, daß es an Händen fehlt, werden die Bauern unserer Ländereien im Wald aushelfen.«

»Wenn es sein muß«, erklärt Hildebert energisch, »werden sie zu dieser Arbeit herangezogen und sich darüber freuen, noch unmittelbarer dazu beitragen zu dürfen, daß dem Erzengel ein neues Heim gebaut wird!«

»Ohne Zweifel, Pater. Um ehrlich zu sein«, fährt Roman fort, »die Männer bereiten mir keine Sorgen, der Stein und das Holz auch nicht, denn das sind Dinge, die der Mensch mit starker

Hand beherrschen kann. Meine Befürchtungen gelten dem Meer, das die granitbeladenen Boote vom Kurs reißen und sie für immer verschlingen könnte.«

»Mein Sohn, seit fünf Jahren schon lebt Ihr nun unter Euren Brüdern auf diesem Felsen, aber Ihr kommt aus einem Land, das nahezu ausschließlich aus Feldern und Bergen besteht, das hatte ich beinahe vergessen. Es ist anmaßend und vergeblich, das Unbeherrschbare beherrschen zu wollen, und ebenso töricht, sich davor zu fürchten. Laßt uns den Herrn preisen, Er ist gerecht und gut mit Seinen Dienern. Er wird uns helfen, so wie Er es immer getan hat, denn Er allein hat Macht über die Kräfte der Natur.«

»Ja, Pater.« Roman schaut zu Boden. »Mit der Hilfe Gottes und seines Engels werden wir es schaffen.«

Hildebert betrachtet den jungen Mönch mit einem Blick voller Zärtlichkeit und lächelt. Er weiß um die Leidenschaft, die der Bruder für seine Kunst hegt, eine Kunst, die er übrigens mit großem Verständnis ausübt. Gewiß, diese Begeisterung dient einem heiligen Ziel, aber wie jede heftige Gefühlsregung muß sie gemäßigt werden, wie es sich für einen Mönch gehört. Die Bemerkung des Abts hatte kein anderes Ziel als das, Roman diesen Anspruch an einen Mönch ins Gedächtnis zu rufen, denn seine Leidenschaft ist seit der Abreise seines Meisters fast zur Obsession geworden.

Bei diesem Gedanken verkantet sich plötzlich Hildeberts Lächeln auf dem von Falten durchzogenen Gesicht. Er beugt sich vor und zieht einen Brief aus einer Schublade seines Schreibpults. »Mein Sohn, ich habe Euch noch etwas Wichtiges mitzuteilen, bevor Ihr Euch zur Ruhe legt. Ich werde es Euren Brüdern morgen früh beim Kapitel berichten, aber Euch wollte ich schon im voraus in Kenntnis setzen, und dies unter vier Augen, denn es betrifft Euch ganz besonders. Ich habe eben dieses Schreiben vom Abt von Cluny erhalten, dem guten Odilo. Vor zwei Wochen hat Pierre de Nevers auf der Baustelle der Abtei einen Unfall gehabt. Er hat sich bei einem Sturz von einem Gerüst mehrere Knochen gebrochen. Seither kämpft er mit dem starken Willen, den wir so sehr an ihm schätzen, um sein Leben, aber der Klosterinfirmarius verhehlt angesichts seines fortgeschrittenen Alters nicht seine Sorge.«

Diese Nachricht ruft bei Roman tiefe Bestürzung hervor. In all den Jahren, die er mit Pierre de Nevers verbracht hat, ist er so etwas wie ein Vater für den jungen Mönch geworden, nicht vergleichbar mit der Rolle, die der Abt, der geistliche Führer, in seinem Leben innehat: Pierre de Nevers gleicht vielmehr einem leiblichen Vater. Wenn sein Meister sterben sollte, verliert Roman zum zweiten Mal seine Familie.

»Gleich morgen werde ich Pierre de Nevers der ganzen Bruderschaft zum Gebet anempfehlen«, fügt Hildebert hinzu. »Glaubt mir, mein Sohn, ich bin ebenso betroffen wie Ihr von diesem traurigen Ereignis.«

Leichenblaß schiebt Roman seine Pläne zusammen, verabschiedet sich von Hildebert und zieht sich zurück. Seine Schritte lenken ihn ins Dormitorium, wo er den Gemeinschaftsraum betritt. Seine Brüder liegen reglos und schweigend da. Der *significator horarum* murmelt Psalmen, den Blick auf die niederbrennende erste Kerze gerichtet. Roman weiß Besseres zu tun als zu schlafen, um Pierre de Nevers zu Diensten zu sein. Er greift nach einer Laterne, zündet sie an und tritt hinaus in die Dunkelheit.

Der ewig heulende Wind stürmt gegen den Berg an, die Flut steigt unerbittlich, und gnadenlos muß man gegen sich selbst ankämpfen, damit man nicht den wütenden Elementen nachgibt. Roman schleicht vorsichtig um die karolingische Kirche herum. Zu dieser Nachtstunde darf man sie nicht betreten. Dieses Verbot zählt freilich nicht zu den Regeln des Ordens, sondern ist eine von den Kanonikern ererbte Sitte: Man erzählt, daß jeder, der die Kirche zwischen Komplet und Vigil betreten hat, den Erscheinungen von Engeln oder Dämonen zum Opfer fiel und umkam.

Vor Roman erhebt sich die Martinskapelle, die sich unterhalb des Gipfels an den südlichen Abhang des Felsens schmiegt. Der Mönch drückt die Tür auf. Innen ist alles dunkel. Mit der Laterne erleuchtet er die dreischiffige Kapelle und schreitet durch das Mittelschiff, das mit seinen hohen Fenstern von zwei niedrigeren Seitenschiffen mit Tonnengewölben flankiert ist. Das Mauerwerk aus Quadern, die direkt aus dem Felsen herausgeschlagen wurden, gleicht in seiner Roheit und archaischen Machart dem der Kirche. Die Kapelle wurde ebenfalls in karolingischer Zeit erbaut, aber anders als die Kirche, die man niederreißen wird, soll sie erhalten bleiben, wenn die Anlage umgebaut wird. Geweiht ist dieser Kirchenbau den Verstorbenen.

Wenn Roman hier auch keinerlei Spur einer lebendigen menschlichen Gegenwart verspürt, so weiß er sich doch von berühmten Toten umgeben, die unter den Bodenplatten im Chor ruhen: bretonische Herren, die in der Schlacht gefallen sind, Bischof Norgod von Avranches, der im Jahr 1007 in einem Engelswunder sah, wie der Berg gleich dem Berg Sinai von Flammen verschluckt wurde, worauf er auf Bischofsstab und Mitra verzichtete, um den Rest seiner Tage als einfacher Benediktinermönch im Dienste des Erzengels zu verbringen, und Prinzessin Judith de Bretagne, die Gattin Richards II., die starb, kurz nachdem in der karolingischen Kirche ihre Hochzeit gefeiert wurde.

Der normannische Edelmann will, daß die Kirche der Kanoniker abgerissen wird, und Hildeberts Plan ist es, eine großartige Abtei zu errichten. Gleichzeitig verfolgen beide das Ziel, daß die Grabmäler in der Martinskapelle erhalten bleiben. Daher wurde entschieden, daß die Kapelle einer der Krypten der künftigen Abteikirche als Unterbau dient.

Aber an diesem Abend denkt Roman nicht an Baupläne. Er stellt seine Laterne ab, entzündet die Altarkerzen und fällt vor dem Kreuz auf die Knie, um Christus um die Rettung Pierre de Nevers' anzuflehen.

Plötzlich reißt ihn ein leises Geräusch, schleppend und kaum wahrnehmbar wie das Rascheln von Stoff, aus seinem Gebet. Er dreht sich um, sieht jedoch nichts. Sein Blick tastet sich durch den Chor, bis sich seine Augen plötzlich weiten. Die Grabplatten sind mit Blumen geschmückt: frisch geschnittener Ginster, dessen Sonnengelb den Kerzenschein zurückzuwerfen scheint.

Verwirrt erhebt sich Roman, greift nach seiner Laterne. Er leuchtet die Umgebung aus, öffnet den Mund, um zu fragen, ob da jemand sei, hält sich aber zurück, um nicht die Ordensregel zu verletzen. Wieder kniet er nieder und richtet sein Flehen an den Herrn. Da ist ihm, als höre er aus einer Ecke eines der Seitenschiffe wieder diesen seltsamen Laut.

Das klingt… fast wie das Tapsen eines Gespensts…, denkt er.

Ist es möglich, daß die Nachtgespenster die Kirche verlassen und sich in die Martinskapelle begeben haben? Zitternd richtet sich Roman erneut auf. Er hält die Laterne vor sich wie eine Lanze oder einen Schild und stürzt eilig hin zu der Stelle, von wo der unheimliche Laut offenbar kam. Der gelbliche Schein der Laterne läßt seine Gesichtszüge verschwimmen. Der braune Kranz seiner zur Tonsur geschnittenen Haare bildet einen krassen Gegensatz zur Blässe seiner Haut.

Roman schreitet vorsichtig vorwärts, auf eine übernatürliche Begegnung gefasst, und empfiehlt seine Seele bereits in die Hände des Engels. Da entdeckt er plötzlich hinter einer Säule einen Fleck, der dunkler ist als das Grau der Steine. Zitternd, aber entschlossen nähert er das Licht der Laterne – und reißt den Mund auf, unfähig, einen Ton hervorzubringen, nicht etwa, um die Regel nicht zu verletzen, sondern vor lauter Verblüffung.

Die Gestalt starrt ihn stumm an. Augen von durchsichtigem Grün, mandelförmig und inmitten eines Antlitzes von jungfräulicher Reinheit, das von einem Schleier umhüllt ist. Ein weißer, zarter Hals, an dem man die Adern schlagen sieht, als würde sich die Regung ihres Herzens in ihrem ganzen Körper ausbreiten. Ein langes, weit fallendes Kleid von unwirklicher Farbe, der Farbe des Waldes, der Jahreszeiten, des Holzes und der Zeit.

Der smaragdene Blick ist sehr lebendig, und winzige Sommersprossen auf Nase und Wangen verleihen ihm einen zusätzlichen Glanz. Das Blut, dieses Lebenselixir, fließt in das durchscheinende Gesicht, das einen rosigen Teint annimmt.

Während der Mönch zur Säule erstarrt ist, zittern die Lippen in diesem Gesicht für einen kurzen Moment wie ein Herbstblatt, dann ziehen sie sich in die Breite, blühen auf, öffnen sich – sie lächelt!

# 3

»Ob die Steine ein Gedächtnis haben?« wiederholte François ihre Frage und strich Jeanne eine Strähne aus dem Gesicht. »Ja, sie erinnern sich an jene Menschen, die im Laufe der Zeit vergessen wurden. Sie erzählen von ihnen jenen anderen Menschen, die ihnen zuhören können – Historikern, Archäologen, Freaks wie dir. Aber weißt du, es fällt mir schwer, mir vorzustellen, daß die Mauern der Abtei vom Mont-Saint-Michel dir im Traum eine Botschaft über seltsame Ereignisse haben zukommen lassen, die in keinem Schriftstück erwähnt sind. Ich sage nicht, daß deine Geschichte nicht real ist – sie ist wahr, da hast du schon recht –, aber ich denke, es ist eher eine Botschaft aus deinem Inneren, eine Botschaft deines Unterbewußtseins, wenn dir das lieber ist.«

»Du meinst also, was ich im Traum gesehen habe, ist nur eine Art Symbol für meine persönliche Geschichte und die meiner Familie?« fragte Jeanne. »Es hat mit mir zu tun und nicht mit äußeren Umständen?«

»Ja, so würde ich es ausdrücken«, erwiderte François. »Es sei denn, du bist die Wiedergeburt eines einstigen Mönchs vom Mont-Saint-Michel, und daran glaube ich keine Sekunde lang.«

Gedankenversunken schaute Jeanne in ihr leeres Glas. »Für mich ist es bloß eine Kindheitserinnerung, lebendig und makaber, aber eben eine Erinnerung.«

»Wenn ich das gewußt hätte, Jeanne, ich schwöre dir, dann hätte ich dich woandershin ausgeführt. Es tut mir leid, daß ich das wieder wachgerufen habe.«

»Nein, nein, François, mach dir keine Vorwürfe. Ich bin ja jetzt ein *großes* Kind. Außerdem tut … es mir gut, davon zu sprechen. Wirklich. Es ist, als wäre eine Last von mir genommen.«

Er faßte mit beiden Händen ihr Gesicht und hauchte ihr einen Kuß auf den Mund. »Danke für dein Vertrauen. Sag mal, jetzt, da du diese schwere Last los bist, da mußt du doch Platz für einen kleinen Nachtisch haben?«

Kurze Zeit später nahm das Paar erneut die Stufen zur Abtei, um sich die Lichtinstallation anzuschauen, die dort in den Nächten der Hochsaison gezeigt wurde. Obwohl sich Jeanne noch immer nicht ganz entspannt fühlte, war sie dennoch bereit, sich von den Worten der Steine, aus denen das Kloster gebaut war, umschmeicheln zu lassen. Diese Worte hatten die Macht und den Glanz der Jahrhunderte. Das gräuliche Salpetersalz hing wie Tropfen der Zeit an den Mauern. Auf den Umfassungen der Fenster hockten Tauben und Möwen. Der überkommene Zauber eines gotischen Gärtchens rührte Jeanne: Acht kleine Quadrate aus sorgsam beschnittenem Buchsbaum umhegten Erdbeerstauden, grüne Tomaten, ein paar Kürbisse und reifen Rhabarber. In der Mitte des Gemüsegartens ragte scheinbar vom Grund eines Brunnens ein Rosenstock auf, in den sich Weißdorn rankte, um sich um ein verrostetes Kruzifix zu schlingen.

Sie traten ins Innere der Abtei, und auch mit geschlossenen Augen erkannte sie an dem unverwechselbaren Geruch, mit welchem Stein hier gebaut worden war: Granit. Sie schauderte ein wenig wegen des Temperaturunterschieds von draußen und drinnen, dann hob sie wieder die Lider.

»François!« rief sie. »Das ist ja unglaublich! Das ist ja, als wären wir … in Karnak, in Ägypten! Dazu noch die Schlichtheit!«

Sie waren umgeben von einem Wald aus riesigen runden Pfeilern, die das ebenso prächtige wie drückende Gewölbe trugen.

»Sechs Meter Umfang, Liebling! Die ›Krypta der dicken Pfeiler‹!«

»Spätgotischer Flamboyant-Stil!« Sie konnte nicht anders und mußte diese wissenschaftliche Feststellung äußern.

»Richtig«, antwortete François. »Entworfen im 15. Jahrhundert, um den spätgotischen Chor der Abteikirche zu stützen, der darüberliegt, nachdem der romanische Chor in der Mitte des Hundertjährigen Kriegs eingestürzt war.«

»Schade.« Sie seufzte. »Ja, ich erinnere mich an den gotischen Chor der Kirche, aber diese Krypta habe ich noch nie gesehen. Das ist ja spektakulär!«

»Dabei hast du eigentlich noch gar nichts gesehen!«

Sie gelangten auf eine Plattform, auf der aufrecht ein großes Holzrad stand. Dahinter war in einer breiten Öffnung der Sternenhimmel zu sehen.

»Ah, das Hamsterrad!« rief Jeanne freudig aus.

Sie meinte das Tretrad des Lastenaufzugs, der den Mönchen dazu gedient hatte, ihre Lebensmittel nach oben zu befördern. Mehrere Männer stellten sich dafür in das Rad und brachten es zum Drehen, indem sie einfach stets nach vorne gingen; dabei wurde ein Seil aufgerollt, das die Verpflegung über eine Rampe nach oben zog.

»Der Granit für den Bau der Kirche wurde mit genau solchen Lastenaufzügen emporgeschafft«, erklärte François.

Im Klang einer unheimlichen Musik, die aus unsichtbaren Lautsprechern drang, durchschritten sie Gänge, auf deren Wänden Schatten tanzten. In andächtigem Tonfall erzählte François von der Zeit, in der die Abtei ein Gefängnis gewesen war: Gegen Ende des Hundertjährigen Krieges hatte der König von Frankreich seine politischen Gegner in dem Kloster unter furchtbaren Bedingungen gefangengehalten.

Das ganze Ancien Régime über hatte man den Mont-Saint-Michel die »Bastille des Meers« genannt, und die Mönche waren die Kerkermeister gewesen. Die Revolution hatte diese »Tradition« fortgesetzt, aber die Benediktiner waren verjagt und die Abtei zu einem riesigen Staatsgefängnis gemacht worden, in dem bis zu sechshundert Häftlinge eingesessen hatten, darunter später auch Barbès und Blanqui. Dabei stammte alles, was sie gleich besichtigen würden, aus dem Mittelalter.

Im 12. Jahrhundert, der Glanzzeit des Benediktinerklosters, hatte einer der berühmtesten Äbte auf dem Berg, Robert de Thorigny, beschlossen, die Abtei auf der Höhe ihres Ruhms neu zu organisieren: Als großer Lehnsherr hatte er sich seine eigenen Räumlichkeiten errichten lassen, darunter einen Gerichtssaal, in dem er über seine Mönche und über die Leibeigenen – jene Menschen, die auf den Ländereien des Berges arbeiteten und lebten und also ihm »gehörten« – gerichtet und sie für Ausschweifungen bestraft hatte. Er hatte auch die »beiden Zwillinge« bauen lassen: Jeanne und François traten in einen kleinen Raum mit niedriger Decke und gestampftem Lehmboden. Glasplatten lagen auf zwei Öffnungen im Boden, und als sich die beiden Besucher hinabbeugten, verspürten sie noch immer die Grausamkeit der »Zwillinge«: zwei Kerker ganz unten im Fels, in denen noch die Ketten hingen.

»Brr… das ist abstoßend und faszinierend zugleich«, meinte die junge Frau und schmiegte sich an ihren Liebhaber. »Ich finde, wir sollten woanders hingehen.«

Sie besichtigten die »Merveille«, ein Wunderwerk der gotischen Baukunst. Mehrere Säle aus dem 13. Jahrhundert ersetzten hier die romanischen Bauten, die bei einem historischen Brand zerstört worden waren: Die Bretonen hatten das Feuer 1204 bei dem Versuch gelegt, den Berg ihren alten Feinden, den Normannen, wieder abzuringen. Da sie nicht in die Festung eindringen konnten, hatten sie das Dorf in Brand gesetzt, und dieses Feuer hatte sich bis zur romanischen Abtei ausgebreitet.

»Na so was!« sagte Jeanne, als sie in der Mitte des imposanten Refektoriums der Mönche stand, wo aus den Mauern gregorianische Gesänge drangen. »Das ist ja erstaunlich! Die Raumanlage ist romanisch, aber der Lichteinfall ist der der gotischen Kathedralen… Eine sehr schöne Synthese!«

»Stimmt.« François nickte. »Diese Abtei setzt sich zusammen aus verheerenden Katastrophen und erstaunlichem Wiederaufbau. Und die Merveille ist ein Juwel der Architektur.«

Er führte sie bis ins Herzstück jener Gebäude, aus denen die Merveille bestand: dem Kreuzgang. Rund um einen quadratischen Innenhof lief ein Umgang mit eleganten schlanken Säulen, die an den Bogenzwickeln mit Pflanzenmotiven verziert waren. Der Blick auf das Meer im Norden war herrlich romantisch, und sie genossen ihn eine Weile lang Arm in Arm, die Blicke in die endlose Bucht gerichtet, und nahmen die anderen Besucher gar nicht mehr wahr.

Nach einem kurzen Blick in die Abteikirche, die Jeanne an ihre Mutter erinnerte, wie sie an jenem bedeutsamen 15. August in einer der kleinen Chorkapellen gebetet hatte, machten sie sich auf zu den eindrucksvollen Gemeinschaftsräumen der Merveille: dem »Rittersaal«, den die Mönche in Wirklichkeit als Skriptorium genutzt hatten, und dem »Gästesaal«. Man konnte sich noch immer vorstellen, wie ganze Ochsen in den riesenhaften Feuerstellen am Spieß gebraten worden waren, wie Jongleure und Akrobaten mit ihren Kunststücken so bedeutende Pilger unterhalten hatten wie die Könige von Frankreich, doch die Angestellten des Denkmalschutzes empfingen die heutigen Gäste etwas bescheidener, mit einer Tasse Gewürztee.

»Natürlich«, sagte François verträumt und blies auf das duftende Getränk, »muß man sich diesen Raum möbliert vorstellen, mit wertvollen Wandteppichen. Die Gewölbe waren ockerfarben und gelb gestrichen und mit geometrischen Mustern verziert, die Fenster rot und blau, die Bodenfliesen rot und grün, darauf die Wappen des Königs von Frankreich und von Blanche von Kastilien: Lilien und kastilianische Schlösser. Wie überall hat die Zeit die Farben des Mittelalters verblassen lassen. Ich sage mir oft, wie schade das ist, denn die Leute stellen sich das Mittelalter heutzutage so vor, wie sich diese Räumlichkeiten heute präsentieren: grau und nackt. Dabei war es genau das Gegenteil. Wenn man ihnen erklärt, daß die Kirchen bunt ausgemalt waren, sehen sie einen an wie einen Verrückten!«

»Du lieber Gott, mein schöner Prinz, mit Vergnügen stelle ich fest, daß auch Euch Eure Träume ins Mittelalter führen!«

»Ja, meine Prinzessin, aber bei mir stehen die Mönche auf beiden Beinen zum Beten in der Kirche und hängen nicht vom Kirchturm, und ihr Kopf sitzt fest auf ihren Schultern!«

Jeanne sah ihn mit einem Blick an, der so düster war wie eine wollene Mönchskutte.

»Ach komm«, beschwichtigte er und gab ihr einen Kuss. »Komm, damit du mir verzeihst, zeige ich dir die gruseligste und älteste Stelle der ganzen Abtei: die Wohnstätte des Engels. Und danach schauen wir uns die Überreste der romanischen Anlagen an.«

Sie stiegen über feuchte Treppen, auf denen ihre Schritte geisterhaft widerhallten. Jeanne blieb vor einem seltsamen Relief in der Mauer stehen: Als römischer Soldat gekleidet war dort der heilige Michael zu sehen, ohne richtiges Gesicht, sondern mit verschwommenen Zügen. Mit einem wütend ausgestreckten Finger berührte er die Stirn eines Geistlichen, der vor ihm kniete.

»Der heilige Aubert!« erklärte François. »Der Bischof von Avranches! Der Erzengel Michael ist zornig, weil er noch immer nicht seinen Befehl ausgeführt hat, ihm auf dem Berg eine Andachtsstätte zu errichten, deshalb erscheint er ihm zum dritten Mal und setzt ihm ein Mal auf die Stirn, damit der Prälat endlich begreift – und Aubert beeilte sich, das Heiligtum zu erbauen. Von dieser ursprünglichen Betstätte kann man heute ein Stück sehen. Zu verdanken ist das Yves-Marie Froidevaux, Chefarchitekt beim Denkmalschutz, der 1960 auf ein Mauerstück dieses Betraumes gestoßen ist, als er die Krypta restauriert hat – und dahin gehen wir jetzt!«

»Ach, es lebe der Denkmalschutz!« rief Jeanne. »Deine michaelische Bildung ist unerschöpflich, mein lieber François. Und das weißt du alles auswendig?«

»So viel wie du werde ich nie auswendig wissen«, gab er zu, »aber danke für das Kompliment. Weißt du, nach über vierzig Jahren Liebe zu diesem Berg kennen wir uns allmählich doch ein bißchen … Vorsicht, Stufe – hier sind wir!«

In der unterirdischen Krypta war es trotz der Scheinwerfer und der Restaurationsarbeiten, die den Granit aufgehellt hatten, düster. Gleich beim Eintreten ergriff den Besucher ein seltsames Gefühl, eine Mischung aus Geheimnis und Besinnlichkeit. Vielleicht lag es daran, daß es keine Fenster gab, oder daran, daß die dunkle Kapelle doppelschiffig angelegt war, so daß man in einer makabren Assoziation an die beiden vorigen Zwillinge denken mußte, an die Kerker. Von zwei Steinbögen getrennt, erstreckten sich zwei gleichförmige eckige Kirchenschiffe, und beide endeten in dem gleichen kleinen tonnenförmig überwölbten Chor mit je einem Altar, darüber eine Empore, von der aus eine Treppe bis unter das steinerne Gewölbe reichte.

»Notre-Dame-Sous-Terre«, flüsterte François. »Unsere liebe Frau unter der Erde ... Der Name ist schon wunderbar und die Atmosphäre hier so verzaubernd ... ich weiß nicht, warum. Wahrscheinlich wegen des Alters. Die Krypta ist karolingisch, wurde um 900 erbaut, aber sicher konnte sie nie datiert werden. Auch weiß man nicht, ob sie von den bretonischen Kanonikern erbaut wurde oder von den ersten normannischen Benediktinern. Die Historiker streiten sich noch immer. Außerdem wurde sie im 18. Jahrhundert zugemauert und war lange Zeit völlig in Vergessenheit geraten ... Da, schau!« Er zeigte auf die groben Steinblöcke hinter einem der beiden Altäre. »Das ist die Zyklopenmauer vom Oratorium des heiligen Aubert!«

Aber Jeanne hatte ihm nicht zugehört. Sie war so bleich geworden wie der Granit der Mauern, und mit verhangenem Blick starrte sie auf die beiden Folgen paralleler, gleichförmiger Stufen, die hinaufführten ins Nichts. Plötzlich stiegen ihr Tränen in die Augen, die sie nicht zurückhalten konnte, und sie begann zu schluchzen.

»Jeanne!« rief François. »Was ist los?«

Sie blickte ihm direkt in die Augen, während ihre Lippen unhörbare Worte formten.

François packte sie bei den Schultern. »Liebling! Was hast du?«

»Da!« schrie sie und wies mit ausgestrecktem Finger, so daß sich die anderen Touristen zu ihnen umdrehten. »Auf dieser Treppe war er! Ich bin mir ganz sicher! Hier habe ich ihn gesehen! Hier! Er stieg nach oben und sprach zu mir! Ich hatte recht – es war nicht nur ein Traum!«

»Von wem sprichst du?«

»Von dem Mönch natürlich! Von dem enthaupteten Mönch!« brüllte sie.

Zurück im Hotelzimmer, bemühte sich François, Jeanne davon abzubringen, daß ihr unseliger Kindertraum auf historische Tatsachen fußte und mit der Vergangenheit des Berges zu tun hatte. Noch immer ganz im Bann ihrer schockierenden Entdeckung, tigerte sie im Zimmer auf und ab und sprach händeringend vor sich hin:

»Ich kann mich nicht täuschen! Ich erinnere mich bis ins kleinste Detail: Es war haargenau diese Umgebung – der Altar, die Steine, das Gewölbe, die Empore! Es kann nirgends sonst gewesen sein – es war genau diese Krypta, die ich in meinem Traum gesehen habe! Ja, es war Notre-Dame-Sous-Terre!«

François setzte sich aufs Bett und starrte sie an, als wollte er sie mit seinem Blick fesseln und sie so davon abbringen, auf- und abzugehen. »Natürlich war es Notre-Dame-Sous-Terre, und das läßt sich auch sehr einfach erklären: Als du mit deinen Eltern die Abtei besichtigt hast, damals an jenem 15. August, bist du zwangsläufig auch durch diese Krypta gekommen. Sie hat dich beeindruckt, das ist ganz normal – sie fasziniert jeden, auch Erwachsene –, und ein paar Stunden später hast du sie eben zur Kulisse deines Alptraums gemacht!«

Mit zu Fäusten geballten Händen lehnte sie sich gegen die Fensterbank. »Nein, du täuschst dich! Du liegst völlig falsch!« antwortete sie. »Ich hab' sie bis heute abend noch nie gesehen, nur in meinem Traum, da bin ich mir hundertprozentig sicher! Meine Eltern und ich haben die Abtei damals nicht besichtigt, wir waren bloß in der Messe in der großen Kirche. Ich hätte sie nicht vergessen, ich hatte schon immer ein sehr gutes Gedächtnis, und ich war immerhin sieben Jahre alt, nicht drei!«

»Jeanne…« François stand auf und trat auf sie zu. »Das menschliche Gedächtnis ist komplex und selektiv«, meinte er und umarmte sie. »Es ist doch offensichtlich die einzige mögliche Erklärung: Aus Gründen, die irgendwo in dir vergraben liegen, hast du diese Besichtigung aus deinem Gedächtnis gestrichen, aber dein Unterbewußtsein hatte alle Bilder aus der Krypta gespeichert und sie dir im Traum wieder eingegeben. Dazu diese makabre Inszenierung und…«

Sie löste sich heftig aus seinen Armen. »Ich weiß doch wohl, was ich sage, und ich bin weder verrückt noch blöd!« schrie sie. »Und der Gehängte, den ich vorher gesehen habe, hm? Was machst du mit ihm, mit diesem Gehängten, der wahrscheinlich umgebracht wurde? Übrigens ist es ganz einfach, wir werden gleich Gewißheit haben.« Sie zog ihr Handy aus der Tasche. »Ich rufe meine Eltern an, wir fragen sie, ob wir damals Notre-Dame-

Sous-Terre besichtigt haben – ihnen wirst du ja wohl glauben –, und dann sehen wir ja, wer recht hat.«

François schnappte sich das Handy und riß es ihr aus der Hand, während man es laut gegen die Zimmerwand klopfen hörte.

»Jeanne, das geht doch nicht!« versuchte er sie in leiserem Ton zu beschwichtigen. »Es ist halb zwei Uhr nachts! Wir wecken gerade schon das ganze Hotel auf, und du willst auch noch deine Eltern aus dem Bett klingeln?«

Da verlor sie die Nerven, und ein Sturzbach von Tränen schoß ihr aus den Augen. Ihr ganzes Ich versank in einem mädchenhaften Kummer, in der Panik eines Kindes, die ihre Erwachsenenseele nicht bewältigen konnte. Sie stand in der Mitte des Zimmers, zitterte am ganzen Leib und vergoß Tränen eines lange unterdrückten Schmerzes.

Schweigend trat François zu ihr und bot ihr seine Arme, in die sie sich vergrub, während sie ihr Gesicht an seinen Hals barg. Er wartete ab, bis sie aufhörte zu weinen, und begnügte sich bis dahin damit, sie auf das braune Haar zu küssen.

»Ich... Es tut mir leid«, flüsterte sie schließlich. »Ich kann nicht mehr... Ich weiß nicht, was los ist...«

»Morgen!« antwortete er. »Morgen, Jeanne... Du legst dich jetzt hin, versuchst zu schlafen, und morgen sehen wir weiter. Einverstanden?«

Sie gehorchte widerspruchslos, denn ihr fehlten die Worte. Er half ihr, sich auszuziehen, und benetzte ihr erhitztes Gesicht mit einem nassen Tuch. Sie schmiegte sich an seinen kräftigen Körper, zusammengerollt wie ein ungeborenes Kind, und überließ sich der Wärme des Betts.

*Michael archangele... gloriam predicamus in terris...*

Die Klänge steigen hoch in einen dunklen Himmel. Aus dem blassen Mond löst sich eine bleiche Hand, die einen Mönch von einem Felsen stößt. Der Mönch schreit auf und verschwindet im dunklen Meer.

*... eius precibus adiuvemur in caelis...*

Der Mönch taucht wieder auf, kämpft verzweifelt gegen die schäumenden Fluten an. »Zu Hilfe! Im Namen des Allmächtigen, helft mir!« schreit er, während die Wellen der Bucht immer wieder über ihm zusammenschlagen und hinter ihm die Flut den Felsen überspült. Wie die Blütenblätter einer schwarzen Blume entfaltet sich sein Benediktinergewand in den Wellen.

*Te Deus omnipotens rogamus … Hic est prepositus paradisi archangelus …*

Die lateinischen Gesänge dringen durch die romanischen Fenster der Abtei auf dem Gipfel des Felsen. Die dicken Mauern dröhnen vom Psalmodieren der Vigil, erklingen von inbrünstigen Wechselgesängen, aber sie bleiben taub gegenüber der Klage des Mönchs, der zu Füßen des Berges heult.

»Meine Brüder, ich beschwöre euch! Hört mich! Ich ertrinke!« Der Mönch kämpft allein gegen die Naturgewalt, aber je länger er mit den Armen um sich schlägt, je mehr er sich wehrt, desto zorniger packen ihn die Fluten. Mit aller Kraft müht er sich ab, doch die Wellen nehmen ihn mit, lassen ihn wieder los, ergreifen ihn wieder – ein einziges grausames Spiel.

*Sancte Michael archangele defende nos in proelio …*

Der Mönch versucht verzweifelt, den feierlichen Gesang mit seiner immer wieder ersterbenden Stimme zu übertönen. Über sein weißes Antlitz rinnen salzige Tränen. Seine Augen rollen in ihren Höhlen, dann heftet sich sein Blick am Himmel fest. Im nachtschwarzen Ozean scheint sein Kopf auf den Wellen zu tanzen, bevor ihn das Wasser verschluckt, dann wieder ausspeit. Aus seinem Mund dringt ein Gluckern, als ihm das Wasser in die Kehle rinnt.

*Deus qui miro ordine …*

Erschöpft treibt der Mönch im Meer. Er schließt die Augen, als eine Welle seinen Körper wie ein Leichentuch bedeckt. In einem letzten Aufbäumen des Lebens richtet er sich noch einmal auf, um Atem zu schöpfen. Die Stirn und der Schädel mit der Tonsur erscheinen ein letztes Mal im Wasser, er schnappt nach Luft und kämpft gegen die Fluten an.

*Deus cuius claritatis*, schallt es von den Klostermauern.

Da gehen die Wellen zum letzten Angriff über gegen die bleiche Schädeldecke, und das Wasser besprüht ihn mit schaumiger Gischt, bevor es über ihn zuklappt wie ein Sargdeckel. Ein letztes

Mal steigen Luftblasen empor, dann ist es vorbei. Der Ozean hat gesiegt.

*Amen*, beschließen die Mauern der Kirche im Chor.

Plötzlicher Szenenwechsel. Das Innere der Mauern erscheint wie ein steinerner Bauch. Durch die Rundbögen voneinander getrennt, enden die beiden parallelen Kirchenschiffe in den gleichen tonnengewölbten Chören mit je einem Altar und einer Empore: Notre-Dame-Sous-Terre. Auf den Stufen wartet ein Mönch, steht da, den Kopf gesenkt. Er blickt auf – und die Kapuze ist leer!

Der Bruder ohne Kopf streckt die Arme zum unterirdischen Himmel, dann zur Erde und spricht mit Grabesstimme: *Ad accedendum ad caelum, terram fodere opportet.*

Jeanne fuhr aus dem Schlaf hoch, als hätte man sie geschlagen. Aufrecht saß sie im Bett, keuchte und schwitzte, und ihr Blick war leer. In einem Anfall von Panik wand sie sich aus den Laken und stürzte nackt zum Fenster. Sie zog die Vorhänge beiseite und sah die Bucht vom Mont-Saint-Michel: Heller Sonnenschein ließ den Himmel und das Meer in klarem, makellosem Blau erstrahlen, keine Wolke, keine Welle. Es war Ebbe, Sandzungen wanden sich ins Wasser wie Luftschlangen. In der Ferne weideten auf den Wiesen, die dem Festland zurückgegeben waren, ein paar Schafe. Ganz in der Nähe standen die Nachbarhäuser mit ihren uralten Schieferdächern im neuen Morgen.

Die Natur strahlte beruhigende Sicherheit aus, aber die junge Frau konnte sich nicht an diesem Bild erfreuen, da sie noch immer die bedrängenden Bilder im Kopf hatte. Vom Fenster ihres Zimmers aus konnte sie die Abtei nicht sehen – und doch waren die Klostermauern gegenwärtig. Sie drehte sich um, erinnerte sich an François und die Szene vom Vorabend und merkte plötzlich, daß sie allein im Zimmer war. Diese Feststellung holte sie zurück ins Hier und Jetzt, und die letzten Schwaden ihres heftigen Alptraums lösten sich in nichts auf.

»François?« rief sie.

Ein Blatt Papier lag auf dem Kopfkissen ihres Liebhabers.

*Meine Liebste,*

*Du schläfst so fest, daß ich es nicht übers Herz bringe, dich zu wecken. Ich gehe zu meinem Termin mit dem Verwalter der Abtei, bin gegen 12 Uhr zurück.*

*Kuß.*

Sie schnappte sich ihre Armbanduhr vom Nachttisch: halb elf. Es war ihr unmöglich, eineinhalb Stunden allein in diesen vier Wänden zu bleiben. Unmöglich, noch eine Nacht zu Füßen der Mauern dieser Abtei zu verbringen, die ihr diese Träume bescherten. Weg von hier, zurück nach Cluny oder Paris. In ihre Pariser Wohnung, ja, ihren friedlichen Bau – nach Hause! François würde wütend sein. Und wenn schon!

Eine Viertelstunde später hatte sie Jeans und ein T-Shirt angezogen, und mit feuchten Haaren und ihrer fertig gepackten Reisetasche verließ Jeanne das Zimmer, das Hotel und flüchtete sich vorläufig in ein Café im Dorf, auf dessen Straßenterrasse sich die Touristen drängten. Hier konnte sie warten, bis François zurückkam, ohne die Klosterburg im Blick zu haben. Die Menschenmenge, der Lärm, das Hin und Her, die fremden Sprachen, das Frühstück taten ihr gut. Sie versuchte sich auf eine Zeitung zu konzentrieren, die auf dem Tisch herumgelegen hatte. Vergeblich.

Warum dauerte es denn so lange? Was hatte François denn so Wichtiges mit dem Denkmalschutz auszuhecken? Nein, sie wollte es nicht wissen, wollte nichts von Ausgrabungen hören, von der Vergangenheit, der Geschichte des Berges. Keine Bilder mehr sehen. Diesen Ort so schnell wie möglich verlassen, ohne weitere Kommentare. Aber was sollte sie François sagen, damit sie auf der Stelle aufbrachen? Nachdenklich kaute sie an ihren Nägeln. Ausnahmsweise machte es ihr nichts aus zu lügen, nur mußte die Lüge wirksam sein. Es war eine Frage des geistigen Überlebens. Sollte sie sagen, daß man sie in einer dringenden Angelegenheit nach Cluny gerufen hatte? Nein, die Arbeit war diesmal verbmintes Gelände, er konnte es zu leicht nachprüfen. Daß ihre Mutter einen Unfall gehabt hatte? Nein, der Tod ihres Bruders verbat ihr, mit so einer Sache Schindluder zu treiben.

Isa? Isabelle, ihre beste Freundin, wäre krank und bräuchte sie in Paris. Isa würde sie nicht verraten, ja, aber sie müßte ihr alles erzählen, und das wiederum wollte Jeanne nicht. Nicht mehr darüber sprechen, mit niemandem! Nie mehr! Vergessen und nicht darauf zurückkommen! Und zudem war Isabelle auch nicht allein; François würde sich wundern, daß ihr Mann sie im Stich ließ... Oh, verdammt noch mal!

Sie beschloß, einfach dazu zu stehen: Sie wollte weg – und basta! Wenn er es nicht akzeptierte, dann würde sie ihn eben hierlassen, auf seinem verdammten Felsen, und allein mit dem Zug nach Hause fahren. Genau.

Als sie ihn um Viertel vor zwölf am Ende der Gasse auftauchen sah, war sie angespannt wie ein Boxer vor einem Fight. Er kam ganz ruhig daher, mit seinem gewohnten eleganten Schritt, eine Aktenmappe unter dem Arm, die Andeutung eines Lächelns in den Mundwinkeln, die Augen hinter einer Sonnenbrille verborgen. Jeanne, die am Rand der Caféterrasse saß, stand auf und winkte ihm zu. Seine Miene hellte sich noch mehr auf, dann aber verkantete sein Lächeln, als er sah, wie verschlossen und gereizt seine Geliebte dreinblickte. Er nahm seine Sonnenbrille ab, küßte sie schnell und nahm ihr gegenüber Platz. Am Vorabend hatte sie ihn verunsichert, aber er hatte gehofft, daß sie jetzt wieder so sein würde, wie er sie kannte: lustig, sprudelnd, sinnlich...

»Guten Morgen, meine Liebe! Und, wie geht es heute? Hast du gut geschlafen?« fragte er, obwohl er die Antwort schon kannte.

»François, ich bleibe nicht eine Sekunde länger. Ich habe beschlossen, nach Paris zu fahren, jetzt sofort, mit dir oder ohne dich.«

»Was ist denn los?« fragte er müde.

»Nichts, keine Angst!« antwortete sie ironisch. »Es ist überhaupt nichts los – nur daß ich nach Hause will.«

»Und was sonst noch?« Er ergriff ihren Arm. »Wir haben uns einen Monat lang nicht gesehen, und du läßt mich hier sitzen, um in Paris wer weiß was zu tun?«

Sie seufzte. »François, ich bin völlig fertig, ich habe nicht die Kraft, mich mit dir zu streiten. Entweder fahren wir zusammen heim oder getrennt, aber ich habe wirklich keine Lust, stundenlang herumzudiskutieren. Es tut mir leid, daß ich so schlecht drauf bin, glaub mir. Du nimmst es mir übel, und damit hast du auch ganz recht, aber das ganze hat mit dir nichts zu tun, und ich kann einfach nicht anders.«

Er dachte einen Moment lang schweigend nach. »Ich habe eine Idee«, erklärte er schließlich und lächelte, nachdem er erkannt hatte, daß Jeanne nicht nachgeben würde. »Wollen wir nicht das Wochenende gemeinsam woanders abschließen? Was hältst du von einem romantischen Abend in Saint-Malo oder in Honfleur und von einer Bootstour morgen?«

»Entschuldige, François.« Es tat ihr ehrlich leid, daß sie ihm den Gefallen nicht tun konnte. »Aber auch in Honfleur oder irgendwo anderes wäre ich heute abend eine miserable Gesellschaft. Was ich brauche, ist ein Abend allein bei mir zu Hause, einfach ganz allein.«

Um Viertel nach zwölf verließen sie den Mont-Saint-Michel in François' Auto. Jeanne schaute nicht zurück, um die verzauberte Landschaft zu betrachten. Die Fahrt verlief in Grabesstille. François war verletzt, und Jeanne war in Gedanken versunken.

Am hellen Nachmittag dieses sonnendurchfluteten Pariser Samstags bog das Auto vom Boulevard du Port-Royal in die Rue Henri-Barbusse gleich hinter dem Jardin du Luxembourg und hielt vor einem alten Wohnhaus.

François stellte den Motor ab und schnallte sich los. »Möchtest du vielleicht, daß ich noch kurz mit dir raufkomme?« flüsterte er. »Um zu reden?« fügte er schnell hinzu.

»Nein, François«, antwortete sie sanft. »Lieber nicht. Danke, daß du da warst. Mach dir keine Sorgen, es wird schon gehen.« In der Tat ging es ihr innerlich besser, und ihre Züge entspannten sich etwas.

»Jeanne!« Er nahm sie in die Arme. »Wenn es dir nicht gutgeht, dann ruf an, und ich komme sofort!«

»Du bist ein Engel, François. Aber es geht schon, wirklich.«

Er schaute der jungen Frau in die Augen. Dieses Himmelblau … Auf einmal erkannte er einen kaum merklichen Ausdruck in ihrem Blick, und ihm war alles klar. »Du hast … Angst! Angst vor dem Tod!«

Sie erschauerte und wich seinem Blick aus. Dann nahm sie ihre

Tasche und öffnete die Tür. »Vor welchem Tod, François? Wovon sprichst du? Komm, fang du nicht auch noch an, sonst bin ich bald reif für die Klapsmühle! Okay, ich gehe jetzt mal – ich rufe dich dann an.«

Sie schlug die Tür zu und winkte zum Abschied. Durch das milchige Glas der Haustür sah er ihre schwarze Gestalt die Treppe hinaufsteigen.

Jeanne sperrte ihre Wohnungstür zweimal ab und zog die Vorhänge im Wohnzimmer zu. Die Sonne schmerzte ihr in den Augen. In ihrem kleinen Schlafzimmer schloß sie halb die Läden, so daß nur ein senkrechter Lichtstreifen hereinfiel. Sie hockte sich vor eine alte eiserne Truhe von undefinierbarer Farbe, die ihr als Nachtkästchen diente, und räumte die Lampe und die zahlreichen Bücher, Zeitungen und archäologischen Veröffentlichungen zur Seite, die sich in anarchischen Haufen darauf stapelten. Dann öffnete sie die Truhe, nahm Briefe heraus, Schachteln mit Jugendfotos, die sie als mageres, schlaksiges Mädchen zeigten, die vollständige Sammlung einer historischen Zeitschrift, ein paar Geschenke einstiger Verehrer, den Tabaksbeutel, den sie von ihrem Großvater geerbt hatte, beschnitzte Steine, eine alte Brille, ein illustriertes Exemplar der *Ritter der Tafelrunde*, getrocknete Blumen, ein Graphologie-Set und schließlich ein kleines Heft mit einem Umschlag in gelblich verblichenem Blau, auf dem ihr Vor- und Nachname stand und »3. Klasse«.

Auf der ersten Seite stand der lateinische Satz, den sie nach dem Gehör wie eine Melodie aus ihrem Traum in die Wirklichkeit mitgebracht hatte, darunter die korrigierte Fassung und schließlich die Übersetzung, die sie drei Jahre später in schwarzer Tinte hinzugefügt hatte, ganz unten auf der Seite, wie um von der Originalsprache gebührenden Abstand zu halten. Seit Jahren hatte sie das Heft nicht mehr angerührt, und an diesem Tag betrachtete sie den Satz mit den Augen einer Erwachsenen.

Jeanne sagte sich, daß diese sieben Worte gereicht hatten, ihre kindliche Phantasie zu wecken, ihrem jugendlichen Sehnen eine

Richtung zu geben und ihre erwachsene Suche nach einem Sinn wachzuhalten. Sieben Worte, um ein Leben zu befruchten. Ihr Leben. Wer war dieser Mann ohne Gesicht, der sie gesät hatte?

*Ad accedendum ad caelum, terram fodere opportet.*

# 4

Die Frau bleibt Roman gegenüber stehen, setzt ein Lächeln auf und schweigt. Der Mönch hat seinen ersten Schreck überwunden, er sieht sie an, und auch er sagt kein Wort. Plötzlich ist ihm, als wäre diese Frau eine Verkörperung des Herbstes. In einer Mischung von Verwirrung und Genuß nimmt Roman, als er Atem holt, einen süßen Duft von welken Blättern wahr, von reifen Beeren, von fruchtbarer Erde und Weidegras im Regen.

Die verschleierte Dame hält dem Blick des Mönchs lange stand, und er versinkt in den Augen der bukolischen Zauberin. Sie leuchten wie die Morgendämmerung oder der endende Tag. Roman spürt ein unerklärliches Jucken auf der Stirn und auf den Wangen. Hitze durchfährt auf einmal seinen Körper, als er die lange Haarsträhne sieht, die aus ihrem Schleier hervorgeglitten ist. Plötzlich hebt sie die behandschuhten Finger, um die Strähne fortzustreichen, senkt den Blick und verschwindet.

Roman bleibt allein in der Martinskapelle zurück, mit ihm nur die Toten. Langsam dreht er sich um und geht auf den Altar zu, seine Laterne in der Hand. Wer war diese Frau? Jemand aus dem Dorf vielleicht… Nein, er hätte sie im Dorf oder im Kloster schon einmal gesehen, doch er ist sich sicher, ihr noch nie begegnet zu sein. Außerdem würde sich eine einheimische Seele niemals nach Komplet herwagen… Also eine Fremde? Sie war nicht bei der Gruppe von Pilgern, die die Abendmahlzeit der Mönche geteilt haben… Ein verlorenes Schaf auf der Suche nach einem Nachtquartier? Aber ihre Kleidung war nicht die einer Landstreicherin, und ihre Haltung und ihr selbstsicheres Auftreten glichen eher dem einer Tochter aus hohem Hause! Er weiß nur mit Sicherheit, daß sie kein Gespenst war, sondern ein sterbliches Wesen.

Als er in den Chor tritt, trifft das gelbliche Licht erneut den glänzenden Ginster, der auf den Gräbern liegt.

Das ist es also, denkt er. Diese holde Maid ist wohl gekommen, um den Toten diese Blumen zu bringen und sich im Angesicht des Herrn zu sammeln. Ich habe ihr Gebet gestört und sie sicherlich erschreckt, so wie sie mich erschreckt hat! Doch dies ist eine seltsame Stunde für ein Gebet!

Bei diesem Gedanken erinnert er sich, warum er selbst an dieser heiligen Stätte ist: um zu beten. Er wollte beten um das Heil von Pierre de Nevers und nicht warten, bis seine Brüder erwachen. Er denkt an seinen Meister, dessen Unfall auf dem Bau von Cluny, und fromm kniet er nieder und vertreibt die Verwirrung aus seinem Sinn, die die geheimnisvolle Begegnung in ihm ausgelöst hat.

Am nächsten Morgen versammeln sich nach Prim die dreißig Priester, Novizen und Laienbrüder in einem der Klostergebäude, die die Kirche umgeben; dort stehen Bänke und in der Mitte ein Stuhl. Abt Hildebert setzt sich auf den Stuhl, in den Händen ein prachtvoll gebundenes Buch.

Dieser 7. September ist der heiligen Regina geweiht, der Jungfrau und Märtyrerin aus Autun. Der Kapitelrat beginnt wie gewohnt mit einer Lesung aus dem *Weg der Vollkommenheit*, der Regel des Benedikt von Nursia aus dem 6. Jahrhundert.

»*Constituenda est ergo nobis Dominici schola servitii: in qua institutione nihil asperum, nihil grave nos constituros speramus*«, liest der Abt voller Inbrunst aus der reich ausgemalten Handschrift vor. »*Sed et si quid paululum restrictius, dictante aequitatis ratione, propter emendationem vitiorum vel conservationem caritatis processerit, non ilico pavore perterritus refugias viam salutis, quae non est nisi angusto initio incipienda. Processu vero conversationis et fidei, dilatato corde, inenarrabili dilectionis dulcedine curritur via mandatorum Dei, ut ab ipsius numquam magisterio discidentes, in eius doctrina usque ad mortem in monasterio perseverantes, passionibus Christi per patientam prticipemur, ut et regno eius mereamur esse consortes. Amen.*«

»*Amen*«, antworten die Mönche im Chor.

»Die heilige Regel unseres Vaters Benedikt ist uns ein Führer auf dem Pfad Unseres Herrn, dem Pfad, den wir erwählt haben, eine Fackel auf dem Weg zur Vollkommenheit des Menschen in der Liebe Gottes«, erläutert der Abt. »Doch wie uns unser Ordensgründer in dieser Passage seiner Regel erinnert, erwartet der Allerhöchste nicht von uns, daß wir seine Sklaven sind und uns vom Joch der Askese und der Kasteiung erdrücken lassen. Wir sind nicht Gottes Leibeigene, sondern seine treuen Diener, die sich an seiner Liebe nähren und zugleich den Menschen dieser Welt ein Beispiel für seine Liebe sind. So vergeßt nicht, meine Söhne, daß das Klosterleben zwar Strenge und Gehorsam fordert, daß aber auch die *moderatio* nicht fehlen darf, das heißt: die Milde und Nachsicht sich selbst gegenüber.«

Schweigen. Der Abt betrachtet die Brüder mit seinem sanften väterlichen Blick.

»Meine Söhne«, fährt er fort, und sein Tonfall paßt zu seinem Blick, »der heilige Benedikt hat uns stets dazu eingeladen, den Gottesdienst in der Gegenwart der Engel zu feiern und mit ihnen zu leben, denn sie berichten Gott von all unseren Taten. Wir sind umgeben von ihrer Liebe, an dieser Stätte mehr noch als an jeder anderen, denn der Bezwinger der Höllenmächte hat diesen Ort für sich erwählt. Getreu dem Werk Auberts ist es unsere Pflicht, ihm eine irdische Heimstatt zu erbauen, die seiner Macht entspricht, eine Heimstatt, die des Wächters an der Pforte zum Paradies würdig ist, die niemand mehr mit jener auf dem Monte Gargano zu vergleichen wagt! Heute will ich euch mitteilen, daß der Bau im neuen Jahr beginnen wird, sobald die Osterfeiern abgeschlossen sind. Erinnern wir uns ans Buch der Apokalypse des Apostels Johannes: ›Einer der sieben Engel führte mich hin im Geist auf einen großen und hohen Berg und zeigte mir die heilige Stadt Jerusalem herniederkommen aus dem Himmel von Gott, die hatte die Herrlichkeit Gottes.‹ Jerusalem war viereckig angelegt, die Länge so groß wie die Breite. Erinnern wir uns auch an das Buch der Könige, in dem der Tempel des Salomo beschrieben wird: Er bestand aus drei Gemächern, und das letzte barg die Lade des Bundes, die Heimstatt des Herrn. Denken wir schließlich an die Arche Noah, von der die Genesis sagt, daß sie dreihundert Ellen lang und fünfzig Ellen breit war und drei Stockwerke hatte mit Kammern darin ...«

Mit einer Geste, die eines theatralischen Gauklers würdig wäre, zieht Hildebert die Zeichnungen von Pierre de Nevers aus seiner Kukulle und zeigt sie den staunenden Mönchen.

In diesem Moment verspürt Roman großen Stolz angesichts des Werks seines Meisters, aber auch dumpfe Besorgnis, wenn er sich vorstellt, wie riesengroß die Baustelle sein wird und wie enorm seine eigene Verantwortung in Abwesenheit des Meisters – der vielleicht nie wieder auf den Berg kommen wird.

»Seht hier, meine Söhne«, spricht der Abt weiter und fährt mit dem Finger über das Pergament. »Der Bau wird so lang sein, wie der Felsen hoch ist. So wird die Kirche ein perfektes Quadrat mit vier gleichen Seiten, getreu der heiligen Zahl des himmlischen Jerusalem und der vollkommenen Welt, die nach der göttlichen Weisheit geschaffen ist: die vier Winde, die vier Himmelsrichtungen, die vier Elemente, die vier Evangelisten, die vier Flüsse des Paradieses ... Der Gesamtbau wird sich auf drei Stockwerke erstrecken, die schrittweise nach oben aufsteigen: Der Narthex unserer Kirche ist der Vorhof zum Tempel des Salomo, das Langschiff und das Querhaus die Tempelhalle, wo sich die Gläubigen versammeln, und der Chor ist das Allerheiligste. Die Pilger werden hinaufsteigen aus der Dämmerung hin zum Sonnenaufgang, aus dem Schatten hinauf zum Licht. Sie werden immer weiter emporsteigen bis ans letzte Ziel: an den Altar des heiligen Erzengels Michael. Das Mittelschiff unserer Kirche wird von genau den Proportionen sein, die Gott Noah vorgab. Und die neuen Klostergebäude, die sich auf dem Nordhang entlang dem Kirchenschiff erheben werden, sollen vor dem Ende der Zeiten den letzten Bund Gottes mit den Menschen bezeugen und eine neue Arche Noah sein. Das untere Geschoß der Arche war das der Tiere – deshalb, meine Söhne, werden wir unten einen Almosensaal anlegen, um die Herden zu empfangen, die von überallher kommen werden, um Rettung zu erlangen. Das mittlere Geschoß der Arche war das der Vorräte – deshalb verlegen wir dorthin unser Refektorium und die Lagerräume für die irdische Kost. Das oberste Geschoß war der Familie Noahs vorbehalten – daher liegt dort unser Dormitorium ...«

»Pater«, wirft Bruder Drocus ein, »alles das erfreut unser Herz. Aber wenn die jetzige Kirche verschwindet, wird das nicht den Gottesdienst stören?«

»Mein Sohn, die alte Kirche wird erst in mehreren Jahren abgerissen, wenn wir das Schiff der großen Klosterkirche errichten. Dann werden wir im Allerheiligsten beten oder in den Kapellen des Querschiffs, die dann bereits fertig sein werden. Aber bis der Chor steht, finden die Gottesdienste weiterhin in der jetzigen Kirche statt. Diese Arbeiten sind eine große Erschütterung für Eure Seelen, Jahrzehnte werden vergehen, bis die neue Kirche aufragt, und die meisten von uns wird der Herr heimgerufen haben, lange bevor sie fertig ist. Aber sie wird unserer Liebe zu Gott entsprungen sein, und sie wird von dieser Liebe zeugen von Ewigkeit zu Ewigkeit!«

Die Brüder schweigen, beeindruckt von den Worten des Abts. Hildebert denkt an die Arbeiten, und seine Miene wird ernster. Er wartet, bis der andächtige Moment des Staunens und des Wunderns vergangen ist, dann erklärt er seinen Söhnen, daß er zu seinem Leidwesen auch eine schlechte Nachricht zu verkünden hat. Er berichtet von dem Unfall dessen, der diese Skizzen angefertigt hat, und empfiehlt Pierre de Nevers dem inbrünstigen Gebet der Gemeinschaft an. Die Mönche wenden sich Roman zu, ihre Blicke sind erfüllt von Mitleid und Hoffnung. Ihr Bruder ist schwer betrübt. Aber das materielle Leben verschafft sich wieder die Oberhand: Die Sitzung wird fortgesetzt mit der Abrechnung des Cellerars, der für die Versorgung des Klosters, für dessen Landverwaltung, für seine Wälder, für das Eintreiben seiner Zölle und für die Abgaben für die Klostergemeinde zuständig ist. All diese finanziellen Unternehmungen blühen, keinerlei Notstand ist in dieser Hinsicht zu befürchten.

»Die Austern sind dieses Jahr zahlreich und groß, besonders in der Gegend von Cancale«, erklärt der Verwalter mit freudiger Miene. Der Zehnte, den der Abt auf die Ernte der Meeresfrüchte erhält, fällt also großzügig aus.

Vor dem inneren Auge der Mönche verwandelt sich jede Münze in einen Stein für die künftige Kirche, und die Austern werden an diesem Morgen zu Bögen aus Granit.

Nach erneutem Schweigen zerstreut der Abt die großartigen Träume seiner Söhne, indem er den letzten Teil der Versammlung eröffnet: das Bußkapitel.

»*Nunc*«, sagt der Mönch in strengem Ton. »*Si aliquid sit loquendum, dicite.*« Diese festgelegte Formulierung ist die Einleitung für die öffentliche Beichte von Vergehen, also von Verstößen gegen die Ordensregel.

Auf die Worte des Abts hin erhebt sich ein junger Priestermönch, Bruder Guillaume, und wirft sich zu Füßen des Paters bäuchlings auf den Boden.

»*Quae est causa, frater?*« fragt der Abt.

Guillaume richtet sich wieder auf und kniet vor ihm. »*Mea culpa, domine*… Pater, ich habe in der Küche heimlich eine Schale Hühnerbrühe zu mir genommen. Ich bitte Gott und meine Brüder um Vergebung«, fügt der Mönch hinzu, bevor er sich wieder auf den Boden wirft, das Gesicht auf der Erde, die Arme seitwärts von sich gestreckt und die drohende Strafe erwartend.

Der alte Abt denkt an die Regel, die das Verzehren von Fleisch verbietet, aber vor allem an seine lasterhaften Vorgänger auf dem Felsen, die bretonischen Kanoniker, die bekannt waren für ihre Bankette mit den Dorfbewohnern, Gelage, die sich nicht auf eine Schale Brühe beschränkten.

»Steht auf, mein Sohn«, fordert der Abt, »und neigt das Haupt. Ihr werdet zwei Tage und eine Nacht fasten, und betet um die Vergebung Gottes und Eurer Brüder.«

Die Aufdeckung eines individuellen Vergehens ermöglicht die kollektive Vergebung, die stets erteilt wird. Das religiöse Leben in einer Gemeinschaft beruht auf der Verschmelzung makelloser Seelen, die vor Komplet von jeder Sünde reingewaschen sein müssen, vor dem Untergang der Sonne und dem Erwachen der Schattenwelt. Guillaume kehrt an seinen Platz zurück.

Im Hochmittelalter, dieser goldenen Zeit des benediktinischen Mönchtums, in dem die Regel noch buchstäblich angewandt wird, essen die Brüder kein Fleisch, weil es Leidenschaft und Unmäßigkeit anstachelt. Nur die kranken Mönche und die, die zur Ader gelassen wurden, erhalten eine Fleischbrühe, vorausgesetzt, das Fleisch stammt nicht von einem vierfüßigen Tier. Gottlob hat ein Huhn nur zwei Beine, so daß Guillaumes Strafe milder ausfällt.

Als sich kein weiterer Anwärter für die öffentliche Beichte meldet, hebt der Abt die Sitzung auf, und alle verlassen den Kapitelsaal, um der Morgenmesse beizuwohnen.

Auf dem Weg dorthin tritt Bruder Bernard, den Pierre de Nevers und Hildebert unter den Brüdern des Klosters bestimmt haben, um Roman zur Hand zu gehen, an dessen Seite. Wortlos legt er dem jungen Mann in einer Geste des Trostes die mit roter Tinte befleckten Finger auf die Schulter, bevor er die Kirche betritt.

Zwei Wochen sind vergangen. Bisher hat noch keinerlei Nachricht aus Cluny den normannischen Berg erreicht. Hildebert hat es Roman untersagt, sich ans Sterbebett seines Meisters zu begeben: Eine solche Reise ist lang, gefährlich, und der umsichtige Abt will das Risiko nicht eingehen, den zu verlieren, der das Vermächtnis des gelehrten Burgunders verkörpert und das Wissen des großen Baumeisters in sich trägt.

Roman trotzt der bitteren Wartezeit, indem er betet und sich mit all seinen Kräften in seine Arbeit stürzt. Sein Körper ist abgemagert, aber mit den Sorgen ist sein Geist nur noch schärfer geworden, so daß er Bernard von jeder Unterstützung freistellt und den müßigen Gehilfen zurück in sein Skriptorium schickt.

Eines Morgens, kurz vor dem Michaelistag, als Roman im Wald Meister Roger und seiner Gilde von Zimmerleuten einen Besuch abstattet, fällt ihm auf, daß die Augen des Handwerkers vor Freude leuchten, eine einfache, ungehemmte Freude, die dem Mann gut zu Gesicht steht.

»Das Glück liegt in Euren Augen wie die Sonne, Meister Roger«, spricht Roman ihn an. »Gibt es gute Neuigkeiten?«

»Ach, Bruder Roman, das ist das Feuer der Dankbarkeit!« Roger wischt sich den Schweiß von der Stirn. »Dankbarkeit gegenüber dem Allerhöchsten, der in seiner unermeßlichen Güte meine kleine Brigitte verschont hat, und – Dankbarkeit gegenüber seiner Dienerin auf Erden, die sie geheilt hat!«

»Ich freue mich mit Euch, daß Brigitte wieder gesund ist, mein

Freund. Sagt mir, diese ›Dienerin Gottes‹, wie Ihr sie nennt, ist das die Gesundbeterin von Beauvoir, von der wir neulich sprachen?«

Meister Roger senkt den Blick seiner schönen graugrünen Augen; er bereut, seine Begeisterung für die Knochenbiegerin vor dem Gottesmann nicht gemäßigt zu haben. »Ganz recht, sie ist es«, murmelt er. »Vergebt mir, Bruder Roman, aber ihre Medizin hat bei dem Mädchen solchermaßen Wirkung gezeigt, und das, ohne sie ein einziges Mal zur Ader zu lassen, daß wir armen unwissenden Sünder darin nur ein Wunder sehen konnten.«

Roman lächelt. Er schätzt diesen Mann von ganzem Herzen, der in seiner natürlichen Weisheit Gott, die Heiligen und seine fleischliche Abkunft mit derselben Inbrunst liebt.

»Wir sind alle Sünder und Unwissende vor dem Herrn«, antwortet der Mönch. »Es mag wohl sein, daß Er die reine weiße Hand einer Jungfrau erwählt hat, um das zu tun, was er im Sinn hat. Ihr hattet mir ja gesagt, daß sie sehr fromm ist.«

Bei diesen Worten erwacht in Roman eine glühende Erinnerung, und ihm kommt ein befremdlicher Gedanke.

»So sagt mir doch«, fährt er fort, »wie sieht sie eigentlich aus? Ich meine, ich habe sie noch nie im Kloster gesehen!«

Nichts in dieser Frage weckt Meister Rogers Mißtrauen, und so beeilt er sich, die Neugierde des Mönchs so gut er kann zu stillen. »Nun ja, sie ist sehr schön und rein, in der Tat. Wenn sie mit ihren Beuteln von Kräutern und Blumen kommt, immer zu Fuß – sie sagt, ein Pferd oder ein Esel wären für das Sumpfland nicht geeignet –, dann meint man, sie wäre eine Waldprinzessin oder eine Fee aus alten Zeiten. Ihre Mutter ist gestorben bei der Geburt ihres kleinen Bruders, einem armen Teufel, der niemals ein einziges Wort hat sprechen oder verstehen können, und ihren Vater hat vor kurzem ein plötzliches Altersfieber dahingerafft. Die Kleine ist seitdem allein mit ihrem Bruder, dessen Zustand sich auch mit dem Heranwachsen nicht änderte, und es heißt, Gott habe ihr die Gabe verliehen, die Menschen zu heilen, um sie zu trösten, daß sie ihr eigen Blut nicht heilen kann.«

Roman ist nachdenklich geworden. Die Beschreibung, die Meister Roger gegeben hat, ist sehr vage, aber dieser Eindruck von einem verzauberten Geschöpf des Waldes, von einer Edelfrau, die in der Natur zu Hause ist… Ist es möglich, daß *sie* es ist?

Am selben Abend fällt Roman am Tisch des Abts ein Bruder auf, von dem er meint, ihn noch nie gesehen zu haben. Zur Komplet nimmt der unbekannte Mönch am Gottesdienst teil, dann verschwindet er.

Als Roman bei hereinbrechender Dunkelheit, getrieben von einem heimlichen Sehnen, zur Martinskapelle eilen will, hält ihn der Abt zurück und fordert ihn mit sanften Worten auf, ihm in seine Hütte zu folgen. Vor dem Wandbehang mit dem heiligen Michael, der über die Seelen richtet, steht jener fremde Mönch, im Gesicht eine seltsame Schwermut, die Roman beunruhigt. Zuerst ist er überrascht, den geheimnisvollen Bruder in Hildeberts Hütte vorzufinden, aber bald schon ist alles klar.

»Mein Sohn«, sagt der Abt in bedeutungsschwangerem Ton, »ich stelle Euch Bruder Jotsald vor, den uns Pater Odilo aus Cluny entsandt hat.«

Jotsald erhebt sich und faßt Roman an den Schultern. Romans Blick fällt auf den Wandbehang, auf dem der heilige Michael die Taten der Verstorbenen wiegt und ihre Seele ins Paradies geleitet – oder zur Hölle fahren läßt.

»Mein unglücklicher Bruder«, spricht der Mönch aus Cluny, »ich überbringe eine wahrlich traurige Nachricht…«

Roman liegt vor dem Altar der Martinskapelle, ein paar Schritte neben dem vertrockneten Ginster, und läßt seinem Kummer freien Lauf. Die Tränen rinnen über seine eingefallenen Wangen, er weint leise, ohne heftiges Schluchzen oder Jammern. Was für ein seltsamer Tag, an dem ihm der eine Vater von der Genesung der Tochter durch ein unbekanntes Mädchens berichtet und ein Unbekannter vom Heimgang eines anderen Vaters. Das Leben mit der Sonne, der Tod nach Einbruch der Nacht… Der Tod eines Mannes, der verwelkt ist wie diese Blumen, inmitten der Blüte des Lebens, im Gegenzug für das Leben eines kleinen Mädchens, das erst noch erblühen wird.

Alles das ist richtig so, sagt sich der Mönch schluchzend. Die Ordnung der Welt, die Ordnung Gottes. Mein Meister ruht nun seit sieben Tagen in der geweihten Erde von Cluny, eben dort, wo er auch das Mönchsgewand anlegte. Er ruht im Chor, dort, wo die Heiligen schlafen. Heiliger Erzengel Michael, der du die Sünden wiegst und den Odem des Menschen vor den Allerhöchsten führst – nimm dich des Pierre de Nevers an, meines Vaters. Du Bezwinger des Teufels, Engel des Letzten Gerichts, Wächter an der Pforte zum Paradies – geleite diese gute Seele hin ins Himmelreich und beschütze sie vor den Dämonen, die auf dem Weg dorthin nach ihr haschen. Geliebter Vater, ich bitte für Euren Eingang in die andere, in die bessere Welt.

Plötzlich unterbricht ein Geräusch Romans Gebet. Blinzelnd richtet er sich auf, dann stürzt er, ohne erst nach seiner Laterne zu greifen, in den hinteren Teil der Kirche, dorthin, wo schummriges Zwielicht herrscht. Er stößt gegen eine Bank, und während er sich das Knie reibt, erblickt er zwei gelb leuchtende kleine Augen. Ein Miauen erklingt, und eine Katze huscht davon.

Roman tastet sich um die Pfeiler herum, aber seine Hoffnung flüchtet so schnell wie das Tier: Er ist allein in der Kapelle. Der Ginster liegt verwelkend auf den Grabplatten, Kadaver von Pflanzen, die so trocken und hart sind wie Knochen.

Das Michaelisfest im September hat ununterbrochene Wellen von Pilgern auf den Felsen gespült. Alle, selbst noch die Ärmsten, haben für den Bau der großen Basilika gespendet. Alle sind sie gekommen, um den Engel um seine Gnade zu bitten oder ihm für ein Wunder zu danken. Meister Roger hat dem Engel eine Dankesmesse gestiftet: In seinem Auftrag hat Roman in der Martinskapelle für die Familie des Zimmermanns einen Gottesdienst abgehalten.

Beim Lesen der Messe konnte er den Blick kaum von der kleinen Brigitte lösen; sie hat die langen blonden Haare ihres Vaters, die braunen Augen ihrer Mutter, einer frommen, tüchtigen Frau, die stolz ist auf ihre zehn Kinder und auf das elfte, das schon bald zur Welt kommen wird. Roman hatte diese Feier ungeduldig erwartet, hatte gehofft, ohne es sich einzugestehen, diesmal im Tageslicht ein bestimmtes Wesen zu erblicken, das aber nicht erschienen ist.

Der Michaelistag im September, der dem heiligen Patron des Berges geweiht ist, ist also vorüber, und die Mönche bereiten sich schon auf das Michaelisfest im Oktober vor, das Fest der Kirchweihe, an dem der Gründung der Andachtsstätte auf dem Felsen durch den heiligen Aubert gedacht wird, der Geburt des heiligen Berges. Zu dieser Gelegenheit sind die Gassen des Dorfes überschwemmt von Hausierern, von Gauklern und fahrenden Akrobaten, von Dieben und sogar von gefährlichen Banditen. Wie jedes Jahr wird der Herzog der Normandie, Schirmherr und Mäzen der Abtei, persönlich an der großen Prozession teilnehmen, zusammen mit seiner Mutter, der Herzogin Gonor, und in Begleitung seiner Ritter und seines Hofes. Anschließend wird Richard II. in der Martinskapelle am Grab der Prinzessin Judith de Bretagne beten, seiner Gattin.

Und doch wird dieses Jahr 1022 nicht sein wie alle anderen: Ein besonderer Glanz wird auf dem Hochamt in der karolingischen Kirche liegen – das Strahlen vom Ende einer Epoche und dem Beginn einer großartigen Erneuerung. Ein göttliches Zeichen hat übrigens schon davon gekündet: Kurz nach der Hochzeit von Herzog Richard und Prinzessin Judith ereignete sich in der Zelle von Abt Hildebert, die wie die Kirche von den bretonischen Kanonikern erbaut wurde, etwas Seltsames. Eines Nachts vor Vigil hörte man an der Decke der Hütte ein nicht zu erklärendes Klopfen. Eine nichtmenschliche Hand schien gegen das Holz zu pochen, direkt über dem Wandteppich mit dem Erzengel, als wäre im Dach der Geist eines Verdammten eingeschlossen. Der Abt erwachte, rief nach dem Prior und dem Cellerar, einem stämmigen jungen Mann, der vor Kraft strotzte. Dieser nahm eine Leiter, stieg nach oben, löste mühelos ein paar Bretter – und stieß auf eine lederne Truhe, die zwischen Decke und Dach verborgen war. Der Inhalt der Truhe löste ein bis dahin ungeklärtes Rätsel: Darin ruhten die Überreste des heiligen Aubert, die im Jahre 966 mit den Kanonikern verschwunden waren, als die Benediktiner kamen: ein Arm, und zwar der rechte, und vor allem der Schädel, eindeutig zu erkennen an dem Loch auf der Stirn, jenes Mal, das der Finger des Engels bei dessen dritter Erscheinung hinterlassen hatte. Zudem bestätigte ein beiliegendes Pergament die Echtheit der Gebeine. Der Bericht über die wunderbare Entdeckung des Schatzes, den die verachtungswürdigen Kanoniker versteckt und so lange dem Gebet der Gläubigen vorenthalten hatten, sprach sich in der Normandie und der verfeindeten Bretagne schnell herum.

Als guter Christ und unfehlbarer Beschützer sah Richard darin den Willen des heiligen Michael selbst und beschloß, wovor er sich bisher geziert hatte: den Bau der großen Abteikirche. Er stiftete Hildebert neue Ländereien, Mühlen, finanzielle Mittel für den Bau der Basilika und die Chausey-Inseln mit ihren für das Bauvorhaben unverzichtbaren Granitvorkommen. Indessen wurden die auf so wundersame Weise wieder aufgetauchten Reliquien in einem Schrein aus vergoldetem Silber und mit Einlegearbeiten aus Kristall und Edelsteinen gelegt; fortan sind sie das Schmuckstück des Kirchenschatzes und für seine Hüter die Garantie nicht nur für den Unterhalt durch Richard, sondern auch für einen nie abbrechenden Strom von Pilgern.

Wenige Tage vor dem Michaelisfest im Oktober, dem Namenstag des heiligen Aubert, an dem der Reliquienschrein als Zeichen für die Macht des Engels feierlich für die Gläubigen ausgestellt wird, ist das ganze Kloster erfüllt von mystischer Leidenschaft. Viele Pilger sind bereits eingetroffen und wurden von den Dorfbewohnern und den Brüdern in Empfang genommen. Alle Mönche, die auch Priester sind, sind für das Abhalten von Messen eingeteilt, von denen manche für jene Wallfahrer gelesen werden, die auf der langen Reise dem Meer, dem Treibsand oder Wegelagerern zum Opfer fielen. »Eh du dich zum Berg aufmachst, sei dein Testament geschrieben«, heißt ein in der Normandie geläufiges Sprichwort.

Nur ein einziger Priester ist von den Stiftsmessen freigestellt: Bruder Roman, der, befreit von den Zwängen des Klosters, nach eigenem Willen ein- und ausgehen kann. Als neuer Werkmeister fühlt er sich von der Tragweite seiner neuen Aufgabe ebenso erdrückt wie von der Ehre, zum Nachfolger des Pierre de Nevers bestimmt worden zu sein. Nicht einmal die Bauhütte der kleinsten Kapelle, des bescheidensten Betraums, hat er zuvor geleitet, und plötzlich soll er allein das neue Jerusalem errichten! Sein

Meister sagte, als er Roman seine Skizzen zeigte, daß sie den Höhepunkt seines ganzen Lebens darstellten, und dies zählte immerhin sechzig Jahre lang. Im Grunde sind seine Zeichnungen sein Testament und Roman sein alleiniger Erbe. Und Roman hat Angst. Trotz des Vertrauens, das Hildebert in ihn setzt, meint er bei manch seiner Brüder Sorge zu erkennen, die seiner Ansicht nach durchaus berechtigt ist.

So arbeitet er ohne Unterlaß an der Organisation des Baus, stellt Arbeiter und Handwerker ein, überwacht die Steinbrucharbeiten auf den Chausey-Inseln, lagert die ersten Steinblöcke ein und begibt sich häufig in den Wald, in jene Reviere, die Meister Roger vorbehalten sind. Getreu seinem Ruf und Romans Erwartungen hat der bereits eine beträchtliche Zahl von Eichen geschlagen. Das Holz für den Dachstuhl der künftigen Kirche wird erst in mehreren Jahren fertig sein, doch die Schuten für den Transport des Granits nehmen auf den Lichtungen bereits Form an, und so sind die Befürchtungen des neuen Werkmeisters ein wenig beruhigt.

Roman genießt den schnellen Galopp durch den Wald und treibt sein Pferd an, um Hildebert davon zu berichten. In diesem regnerischen Herbst, so fällt ihm auf, ist der Himmel von der gleichen Farbe wie die Augen des Zimmermanns und die seines Bruders: ein schönes Grau mit grünen Einschlägen. Der Mönch sieht darin einen Wink des Pierre de Nevers, der ihm von seiner neuen Heimstatt aus Mut zuspricht.

Als Roman sein Pferd vor einem Stück Hochwald zügelt, meint er, das Schreien von Menschen zu hören. Er läßt sein Pferd stillstehen und horcht. Ja, er hat sich nicht getäuscht, von dort hinten kommt Geschrei, Männer- und Frauenstimmen kreischen durcheinander. Er verlässt den Weg und prescht in jene Richtung, aus der er nun auch einen Hilferuf zu vernehmen meint.

Allmählich nähert er sich dem Jammern und macht am Rand eines brackigen Tümpels eine Familie von Pilgern aus, die durch den schmierigen Schlamm stapfen, die Eltern und fünf Kinder, darunter ein Säugling, den die Frau schreiend im Arm hält. Vier dicke, bärtige Männer bedrohen sie mit Knüppeln und Dolchen, brüllen und nehmen den angststarren Wallfahrern ihren Proviant und ihr Geld ab.

Ohne einen Gedanken daran zu verschwenden, mit wie vielen Übeltätern er es zu tun hat, hebt Roman den dürren Stock, der ihm als Reitpeitsche dient, und prescht den armen Opfern zu Hilfe.

»Im Namen des Allmächtigen!« schreit er aus einiger Entfernung. »Laßt diese Leute in Ruhe!«

»He, du Mönch!« Einer der Wegelagerer wendet sich ihm zu. »Wir bringen dich gerade um deinen Lebensunterhalt, was? Komm doch und hol ihn dir wieder, wenn du dich traust!«

»Ihr Lumpenpack!« tönt Roman vom Rücken seines Pferdes. »Elende Heiden! Es ist das heilige Brot Gottes, das ihr stehlt, nicht meines! Fürchtet den Allerhöchsten, fürchtet um eure Seele, fürchtet die göttliche Strafe!« fügt er hinzu, während er versucht, mit dem Stock auf sie einzuschlagen.

»Ach was, der Herr wird schon teilen!« entgegnet ein schwarzbärtiger Gauner, während er den Schlägen ausweicht. »Strafe? Wo doch alles für ihn ist und nichts für uns und man sich bloß zu bedienen braucht? Er wird uns schon vergeben! – Hehe, meine Brüder!« Er greift nach den Zügeln von Romans Pferd. »Dieser Bursche hat lange genug Sprüche geklopft – bringt ihn zum Schweigen!«

Im Nu werfen die drei Räuber Roman aus dem Sattel, während die Pilger machtlos zuschauen. Der Bärtige hält Romans Pferd, während die anderen ihn mit Prügeln eindecken. Rücklings auf dem Boden liegend, sieht der Mönch noch ein Stück Himmel, diesen grauen Himmel, den er für ein gutes Vorzeichen gehalten hat, bevor sich der Anführer der Bande mit seinem Dolch auf ihn stürzt. Ein furchtbarer Schmerz in den Rippen, im Bauch, die dunklen Augen des Verbrechers über ihm, und dann taucht alles ein in die Schwärze dieses Blicks.

»Bruder Roman? Hört Ihr mich? Bleibt ganz ruhig liegen. Versucht nicht zu sprechen.«

Kühle auf seiner Stirn, den Augen, dem Hals. Ein Tuch tupft darüber hinweg. Er schlägt die Augen auf und sieht flammendrotes Haar, Augen von durchdringendem Grün, mandelförmig und inmitten eines reinen Antlitzes, mit Lippen, die sich zu einem zärtlichen Lächeln öffnen. Am schmalen weißen Hals sieht er die Adern schlagen, als würde sich die Regung ihres Herzen in ihrem ganzen Körper ausbreiten... Roman fährt hoch. Und er erkennt sie wieder.

»I-Ihr?« Er bringt nur ein Flüstern zustande.

»Ihr erinnert Euch – das ist gut!« sagt sie mit ihrem strahlenden Lächeln. »Aber Ihr solltet nicht sprechen. Habt keine Angst, der Herr hat Euch das Leben gerettet. Mein Name ist Moïra. Wir sind uns schon einmal begegnet, glaube ich. Ein Freibauer, den die Pilger um Hilfe gerufen haben, hat Euch vor fünf Tagen gefunden, nach Eurer mutigen Tat! Er wollte Euch die rauhe Fahrt übers Meer zum Kloster nicht zumuten, aus Angst, Ihr würdet die Strapaze nicht überstehen, und brachte Euch auf seinem Wagen her, zum Dorf Beauvoir. Ihr hattet viel Blut verloren und saht aus wie tot. Ich habe Eure Wunden verbunden, doch das Fieber hatte sich Eurer Sinne bemächtigt. Eure Brüder sind gekommen, zu viert. Bruder Hosmund, Euer Infirmarius, meinte, man könne Euch nicht transportieren, solange Gott nicht über Euer Leben entschieden hat. Er kennt mich, der Bruder Hosmund, und unter Christi Angesicht hat er Euch mir anvertraut. Tag für Tag nach Non kommt er, um nach Euch zu sehen, in Begleitung eines Mönchs namens Bernard, der ebenfalls um Euch zittert. Gestern waren noch zwei andere Mönche dabei, der eine ein alter Mann mit Augen, so blau wie der Himmel, und auch er schien sehr besorgt.«

»Hil...«

»Psst!« Sie legt ihre langen Finger auf seinen Mund. »Ihr werdet Eure Brüder nachher bestimmt sehen, doch einstweilen werde ich Euch weiterbehandeln.«

Sie steht auf und macht sich, ihm dem Rücken zugewandt, an dem riesigen offenen Kamin zu schaffen, in dem ein Kessel dampft. Ihr langes rotes Haar fällt ihr nicht auf die Schultern, sondern steht in ineinander verwobenen Aureolen von ihrem Kopf ab. Ihr Überwurf ist so schlicht wie die Kleidung der Bäuerinnen, aber der purpurrote Stoff so fein wie die Gewänder hoher Damen. Sie trägt einen prächtigen Gürtel, nicht aus Leder, sondern aus fein ziseliertem Metall. Und doch ist das Innere des

Hauses das der Bauern in dieser Gegend: Schiefermauern, ein Lehmboden mit Büscheln von Siegwurz, Eisenkraut und Pfefferminz, ein Waschzuber, ein paar Möbel und überall Arzneitiegel.

Die Auflegerin … die Gesundbeterin von Beauvoir … Moïra … Roman hat Schmerzen, in der Seite sogar sehr heftige Schmerzen, und in seinem Kopf, der sich schrecklich schwer anfühlt, herrscht ein einziges Durcheinander. Brennender Schweiß rinnt ihm in die Augen, und doch ist sein Leib kalt wie der einer Leiche. Er versucht, ein Bein zu bewegen, aber er schafft es nicht.

Fünf Tage und fünf Nächte … Er erinnert sich an seinen Besuch bei Meister Roger, an die Räuber, dann denkt er an Abt Hildebert, der persönlich herkam, an das Michaelisfest, das bereits vorüber ist, an die Bauarbeiten, an seine Pflichten und daß sie die vorgegebenen Termine nicht halten werden … Er betrachtet Moïra, die in einem Mörser Heilpflanzen zerstößt. Er betrachtet die prallgefüllten Beutel mit Blumen und Wurzeln auf dem großen Holztisch. Dann betrachtet er wieder die junge Frau, und er denkt an ihre erste Begegnung in der Martinskapelle. Er hatte ihr Haar nicht gesehen, denn an jenem Abend hatte sie es unter einem Schleier verborgen, doch er erinnert sich an die freche Strähne, die darunter hervorlugte und die ihn so berührte. Dieses Gesicht hätte er inmitten einer Menschenmenge wiedererkannt – diese Augen, diesen Hals, diese Lippen, dieses Haar, das sie nicht mehr vor ihm versteckt und das wie Feuer ist.

Ihm ist sehr heiß, er fühlt ein seltsames Sieden in seinem gebrochenen Körper. Er denkt an den gelben Ginster in der Martinskapelle, und der körperliche Schmerz läßt nach.

Sie tritt heran, hebt seinen Kopf an und flößt ihm kochend heißen Wein an, der irgendwie bitter schmeckt. »Habt keine Angst«, sagt sie sanft, »aber ich muß die Verbände wechseln.«

Sie schlägt die Decke zurück. Um an die Verletzungen heranzukommen, ist die Kutte aufgeschnitten worden, vom Saum bis an die Schenkel und auf der Brust. Romans rechtes Bein ist blau und steckt in einer hölzernen Schiene. Das linke ist mit Schorf von getrocknetem Blut bedeckt. Auf der linken Seite des Bauchs liegen leinene Kompressen in fauligen Farben. Die Arme sind verbunden, und seine Hände, seine armen Hände liegen auf der Matte, ganz gelb und geschwollen – und reglos. Als Roman diesen Körper sieht, wird ihm übel. Er wirft seiner Pflegerin einen verzweifelten Blick zu und kann seine Tränen nicht zurückhalten, die er aber unter ihrem Blick mühsam hinunterschluckt.

»Ich weiß, Bruder Roman.« Sie streicht ihm über die Augen. »Aber das Fieber, das in Euch war, sinkt. Die kleinen Wunden, die Beulen und blauen Flecken sind nicht schlimm. Das Bein ist gebrochen, aber die Messerklinge, die nahe am Herzen eingedrungen ist, ist gottlob daran vorbeigegangen. Die Wunde ist ziemlich tief, aber die Zeit und meine Kräuter werden alles heilen lassen – mit der Hilfe der Heiligen Mutter Gottes natürlich. Ihr Wille ist geschehen, Ihr lebt. Kämpfen müssen wir gegen den Wundbrand. Schließt jetzt Eure Augen, es ist besser, wenn Ihr nicht hinschaut.«

Er tut, was sie von ihm verlangt. Ein seltsames Wesen – sie schildert ihm in aller Deutlichkeit seinen Zustand und will dann, daß er nicht hinschaut. Die Augen geschlossen, fühlt sich Roman plötzlich wie ein Hasenfuß. Er hat Angst vor dem Dunklen, Angst, er könnte wieder darin versinken und diesmal nicht mehr daraus auftauchen. Und dennoch zwingt er sich, die Augen geschlossen zu halten und ruhig zu atmen. Er fühlt, wie das Tuch auf seiner Seite sanft abgenommen wird, fühlt den entzündeten Bauch dieses fremden Körpers, dann einen frischen, angewärmten Verband. Er nimmt ihren Geruch wahr, als ihn ihre losen Haare an der Nase kitzeln. Sie entfernt die Verbände von seinem Arm, legt neue an. Schmerzen. Er schnuppert. Er erinnert sich nicht an die Haut seiner Mutter, einer Mutter von vier Knaben, nur an den Geruch seiner Ammen, der einzigen Frauen, die ihn jemals berührt haben, aber es war nicht dieser Geruch, der Geruch von Moïra. Es ist der Duft von Herbstlaub, vielleicht von brennender Erde, von salzigem Regen. Sie verströmt den Geruch des Waldes, sie gleicht einem Baum.

»So«, erklärt sie und zieht die Wolldecke wieder hoch, »Ihr könnt die Augen öffnen. Ich bin fertig – für diesmal!«

Er blickt auf, und seine kindliche Angst ist verschwunden. Sie ist da, und sie ist schön. Für ihn ist ihre Schönheit nicht die eines menschlichen Wesens, sondern spiegelt einen heiligen Wesensgrund wieder: das Wesen der Jungfrau Maria.

Im stillen dankt Roman dem Herrn, daß er ihn verschont hat, und er preist diesen göttlichen Engel, den der Allerhöchste ihm gesandt hat.

Wie sie es vorausgesagt hat, kommen nach Non Mönche an Romans Krankenbett. Moïra nimmt einen Kräutersack und ein Messer und läßt ihren Patienten mit Hosmund allein, dem Bartbruder, der im Kloster das Infirmarium besorgt, und mit Bruder Almodius, dem Unterprior. Der kleine, rundliche Hosmund läßt sein rötliches Gesicht in einem wohlwollenden Lächeln erstrahlen. Wie die anderen Mönche trägt auch Hosmund Kutte und Tonsur, aber wie alle Laienbrüder hat er einen Vollbart, Zeichen dafür, daß er nicht lesen kann: Das Barthaar ist und bleibt das Zeichen der fehlenden Bildung, der Barbarei an sich, und erinnert an die langen Haare und dichten Bärte der Wikinger.

Hosmund trat in fortgeschrittenem Alter ins Kloster ein, er muß nicht an allen Stundengebeten teilnehmen, und der Chor der Kirche bleibt ihm verboten, weil er kein Priester ist. Aber er gehört voll und ganz zur Gemeinschaft. Sein Leben wird bestimmt vom Gebet, der Einhaltung der Regel und harter Arbeit. So ermöglicht er es seinen gelehrten Brüdern – die also sorgfältig rasiert sind –, sich dem Kopieren und Ausmalen alter Handschriften zu widmen, die dem Ruhm der Abtei dienen.

Hosmund, ein Abkömmling der normannischen Eroberer, war der oberste Stallbursche eines Adeligen in Caen. An seinem zwanzigsten Geburtstag riß ihm ein heftiger Huftritt den Bauch auf. Auf seinem Leidensbett betete er zum Seelengeleiter, er möge der seinen gnädig sein, und versprach den Rest seines Daseins dem Erzengel, würde er die Verletzung nur überleben. Als er wieder auf den Beinen war, blieb Hosmund seinem Gelöbnis treu und klopfte ein paar Monate später ans Tor der Abtei auf dem Mont-Saint-Michel, dessen Abt ihn aufnahm. Da er den Pferden fortan eher mißtrauisch gegenüberstand, erlernte Hosmund die Kunst der Heilpflanzen, statt im Stall des Klosters zu dienen. Zwölf Jahre lang nahm er Unterricht bei dem alten Mönch, der sich um die Kranken kümmerte. Seit dessen Tod vor zwei Jahren leitet er allein die Krankenstube und behandelt die Mönche, die Pilger und manchmal die Leute aus dem Dorf.

»Bruder Roman! Gelobt sei der Allmächtige, daß du wieder unter uns weilst!« ruft er und wirft die Arme in den Himmel. »Der Erzengel hat unser Gebet erhört! Unser Pater war sehr betroffen, als er von dem Überfall der Banditen hörte. Du warst ja ziemlich mutig. Einfach so auf einen Mönch loszugehen ...!« Zähneknirschend ballt er die Fäuste. »Diese unseligen Grobiane rauben nicht nur die Wallfahrer aus, jetzt fallen sie auch noch über die Diener Gottes her! Was für ein elendes Land. Gestern«, fährt er ruhiger fort, »ist Hildebert selbst hiergewesen, um dir die Krankensalbung zu spenden. Du warst schon weit weg von unserer Welt. Er hat dich mit dem heiligen Öl gesalbt und um Vergebung für deine Sünden gebetet, und in seinem Auftrag begleitet mich jeden Tag ein Priester, dem du beichten kannst, wenn du wach bist.«

»Kannst du sprechen, Bruder Roman?« fragt Almodius und tritt an sein Lager. »Die Frau sagt nein, aber du mußt dir Mühe geben und deine Sünden vor Gott gestehen, um in Frieden gehen zu können, wenn Er dich ruft!«

Almodius ist groß und mager, und obwohl er gleich alt ist wie Roman, wirkt er dennoch reifer. Schwarze Augen glänzen in einem Gesicht, dessen Haut so trocken und vergilbt ist wie die Pergamente, die er mit so viel Hingabe kopiert. Seine Eltern, reiche normannische Adelige, haben ihn sehr früh ins Kloster gebracht, und schon als Kind konzentrierte er all seine Kraft auf die religiöse Inbrunst, all seinen Verstand auf das Studium. Seither liegt seine Welt in den Mauern des Klosters, fast sein ganzes Leben lang. Schon früh wurde er ein Novize und erhielt schließlich die Priesterweihe, und er wurde zudem zum besten Kopisten der Abtei. Hildebert hat ihn erst kürzlich zum Gehilfen des Priors bestimmt.

»Ja... Ich... ich muß... dir meine Verfehlungen anvertrauen«, stammelt Roman mühsam.

Bruder Hosmund runzelt die Stirn. Er weiß, daß Roman das Sprechen schwerfällt, und doch verlangt seine Seele nach der

Beichte, denn das Fieber kann ihn wieder packen und mit sich fortreißen, und seine Seele würde sich unter der Last seiner Sünden verirren.

Wie es noch vor kurzem Bernard getan hat, als der Abt Pierre de Nevers' Unfall verkündete, legt Hosmund ermutigend eine Hand auf Romans Schulter. Dann geht er nach draußen zu Moïra, um sie nach ihrer Meinung über die Entwicklung des Verletzten zu fragen. Die junge Frau ist in der Nähe geblieben und streichelt die Pferde der Mönche. Almodius bleibt mit Roman allein.

Als Bruder Hosmund und Moïra in die Kate der Gesundbeterin zurückkehren, ist Roman ohne Bewußtsein. Almodius kniet an seiner Seite auf dem mit Blumen übersäten Boden und betet.

»Was ist passiert?« fragt Moïra erregt und stürzt an das Lager.

Almodius erhebt sich und weist die junge Frau mit seinem Blick zurück. »Nur eine Ohnmacht«, erklärt er und mustert sie streng. »Sein Leib ist erschöpft, aber seine Seele ist frei und rein. Wenn es der Wille des Allerhöchsten ist, so kann Er ihn jetzt heimholen. Dann wird mein Bruder unter dem Geleit des Erzengels ins Himmelreich eingehen.«

Moïra begreift, daß Roman gebeichtet und dabei das Bewußtsein verloren hat, weil er zu schwach war; es könnte sein, daß er nie wieder zu sich kommt. Sie wagt dem Mann Gottes nicht zu widersprechen, der am Bett seines Bruders steht, aufrecht wie ein Wächter an der Pforte zum Paradies. Sie schaut dem Unterprior in die Augen. Sein Blick ist fest und entschlossen.

»Wir werden uns jetzt wieder auf den Weg machen«, erklärt Hosmund. »Es geht auf Vesper zu, und die Flut naht. Kümmert Euch weiter um ihn – wir werden für ihn beten. Morgen kommen wir wieder. Ich bin sicher, daß es ihm dann besser gehen wird. Habt Dank für Eure Selbstlosigkeit und für die Hilfe, die Ihr ihm leistet.«

Als die Mönche fort sind, setzt sich Moïra auf die Bettkante und legt Roman die Hand auf die Stirn. Kein Fieber. Aber Gott allein weiß, wo sein Geist umherirrt. Sie schürt das Kaminfeuer, ist danach längere Zeit mit ihren Mörsern und Kesseln beschäftigt, dann kehrt sie zu ihm zurück. Sie nimmt das getrocknete

Eisenkraut von der eitrigen Wunde an seinem Bauch und ersetzt es mit frischem, das sie eben abgekocht hat. Auf die Bruchstelle am Bein legt sie einen heißen Breiumschlag mit grünen Malvenblättern, die sie in einem neuen Tiegel mit fünfmal so viel Wurzeln und Wundwegerich aufgekocht hat. Sie reibt die kleinen Wunden und die Beulen mit einer übelriechenden Salbe aus Lilienzwiebeln ein, die in Schweinetalg zerstoßen wurden. Schließlich wickelt sie Erdefeu auf seine Brust fest, legt ihm Salbei auf die Stirn, öffnet seinen Mund und schiebt ihm Basilikumblätter unter die Zunge.

Sie betrachtet ihn einen Moment. Er scheint friedlich zu schlafen. Da steht sie auf, um für sich und ihren Bruder die Abendsuppe zu bereiten.

Als Roman wieder zu sich kommt, schickt sich die Nacht an, die Erde zu erobern, so wie es das Meer bereits getan hat. Hinter seinen flatternden Augenlidern erkennt er den gelblichen Schein einer Kerze. Eine Sekunde lang meint er im Chor der Kirche oder der Martinskapelle zu sein, wo zwei Brüder den Altar für eine Messe schmücken. Aber der Altar ist ein hölzerner Tisch, an dem ein hochgewachsener Junge und Moïra im Schein des Herdfeuers und eines Talglichts Pflanzen sortieren. Roman lächelt über seine Verwechslung. Er hat einen seltsamen Geschmack im Mund, und ein stechender Schmerz entlockt ihm ein Stöhnen.

»Bruder Roman!« begrüßt ihn Moïra und steht auf. »Ihr seid wach. Das freut mich. Ich hatte solche Angst!«

Roman versucht ihr zu antworten, aber der Klang seiner Stimme versinkt in einem jammernden Seufzen.

»O nein, nein, ich beschwöre Euch, schweigt!« sagt sie streng. »Ihr dürft nicht zu sprechen versuchen, sondern müßt all Eure Kraft auf Euer Inneres richten, damit Eure Wunden heilen. Versteht Ihr?« fragt sie sanfter.

Roman nickt, und Moïra winkt den Jungen heran. Er ist von berückender Schönheit – ungewöhnlich groß, mit dem gleichen gelockten Haar wie seine Schwester, das in rötlichem Blond über seine Schultern fällt, mit einer hohen Stirn, großen Augen im Grün eines Bergsees, und mit ebenmäßiger, leicht gebräunter Haut, auf der sich die Andeutung eines hellen Bartes abzeichnet. Seine

Hände sind langgliedrig wie die eines Kopisten und kräftig wie die eines Ritters.

»Das ist Brewen, mein Bruder. Er ist dreizehn Jahre alt. Er hat über Euch gewacht, während ich ruhte. Und er ist wie Ihr: Er spricht nicht, aber er versteht alles. Er hört nicht, aber er liest die Worte von den Lippen ab und die Gedanken von den Herzen. Ich habe Basilikum unter Eure Zunge gelegt. Das ist eine kalte Pflanze, die Euch das Feuer aus dem Mund nimmt, und dann könnt Ihr wieder sprechen.«

Auf Romans fragenden Blick hin erklärt sie ihm die heilende Wirkung der Pflanzen, während sie ihm mit Brewens Hilfe die Umschläge wechselt.

Wie die meisten Mönche kennt Roman einige lateinische Pflanzennamen, aber obgleich sie die Blumen nur in der Volkssprache benennt, übersteigen ihre Kenntnisse bei weitem die seinen, vielleicht sogar die von Bruder Hosmund, der im Klostergarten die Heilpflanzen anbaut. Freilich weicht die medizinische Lehre, von der die junge Frau ihm – offenbar ohne jeden Arg – erzählt, in solchem Maße von der der Kirche ab, daß der Mönch in ihm es bedauert, nicht genug Kraft zu haben, um ihr zu widersprechen.

»Es ist gar nicht nötig, den Körper zur Ader zu lassen, wie die Ärzte es tun, um ihn von den üblen Säften zu befreien«, erklärt sie, während sie ihm den Eisenkrautumschlag entfernt. »In einem Punkt haben sie freilich recht: Die Ausgewogenheit des Körpers ist die des Kosmos, der aus den vier göttlichen Elementen besteht: Feuer, Erde, Luft und Wasser in verschiedenen Mengenverhältnissen. Wenn diese vier Elemente ins Ungleichgewicht geraten, kommt es zur Krankheit. Aber wenn man Blut abschröpft, wie sie es tun, kann es passieren, daß man auch ein Element ableitet, das nicht krank und ohne das die Genesung unmöglich ist. Gott ist in jedem Menschen verkörpert, in jedem Tier und in allen Dingen: im Stein, im Baum, im Fluß und auch in den Pflanzen, die ihre eigene Seele haben und gleichermaßen Gut und Böse enthalten. So können sie den Menschen vom Übel befreien und das Gleichgewicht zwischen den vier Elementen wiederherstellen, wenn der Mensch die ihnen eigene Harmonie respektiert, indem er sie richtig und ausgewogen zur Anwendung bringt. Andernfalls können sie auch zu seinem Verderben werden. So kann die Wurzel vom Aronstab, wenn sie in reinem Wein gekocht und derselbe mit Hilfe eines hineingetauchten Stücks Metall wieder aufgewärmt wird, dämonisches Fieber senken, aber Blüte und Stengel vom Aronstab sind stark giftig und führen zu tödlichen Krämpfen.«

Die Vorstellung, Tiere und Pflanzen könnten eine Seele haben wie die Menschen, ruft ein Blitzen in den Augen des Mönchs hervor. Was für eine Gotteslästerung! Und wie dreist ist es, dies einem Geistlichen zu sagen! Er fragt sich, woher Moïra solchen Aberglauben hat, diesen fehlgeleiteten Glauben an die Beseeltheit der Welt, der einer guten Christin nicht zu Gesicht steht.

»Ich verstehe, was Euer Blick sagt«, antwortet sie. »Ihr fragt Euch, wer mich all dieses Wissen lehrte, da ich doch eine Frau bin? Nun, es war mein Vater. Er war ein großer Gesundbeter von grenzenloser Weisheit. Sein Vater wiederum hat ihm diese Kunst zwanzig Jahre lang beigebracht. Vater wollte natürlich sein Wissen an einen Sohn weitergeben, aber Mutter hatte zwei Fehlgeburten, dann endlich ein gesundes Kind, doch war dies ein Mädchen, nämlich ich, und sechs Jahre später schließlich Brewen. Nach seiner Geburt starb sie im Wochenbett – ein schlechtes Vorzeichen. Mein Vater vergötterte meine Mutter, und er wollte ihr in die andere Welt nachfolgen, aber er verbat es sich, solange er seinem Sohn nicht sein Wissen vermacht hatte. Als Brewen drei Jahre zählte, war ihm klar, daß der Kleine wirklich taub und stumm war, und da wäre er fast vor Kummer und Scham gestorben. Er weigerte sich, eine neue Frau zu nehmen, um noch einen Sohn zu zeugen. So lehrte er mich, zehn Jahre lang. Ich kann sogar lesen und schreiben! Im letzten Winter dann raffte ihn ein plötzliches Fieber dahin. Ich konnte nichts dagegen tun, so wie er nie etwas für meinen Bruder hat tun können. Ich glaube, er wollte nicht gesund werden, so wie Brewen nicht die Worte der Sterblichen hören mag – lieber hört er die der Feen und der Waldgeister.«

Wenn er nur könnte, Roman würde laut aufschreien. Moïras Familiengeschichte und ihre traurige Entschlossenheit rühren ihn, aber wie gefährlich ist doch ihre Naivität! Was mag ihr Vater ihr nur beigebracht haben? Diese heidnische Gottlosigkeit! Feen! Eine unwissende Sünderin, das ist sie! Wie hat er sie sich nur als Abbild Marias vorstellen können, als jungfräulich reine Prinzessin der Natur? Sicher wegen ihrer Schönheit – der Schönheit des Dämons! Gewiß, ihr Leben ist hart, sie kennt die Pflanzen und dient ihrem Nächsten, indem sie den Kranken Hilfe zuteil werden läßt. Aber sie hat ein falsches Verständnis von der Welt. Er muß mit ihr reden, ihr predigen, ihre Seele retten, sie zurückführen zum Geist Gottes! Doch im Moment ist er zu nichts anderem in der Lage, als weit den Mund zu öffnen, ohne einen Ton herauszubringen.

»Ganz recht, Bruder Roman«, sagt sie, weil sie sein Bemühen falsch deutet, »man darf nicht vergessen, seinen Leib zu ernähren. Der heilige Benedikt selbst hat es niedergeschrieben. Ihr habt Hunger, das ist ein gutes Zeichen. Ihr werdet schneller gesund, wenn Ihr eßt und meinen Wein trinkt, den ich mit Arzneipflanzen aufgekocht habe. Ich habe für Euch Erbsensuppe ohne Speck und eine schöne Taube vorbereitet. Ihr dürft Fleisch essen, denn Ihr seid krank, und eine Taube ist kein vierfüßiges Tier. So könnt Ihr sie also essen, ohne die Regel zu verletzen!«

Verschmitzt lächelnd steht sie auf, um dem Mönch die Suppe aufzuwärmen. Der ist völlig verblüfft. Sie kennt die Regel des heiligen Benedikt, sie versteht Latein! Und dieses Lächeln, dieser wissende Blick! Diese Frau scheint klüger zu sein, als er zunächst gedacht hat. Aber warum überschüttet sie ihn mit ihren ketzerischen Gedanken? Wenn sie gebildet ist, kann sie doch nicht an diese Ammenmärchen glauben! Macht sie sich lustig, treibt sie ein übles Spiel mit ihm? Roman kann sich nicht vorstellen, daß Moïra ihm Böses will. Während sie ihn füttert, sucht er in ihren Augen, in ihren Zügen nach ihrer heimlichen Absicht.

Auf einmal scheint die junge Frau ganz nach der Gewohnheit der Mönche das Schweigegebot zu befolgen. Sie lächelt freundlich, sagt aber kein Wort und läßt keinen ihrer Gedanken erahnen. Allein ihr Geheimnis strahlt auf Roman aus und läßt ihn die Schmerzen seiner Wunden vergessen.

Nachdem sie an diesem Abend ein Basilikumblatt unter seine Zunge gelegt hat wie eine Hostie, fällt er unter seiner Hülle von stark riechenden Kräutern in einen seltsamen Schlaf, der bevölkert ist von phantastischen Tieren mit Menschenköpfen.

Zwei Tage und zwei Nächte lang kann Roman nicht sprechen. Er beobachtet Moïra und Brewen voller Neugierde und Dankbarkeit. Die beiden jungen Leute versorgen den Mönch gewissenhaft.

Moïra setzt ihren Monolog über ihre Salben und Aufgüsse fort, wie es ein Arzt tun würde, nennt dazu die lateinischen Namen und erläutert ihre Rezepturen. Hosmund, Bernard und Almodius besuchen ihn Tag für Tag und berichten, daß Herzog Richard dem Kloster soeben die Abtei von Saint-Pair gestiftet hat, die einst von den Wikingern zerstört wurde. Sobald Roman transportfähig ist, werden sie ihn auf den Berg zurückbringen, wo sich Hosmund um ihn kümmern wird.

Obgleich sich seine Gastgeberin während der Besuche seiner Brüder höflich zurückzieht, spürt Roman beim Unterprior ein leichtes Mißtrauen gegenüber der Gesundbeterin. Liegt das einfach nur an der ungehörigen Situation – eine weltliche Frau verbringt Tag und Nacht mit einem Mönch in einer abgelegenen Kate –, oder ist sie etwa so unvorsichtig gewesen, ihm ihren Aberglauben zu gestehen? Nach tagelanger Beobachtung weiß er instinktiv, daß die junge Frau durchaus keinen Pakt mit dem Teufel geschlossen hat. Er führt ihren Aberglauben daher auf kindliche Unwissenheit zurück. Dann zweifelt er wieder, und er überrascht sich dabei, wie er sich um sie Sorgen macht.

Auch fragt er sich bekümmert, was wohl aus seiner Bauhütte werden soll: Im Moment kommt Bernard mit der Hilfe Meister Jehans und Meister Rogers allein zurecht; sie haben ihn gestern besucht und ihn zu beruhigen versucht. Aber was, wenn er für immer in diesem Zustand bleibt? Wenn er nie wieder seine Beine gebrauchen und nie wieder sprechen kann? Bernard kennt die Geheimnisse der Baukunst nicht, denn die sind auf den Pergamenten des Pierre de Nevers nicht verzeichnet; der Baumeister hat sie aber in acht langen Lehrjahren an Roman weitergegeben. Doch mit versteinerten Händen und gelähmter Zunge kann Roman weder schreiben noch mündlich seinem Gehilfen das kleinste Rätsel enthüllen. Ihm bleibt nichts als das Gebet. So betet er stumm Tag und Nacht, nicht um sein eigenes Heil, sondern für den Bau der neuen Basilika.

Er fleht den Erzengel an, ihm zu helfen – ihn schnell heimzuholen, wenn seine Stunde gekommen ist, oder ihn zu heilen, damit er im Gedenken an seinen Meister seine irdische Pflicht erfüllen kann.

Im Morgengrauen des dritten Tages erzwungenen Schweigens bringt er endlich Worte über seine Lippen. Roman dankt dem heiligen Michael laut rufend und Moïra der Muttergottes mit ihren Freudentränen. Allerheiligen steht bevor.

»Moïra…«, stöhnt er. »Ich höre die Glocken von Beauvoir. Ist es Vigil oder Laudes? Ich habe das Gefühl für die Zeit verloren.«

»Es ist Prim, Bruder Roman. Die Sonne steht am Himmel. Ich werde Brewen wecken, aber vorher trinkt dies hier!« Sie reicht ihm warmen Wein, den sie mit Honig und Hirschzunge aufgekocht hat.

»Danke.« Er schnuppert an dem Aufguß. »Ihr seid sehr gutherzig. Dabei müßt Ihr des Kranken in Eurem Hause doch überdrüssig sein, der nicht nur all Eure Aufmerksamkeit in Anspruch nimmt, sondern Euch zudem noch um den Schlaf bringt, weil er Euer Bett belegt.«

»Ihr bringt mich um nichts, Bruder Roman, denn so lautet mein ererbter Auftrag: das Leid der Körper zu lindern – wie die Geistlichen das Leid der Seele lindern. Und was meinen Schlaf betrifft, so ist mir eine Kiste mit Heu genug. Ich schlafe ohnehin nur wenig.«

Während sie so spricht, schürt sie das Feuer, dann stellt sie für das Frühstück Brot, Wein und Speck auf den Tisch. An diesem Morgen trägt sie dasselbe Kleid wie am Abend ihrer seltsamen Begegnung in der Martinskapelle, ein Kleid in den Farben des Herbstes.

»Das stimmt«, antwortet Roman, »zu der Stunde, in der alle schlafen, spukt Ihr durch die Abteien und verschreckt unschuldige Mönche!«

Da lacht sie auf. Es ist ein kindliches Lachen, voller Glanz und Freude. »Ich hatte nicht vor, Euch zu verschrecken. Ich war auf den Berg gekommen, um nach der kleinen Brigitte zu schauen, der Tochter des Zimmermanns, und da wollte ich die Gelegenheit nutzen, mich an den Gräbern zu sammeln, die meinem Herzen lieb sind. Aber ich kam zu spät zur Kapelle, es läutete bereits Komplet. Ich bin trotzdem eingetreten – und als ich Euch kommen hörte, habe ich mich versteckt. Und überhaupt, warum spukt denn *Ihr* nach Komplet durch die Kapellen? Um unschuldige junge Mädchen zu erschrecken?«

Auch Roman lacht auf, doch er verstummt und zeigt ein kummervolles Lächeln. »Aus dem gleichen Grund wie Ihr – um zu beten. Ich habe für meinen Meister gebetet, den vor kurzem ein Unfall ereilt hatte. Er verstarb ein paar Tage danach in Cluny.«

»Euer Meister?« Moïra blickt auf, ein helles Leuchten in ihren Augen.

»Ja, Pierre de Nevers, der größte Baumeister der ganzen Christenheit. – Ihr kamt wohl im Gedenken an Judith?« fragt er nach kurzem Schweigen.

Moïra legt das Messer, mit dem sie das Brot geschnitten hat, beiseite, wendet sich dem Mönch zu und schaut ihn direkt an. »Prinzessin Judith, ja, und Conan d'Armorique. Wir stammen vom selben Volk ab. Vater kannte sie beide, und ich erinnere mich gut an Judith. Vor ihrer Hochzeit mit Richard kam sie einmal, um sich von meinem Vater behandeln zu lassen. Wie schön sie war! Vater hatte ihr freilich vorausgesagt, daß diese Verbindung Unheil bringen würde, denn er sah, daß sie nicht mehr lange zu leben hatte. Aber sie opferte sich, damit zwischen Normandie und Bretagne endlich Frieden herrscht.«

Roman weiß, daß sie ihn mit diesen Worten einlädt, ihr Geheimnis zu lüften, und mit ihrem Blick ermuntert sie ihn zusätzlich. Reglos lehnt sie am Kamin und wartet.

»Ach, Euer Vater verkündete also auch Orakel?« wagt er sich ironisch vor. »Dann war er also ein Heiliger, ein Prophet! Zusammen mit den Feen Eures Bruders und Euren Waldgeistern hätte er ja geradezu eine neue Kirche begründen können!«

Moïra nimmt Romans Worte still auf, und langsam tritt sie näher. In ihren Augen liegt keine Drohung, sondern unendliche Traurigkeit. Sie setzt sich zu ihm auf die Bettkante, ihre Hand ganz nah an der des Mönchs. Er hat den Eindruck, als würde sie zittern.

»Aber diese Kirche gab es schon«, sagt sie schließlich in tiefem Ernst. »Es gab sie schon lange vor der Euren, nur wurde sie von den römischen Eroberern geplündert und von den christlichen Missionaren zerstört.«

»Was soll das heißen?« fährt der Mönch auf. »Wie könnt Ihr diesen barbarischen, gottlosen Kulten nachtrauern? Wie könnt Ihr die Zivilisation Christi in Frage stellen?«

»Aber ich *bin* Christin, Bruder Roman!« beteuert sie. »Ja, ich bin Christin! Ihr und Euresgleichen habt uns nur diese eine Wahl gelassen – Christus oder der Tod! Die ›Zivilisation‹, wie Ihr es nennt, hat ihn uns vor ein paar hundert Jahren mit Gewalt aufgezwungen, hat unsere Kultstätten geplündert, hat die Druiden ausgemerzt, meine Vorfahren, die sich weigerten, sich zu bekehren! Ich bin wie Ihr – ich verehre Gott, Christus, Maria und die Engel. Aber ich gedenke auch der Götter dieser Erde, und ich verehre sie, wie meine Vorfahren sie verehrten, in Aufrichtigkeit und Stolz!«

Roman verschlägt es die Sprache. Die Kelten, die Druiden … er kennt sich damit nicht besonders gut aus, weiß nur, daß sie eine Art Priester in weißen Gewändern waren, die Menschenopfer darbrachten und die Zukunft aus den Eingeweiden der Menschen lasen, die von ihren Kriegern erschlagen wurden. Das also ist Moïras Geheimnis: Sie ist ein Anhänger primitiven Aberglaubens. Aber wie kann sie nur stolz darauf sein, so grausame, wilde Menschen als Vorfahren gehabt zu haben? Und bis zu welchem Grad setzt sie deren blutige Riten fort? Plötzlich versetzt ihn die Nähe dieses Geschöpfes in Angst und Schrecken, plagt ihn weit mehr als seine Verletzungen.

»Seid Ihr getauft, Moïra?« fragt er.

Sie bestätigt es mit einem Nicken.

»So habt Ihr also teil am Reich Gottes, auf Erden und im Himmel. Gott ist Euch zugetan in unendlicher Liebe. Aber es gibt nur einen einzigen Gott: Ihr könnt nicht Ihn lieben und zugleich sündhaft mit Götzen verkehren, unter dem Vorwand, daß sie die Götter Eurer Vorfahren waren. Zudem ist Euch ja wohl nicht entgangen, daß ich ein Diener des Herrn bin, und das, was Ihr mir da sagt, ist sehr schlimm.«

»Ich weiß sehr wohl, zu wem ich spreche, Bruder Roman. Daher offenbare ich mich nur Euch und sonst niemandem.«

»Erkennt Ihr das Ausmaß der Folgen, die solch ein Bekenntnis nach sich zieht?«

»Ja. Ihr seht meinen Bruder und mich nun so, wie wir sind. Wir werden uns nicht vor Euch verstecken. Wir sind weder gefährliche Zauberer noch vollkommene Christen. Wir vergessen unsere Wurzeln nicht, aber wir fürchten Gott und nehmen uns vor den Menschen in acht. Wir wissen, daß Ihr uns nicht verraten werdet, ganz anders als manch einer Eurer Brüder.«

Roman ist nach diesen Worten zunächst beruhigt: Moïras Verbrechen beschränkt sich auf die Verehrung alter Götzenbilder. Sie ist keine Hexe, keine Mörderin, die in den Eingeweiden von Menschen liest oder heidnischen Göttern blutige Opfer darbringt. Und doch begeht sie Gotteslästerung, und sie verlangt von einem Mönch, sich zum Komplizen dieses Verbrechens zu machen.

Roman spürt plötzlich Zorn in sich aufwallen. »Welch Dreistigkeit!« ruft er und wird rot. »Ihr begeht die Sünde der Ketzerei, und das am Fuße des Berges, auf dem der Anführer der himmlischen Heerscharen die Mächte des Bösen besiegte. Und ich, der ich in den Diensten des Erzengels stehe, ich soll darüber Stillschweigen bewahren?«

Moïra senkt den Blick und schaut zu Boden. So also kann sie sich Bruder Roman nicht zum Verbündeten machen. Sie muß es anders versuchen.

»Bruder Roman«, sagt sie, wobei sie das Wort ›Bruder‹ betont, »erzählt mir von der Geschichte des Berges und dem Kampf des heiligen Michael gegen den Drachen.«

»Macht Ihr Euch über mich lustig?« fragt er in weiter anschwellendem Zorn.

»Aber keineswegs. Ich gebe Euch mein Wort, Bruder Roman.«

Nun denn, Roman sieht kein Übel darin, die geistliche Grundlage des Berges darzulegen. Im Gegenteil, wer wäre besser geeignet, dieses Mädchen auf den richtigen Weg zurückzuführen, als ein Benediktinermönch?

»Die Apokalypse des Johannes«, beginnt er, »spricht davon, daß sich Satan in einen furchtbaren Drachen verwandelte. Im 8. Jahrhundert stieg diese Schlange aus dem Meer auf und suchte diese Gegend heim. Der kriegerische Erzengel, der heilige Michael, wurde angerufen, damit er gegen diesen Dämon kämpfte. Die Schlacht begann auf dem bretonischen Mont Dol, dem Berg in der Nähe des Mont-Saint-Michel, den man damals Mont Tombe nannte, den Grabberg. Die Höllenbanden kämpften erbittert, und der heilige Michael in seiner göttlichen Rüstung reckte seine Waffe empor und schlug sie mit dem Schwert mit der langen, schlanken und scharfen Klinge. Der himmlische Krieg dauerte mehrere Tage, und die Entscheidung fiel auf dem Mont Tombe, auf den sich der Drachen geflüchtet hatte. Der heilige Michael schlug dem Ungeheuer das Haupt ab. Aubert, der Bischof von Avranches, war Zeuge dieses Kampfes und erhielt vom heiligen Michael im Traum dreimal den Befehl, ihm eine Stätte der Verehrung zu errichten, dort, wo der Teufel geschlagen worden war. Und dieser geweihte Ort wurde der Mont-Saint-Michel.«

»Es war einmal«, antwortet Moïra zu seiner Überraschung, »lange vor dem 8. Jahrhundert und lange sogar vor der Geburt Christi, ein böser Drache, der alle sieben Jahre dem Meer entstieg und das Land heimsuchte: Er brachte jedesmal so lange alle Menschen um, bis man ihm jeweils eine gefesselte Jungfrau darbot, die er verschlingen konnte. In jenem Jahr verlangte der Feuerdrache, man solle ihm die Königstochter opfern. Sie stand also in Fesseln am Fuß des bretonischen Mont Dol und wartete, daß das Ungeheuer kam, um sie zu verschlingen, und der Drache tauchte aus dem Wasser auf und wandte dem jungen Mädchen seine widerliche Fratze zu. Doch ein junger, schöner Schafhirte, der einen Zaubergürtel und ein langes Schwert trug – er hatte sie von einem Riesen erbeutet –, stellte sich zwischen die Königstochter und das Ungeheuer und kämpfte drei Tage lang gegen den Drachen. Am dritten Tag des erbitterten Kampfes verfolgte der Hirtenjunge das Ungeheuer bis zum Mont Tombe, auf den sich das Biest geflüchtet hatte. Dort gab der Hirtenjunge seinem Zaubergürtel einen Befehl, und der Gürtel jagte auf den Drachen zu und schnürte ihm so heftig die Kehle ein, daß der junge Mann sein Schwert erheben und den Drachen erschlagen konnte. Er hieb ihm das Haupt ab, befreite die Königstochter, heiratete sie, und die Hochzeit dauerte drei Tage und drei Nächte.«

Roman und Moïra schauen einander fest in die Augen.

»Die beiden Geschichten sind gleich schön«, sagt schließlich die junge Frau. »Die Legende meines Volkes und die Legende der Christen – beiden geht es um dasselbe: den Sieg der Liebe über die Macht des Teufels. Man darf nur nicht vergessen, daß dieser Fels vor den Zeiten des heiligen Michael keineswegs bedeutungslos war und daß die Christen sich von meinem Volk haben beeinflussen lassen. Heute sind unsere Seelen bekehrt, die Schlacht ist vorüber, und man sollte ohne Feindseligkeit beide Geschichten erzählen dürfen.«

»Das wäre ja, als wollte man den heiligen Michael mit dem Drachen gleichsetzen!« versetzt Roman, verärgert darüber, daß sie ihn in die Falle gelockt hat.

Mit diesem Morgen beginnt ein unterschwelliger Kampf zwischen Roman und Moïra. Sie beäugen sich wie Feinde, es herrscht lastendes Schweigen, durch das Brewen tappt wie ein Geist der Vergangenheit. Die einzigen Momente des Waffenstillstands sind die, in denen der Mönch wieder die Rolle des Kranken einnimmt und die junge Frau die der Heilerin.

»Das ist nun alles, was von der einst grenzenlosen Macht meiner Druiden-Vorfahren und meines Vaters übrig ist«, erklärt sie voller Bitterkeit, während sie die Pflanzenumschläge abnimmt. »Die Kunst der Pflanzenheilkunde – und obendrein noch von einer Frau ausgeübt!«

»Ja, das ist alles«, fährt ihr Roman über den Mund, »und es ist gut so: Kindern und Fremden die Wunden zu verbinden, ist ein Akt des Glaubens, ein Akt der Liebe, die von Gott eingegeben ist.«

Sie hält kurz inne, dann nimmt sie ihre Arbeit wieder auf, ihre Wangen und die Stirn rot angelaufen.

Als Hosmund, Bernard und Almodius an diesem Tag die Kate betreten, zögert Roman zunächst, doch obgleich er sich dafür verurteilt, läßt er nichts vom Geheimnis der jungen Keltin verlauten. Irgend etwas hält ihn davon ab. Vielleicht etwas, das im Blick des Infirmarius allzu heftig brennt. Oder etwas, das in dem des Unterpriors eisig klirrt. Gar nicht zu reden von der Not und der

Bedrängnis, die Bernard mit seinem ganzen Wesen ausstrahlt; dem Handschriften-Illuminator scheinen die Gewölbe und das Gebälk der neuen Kirche wie ein Kreuz auf den zerbrechlichen Schultern zu lasten. Vielleicht schweigt Roman auch aus Stolz, denn er hat sich selbst die Aufgabe auferlegt, Moïra zur Vernunft zu bringen, ihr den wahren Katechismus mittels des Verstandes nahezubringen statt durch puren Zwang. Er wird ihr mit Hilfe der Logik beweisen, daß sie unrecht hat. Dieser Gedanke nimmt ihn so in Beschlag, daß er nur zerstreut den spärlichen Neuigkeiten über den Fortschritt seiner Bauarbeiten lauscht.

An Allerheiligen lädt er Moïra ein, mit ihm zu beten, erzählt ihr vom erbaulichen Leben der christlichen Märtyrer, und die junge Frau scheint von den mystischen Taten dieser Helden des Glaubens und der Tugend fasziniert.

»Allerheiligen ist das Fest derer, die von Gott erwählt sind«, sagt er, »derer, die das Himmelreich zu erlangen und ewigen Ruhm zu verdienen wußten. Der Abt von Cluny, der gute Odilo, hat in seiner großen Weisheit soeben einen neuen Feiertag im Kalender eingeführt, um das Gleichgewicht zu Allerheiligen wieder herzustellen, denn man muß auch derer gedenken, die keine Heiligen sind, denen aber Gott in seiner unendlichen Gnade ermöglicht, das Himmelreich zu erlangen. Dieser Festtag fällt auf den morgigen Tag: Allerseelen. Durch unser Gebet können wir Lebenden beim Allerhöchsten Fürbitte halten für die Heimgegangenen und denen helfen, deren Seelen Gott nicht gegenübertreten können, weil sie durch die Sünde besudelt sind.«

»Mein Volk wußte nichts von Cluny und dem guten Odilo«, antwortet sie, »aber auch für uns ist morgen der Tag der Toten, und das seit Anbeginn der Zeit. Es ist der Festtag Samain, an dem die Toten geehrt werden, an dem die Zeit aufgehoben ist und an dem sich die Götter und die Helden der anderen Welt unter die Lebenden mischen. Es ist auch das Ende der hellen Jahreszeit und der Anfang des Winters, der dunklen Jahreszeit, in der die Krieger ihre Feindseligkeiten ruhen lassen müssen.« Sie lächelt.

Roman ist müde, und diese Frau ist beängstigend. »Zeigt mir Eure alten Götzenbilder«, bittet er sie schließlich. »Ich will sehen, wie Eure Sünden aussehen!«

»Das kann ich nicht, Bruder Roman«, antwortet sie. »Wir machen unsere Götter nicht zu Statuen. Sie leben frei in unserem Herzen, in unserer Vorstellung und im Sid, der anderen Welt. Aber sie dringen ständig in die irdische Welt ein, nicht nur am Samain-Fest. Oft suchen sie die Menschen in der Gestalt von Tieren und Waldgeschöpfen heim: die Feen als Schwäne, die Muttergöttin als Rabe.«

Da begreift Roman, warum Moïra so oft von der Muttergottes spricht: Maria ist für sie ihre Muttergottheit, so wie für sie Allerseelen den Platz von Samain einnimmt. Die Christen waren so hellsichtig, den keltischen Volksglauben nicht völlig auszumerzen, sondern seine stärksten Symbole im Sinne des Evangeliums umzudeuten. Nur auf diese Weise ließ sich Christus so schnell in diesem Land verwurzeln.

Moïra ist ein Ausnahmefall, denn ihre Familie hat sich insgeheim darauf versteift, ihren alten Kult beizubehalten. Und doch ist sie nur eine halbe Ausnahme: Die heidnischen Götter werden nicht als Statuen oder auf Bildern dargestellt, die alten Heiligtümer sind vollständig zerstört, und es gibt keine Druiden mehr, die als einzige die Erlaubnis hatten, die frevlerischen Feste zu zelebrieren, und das beruhigt Roman ein wenig. Was ist schon eine Religion ohne Rituale, ohne Priesterschaft? Eben keine Religion mehr, sondern ein Gedanke, der beschränkt ist auf ferne, bruchstückhafte Erinnerungen.

Roman denkt an Moïras plötzliches Interesse, als er vom Leben der Heiligen sprach, und er versteht: Vernunft wird die junge Frau nicht überzeugen. Die einzige Möglichkeit, Moïra zu bekehren, liegt darin, der Sehnsucht, die wie ein Zauberspruch auf sie wirkt, die Wurzeln zu nehmen und an die Stelle dieser gottlosen Poesie die Poesie der Heiligen Schrift zu setzen.

Auf seinem Lager ausgestreckt, verspricht er sich, ihr den ganzen Reichtum, die Schönheit, die Mystik und die Tiefe des Glaubens zu eröffnen. Mit dem Herzen wird er sie für Gott gewinnen.

# 5

Jeanne lag auf dem Sofa ihrer Psychoanalytikerin und seufzte. »Mir ... mir ist irgendwie schlecht.« Sie legte eine Hand auf ihre Brust. »Seit dem letzten Traum läßt mich eine ständige Übelkeit nicht mehr los ... Es geht nie so weit, daß ich mich übergeben muß, aber dieses ewige Unwohlsein ist so penetrant, als würde der Körper im Inneren schwanken, als würde mein Herz durch den Mund hinauswollen, ohne es so weit zu schaffen ...«

»Gut! Für heute machen wir Schluß.«

Jeanne setzte sich mit verlorenem Blick auf.

»Und was das Schlafen betrifft – ist das besser geworden?« erkundigt sich die Therapeutin.

»Ich ... Ehrlich gesagt nehme ich weiterhin Schlaftabletten«, gab Jeanne zu. »Ich habe zu viel Angst, die Träume könnten wiederkommen. Mit den Schlafmitteln bin ich wenigstens gleich weg und habe keine Alpträume.«

»Hm ... Es wird natürlich eine Weile dauern, bis Sie wieder normal schlafen können. Trotzdem sollten Sie vielleicht anfangen, die Dosis etwas zu reduzieren, sonst können Sie bald nicht mehr darauf verzichten. Legen Sie sich ein Heft ans Bett, und wenn Sie einen Traum haben, schreiben Sie sofort alles auf. Wir sprechen dann darüber. Einverstanden?«

»Einverstanden«, antwortete die junge Frau, die an ihr Heft von damals denken mußte. »Bis Samstag«, fügte sie hinzu, während sie aufstand.

»Wissen Sie«, entgegnete die Therapeutin, »ich glaube, mit einer zweiten Sitzung pro Woche kämen Sie schneller voran. Wollen Sie nicht am Dienstag oder Mittwoch wiederkommen?«

»Das geht nicht. Unter der Woche bin ich in Cluny, und vor Freitag kann ich nicht nach Paris kommen.«

»Na gut, dann eben nicht. Bis nächsten Samstag, und machen Sie's gut!«

Es war zwölf Uhr. Wie jeden Samstag, wenn sie von ihrer Analytikerin kam, der »Archäologin meines Unterbewußtseins«, wie sie sie gern nannte. An diesem Tag regnete es, wenn auch nicht heftig. Sie stellte den Kragen ihres beigefarbenen Mantels hoch. In der Rue Saint-Louis-en-l'Ile blieb sie am Schaufenster eines Hutladens vor einem schwarzen Südwester stehen.

Na, das ist doch lächerlich, dachte sie. Ich sollte mir lieber einen Schirm zulegen!

Aber sie ließ es bleiben und überquerte die Seine, während ihr der Oktoberregen auf den Kopf rieselte. Sie überlegte, ob sie den Bus nehmen sollte, vergaß die Sache aber, als sie sah, wie die dicht gedrängte Menge den Unterstand an der Bushaltestelle gegen Eindringlinge verteidigte. Und sie hatte auch keine Lust, zur Metro hinunterzusteigen. Sie würde sich einen ordentlichen Schnupfen holen, dann hatte sie wenigstens einen guten Grund, das ganze Wochenende im Bett zu bleiben.

Sie erreichte die Rue Henri-Barbusse und empfand ein bißchen Freude, weil sie ihrer Zuflucht schon so nahe war, doch sie mußte ja noch nach oben. Vierter Stock. Endlich. Mit großer Erleichterung schloß sie die Wohnungstür hinter sich.

Zum erstenmal freute sie sich über ihr Zuhause. Dabei war es nichts Besonderes: eine ganz normale Pariser Zweizimmerwohnung, mit einer Zwergenküche, knarzendem Parkett, Stuckrosetten und einer Grundeinrichtung, die ein bißchen aufzupeppen sie sich nie die Zeit genommen hatte.

Aber es war ihr Zuhause, in dem niemand sie störte. Sie sank auf das Sofa und wrang ihre triefenden langen Haare in dem Bademantel aus, der auf den Kissen herumlag. Sie trank einen Schluck kalten Eisenkrauttee aus der Tasse, die sie am Vorabend auf dem Sofatisch hatte stehen lassen, und sah, daß ihr Anrufbeantworter blinkte. Mühsam wand sie sich aus dem Sofa und drückte auf den Knopf, obwohl sie die Stimmen der Menschen schon nicht mehr hören mochte.

»*Tuuut.* – Hallo, hier ist Philippe! Du bist gestern abend so schnell von der Ausgrabung verschwunden, daß ich keine Zeit mehr hatte, dir Genaueres über das Fest zu Pauls Fünfundvierzigstem zu erzählen. Also, wir haben mit seiner Freundin alles heimlich ausgemacht. Er rechnet mit überhaupt nichts. Das wird sehr lustig werden. Und mach dir keine Sorgen um das Geschenk, wir sagen einfach, daß du bei uns mitgemacht hast. Also, du hörst jetzt mal auf, dich zu Hause einzusperren wie eine Nonne, und kommst heute abend! Wir treffen uns alle in der Kneipe unten bei Corinne, um acht Uhr. Komm pünktlich! Ich sage dir noch mal, wo es ist: Metrostation Blanche, Rue…«

Mit einem Tastendruck sprang Jeanne zur nächsten Nachricht.

»Schatz, ich bin's«, säuselte François' Stimme. »Ich habe dir auch aufs Handy gesprochen. Also, es ist gerade ziemlich kompliziert. Ich werde mir dieses Wochenende wohl nicht freinehmen können. Aber ich verspreche dir, daß ich alles tue, um diese Woche in Cluny vorbeizukommen – ich denke mal, am Donnerstag, so können wir am Freitag abend zusammen zurückfahren. Es tut mir leid, Liebling. Du fehlst mir schrecklich. Einen dicken, dicken Kuß. Ich ruf dich wieder an! – *Tuuut.*«

»Also sag mal, Jeanne, was treibst du eigentlich? Isa ist dran. Jetzt hab' ich dir schon drei Nachrichten auf dem Handy hinterlassen, und du rufst nicht zurück! Also dann bist du entweder bei François, oder du bist krank. Ich hoffe, es ist nicht letzteres? Also diesmal rufst du mich aber zurück, ja? Also tschüs! – *Tuuut.*«

Jeanne lächelte, griff zum Telefon und wählte eine Nummer.

»Ja, Isa, ich bin's. – Nein, nein, ich war bei der Therapie. – Ja, stimmt, ich hab' es gestern abend ausgeschaltet, als ich ins Bett gegangen bin, und hab' vergessen, es heute wieder anzuschalten. – Ja, es geht schon. – Nein, dieses Wochenende nicht. Er hat etwas mit seiner Frau und den Kindern. – Bei diesem Regen? – Na gut, wenn es der Wetterbericht sagt, dann… – Um eins im Jardin du Luxembourg, auf unserer Bank. – Okay, dann bis morgen. – Ich auch, Isa, ciao!«

Am Sonntag morgen regnete es nicht mehr, und der Himmel war von der üblichen Winterfarbe des Himmels über Paris: ein schmutziges, undurchsichtiges Weiß. Jeanne kuschelte sich in ihren Mantel und sah den Holzschiffen zu, die die Kinder mit einem Stock vom Rand des Brunnenbeckens abstießen. Isabelle kam wie immer zu spät und rechtfertigte sich wie immer mit Familienproblemen.

»Guten Morgen, meine Liebe«, sagte sie, während sie Jeanne auf die Wangen küßte. »Entschuldige, aber bei uns gab es heute früh ein wahres Drama: Jules hatte seinen liebsten Teddy verloren, ich habe eine Stunde lang sein Zimmer auf den Kopf gestellt, und schließlich hat sich herausgestellt, daß es Tara war – sie hatte ihn in die Spülmaschine gesteckt, aus Rache dafür, daß ihr Bruder gesagt hat, ihre Puppe wäre häßlich… Sag mal, du siehst ja nicht gerade blühend aus!«

Jeanne zwang sich zu einem Lächeln. Isabelle war Redakteurin bei einer Frauenzeitschrift, eine alte Freundin aus dem Gymnasium in Fontainebleau und inzwischen eine Freundin fürs Leben, obwohl sie ein ganz anderes Leben führte als Jeanne. Sie war eher klein, hatte kurze blonde Haare, nußbraune Augen und wirkte trotz der Rundungen, die ihr von ihren beiden Schwangerschaften geblieben waren, stets elegant. Isa war in der Alltagswirklichkeit so fest verankert, daß sich Jeanne darüber ebenso ärgerte, wie sie davon profitierte.

»Komm«, sagte Isa. »Wir gehen essen. Ein Gläschen Rotwein wird dir nicht schaden. Ich muß mit dir reden.«

»Also«, fragte Jeanne, als sie am Tisch saßen, »was ist los? Hast du Probleme?«

»Meine liebe Jeanne«, antwortete Isa. »Ich glaube wieder mal, du bist nicht richtig bei Trost. Entschuldige, daß ich so direkt bin, aber du bist die, der es nicht gut geht, falls du das nicht bemerkt haben solltest. Du läufst herum wie ein Gespenst aus einem Horrorfilm, und das geht schon seit Wochen so. Bringt dir die Therapie nichts?«

»Doch, aber…«, stotterte Jeanne mit Tränen in den Augen.

»Oh, Liebes…«, sagte ihre Freundin mitleidig. »Ich verstehe – eine schlechte Phase. Das kommt bei jedem mal vor, weißt du. Erinner dich nur daran, wie ich dran war, nachdem Jules geboren war! Du bist in dem Alter, das für eine ›alleinstehende‹ Frau heikel ist. François ist nicht so oft da, um dir den Rücken zu stärken. – Hör zu«, fuhr sie nach einer kurzen Pause fort, »ich habe gerade eine geniale Idee! Also, am Mittwoch schickt mich die Redaktion für eine Woche nach Italien, für eine große Geschichte über die großartigen Touristenattraktionen in Apulien. Du brauchst nur mitzukommen! Weißt du, manchmal muß man seinen Problemen zu entkommen wissen, um sie nachher von einer anderen Richtung her besser angehen zu können …«

»Apulien?«

»*La Puglia*, der Absatz des Stiefels! Da ist es um diese Jahreszeit noch schön, angeblich ißt man dort sehr gut, und es soll alles halb verwildert sein. Und denk nur an die gutaussehenden Italiener! Du brauchst nur dein Flugticket zu bezahlen, und das ist gar nicht so happig, den Rest bekomm' ich mit der Zeitung hin! Außerdem hast du schon seit Ewigkeiten keinen Urlaub mehr gemacht. Das wird super, wenn wir zusammen die Hotels und die Restaurants testen! Los, laß mich mit all diesen schönen Italos nicht allein! Denk an die Ehre meines lieben Gatten!«

»Isa, Mittwoch ist in drei Tagen, das kann ich nicht! Meine Ausgrabung! Wir sind gerade mitten in den Herbstferien, die anderen haben Urlaub genommen. Und François? Er wollte am Donnerstag zu mir nach Cluny.«

»Jetzt aber!« In gutmütigem Zorn steckte sich Isabelle eine Zigarette an. »Hat dich dein lieber François etwa gefragt, als er diesen Sommer einen Monat lang nach Cabourg gefahren ist? Und deine Ausgrabung, deine Ausgrabung! Entschuldige, aber der Chef ist immer noch Paul, nicht du, auch wenn du als Assistentin unverzichtbar bist! Du hast schließlich verdammt noch mal auch ein Recht auf Urlaub! Und was ist mit der 35-Stunden-Woche? Deine Skelette können ja wohl mal ein paar Tage auf dich verzichten, oder?«

Das Flugzeug befand sich im Landeanflug auf Brindisi, wo die Bodentemperatur 22 Grad betrug. Isabelle klappte die Reiseführer zu und faltete die Karte zusammen, in denen sie gestöbert hatte, um sich Notizen zu machen, und Jeanne hörte auf, an François zu denken. Sie machte sich Vorwürfe, daß sie sich vor der Reise nicht mehr gesehen hatten, und überhaupt für alles, was sie ihm seit dem berühmten Wochenende am Mont-Saint-Michel zugemutet hatte. Aber im Grunde tat es ihr nicht wirklich leid. Es war, als wären ihre Lebenskraft und ihr Wille versiegt.

Sie ließ sich vom Lauf der Dinge mitreißen, ohne auch nur zu versuchen, etwas davon zu beeinflussen. Sie klammerte sich weiter an ihren Beruf, eher aus Gewohnheit als aus echter Überzeugung, denn sie glaubte inzwischen, daß sie das Grab von Hugo von Semur niemals finden würde. Sie hatte Isabelles Beharrlichkeit schließlich nachgegeben. Sollte François ihr deswegen böse sein und sie verlassen, sie würde nicht um ihn kämpfen. Sie hatte das seltsame Gefühl, ihr Leben lang gegen den Strom angeschwommen zu sein. Schließlich, mit dreiunddreißig Jahren, war ihr Atem erloschen und ihre Muskeln schlaff wie die einer Greisin. Sie hatte eine Psychotherapie begonnen, wie man zu einer Krücke greift, in dem Bewußtsein, daß man nie wieder richtig auf die Beine kommt. Die vielen Tabletten, die sie morgens und abends schluckte, verstärkten nur noch dieses Gefühl des Sichtreibenlassens, des langsamen, aber unaufhaltsamen Abdriftens in ein Nichts, gegen das jeder Widerstand zwecklos war.

»Wir mieten ein Auto und fahren auf der Küstenstraße an der Adria nach Lecce, Otrante und bis nach Santa Marina di Leuca an die Spitze des Stiefelabsatzes«, erklärte Isabelle. »Danach geht es auf der anderen Seite wieder nach Norden, am Ionischen Meer entlang…«

»Einverstanden«, erklärte Jeanne. »Du fährst…«

Drei Tage später hatte die Sonne die Sommersprossen auf Jeannes Nase und Wangen sprießen lassen, und ihre Augen sprühten vor Leben. Das lag zum Teil an den einheimischen Weinen, die immerhin vierzehn Prozent hatten, hauptsächlich aber an der verzauberten Fremdartigkeit der barocken Städte, des türkisen Meeres, der roten Erde, der Hartweizenfelder mit eingestreuten Mohnblumen und den jahrhundertealten Olivenhainen, deren vertrocknete Baumstämme so knotig waren wie die Arme eines uralten Schlangenmenschen.

Isabelle hatte über die gastronomischen Köstlichkeiten der Region nicht zuviel versprochen, und so labten sich die beiden Feinschmeckerinnen für lächerliche Preise an ohrenförmigen Orechiette-Nudeln, lauwarmem Tintenfischsalat, fangfrischen Gambas, Lammbraten und cremigem Eis – noch die versnobtesten italienischen Restaurants in Paris wären bei einem Vergleich vor Scham im Boden versunken. Die wenigen Touristen hatten sich seit langem verzogen, und völlig allein vergnügten sie sich ein paar Tage vor Allerheiligen auf den kleinen Straßen im Tal der Trulli, dieser einzigartigen Hütten mit ihren kegelförmigen Dächern aus unverputztem Stein, die aussahen wie die Häuser von Elfen, deren dazugehöriger Wald verschwunden und durch Weinstöcke ersetzt worden war.

»Verrückt!« rief Jeanne. »Das sieht ja aus wie Schlumpfhausen! Was ist das da, dieses Zeichen auf dem Dach?«

»Das weiß man nicht genau«, antwortete Isabelle, die vor einer Kurve auf die Hupe drückte. »Ich glaube, es hat etwas mit den Sternbildern zu tun. Irgendwo habe ich gelesen, daß sie seit dem 12. Jahrhundert bestehen, stell dir das mal vor!«

Die Phantastik im Atem dieser Steine, die der Mensch nach einem für die heutige Zeit undurchschaubaren System zusammengefügt hatte, berührte Jeanne tief in ihrem Inneren.

»Warte, das beste kommt noch!« warnte Isabelle. »Wir fahren nach Alberobello, in die Stadt der Schlümpfe – dort gibt's überall nichts als Trulli!«

Und tatsächlich: Sie durchquerten die Industriegebiete am Rand der Ortschaft, die noch von dem einstigen Wohlstand der Region zeugten, von dem inzwischen jedoch nichts mehr geblieben war, dann tauchte ein ganzes Dorf von weiß gekalkten Häusern mit kegelförmigen Steindächern vor ihnen auf.

»Nun«, sagte Isa, während sie die Autotür zuschlug, »diesen Umweg bereue ich wirklich nicht. Mal was ganz anderes als Florenz oder Venedig!«

Jeanne kam der Gedanke, daß François sie nie nach Venedig ausgeführt hatte, aber dann schob sie diesen Jungmädchenkummer beiseite.

»Jeanne, stell dich mal dorthin, bitte, vor den Trullo mit dem wilden Wein – ich mach' ein Bild von dir!« befahl die Journalistin.

Wenn Isa nicht am Steuer des Autos saß, machte sie ein Foto

nach dem anderen – für ihre Reportage, aber auch, um vor ihrem Mann und den Kindern anzugeben. Sie forderte ihre Freundin oder die Einheimischen zum Posieren auf, und darüber ärgerte sich Jeanne, denn für sie konnte die innere Schönheit der alten Mauern nichts weniger brauchen als das breite Werbelächeln eines zufällig dahergelaufenen Menschen.

»Ach nein, Isa, mir reicht's!« platzte sie schließlich heraus. »Nächstes Mal fährst du mit einem Topmodel aus deiner Zeitschrift, dann kommst du vielleicht auf die Modeseiten. Mein Ding ist das wirklich nicht!«

»Schon gut, nicht gleich so stürmisch. Okay, diesmal werde ich posieren, und du machst das Foto. In Ordnung?«

»Alles klar. Gib mal die Kamera.«

Isa stellte sich an die weiße Mauer. Ihr apfelgrünes Kostüm aus dem Atelier eines jungen Modeschöpfers paßte zur Farbe des wilden Weins, der sich um das runde Dach rankte.

»Perfekt!« rief Jeanne, das Auge am Sucher. »Sehr hübsch! Warte, ich zoome ein bißchen heran. Okay, und jetzt …«

Auf einmal ließ Jeanne die Kamera sinken, so daß ihr Gesicht wieder zum Vorschein kam. Es war im äußersten Erstaunen erstarrt.

»Bist du fertig?« fragte Isa. »Was hast du? Du siehst aus, als wärst du den sieben Zwergen begegnet!«

Ohne ihr eine Antwort zu geben, trat Jeanne an das Gebäude heran, blieb neben ihrer Freundin stehen und legte mit offenem Mund den Kopf in den Nacken. In goldenen Lettern stand dort der Straßenname auf einer Marmorplatte. Jeanne konnte die Augen nicht von dem Schild wenden. Isabelle kam heran und las die Aufschrift: *Via Monte San Michele.*

»Also sowas!« sagte sie verblüfft. »Was hat denn der Mont-Saint-Michel hier zu suchen?«

Sie erfuhren es, als sie bei einer Ladenbesitzerin nachfragten. Es war nicht der normannische Berg gemeint, wenn auch die Normannen tatsächlich eine Zeitlang über Apulien geherrscht hatten, sondern eine Kultstätte in der Gegend, der Monte Gargano, auf dem einst der heilige Michael erschienen sein sollte. Dieser heilige Ort lag etwa hundert Kilometer nördlich von hier in Monte Sant'Angelo.

»Das kann doch nicht sein«, flüsterte Jeanne. »Dieser vermaledeite Berg hat noch einen Zwilling am anderen Ende von Europa, in einem völlig verlorenen Winkel, und ich muß ausgerechnet darauf stoßen!«

Sie verdammte die Vorsehung oder die willkürliche Fügung des Schicksals. François hätte in dieser Situation gelacht, sie aber beschimpfte im selben Atemzug ihr Unterbewußtsein, ihr Bewußtsein, den Zufall, das Unglück, Isabelles Zeitschrift und auch ihre Freundin selbst, der es ungeheuer leid tat, daß durch sie die alten Dämonen bei ihrer Freundin wieder wachgerufen wurden.

Sie verließen Alberobello und fuhren nach Ostuni, einem herrlichen Dorf auf einem Hügel. Anders als Alberobello glich Ostuni mehr einer marokkanischen Stadt – eine weiße Kasbah, die wie ein stolzes katholisches Essaouira im Himmel hing.

Isabelle und Jeanne ließen das Auto auf einem Platz der Neustadt unterhalb der Felsenkuppe stehen und stiegen zu Fuß in die mittelalterliche Altstadt hinauf. Der Anstieg war nicht steil, die Gassen breit, und sie führten an den weißen, würfelförmigen Wohnhäusern vorbei. Ein Duft von Ragout und gebratenem Gemüse drang aus den mit Blumen geschmückten Fenstern der kleinen Trattorias. Jeanne musterte die Straßenschilder, aber es fand sich keine weitere Spur des Erzengels. Nur eine bemalte Gipsmadonna warf ihr aus einer Mauernische einen traurigen Blick durch ein Gitter zu. Ganz oben in dem alten Dorf stand keine Abtei, sondern eine herrliche Kathedrale mit venezianischer Fassade und einer Rosette, die wie eine gotische Sonne geformt war.

Vom Gipfel des Hügels aus bewunderten die beiden Freundinnen das Panorama: Ein Meer von Olivenbäumen, aus dem sich barocke Steinbauten erhoben, wogte im Singen des Windes, und dahinter war das Blau des Meeres zu sehen.

»Ist das nicht prächtig, Jeanne?« fragte Isabelle. »Ostuni, die weiße Stadt auf den drei Hügeln – fast ein kleines Rom, nur in einer anderen Welt. Im Sommer muß das hier der Wahnsinn sein, mit den Touristen und der Hitze! Aber es dürfte sich lohnen, es in meinem Artikel zu erwähnen. Heute abend gehen wir dorthin« – sie zeigte mit dem Finger ins Leere – »in einen ehemaligen Gutshof, der zu einem Designerhotel umgebaut wurde.«

Allmählich wurde es kühler, und der Himmel nahm das verblichene Blau des Meeres an. Jeanne antwortete nicht, konnte aber einen Schauer nicht unterdrücken.

»Zu zitterst ja! Ist dir kalt?« fragte Isabelle.

»Ein bißchen, ja«, stotterte sie, den Blick in der Ferne verloren. »Und ich bin sehr hungrig. Sollen wir nicht essen gehen? Hast du irgendwo reserviert?«

»Nein. Ich dachte mir, wir suchen uns auf Gutglück ein schönes Restaurant für meinen Artikel. Komm, an Gasthäusern fehlt es ja nicht gerade, und um diese Jahreszeit werden wir uns auch nicht um einen Platz schlagen müssen. Hier, nimm solange das hier!« fügte sie hinzu und zog eine Lederjacke aus ihrer Umhängetasche.

Jeanne schlüpfte hinein und folgte ihrer Freundin. Die Sonne versank am Horizont, und obwohl Laternen die kreideweißen Fassaden erleuchteten, sah Jeanne nichts als ihre Leinenschuhe, die mühsam die Stufen hinuntertappten.

»Keine Sorge«, versuchte Isabelle sie zu beruhigen und hakte sich bei ihr ein, »wir suchen uns ein leckeres Ristorante, schlagen uns den Magen voll, und morgen scheint die Sonne wieder!«

»Isa, du bist klasse, aber wenn sich existentielle Ängste durch einfaches Gabelschwingen regeln ließen, dann wären wir alle selig. Und übergewichtig!«

»Vielleicht«, entgegnete Isa und versuchte sich an einem ernsten Gesichtsausdruck, »und dann würden Illustrierte wie meine keine Mädchen mehr zur Schau stellen, die dürr sind wie Bohnenstangen, und es wäre die Stunde der ausladenden Dicken! Ich sage bloß: *Fat power!* Wir werden siegen, denn wir haben die größere Lebensfreude!«

Jeanne verzog das Gesicht zu einem breiten Lächeln.

Isabelle war vor einem Ladenschild stehengeblieben, das ganz und gar ihr kämpferisches Interesse zu erwecken schien. »Schau doch mal hier, Jeanne!« rief sie. »*La taverna della gelosia* – ›Taverne zur Eifersucht‹! Ein genialer Name! Ich wette um einen Teller Tintenfischsalat, daß die Wirtin eine Frau ist, die sich in ihrem Körper wohlfühlt!«

»Und die sehr geistreich ist«, fügte Jeanne hinzu. »Wir sind ja wirklich komische Kumpaninnen: beide fasziniert von italienischen Schildern, bloß nicht von denselben.«

»Tja, so ist das eben. Deine Obsession ist ein heiliger Berg am Rande des Ärmelkanals und meine die Fetthügel auf meinen Hüften. Jede hat ihr eigenes Kreuz zu tragen!«

Diesmal lachte Jeanne laut auf und klammerte sich in inniger Zärtlichkeit an Isa, während sie die steile Treppe zum Restaurant hinunterstiegen. Zwei kleine Terrassen, die im Licht von Lampions ganz verzaubert aussahen, lagen friedlich in der hereinbrechenden Dunkelheit.

Isabelle hatte sich hinsichtlich des Geschlechts der Gastwirtin nicht getäuscht, und diese bot ihnen einen Tisch im Inneren des Lokals an, in einem unverputzten Kellergewölbe, das wie eine Höhle aussah, dem nur die raffinierte Dekoration einer Frau mit Geschmack diesen Charme verleihen konnte.

»Sehr hübsch hier – aber wenn es dich nicht stört, würde ich lieber draußen bleiben«, flüsterte Jeanne ihrer Freundin zu. »Ich fürchte, daß ich sonst Platzangst kriege.«

»Magst du keine mittelalterlichen Steine mehr?« fragte Isa überrascht.

»Wenn dir nicht zu kalt wird, würde ich mich im Moment an der frischen Luft wohler fühlen.«

»Einverstanden, ich verstehe. Keine Angst, ich habe noch einen Pullover in der Tasche.«

Sie setzten sich unter die schützenden Äste eines riesigen Pfefferbaums mit rissigem Stamm. Isabelle begann sogleich ein angeregtes Gespräch mit der Wirtin, mit der sie sich auf italienisch und englisch mit ein paar eingestreuten französischen Brocken verständigte. Als sie mit der Karte allein waren, kritzelte die Journalistin etwas in ein Heft und zündete sich dann an der Kerze auf dem Tisch eine Zigarette an.

»Sie will mir nicht sagen, warum die Taverne ›Zur Eifersucht‹ heißt«, erklärte sie Jeanne, »es wär' privat. Jedenfalls ist ihre Spezialität die mittelalterliche Fleischküche. Sie hat Rezepte von damals ausgegraben und sie dem heutigen Geschmack angepaßt. Eine sehr gute Idee, findest du nicht?«

»Hm ...« Die Archäologin studierte die Karte mit einem leicht verächtlichen Gesichtsausdruck. »Ich hoffe, das Fleisch ist nicht von damals! Tja, es gibt keinen Tintenfisch – Pech gehabt. Ich werde statt dessen eine Pizza nehmen, da gehe ich kein Risiko ein.«

Isa fragte nicht weiter nach. Sie wußte, daß Jeanne ihre schlechte Laune nicht über zwei Gläser vierzehnprozentigen Wein hinaus halten konnte, und so bestellte sie gleich den besten Rotwein der Region.

Jeanne hätte selbst nicht sagen können, ob ihre Bitterkeit daher rührte, daß ihr der Mont-Saint-Michel überallhin zu folgen schien, oder von der Wut, die sie allmählich auf François empfand: An diesem romantischen Ort, der sich viel besser für harmonische Zweisamkeit eignete als für die Eifersucht, wurde ihr bewußt, daß er ihr nie auch nur eine Woche Ferien geopfert hatte. Er hätte dieses mittelalterliche Dorf geliebt, die poetischen Funzeln, dieses Original von Köchin, die die Küche aus einer anderen Zeit wieder aufleben ließ – aus seiner, aus ihrer beider liebsten Zeit. Im Kerzenschein hätten sie lange über ihre Entdeckung des Monte Gargano geredet, in ebenso leidenschaftlicher wie sachkundiger Begeisterung. Doch statt mit ihr in diesem romantischen Ort zu sein, sie anzuschauen, über ihre Haut zu streichen, war er Hunderte von Kilometern weit weg, und Jeanne mußte genervt das Gerede ihrer Freundin über sich ergehen lassen, die sich damit abmühte, Jeanne ihre Depression auszutreiben. Am liebsten hätte sie sich bei Isabelle das Handy ausgeliehen – sie hatte eine Auslandsoption – und François angerufen.

»Willst du die Antipasti mit mir teilen?« fragte Isa. »Es ist eine Portion für zwei.«

»Ja, ja – das wär' mir recht.«

»Und dann will ich unbedingt dieses ›Mittelalterliche Kaninchenragout‹ probieren. Und dir, Liebes, bestelle ich eine Pizza? Was für eine denn?«

»Nein, nein«, antwortete Jeanne, die eben ihr zweites Glas Wein ausgetrunken hatte. »Ich habe es mir doch anders überlegt. Es ist doch zu blöd, hier Pizza zu essen. Ich nehme Kaninchen wie du.«

Kurze Zeit später tunkten die beiden Frauen die Soße auf, den letzten Rest des mit Kräutern und Essig gewürzten Ragouts.

»Gib mir mal eine Zigarette«, sagte Jeanne. »Ich möchte dich um etwas bitten.« Sie hustete, weil sie sonst nie rauchte. »Isa, ich möchte gern, daß wir zum Monte Gargano fahren. Es ist vollkommen verrückt, fast als ob... Nun, je weiter ich davonlaufe, desto mehr versucht mich das alles hintenrum einzuholen, mir in den Rücken zu fallen. Und ich hasse Überfälle aus dem Hinterhalt. Genauso wie alle diese Zufälle. Ich habe keine Angst, ich hab' dich ja dabei, und ich will wissen, was es damit auf sich hat, sehen, wie es dort ist, ob es anders ist als auf dem normannischen Berg, was das für eine Abtei ist, welcher Stil, welche Geschichte sie hat und...«

»Wir können auch ein Buch kaufen, ohne gleich hinzufahren!«

»Es ist doch gleich um die Ecke. Ich würde es mir nie verzeihen, so nahe gewesen zu sein und mich nicht hingetraut zu haben. Bitte, es kostet uns kaum einen Tag, und vielleicht entdecken wir ja auch was Interessantes für deinen Artikel!«

Zwei Tage später, an einem Sonntag morgen, schnaufte das kleine Auto die Serpentinenstraße auf den Monte Gargano hinauf. Dieses weitläufige Waldgebiet lag auf einer Landausbuchtung, die in die Adria hinauswies. Der ganze Gargano war ein Naturschutzgebiet, ein grün bewachsenes Bergmassiv mit Badeorten und am Abhang verstreut liegenden Dörfern, darunter Monte Sant'Angelo, wo das dem heiligen Michael geweihte Heiligtum lag.

»Du bist mein Zeuge, die Landschaft hier hat nichts mit der Normandie gemein«, erklärte Isabelle fröhlich. »Keine Ebene, keine abgelegene Insel mitten im Meer, keine Gezeiten, keine Schafe auf Salzwiesen und auch keine Kühe!«

»Ja, Monte Sant'Angelo scheint eher ein abgelegenes Dorf mitten in den Bergen zu sein. Seltsam, wie sehr sich die beiden dem Erzengel Michael geweihten Orte unterscheiden.«

»Um so besser!«

Der Kontrast wurde noch krasser, als sie die Ortschaft erreichten: Auf einem Schild stand zwar »Monte Sant'Angelo«, aber statt von alten Steinen wurden Isabelle und Jeanne von Wohnblöcken von schmutziger Modernität empfangen. Jeanne war verwirrt. Bestimmt hatten sie sich verfahren, und dies war ein anderer ›Engelsberg‹. Dann aber erspähten sie weiter hinten ein altes Dorf; es lag oben auf dem Berggipfel wie eine weiße Medina, ganz ähnlich wie Ostuni. Sie waren erleichtert, und Isa fuhr weiter.

Eine mächtige Erregung ergriff Jeanne: Aus dem Häusermeer ragte ein viereckiger Kirchturm, aber er hatte nichts gemein mit der schlanken gotischen Turmspitze des französischen Berges. Gehörte er zu einer monumentalen Abtei, mit einer unterirdischen Krypta mit doppeltem Chor? Sie mußte dorthin, um es zu erfahren. Trotz der kühlen Höhenluft schwitzte sie.

Endlich waren sie oben, und Isa hielt an der Bordsteinkante. Jeanne stieg eilig aus und schaute sich hastig um, auf der Suche nach dem Kloster. Da stand der Turm, einsam, ohne Kirche – ein Wachturm, ein Campanile. Enge gepflasterte Straßen, frömmelnde Andenkenläden, Trattorias für Touristen – aber keine Abtei.

»Scusi«, wandte sie sich an eine schwarz gekleidete Verkäuferin, »San Michele santuario, per favore?«

Ihr Akzent war offenbar nicht besonders überzeugend, denn die Frau zeigte bloß wortlos auf ein schmuckloses Gebäude. In der Nähe zwängte Isa den Wagen schließlich in eine Parklücke. Mißtrauisch trat Jeanne näher. Gegenüber des Campanile führte ein breiter Vorplatz zu einem Gebäude aus Kalkstein mit ganz offensichtlich moderner Fassade, aus dem 19. Jahrhundert vielleicht.

Die weiße Wand war von zwei gleichgestaltigen Spitzbögen mit zwei Türen durchbrochen, darüber erhob sich ein dreieckiger Giebel, der mit Mauerfriesen geschmückt war. Oberhalb der beiden identischen Bögen befand sich zwischen zwei kleinen Rosettenfenstern eine Nische, in der eine Gipsstatue stand: das Abbild des heiligen Michael als Drachentöter, eine detaillierte Replik der goldenen Statue, die die Kirchturmspitze des normannischen Klosters krönte.

»Ah, hier ist es!« sagte Isabelle hinter Jeanne. »Das muß man aber wissen – spektakulär ist es ja nicht gerade.«

»Lies mal!« forderte Jeanne und starrte auf die Aufschrift an der rechten Tür. »*Terribilis est locus iste hic domus dei est et porta coeli* – ›Fürchterlich ist dieser Ort, denn er ist die Wohnstatt Gottes und das Tor zum Himmel‹.«

»Na und? Das ist doch normal für eine Kirche! Komm, da wir schon hier sind und es offenbar keine Mönche hier gibt, wollen wir uns den fürchterlichen Ort mal anschauen.«

Sie traten durch die Tür. Ein Verkaufsstand mit religiösem Schnickschnack lag zu ihrer Rechten, und eine große Treppe führte irgendwohin in die Tiefe. Kein Schalter für Eintrittskarten.

»Vergiß nicht, daß wir in Italien sind, Jeanne«, erklärte ihr Isa. »Hier halten Staat und Denkmalschutz nicht ihre schützende, allmächtige Hand über die Kirchen, sondern der Vatikan verwaltet seine Denkmäler selbst. Wir betreten also kein Museum, sondern ein Gotteshaus. Deswegen darf man auch nicht in Shorts und schulterfrei rein.«

Jeanne schlüpfte in ihre Wildlederjacke, und sie stiegen die Treppe hinab. Sogleich registrierte Jeanne den typischen Geruch von uraltem Kalkstein, und sie sah halb verblaßte mittelalterliche Fresken, ein riesiges Kreuz, hohe gotische Bögen, über ihr spannte sich ein Spitzbogengewölbe, und an den Wänden erkannte sie die Überreste von einstigen Grabmälern. Das Gefühl eines Mysteriums, als wäre die Zeit stehengeblieben, machte sie stumm. Die Treppe wurde von vier Absätzen unterbrochen und schien kein Ende nehmen zu wollen. Was erwartete sie wohl dort unten, in dieser halbdunklen Welt?

Endlich erreichten sie den Fuß der Treppe: Licht fiel durch ein von gedrehten Säulen eingefaßtes Portal, über dem man auf einem fast verblichenen Fresko noch die Umrisse eines Stiers erahnen konnte. Unter dem Wandgemälde hielten zwei Engel eine Marmortafel, die an den Rändern reichlich verziert war. Jeanne übersetzte für Isa den lateinischen Text.

»›Dies ist die Krypta des heiligen Erzengels Michael‹«, flüsterte sie, »›dessen Ruhm in der ganzen Welt verbreitet ist, die Stelle, an der er den Menschen zu erscheinen geruhte. Pilger, wirf dich zu Boden und verehre diese Steine, denn der Ort, an dem du dich befindest, ist eine heilige Stätte.‹«

Sie durchschritten das Portal. Das ungefilterte Sonnenlicht drang so überraschend hell in das Vestibül, daß sie blinzeln mußten. Marmorne Särge und Heiligenstatuen standen rund um den Innenhof. Gegenüber umrahmte ein beeindruckender romanischer Torbogen eine schwere offenstehende Bronzetür, und dahinter befand sich ein dunkler Raum: die Heimstatt des Engels. Die Neugierde packte Jeanne, sie ließ ihre Freundin hinter sich, und während ihr Herz heftiger schlug, trat sie als erste durch die offene Tür.

So sehr sie auch die Steine liebte, nie hätte ihre Phantasie ausgereicht, um zu erahnen, was sie auf einmal zu sehen bekam. Nach ein paar Schritten blieb sie stehen, ergriffen von der Atmosphäre, die in der Basilika herrschte. Sie stand inmitten einer Grotte: In einer natürlichen Höhle aus riesigen alterslosen Kalkblöcken war von Menschenhand eine Kathedrale mit gotischem Spitzbogengewölbe als Decke geschaffen worden. Jeanne gegenüber, am anderen Ende der Kathedrale, lag im Felsen eine sonnengelbe Apsis, ein barocker Tempel, der sie an Jordanien und Petra erinnerte... Ja, ein unterirdisches Petra. Ein Bund der Erde und der Menschen – diese seltsame Kirche war nichts als ein Präludium.

Als sich Jeannes Augen an die Dunkelheit im Kirchenschiff gewöhnt hatten, zog die rechte Seite, wo der Chor lag, ihre Aufmerksamkeit auf sich: Unter einem Gewölbe von grob gehauenen Felsen und hinter einem Altar glitzerte etwas: Es war ein großer Schrein aus Silber und böhmischem Kristall, der auf dem blanken Felsen stand, und darin befand sich eine Statue des heiligen Erzengels Michael. Sie war aus weißem Marmor, und dieser wiederum war von äußerster Reinheit.

Wie verzaubert trat Jeanne näher und betrachtete den Anführer der himmlischen Heerscharen mit seinen goldenen Flügeln. Er trug die kurze Rüstung eines römischen Legionärs und einen Soldatenmantel und hielt ein Schwert mit langer Klinge waagerecht erhoben, in der Haltung eines Kriegers, der gleich einem Ungeheuer den Kopf abschlägt: Dieses Ungeheuer hatte das Antlitz eines Affen, die Beine eines Widders, die Tatzen eines Löwen und den Schwanz einer Schlange. Diese Darstellung des heiligen Michael zeigte einen Ausdruck, den Jeanne noch nirgends anders hatte bewundern können: Sein Gesicht war das eines lächelnden Jünglings. Er hatte gelocktes Haar, und sein Blick war von der reinen Unschuld eines Kindes.

»Das ist ja absolut unglaublich!« kommentierte Isabelle, als sie an Jeannes Seite trat.

»Ja, Isa«, flüsterte Jeanne, deren Ergriffenheit in ihrer Stimme mitschwang. »Das habe ich ganz sicherlich nicht erwartet. Das ist überwältigend.«

Sie sahen sich den Raum in allen Einzelheiten an, die Altäre, die Standbilder, die kleine Kapelle mit den Reliquien von Märtyrerpäpsten aus den ersten Jahrhunderten. Die schwarzen Knochen in den reichlich verzierten Schreinen faszinierten Isabelle, Jeanne hingegen beeindruckten die atemberaubenden mittelalterlichen Statuen und Reliefs: eine byzantinische Madonna aus dem 12. Jahrhundert, ein weiterer heiliger Michael – sie schätzte ihn auf das 8. oder 9. Jahrhundert –, der gerade mit einer Waage die Seelen der verstorbenen Sünder wog. In einer kleinen, in den Felsen gehauenen Kammer stand hinter einer Glasscheibe noch eine Statue des heiligen Michael, diesmal im Renaissance-Stil, und die Besucher konnten durch einen Schlitz im Glas Münzen zu seinen Füßen werfen.

»Ein Wunschbrunnen!« frohlockte Jeanne. »Also werde ich mir heute mal was wünschen!«

Gesagt, getan. Ihre Freundin sah ihr schmunzelnd zu. Isa war begeistert, auch sie stand im Bann der mystischen Schönheit dieses Ortes, und sie war glücklich, daß Jeanne lustig und zufrieden war.

Stimmengemurmel machte sie auf die Menschenmenge aufmerksam, die sich bei den Bänken vor dem Chor einfand. Bis ins Schiff standen die Frauen und Männer und warteten auf den Beginn der sonntäglichen Messe. Ein Priester hatte sich vor dem Schrein mit der Statue des heiligen Michael hingestellt.

Der Gottesdienst begann, und die beiden jungen Frauen blieben einen Moment in einer Ecke der Kirche stehen, den Fels im Rücken und ganz ergriffen von der Inbrunst, die von der versammelten Gemeinde ausging; die bestand ausschließlich aus Italienern. Dann schlichen sie aus Respekt vor dieser echten Frömmigkeit aus der Höhle, und schweigend stiegen sie die große Treppe hinauf.

Oben fand Jeanne einen Führer auf französisch, und erst draußen unter freiem Himmel erlaubten sie sich wieder zu sprechen.

»Alles in Ordnung?« fragte Isabelle.

»Und wie«, antwortete Jeanne. »Ich bedaure diesen Ausflug wirklich nicht. Ich fühle mich wie befreit. Aber ich verstehe nicht, warum dieser Ort nicht auch in Frankreich bekannt ist. Für mich ist er mindestens so eindrucksvoll wie die Sixtinische Kapelle. Wollen wir uns nicht irgendwo hinsetzen? Ich möchte gern in diesem Büchlein nachlesen, um noch ein bißchen mehr zu erfahren.«

»Natürlich, meine Liebe! Wir können doch gleich Mittag essen gehen. Zeit dafür ist es schon.« Sie leckte sich über die Lippen.

Auch wegen des Dorfs selbst lohnte sich ihr ungeplanter Abstecher: Es gab dort eine mittelalterliche Festung aus der Zeit der normannischen Herrscher, die den Rittern der Tafelrunde alle Ehre gemacht hätte, ein Baptisterium aus dem 11. Jahrhundert mit Namen »San-Giovanni-in-Tumba«, Kirchen aus dem Hochmittelalter und Gärten voller Mohnblumen. Doch nirgends fand sich eine Spur von einem Kloster, und es hatte tatsächlich auch nie eines gegeben.

Besonders zog die beiden das Viertel namens Junno in den Bann, der älteste Teil des Ortes, wo die weiß gekalkten Häuser entlang den eng verwinkelten Gassen von ihren schmiedeeisernen Balkonen eine herrliche Aussicht auf das Meer boten.

»Verrückt – das Heiligtum stammt aus dem 5. Jahrhundert!« rief Jeanne, den Mund voller Berglammbraten, der örtlichen Spezialität. »Es ist älter als der französische Mont-Saint-Michel! Dann ist es also genau andersherum, als ich dachte: Der Monte Gargano ist das Modell, und die Höhle, die den Ursprung des normannischen Berges bildet – also die Grotte des heiligen Aubert –, ist sein historischer Zwilling!«

»Zwilling, Zwilling! Entschuldige, aber ich finde nicht, daß sie sich besonders ähneln, dafür, daß sie Brüder sein sollen«, antwortete Isa, die am Knochen ihres Koteletts nagte. »Eineiig sind die beiden jedenfalls nicht.«

»Doch«, antwortete Jeanne und wurde auf einmal bleich. »Es gibt bedeutende Unterschiede, aber beide haben eine gleiche Gründungslegende: eine dreifache Erscheinung. Im Jahr 490 erschien der heilige Michael einem Bischof aus der Gegend im Traum, bezeichnete ihm eine Grotte auf dem Berg, die zuvor eine heidnische Kultstätte gewesen war, und forderte ihn auf, sie ihm zu weihen. Der Bischof gehorchte nicht. 492 erschien der Engel zum zweiten Mal, diesmal dem Bischof Laurentius, dem geistlichen Oberhaupt der Stadt Siponto, der den Erzengel um Hilfe für seine belagerte Stadt angerufen hatte. Der Anführer der himmlischen Heerscharen brachte den Sipontinern den Sieg, und 493 beschloß der Bischof, dem Erzengel zum Dank endlich seine Grotte zu weihen. Der heilige Michael erschien daraufhin ein drittes Mal und sagte ihm, nun sei es zu spät, weil er es bereits selbst getan hätte. Der Bischof eilte in die Höhle, begleitet vom Klerus und dem Volk. Er fand dort einen Steinaltar vor, über den der leuchtendrote Mantel des kriegerischen Engels gebreitet war, und entdeckte im Felsen den Fußabdruck des heiligen Michael. Der Bischof las eine erste Messe in dem Heiligtum: Das war am 29. September, der dann in der ganzen Welt zum Michaelistag wurde.«

»Das ist ja interessant. Dieses Lamm ist wirklich ausgezeichnet.«

»Stimmt«, sagte Jeanne mit leuchtenden Augen. »Wie der Lammbraten vom Mont-Saint-Michel, und wenn man es symbolisch betrachtet, ist das auch logisch: Der heilige Michael hat eine Vorliebe für Weingegenden – denk an das Blut Christi! – und Gegenden, in denen es Lammfleisch gibt – das Lamm Gottes –, für Berge am Meeresrand – so wie das himmlische Jerusalem –, die Zahl drei – die für die heilige Dreifaltigkeit steht – und für Bischöfe!«

»Und? Wie kommt es deiner Meinung nach zu dieser ›Bischofphilie‹?« fragte Isa lächelnd.

»Das weiß ich doch nicht!« Jeanne schmunzelte über ihre gewagte Beweisführung, bei der sich ihre ehemaligen Professoren die Haare gerauft hätten. »Vielleicht weil schließlich jeder sein kleines Laster hat, so heilig man auch sein mag!«

»Du redest von einem Laster, wenn es um Bischöfe geht? Nun, trotz seiner Anhänglichkeit zu diesem Berufszweig stößt er ja nicht gerade auf offene Ohren – nie gehorchen sie ihm!«

»Das stimmt, Isa – während Jeanne d'Arc, der er erschien, als sie noch ein kleines Hirtenmädchen war, ihm sofort Folge leistete. In der Legende des französischen Mont-Saint-Michel bohrte der Engel ja allen Ernstes seinen Finger in Auberts Schädel, damit der ihm endlich seine Höhle auf dem Berg gab und sich selbst nicht weiter für verrückt hielt. Tja, ein Mensch bleibt eben doch nur ein Mensch!«

Sie beendeten das Mittagessen in guter Laune, entwickelten die tollsten Thesen und landeten schließlich bei anzüglichen Vertraulichkeiten über ihre jeweiligen Partner. Bei einem Spaziergang setzten sie ihre Unterhaltung fort und schlenderten durch das alte Dorf mit seinen Caféterrassen. Isabelle machte viele Fotos, notierte ihre Eindrücke, schrieb Adressen von Kneipen auf und wollte die Ungerechtigkeit wiedergutmachen, die einige französische Reiseführer Monte Sant'Angelo antaten, indem sie den Ort und seine Sehenswürdigkeiten mit keinem Wort erwähnten. Gegen Abend begegneten sie ein paar alten Herren im Sonntagsstaat, der ihnen eine männliche, aber auch etwas angestaubte Eleganz verlieh; die Männer trafen sich beim Aperitif zum Kartenspielen.

Isa schaute auf die Uhr, und Jeanne warf ihr einen auffordernden Blick zu. »Isa? Was steht heute abend auf dem Programm?«

»Trani, eine Stadt mit einem hinreißenden Fischerhafen. Liegt Richtung Bari. Wir sollten übrigens bald aufbrechen. Ich habe im Hotel gesagt, daß wir gegen acht da sind.«

»Isa, ich… ich will mich ja nicht beschweren, aber mir wird diese ganze Fahrerei allmählich ein bißchen viel. Ich würde gern etwas zur Ruhe kommen. Sollen wir nicht über Nacht hierbleiben und erst morgen früh weiterfahren? Ich habe gegenüber vom Heiligtum ein kleines Hotel gesehen. Das könnte für deinen Artikel doch auch nützlich sein, eine Hoteladresse hier. Komm, zum Dank, daß du mich mitgenommen hast, lade ich dich ein, und heute abend bezahle ich auch das Essen!«

Isabelle blies den Rauch ihrer Zigarette aus und runzelte die

Stirn. »Sag mal, Jeanne, ich bin zwar blond, aber weißt du, das ist nicht meine echte Haarfarbe. Warum gibst du nicht einfach zu, daß du nicht mehr von deinem heiligen Michael wegwillst, jetzt, da du weißt, daß es hier nie Mönche gegeben hat, so daß dich kein italienisches Benediktinergespenst im Schlaf an den Haaren ziehen kann?«

Das Hotel Michele war eher bescheiden. Es herrschte Rauchverbot, vor allem in den Zimmern, was Isabelle ärgerte. Die mangelnde Gesprächigkeit der jungen Frau an der Rezeption machte sie noch ungehaltener, aber sie beruhigte sich, als sie erfuhr, daß sie die einzigen Gäste waren und somit das schönste Zimmer bekamen, das »Hochzeitszimmer«, von dem aus man einen einzigartigen Blick auf die Dächer des Dorfes und das Meer hatte. Vom Balkon ihres Zimmers aus bewunderten die beiden jungen Frauen das Panorama: Geradeaus und rechts erstreckten sich weiße Nester mit roten Ziegeldächern, die Schwärme von zwitschernden Schwalben zu verteidigen schienen. Links lagen die romanischen Bögen des alten Baptisteriums, des am nächsten liegenden Gebäudes, und zeichneten sich wie ein vertrautes Sternbild gegen den Himmel ab. In der Ferne leckte das blaue Meer unerschütterlich am grünen Fuß des Berges. Direkt unter ihnen lärmten auf einem kleinen Platz mit barocken Kirchenportalen ein paar spielende Kinder.

Als sie die jungen Einheimischen sah, blieb Isabelle auf dem Balkon, um bei einer Zigarette ein paar Fotos zu schießen, während Jeanne noch einmal die heilige Grotte erkunden wollte, bevor diese geschlossen wurde. An diesem Abend spürte sie, wie ihre Leidenschaft für alte Steine wieder auflebte, aber es war nicht die Wiedergeburt der Archäologin: Sie war ein kleines Mädchen, das von einer Urangst befreit war – von der Angst, im Schlaf zu sterben.

Nach dem üblichen üppigen Abendmahl und einem Verdauungsspaziergang durch die Sträßchen legte sich Jeanne neben ihre Freundin ins Bett, ohne zuvor eine Schlaftablette genommen zu haben.

Als am nächsten Morgen der Reisewecker klingelte, war Isabelle mit einem Schlag wach. Sie wand sich aus den Laken und zog die rosa Samtvorhänge auf: Heller Sonnenschein ließ den Himmel und das ferne Meer in klarem, makellosem Blau erstrahlen – keine Wolke, keine Welle. Vor dem Wasser leuchteten die Felsen und die Weinberge. Das Licht ließ die Häuser auf dem Berg, die ihre uralten Ziegel dem neuen Morgen entboten, noch weißer erscheinen. Isa öffnete das Fenster, erfreute sich an diesem strahlenden Morgen und drehte sich um, um Jeanne zu wecken – und merkte plötzlich, daß sie allein im Zimmer war.

»Jeanne? Bist du im Bad?« fragte sie. Sie erhielt keine Antwort. Wo war Jeanne nur geblieben?

Keine Nachricht, aber das Gepäck ihrer Freundin war noch da. Isa schloß daraus, daß Jeanne nicht weit sein konnte, und nahm das Bad in Beschlag. In einem roten Hosenanzug und einem Marinepulli stieg sie kurz darauf sorgfältig geschminkt die Treppe zum Frühstückszimmer des Hotels hinauf, wobei sie eine Duftwolke hinter sich herzog. Auf der Veranda, in einer Ecke unter dem Dach, hantierte ein dicker Mann schnaufend an einer Espressomaschine. Gegenüber dem großen Panoramafenster saß Jeanne bei einem einsamen Frühstück. Neben ihr lagen ein Kugelschreiber und ein kleines bläuliches Schulheft.

»Guten Morgen, meine Liebe!« Isabelle küßte sie auf die Wange. »Bist du schon lange auf? Ich hab' dich gar nicht gehört.«

»Guten Morgen, Isa«, antwortete Jeanne und drehte unauffällig das Heft um. »Ich bin kurz vor Sonnenaufgang aufgewacht, aber ich habe mich leise rausgeschlichen, um dich nicht zu wecken.«

»Hast du von hier aus den Sonnenaufgang bewundert?« fragte Isabelle und deutete auf die Glasscheibe. »Das war bestimmt eindrucksvoll!«

»Ja, absolut großartig«, antwortete Jeanne und versenkte die Nase in ihre Tasse.

Isabelle setzte sich neben sie, bestellte einen schwarzen Kaffee und beobachtete ihre Freundin. Sie wirkte seltsam: wortkarg, das Gesicht verkniffen, den Blick starr auf die Bucht gerichtet, und sie strich sich immer wieder nervös mit den schmucklosen Fingern über die Stirn. Offenbar hatte sie sich im Dunklen angezogen, ohne sich zurechtzumachen. Sie trug ihre ewige dunkle Hose aus grobem Leinenstoff, ihre halbhohen flachen Schuhe, von denen sie sich nie trennte, und einen klassischen grauen Wollpullover, unter dessen V-Ausschnitt ein weißes T-Shirt hervorlugte. Sie war dünn, aber nicht mager, und man erahnte unter dem geschlechtslosen Outfit feste, großzügige Formen. Für diesen Körper, der noch nicht von der Mutterschaft und dem überbordenden Alltag gezeichnet war, hätte Isabelle alles gegeben. Hätte sie das Glück gehabt, so gebaut zu sein, sie hätte sich bemüht, auch so zu bleiben, hätte gesund gegessen und wäre ins Schwimmbad und ins Fitneßstudio gegangen – nicht so wie Jeanne, die alles Mögliche in sich hineinstopfte und sich ganz und gar unsportlich gab. Hätte Isabelle die Taille ihrer Freundin gehabt, sie hätte enge lange Kleider getragen mit weiten Ausschnitten, taillierte Jacken, kurze Röcke und Schuhe mit hohen Absätzen, statt ihre Schönheit unter diesen schlaffen, eintönigen Klamotten zu verbergen.

Ausnahmsweise hatte Jeanne ihre Haare nicht aufgesteckt, und die schöne braune Flut fiel ihr in fließenden Wellen auf die Schultern. Ohne ihre Brille wirkte sie weniger intellektuell, und man sah besser ihre herrlichen mandelförmigen Augen in hellem Blau mit grauen Sprenkeln. Wenn sie sich nur die Mühe gemacht hätte, sich zu schminken, hätte ihr Anblick alle Männer sofort erstarren lassen! Ihr Mund war von Natur aus schön, aber mit ein bißchen Lippenstift hätte sie weniger blaß gewirkt.

Sie hatte keinen besonders stressigen Job, sie rauchte nicht, trank nicht übermäßig viel Tee oder Kaffee, und so waren ihre Zähne auch ohne die kostspielige Hilfe des Zahnarztes strahlend weiß. Ihre glatte Haut war unregelmäßig mit Sommersprossen übersät, die aufgrund ihrer dunklen Haare und der kaum gezupften Augenbrauen noch mehr auffielen. Absolut zauberhaft – damit sah sie jung und frech aus. Sie hätte etwas auf ihre Falten achten sollen; in den Augenwinkeln sah man ein paar davon sternförmig ausstrahlen. Jeanne kümmerte es zwar nicht, aber bloß weil sie Archäologin war, brauchte sie ja nicht auszusehen wie eine rissige Mauer!

Isa nahm sich vor, sie über die neuesten Faltencremes aufzuklären und ihr aus der Redaktion ein paar Pröbchen mitzubringen, wenn ihre Kolleginnen nicht alles abgeschleppt hatten. Doch dies war offenbar nicht der Moment für kosmetische Plaudereien: Jeanne schien ihre Freundin nicht einmal wahrzunehmen und war völlig vereinnahmt von der Betrachtung des Himmels, in dem Schwalben ein Balett aufführten.

»Hast du nicht gut geschlafen?« wagte sich Isabelle vor.

»Ich habe nicht lange geschlafen«, antwortete Jeanne nach längerem Schweigen, »aber es hat mir gereicht.«

»Gut. Willst du noch mal in die Grotte, bevor wir nach Trani aufbrechen?«

»Nein, nicht nötig. Ich habe gesehen, was ich sehen mußte. Ich geh' mich bloß noch schnell waschen, bevor wir das Zimmer räumen. Isa, kann ich deinen blauen ärmellosen Pulli ausleihen – weißt du, den schön weichen?«

»Das Kaschmir-Top? Klar«, antwortete Isa überrascht. »Es wird dir vielleicht ein bißchen zu weit sein, aber... na ja, nimm es. Es liegt auf dem Stuhl.«

Jeanne dankte ihr, nahm Heft und Stift und ließ ihre Freundin einfach sitzen.

In der kleinen Hafenstadt Trani herrschte ein Geruch nach Salz und Fisch. Auf einer blumengeschmückten Terrasse ein paar Meter neben den Fischerbooten war Jeanne ganz auf ihre Meeresfrüchte konzentriert, während ihre Tischgenossin eine Goldbrasse verzehrte. Der himmelblaue Strickpulli brachte Jeannes Augenfarbe ganz besonders zur Geltung und der ärmellose Schnitt ihre schlanken Oberarme.

»Willst du ganz bestimmt nicht ein bißchen Wein?« fragte Isa und hob den Weißweinkrug an.

»Danke nein, heute habe ich Lust auf Wasser.«

»Aber du bist doch nicht krank?« erkundigte sich Isa. »Ich finde dich seit heute früh ziemlich seltsam. Du wirkst ganz abwesend. Ist irgend etwas nicht in Ordnung?«

Jeanne hob den Kopf, um ihre Auster auszuschlürfen, und sah ihrer Freundin dabei in die Augen. Dann hörte sie auf zu essen, zögerte noch eine Weile, musterte das Meer und legte schließlich los. »Ich erzähle es dir, Isa. Heute nacht habe ich etwas geträumt.«

»Geträumt? Was für einen Traum denn?« Isa machte sich Sorgen. »Einen normalen Traum oder deinen alten lateinischen Alptraum mit der schwarzen Mönchskutte?«

»Am Anfang ist alles dunkel«, fuhr Jeanne statt einer Antwort fort. »Dann springt ein Schatten in einen hell erleuchteten Raum. Eine menschliche Gestalt – sie hat sich unter dem Dach eines Hauses versteckt und ist von dort auf den Boden gesprungen. Rundum ist alles aus Holz: die Decke des Raums, in der man das Loch sieht, durch das er gekommen ist, und die Wände. Da ist ein Kamin, ein Tisch mit Pergamenten, brennende Kerzen, ein kleiner Krug Wein und ein Zinnbecher. Und in einer Ecke liegt eine Matte, auf der ein Unbekannter schläft: ein Mann mit langem blondem Haar und Vollbart. Er liegt unter einer groben Wolldecke, und über ihm hängt ein wundervoller Wandbehang mit dem heiligen Michael, der mit einer Waage die Seelen wiegt…«

»Aha, das sagt mir doch was«, unterbrach Isabelle.

»Ganz richtig! Die Skulptur aus dem 8. oder 9. Jahrhundert, die wir gestern in der Grotte gesehen haben«, antwortete Jeanne triumphierend. »Genau so, das gleiche Motiv, nur eben als Wandteppich gestickt. – Der Schatten geht also auf den Schläfer zu, ich höre ihn atmen, dann streckt er eine Hand nach ihm aus. Und diese Hand erkenne ich ganz genau!«

»Aber…«, stotterte Isabelle. »Und sein übriger Körper? Wer ist er?«

»Keine Ahnung, ich erkenne ihn nicht. Ich sehe nur die Hände. Also, mit seiner kräftigen rechten Hand packt er den Arm des Blonden, hebt ihn hoch und läßt ihn wieder los. Der Arm fällt schlaff auf das Lager zurück, der Mann wacht nicht auf. Die Gestalt nimmt den Weinkrug und wirft ihn zu Boden. Eine rote Lache breitet sich aus, doch der andere rührt sich noch immer nicht.«

Jeanne hielt inne und atmete tief durch, bevor sie weitersprach:

»Dann nimmt er eine Laterne – und steckt damit die grobe Wolldecke in Brand. Sie brennt, sie qualmt, und der Mann darunter hält weiterhin die Augen geschlossen und rührt sich nicht, macht keinerlei Anstalten zu fliehen. Das Feuer kriecht nach oben, erreicht den Bart, die Haut. Es riecht nach gebratenem Schweinefleisch. Es ist furchtbar ... Dann greifen die Flammen nach dem Wandbehang: Die Waage verkohlt, bald der ganze heilige Michael. Und darunter brennt lichterloh die Strohmatte.

Plötzlich bin ich in der Krypta Notre-Dame-Sous-Terre. Es ist dunkel, aber ich sehe die unterirdischen Steine und die beiden gleichartigen Altäre mit Kerzen. Auf einem der Altäre erkenne ich sogar eine schwarze Jungfrau. Er ist dort oben auf den Stufen, rechts, und wartet auf mich, wie ein Priester auf seine Schäfchen wartet, um ihnen zu predigen – der enthauptete Mönch, wieder genau derselbe, in seinem Benediktinergewand. Er ist mir zugewandt, die Arme liegen an dem kopflosen Körper an, und er sagt mit seiner hohlen Stimme: *Ad accedendum ad caelum, terram fodere opportet.* – ›Um in den Himmel zu gelangen, muß man in der Erde graben.‹

Ich stehe vor dem Altar, ich strecke ihm die Arme entgegen, die Hände, und er erhebt die seinen zum Himmel und wiederholt noch mal lauter: *Ad accedendum ad caelum, terram fodere opportet.* Ich bin starr vor Schreck, er beobachtet mich aus seinen Augen, die es nicht mehr gibt – und auf einmal bin ich völlig nackt. Obwohl er keine Flügel hat, fliegt er plötzlich los, stürzt sich auf mich wie ein schwarzer Vogel, streckt seine Hand vor, zeigt mit dem Finger auf mich! Er ist bloß noch ein paar Millimeter von mir entfernt, schwebt in der Luft, und plötzlich berührt er mich an der Stirn und wiederholt noch einmal beharrlich seinen Satz, wobei er ungeduldig jede Silbe einzeln betont: *Ad accedendum ad caelum, terram fodere opportet.* Sein Finger dringt in meinen Kopf ein wie ein Bohrer, es brennt, tut weh ... Und da bin ich aufgewacht.«

Isabelle schwieg ein paar Sekunden, während sich Jeanne die Stirn betastete und dann ein Glas Sprudel trank.

»Tja«, sagte Isa schließlich, »ich bin ja kein Fachmann im Entschlüsseln von Traumbotschaften, aber Stoff genug hast du jedenfalls. Du solltest mal deine Madame Freud anrufen, die wird sich sicher freuen. Damit könnt ihr ein Jahr lang eure Sitzungen füllen.«

»Ganz falsch, Isa – sie wird sich überhaupt nicht freuen. Sobald wir zurück sind, werde ich ihr nämlich sagen, daß ich nicht länger zu ihr komme.«

»Was?« rief Isa.

»Oh, ich weiß schon, was du sagen willst!« stößt Jeanne hervor. »Ich habe es mir schon sagen lassen! Ich höre, wie François es mir sagt und wie meine Therapeutin es mir ganz unauffällig beizubringen versucht: Gestern habe ich dir von der dritten Erscheinung des heiligen Michael erzählt, dessen Finger den Schädel des Bischofs durchbohrt, und ganz zufällig kommt heute nacht mein kopfloser Mönch zum dritten Mal und berührt meine Stirn. Okay. Gestern in der Grotte sehen wir eine mittelalterliche Skulptur des Erzengels bei der Psychostasis und …«

»Psycho-*was?*« unterbrach sie Isa.

»Bei der Psychostasis, dem ›Abwägen der Geister‹, der Seelen, der Sünden der Verstorbenen. Und in meinem Traum stehe ich vor einer Darstellung des Engels mit seiner Waage, in der gleichen Haltung, das gleiche Motiv. Das ist nicht einfach bloß ein Zufall! Heute nacht werde ich Zeuge eines tragischen Todes und stehe dem Geschehen völlig machtlos gegenüber, und doch fühle ich mich schuldig, als der kopflose Mönche mit dem Finger auf mich zeigt. Genausowenig kann ich ja für den Tod meines Bruders, aber schon immer mache ich mich unbewußt verantwortlich dafür. Im Grunde kann ich es nicht hinnehmen, zu leben, während er fort ist. Deshalb weigere ich mich, Mutter zu werden, Leben zu schenken. – Okay, ich weiß das alles, ich habe es in der Psychoanalyse selbst zugegeben, du hast völlig recht. Aber … das ist es nicht, was zählt!«

Isabelle schwieg bewußt eine Zeitlang, und Jeanne versenkte ihre blauen Augen so tief in Isabelles dunklen Blick, daß es fast wehtat. Jeannes Hände verdrehten krampfhaft die Serviette, als wollte sie damit ihre Finger ineinander verknoten. Ihre zusammengepreßten Lippen waren schmal wie eine Rasierklinge. Isabelle wußte, daß ihre Freundin am Rand ihres inneren Abgrunds stand. In dieser Lage mußte sie geschickt und vorsichtig vorgehen.

»Ich weiß nicht, womit ich recht haben soll«, sagte sie schließlich entschlossen, »ich interpretiere nämlich nicht, ich habe überhaupt nichts gesagt und auch nichts gedacht – bis auf ›Psychodingsda‹.«

Jeannes Augen weiteten sich. Ihre Finger erstarrten auf dem weißen Stoff.

»Und? Was zählt also?« fragte Isa.

Jeanne beugte sich weiter vor und nahm Isabelles Hände in die ihren.

»Aber… Der Himmel! Ich habe mich auf die Erde konzentriert, und ich habe den Himmel vergessen, obwohl doch da der Ausweg liegt! Der Himmel! Deshalb ist er diese Nacht wiedergekommen und hat noch mal nachgelegt! Ich habe es nicht begriffen, doch heute früh ist es mir mit einem Schlag klargeworden, auf der Terrasse, als dort oben die Sonne aufging!«

»Jeanne, ich kann dir überhaupt nicht folgen, ich…«

»Ich bin nicht verrückt, Isa, keine Angst. Im Gegenteil, ich sehe zum erstenmal wirklich klar: Dieser Traum ist ein Gleichnis für meine Neurose. Das ist schon mal sicher. Die Therapeutin hat mir geholfen, den Traum zu interpretieren, damit ich nicht mehr alles in einen Topf werfe und endlich begreife, daß… daß da etwas anderes ist, wofür nicht ich die Quelle bin. Hörst du – etwas anderes, was ich irgendwie spürte, ohne es identifizieren zu können. Bis heute früh! Jetzt weiß ich es: Da ist eine Geschichte, die nicht die meine ist. Sie bringt etwas in mir zum Klingen, wegen des Verlusts meines Bruders, aber es hat nicht direkt mit mir zu tun. Es ist eine wahre Geschichte, die in einer Vergangenheit außerhalb der meinen liegt. Da begeht tatsächlich jemand Morde, aber nicht ich. Anders als ich dachte, verurteilt mich der kopflose Mönch nicht, sondern er fordert mich auf, bei null anzufangen und anderswo zu graben als in mir selbst – in einer terra incognita, die den Schlüssel meiner Träume birgt, ein Rätsel der Vergangenheit. Kurz, Isa: Ich habe mich bisher immer getäuscht; mit seinem dreifachen Erscheinen wollte er mir sagen, daß ich in einer anderen Erde suchen soll, und mich nicht verurteilen!«

Jeannes Ausführungen verwirrten Isabelle. Sie waren für sie so rätselhaft wie irrational. Sie hoffte, daß dies nur ein vorübergehender Zustand und die seelische Gesundheit ihrer Freundin nicht in Gefahr war. Im Moment hielt sie es für klüger, ihr nicht zu widersprechen.

»Meinetwegen«, sagte sie skeptisch und löste ihre Hände aus

Jeannes. »Wenn du es so sehen willst... Was hast du vor? Mit einer Schaufel nach Patagonien aufbrechen?«

»Vielleicht«, antwortete Jeanne lächelnd. »Der kopflose Mönch ist so hartnäckig, weil er weiß, daß ich die Sache zu Ende bringen und alles aufklären kann. Ich habe das nötige Vorwissen und muß nur aufhören, in mir selbst herumzubohren. Ich setze die Tabletten ab und suche den Schlüssel zu meinen Träumen dort, wo er liegt – in der fruchtbaren Erde der Geschichte, in der Vergangenheit und den Legenden des Mont-Saint-Michel. Ich habe jetzt keinen Funken Angst mehr, denn ich weiß, daß dieser Mönch mir nichts Böses will und daß er mir in meinen Träumen helfen wird. Sobald ich einen Moment Ruhe habe, werde ich die Bibliotheken durchstöbern, um die eigentliche Quelle des Mythos zu finden, mich durch die Bücher graben und mich durch die Archive dieses verdammten Berges buddeln!«

An diesem 1. November regnete es, wie so oft in Paris und wie immer an Allerheiligen. Sie war am Vorabend heimgekommen, hatte aber François nicht treffen können, denn er war mit Marianne nach Cabourg gefahren, zum Grab ihrer Familie. Am nächsten Morgen, Allerseelen am 2. November, hatte er eine Sitzung im Ministerium und wollte anschließend gleich zu ihr in die Rue Henri-Barbusse kommen. Aber Jeanne hatte abgelehnt und ihn lieber zum Abendessen in einem Restaurant seiner Wahl treffen wollen. Er hatte ganz richtig vermutet, daß sie wohl Tintenfisch und Weißwein satt hatte, und hatte in einem hippen Fleischrestaurant in Saint-Germain-des-Prés einen Tisch reservieren lassen, das berühmt war für sein japanisches Rind, das mit Bier und unter täglichen Massagen von Geishas gemästet worden war. Solange er Jeanne nicht berühren konnte, begnügte er sich damit, ihren Körper, der in einem eng anliegenden, blutroten Samtkleid steckte, mit seinen Blicken zu verschlingen, während sie ein riesiges Rumpsteak mit Pfeffersoße genoß und zwischendurch immer wieder ein leuchtendes Glas Rotwein aus Pomerol an ihre ausgemalten Lippen führte.

»Diese Ferien haben dir wirklich gutgetan«, stellte er fest. »Du siehst blendend aus!«

»Stimmt«, antwortete sie bescheiden. »Ehrlich gesagt kann ich dir das Kompliment nicht so einfach zurückgeben. Du siehst aus, als würde dich etwas belasten.«

»Es stimmt schon, die letzten Tage waren sehr stressig«, erklärte er. »Ich habe mächtig Ärger bei der Arbeit und …«

»Ja?« unterbrach sie ihn teilnahmsvoll. »Erzähl!«

François fühlte sich unwohl. Er nahm einen Schluck von seinem Bordeaux, aber sein Wintergesicht blieb so bleich wie zuvor. »Nimm es mir nicht übel, aber ich will lieber nicht davon erzählen.«

Sie fixierte ihn mit ihren großen, dunkel geschminkten Augen, was die Helligkeit ihres Blicks noch hervorhob.

»Es ist nicht das, was du denkst!« verteidigte er sich sofort. »Ich will dir nichts verheimlichen, und es ist auch kein Geheimnis, aber es geht um ein Thema, das ich dir gegenüber lieber meide – seit unserem Überraschungswochenende im September«, fügte er hinzu, in der Überzeugung, daß das heikle Thema damit vom Tisch wäre.

Sie legte in aller Ruhe ihr Besteck zu beiden Seiten des Tellers auf den Tisch, tupfte sich die Lippen ab und streichelte seine Hand, an der der goldene Ehering blitzte. »Du täuschst dich, lieber François. Du vergißt, daß ich eine Therapie mache. Ich habe mich verändert«, log sie. »Ich habe noch nicht alles verstanden, aber das Thema ist kein Tabu mehr. Im Gegenteil. Sag mir, welche Laus dir über die Leber gelaufen ist. Ich verspreche dir, daß es keine Tränen gibt, keine mysteriösen Sprüche auf Latein, keine Mordfälle.«

Er sträubte sich. Er sah sich wieder an jenem Samstag nachmittag im September, als er allein durch Paris geirrt war und sich nicht nach Hause getraut hatte, gleichzeitig wütend auf Jeanne und in Sorge um sie. Er erinnerte sich an ihre leidenschaftslosen Unterhaltungen, an seine Gewissensbisse, an Jeannes Rückzug in sich selbst, daran, wie schwierig es gewesen war, an sie heranzukommen. Er hatte gedacht, sie würde ihn verlassen, aber nein, es war noch schlimmer gekommen: Sie hatte sich ihm entzogen.

An diesem Abend aber saß er wieder der Frau gegenüber, die ihn so anzog mit ihrer Lebendigkeit und ihrem Humor und mit etwas, das unwiderstehlich und neu an ihr war: ein sexy Auftreten, das ihn schon die ganze Zeit über heftig erregte.

Der Blick seiner bernsteinfarbenen Augen heftete sich auf den Haarknoten, aus dem ein paar dunkle Locken hingen, auf den nackten Hals, auf den Ansatz ihrer Brüste, den der leuchtendrote Stoff anschwellen ließ, gar nicht zu reden von ihren satinweichen Beinen, die er unter dem Tisch streifte, in der Hoffnung, daß sie in halterlosen Strümpfen steckten und nicht in einer Strumpfhose. Er erschnupperte einen Hauch *Shalimar* von Guerlain – ja, auch das war neu. Berauscht von dem orientalischen Duft des Parfums wagte er den Sprung ins Leere.

»In zwei Wochen soll eine sehr wichtige Ausgrabung am Mont-Saint-Michel beginnen, neben dem Lastenaufzug, dort, wo der romanische Friedhof und das Beinhaus der Abtei lagen, die beide während der Revolution zerstört wurden. Es ist nur eine Hypothese, aber man vermutet, daß dort vor der Errichtung der romanischen Abteikirche und der Umwandlung dieses Geländes in einen Friedhof ein älteres Bauwerk stand, eine verschwundene Kapelle – die Martinskapelle aus karolingischer Zeit, eine Totenkapelle. Bei Bauarbeiten wurden Gebeine aus vorromanischer Zeit gefunden. Wir haben also beschlossen, der Sache nachzugehen und ein Jahr lang dort zu graben. Wenn wir schon nicht die Fundamente der Kapelle finden, dann vielleicht wenigstens die Grabstätten, die sich dort befanden. Seit Monaten brüte ich über dieser Angelegenheit und habe mit dem Verwalter des Berges verhandelt, mit dem nicht so leicht umzugehen ist, mit der Zahlstelle des Instituts für Denkmalpflege und mit dem Kabinett im Ministerium. Die Staatliche Archäologische Vereinigung hat Mittel lockergemacht, der Sachverständigenrat hat seine Zustimmung gegeben, ich habe die beste Mannschaft aufgestellt, wir haben die Grabungsgenehmigung durchgebracht, ich habe unterschrieben ... Kurz: alles war fix und fertig, damit es am 15. November losgehen kann, in der Jahreszeit, in der am wenigsten Touristen dort sind. Und dann teilt mir letzte Woche der Leiter der Ausgrabung, Roger Calfon, mit, daß seine Frau an Krebs erkrankt ist, und bittet um eine sechsmonatige Freistellung, damit er sich um sie kümmern kann. Du weißt, in solchen Fällen hat er Anspruch auf die

Freistellung, und jetzt habe ich keinen kompetenten Archäologen mehr, der die Leitung der Ausgrabung übernehmen kann. Die größtmögliche Katastrophe also! Roger ist unersetzbar, was seinen Ruf und seine Erfahrung betrifft. Er ist in Frankreich *der* Spezialist für mittelalterliche Ausgrabungen. Dreißig Jahre Praxis, zwanzig davon in Saint-Denis – das findet man nicht so schnell wieder, und ich kann es mir nicht leisten, einen Grünschnabel auf den Mont-Saint-Michel zu schicken. Rogers Assistent steht im Kulturministerium in Ungnade wegen einer Veröffentlichung, in der er auf die oberste Denkmalschutzbehörde geschimpft hat; ihn kann ich also nicht statt Calfon nehmen. Ich versuche jetzt also seit einer Woche, einen Assistenten von einer anderen Grabung abzuwerben, um ihn sechs Monate lang zum vorläufigen Leiter zu ernennen, bis Roger zurückkommt. Aber die Spezialisten für Grabmäler dieser Art laufen nicht gerade in Massen herum.«

An diesem Abend dankte Jeanne dem Schicksal, das sie verfolgte, dem Zufall, den es definitiv nicht gab, und sogar Isabelle, die ihr in Bari zugeredet hatte, sich dieses rote Kleid zu kaufen und dazu ein Paar halterlose Feinstrümpfe mit Strumpfbändern.

»François, der Profi für unauffindbare mittelalterliche Knochen – das bin ich!«

# 6

Tiefe Dunkelheit herrscht in der Martinskapelle, so schwarz wie der Aberglaube, der auf Moïras Seele lastet, schwarz wie die Benediktinerkutte, in der Roman verhüllt ist. Eingemauert unter dem Chor liegen die keltischen und bretonischen Toten. Roman ist als erster da und hat das Gefühl, eine Grabhöhle zu betreten. Die klamme Kälte kriecht ihm in die Knochen, und gleichzeitig wogen Hitzewellen durch seinen Körper.

Mit dem Ärmel wischt er sich ein paar Schweißtropfen von der Stirn. Vielleicht hat er wieder Fieber. Er humpelt zum Altar, bekreuzigt sich und entzündet drei Kerzen. Dann läßt er seinen zitternden Körper auf eine steinerne Bank sinken. Einen Moment lang schließt er die Augen, um seinen Atem zu beruhigen, aber er hört sich nur noch lauter schnaufen.

Als er die Lider hebt, spürt er, wie sich die Blicke fremder Augen in seinen Rücken bohren. Sie dringen bis in sein Herz, das noch schneller pocht. Unwillkürlich beginnt er zu schwitzen, und das wollene Gewand klebt ihm am Körper, kratzt, juckt wie ein Brennesselfeld. Ein Bienenschwarm summt durch seinen Kopf, seine Beine sind wie die einer Libelle, mager und kraftlos, und seine Finger zittern wie Insektenflügel, in rasendem, unkontrollierbarem Schlagen.

Linkisch steht er auf, stößt die Luft aus, zwingt seine Hände an die Schenkel. Da merkt er, daß ihm die Sätze entfallen sind, die er sich in seiner Einsamkeit zurechtgelegt hat, und daß seine Kehle von einem unsichtbaren Seil zugeschnürt ist. Mühsam schluckt er, holt Luft. Er muß sich umdrehen. Instinktiv hält er den Atem an und wendet sich errötend um.

Sie hat ihre wollene Haube und den Schleier abgelegt, bevor sie eintrat. Ihr Haar ist sorgfältig frisiert, sie hat es zu fließenden Zöpfen geflochten und Wiesenblumen hineingesteckt. Sie trägt einen langen Mantel, den über der Brust eine gehämmerte goldene Spange zusammenhält. Zwei Nächte lang hat sie an den Stoffhandschuhen gestickt, die ihre Hände noch schmaler erscheinen lassen. Während sie ein Bad nahm, hat sie Lieder gesungen, die außer ihr niemand kennt, dann hat sie sich mit duftenden Blumen eingerieben und ihre Wangen und ihre Lippen mit ein paar Blütenblättern rot gefärbt.

Der Brief war kurz, aber unmißverständlich: ein heimliches Treffen, am Ort ihrer ersten Begegnung, bei Einbruch der Nacht. Sie hat gleich gewußt, welcherart die Verbindung zwischen ihnen sein würde, noch bevor sie geknüpft war. Seit zwei Monaten ist er fort, und sie hat Abend für Abend auf ein Zeichen von ihm gewartet. Kurz vor Weihnachten brachte ihr der Cellerar der Abtei Gemüse von den Ländereien des Klosters, Eier, Fische und drei Amphoren Wein, mit denen ihr der Abt seinen Dank für ihre Gastfreundschaft aussprechen ließ. Der Mönch sagte ihr, daß sich Roman dank Hosmunds Pflege erhole, daß er aber noch immer das Bett hüte und sehr schwach sei. Das war das einzige Lebenszeichen, das sie von dort oben erhielt. Dort oben – so nah und doch so fern. Er wohnt in einem Tempel im Himmel, sie in einer Hütte auf der Erde, und ein Meer liegt zwischen ihnen.

Einmal hat sie nach ihm fragen wollen, als sie zu einer Dorffamilie auf den Berg gerufen wurde, deren einziges Kind sich auf den Felsen verletzt hatte. Doch als sie in das mit Stechpalmen geschmückte Haus kam, röchelte der Knabe, und ein Priester hatte ihn bereits gesalbt. Sie nahm seinen letzten Atemzug entgegen und brachte es nicht über sich, die Eltern, denen soeben das Herz brach, anzusprechen wegen Roman. Sie wollte den Tod des Kindes nicht als schlechtes Zeichen auslegen, kehrte nach Beauvoir zurück, um weiter zu warten, und versagte es sich, die Runen zu befragen.

An diesem Morgen hat es geregnet, und kurz nach der Morgenmesse kam Hosmund in einem langen Fußmarsch zu ihr. Zu beiden Seiten seiner Brust hingen Kräuterbeutel an einer Schnur, und Messer baumelten an seinem Gürtel. Brewen ergriff die Flucht, als er ihn sah. Der Laienbruder lächelte in seinen braunen Bart, der vom Regen troff. Sie bot ihm eine Bank neben dem Herdfeuer an, einen Krug Wein aus dem Kloster, und er lachte. Er sagte, daß Roman noch immer humpelte, daß er aber genesen sei. Sie war so ergriffen, daß sie kaum sprechen konnte, aber sie antwortete, das sei ihm zu verdanken, der ihn so gut gepflegt habe.

Da stand er auf, stolz wie der Erzengel Gabriel, und zog ein aufgerolltes Pergament aus der Tasche seiner Kukulle. Mit flammenden Worten erklärte er, Gott sei die Genesung des Bruders zu verdanken und seiner getreuen Dienerin Moïra, der Roman in diesem Schreiben danken wolle. Mit seinen grobschlächtigen Händen mit den erdschwarzen Fingernägeln legte er vorsichtig den Brief auf den Tisch, grüßte die junge Frau und stieg zurück auf den Berg.

Sie wartete noch ein wenig, bevor sie den Brief nahm. Sie hatte Angst. Da war er, endlich, aber dieses Schreiben konnte das Ende jeder Hoffnung bedeuten, den endgültigen Abschied. Hosmund kann nicht lesen, das hatte sie an seiner furchtsamen Ehrerbietung gegenüber dem Pergament erkannt. Sie nahm den Brief, drückte ihn gegen die Brust und war überzeugt, daß sie Roman verlieren würde. Schließlich fand sie sich damit ab und öffnete den Brief.

Zwei Tage lang hat sie sich zurechtgemacht, um die Zweifel all dieser Nächte, die sie ohne ihn gewesen ist, zu vergessen.

Nun steht sie da, stumm und reglos wie beim ersten Mal, als er sie für ein Gespenst hielt. Aber ein Geist hat nicht einen solchen Körper und auch nicht diesen Blick, der funkelt wie ein sanfter Stern. An den Fingerspitzen ihrer Handschuhe glitzert der Schleier der Regentropfen, vor denen sie ihr Gesicht geschützt hat.

Er wagt nicht, etwas zu tun, aus Angst, alles zu zerstören. Sie stehen einander gegenüber, schauen einander in die Augen, und ihr Schweigen bringt ihren Liebesgesang zum Klingen.

»Ich… ich freue mich, Euch zu sehen, Moïra«, bringt er schließlich hervor. »Seit ich wieder hier bin, habt Ihr so manchen meiner Gedanken begleitet.«

»Ihr seid aus den meinen nie gewichen«, gesteht sie und seufzt.

»Ich bin glücklich, daß es Euch gut geht – und daß Ihr die Regel verletzt, um mich zu treffen.«

Sie senkt den Blick, sieht auf Romans schöne Hände. Wann wird er sie öffnen?

»Wir müssen uns wiedersehen«, sagt er. »Oft. Und heimlich. Niemand darf davon wissen!«

Moïra spürt, wie ihr Tränen in die Augen steigen, Tränen der Freude. Sie kämpft, um sich ihm nicht in die Arme zu werfen.

»Niemand wird davon wissen.« Sie beherrscht ihre Stimme und ihren inneren Drang. »Nur Brewen – er weiß es, doch er kann uns nicht verraten!«

Er streckt seine Hand aus. Sie jubiliert. Unversehens gibt sie ihm die ihre und fühlt durch den Handschuh seine Wärme. Er zieht sie zu der Steinbank. Ihre Gewänder streifen aneinander. Sie setzen sich.

»Ich mußte so schnell fort«, spricht er weiter und behält dabei ihre Hand in der seinen. »Ihr habt mich gerettet – aber noch ist etwas unvollendet, das ist mir plötzlich klargeworden wie in einer Offenbarung. Ich mußte Euch wiedersehen ...«

Sie erstarrt vor Verlangen.

»... um Euch besser über die christliche Religion zu belehren.«

Der jungen Frau stockt das Herz. Macht er sich über sie lustig? Treibt er ein gemeines Spiel mit ihr? Gegen das Licht der Kerzen kann sie seine Züge nur schlecht erkennen, aber es genügt, um zu sehen, daß er keinesfalls lächelt oder grinst. Der Kranz der Tonsur sieht aus wie eine dunkle Mauer auf seiner glatten Haut. Ein Schutzwall. Die Festung ist in seinem Kopf. Was hat sie sich nur eingebildet? Daß ein Mann, der seit seiner Jugend in der strengen Klausur eines Klosters lebt, plötzlich seine Gelübde leugnet für eine Frau, eine Kreatur, die die Geistlichen fürchten und verachten, auch wenn diese Frau seine Wunden verbunden und ihm ihre Seele geöffnet hat? Sie war dumm und unbedacht!

Sie preßt die Lippen aufeinander, um nicht laut aufzuschluchzen. Närrin! Er weiß nicht einmal, daß sie ihn liebt! Doch wie kann er es nicht wissen, da es doch aus allen ihren Bewegungen spricht? Plötzlich wird ihr klar: Das einzige, was sie wohl gemeinsam haben, ist die Tatsache, daß sie von einer Mutter geboren wurden. Sicherlich die einzige Frau, mit der der Mönch bisher zu tun hatte.

Brewen ist taub und stumm, aber Moïra ist es, die nicht hört und nicht spricht. Sie war so von ihrer Glut betäubt, daß sie nicht einen Augenblick über Roman nachgedacht hat, obwohl er all ihre Gedanken vereinnahmt. Und doch liebt er sie, dessen ist sie jetzt völlig gewiß. Aber diese ungekannte Liebe muß ihn zu Tode verschrecken. Sie muß geduldig sein, ihn allmählich zähmen, seine Angst überwinden, ihn vor sich selbst retten und ihn zu ihr geleiten.

»Mit Vergnügen werde ich Euch anhören, Bruder Roman«, antwortet sie nach einem Moment des Schweigens in einer übermenschlichen Anstrengung.

Nun ist es Roman, der einen Moment innehält, starr wie ein Zauberer vor einem Kunststück.

Seit seiner Rückkehr auf den Berg zu Beginn des Advents hat er häufig an die junge Frau gedacht. Mehrmals erschien sie ihm im Schlaf, in ihrem Waldkleid, und beseelte seine Nächte mit einem fremdartigen Feuer. Morgens erwachte er in Scham und Schuldgefühl und erzählte niemandem davon. Dann überzeugte er sich selbst, daß diese Traumbilder nicht aus einem dunklen Winkel seiner Menschenseele kamen, sondern ihm von Gott selbst eingegeben wurden: Moïra hat noch nicht Sein Licht erblickt, denn Roman fand Zuflucht bei den reinen Herzen seiner Brüder, noch bevor er das der jungen Keltin bis vor den Herrn führen konnte. So hat er nun beschlossen, ihr das göttliche Leuchten im Nachhinein zuteil werden zu lassen.

Vor seinem Gewissen verbarg Roman den wahren Grund seines Vorhabens und beschloß, Moïra ohne das Mitwissen seiner Brüder wiederzutreffen, um sie im Geheimen zu bekehren und schließlich den Abt davon zu unterrichten. Er ist noch zu schwach zum Reiten und konnte daher nicht unauffällig zur Hütte von Beauvoir gelangen. So mußte also Moïra zu ihm kommen. Als Ort für ihre heimlichen Unterredungen erschien ihm die Martinskapelle am besten geeignet, und so auch die Stunde, abends nach Komplet. Es blieb ihm nur noch, die junge Frau herzubestellen, mit Hilfe eines Briefes, den ein des Lesens unkundiger und unfreiwilliger Komplize als Bote überbrachte, der frei vom Zwang des Klosters ist: Bruder Hosmund, der Infirmarius.

Was Frauen anbelangt, so kennt Roman nur die kalten Augen seiner Mutter, die auswechselbaren Arme seiner Ammen sowie die heilige Liebe der Jungfrau, und so begreift er nicht, woher die Freude rührt, die seinen Körper und seinen Geist befällt, als er in dieser Nacht Moïra wiedersieht: eine unbestimmte Wärme im Bauch, ein Kitzeln auf der Haut, der Atem, der sich beschleunigt, ein Vogel, der in seinem Kopf singt ...

»Moïra«, fragt er, »kennt Ihr die Geschichte unserer Ahnen Adam und Eva?«

Moïra weiß nur wenig davon, nur daß sie Mann und Frau und vor allem ein Liebespaar waren. Sie sagt sich, daß Roman seine religiösen Geschichten sehr treffend wählt. »Ich habe in der Messe von ihnen reden gehört.«

»Die Bibel sagt uns, daß der einzige Gott die Erde schuf, das Meer, den Himmel, das Firmament des Himmels, die Lichter – das Gestirn des Tages und das Gestirn der Nacht –, dann die Pflanzen, die Tiere des Meeres, die Tiere der Erde ... Und zuletzt schuf er das erste Menschenpaar. Anders als die Pflanzen und Tiere schuf er Mann und Frau nach seinem Bilde und nach seinem Antlitz.«

»Was für ein Bild«, unterbricht ihn die junge Frau, »wo doch Gott kein Gesicht hat?«

»Das innere Bild, die Seele! Deshalb hat allein der Mensch eine spirituelle Seele, nicht die Pflanzen und nicht die Tiere«, erklärt er lächelnd. »Diese Seele hat drei Eigenschaften: Verstand, Liebe und Macht. Der Verstand erlaubt es dem Menschen, die Welt, die ihn umgibt, zu entziffern, so daß er zu seinem Schöpfer zurückfinden kann. Die zweite Eigenschaft, die Liebe, ist der Wille, der dem Guten zustrebt, bis hin zum äußersten Guten, zu Gott. Die Macht schließlich erstreckt sich nur auf die Schöpfung, und deshalb forderte Gott den Menschen auf, die Pflanzen zu benennen und auch die Tiere. Durch das Wort herrscht der Mensch über die ganze Schöpfung.«

»Und deshalb, weil der Mensch denkt, liebt er Gott, und weil er über die Natur herrscht, ähnelt er Gott – anders als die anderen Wesen?« fragt Moïra.

»Die Ähnlichkeit liegt in einem anderen Punkt: in der Rangordnung dieser drei Eigenschaften. Die Macht ist dem Verstand zu Diensten und der Verstand wiederum dem Wichtigsten: der Liebe.«

»Ich hätte nicht gedacht, daß in der Bibel so viel über die Liebe steht!« sagt sie mit leuchtenden Augen.

»Der Text der Schöpfungsgeschichte sagt nur, daß Gott den Menschen nach seinem Bilde und nach seinem Antlitz schuf«, ergänzt er weise. »Dank der Eingebung durch den Geist Gottes wußten die Kirchenlehrer – Cassius, Hieronymus, Gregor und Augustinus – den tieferen Sinn der Heiligen Schrift zu verstehen, so auch hinsichtlich der drei Eigenschaften, die Gott dem Menschen verliehen hat, und ihrer Rangfolge.«

Moïra läßt ihren Blick über den Boden gleiten, sie denkt an Conan, Geoffroy, Ethelred, die tapferen heldenhaften, blutrünstigen Fürsten, die unter den Steinplatten ruhen.

»Bruder Roman«, sagte sie und schaut verschmitzt auf, »ich glaube, daß die Welt der Menschen entgegen den Plänen Gottes nicht von der Liebe geleitet wird. Auch nicht bei den Christen!«

»Moïra, daß der Mensch nicht von der Liebe geleitet wird, ist die Schuld des Menschen selbst: Das erste Paar lebte in einem irdischen Paradies in Eintracht mit der Welt. Aber eines Tages forderte der Satan in der Gestalt der Schlange sie auf, das einzige Verbot zu übertreten, das Gott ihnen gesetzt hatte: Sie durften nicht vom Baum der Erkenntnis des Guten und des Bösen essen. Doch Eva und Adam dachten, sie könnten Gott gleich werden, aßen von der Frucht und wurden aus dem Paradies vertrieben. Seit diesem Tag der Ursünde haben die Nachkommen Adams und Evas die Rangordnung der drei Eigenschaften umgekehrt, so daß die Liebe und der Verstand der Macht dienen: So ist der Mensch seinem Streben nach Macht unterworfen und nicht mehr der Liebe. Der Mensch trägt also noch immer Gottes Antlitz, aber er verliert seine Ähnlichkeit mit dem Schöpfer.«

»Bis auf die Mönche!« sagt die junge Frau.

»Nein, selbst die Mönche ähneln ihm nicht.« Roman lacht voller Herzlichkeit. »Denn auch die Mönche sind Nachkommen von Adam und Eva! Auch wir sind arme Sünder und gleichen nicht Gott. Wir dienen ihm, und getragen von seiner Liebe und der seiner Engel halten wir Fürbitte, damit er dem Menschen verzeihen möge, daß er ein Sünder ist. Doch niemals wird der Glaube eines Menschen, und mag er noch so rein, noch so inbrünstig sein, die Ursünde wieder gutmachen. Nur ein Mensch, der Sohn Gottes, ist ihm ähnlich geboren. Er hat gelitten und ist gestorben, um unsere Sünden zu sühnen. Aber von Christus werde ich Euch ein andermal erzählen.«

»Ja, erzählt mir besser von den Lastern der Menschen, davon verstehe ich mehr. Obwohl die Sünde in der Religion meiner Vorfahren nicht vorkommt.«

Roman bemerkt nicht die Ironie in Moïras Worten. Er wußte von Anfang an, daß er ein hartes Stück Arbeit vor sich hat, doch Geduld und Hartnäckigkeit gehören zu seinen Tugenden. So nimmt er also seine Erzählung wieder auf.

»Seht Ihr«, predigt er bedächtig, »jeder Mensch verspürt in seinem Herzen die Sehnsucht nach dem Garten Eden, aber dieses Paradies ist verloren: Jahwe hat Engel als Wächter davor gestellt, um uns den Zutritt zu verwehren. Das bedeutet, daß jeder Mensch, der das Glück allein in den irdischen Gütern sucht, auf einem Irrweg ist. Auf Erden ist der Mensch im Exil, und er muß den Weg zum wahren Reich gehen, das im Himmel liegt. Gott allein kann das Sehnen seines Herzens stillen. So kommt es, daß alle Bestrebungen der Menschen, Gott gleich zu werden durch die Macht, nur Hochmut und Eitelkeit sind. Allein die Liebe kann uns ihm annähern, und ähnlich ist ihm ein Wesen, das wir hier gut kennen: der Erzengel Michael, denn auf hebräisch bedeutet Michael ›der ist wie Gott‹. Ja, der heilige Michael ist ein wahres Spiegelbild Gottes.«

Roman verstummt, sein Blick verliert sich in der Ferne. Sein Geist ist voller Skizzen, voller granitener Bögen und den Gewölben einer großartigen Abtei, die bisher allein auf den Pergamenten seiner Phantasie existiert.

»Ihr träumt, Bruder Roman!« sagt Moïra. »Was also ist das Sehnen Eures Herzens?«

Roman steigt von seinen tonnengewölbten Wolken herab. Er horcht einen Moment dem Regen, den er durch die Oberlichter hören kann, wie er draußen in der Dunkelheit fällt, dann wendet er sich wieder Moïra zu. Sie sieht ihn intensiv an, im Blick eine stille Herausforderung. Ihre schönen grünen Augen glänzen wie der Apfel der Versuchung. Roman redet sich ein, daß dieses giftige Leuchten das der Unwissenheit ist, daß er es nicht gewaltsam auslöschen darf, wie seine Vorgänger es getan haben.

Sie verwischt jede Spur der Provokation und betrachtet ihn mit unendlicher Zärtlichkeit. Er wagt es, sich in diesen Blick zu versenken, und erkennt darin die Tiefe ihres Verstandes, das Leuchten ihrer Seele. Nunmehr hat er die Gewißheit: Moïras Gedanken mögen zwar durch ihren Aberglauben verdorben sein, ihre Seele aber ist rein.

Ja, er hat es schon immer gewußt, daß die Seele dieser Frau schön ist, schön wie dieses Gesicht dicht vor dem seinen, diese glänzenden Augen, diese so glatte, so bleiche Haut, dieser von der Farbe der Blütenblätter so rote Mund...

Roman erschauert. Er unterdrückt ein plötzliches Verlangen, sie in die Arme zu schließen, doch sein Blick umarmt sie bereits.

Moïra trinkt aus seinen Augen, und in einer ruhigen, anmutigen Bewegung reicht sie ihm eine bloße Hand; er hat nicht gesehen, wie sie den Handschuh abgestreift hat. Langsam nähern sich ihre weißen Finger und legen sich auf Romans Hand.

Die Berührung wirkt auf den Mönch wie ein Donnerschlag. Ein innerer Blitz entflammt sein Herz, verstört ihn und macht ihm klar: Die Vereinigung ihrer Hände ist die ihrer Seelen. In diesem Moment begreift er, daß sich ihre beiden Seelen als Geschwister unter allen Seelen erkennen – zwei Seelen vom selben Antlitz. Errötend zieht Roman seine Hand zurück.

»Weil... weil die Menschen so viel Bosheit im Herzen trugen«, fährt er mit bebender Stimme fort, »reute es Jahwe, daß er sie geschaffen hatte, und er wollte die Menschen mitsamt den Tieren, die ihnen als Nahrung dienen, von der Erde tilgen. Er schickte die Sintflut, um all dieses verderbte Fleisch zu vernichten. Doch ein Mann, der gerecht und anständig war, fand Gnade vor seinen Augen: Noah, der sechshundert Jahre alt war. Bevor er alles Leben unter dem Himmel tilgte, befahl Jahwe dem Noah, aus Schilfrohr eine Arche zu bauen und sie mit Pech abzudichten. Dreihundert

Ellen sollte sie lang sein, fünfzig Ellen breit, dreißig Ellen hoch und drei Stockwerke haben mit Kammern darin, damit genug Raum war für Noah mit seiner Familie und je ein Paar von jeder Tierart.«

Moïra merkt, daß da seine Seele spricht, wenn er von der Arche erzählt.

»Als alle in der Arche waren«, fährt er fort, »die Tiere unten, die Vorräte im Mittelgeschoß und die Menschen ganz oben, da sandte Jahwe die Wasser. Vierzig Tage und vierzig Nächte lang fiel der Regen, überschwemmte alles und hob die Arche hoch über die Erde. Die Fluten bedeckten die Berge, und alles, was war, versank. Nach vierzig Tagen und vierzig Nächten aber schlossen sich die Schleusen des Himmels, und die Arche strandete auf dem Berg Ararat. Als sich das Wasser verlaufen hatte, verließen die Insassen die Arche, um die Erde neu zu bevölkern. Noah errichtete Jahwe einen Altar auf dem Berg Ararat. Und Jahwe gelobte, das Fleisch der Erde nicht mehr zu verdammen und sie nicht mehr von ihrem Antlitz zu tilgen. Er schloß einen Bund mit Noah und seinen Nachkommen: Solange die Erde Bestand hat, soll nicht mehr aufhören Saat und Ernte, Frost und Hitze, Sommer und Winter, Tag und Nacht. Das ist der erste Bund Gottes mit den Menschen. Und um von diesem ersten Gelübde zu zeugen, wird das Langhaus unserer neuen Kirche auf dem Berg exakt von den Maßen der Arche Noah sein …«

Moïra schaut den Mönch wie gebannt an, und Roman freut sich, daß er bei der jungen Frau solches Interesse hat wecken können.

»… und so, wie die Arche Noah zum Heil der Menschheit wurde, so wird unsere Abtei der Ort sein, an den der Mensch kommt, um Erlösung zu erlangen.«

Das Sehnen seines Herzens ist das eines Baumeisters. Seine innigste Liebe gilt dem Stein, und so leuchten seine nachtfarbenen Augen in mondhellem Glanz, wenn er von »seiner« Abtei spricht.

»In der Bibel steht«, fährt er fort, »daß trotz der Sintflut und der Arche das Streben nach Macht und Herrschaft beim Menschen nicht ausgelöscht war. Später wollte er einen Turm bauen, der bis zum Himmel reicht.«

»Andere wollen eine Kirche bauen, die bis zum Himmel reichen soll.«

»Moïra!« entfährt es Roman. »Wir bauen eine Basilika zum Lobe Gottes, aber der Turm zu Babel wurde errichtet, weil der Mensch Gott seine Macht streitig machen wollte!«

Plötzlich erklingt, wie ein Echo auf Romans Worte, in der Ferne eine Glocke. Panik ergreift den Mönch.

»Vigil!« stößt er hervor. »Es läutet schon Vigil! Ihr müßt fort hier, und ich muß in die Kirche, sonst werden sie uns entdecken! Schnell, versteckt Euch! Sobald Ihr die Gesänge der Messe hört, könnt Ihr hinaus und hinunter vom Berg.«

»Habt keine Angst, Bruder Roman«, versucht sie ihn zu beruhigen. »Niemand wird mich sehen. Geht nur – und sorgt Euch nicht um mich. Ich habe heute nacht viel gelernt, und ich erwarte schon sehnlichst die Stunde, in der ich Euch wieder zuhören kann.«

»In fünf Nächten, nach Komplet!« sagt Roman noch schnell, bevor er sie verläßt.

Sie will ihm die Hände drücken, doch er entwischt ihr, humpelt herzergreifend zur Tür. Diesmal ist er es also, der aus der Martinskapelle flieht. Ruhig verbirgt sie sich hinter einem Pfeiler und wartet, daß der Wind selbst durch das Prasseln des Regens hindurch die Psalmen aus der karolingischen Kirche herüberträgt.

*Michael archangele… gloriam predicamus in terris…*

*… eius precibus adiuvemur in caelis…*

In dieser Nacht lauscht Moïra dem Gebet der Mönche. In dieser Nacht zwischen Vigil und Laudes hat Roman Mühe, zu schlafen. Ihn schmerzen das Bein und der Bauch. Die Wunde ist nur mehr Erinnerung, doch der Leib gedenkt noch des Schmerzes, der so regelmäßig und durchdringend ist wie das Schlagen eines Herzens. Eingehüllt in schützende Dunkelheit pocht sein Leib allmählich im Rhythmus dieses Herzens, dessen Feuer sich in seinem ganzen Körper ausbreitet.

»Auf dem Gipfel des Felsens werde ich meine Kirche errichten, und auf der großen Achse vom Orient zum Okzident, auf dem Querschiff zwischen Nord und Süd und somit am höchsten

Punkt des Felsens, im Kreuzungspunkt der beiden Schiffe, wird sich gleich meinem Gebet der Vierungsturm in den Himmel erheben, der das Kloster überragen soll, die Insel, das Meer. Es wird ein mühevolles Unterfangen, aber wir haben die Ewigkeit vor uns, und beim Anblick des Freudenbergs des heiligen Michael werden wir frohlocken darüber, daß wir alle Anstrengungen hinter uns gebracht, alle Hindernisse überwunden haben.« Hildebert sitzt am Kamin, in dem ein großes Feuer lodert, unter dem Wandteppich mit dem Erzengel und schreibt an den Abt Odilo von Cluny.

Damit der Abt von den bald beginnenden Arbeiten nicht gestört wird, hat man seine Hütte in den letzten Tagen auf den Nordhang des Berges versetzt, auf die dunkle Seite, die kahl und schroff ist und wo der eisige salzige Wind am schwarzen Buschwerk nagt. Direkt darunter sprudelt die einzige Süßwasserquelle der Insel, der Saint-Aubert-Brunnen, dessen Wasser angeblich fiebrige Krankheiten heilt. Doch der Wasserstrahl, den der Erzengel aus dem Felsen rieseln läßt, reicht nicht aus, um den Kalk für den Mörtel abzulöschen, mit dem die Steine vermauert werden sollen. Der heilige Quell kann auch nicht den Durst des Heeres von Arbeitern stillen, von denen der Berg wimmeln wird.

An den Steilhängen läßt Roman deshalb hölzerne Zisternen errichten, um das Regenwasser aufzufangen, an dem es in diesem regenreichen Land nicht mangelt. Die salzfeuchten Windböen nicht beachtend, steht er da, auf einen Stab gestützt, der ihm gleichzeitig als Gehstock, als Meßstab und als Drohmittel für faule Müßiggänger dient, und dirigiert einen Trupp Bauern, die die Behälter herantragen. Hildeberts Unterschlupf ist aus Holz und damit eine ebenso leichte Beute für das Feuer wie für den Feind. Hildebert und Roman träumen schon davon, sie einzureißen und ein für allemal durch die granitenen Hallen der großen Abteikirche zu ersetzen. Allein der Stein widersteht den menschlichen Angreifern und dem ewigen Belagerer namens Zeit, allein der Stein trotzt den Jahrhunderten in einem Bild der Ewigkeit. In Zukunft soll alles aus Stein sein: die Klostergebäude, die Mauern, die Bögen, die Pfeiler und vor allem die Gewölbe im Chor der Kirche: Tonnen von Granit gehören über die Köpfe der Brüder, denn der Himmel ist ewig.

Gewiß, eine solche Bauweise erfordert nie dagewesene technische Meisterleistungen, aber Pierre de Nevers hat an alles gedacht: Durch das Gerüst der Strebebögen und die stützenden Krypten im Unterbau kann Roman das Gewicht und die Schubkräfte der Steinblöcke abfangen und verteilen.

In wenigen Wochen, zur Mitte der Fastenzeit, werden die Schuten von Meister Roger die ersten Steine auf die Insel transportieren, wo Meister Jehan und seine Gesellen sie nacheinander behauen werden, um ihnen die Form zu geben, die ihr Platz in der Kirche verlangt. Sie werden ihr Siegel hineinmeißeln, das Zeichen des jeweiligen Steinmetzes, an dem sich die Gilden gegenseitig erkennen, und gleichsam die unanfechtbare Abrechnung, nach der der Baumeister ihre Arbeit entlohnen wird. Am Palmsonntag wird Roman am Boden jeden Gebäudeteil vorbereiten: Mit Zirkel, Winkeleisen, Meßstab und vor allem der Zwölfknotenschnur in der Hand, dem Satz des Pythagoras und dem goldenen Schnitt im Kopf, wird er das Netz der Fundamente in die Erde zeichnen, das dann mit Meßpflöcken abgesteckt wird.

In der Karwoche werden die Mörtelrührer eintreffen, die Dachdecker, Schmiede, Freskenmaler, Glaser, der Dolmetsch, der die Dialekte beherrscht, die auf dem Bau gesprochen werden, und dazu das Fußvolk der Tagelöhner, Handlanger, Steinschlepper und Wasserträger. Zu Ostern schließlich wird Hildebert das Zeichen zum Baubeginn geben. Zu Ostern, nach der Passionszeit mit ihren Entbehrungen, dem Fasten und der reinigenden Kasteiung, wenn alle den Jubel Christi erfahren, der von den Toten auferstanden ist, wenn der Frühling wiederkehrt, wird im Palast des Engels das ewige Leben beginnen.

Einstweilen bereitet sich das Volk auf die vierzig Tage und vierzig Nächte der bevorstehenden Fastenzeit vor, indem es singt, tanzt und schlemmt. Die fette Zeit eignet sich kaum für fromme Bekehrungen, und doch ist Roman an diesem Abend mit Moïra verabredet. Seit dem Morgen ist er seltsam erregt, und er verspürt eine Art Furcht, allerdings eine Furcht voll freudiger Erregung, die er dem so nahen Baubeginn zuschreibt. Er betritt die Martinskapelle in entschlossenem, kraftvollem Humpeln. Sogleich erhascht der Schein seiner Laterne einen Schatten, der sich beim

Näherkommen rot färbt wie ein brennender Dornbusch: Es sind ihre offen wallenden Haare, ihre fiebrigen Wangen, ihr purpurner Mantel. In Romans Brust scheint sein Herz zu zerspringen. Er ist darum bemüht, sich nichts anmerken zu lassen, und lächelt ihr zu. Im Schein der Laterne ist Romans Gesicht von großer Feinheit, die Kanten seiner Magerkeit werden vom warmen Licht verwischt, und es läßt seinen Blick klarer wirken.

»Guten Abend, Moïra. Seid Ihr bereit, unsere Unterredung fortzusetzen?« fragt er ohne Umschweife.

»Geht denn der Unterricht weiter, mein süßer Prediger?« säuselt sie ironisch, während sie sich auf ihrer bereits gewohnten granitenen Bank niederläßt. »Am liebsten höre ich Euch zu, wenn Ihr von Bündnissen sprecht und von Steinen…«

Er setzt sich neben die junge Frau und lauscht einen Augenblick lang dem Schweigen der Kapelle, dann erzählt er.

»Der erste Bund wurde mit Noah geschlossen, dessen entsinnt Ihr Euch. Dieser Bund war ein Friedensversprechen zwischen Gott und den Menschen. Den zweiten Bund, den Bund der Nachwelt, schloß Gott mit einem Nachkommen Noahs namens Abraham. Eines Tages erschien Gott dem Abraham und befahl ihm, seine Heimat zu verlassen und in ein fernes Land zu ziehen. Abraham gehorchte, gab den Götzenkult auf und verließ seine Heimat. Seine Frau Sara war alt wie er und vor allem unfruchtbar. Doch der Allmächtige sprach zu Abraham: ›Sieh gen Himmel und zähle die Sterne; kannst du sie zählen?‹, und er gab ihm ein Versprechen: ›So zahlreich sollen deine Nachkommen sein.‹ Sara gebar einen Sohn, Isaak, dessen Frau einen Sohn gebar, Jakob. Jakob hatte zwölf Söhne, die zu den zwölf Stämmen Israels wurden, dem Volk, das Gott verbündet ist. Und das Zeichen für ihren Bund mit Jahwe ist die Beschneidung der Knaben im Alter von acht Tagen, von Generation zu Generation.«

Sofort bereut Roman, daß er dieses Detail erwähnt hat, denn er befürchtet, sie könnte ihn fragen, was denn die Beschneidung sei. Nun, dann wird er ihr eben den Text der Genesis aufsagen, den er auswendig kennt wie die gesamte heilige Schrift. Aber lieber würde er es vermeiden, mit ihr über dieses Thema zu sprechen. So fährt er schnell fort:

»Nach mehreren Jahrhunderten hatte sich das Volk Israel vermehrt, aber es wurde in Ägypten versklavt. In seiner Unterdrükkung flehte es zu Gott, dem einzigen wahren Gott, er möge es vom Joch der Ägypter befreien. Gott erhörte das Gebet seines Volkes und entsandte Mose, damit er sein Volk aus Ägypten führte. Das Heer des Pharaos wurde vom roten Meer verschlungen, während das jüdische Volk es trockenen Fußes durchschreiten konnte, denn Jahwe hatte die Wasser geschieden, um ihm einen Weg zu bahnen …«

Moïra starrt ihn aus geweiteten Augen an. Sie ist offenbar fasziniert von der Geschichte des hebräischen Volks, die sie kaum kennt, wie die meisten ihrer Zeitgenossen, denn die Bibel ist nur dem Klerus zugänglich. Roman fährt in seinem Bericht vom Auszug aus Ägypten fort, in dem zum Glück von der Vorhaut nicht mehr die Rede ist:

Die Beschreibung der ägyptischen Plagen entlockt der jungen Frau Laute des Staunens und des Entsetzens. Sie stellt sich vor, wie sich das Wasser des normannischen Watts in Blut verwandelt, wie ihre bäuerlichen Nachbarn von Blattern bedeckt sind, sieht die Heuschrecken die Felder kahlfressen, den dichten Hagel, die Finsternis über dem Cotentin, und sie zieht den Kopf ein, als er vom Tod der Erstgeborenen spricht. Sie hängt an den Lippen des wunderbaren Geschichtenerzählers, der die Tugenden feiert, die den Kelten die wichtigsten sind: übernatürliche Kräfte und die Kunst des Krieges.

Beim Bericht über den Auszug aus Ägypten ist sie so ergriffen, daß sie Romans Arm packt. Sie öffnet den Mund, als er den Siegeshymnus aufsagt, den Dankespsalm, den Mose, sein Volk und die Prophetin Mirjam anstimmen, die tanzend die Pauke schlägt:

*Ich will dem Herrn singen, denn er hat eine herrliche Tat getan, Roß und Mann hat er ins Meer gestürzt.*

*Der Herr ist meine Stärke und mein Lobgesang und ist mein Heil.*

*Das ist mein Gott, ich will ihn preisen, er ist meines Vaters Gott, ich will ihn erheben.*

*Der Herr ist der rechte Kriegsmann, Jahwe ist sein Name.*

»Jahwe ist nicht der Gott meiner Väter«, sagt sie, »aber Jahwe ist ein großer Zauberer und ein fürchterlicher Krieger!«

Verstört durch den körperlichen Kontakt zu der jungen Frau steht Roman auf. »Und doch«, fährt er fort, »erhob sich das Volk Israel gleich nach dem Auszug aus Ägypten sehr schnell gegen Jahwe und gegen Mose: Die Sklaverei und die Unterdrückung waren ihm lieber als diese ungewisse, gefahrvolle Wanderung durch die Wüste in ein unbekanntes Land. Da schloß Gott mit den Menschen den dritten Bund, ein Versprechen, das sich allein an das jüdische Volk richtet: Jahwe rief Mose auf den Berg Sinai und sagte ihm: ›Werdet ihr, die Israeliten, nun meiner Stimme gehorchen und meinen Bund halten, so sollt ihr mein Eigentum sein vor allen Völkern; denn die ganze Erde ist mein. Und ihr sollt mir ein Königreich von Priestern und ein heiliges Volk sein.‹ In diesem dritten Gelöbnis erhob Gott das jüdische Volk zum erwählten Volk. Aber während Mose auf dem Berg Sinai die Gesetzestafeln empfing, die vom Finger Gottes selbst geschrieben waren, schuf sich das Volk ein goldenes Kalb, um es anzubeten. In wildem Zorn zerbrach Mose die steinernen Tafeln. Doch Gott erneuerte seinen Bund, schrieb seine Gebote auf neue Tafeln, doch stellte er das Herz seines Volkes vierzig Jahre lang auf die Probe, indem er es durch die Wüste irren ließ. Als er es endlich ins verheißene Land führte, in dem Milch und Honig flossen, starb Mose, und Gott übergab dieses Land seinem Nachfolger Josua ...«

Roman legt eine Pause ein.

»Moïra, heute verspreche ich dir dieses Land.« Zum erstenmal duzt er sie. »Diese Geschichte ist die Geschichte des jüdischen Volkes, doch zugleich auch die der ganzen Menschheit. Und es ist auch die Geschichte jedes einzelnen Menschen – und deine persönliche Geschichte! Hör mich an ...«

Er setzt sich wieder, legt Moïra die Hände auf die Schultern und beugt sein Gesicht zu ihr.

»Wie Abraham mußt auch du dein Land verlassen«, flüstert er, »denn dein Land ist tot. Entsage der Vergangenheit, sie modert in dir wie ein Kadaver, der dein lebendiges Fleisch verpestet. Gib deinen alten Aberglauben auf, der dich als Sklavin gefangenhält. Und hör auf, dich in diese Sklaverei zurückzusehnen! Gott weiß, daß alte Gewohnheiten, auch wenn sie schlecht sind, oft bequemer sind. Aber du mußt das Abenteuer des Glaubens wagen. Du hast die Kraft und den Mut dazu! Der Herr hat dir einen Führer gesandt, der dich durch die Wüste geleiten wird. Reinige dein Herz, ich bin da, ich gehe mit dir, ganz nah bei dir. Ich zeige dir den Weg bis in sein Reich.«

Sie sieht auf seine Lippen, die sich bewegen wie ein Vogel – diesen Mund, der »du« zu ihr gesagt hat. Ein paar Töne lösen ein Echo in ihr aus. Sie ist wirklich diese Gefangene einer verlorenen Zeit, eine Wächterin des Todeskampfes. Aber an seinen Gesang zu glauben, mit ihm darin einzustimmen, das würde bedeuten, die Liebe zu ihrem Volk zu leugnen – und das für einen Mann, der von der Liebe nur die seines Gottes kennt, für einen Mann, der Gott allein liebt.

Und doch hält er sie an den Schultern, und sie spürt, daß er zittert. So nah scheint er in diesem Augenblick, so vertraut. Sie mustert seine grauen Augen, sie spürt die Wärme seiner Hände auf ihrem Körper, spürt sanfte Wellen, die durch den Stoff ihres Kleides dringen und ihre Brust überrollen.

Plötzlich drückt sie sich an ihn, umarmt ihn mit all ihrer Kraft und atmet an seinem Hals. Der Duft seiner Haut ist der der Gischt und des Windes. Einen Sturm hält sie in ihrem Arm.

Als es in dieser Nacht Vigil läutet, lösen sie sich voneinander, ohne ein Wort, so wie sie einander gefunden haben. Lange waren ihre Körper aneinandergepreßt, Moïras Kopf an Romans Hals. Sie haben einander geatmet, ohne sich zu rühren, ohne etwas zu sagen. Die Glocke klang wie ein Totengeläut, und dieser Klang öffente die Arme der beiden Menschen. Er geht langsam davon, sie verbirgt sich hinter einer Säule, deren Stein eiskalt ist.

Bevor er sich in das schwarze Heer einreiht, zu den Engeln der Erde, die im Blick auf den Himmel leben, dreht er sich noch einmal um und nennt ihr einen neuen Treffpunkt, in der Nacht des zweiten Fastensonntags.

Das Fasten ist eine Qual für die Armen. Es beginnt am Aschermittwoch. In der Kirche zeichnet der Priester den Gläubigen ein Aschekreuz auf die Stirn, das Zeichen ihres Menschseins. Fortan werden sie sich von Heringen und Erbsen ernähren, von getrocknetem Walfleisch und vom Gebet.

Die Mönche dagegen haben bereits im September ihre Bußzeit begonnen: Seither nahmen sie nur noch eine Mahlzeit am Tag zu sich, das *prandium* oder Abendmahl nach dem Stundengebet zur Non; das Mittagsmahl war bis zur Fastenzeit gestrichen. Während der vierzig Tage und vierzig Nächte der Fastenzeit nehmen sie hingegen diese einzige Mahlzeit am Tage zu sich, als *cena* nach Vesper. So fasten die Brüder nun also von Mitternacht an, da sie zur Vigil aufstehen, bis Vesper am nächsten Abend.

Und dennoch widmen sie sich ihren gewohnten Tätigkeiten und der Lektüre der Heiligen Schrift, die in dieser Zeit Pflicht ist, und manchmal noch zusätzlichen Aufgaben. Es ist eine erbauliche, eine harte Prüfung, selbst für einen Mönch. Für einen Rekonvaleszenten wie Roman, der zudem noch die Verantwortung für derart umfangreiche Arbeiten trägt, ist sie ein Martyrium. Zu Vigil schon ist er erschöpft, schleppt seinen Körper mit sich herum wie eine leblose Last und wehrt sich verbissen, damit diese tödliche Trägheit nicht auch seinen Geist befällt.

Und doch ist der Grund für seine Mattheit nicht das Fasten. Zeitgleich mit der Reue hat das körperliche Verlangen von ihm Besitz ergriffen, und im Kampf gegeneinander reiben beide ihn auf: Sein Kopf fühlt sich schuldig wegen der Umarmung Moïras, aber sein Körper ist erfüllt von einer Versuchung, einem Heißhunger, den er bisher nicht kannte und der ihm keine Ruhe läßt. Warum hat er sie nicht von sich gestoßen? Er hat ihre Seele geatmet, die wie die Seele einer zarten, duftenden Blüte ist…

Ihre Seele? Dummes Zeug! Er hat sich von ihrer Haut berühren lassen, von ihrem Fleisch! Diese Frau ist nicht schlecht, sie ist nur verirrt, und er ist ihr Hirte…

Ein Hirte? Er? Ein Schweinehirt vielleicht, besudelt von den stinkenden Exkrementen der Tiere! Der Atem dieser Frau ist der des Unrats! Eine gottlose Ketzerin, die ihn von seinem Weg abbringen will!

Ihre Arme waren so weich, so anders als die seiner Ammen. Dieser Gedanke läßt ihn erzittern… Prasser, Verderbter, Gottesverräter!

Roman bringt all seine Kraft auf gegen diese Gefühle, die fast eine Krankheit sind. Er muß seine Vernunft vor ihnen schützen. Ohne Unterlaß muß er gegen sie ankämpfen, um sie aus diesem häßlichen Körper zu vertreiben, der sich zu jeder Stunde des Tages und vor allem der Nacht an ihnen labt. Sein Kopf hat diese teuflische Leidenschaft als »Wollust« gebrandmarkt, und er begegnet ihr mit der reinigenden Kraft von Christi Passion.

Die Fastenzeit des Jahres 1023 ist geprägt von diesem einzigartigen Kampf. Zum erstenmal erlebt Bruder Roman diese Zeit als persönliche Zerknirschung und Quell der Erlösung: Sein verabscheuungswürdiger Leib muß gegeißelt werden, und trotz Hosmunds sanfter Mißbilligung verweigert er oft noch die einzige Mahlzeit des Tages, um sein Gebet nicht unterbrechen zu müssen.

Am zweiten Fastensonntag hat Roman hohle Wangen, und sein ausgemergelter Körper, um den die Kutte schlottert, stützt sich schwer auf den Stock. Die vergilbte Haut seines Gesichts ist gegerbt und ausgetrocknet wie die von Bruder Almodius, doch der Mönch trägt diese körperliche Zeichnung wie die Standarte seines geistigen Sieges über die Unreinheit: Sein grauer Blick blitzt wie ein Schwert, sein Mund scheint in einem kriegerischen Grinsen erstarrt. Er ist begierig darauf, am Abend Moïra gegenüberzutreten, und ist gewiß, daß er ihr diesmal den Wunsch nach der Bekehrung abringen wird.

Doch nach Komplet ruft ihn Hildebert in seine Hütte, und er fordert ihn auf, den Preis für die Tagelöhner noch weiter herunterzuhandeln. Roman hat diese ewige Angelegenheit satt, die er längst für erledigt hielt, und er ärgert sich, daß er zu spät in die Martinskapelle kommen wird. Er hört Hildebert an und stellt ihn sich an der Stelle des heiligen Michael vor, der auf dem Wandbehang als Seelenwäger dargestellt ist – seine Goldstücke auf der einen Waagschale, und auf der anderen die Schwerstarbeiter. Trotz ihrer Größe und ihrer Muskeln wiegen die Tagelöhner gegen das Gold eines Abts und eines Herzogs der Normandie noch allzu leicht...

Plötzlich taucht Moïra auf, die sich hinter Hildebert-Sankt Michael versteckt gehalten hat, und tritt die Waage mit einem wütenden Fußtritt um, wobei unter ihrem Rock, der bis zur Taille hochfliegt, ein nackter Schenkel sichtbar wird. Sie verschmäht die Taler und macht sich lachend davon, an der Hand einen Steinschlepper mit Augen so blau wie der Himmel.

»Bruder Roman?« Der Abt klingt verärgert.

»Verzeiht mir, Pater«, sagt Roman und schaut ihm in die Augen. »Ich... ich war zerstreut, wahrscheinlich wegen der Müdigkeit, und doch habe ich Eure Sorgen wohl verstanden und werde gleich morgen deswegen mit...«

»Ich hätte Euch dieses Jahr vom Fasten befreien sollen, mein Sohn«, unterbricht ihn der Abt mit gerunzelter Stirn. »Euer Körper ist noch mitgenommen, diese Baustelle frißt Eure mageren Kräfte – beides ist zerstörerisch für Euch!«

»Aber keineswegs, Pater!« ruft Roman mit weit aufgerissenen Augen.

»In seiner übergroßen Weisheit hat der heilige Benedikt selbsterwählte Märtyrer gleichgestellt mit hochmütigen Eiferern, die mehr von Sünde erfüllt sind als der sündigste Heide. Von heute an werdet Ihr morgens und abends das Fasten brechen, das scheint mir ratsam und vernünftig so«, sagt der Abt in väterlichem Ton. »Ich brauche einen klarsichtigen, verläßlichen Werkmeister«, fügt er entschlossen hinzu, »keinen Greis mit Gespensterkopf! Jetzt legt Euch schlafen.«

»Ich... Ich werde Eurem Willen gehorchen, Pater«, antwortet Roman mit gesenktem Kopf.

Er verläßt die Zelle des Abts und schleicht geduckt an den Mauern entlang bis zur Martinskapelle. An diesem Abend ist Springflut, die Böen blasen kräftiger als gewohnt. Zudem ist es kalt.

Über seinen Holzstock gebeugt, hält Roman einen Moment inne. Er lehnt sich an das Portal zur Kapelle und hört, wie das schwarze Meer den erhabenen Berg mit Gewalt zu nehmen versucht. Romans Zorn wogt auf wie die Wellen. Er hat gesündigt, indem er seinen Körper am Körper dieser Frau gerieben hat. Warum entzieht ihm der Abt die Buße? Er hat gesündigt, als er im Bußkapitel seinen Brüdern nicht gebeichtet hat, weil er dieses Geschöpf schützen wollte – dieses Geschöpf, von dem er weiterhin träumt. Warum versagt ihm Hildebert den Weg des Heils? Warum soll er dieses sündige Fleisch nähren und sich von seinen Brüdern im Kloster absondern, die alle enthaltsam bleiben?

In seinem Fieberwahn ist es ihm, als würde man mit dem Finger auf ihn zeigen, ohne ihm Gelegenheit zur Wiedergutmachung zu geben. Die Windböen reizen seine Augen wie Säure, und indem sie in ihn eindringen, speisen sie ihn mit ihrer Wut. Er muß die junge Keltin bekehren. Nun hängt davon auch sein eigenes Heil ab.

Wutschäumend stößt er mit seinem Stock die Tür auf. Niemand zu sehen, alles ist Dunkelheit. Im Chor liegt ein frischer Duft im Wettstreit mit dem alten Weihrauch der Steine.

Roman entzündet die Kerzen und sieht auf dem Altar einen Bund großer Blumen. Er nimmt den Strauß und wirft ihn auf die bretonischen Gräber.

»Du wirkst sehr verstört«, sagt sie hinter ihm.

Er wirbelt herum, Augen und Mund in Streitlust verzerrt. Als sie ihn sieht, schreit sie leise auf. »Roman! Du bist krank! Du bist nur noch Haut und Knochen!«

»Mir geht es blendend«, entgegnet er. »Und wenn mein unreines Fleisch vergeht, so ist es nur recht!«

»Ich verstehe nicht. Warum willst du deinen Körper so mißhandeln? Was hat er getan, daß er eine solche Züchtigung verdient?«

»Ihr solltet es wissen, denn Ihr seid der Grund dafür«, stößt Roman mit düsterem Blick hervor. »Unsere fleischliche Nähe!«

Da ist sie es, die vom Zorn gepackt wird. Daß er vom Du abläßt, empört sie ebensosehr wie seine fanatischen Worte und sein irrer Blick. Sie möchte vor der dummdreisten Beleidigung fliehen, aber der Anblick dieses ausgemergelten Körpers und dieses todesgleichen Gesichts verstört sie zutiefst. Er kämpft noch immer gegen die Wahrheit ihrer Liebe an, er geißelt sich selbst, und das mit Vehemenz und Verbissenheit!

Ihre Angriffslust wandelt sich in Traurigkeit. Nein, sie kann ihn nicht seiner Verwirrung überlassen. Doch zuallererst muß Romans Zorn besänftigt werden. Langsam hebt sie das Kinn.

»Bruder Roman«, sagt sie leise und setzt sich auf die Steinbank, auf die er sich hat fallen lassen, voller Zärtlichkeit gegenüber der Verzweiflung des Mönchs, »vergebt mir meinen Wagemut von neulich abend. Seht, trotz all Eurer Bemühungen bin ich noch immer eine nur schwache Christin.«

Roman seufzt erschöpft auf. »Am Anfang«, bringt er mühsam hervor, den Blick ins Nichts gerichtet, die Stimme halb erstickt, »waren die Christen unfreiwillige Märtyrer, die von den Römern verfolgt wurden. Mit ihrem Leid bezeugten sie, daß Gott höher stand als der Kaiser von Rom. Aber als sich Konstantin bekehren ließ, endete diese Verfolgung, und das Christentum gewann sogar die Oberhand. Von da an gab es die selbsterwählten Märtyrer. In Ägypten zogen sie in die Wüste, und diese Anachoreten, die sich vollständig Gott weihten, lebten in Armut und Keuschheit, um der Welt zu beweisen, daß es möglich ist, nur um Gottes willen zu leben. Als sich diese Eremiten zu Gemeinschaften zusammenschlossen, wurden sie zu den ersten Mönchen. Der heilige Benedikt hat in seiner Regel, die unser Leben bestimmt, die Entbehrungen gelindert, die sich die Wüstenväter auferlegten. Aber anders als die Priester des niederen weltlichen Klerus kann ein Benediktiner nicht heiraten, denn er hat das Gelöbnis der Keuschheit abgelegt. Siehst du«, sagt er, indem er sich Moïra zuwendet, »ein Mönch lebt außerhalb der Welt der Menschen, denn er richtet all seine Wünsche und sein Streben auf Gott. Wir bezeugen vor der Menschheit, daß Gott allein das Wichtigste ist.«

Roman schweigt einen Moment. Er sieht die junge Frau geradewegs an, dann fährt er fort: »Wenn ich mich von dir vereinnahmen lasse, dann neigen mein Körper und mein Geist dir zu, und wenn es auch nur einen Augenblick andauerte, so wäre ich doch nicht mehr würdig, Mönch zu sein, denn ich wäre nicht vollständig Gott ergeben.«

»Aber… aber vor allen Dingen bist du doch ein Baumeister!« hält sie ihm entgegen. »Du bist besessen von den Steinen deiner Baustelle!«

»Es sind die Steine einer Kirche, Moïra. Ein Werk, das Gott geweiht ist. Darin tue ich meine Pflicht als Mönch.«

Sie schweigt, erfüllt von Bitterkeit und Mitgefühl. Wieder spürt sie die Versuchung, endgültig zu fliehen und ihn aufzugeben. Sie kann gegen einen Widersacher wie ihn nicht ankämpfen. Was hat sie getan, daß sie ihr Herz an das eines Mönchs hängt, an ein Herz also, das dem blutleeren kalten Stein einer Kirche gleicht?

Doch die Trauer kann ihre Verbundenheit zu ihm nicht brechen. Der Blick ihrer Augen gleitet über die dunkle Kutte, die schwer und rauh seinen Körper umhüllt wie ein bleiernes Leichentuch: Da ist der Feind. Er hat es gesagt: Geistliche außerhalb der Klöster dürfen heiraten! Wie kann sie diese Kukulle gegen eine Priestersoutane eintauschen? Sie hebt den Kopf zu den granitenen Gewölben. Seit langem weiß sie, daß die sakrale Architektur für Roman nicht eine mönchische Pflicht ist, sondern eine menschliche Berufung, eine lebensspendende Leidenschaft, die er gewiß an Gott bindet, die vor allem aber an ihn selbst gebunden ist. Und diese helle Sonne ist es, die Moïra angestrahlt und ihre Liebe zu ihm geweckt hat.

Nein, sie will dieses engelsgleiche Licht nicht auslöschen, denn dann wäre er ein menschliches Nichts, ein Schatten ohne jedes Geheimnis. Wenn sie also geht, wird sie zwar an der körperlichen Trennung leiden, sich aber nicht schuldig fühlen, einen magischen Zauber gebrochen zu haben, der in ihr weiterleben wird als ewige Anmut.

Wieder sieht sie ihn an, nimmt den dämmrigen Blick seiner Augen in ihr Gedächtnis auf und erhebt sich.

Sofort weiß er, daß sie Verzicht übt. Er weiß, daß sie es nicht mit Rücksicht auf sein Mönchtum tut, auch nicht aus Furcht vor einem Kampf gegen Gott, sondern aus Liebe zu ihm. Ohne ein Wort läßt sie ihn auf seiner Bank zurück und kehrt ihm den Rücken zu. Nein, sie ist nicht das Geschöpf, von dem er sich eingeredet hat, daß sie es wäre. Er wußte es vom ersten Augenblick an, erkannte es an diesem Ort, und doch hat er alles versucht, um es zu verdrängen.

Langsam entfernt sie sich. Was hat er getan? Er schaut auf seine Hände, die zittern vor Kraftlosigkeit oder vor Erregung, dann auf den Meßstab, der seinen gebrochenen Körper stützt. Mit dreißig Jahren, in dem Alter, in dem die meisten seiner Zeitgenossen sterben, läßt er sich selbst verkümmern. Nachdem er errettet wurde, widersetzt er sich dem heiligen Willen und läßt sich von der Verzweiflung vereinnahmen, von der Wut der Verachtung. Hildebert hat recht.

Sie ist schon im Schiff angelangt. Die Pforte der Kapelle liegt ein paar Schritte vor ihr.

Er hat sich selbst geleugnet, verhext von seinen heimlichen Dämonen, die er fälschlicherweise besiegt glaubte. Selbst die Bauhütte hat er darüber vernachlässigt.

Sie geht, die, die ihm das Leben wiedergeschenkt hat. Sie verläßt ihn, damit er in Frieden mit sich selbst leben kann, damit er sich ganz dem Werk hingibt, für das er geboren ist, und damit alles erfüllt wird, wie es geschrieben steht. Gleich öffnet sie die Tür zur Dunkelheit und tritt ein in die Nacht.

»Moïra!« heult er auf. »Warte!«

Sie dreht sich um. Er steht im Chor, ohne seinen Stock.

»Weißt du«, sagt er leiser, »wenn ich dir vom Glauben und von der heiligen Schrift erzähle, bin ich auch meiner Mönchspflicht treu. Wir sind noch nicht fertig, das Ende fehlt noch: der Tempel des Salomon, die Ankunft des Retters, der von jeder Sünde befreit, die letzte Verheißung und das Ende – ja, das Ende der irdischen Welt…«

Plötzlich wankt er und stützt sich auf die steinerne Bank. Sie eilt zu ihm und hilft ihm, sich zu setzen.

»Unter einer Bedingung höre ich das Ende deiner Geschichte an, Bruder Roman«, haucht sie ein paar Zentimeter vor seinem Gesicht; ihre Stimme zittert wie der Körper des Mönchs. »Wir sehen uns heute zum letzten Mal«, erklärt sie mit einem Kloß im Hals. »Wir wissen es beide, und ich will, daß du mir ein Versprechen gibst: daß du niemals der egoistischen Kasteiung der Hoffnungslosigkeit nachgibst, daß du immer um das kämpfst, was dich beseelt: die heiligen Steine. Und vor allem, daß du nicht die Liebe der Lebenden verdammst«, fügt sie schluchzend hinzu, »nur weil sie nicht Gott sind und auch kein Granitblock für Gott! Sie wissen es wohl«, sagt sie und zwingt sich zu einem Lächeln, »aber sie verdienen es dennoch nicht, daß man sie verachtet. Liebe sie nicht, wenn du es nicht kannst, aber bitte sie um Hilfe, wenn du sie brauchst. Denn sie sind für dich da, im Geheimen, und sie meinen es gut mit dir.«

Er kämpft gegen seine Tränen an. Die Augen auf die Flamme der Altarkerzen gerichtet, nimmt er ihre Hand. »Ich verspreche es dir, Moïra.«

»Gut. So will ich dich anhören«, schließt sie und setzt sich. »Sprich – sprich zu mir vom letzten Bund Gottes mit den Menschen. Erzähl mir vom Ende der Welt.«

»Das Ende ist auf Erden, aber im Himmel ist das ewige Leben.«

»Und wo ist die Hoffnung?«

»Zwischen beiden, Moïra. Die Hoffnung liegt zwischen Erde und Himmel, im Herzen der Menschen, und sie wird verkörpert von einem wunderbaren steinernen Palast, der bald aufragen wird – eine Burg der vollkommenen Liebe, ein Steg zwischen den Menschen, eine Brücke zwischen den Lebenden und den Toten.«

Sie dreht den Kopf und sieht ihn direkt an. »Nimm mich mit in deinen Palast – und sag mir, was die vollkommene Liebe ist.«

Roman räuspert sich, um seine Kehle von der Rührung zu befreien, und erzählt: »Dieser Palast wird das neue Jerusalem heißen. Jerusalem – ›der Berg Gottes‹. In der Geschichte gibt es davon zwei: Am Anfang war das irdische Jerusalem, die Stadt des Königs David, mit dem Tempel, den sein Sohn baute, König Salomon, das Haus des Herrn, das auf dem Boden Israels stand und vom babylonischen König Nebukadnezar zerstört wurde. Am Ende der Zeit, wenn alle Lebenden tot sind, werden die Toten im himmlischen Jerusalem leben. Die Kirche, die wir bauen, wird zwischen beiden stehen – sie wird sowohl dem irdischen Jerusalem gleichen als auch dem himmlischen Jerusalem, als Symbol, das in der natürlichen Ordnung der Welt beide verbindet: Sie wird des Anfangs gedenken und vom Ende künden, wird zwischen Erde und Himmel stehen. Sie wird die Hoffnung sein, denn sie verkörpert die Verheißung des ewigen Lebens.«

»Daß du und deine Brüder Gott über alles lieben, so daß ihr ihm sogar die schönste aller Heimstätten baut, das weiß ich«, sagt sie. »Aber warum weiht ihr sie einem Engel, der wie Gott ist und doch nicht Gott selbst ist?«

»Weil der heilige Michael der Mittler zwischen den Menschen und Gott ist. Diese Kirche wird die neue Festung des Allerhöchsten, der zu den Menschen herabsteigen wird, aber die Menschen müssen auch zu Ihm emporsteigen können. Du weißt, die Menschen lieben Gott, aber noch mehr liebt Gott die Menschen. Er liebt sie über alles, Moïra. Die Bindung zu Gott ist die des Mannes zu seiner Gattin, in vollkommener Liebe. Als Jahwe den Menschen schuf, erklärte Er den Engeln, die um Ihn waren – der erste von ihnen war Luzifer, der ›Lichtträger‹ –, daß der Mensch zwar unvollkommen ist, aber dennoch Sein liebstes Geschöpf. Erfüllt von Hochmut und Eifersucht lehnte sich Luzifer auf, wandte sich von Gott ab und riß die gefallenen Engel mit sich. Seither gibt er keine Ruhe, um Gott zu beweisen, daß Er unrecht tat, ein solches Wesen zu schaffen. Er durchdringt die dunkle Seite des unvollkommenen Geschöpfes und versucht ohne Unterlaß, es in seinen eigenen Untergang zu stürzen«, sagt Roman im Gedanken an sich selbst. »Es gäbe keinen schöneren Sieg für den Satan, als Gott zu beweisen, daß der Mensch so entartet ist, daß er sich selbst zerstört! Um den Menschen zu schützen, tat Gott also zweierlei: Zunächst stellte Er jedem Menschen einen Schutzengel an die Seite, der gegen den Teufel in ihm kämpft.« Als er dies sagt, denkt er an Moïra. »Dann ließ Er den heiligen Michael an Luzifers statt der erste unter den Engeln werden und betraute ihn mit der Aufgabe, die Menschheit gegen die Engel der Finsternis zu schützen, sollte sich der Herr der gefallenen Engel oder sein Heer von Dämonen auf sie stürzen. Und so kämpfte der Erzengel gegen den Drachen, eine der unzähligen Verkörperungen Luzifers. Er rang den Drachen nieder, doch er tötete ihn nicht, denn Luzifer ist unsterblich, und das Leben des Christen – und das des heiligen Michael – hat zur Aufgabe den ewigen Kampf. Als treu ergebener Anführer der himmlischen Heerscharen unterstützt und hilft der heilige Michael dem Menschen gegen die Mächte des Bösen, sein Leben lang und bis über den Tod hinaus, indem er ihn ins Paradies geleitet und dafür sorgt, daß seine Seele, wenn sie von den Sünden gereinigt ist, nicht unterwegs von den Dämonen geraubt wird.«

»Ja«, stellt Moïra ungerührt fest, »seine stetigen Heldentaten seit Urzeiten verdienen also eine Kirche.«

»Für seine Ergebenheit und seine geduldige Liebe zu den ewigen Sündern«, berichtigt Roman, »müssen die Menschen ihm mit ihrer Liebe danken, und wenn sie zu ihm beten, ihm Dank abstatten und um seine Fürbitte beim Allmächtigen bitten wollen, werden sie das in einem Palast tun können, der seiner würdig ist. Du mußt verstehen, es ist wie bei einem Mann und einer Frau, die einander lieben«, sagt er zögerlich. »Die Liebe zwischen dem Göttlichen und dem Menschlichen ist nicht einseitig, sondern beruht auf Gegenseitigkeit!«

»Und doch ist man in einer Liebesbeziehung nie sicher, ob der andere einen wirklich liebt«, gibt Moïra mit ernster Miene zu bedenken.

»Vielleicht deshalb, weil die Liebesbeweise, die der andere gibt, nicht die sind, die wir erwarten«, antwortet Roman nach einem Moment des Schweigens. »Gott hat der Menschheit einen unumstößlichen Beweis für seine Liebe gegeben, den schönsten, den man sich vorstellen kann: Er hat den Menschen seinen Sohn geschenkt. Jesus, das bedeutet ›der Retter‹, ist gekommen, um den Menschen zu sagen, daß sie von Gott unbändig geliebt werden. Die erste apostolische Handlung Jesu begab sich, als er dreißig Jahre alt war und zu einem Hochzeitsmahl geladen war. Da begab es sich, daß es an Wein fehlte. Jesus verwandelte Wasser in Wein, den er den Hochzeitsgästen darbot: Durch diese Tat, das erste Wunder, das er wirkte, brachte er zum Ausdruck, daß Gott durch Seine Liebe das Herz der Menschen erfreuen will, wie der Wein, der den Körper erwärmt, wie ein Gatte seine Gattin.«

»Und Jesus starb für die Menschen?«

»›Niemand hat größere Liebe als der, der sein Leben läßt für seine Freunde‹, sagte er selbst. Er starb, aber seine Liebe hat die Welt gerettet. Gleich einem neuen Mose hat er sein Volk erlöst, und das ist in diesem Fall die ganze Menschheit. Wie Gott es Noah versprochen hat, besiegelte Jesus, Gottes Sohn, den letzten Bund: Er ist der neue Adam, der vollkommene Mensch, der in ein und demselben Körper Gottheit und Menschheit vereint, der die Ursünde Adams und Evas sühnt und Gott endgültig mit den Menschen versöhnt. Er wird am Ende der Zeiten wiederkehren, um die Lebenden und die Toten zu richten.«

»Am Ende der Zeiten …«, wiederholt sie düster. »Ich weiß

nicht, ob man auf das Ende der Zeiten hoffen soll, selbst um die Liebe wiederzufinden.«

»Hab keine Angst, Moïra.« Er lächelt sie an. »Es wird reine Freude sein, eine große Erlösung. Wir werden nicht mehr leiden. Es wird kein Ende sein, sondern ein Anfang. In der Apokalypse des Johannes heißt es: ›Und ich sah einen neuen Himmel und eine neue Erde; denn der erste Himmel und die erste Erde sind vergangen, und das Meer ist nicht mehr. Und ich sah die heilige Stadt, das neue Jerusalem, von Gott aus dem Himmel herabkommen, bereitet wie eine geschmückte Braut für ihren Mann. Und ich hörte eine große Stimme von dem Thron her, die sprach: Siehe da, die Hütte Gottes bei den Menschen! Und er wird bei ihnen wohnen, und sie werden sein Volk sein, und er selbst, Gott mit ihnen, wird ihr Gott sein; und Gott wird abwischen alle Tränen von ihren Augen, und der Tod wird nicht mehr sein, noch Leid noch Geschrei noch Schmerz wird mehr sein; denn das Erste ist vergangen.‹«

»Das ist sehr schön, Roman. Schön wird dein Jerusalem, die Burg Gottes und der Menschen. Dein Leben auf Erden, um den Himmel zu bauen – was für ein schönes Leben!«

Roman ist zutiefst berührt. Sein Blick leuchtet in einem heiligen Feuer. »Ich …«, flüstert er. »Ich werde es dir zeigen!« Er zieht ein Pergament aus seiner Kutte und entfaltet es auf den Knien der jungen Frau. »Du mußt es sehen! Sieh hier Gottes Berg! Sieh, unser Jerusalem!«

Die Skizzen des Pierre de Nevers liegen ausgebreitet auf Moïras Schoß. Sie betrachtet Romans Geheimnis wie eine wunderbare, unerreichbare Sonne, ein leuchtendes Gestirn aus nebeneinanderstehenden Quadraten und Rechtecken.

»Roman, ich kann das nicht lesen …«, stottert sie. »Da sind keine Wörter …«

Roman steht auf, und im Windstoß seines wieder zum Leben erwachten Körpers fallen die Zeichnungen auf den Boden der Kapelle. »Ich erzähle es dir. Ja, das ist besser. Hör mich an, Moïra! Komm!«

Er hebt das Pergament auf, greift nach seinem Stock, geht bis in den Chor und legt die Pläne auf den Altar, an die Stelle, an der eben der Blumenstrauß lag.

»Siehst du«, er zeigt mit seinem Stock auf einen Umriß auf dem Papier, »da ist der Felsen. Das war die größte Schwierigkeit, denn er ist am Gipfel nicht eben, und zugleich der wichtigste Vorteil, denn er ist sehr hoch, und die Bleibe des Erzengels muß sich so weit wie möglich in den Himmel erheben. Mein Meister und Abt Hildebert hatten die von Gott eingegebene Idee, den Mittelpunkt der Kirche direkt auf die Spitze des Felsens zu stellen und sie mit einer Reihe von Krypten zu umgeben, die bis zu ihr hinaufreichen und dem Chor und den Armen des Querschiffs als Unterbau dienen. Das Ganze ergibt ein kolossales Aufstreben in den Himmel, eine Folge von aufsteigenden Räumen, und das gilt auch für die Klostergebäude, die nicht nebeneinander liegen werden, sondern in Stockwerken übereinander. Im Gesamtbild sieht man eine Pyramide, ein riesiges Dreieck, denn die Zahl drei ist heilig: die Zahl der Heiligen Dreifaltigkeit, der drei theologalen Tugenden … Aber sieh nur hier, die Kirche: Hier, schau, da ist der Eingang, davor die Vorhalle an der Terrasse … Eine erste Treppe führt zum Langhaus, das aus sieben überhöhten Jochen besteht – die Sieben, vier und drei, ist die Summe aus der Zahl des Körpers und der Seele, die Zahl der sieben Töne der Musik, der sieben Planeten am Himmel, der sieben Tage der Schöpfung. Das Mittelschiff hat eine Holzdecke, die Seitenschiffe Steingewölbe. Dann das Querschiff, das wiederum erhöht ist, und schließlich der Chor, um dessen Apsis ein Chorumgang führt, der nochmals höher liegt als das Querschiff – so steigen die Pilger beständig auf, empor zum Allerhöchsten, hin zum Licht Christi, von Westen nach Osten!«

Verblüfft steht Moïra zu Romans Linken. Eine Frage brennt ihr auf den Lippen. »Roman!« unterbricht sie ihn schließlich. »Sag mir: diese Krypten – werden sie unter der Erde liegen?«

»Natürlich!« sagt Roman. »Vier werden es sein, wie die vier Elemente, die vier Flüsse des Paradieses, die vier Jahreszeiten, die vier Kardinaltugenden und die vier Evangelisten. Sie sollen die Kirche stützen und sind selbst kleine Kirchen. Eine wird unter dem Langhaus liegen, je eine unter jedem Arm des Querschiffs und die schönste unter dem Chor – dort!« Er weist mit seinem Stock vorne auf das Pergament. »Die Bauarbeiten beginnen übrigens mit der Chorkrypta, damit die Reliquien des Aubert dort niedergelegt werden können. Sie wird den heiligen Körper unseres Gründers bergen und zugleich den Chor tragen, das Allerheiligste, in dem der Altar des heiligen Michael steht. Sie bekommt drei Joche und zum Abschluß eine fünfeckige Apsis, denn das Pentagramm ist das Symbol der um die göttliche Einheit erweiterten Schöpfung, es ist die Zahl des Menschen – die fünf Sinne – und des menschgewordenen Gottes – die fünf Wundmale Christi ...«

»Aber die Reliquien liegen doch in der jetzigen Kirche!« unterbricht sie ihn erneut, die Augen sorgenvoll geweitet.

»Ich weiß, Moïra«, antwortet er lächelnd. »Aber siehst du, unsere Kirche wird abgerissen. Sie ist klein, häßlich, das Symbol einer vergangenen Zeit.«

»Natürlich, das Symbol der bretonischen Kanoniker!« stellt sie fest, mit Bitterkeit in der Stimme. »So stimmt es also ...« Plötzlich ist sie sehr blaß.

»Ja«, erwidert er ohne jede Schroffheit, »das Symbol dieser Sünder, die Gott und dem ersten der Engel schlecht gedient haben, wird ausgelöscht. Aber den Raum, in dem wir stehen, haben auch die Kanoniker errichtet, und er wird erhalten bleiben und die Krypta bilden, die das Langschiff stützt. Die Gräber deines Volkes, die deinem Herzen und deinem Gedächtnis lieb sind, werden verschont. Also sei nicht traurig ...«

Doch Moïra ist über das, was der Werkmeister ihr soeben eröffnet hat, weder traurig noch erleichtert, sondern scheint völlig verschreckt. Ihre Stimme wirkt so blutleer wie ihr Gesicht, als sie nochmals einen Einwand wagt. »Aber die Kirche der Kanoniker wurde an der Stelle der Grotte von Aubert errichtet!«

»Die Grotte des Aubert verkörpert den Ursprung des heiligen Bergs, zugleich ist sie jedoch nur ein Abbild der italienischen Grotte am Monte Gargano. Unsere Burg aber soll einzigartig sein, etwas Besonderes, erschaffen, um die Menschen mit einer Kraft und Schönheit zu packen, die bisher ungekannt ist. Wenn wir erst den Chor und das Querschiff vollendet haben, wird die Kirche, die die Mauern des ursprünglichen Heiligtums umschließt, abgerissen«, gesteht Roman, »damit wir eine größere bauen und das entstehende Mittelschiff damit stützen können. Dazu werden wir Pfeiler direkt auf den Felsen stellen und…«

»Nein!« schreit Moïra entsetzt.

Sprachlos mustert Roman ihre totenbleichen Züge und ihre Augen, die im Schrecken erstarrt sind. »Was ist los?« fragt er schließlich, so erstaunt wie besorgt. »Man könnte meinen, du hättest Luzifer persönlich erblickt!« versucht er zu scherzen.

»Unter der Kirche dürft ihr nicht graben!« beschwört sie ihn. »Unter keinem Vorwand dürft ihr das! Unter keinem!«

»Moïra, beruhige dich, wir werden uns schon einigen! Warum sollen wir nicht unter der Kirche graben? Was ist los mit dir? Erklär es mir!«

Sie schlägt die Hände vor den Mund. Ihre Augen sind die einer Wahnsinnigen, ihre Stirn wirft Falten des Schmerzes. Sanft tritt Roman zu ihr, und voller Zärtlichkeit drückt er sie auf eine Bank.

»Das ist das Ende der Zeiten… Das Ende der Zeiten ist schon da…«, stammelt die junge Frau.

»Ich flehe dich an, Moïra, ich flehe dich an! Ich verstehe überhaupt nichts von dem, was du sagst. Rede!«

»Ich kann es nicht, ich darf es nicht. Um deiner Liebe willen, die du für mich empfindest, wühle nicht in der Erde der Kirche, wühle nicht darin! Versprich es mir!«

»Warum? Welche Beziehung hast du zu dieser Kirche?«

Sie sieht ihn an und bricht in Tränen aus. »Die Kirche ist völlig unwichtig! Es ist… es ist…«

»Nun, was denn?« fragt er und setzt sich neben sie.

»Roman«, sagt sie und kommt allmählich zur Ruhe, »ich werde dir ein unermeßliches Geheimnis anvertrauen. Ich muß es dir entdecken. Oh, daß du es nur niemals preisgibst, mich niemals verraten mögest!«

Roman ist stumm vor Verblüffung. Moïras rätselhaftes Verhalten läßt ihn schwindeln. Er sucht in ihren Augen nach einer Antwort und erkennt darin eine dumpfe Panik. Worin besteht nur dieses Geheimnis, das sie so anders werden läßt als die Frau, die er zu kennen meinte? Er selbst ist verunsichert von Moïras Verwirrung.

Doch entschlossen, dieses Rätsel entgegenzunehmen, das so

verstörend ist, beugt er sich sanft zu Moïra wie ein Beichtvater. Sein beruhigender Blick verspricht ihr, daß er ihr Geheimnis nicht weitergeben wird.

Sie kommt in seinem Schweigen zur Ruhe, faßt wieder Vertrauen und beginnt zu sprechen.

Stumm verharrt Roman zunächst neben ihr, erdrückt von der Last dessen, was sie ihm eben enthüllt hat. Leichenblaß, verstört dreinblickend, stützt er sich schließlich auf seinen Stock und erhebt sich.

»Roman... sag jetzt nichts«, flüstert Moïra und faßt ihn schüchtern am Arm. »Ich weiß, daß du nichts preisgeben wirst, aber ich weiß auch, daß das, was ich von dir verlange, sehr schwerwiegend ist und daß du dafür die Pläne für deine Kirche völlig abändern müßtest... Aber ich flehe dich an, denk gut darüber nach, denk an den Frieden, der heute auf dem Felsen herrscht. Und bring mir deine Antwort. Ich werde dich hier erwarten, in der Nacht vom...«

»Nein!« unterbricht Roman sie schroff. »Nein, Moïra«, wiederholt er sanfter, überrascht von seiner eigenen Heftigkeit. »Du kannst nicht mehr auf den Berg kommen. Ich werde mich zu dir begeben, sobald ich meine Entscheidung gefällt habe.«

Angst. Eine neue, unbändige Angst hat diese Reaktion des Mönchs hervorgerufen. Die Macht im Schoß dieser Erde ist also Wirklichkeit. Was Moïra ihm eröffnet hat, hat allem eine neue Bedeutung gegeben.

»Gut«, sagt sie zitternd, »wie du willst.«

Sie steht wieder auf. Er blickt auf das Altarkreuz, und der Rauch der Kerzen brennt ihm in den Augen. Er hat Mühe, regelmäßig zu atmen, und ringt nach Luft.

Sie faßt ihn wieder am Arm, und er läßt es geschehen. So führt sie ihn zum Ausgang, als wäre sie eine zweite Krücke. Sie blickt ihrem Schicksal entgegen, forscht nach der Zukunft ihrer Geschichte, die der Mann an ihrer Seite in den Händen hält.

Einen Spaltweit öffnet Moïra die Tür der Martinskapelle. Ein Windstoß packt ihre Haare. Alles ist dunkel, beugt sich dem Peitschen der Luft und des Wassers, die in ihrer Kriegslust gegen den Berg anstürmen. Dort oben erahnt sie die Umrisse der Kirche.

Sie wendet sich ihm zu und umarmt ihn. »Roman, Roman! Wie immer du dich entscheidest, meine Liebe zu dir wird niemals nachlassen!«

Roman drückt sie an sich, zuerst schüchtern, ein wenig ängstlich, dann fällt der Stock zu Boden, als er sie mit beiden Armen umfaßt. Er hat das Gefühl, als würde sich seine Seele mit sanfter Wärme füllen, mit neuer Zärtlichkeit, die die Gewalt seiner Angst und die Beklemmung vertreibt. Nur diesen Moment nicht entfliehen lassen!

Er faßt nach einer roten Strähne, die im Sturmwind flattert, birgt sein Gesicht im salzigen Duft der reichen Haarpracht. Möge dieser Moment in Ewigkeit andauern!

»Roman… Unsere Liebe macht uns unsterblich«, sagt sie.

Er löst sich von ihr und schaut sie an, aber in der Dunkelheit kann er den Ausdruck in ihrem Gesicht nicht erkennen. Sie dreht sich um, und ohne jeden weiteren Abschied macht sie sich davon.

Da humpelt er in Richtung Dormitorium.

Während Roman durch die Dunkelheit tappt, löst sich ein länglicher Schatten von einem Stützpfeiler außerhalb der Kapelle.

In der Hand eine Laterne, deren Kerze er ausgeblasen hat, schleicht er an der Mauer entlang auf das Skriptorium zu. Im Licht des Mondes ist das große Schlüsselloch zu erkennen, in dem sich mühsam ein Schlüssel dreht. Die Gestalt tritt ein und schließt die Tür zweimal ab. Innen entzündet sie eine Kerze.

Die Flamme erhellt die faltigen Züge des Mannes, gelbliche Haut, die aussieht wie Pergament, und schwarze Augen, die in Tränen schwimmen. Er durchquert den großen Raum mit den breiten Fenstern, der leer ist von Menschen, doch voll von griechischen und lateinischen Gedanken, die die Wände bedecken. Auf den Pulten stehen neben Federn farbenfrohe Tintenfässer und an einer Wand ein monumentaler Kamin.

Ganz hinten im Raum öffnet der Mönch eine Tür und betritt ein winziges Kabinett, in dem ihn die jüngsten Arbeiten der Kopisten zur Kontrolle erwarten. Er stellt die Kerze auf das Schreibpult.

In lautlosem Schluchzen fällt Almodius auf die Knie. Die dunkle Kutte erbebt unter seinen Krämpfen. Große, feingliedrige Hände mit Tintenflecken stützen den Kopf mit dem tränenüberströmten Gesicht. Schließlich dringt ein Laut aus seinem gepeinigten Körper, der sich anhört wie der Schrei eines Tiers, das eben abgeschlachtet wird. Der Mönch bricht zusammen, fällt bäuchlings auf den Boden des Raums. Er wimmert, stößt unverständliche Worte aus.

Wieder kniet er sich hin, streckt die Hand aus und holt eine Geißel aus einem verborgenen Hohlraum, eine kleine Peitsche mit Lederriemen, an denen Bleikugeln hängen. Das Gewand des Unterpriors fällt vom Cingulum an hinab. Bleich und mager leuchtet sein Rücken im Schein der Kerze.

»Allmächtiger Gott, komm mir zu Hilfe!« sagt er beschwörend und mit gebrochener Stimme.

Mit geschlossenen Augen hebt Almodius die Geißel und peitscht sich kräftig auf den Rücken, während er ein Gebet murmelt. Die metallenen Kugeln schlagen kleine blutrote Furchen in die nackte Haut, schmale blutige Streifen, die von den Hüften bis an die Schultern reichen. Almodius holt Luft, gewährt sich eine Pause und schlägt sich dann erneut mit der Geißel, in einer regelmäßigen, ununterbrochenen Bewegung.

Ein Schauer des Schmerzes fährt ihm in die Schulterblätter, seine Lippen sind aufeinandergepreßt, rote Tropfen perlen über die Falten seiner Kutte. Sein Rücken ist schon bald eine einzige offene Wunde, glänzend in schönem Karmesinrot. Zusammengekauert stöhnt er vor unterdrücktem Schmerz.

Schließlich haucht er ein lange zurückgehaltenes Wort aus, immer wieder, erst flüsternd, doch je länger das Blut unter dem Eisen herausquillt, desto mehr wird das Flüstern zu einem Schrei:

»Moïra… Moïra… Moïra – Moïraaaaaaaaaa!«

# 7

»Hier, Jeanne, einmal Salami mit sauren Gurken!« sagte eine Hand, die ein belegtes Baguette in das Loch reichte.

»Nicht gerade warm heute«, fügte Paul hinzu, der am Rand des riesigen Grabens hockte. »Du holst dir noch den Tod!«

Jeanne lächelte ihren Ausgrabungsleiter an. Auf ihrem Gänsedaunenanorak klebte Schlamm, ebenso wie in ihren langen Haaren. Mit der weichen Bürste löste sie einen Stein aus dem Quadrat Erde, das ihr die Fäden, Pflöcke und Schildchen mit Zahlen zuwiesen, von denen der unebene Boden des Grabens überzogen war.

Paul erwiderte ihr Lächeln. Der berühmte Professor von der Universität Lyon hing sehr an seiner Assistentin, der einzigen Frau auf der Ausgrabung seit zwei Jahren, auch wenn er ihr Verhalten manchmal nicht begriff. Die Beziehung zwischen der jungen Archäologin und François war ihm ein Dorn im Auge, denn für ihn war François nur ein Mandarin, der an seiner Macht klebte. Alle tratschten hinter Jeannes Rücken über diese Liaison, obwohl beide um Diskretion bemüht waren. Ihr selbst gegenüber taten Paul und die anderen so, als wüßten sie nichts davon, da sie nie über ihr Privatleben sprach.

Oft träumte Jeanne davon, nicht im Team zu arbeiten, sondern eines Tages auf eigene Faust Ausgrabungen zu unternehmen, wo und wie es ihr paßte, so daß sie sich den Kontakt mit den Menschen ersparen und völlig eins mit den Steinen werden konnte. Und doch schätzte sie Paul sehr, diesen großen Liebhaber von Cluny, der auch in ihrem Promotionsausschuß gesessen hatte: »*1928 – 1950: Die Ausgrabungen des amerikanischen Architekten Ken-*

*neth John Conant in Cluny III – Architektonischer Durchbruch und archäologischer Entwurf«* – achthundert Seiten, auf denen sie nachgewiesen hatte, daß der berühmte Forscher sicherlich Unschätzbares bezüglich Cluny geleistet hatte, der größten nicht mehr existierenden mittelalterlichen Abtei, daß er aber gewisse archäologische Spuren vernachlässigt hatte, die noch der Erforschung harrten.

Als Paul drei Jahre später den Auftrag erhielt, an verschiedenen Stellen des Geländes ein großes Ausgrabungsvorhaben durchzuführen, war er begeistert gewesen, daß ihm die Verfasserin dieser Doktorarbeit, die sich in ihrem Büro bei der Nationalen Forschungsgesellschaft zu langweilen begonnen hatte, assistieren würde. Damals hatte sich der Mittvierziger gerade mit seiner Scheidung herumgeschlagen, und es hätte ihm gefallen, hätte sich Jeannes berufliche Dankbarkeit ihm gegenüber zu einem persönlicheren Gefühl entwickelt.

Aber die attraktive Archäologin schien sich nur für ihre Arbeit zu interessieren, und Paul war so schüchtern, daß er ihr seine Zuneigung nie zu gestehen gewagt hatte. Gemeinsam hatten sie Hunderte von Vermessungen vorgenommen und hatten den Kreuzgang aus dem 18. Jahrhundert sondiert, unter dem der mittelalterliche Kreuzgang und die Reste von Cluny II lagen, wie in ihrem Jargon die Kirche Saint-Pierre-le-Vieil hieß, die zweite Abteikirche, die dreimal so groß war wie die erste. Sie war im 11. Jahrhundert fertiggestellt und im zwölften abgerissen worden, damit Abt Hugo von Semur die dritte Abteikirche errichten konnte, Cluny III, die *Maior ecclesia*, die größte Kirche der ganzen mittelalterlichen Christenheit, deren Abriß im Verlauf der Französischen Revolution fünfundzwanzig Jahre lang gedauert hatte.

Statt aufeinander zuzustreben, richtete sich Pauls und Jeannes Liebe seit einem halben Jahr parallel auf denselben Gegenstand: das sagenumwobene Grab von Hugo von Semur, dem sechsten Abt von Cluny und Bauherren der großen Kirche Cluny III. Sechzig Jahre lang hatte er die Abtei geleitet, von 1049 bis 1109, bevor er im ehrbaren Alter von fünfundachtzig Jahren gestorben war. In ihrer Dissertation hatte Jeanne darauf hingewiesen, daß die Mönche im Mittelalter der Toten ausgiebig gedachten. Sie hatten das Allerseelenfest am 2. November eingerichtet und für die Toten eine sehr reichhaltige Liturgie geschaffen, der sie später auch ihren materiellen Reichtum verdankten. Zahlreiche Laien und Kleriker, Arme und vor allem Begüterte hatten sich nach einer Stiftungsgabe in der Erde von Cluny beisetzen lassen, das Pfand ihrer Errettung.

Die Abtei gab es nicht mehr, und obwohl einige Grabstätten entdeckt worden waren, hielt ihr Schoß die meisten Gräber noch verborgen, darunter das von Hugo, das im Chor von Cluny III gelegen hatte und das die alten Schriften als Juwel der cluniazensischen Begräbniskunst beschrieben. 1928 grub der Amerikaner Conant Fragmente davon aus, setzte seine Arbeit aber nicht weiter fort. Vor ein paar Jahren dann hatte Pauls Vorgänger per Zufall ein Stück von einem Fries und dem Gesims des Mausoleums entdeckt, und zwar in einer weit von der Kirche entfernt liegenden Mauer aus dem 19. Jahrhundert. Einige Fachleute hatten daraus geschlossen, daß das Grabmal mit der Abtei zerstört worden war und daß seine Steine wie die der Kirche anderweitig Verwendung gefunden hatten. Andere, darunter Jeanne und Paul, wollten den Glauben noch nicht aufgeben und die nicht abgeschlossenen Arbeiten von Conant wieder aufnehmen.

Sobald Jeanne vor Ort gewesen war, hatten Paul und sie einen Forschungsantrag gestellt für Ausgrabungen an jener Stelle, an der der Chor von Cluny III gelegen hatte. Allerdings gehörte das Allerheiligste der *maior ecclesia* nicht mehr zum Klostergelände, das vom Denkmalschutz verwaltet wurde, sondern war inzwischen – ein Pferdestall! Ein staatliches Gestüt zwar – mit reinrassigen Zuchthengsten, Stuten und Fohlen –, das aus öffentlicher Hand subventioniert wurde, allerdings unter der Aufsicht des Agrarministeriums, einer Behörde, die normalerweise mit Forschungsvorhaben im Bereich mittelalterliche Archäologie nichts am Hut hatte.

»Nun, was denkst du, verehrte Assistentin?« fragte Paul. Er war klein und rundlich, trug eine dicke Brille, und rund um die Tonsur seines kahlen Schädels wuchsen ein paar blonde Haare wie ein Diadem.

»Ich zweifle langsam daran, daß wir es noch finden«, sagte sie und schaute zur Seite, weil sie sich für dieses Eingeständnis schämte. »Sechs Monate sind wir jetzt dran, für nichts und wieder nichts! Schau, Paul, schon wieder ein Kiesel ohne jedes Interesse. Das gibt es doch nicht! Ob wir uns doch getäuscht haben? Ob es doch im 19. Jahrhundert zerstört wurde?«

Das Gezerre zwischen dem Kulturministerium, als dessen Vertreter François fungierte, und dem Agrarministerium hatte über ein Jahr gedauert – eine lächerliche Zeitspanne, wenn man bedachte, wie alt Cluny war, aber zermürbend für heutige Sterbliche.

Eines Donnerstags im November hatte François schließlich dem Agrarministerium die Zustimmung abgerungen: acht Monate Ausgrabungen im Garten des Gestüts, im folgenden Jahr von Juni bis Januar. Voilà, geschafft! Und die Euphorie darüber hatte seine letzten ehelichen Skrupel hinweggefegt: Am selben Abend hatte sich die Zuneigung, die er und Jeanne seit einem Jahr füreinander empfanden, endlich konkretisiert.

»Wie kannst du nur irgendeinen Zweifel hegen?« fragte Paul. »Du weißt doch, daß es Wirklichkeit ist und daß es hier irgendwo liegt. Du hast während deiner Promotion Jahre darauf verwendet, es zu beweisen! Wir müssen Geduld haben und weiterarbeiten. Wir werden es finden, ich bin ganz sicher!«

»Paul, wir haben bloß noch zwei Monate! Denk doch mal nach! Wir haben berechnet, daß es ohne Sockel mindestens zwei Meter fünfzig lang ist. Das bleibt doch nicht einfach unbemerkt, so ein Grabmal. Und bald stoßen wir aufs Grundwasser. Nein, ich … ich glaube, wir haben das Grabungsgebiet vielleicht falsch bestimmt.«

»Was soll das heißen?« schrie Paul, ganz rot im Gesicht. »Die Apsis lag hier, in diesem Garten, unter diesem Rasen, das sieht man an dem verbleibenden Arm des Querschiffs – das erkennt jedes Kind, und wenn es noch so ahnungslos ist! Du spinnst, Jeanne!«

»Werd jetzt nicht aggressiv, Paul!« schimpfte sie. »Was ich meine, ist folgendes: Vielleicht haben sie es in die Scheitelkapelle verlegt oder in eine Kranzkapelle, hinter den Chorumgang, dort vorn!« Sie zeigte auf einen imaginären Punkt vor ihr. »Und da graben wir nicht!«

Paul seufzte, bevor er sich auf dem Lehmboden niederließ. »Das stimmt, da graben wir nicht. Eigentlich ganz schön dumm von uns, denn wir bräuchten ja bloß einen Bulldozer zu mieten und das Bürogebäude des Gestüts niederzureißen. Obwohl … wenn wir im Steinbruch nebenan ein bißchen Dynamit klauen, würde es sogar noch schneller gehen. Und wenn wir schon dabei sind, könnten wir auch gleich die Ställe in die Luft jagen!«

»Du Barbar! Denk doch an die Pferde!« Sie lächelte, setzte sich neben Paul und legte ihm eine Hand auf die gut gepolsterte Schulter. »Entschuldige, ich übertreibe. Wie immer.«

Er tätschelte mit seiner Pranke die Hand der jungen Frau. »Na, na«, beruhigte er sie, »schon in Ordnung, Jeanne. Du bist eben heftiger verliebt als ich, das ist alles. In den heiligen Hugo, meine ich. Mach dir nichts draus. Vielleicht ist das nicht sehr wissenschaftlich, aber in solchen Sachen hatte ich schon immer einen guten Riecher – wenn schon nicht in anderen Dingen –, und jetzt gerade wittere ich etwas Entscheidendes. Und zwar hier, nicht unter dem Büro des Gestütsleiters. Vertrau mir, es ist da, irgendwo, wir werden es finden, beide zusammen, und davon redet man dann bis … bis Luxor!«

Paul ließ sie schließlich mit ihren Sorgen und ihrem belegten Baguette allein. Wie immer würde er eine Stunde später mit einem dampfenden Kaffee und dem Rest der Truppe wiederkommen.

Sie war aus dem Loch gekrochen, um sich beim Essen die Beine zu vertreten, die ihr vom Knien steif geworden waren. Manchmal bot sie ein Stück ihrer Brotzeit Firmament an, einem nervösen Hengst mit schwarz glänzendem Fell, das so weich war wie ein Seidenstoff. Sie mochte die Pferde, die Tiere beruhigten sie. Sie sahen so zerbrechlich aus auf ihren dünnen Beinen, und doch waren sie von solcher Kraft. Echte Athleten!

Als sie den Stall verließ, rannte sie François in die Arme.

»Du bist da! Das ist ja eine tolle Überraschung!«

Sie verzogen sich in die kümmerlichen Reste von Cluny III, weit weg vom Ort der Ausgrabung. François liebte es, die große

Abteikirche virtuell wieder auferstehen zu lassen, selbst wenn das ein Ding der Unmöglichkeit war. Er stand zwischen den Resten der einstigen Vorkirche, von der nur noch ein Stück eines Portals stand, und ließ seinen Blick in die Ferne schweifen, während er Jeanne unter seinem langen Kaschmirmantel umarmte.

»Ich kann mir nie vorstellen, daß sie bis zu den Bäumen dort hinten gereicht hat«, sagte er. »Das ist doch unglaublich!«

»Tja ja, hundertsiebenundachtzig Meter lang, mit einem dreißig Meter hohen Schiff. Nur der Petersdom in Rom kommt ihr damit gleich, aber erst fünfhundert Jahre später«, sagte Jeanne. »François, in unserer kleinen Kapelle würde ich mich wohler fühlen. Hier ist alles offen. Ich habe Angst, sie könnten uns sehen, wenn sie aus dem Restaurant kommen.«

»Wirklich? Du bist ja lustig heute. Normalerweise bin eher ich es, der Angst davor hat, gesehen zu werden. Und heute willst du nicht mit mir gesehen werden?«

Sie verstand ihre Reaktion selbst nicht. Sie hatte nichts zu verbergen, und sie schämte sich nicht wegen ihres Verhältnisses mit François. Konnte es sein, daß sie sich ihrer selbst schämte? Es stimmte schon, seit ihrem Essen in Saint-Germain-des-Prés nach ihrem Italienurlaub hatte sie ohne Unterlaß auf ihn eingeredet, damit sie am Mont-Saint-Michel arbeiten konnte, hatte alle nur erdenklichen Gründe dafür vorgebracht. Sie hatte ihn eine Woche lang nicht gesehen, und statt sich über seinen unangekündigten Besuch zu freuen, hielt sie ihm eine Vorlesung über die Ausmaße von Cluny.

»Aber es stimmt schon, hier erfriert man ja, bei der Zugluft«, sagte François. »Du hast recht, gehen wir in unser kleines Heiligtum!«

Auch heimliche Geliebte haben ihre Gewohnheiten, und die halten sie sogar noch für romantisch. Jeanne und François trafen sich gern in einer gotischen Kapelle aus dem 15. Jahrhundert, die verborgen in dem einzigen noch stehenden Überrest von Cluny III lag: im Südarm des großen Querschiffs. Die Winter in der Bourgogne waren hart, aber Jean de Bourbon, ein Abt im 15. Jahrhundert, beliebte nicht in der Kälte zu zittern wie seine Brüder. So ließ er neben der eisigen Kapelle, in der seine steifgefrorenen

Mönche das Stundengebet abhielten, ein diskretes Vorzimmer errichten, das ihm vorbehalten war und dessen großer offener Kamin ihm während des Hochamts den Rücken wärmte.

Eines Abends hatte Jeanne darin ein großes Feuer entfacht, hatte eine Flasche Meursault-Burgunder entkorkt, und sie hatten sich dort geliebt. François hatte das erregende Sakrileg ausgekostet. Später hatte Jeanne ihm erklärt, daß ihre Verfehlung gar nichts war gegenüber der der Mönche selbst: Seit dem 13. Jahrhundert hätten die Brüder von Cluny Kneipen frequentiert, Spielhöllen und Freudenhäuser, und im 18. Jahrhundert hatten sie sich die Nasen gepudert.

Obwohl sie nicht gläubig war, fragte sie sich, ob die verbissene Zerstörungswut der Bewohner von Mâcon, die fünfundzwanzig Jahre lang bis auf den letzten Stein alles niedergerissen hatten, nicht eine göttliche Strafe gewesen war, zu deren Werkzeug die aufgebrachten Stadtbewohner geworden waren, indem sie sich gegen diese jahrhundertelange Dekadenz aufgelehnt hatten.

»Wahrscheinlich ist er ein bißchen warm, aber sei's drum!« François lehnte an dem gemauerten Kamin und holte eine Flasche Champagner und zwei Gläser aus seinem Aktenkoffer.

»Haben wir etwas zu feiern?« fragte Jeanne erstaunt.

»Na klar!« Er nahm sie in den Arm. »Unser Einjähriges. Heute sind wir ein Jahr lang … zusammen! Normalerweise vergessen die Männer so etwas, aber ich nicht!«

»Oh, François, das ist ja rührend. Wie lieb von dir!«

Sie küßten sich. Sie schmolz dahin wie Wachs wegen dieser unerwarteten Aufmerksamkeit. Dieser Mann war so zärtlich, sie machte sich das gar nicht genügend bewußt. Manchmal sagte sie sich, daß sie verrückt war, all die Toten der Vergangenheit im Kopf und im Herzen zu tragen, trockene Steine und staubige Knochen, obwohl ihr die Gegenwart doch einen lebenden Menschen bot, der sie liebte. Konnte sie nicht einfach aufhören, nach dem Unmöglichen zu streben, sich nach einem Himmel zu sehnen, den es nicht gab, da ihr doch das Leben ein solches Geschenk machte? War sie nicht blind und undankbar gegen das Leben? Mußte sie nicht ihre Träume vergessen, um frei und glücklich zu werden?

»Und dann müssen wir auch noch etwas anderes feiern – ich

wollte es dir nicht gleich sagen«, fügte François hinzu und entließ sie aus seiner Umarmung, um den Korken knallen zu lassen. »Weißt du noch, vor einem Jahr? Unsere Geschichte hat dank Hugo von Semur begonnen und dank der Grabungsgenehmigung. Nun, ein Jahr später, praktisch auf den Tag genau … schau, mein Liebling!«

Feierlich zog er ein Stück Papier aus der Innentasche seines Mantels. Jeanne stockte der Atem.

»Schau!« wiederholte er. »Ab heute steht unsere Geschichte unter einer neuen Schutzmacht: der des Erzengels Michael. Hier ist deine Berufung auf den Mont-Saint-Michel!«

Eine graue Pyramide mit goldenem Gipfel, die aufragt aus einer Wasserwüste. Eine Festung mit Spitzenbesatz und steinernem Schoß. Ein Ungeheuer auf dem Sprung ins Unendliche. Ein Ungeheuer des Schönen und des Unmöglichen, das die Götter umfaßt und von oben auf den Menschen hinabschaut, während an seinen gerundeten Flanken das Meer weidet. Er ist der Mythos, das ewige Verlangen, der Leib des Mysteriums – der Berg des Engels.

Jeanne starrte ihn an und konnte den Blick nicht davon abwenden. Cluny bestand aus Kalkstein und war daher weiß. Der Berg hingegen war grau – grau wie eine Ritterrüstung. Verschiedene Töne von Anthrazit bildeten in glänzenden Facetten ein Gegenstück zu den Wolken und den Fluten, ohne aber mit ihnen zu verschmelzen: der Sieg des Granits über Natur und Zeit. Ungerührt von den Elementen, halb Mensch, halb Gott, strahlte er eine faszinierende Kraft aus. Was verbarg dieses Kriegsgewand, diese spirituelle Allmacht?

»Wenn es sie je gegeben hat, dann muß die Martinskapelle hier gelegen haben«, erklärte Christian Brard, Verwalter des Berges und Angestellter beim Denkmalschutz, der neben dem Tretrad des Lastenaufzugs stand. »Aus einer alten Handschrift wissen wir, daß der Graf von Armorique, Conan I., der in der Schlacht von Conquereuil starb, auf dem Berg bestattet wurde, und zwar in einer ›Martinskapelle‹: Daraus schließt man, daß es diese Kapelle war und daß sie als Begräbnisstätte genutzt wurde. Verschiedene

Skelette wurden gefunden, aber nicht das von Conan. Eines davon könnte wohl das von Geoffroy sein, Herzog der Bretagne und Sohn von Conan, die anderen sind Mönche aus jüngeren Epochen – aus romanischer Zeit, als die Martinskapelle zerstört und an ihrer Stelle ein Friedhof angelegt worden war, oder als Abt Robert de Thorigny dort ein Beinhaus bauen ließ. In der Revolution wurden Friedhof und Beinhaus zerstört, aber es liegen immer noch Gebeine dort. Doch uns interessiert zunächst das Grab von Judith de Bretagne, der Gattin Richards II., Herzog der Normandie, jener, der die Kanoniker vertrieb, den Berg den Benediktinern stiftete und den Bau der großen romanischen Abteikirche finanzierte. Wenn man mir vor zwei Monaten gesagt hätte, daß für Roger Calfon eine Frau kommt, um nach Judith zu suchen, ich hätte es nicht geglaubt.«

Er war ein hochgewachsener Kerl um die Sechzig, knochentrocken, mit hängenden Schultern, schmalen Lippen, einer kleinen Hornbrille und durchdringenden nußbraunen Augen. Er hatte das Problem seiner beginnenden Glatze gelöst, indem er sich den Schädel rasiert hatte, was ihn in dieser Umgebung wie einen intellektuellen Sträfling aussehen ließ. Bisher war er knapp, aber höflich gewesen. Diese Bemerkung war die erste Spitze, die er gegen Jeanne anbrachte, seit sie sich ihm vor einer halben Stunde vorgestellt hatte.

»Sehen Sie darin bloß kein Zeichen des Himmels«, gab sie lächelnd zurück. »Und keine Sorge, ich bin bloß für ein halbes Jahr hier, solange sich Monsieur Calfon um seine Frau kümmert, bevor er sich dann ganz Judith widmet.«

Jeannes für sie untypische Ironie erwuchs einer heftigen Empfindung, die sich ihrer bemächtigt hatte, gleich nachdem sie auf dem Berg angekommen war: Angst. Die Angst eines kleinen Mädchens vor einem Traum, der Wirklichkeit wurde. Die Angst einer Erwachsenen vor einer Aufgabe, der sie sich nicht gewachsen fühlte. Alles war zusammengekommen: die Panik, der kopflose Mönch könnte wiederkommen, und die Furcht, ihn nie wiederzusehen; die Befürchtung, eine Ausgrabung zu leiten, bei der nichts gefunden wurde, und das Lampenfieber davor, vielleicht auf wichtige Gräber zu stoßen.

»Sagen Sie mir, Monsieur Brard: Warum wurde diese Martinskapelle beim Bau der Abteikirche zerstört?« fragte sie, um das Thema zu wechseln.

»Das weiß man nicht«, gestand er und musterte sie durch die Gläser seine Brille. »Gewiß ist nur – und das, obwohl die Pläne der romanischen Kirche verschwunden sind –, daß eigentlich die karolingische Kirche geschleift werden und diese Kapelle erhalten bleiben sollte. Aber schließlich kam es genau andersrum: Man hat die Martinskapelle zerstört und die Kirche beibehalten, die zu einer Krypta als Unterbau für das romanische Kirchenschiff wurde und fortan Notre-Dame-sous-Terre hieß. Es gibt auch eine Krypta unter dem einen Arm des Querschiffs, die Martinskrypta heißt, aber sie hat nichts zu tun mit dieser Kapelle. Ihr Name beruht vielleicht auf einer Reminiszenz an den zerstörten Bau – die Laune eines Baumeisters oder eines Abtes, wissen Sie. Solche Änderungen während eines Kirchenbaus waren im Mittelalter nicht unüblich.«

»Ja, das weiß ich.« Sie strich mit den Fingern über die gemeißelten Verzierungen in der Mauer. Die Erwähnung von Notre-Dame-sous-Terre machte sie nachdenklich.

»Am besten beschäftigen Sie sich zunächst mal ausgiebigst mit der Geschichte der Abtei. Alles, was dafür notwendig ist, finden Sie in der Bibliothek meines Büros. Ich stelle es Ihnen zur Verfügung«, sagte er honigsüß und schaute auf seine Uhr. »Hören Sie, heute abend habe ich eine Veranstaltung in Rennes, und ich habe meinen Vortrag noch nicht fertig. Darf ich Sie bitten, später noch mal in mein Büro zu kommen, damit wir Ihr Antrittszeugnis unterschreiben können, und dann muß ich Ihnen auch die Schlüssel zum Kloster geben, und meine Assistentin wird Ihnen anschließend Ihre Unterkunft zeigen. Mit dieser ganzen Geschichte hat sich der Beginn der Arbeiten verzögert, das Material und das Team kommen erst in einer Woche. Wann wollen Sie anfangen?«

Es war eindeutig, was hier ablief: Brard mußte Jeanne zwar notgedrungen akzeptieren, aber er würde nach jedem noch so kleinen Fehltritt Ausschau halten.

»Auf der Stelle!« antwortete sie.

Es war ein großes Haus unterhalb der Strebepfeiler der Abtei, hinter dem historischen Museum, in dem inzwischen Geoffroy ruhte, der Sohn des Conan, und mit einem unvergleichlichen Blick auf den Dorffriedhof. So war Jeanne Tag und Nacht von Gräbern umgeben. Der mittelalterliche Bau mit weißen Läden hatte einen kleinen eckigen Hof und einen runden Turm, von dem aus man im hundertjährigen Krieg die Bucht überwacht hatte. Ganz oben im Wehrturm kniete sie vor der Schießscharte. Es ging ihr gut. Sie hatte das Gefühl, die Situation im Griff zu haben und in diesem Wachturm in Sicherheit zu sein.

Als der Abend dämmerte, kehrte sie in ihr Zimmer zurück, um ihr Hauptquartier einzurichten. Sie zog das Bett mit dem eisernen Gestell in die Mitte des Raums, um von dort aus alles rundum überblicken zu können, und stellte einen Samtsessel und den kleinen Schreibtisch ans Fenster, das auf den Friedhof hinausging.

Einmal müßte sie noch nach Paris, um ihre restlichen Sachen zu holen, aber sie würde bereits eine erste Nacht auf dem Mont-Saint-Michel verbringen. Ja, ihre erste Nacht als Ausgrabungsleiterin. Ihre erste Nacht so nahe bei Notre-Dame-Sous-Terre und bei der Gestalt, die sie im Traum verfolgte.

Sie erschauderte. Die Feuchtigkeit war schlimmer als die Kälte. In Cluny war der Winter eiskalt, aber wenigstens unverblümt. In dieser Gegend war er von klammheimlicher Gemeinheit. Die Luft wirkte mild, aber wie eine glitschige Schlange kroch sie unter alle Kleider und nagte mit kleinen, trügerischen Bissen nach und nach an der Haut, zerfraß die Muskeln, ließ die Glieder erstarren, raubte einem alle Energie.

Jeanne zerknitterte ein paar Seiten einer Zeitung, die in einer Truhe herumlag, warf sie in den Kamin, entzündete sie mit einem Streichholz und legte Holzscheite auf das Papier. Der graue Qualm verursachte ihr Übelkeit. Gleich darauf drang der nächtliche Wind durch die offenen Fenster und vertrieb den Rauch. Er brachte die Kerzen zum Flackern, die Jeanne überall im Zimmer angezündet hatte, statt den designten Halogenstrahler anzuknipsen, der überhaupt nicht in diese historische Umgebung paßte.

Sie saß auf dem Bett, kuschelte sich in ihre verdreckte schwarze Daunenjacke und nahm von Zeit zu Zeit einen Schluck Calvados und von den Keksen, die sie in der Küche gefunden hatte. Sie war in ein dickes Buch versunken, das offen inmitten eines Dutzend anderer Titel und einem Notizheft lag, die die Bettdecke übersäten.

Man rätselte noch immer darüber, wie der Bau der romanischen Abteikirche wirklich abgelaufen war, und der Name des Baumeisters hatte die Jahrhunderte nicht überdauert.

Was für ein Meisterwerk der Baukunst und der Mystik! dachte sie, während sie ein paar Skizzen studierte. Alles hat seine Bedeutung, nichts ist dem Zufall überlassen. Was für eine Reinheit, welche Harmonie! Jahrzehntelange Bauzeit, und kein Hinweis auf den Ablauf der Arbeiten. Warum hat man die alte Kirche nicht zerstört, Notre-Dame-Sous-Terre? Kann es sein, daß der enthauptete Mönch damit zu tun hat? Alles ist Legende – die Legende vom Kampf gegen den Tod und die Mächte des Bösen: die Entstehung des Berges, die Ankunft der Benediktiner, die riesigen Gebäude, die ständige Feindschaft zwischen Normannen und Bretonen, der Hundertjährige Krieg... Unglaublich, der Hundertjährige Krieg auf dem Berg...

Sie schaute auf die Mauern, die sie umgaben; sie stammten aus jener Zeit.

Die ganze Normandie war in den Händen der Engländer gewesen, dachte sie, einschließlich der benachbarten Insel Tombelaine – bis auf den Berg, der standhielt und niemals fiel. Die Belagerung dauerte dreißig Jahre. Und zu Beginn dieser Belagerung stürzte mitten während des Gottesdienstes der romanische Chor der Abteikirche ein und begrub die Mönche unter sich. Der Chor, der dreißig Jahre später in gotischem Stil wieder aufgebaut wurde. Der Berg wurde von den Rittern des Königs von Frankreich und von den Mönchen verteidigt, die den Angreifern nie nachgaben, und das trotz des Verrats ihres Abts Robert Jolivet, der zu den Engländern überlief und später für den Tod Jeanne d'Arcs votierte. Das ist doch alles unglaublich! – Der Berg ist mehr als nur eine Kirche: Ganz wie sein Erzengel ist er das Symbol der kriegerischen Auseinandersetzung, für den Einzelnen wie für die Gemeinschaft...

Sie senkte den Blick wieder in das Buch, nachdem sie ihre Brille zurechtgerückt hatte, und las: »Nach der Niederlage von 1870 verdankte der Berg seine Rettung der laizistischen, antiklerikalen dritten Republik, die das Gefängnis schloß und die Abteikirche restaurierte, denn man sah in ihr eine Kokarde: das Emblem des Widerstands gegen den Besatzer und nicht einfach irgendeine Kathedrale …«

Ein Symbol für den Kampf gegen den inneren und äußeren Feind – das also war die heilige Burg. Jeanne wußte nicht, welche Dämonen auf sie lauerten, in ihr selbst und außerhalb, aber sie spürte, daß dieser Ort seine Angriffslust auf sie übertrug. Alles würde gutgehen. Sie mußte die wenige Zeit vor der Ankunft der anderen und dem Beginn der Ausgrabung nutzen für die Suche nach der geheimnisvollen Gestalt, die sie hierher gelockt hatte. Gleich morgen früh würde sie in Avranches in den alten Handschriften der Abtei forschen. Möglicherweise fand sie dort einen Hinweis auf den kopflosen Mönch oder auf Morde, die im Kloster verübt worden waren.

Zuvor aber würde sie sich Notre-Dame-Sous-Terre einmal allein anschauen. Es sei denn, er würde sie heute nacht erneut heimsuchen. Er würde ihr nichts tun, dessen war sie sich sicher. Sie würde daher auch keine Angst haben. Der kopflose Mönch war wie der Berg: Jenseits der Zeit erhob er sich, aufrecht und düster, unzerstörbar, voller Geheimnisse, und er sprach zu ihr wie ein ehrbarer Paladin, der gegen eine unsichtbare Macht ankämpft.

Jeanne stand auf und schloß das Fenster, aber nicht die weißen Läden. Sie wollte beim ersten Lichtstrahl erwachen, beim Anbruch des neuen Tages. Sie zog sich aus und stapelte die Bücher auf die gebrannten roten Bodenkacheln – alle bis auf eines, das sie offen neben ihren Kopf legte, aufgeschlagen auf der Seite mit dem Gelübde, das die Ritter des Michaels-Ordens 1469 nach dem Hundertjährigen Krieg abgelegt hatten:

»Zu Ehren und Empfehlung unseres Herrn Sankt Michael, dem ersten Ritter, der im Kampf Gottes siegreich gegen des Menschengeschlechtes Erzfeind stritt und ihn aus dem Himmel vertrieb, und der seine Stätte und sein Heiligtum, genannt der Mont-Saint-Michel, stets glücklich bewahrte, beschützte und verteidigte, so daß es nicht unterworfen wurde oder in die Hände der Erzfeinde unseres Königreiches gelangte!«

In der unterirdischen Krypta war es erstaunlich hell. Die Sonne – wenn man die fahle Scheibe, die Jeanne geweckt hatte, überhaupt so nennen konnte – hatte ihr nach einer äußerst kämpferischen Nacht Frieden gebracht: Im Kettenhemd und mit dem Langschwert in der Faust hatte sie gegen geflügelte, hörnerbewehrte Engländer gefochten, die Bärte und lange Schwänze trugen und nacheinander aussahen wie Paul, François, Isabelle, ihre Chefin im Forschungsbüro, Hugo von Semur, ein Ex-Geliebter, Judith de Bretagne, ihre Mutter und gar wie ein Baby: ihr seliger Bruder Pierrot. Dann hatte sie, reglos in einer Ecke kauernd, eine steinerne Kommandeursstatue mit den Zügen von Christian Brard angestarrt, und hinter dieser Statue hatte sich der rötliche Umriß des Mont-Saint-Michel erhoben, der gerade den letzten Glockenturm von Cluny niederdrückte. Danach hatte sie sich in einem Kerker gesperrt gesehen, mit Eisenketten an den Füßen, in Erwartung des Scheiterhaufens, der inmitten des Dorffriedhofs errichtet worden war. Dort hatten sie Skelette in zerfetzten Wollkutten umringt, die auf lateinisch Sätze aus ihrer Doktorarbeit heruntergeleiert hatten. All ihre Vertrauten waren da, alle außer dem, den sie erwartet hatte.

Noch vom Bett aus hatte sie schweißgebadet François auf seinem Handy angerufen und ihm auf die Mobilbox gesprochen, daß sie am frühen Abend in Paris sein würde. Lange hatte sie auf den Schlüsselbund der Abtei gestarrt, der auf dem Kaminsims lag: ein Ring aus verrostetem Eisen mit zahlreichen schweren Schlüsseln, den die Angestellten des Denkmalschutzes am Gürtel trugen, so daß sie aussahen wie Gefängniswärter.

Seltsamerweise hatte sie keine Lust auf ihre ewigen Treter gehabt, ihre Jeans, den weichen Rollkragenpulli und ihren dicken Anorak, die Uniform, unter der sie ihre Weiblichkeit verbarg. Für ihren Besuch in Notre-Dame-Sous-Terre hatte sie elegant sein wollen. Zum Glück hatte sie in der Erwartung, der Verwalter würde sie zum Essen einladen, ein schwarzes Wollkleid eingepackt, Ballerinas, einen kurzen Tweedmantel und eine lange Kette mit grauen Bakelitperlen.

Ihr Bad war nur rudimentär ausgestattet und zudem lausekalt, aber wenigstens mußte sie es nicht mit dem Rest des Teams teilen; den anderen standen drei weitere Bäder im Stockwerk unter ihr zur Verfügung. Dieser Gedanke hatte ihre Laune aufgehellt.

In sechs Tagen würden fünf Personen anreisen: der altgediente Assistent von Roger Calfon, vor dem François sie gewarnt hatte, drei weitere Männer und – eine junge Frau. Jeanne war dankbar dafür, im Graben nicht mehr die einzige Vertreterin des weiblichen Geschlechts zu sein. Freilich durfte ihre neue Mitarbeiterin in ihr keine Rivalin sehen. Sie hatte noch sechs Tage, um sich auf die Leitung dieser interessanten Ausgrabung und vor allem auf die Führung schwieriger Menschen vorzubereiten, hatte sie sich gesagt, während sie sich die Lippen schminkte.

Anschließend hatte sie nicht die geringste Spur von Kaffee in der Küche gefunden. So würden also die ersten Einkäufe an ihr hängen bleiben, schließlich war sie ja auch die Chefin. Danach würde sie einen Plan aufstellen müssen, um die verschiedenen Erledigungen auf die Mitglieder des Teams zu verteilen, wobei Jeanne darauf achten mußte, daß die junge Frau nicht alle Hausarbeiten aufgebrummt bekam, so wie es ihr selbst vor zwei Jahren in der Anfangszeit in Cluny gegangen war.

Cluny… Der arme Paul! Als sie ihm einen Tag nach François' Besuch von ihrer vorübergehenden Versetzung auf den Berg erzählt hatte, war er sprachlos auf dem Bett sitzen geblieben, stumm und bleich wie ein Toter. Und dann war er so zornig geworden, wie sie es ihm niemals zugetraut hätte: Er hatte sie als skrupellose Karrieristin beschimpft, als undankbares Flittchen, während er in seine Klamotten geschlüpft war, das Gesicht krebsrot angelaufen. Dann hatte er die Tür hinter sich zugeschlagen.

Abends hatte sie ihn angefleht, sie in ein verrauchtes Bistro zu begleiten, und nach mehreren Runden Wodka hatte er ihr schließlich ihre Fahnenflucht verziehen, unter der Voraussetzung, daß sie wiederkommen würde, wenn ihre Zeit auf dem Berg beendet war.

In dieser Nacht, als sie allein in ihrem Bett gelegen und sich das Zimmer um sie gedreht hatte, hatte Jeanne begriffen, daß es in ihrem Leben fortan nur noch Platz für einen einzigen Mann gab: Dieser Mann hatte keinen Namen, keinen Kopf, keine reale Existenz, aber er war in ihrem Herzen gegenwärtiger als jeder andere. Er lebte seit Urzeiten in ihr, in ihrem Geist, ihrem Körper und ihrer Seele. Er hatte sie geformt wie ein Vater, zeigte sich ihr in ihren intimsten Augenblicken als Geliebter, wies ihr den Weg und ließ ihr doch alle Freiheiten wie ein Bruder.

Und er brauchte sie, davon war sie überzeugt.

Es war, als sähe sie ihn zum erstenmal wirklich. Befreit von Beklemmung und Unsicherheit hob Jeanne den Blick und richtete ihn auf die Treppe. Sie lächelte. Sie hätte die beiden völlig identischen Altäre mit ihren Armen umfangen mögen, den Granit der Pfeiler streicheln, sich ganz mit dem Geruch dieses Ortes durchtränken lassen, der der seine war. Er war nicht da, aber sie spürte ihn, dort oben, so nah!

»So, da bin ich also!« flüsterte sie. »Ich weiß nicht, wer du bist, ich weiß nur, daß du hier bist, in Notre-Dame-Sous-Terre. Ich weiß nicht, was du von mir willst, doch vielleicht bin ich es, die etwas von dir will. Wir sind miteinander verbunden, über das Zeitliche hinweg, das weiß ich, durch eine gegenseitige Erwartung, eine Hoffnung, eine Suche. Die Steine haben mir deine Kraft übermittelt, deinen Mut, deine Leidenschaft. Du bist es, nach dem ich gesucht habe, indem ich in der Erde grub, auf der Suche nach toten Gebeinen – du, der du nur ein verstümmelter Körper bist – verstümmelt wie ich …«

Plötzlich stürzte ein ihr unbekannter junger Mann in die Krypta und trat vor Jeanne hin. »Ah, hier sind Sie! Sie sind ja ein Frühaufsteher! Aber ich auch. Kelenn. Guillaume Kelenn. Ich stamme aus dem Dorf und bin Fremdenführer. Zu Ihren Diensten, Mademoiselle!« Er hielt ihr die Hand hin.

Jeanne fühlte sich überrumpelt von dieser plötzlichen Erscheinung und zuckte zunächst zurück, bevor sie sich wieder faßte und dem jungen Mann die Hand schüttelte.

»Angenehm«, antwortete sie ernst, »J …«

»Jeanne, ja – was für ein schöner Name!«

Sie ärgerte sich, daß sie in diesem persönlichen Augenblick gestört worden war, und hoffte, daß er nicht gehört hatte, was sie gesagt hatte.

Er mußte etwa in ihrem Alter sein. Es fehlte ihm nicht an Charme, mit seinem gut geschnittenen Caban, seinen langen, rötlich blonden Locken, die im Nacken zusammengebunden waren, seinem schmalen Schnurrbart und seinen großen grünen Augen mit bräunlichen Sprenkeln darin. Er hatte eine Adlernase und einen sehr langen Hals, was ihn aussehen ließ wie einen Geier, der sich als Dandy verkleidet hatte.

»Verzeihen Sie mir diesen Überfall. Ich wollte Sie nicht stören, wollte mich bloß unserer neuen Archäologin vorstellen – einer Spezialistin der romanischen Kunst, wie ich hörte – und nachfragen, ob ich Ihnen irgendwie behilflich sein kann – unter Fachleuten! Ich wollte Ihnen eine Führung durch meine Burg anbieten, bevor sie für die Besucher geöffnet wird, und alle ihre kleinen Geheimnisse mit Ihnen teilen.« Er zwinkerte Jeanne zu.

»›Ihre‹ Burg?« fragte Jeanne nach; dieser Typ ging ihr bereits auf die Nerven.

»Nur so eine Redensart natürlich. Wissen Sie, ich bin hier geboren, im Dorf, wie meine ganze Familie seit dem 9. Jahrhundert, was nicht so häufig ist, und seit über zehn Jahren mache ich Führungen durch die Abtei. Also … neige ich ein kleines bißchen dazu, sie als mein Zuhause zu betrachten. Das ist doch nicht so abwegig, oder?«

»Wahrscheinlich nicht. Danke für Ihren Vorschlag, aber ich werde ein andermal darauf zurückkommen. Ich muß nach Avranches in die Bibliothek und dann nach Paris, meine Sachen holen. Bedaure.«

»Ach, wie schade! Ich hätte Ihnen so viel erzählen können, was nicht in den Büchern steht und nicht in den Archiven zu finden ist. Ich wollte Ihnen die Seele der Anlage zeigen. Hier zum Beispiel. Wissen Sie, daß sie hier ist, haben Sie sie gespürt?« Er ging ihr auf die Nerven, aber was er sagte, begann sie auch zu interessieren.

»Ja«, flüsterte sie, »ich … Das heißt, ich weiß nicht. Die Stimmung in Notre-Dame-Sous-Terre ist so besonders …«

»Weil hier der Ursprung ist!« antwortete er immer eifriger. »Diese Krypta war eine Kirche, von den Bretonen erbaut, und zwar an der Stelle der Andachtsstätte von Aubert. Dort drüben sieht man noch ein Stück Mauer davon, aber vorher war hier ein keltischer Tempel.«

»Ja, das habe ich gelesen«, bestätigte sie enttäuscht. »Aubert hat auf einem alten megalithischen Grabhügel gebaut, den die ersten Missionare geschleift hatten ...«

»Aber damit ist doch alles gesagt!« entschied er mit hochgerissenen Armen und feurigem Blick. »Meinen Sie, meine Vorfahren, die Kelten, hätten die Lage ihrer Heiligtümer zufällig ausgewählt?«

»Ich dachte, Ihre Familie stammt seit Urzeiten vom Mont-Saint-Michel her«, warf Jeanne mißmutig ein.

»Eben – also bin ich Bretone!« Seine Stimme überschlug sich fast, als er fortfuhr: »Diese Verbrecher von Normannen haben uns den Berg 933 gestohlen, aber wir waren vorher hier, und wir waren Kelten!«

Jeanne seufzte. Solches Jahrtausende alte Hickhack ermüdete sie. »Ich dachte, der Berg war seit dem 6. Jahrhundert christlich?« gab sie zu bedenken.

»Christlich, ja, aber bewohnt von Kelten. Ich spreche von einem Volk, nicht von der Religion. Ein eigenes Volk, mit seiner Geschichte, seinen Wurzeln, seiner Physiognomie, gemeinsamen Traditionen. Im übrigen kam Aubert aus der Gegend von Avranches, die bis 933 zur Bretagne gehörte, und seine Kanoniker dienten zwar dem Erzengel, aber auch sie waren Kelten. Die normannischen Benediktiner mußten den Berg 966 erst erobern und sie vertreiben!«

»Nach dieser ganzen Zeit sind Sie dann ja jetzt wohl doch Normanne, oder?«

»Jetzt beleidigen Sie mich aber!« rief er voller Leidenschaft und reckte das Kinn hoch wie ein in seiner Ehre verletzter Ritter. »Meine Familie bezeichnet sich als normannisch, aber ich weigere mich, zu diesen Wilden zu gehören, die sich als scheinheilige Weisen verkleideten, unser Land besetzten und versuchten, unsere Kultur zu zerstören!«

Jeanne hätte am liebsten losgelacht. Unter großer Anstrengung hielt sie sich zurück, denn vielleicht konnte ihr dieser Verrückte ja etwas über ihren kopflosen Mönch erzählen.

»Auch die Normannen haben phänomenale Arbeit geleistet«, sagte sie versöhnlich. »Man braucht sich nur mal hier umzuschauen.«

»Das will ich Ihnen gern eingestehen«, murmelte er und beruhigte sich etwas. »Tag für Tag erkläre ich es den Touristen: In Wirklichkeit haben sie etwas Wunderbares aus einem magischen Ort gemacht, der ihnen nicht gehörte.«

»Magisch? Wie Notre-Dame-Sous-Terre?« fragte sie ein bißchen dümmlich; sie hoffte, daß er noch ein wenig mehr über die Geschichte der Krypta erzählte.

»Diese Krypta ist nicht einfach nur eine Kapelle!« erklärte er schließlich. »Sie haben das keltische Heiligtum, das vorher hier stand, völlig niedergerissen, aber man spürt noch seine Seele. Im übrigen hatten alle keltischen Tempel zwei völlig identische Teile, mit zwei doppelten Altären für die Blutopfer. So wie Aubert 708 die Kreisform der Grotte vom Monte Gargano imitierte, indem er eine runde Höhle schaffen ließ, so übernahmen seine Kanoniker im 10. Jahrhundert das keltische Architekturprinzip, als sie dieser Kirche einen doppelten Chor und ein doppeltes Schiff gaben, verstehen Sie? Es war eine Art Ehrerweisung an ihre Ahnen, obwohl sie durch und durch Christen waren. Ihr Volk hatten diese Leute nicht vergessen, obwohl sie die Religion gewechselt hatten.«

Auf einmal schlug Guillaumes Wissen Jeanne in den Bann. Sie bedeutete ihm, weiterzusprechen, was er auch gern tat, ohne sich lange bitten zu lassen.

»Die Druiden feierten hier ihre Toten und heilten die Lebenden. Wir stehen genau an einer Stelle, an der sich wichtige irdische Strömungen kreuzen, das hat die sakrosankte Naturwissenschaft nachgewiesen. Ja, an diesem Ort herrscht die übernatürliche Macht der Erde. Die Druiden verehrten hier den Gott Ogmios, den Gegenpart des Gottes Dagda, der drüben auf dem Mont Dol verehrt wurde: Ogmios ist der Herr der Toten, der Gott des Krieges, der Zauberei, und er geleitet die Seelen der Verstorbenen in die andere Welt – erinnert Sie das an irgendwas?«

»Psychopompos, der Führer und Beschützer der Seele der Toten auf dem Weg in den Himmel – der heilige Michael natürlich«, antwortete Jeanne perplex.

»Ganz genau, der heilige Michael! Und das ist alles andere als ein Zufall!« Guillaume bekam ganz rote Wangen, während er weitersprach. »Das bedeutet: Die Christen haben unsere Traditionen nur übernommen und mit ihren Mythen ein neues Süppchen gekocht, und das so gut und mit so viel Begeisterung, daß wir darüber den eigentlichen Ursprung vergessen haben, unsere eigene Kultur! Ich könnte Ihnen noch viele andere Beispiele nennen: der Kampf des heiligen Michael gegen den Drachen, der nur eine Variation einer unserer Legenden ist – ›Der Hirte und das Ungeheuer‹ –, dann das Totenfest und Samain ... Ach ja, und der Schädel des heiligen Aubert, zu dessen Anbetung die Gläubigen in Notre-Dame-Sous-Terre kamen: Wenn Sie nach Avranches fahren, sollten Sie sich diesen Schädel in der Saint-Gervais-Kirche anschauen, wo er in seinem goldenen Schrein aufbewahrt wird, statt sich in einer normannischen Bibliothek zu vergraben.«

»Ein Schädel? In Notre-Dame-Sous-Terre? Aubert?« wiederholte sie und wurde bleich.

Guillaume trat dichter an sie heran, beugte sich über ihre Schulter, und vor der Treppe stehend, die der kopflose Mönch hinaufgestiegen war, flüsterte er ihr ins Ohr: »Sehen Sie diese Stufen dort vor uns, über dem Dreifaltigkeitsaltar, die zu der hölzernen Tür unter dem Deckengewölbe führen?«

Jeanne stockte der Atem: Die Treppe und die Tür waren genau die gleichen wie über dem zweiten Altar, dem Altar der Jungfrau Maria.

»Nun«, fuhr er fort, ohne eine Antwort abzuwarten, »diese Stufen gehen hinter der Tür weiter, bis hinauf ins Schiff der großen Kirche. Und nebenan ist es genauso. Heute sind die beiden Durchgänge zugesperrt, aber im Mittelalter benutzte man sie, wenn man den Wallfahrern, die in der Krypta knieten, den Schrein mit den Reliquien des Aubert präsentierte, des Klostergründers, der im Chor der Abteikirche ruhte. Dieser Schrein enthielt einen Arm und einen Kopf, angeblich von Aubert. Die Kanoniker hatten sie bei der Ankunft der Benediktiner versteckt, und wie durch Zufall fanden die ihn ausgerechnet wieder, als sie Geld brauchten, um den Bau der großen romanischen Abteikirche zu finanzieren. Dieser Schädel weist eine äußerst erstaunliche Besonderheit auf:

Wenn man der Legende folgt, soll er auf der Stirn das Mal vom Finger des Erzengels tragen, das dieser bei seiner dritten Erscheinung hinterließ, einen Engelsstoß. Aber Sie müssen wissen, daß das leider nicht Auberts Schädel ist, und das Loch im Schädel befindet sich auch nicht in der Stirn, sondern auf der rechten Seite, fast ganz oben auf dem Kopf. Sehen Sie sich den Schädel in Avranches nur selbst an, in der Saint-Gervais-Kirche. Dort wird er immer noch als echte Reliquie des Aubert präsentiert. Und wissen Sie, warum sich das Loch auf der Seite befindet und nicht auf der Stirn? Weil es ein keltischer Schädel ist, wahrscheinlich aus der Jungsteinzeit oder der Frühzeit der christlichen Ära, und er trägt nicht das Mal irgendeiner Erscheinung, sondern das eines heiligen Trepanationsritus, den die Druiden an ihren Toten durchführten!«

# 8

Erfüllt von Furcht und Zweifel hebt Roman den Blick zum doppelten steinernen Stufenhimmel. Er betet. Er möchte die gleichgestaltigen Altäre mit eigenen Händen niederreißen, den Granit der Pfeiler zum Bersten bringen, den heiligen Ort niederbrennen und diesen Geruch vertreiben, der ihn umgibt.

»Heiliger Erzengel«, fleht er beschwörend, »führe mich! Welchen Weg soll ich nehmen? Soll ich dieses furchtbare Geheimnis für mich behalten? Ich… ich könnte die Zeichnungen meines Meisters auf dem Papier verändern, könnte diese Kirche erhalten, von der aus ich dich anrufe. In einen Säulenwald auf dem Grund des Felsens müßte ich sie verwandeln, so daß sie das Langschiff der großen Abteikirche trägt, die sich genau über mir erheben wird. Die Martinskapelle an der Flanke des Hügels sollte als äußere Abstützung für die Kirchenmauern dienen. Die einzig mögliche Lösung wäre es, die Kapelle abzureißen und diese Kirche, wie sie ist, als Krypta und Unterbau des Langschiffs zu nutzten, eine unterirdische Krypta ohne Licht. Natürlich müßte man dieses Mauerwerk verstärken«, Roman schaut um sich, »die Südmauer verdoppeln, den Mittelpfeiler dicker ummauern und im Westen anbauen, damit sie die Joche der Kirche tragen kann, ohne selbst einzustürzen. Für all das muß man nicht in der Erde graben. Aber man muß Hildebert überzeugen! Ich könnte vielleicht mit der Aubert-Höhle argumentieren, die sich an dieser Stelle befand. Ihren geheiligten Geist würden wir zugleich mit den Mauern zerstören. Soll ich das tun? Soll ich diese Kirche erhalten? Mein Meister, Pierre de Nevers, hatte das nicht vor! Mein Meister, mein geliebter Vater, wie fehlt Ihr mir doch…«

Roman schließt die Augen. Er spürt die Pergamente des Pierre de Nevers an seiner Brust unter der Kukulle. Ihm ist, als würden ihm die Skizzen auf der Haut brennen, in sein Blut dringen, sich in sein Herz graben. Plötzlich richtet er sich auf, das Gesicht hellrot angelaufen.

Er steht in der Kirche und mustert die schwarze Marienstatue, als wäre sie ein menschliches Wesen – oder aber ein Ungeheuer, das aus der Dunkelheit aufgestiegen ist und gegen das er allein zu kämpfen hat, mit seinem Meßstab als einzigem Schwert. Er läßt seinen Baumeisterstab fallen, der ihm seit mehreren Tagen nicht mehr als Gehstock dient. Dann fällt er vor dem Altar auf die Knie.

»Geliebter Meister!« ruft er, den Kopf in den Armen verborgen. »Ich bin unfähig, Euch zu verraten! Ruht in Frieden an der Seite des Herrn! Alles wird nach Eurem Willen geschehen! Ich liebe diese Frau! Ja, ich liebe sie in einer keuschen Liebe, ohne jede Befleckung des Fleisches. Diese Liebe quält mich, aber ich kann nicht gegen sie ankämpfen, sonst würde ich mich selbst vernichten. So nehme ich sie denn an als Geschenk des Himmels, der mich auf die Probe stellt. Ich liebe darum Gott und die Engel nicht weniger, denn ich liebe diese Frau wie eine verlorene Schwester, die ich mit Gott und den Engeln versöhnen muß. Ich schließe sie ein in meine Anbetung des Allmächtigen. Ich versuche, ihr den Frieden zu bringen. – Verführt von den Ketten ihrer Sklaverei, verlangt sie von mir einen falschen Liebesdienst, der auch mich zum Sklaven machen würde, indem ich wider das Gedächtnis meines Herrn handelte. Nein, ich kann es nicht! Heilige Mutter«, flüstert er der Statue zu, »hilf mir, du, die du Frau bist! Hilf mir, Moïra zu eröffnen, daß ihre Sache verloren ist! Heute abend gehe ich nach Beauvoir. Gib mir die Kraft, damit ich vor ihr nicht schwach werde, wenn ich ihr den Sinn ihres Lebens raube, wenn ich ihr Vergangenheit und Zukunft entreiße. Sie ist eine Waise, die ihre Eltern verloren hat – heute abend wird sie eine Waise ihres ganzen Volkes sein!«

Das Wasser ist von der Farbe der Tinte, die die Mönche im Skriptorium verwenden. Der kleine Teich, den der Frühling mit grünen Büscheln ziert wie eine Buchmalerei, ist für Moïra wie eine Ausgabe der heiligen Schrift: Jeden Morgen liest sie darin die Legende, die ihr Volk im Laufe der Jahrhunderte geschaffen hat. Das Moor ist heilig, denn gleich einem Buch ist es eine Pforte: ein Durchgang in eine Welt, in der die Zeit besiegt ist, wo in goldenen und kristallenen Palästen unsterbliche Wesen hausen, die manchmal herniederkommen, um die Lebenden zu holen und sie auf einer gläsernen Barke in den ewigen Frieden zu geleiten.

Stundenlang beschaut Moïra die Fläche des schwarzen Wassers und wartet, daß ein Gott ihr den Eingang zur Gesellschaft der Freuden und Wonnen weist, denn sie weiß, daß dort ihr Vater weilt. Doch die Helden bleiben am Grund des Sees und ihren Blicken verborgen. Niemals werden sie Moïra in den Sid mitnehmen, denn sie ist eine Frau.

Wie ihre Mutter wird auch Moïra in einem anderen Körper in die Menschenwelt zurückkehren, und ihr innigster Wunsch kann nur sein, daß ihre Seele eines Tages als Mann wiedergeboren wird, dessen Taten ihr die Pforte der Götter öffnen werden. Sie sieht sie nicht, aber sie spürt sie, wie sie unter dem Wasser hocken und sie anschauen. Manchmal senden sie ihr ein Zeichen: Beim Tod ihres Vaters ist ein Hund als Bote in die Hütte von Beauvoir gekommen und hat sie und ihren Bruder hierher geführt. Über dem Teich schwebte ein Rabe: Morrigan, die Muttergöttin, die Fee des Todes und der Fruchtbarkeit, die über die Schlachtfelder fliegt, um die künftigen Toten auszuwählen und sich mit den Helden zu vereinen. Brewen und Moïra verstanden, daß sie ihren Vater erwählt hatte, daß sie ihn in den Sid geleitet hatte und daß sie den Geistern des Moores zum Dank ein Opfer darbringen mußten. Moïra fragte sich zugleich, ob die Unglücksbotin nicht auch gekommen war, um sie vor einer Gefahr zu warnen.

Seit ihrem letzten Treffen mit Roman ist sie davon überzeugt, zumal der Rabe wiedergekehrt ist und am Ufer des Teiches gekrächzt hat. Brewen sagte ihr mit seinen Gebärden, wenn die Schnitterin sie umschleiche, dann deshalb, weil Moïra großes Unheil drohe. Doch die junge Frau kann an nichts anderes denken als an das Geheimnis, das sie Roman anvertraut hat.

Heute morgen hat sie ihre Brauen schwarz gefärbt, ihre Wangen rosa gepudert, hat ihre Haare zu langen Zöpfen geflochten, die sich wie ein Stickereibesatz um ihre Schultern winden. Sie ist in einen großen krapproten Wollmantel gehüllt, der Farbe der Weisheit, aber auch des Krieges. Dieser Umhang gehörte ihrem Vater, und nie hat sie gewagt, ihn zu tragen, aber an diesem Tag ist alles anders: Moïra muß selbst das Symbol der beiden größten Stärken sein, über die ihr Volk verfügt, um sich an die Götter wenden und sie um Hilfe bitten zu können: Sie muß Erkenntnis und Kampfgeist verkörpern.

Während sie so am Ufer steht und auf das schwarze Wasser starrt, faßt sie mit den Händen in ihren Nacken und nimmt ihr Taufkreuz ab, ein kleines hölzernes Kreuz an einer feinen Kordel. Sie hält es vor ihre Augen, dann wirft sie es auf einmal ins Wasser. Ihre Vorfahren boten als Opfergaben einst die aufgebogenen Schwerter des besiegten Feindes dar oder den gefesselten lebendigen Leib des Rivalen, während die Sieger in der Schlacht auf Schädeljagd gingen und den toten Gegnern die Köpfe abhieben, die sie als Siegestrophäe an die Hälse ihrer Pferde banden. Sie dagegen möchte Kopf und Körper ihres Feindes küssen, der vielleicht ihr Retter wird, wenn er nur seine eigene Waffe fahren läßt, dieses christliche Symbol, das die Götter des Sid besiegen können.

Moïra nimmt einen winzigen Gegenstand aus ihrer Tasche, den sie einst von ihrem Vater erhalten hat; in der vergangenen Nacht hat sie ihn aus seinem Versteck geholt.

Es ist ein Kreuz aus Gold und Knochen, das das gesamte kosmogonische und metaphysische Wissen der Druiden zusammenfaßt, ein Kreuz, auf dessen vier gleich lange goldene Enden kleine geometrische Zeichen graviert sind, die zur Schrift der Druiden und des Gottes Ogmios gehören: die Ogma-Zeichen. Die Symbole stehen für die vier Elemente, unten das Wasser, oben das Feuer, rechts die Luft, links die Erde. Die Enden des Kreuzes stehen auf vier konzentrischen Kreisen: Der kleinste ist der Kreis von Gweennwed, der den Aufstieg der Seele zu den Göttern symbolisiert; der zweite ist der Kreis von Annouim, der Kreis des Abgrunds; der dritte, der Kreis von Abred, steht für das Los, in dem sich Gut und Böse die Waage halten; der Kreis von Keugant schließlich, der größte der vier, ist der, aus dem die Seelen als Funken austreten, um ihre Wanderung zu neuen Körpern aufzunehmen.

Diese vier Kreise sind auf ein kreisrundes Knochenstück gezeichnet, das in das Gold eingepaßt ist: ein Amulett, das auf den Urquell ihres Volkes zurückverweist. In jener Zeit vollzogen die Druiden auf den Schädeln der gefallenen Krieger den Ritus der Trepanation: Sie bohrten eine kleine Scheibe heraus, die den Kämpfern Kraft und Mut verlieh, während man die Toten mit durchbohrtem Schädel fröhlich begrub.

Moïra küßt das Druidenkreuz und hängt es sich um den Hals. »Ogmios!« ruft sie, die Arme zum Himmel gereckt und den Blick aufs Wasser gerichtet. »Gott des Krieges, Herr der Beredsamkeit, der Schrift und der Zauberkraft, König im Reich der Toten, Seelengeleiter der Verstorbenen! Deine Heimstatt ist in Gefahr! Ogmios, du Greis mit dem Löwenfell, unser Feind trägt kein Schwert. Er ist ein Krieger des Wortes, er kämpft um die Liebe, und sein Schlachtfeld ist eine steinerne Burg, die in den Himmel wachsen soll – nachdem er in der Erde des Berges gegraben hat! Diese Opfergabe, die ich dir dargebracht habe, dieses Kreuz ist seine Waffe. Ogmios, zerstör ihn nicht, denn ich liebe seine Liebe. Aber suche ihn heim, sprich die Zauberworte, die ihn vom Graben abhalten. Er soll aufhören zu kämpfen. Er soll überwunden und doch nicht unser Feind sein!«

Ein paar Schritte hinter einem Baum wird eine Biene, die laut summend das Erblühen ihrer liebsten Blumen feierte, mit einer Handbewegung verscheucht. Ein Paar schwarzer Augen späht begierig nach der jungen Frau. Beim Klang ihres Gebets an Ogmios wirft sich der in eine Kutte gehüllte Körper an den Stamm und unterdrückt einen Schrei.

Er ist ihr verfallen, während sie Bruder Roman pflegte, aber an diesem Morgen erst erkennt er sie wirklich. Diese Entdeckung bestürzt ihn, wenn auch freilich nicht so sehr wie die Liebe zwischen Roman und ihr, die er vor ein paar Nächten auf der Schwelle der Martinskapelle entdeckt hat. Almodius selbst hat die Frauen nie beachtet.

Seine Eltern brachten ihn in die Abtei, als er drei Jahre alt war, und spendeten eine bedeutende Geldsumme, und so hat er an seine Mutter keinerlei Erinnerung. Seine Familie bestand in einem einzigen Wort: Kloster. Die einzige Frau, die dort Zutritt hatte – und im 11. Jahrhundert war sie da noch sehr zurückhaltend –, war die Jungfrau Maria, und Almodius war dort aufgewachsen in Vollkommenheit, vor Augen nichts als seine zwangsläufige Berufung, umgeben allein von Männern. Als er das Mannesalter erreichte, fragte ihn der Abt wie alle Oblaten, ob er in sein weltliches Jahrhundert heimkehren wolle. Doch Almodius war begeistert von Büchern und dem Glauben, und so beschloß er, als Novize in der Abtei zu bleiben, um später sein Gelübde abzulegen und Mönch zu werden.

Die Bücher, die er las und dann so sorgfältig kopierte, eröffneten ihm wohl, daß es Maria Magdalena und ein paar frühchristliche Märtyrerinnen gegeben hatte, die in der Arena umgekommen waren, von den Löwen verschlungen, weil sie ihren Glauben an Jesus nicht widerrufen hatten, aber ihre mystische Macht berührte ihn nicht. In den weiblichen Schäfchen der Herde der Gläubigen sah der Herr des Skriptoriums während der Messe nur gebärende Wesen, und wie so mancher seiner Zeitgenossen fragt er sich gar, ob Gott diesen Geschöpfen überhaupt eine Seele verliehen hat.

Als Almodius in der Hütte von Beauvoir zum erstenmal Moïra begegnete, war die Erschütterung vollkommen: Die Verachtung, die er für die Frauen empfand, war dieselbe geblieben, aber sein Körper wurde von einer ungekannten Empfindung der Raserei ergriffen – eine heftige körperliche Anziehung, ein wilder Instinkt, ein Besitzverlangen, das sich zur Obsession wandelte. Der Leib des Unterpriors schien vom Teufel besessen, und der Grund dafür war diese Frau, die er haßt, schon von Natur und erst recht unter den gegebenen Umständen. Jedesmal, wenn er ans Krankenbett des Werkmeisters kam, erlitt er die schlimmste Folter: Hin- und hergerissen zwischen seinem sinnlichen Begehren für die junge Frau und seiner moralischen Pflicht gegenüber dem Verletzten, mußte er all seine Kraft aufbringen, um seine krankhafte Neigung zu verbergen. Er hätte seinen unglücklichen Bruder umgehend den Krallen dieses Teufelsweibs entreißen mögen, genauso wie er an seiner Stelle hätte liegen und in diesem Bett hätte dahinsiechen mögen, als leichte Beute für Moïras Fänge.

Ja, trotz Romans Verletzungen beneidete er ihn um sein Los – und sobald der erkennen ließ, daß er leben würde, ließ Almodius ihn umgehend ins Kloster holen, ihn von diesem Weib entfernen, wie er selbst sich auch von ihr zu entfernen meinte.

Doch die Teuflin läßt ihn nicht in Frieden: Tag und Nacht quält sie ihn, bläst ihm ein feuriges Gift ins Gesicht, das seinen Willen lähmt, seine Phantasie aufstachelt und von seinem Fleisch Besitz ergreift wie ein reißendes Raubtier. Da er nicht wußte, wie er sich von der Kerkermeisterin seines Leibes befreien sollte, begann er, am Ende seiner Kräfte angelangt, ihr heimlich nachzuspionieren. Da ihn seine Stellung als Unterprior von der Klausur des Klosters befreite, stieg er auf ein Pferd, sobald seine Pflichten es ihm erlaubten, und galoppierte nach Beauvoir, wo er sich im Dickicht verbarg wie ein gemeiner Wegelagerer und das Kommen und Gehen der Verbrecherin überwachte.

So hat er auch Moïras täglichen Gang zum Teich entdeckt. Er hoffte, sie dort nackt beim Bade zu sehen, aber niemals berührte sie dieses Wasser: Sie betrachtete es wie Narziß seinen Spiegel, blieb stundenlang stehen und bewunderte ihre dämonische Schönheit. Allein ihr Bruder, der Taubstumme, tauchte eines Tages seine Hände in die stille Flut und stieß furchtbare Laute aus, die wie das Krächzen eines Raben klangen.

Nur durch Zufall wurde Almodius zum unglücklichen Zeugen der Verbindung zwischen Moïra und Roman: An jenem Abend suchten ihn, wie häufig seit seiner frühesten Kindheit, höllische Visionen heim, und er erwachte vor Vigil und stand auf, um dem unschuldigen Schlaf seiner Brüder zu entfliehen. Der wütende Sturm draußen glich seinem Seelenzustand, und so fand er in der entfesselten Natur Zuflucht, ohne etwas zu spüren von der Kälte der Nacht, dem Regen, in voller Harmonie mit dem Schäumen des Meeres und dem Wüten des Windes. Dann beschloß er, für seine Alpträume zu büßen, wollte seine Verfehlungen Gott gestehen und sein Fleisch mit Hilfe der Geißel vom Verlangen nach dieser Frau reinigen, wie er es immer tut, sobald die Versuchung ihn zu sehr quält.

Hildebert hat seinen Söhnen die Selbstkasteiung verboten: Für ihn wie für die meisten seiner Zeitgenossen ist die Passion vor allem ein Akt der Liebe und nicht der Folter, und Geistliche, die sich freiwillig Qualen zufügen, sind seiner Ansicht nach eitle Eiferer, die sich in selbstischem, nutzlosem Leiden selbst verherrlichen, statt Gott in der Liebe zu jenen Menschen zu dienen, die gegen ihren Willen darben.

Darum hat Almodius im Kabinett neben dem Skriptorium, das ihm als dessen Leiter zusteht, einen verborgenen Hohlraum eingerichtet, in dem er seine Geißel verbirgt. Um dorthin zu gelangen, mußte er an der Martinskapelle vorbei.

Zuerst glaubte er, den Schatten eines Gespenstes zu sehen, und konnte sich gerade rechtzeitig hinter einem Strebepfeiler der Kapelle verstecken. Und tatsächlich wäre er lieber einem Geist aus dem Höllenschlund begegnet, ja, dem König der gefallenen Engel selbst, statt am Boden zerstört in völliger Machtlosigkeit der widerlichen Szene zwischen diesen beiden beizuwohnen, die er sofort für Geliebte hielt.

Er war naiv wie ein Novize: Diese Kreatur hat seinen Bruder wochenlang an ihrem Busen gehegt, in ihrer Höhle, ohne jeden Zeugen. Ein bettlägeriger Kranker – welch einfache Beute! Der Teufel kennt keine Skrupel, er schlägt die Klauen in sein Opfer. Wie hat sie es wohl angestellt, ihn zu verführen?

Roman ist adelig wie Almodius selbst, aber er ist kein normannisches Kind, das als Dreijähriges in ein Kloster gebracht und dort eingesperrt wurde: Er ist fernab von diesem Land geboren, hat mit seinem Meister Pierre de Nevers die Welt gesehen, hat die Täler durchzogen, die Meere – und ist vielleicht sogar mit Frauen in Berührung gekommen! Er muß Moïra von fernen Ländern erzählt haben, und sie hat ihm das ihre geschenkt, das der Sünde und Verderbtheit. Nachts läßt sie die Schwefelschwaden ihrer magischen Reize bis ins Herz des heiligen Berges dringen, bis an die Stätte des Allerhöchsten!

Mehrmals hätte Almodius im Bußkapitel fast davon gesprochen, um Roman vor der ganzen Gemeinschaft zu denunzieren. Doch jedesmal hielt ihn eine innere Stimme davon ab: Zuchtlosigkeit ist für einen Mönch eine sehr schwerwiegende Sünde, für die Roman teuer bezahlen müßte, aber eben nur er selbst: Die, die ihn vom rechten Wege abgebracht hat, käme ungeschoren davon. Dabei ist sie es, die gestraft werden muß. Sie, die eigentliche Schuldige, diese Eva, die dem unseligen Adam den Apfel reichte. Sie, der Quell allen Übels auf der Erde. Sie, die mit Roman Unzucht treibt und die Almodius verhext hat. Sie ist es, die für alle Zeit von dieser Welt getilgt werden muß.

Einer geheimnisvollen Eingebung folgend hat der Unterprior also die Überwachung von Moïra verstärkt und zugleich Roman im Auge behalten. So weiß er, daß sie seit jenem verhängnisvollen Abend in der Fastenzeit nicht wieder auf den Berg gekommen ist und daß sie – es sei denn, sie hätte Almodius' Wachsamkeit durch irgendwelche Zaubereien getäuscht – ihren Liebhaber seit Wochen nicht gesehen hat.

Und wie zum Beweis für den verheerenden Einfluß dieser Frau scheint Roman in Moïras Abwesenheit wieder zu Kräften zu kommen: Er hört allmählich auf zu humpeln, er ist weniger bleich, und er gibt sich ganz seinem heiligen Auftrag hin, dem Bau der großen Abteikirche. Tag und Nacht ist er über die Zeichnungen seines Meisters gebeugt, einen Griffel in der Hand, sicherlich um alle Last- und Schubkräfte nachzurechnen, die auf die Steine wirken. Ohne sie ist Almodius' Bruder wieder auf dem Weg des Lichts, und Almodius ist befriedigt, genau wie seine Eifersucht.

Sie dagegen leidet offensichtlich Qualen, wird heimgesucht von den Schatten, die in ihr wohnen: Ihr Gesicht, sonst von der Lebendigkeit der Hetären, ist leichenblaß, der Blick ihrer grünen Augen hat sich verdunkelt, und er scheint im Blattwerk der Bäume und im Lehm des Weges zum Teich nach der Antwort auf eine unlösbare Frage zu suchen.

Als sich der Unterprior an diesem Morgen von seinem ersten Schrecken erholt hat, fühlt er sich von reicher, strahlender Freude umflossen, als wäre er in ein Meer der Glückseligkeit eingetaucht. Der Kampf, den er führt, ist nicht nur der der Keuschheit gegen die Ausschweifung – nein, er geht weit darüber hinaus. Mit diesem Kampf beauftragt ihn der Engel selbst, denn es ist der Kampf der Christen gegen das höchste Übel: das Heidentum, den falschen Glauben!

Diese Frau ist weit mehr als nur eine fleischliche Versuchung, sie ist die Verkörperung des alten Glaubens, sie ist – der Teufel selbst!

Almodius lehnt an der Eiche und beobachtet, wie sich Moïra entfernt. Er lächelt. Er dankt dem heiligen Michael, der ihm die wahre Natur dieser Frau offenbart hat und den wahren Einsatz der Schlacht, die er wird schlagen müßen. Eine Schlacht der Vorsehung, für die er gewappnet ist; sie wird ihn ein für allemal von seiner verderblichen Leidenschaft für Moïra befreien.

Das Feuer der Rache leuchtet in seinen Augen. Nein, das, was mit Roman und ihm geschehen ist, ist undenkbar für einen Benediktiner, den besten Diener Gottes, die Elite der Menschheit! Sein Bruder wurde verhext, Almodius muß ihn erretten.

Und doch verdient auch Roman eine Züchtigung, denn er hat dem Geist des Bösen nicht zu widerstehen gewußt, hat ihm nachgegeben und durch seine Schwäche das Habit, das er trägt, beschmutzt. Er muß schwer gezüchtigt werden, dieser Nichtsnutz, diese Memme, dieser elende Feigling, der eine Kathedrale baut und sich zugleich im Morast suhlt! Nein, Almodius' Mitleid verdient er wirklich nicht. Auch er selbst war vom Zauber des Teufels verblendet, aber er hat sich selbst davon befreit, und er spürt in sich die kriegerische, die unbesiegbare Kraft des Erzengels. Kein Erbarmen für Verräter!

Sie dagegen, sie… Der Unterprior läuft zu seinem Pferd, sitzt auf und galoppiert zurück zum Berg.

Erleichtert darüber, daß er endlich eine Entscheidung getroffen hat, verläßt Roman die Kirche. Der ungewohnte und so lange herbeigesehnte Anblick, den ihm der Berg bietet, läßt ihm den Atem stocken: Vom Fuß bis an den Gipfel wimmelt er von Männern, die eifrig arbeiten wie die Bienen an ihrem Stock, und über das noch hochstehende Meer gleiten Dutzende von Booten voller Granitblöcke.

An den Abhängen erklimmt der Stein auf mächtigen Ochsenkarren mit niedrigen Rädern mühsam den Weg durch das Dorf. Weitere Fuhrwerke bringen das Holz für die Gerüste. Bei den Zisternen, in denen sich das Regenwasser gesammelt hat, stehen

Kalköfen und qualmen siedende Pfannen, in denen die schweißgebadeten Mörtelrührer mit langstieligen Mörtelkrücken den Branntkalk rühren. Weiter hinten vermischen Handlanger den gelöschten und erkalteten Kalk mit Sand und Kuhhaar, bevor der Mörtel auf dem Rücken der Männer zum Gipfel des Berges geschleppt wird. Dort, auf der Seite, die der karolingischen Kirche östlich gegenüberliegt, beginnt auf dem blanken Felsen der Bau der Chorkrypta. Um die Abschüssigkeit des Geländes auszugleichen, haben Meister Rogers Leute Pfosten in den abfallenden Boden getrieben und darauf Planken gelegt. Auf diesen Absätzen arbeiten die Gesellen von Meister Jehan auf einfüßigen Hockern und an nebeneinanderliegenden Bohlen sitzend, die einen Tisch bilden, und behauen die Steine. Weitere Steinmetze meißeln schon an den Kapitellen, die die Säulen schmücken werden. Ihnen gegenüber ragt bereits ein Stück Mauer auf, an der sogleich Gerüste errichtet werden aus Balken, die in Rüstlöchern gehalten werden. Auf den Gerüsten arbeiten die Maurer, die mit Senkblei oder Setzwaage kontrollieren, daß die Mauer auch lotrecht ist. Imposante Hebezeuge – Bockwinden, Galgenkrane, Zwingkeile – halten die Steine zwischen ihren eisernen Kiefern und heben sie an die Stelle, an der sie gebraucht werden. Tagelöhner sind dabei, das große Holzrad des Tretradkrans aufzustellen, so daß dank menschlicher Muskelkraft Steinblöcke von bis zu zehn Zentnern gehoben werden können. Man hört Rufe in allen Sprachen, der Dolmetsch eilt hin und her, um zu übersetzen, Gesänge erklingen: nicht auf lateinisch, aber der Himmel erhört sie dennoch, davon ist Roman überzeugt. Er kommt näher, im Herzen berauscht. Er betrachtet sein Werk: ja, sein Werk und das von Pierre de Nevers!

Am Vortag, dem Ostermontag, hat Abt Hildebert offiziell den Bau eröffnet, und Freudentränen glänzten in seinen blauen Augen. Niemals war der Jubel der Osterfeiern so strahlend gewesen wie in diesem Jahr. Es war, als hätten sich alle Engel an diesem Ort vereint und als stünde an ihrer Spitze der erste unter ihnen: Drei Tage vor Ostern feierten die Mönche auf dem Berg das nächtliche Stundengebet, die »Tenebrae«, und löschten sämtliche Kerzen in der Kirche, eine nach der anderen. In den drei folgenden Nächten sangen sie die Klagelieder des Jeremias.

Am Gründonnerstag kam der Bischof von Avranches, um das Chrisam zu segnen und die öffentlichen Büßer zu entsühnen: Zu den Leuten aus dem Dorf und den Pilgern gesellten sich da schon einige Arbeiter der künftigen Bauhütte. Am Abend räumten die Brüder den Altarschmuck samt den Tüchern ab, und vor der Messe, zur Stunde des Abendmahls, wusch Hildebert allen anwesenden Männern die Füße. In dieser heiligen Stunde kamen gerade die Steinschlepper an, müde von ihrem langen Marsch aus allen Ecken des Landes. Der Abt kniete vor ihnen nieder und wusch auch ihre vom Staub bedeckten Füße.

Als die Mönche am nächsten Morgen an den Ufern des Hügels das riesige Kreuz auf ihre Schulter hievten, um es bis an den Gipfel zu tragen und so den Kreuzgang Jesu nachzuempfinden, erreichte sie ein vielköpfiger Trupp von Handlangern, die in ein paar Tagen auf demselben Weg ihre Lasten tragen sollen. Seitdem sind die Brüder gewiß, daß der Allmächtige diese Baustelle im Blick der Männer segnete, die auf den Hängen des heiligen Felsens voller Inbrunst die Benediktiner beobachteten.

Der leidenschaftlichste Moment fiel am Samstag in die Osternacht: Als Hildebert aus der Kirche trat, die überfüllt war von seinen Mönchen und den Dorfbewohnern, um das Osterfeuer zu entzünden und zu segnen, erwartete ihn vor der Kirche eine kniende Menschenmenge. Sie waren alle da, die, die ihre Hände gebrauchen werden und ihre Beine, die, die ihr Leben geben werden, um das Haus des Engels zu bauen, und die Kirche konnte sie nicht aufnehmen. Hildebert entzündete den Scheiterhaufen vor dem Portal der Kapelle, und sogleich erklang aus der Menge der Gesang vom auferstandenen Christus. *Exultet* – »frohlocket, ihr seligen Chöre der Engel«, psalmodierten sie, und der Abt sah in ihnen die Engel, die zu ihm herabgestiegen waren. Da verließ er die Kirche ganz, mischte sich unter die Menschen und segnete sie, einen nach dem anderen, bis ans Ende der Nacht.

»He, Meister Roger, Ihr wollt Euch wohl schon an die Gewölbe machen!« ruft Roman dem Zimmermann zu, der, die Hände in die Hüften gestemmt, den mühsamen Aufstieg eines Karrens voller hölzerner Lehrbögen überwacht, die für die Aufmauerung der Tonnen- oder Kreuzgratgewölbe in den Gebäuden gebraucht werden.

Der Handwerksmeister wendet sich Roman zu, sein Blick ist sonnengleich, und wie immer sieht Roman in diesem lustigen Flackern die Augen seines Bruders.

»Ach, Bruder Roman«, gibt er lachend zurück, »ich wollte nur so schnell wie möglich dem Erzengel die wunderbare Arbeit meiner Gesellen vorführen!«

Für Meister Roger nimmt der Erzengel in diesem Moment die Züge des Baumeisters Hildebert an, sein Bote die des Werkmeisters Roman, und die Gnade des Himmels soll kreisrund sein wie Silberpfennige. Als Roman eben antworten will, ruft ihn sein Gehilfe, Bruder Bernard, und teilt ihm mit, daß ihn der Abt dringend in seine Zelle bestellt.

»Nun«, sagt er zu dem Zimmermann, »so werde ich stehenden Fußes dem Herrn dieser Baustelle die Verdienste Eurer Leute anpreisen!«

Roger zwinkert ihm zu, und Roman geht in der Hoffnung, daß sich der Abt an den vereinbarten Preis halten und nicht von ihm verlangen wird, die verschiedenen Gilden noch weiter herunterzuhandeln; als Werkmeister liegt ihm mehr an der Höhe der Mauern als an ihrem Preis. Roman geht an den alten Konventsgebäuden und am Kapitelsaal entlang. Dann klopft er an die Tür der Zelle, die noch von den Kanonikern stammt und niedergerissen wird, sobald die steinernen Gebäude fertig sind.

»Herein!«

Die Stimme des Abtes klingt schroff. Roman betritt den Raum. Hildebert sitzt hinter seinem Schreibpult unter dem Wandteppich mit dem Engel als Seelenwäger. Seine Augen, die normalerweise hell und freundlich sind, künden von vorwurfsvoller Härte.

»Pater, Ihr habt nach mir geschickt …«

Hildebert mustert Roman, ohne ihm zu antworten. Der junge Mönch steht mit gesenktem Blick erwartungsvoll vor ihm. Hildebert preßt die Lippen aufeinander, das Blau seiner Augen erscheint auf einmal kalt wie Eis. Im Kamin nagen die Flammen an einem Holzscheit, aber Roman spürt nichts von ihrer Wärme, nur ihr gefräßiges Prasseln knistert im lastenden Schweigen.

»Habt Ihr die Gesundbeterin von Beauvoir wiedergesehen, seit Ihr wieder zu uns heimgekehrt seid, Bruder Roman?« fragt der Abt schließlich, und sein Tonfall läßt erkennen, daß er die Antwort bereits kennt.

Das also ist es. Es war unvorsichtig, sie auf den Berg zu bestellen. Ein Bruder muß sie gesehen haben. Er muß dem Abt unverhohlen die Wahrheit sagen.

»Ja, mein Pater«, gesteht Roman und blickt auf. »Dreimal hat sie auf meinen Ruf gehört, und wir haben uns zwischen Komplet und Vigil in der Martinskapelle getroffen …«

»Schande!« unterbricht ihn Hildebert und schlägt mit der Faust auf das Schreibpult. »Ihr, ein Mann Gottes, ein Diener des ersten aller Engel, ein Gefährte von Pierre de Nevers, erwählt für den allerheiligsten Auftrag … Ihr, der gelehrteste meiner Söhne, in den ich all mein Vertrauen legte, den der Herr an seiner Brust labte … Ich kann es kaum glauben, aber Ihr bekennt Eure Wollust wie ein treuherziges Kind, das nichts von der Sünde weiß – Ihr!«

»Mein Pater!« ruft Roman. »Ich habe eine schwere Sünde begangen, aber nicht die, deren Ihr mich beschuldigt! Mein Fleisch ist nicht befleckt!«

Hildebert steht auf und tritt zu Roman. Er mustert seinen Sohn, als wäre der Mönch ihm zum Fremdling geworden.

»Dann wiegt Eure Verfehlung noch viel schwerer!« sagt der Abt nur ein paar Zentimeter vor seinem Gesicht. »Denn Ihr habt Eure Seele preisgegeben, und wißt Ihr, wem? Wißt Ihr, wer sich hinter der scheinbaren Arglosigkeit dieser Frau verbirgt?«

Der nach Knoblauch riechende Atem des Abts umhüllt Roman mit feuchtkaltem Schrecken. Der junge Priester starrt auf den Erzengel mit seiner Waage. Moïra kniet auf einer der Waagschalen und stürzt hinab in die Dunkelheit. Hildebert weiß alles, sie ist verloren. Wer? Wer hat gesehen, wie die Häresie diese Frau befiel? Sprachlos sieht Roman einen weißen Schleier aufziehen, der vor seine Augen tritt und ihn auf einen Schlag erblinden läßt. Seine Beine gehorchen ihm nicht mehr, sie knicken unter ihm weg. Er fällt dem Abt vor die Füße, überwältigt von maßloser Erregung.

»Pater!« ruft er, das Gesicht auf dem Boden wie die Büßer im Bußkapitel. »Pater… Moïra ist nicht die, die Ihr meint! Es ist meine Schuld«, stammelt er zwischen zwei Schluchzern. »Ich wollte ihr ganz allein helfen, aus Stolz und Hochmut oder aus Liebe. Denn ich liebe sie, Pater, das ist wahr. Ich liebe sie in einem Gefühl der Zerrissenheit – zerrissen zwischen Himmel und Erde. Aber ich habe stets den Himmel erwählt! So versteht doch, sie ist kein gefährlicher Teufel, sondern eine Sklavin, und ich wollte sie befreien! Ihre Haut riecht nach Wald, ihre Haare sind Bäume, ihre Augen… sie… muß… gerettet werden, ich will sie retten«, flüstert er.

Verwundert über Romans Worte läßt der alte Mann ihn schweigend seinen Kummer ausgießen. Er kniet sich vor seinen Sohn und legt ihm in einer väterlichen Geste eine Hand in den Nacken, während Roman vom Schluchzen geschüttelt ist.

»So sagt mir nun alles, mein Sohn«, fordert er sanft. »Ich höre Euch zu. Schüttet Euer Herz aus.«

Roman hebt den Kopf an. Die Augen auf das Kreuz gerichtet, das vor der Brust des Abtes hängt, beginnt er zu sprechen. Er berichtet von seinen Gesprächen mit Moïra in der Hütte von Beauvoir, er erzählt, wie sie ihm das Leben gerettet hat, warum er beschlossen hat, sie wiederzusehen, seine Verwirrung, seine Zuneigung, die nächtlichen Begegnungen in der Martinskapelle, Moïras Aberglaube, seine eigenen Bemühungen, sie zum Licht zu führen, die Versuchung des Fleisches, sein innerer Kampf…

»Aber niemals hat sie mich von meiner Berufung oder meinem Werk abgebracht, Pater – niemals!« schließt er und denkt an das Geheimnis, das sie ihm anvertraut hat und das er noch für sich behält. »Ihre Verfehlung liegt darin, nicht die Wahrheit zu erkennen, und meine darin, daß ich sie ihr aufzeigen wollte.«

»Das Wort Christi in allergrößter Heimlichkeit zu predigen, nachts, als wäre es ein Frevel! Das ist ja wirklich ein schöner Auftrag!« Mühsam richtet sich Hildebert auf.

»Aber es ist mir gelungen, mein Pater!« hält Roman dagegen. »Ich glaube, ich habe ihre Seele der göttlichen Botschaft eröffnet, ich habe ihr Herz berührt, auch wenn sie es nicht eingesteht!«

Hildebert tritt ans Feuer. Die roten Flammen erleuchten sein müdes Gesicht. Er wendet sich Roman zu, in sarkastischem Lächeln erstrahlend. »Ihr Herz gesteht es keineswegs ein, in der Tat, mein Sohn, und ihre Taten selbst sprechen eine durch und durch andere Botschaft, deren Zeuge unser Unterprior wurde.«

Nun berichtet der Abt von der Szene am Teich und von Moïras Gebet an den Heidengott Ogmios, wie er es vom Herrn des Skriptoriums gehört hat. Erschüttert kniet Roman vor dem Holztisch: So hat sie also die Botschaft Christi nicht erhört, sie hat Moses Zorn über das goldene Kalb nicht begriffen, sie hat das neue Jerusalem nicht erblickt. Kaum war sie fern von Romans Augen und Mund, ist sie zum Abschaum ihrer Vergangenheit zurückgekehrt. Der Mönch spürt, wie sich unermeßliche Bitterkeit in seinem Herzen breitmacht. Als er einen Blick auf die Waage des Erzengels wirft, sieht er sich selbst von der Höhe seiner gutgläubigen Illusionen stürzen. Enttäuschung und Groll nagen an seiner Seele wie ein giftiger Skorpion, und er trinkt dieses Gift bis auf den letzten Tropfen.

»Ihr seid gescheitert, mein Sohn«, legt der Abt nach, der in seinen Gedanken zu lesen scheint, »denn Ihr habt im selben Gefühl das verderbliche Verlangen des Fleisches mit dem rechtmäßigen Verlangen vereint, die Seele dieser Sünderin zu retten. Ihr habt Spreu und Weizen vermischt, Gut und Böse miteinander verquickt. Ihr habt Euer Gewissen beruhigt, indem Ihr zwischen diese Frau und Euch die Bibel gestellt habt, obwohl es Euer einziger Wunsch war, ihren Körper zu besitzen. Der unantastbare Beweis dafür ist, daß Ihr im geheimen Dunklen gehandelt habt und nicht im göttlichen Licht! Absichten, die im Dunklen verwirklicht werden, gehören der Dunkelheit an.«

Der Greis richtet sich vor dem Kamin auf, im Rücken die knisternden Flammen, als wäre er der Bezwinger des Höllenfeuers. Roman weiß, daß seine Worte wahr sind: Wären seine Absichten wirklich so löblich gewesen, wie er meinte, so hätte er mit dem Abt über Moïra gesprochen. Dank der Mäßigung und der Erfahrung des alten Mannes hätte ihr keine Gefahr gedroht. Unbewußt hat Roman nicht etwa gefürchtet, dem Abt Moïra preiszugeben, sondern sich selbst preiszugeben, denn er selbst mag sich vielleicht über seine eigentlichen Absichten getäuscht haben, aber Hildebert wäre dem Winkelzug seines Gedankengangs niemals aufgesessen. Er hat fleischliches Verlangen nach dieser Frau, so sehr er es auch leugnen mag, und er hat sie immer begehrt. Ja, es ist wahr, und doch spürt Roman, daß das nicht alles ist: Er hat diese sinnliche Versuchung überwinden, seinen Körper beherrschen können, und doch ist das Verlangen nicht erloschen. So ist es also von anderem Wesen und beschränkt sich nicht auf die Lüsternheit. Da Hildebert nun von Moïras eigentlichem Glauben weiß und von der Verbindung dieser Frau mit Roman, müßte er ihm Moïras Geheimnis anvertrauen können, das Geheimnis des Berges...

»Pater...«, beginnt er, um diese Last loszuwerden.

Da erstarrt sein Mund. Etwas hält ihn zurück, etwas unendlich Machtvolles, das ihm die Kehle zuschnürt und auf seine Lippen drückt wie ein Knebel.

»Sind da noch mehr Sünden, die Ihr nicht bekannt habt?« Hildebert runzelt seine weißen Brauen.

Er muß sprechen, es zu Ende bringen, seine Seele reinigen. Er blickt auf den Lehmboden, sucht nach den befreienden Worten. Aber der Boden des Berges ist stumm wie ein Grab. Er wurde erst kürzlich umgegraben, um die Hütte des Abtes aufzunehmen, als diese umgesetzt wurde. Und der Lehm hat nichts preisgegeben, er hat geschwiegen. Roman nimmt ein paar dunkle Krümel auf; die feinen Körner kleben feucht aneinander. Moïras Erde – er hält sie in seiner Hand, und er braucht nur eine Handbewegung zu machen, braucht nur ein Wort nicht auszusprechen, damit sie durch seine Finger rieselt und in ihr Geheimnis zurückkehrt. Die junge Keltin hat ihn getäuscht, als sie ihn glauben ließ, daß sie seine glühende Botschaft annahm, aber sie hat nicht gelogen, als sie von ihrer Liebe sprach – er selbst war es, der sich hinsichtlich seiner Liebe zu ihr täuschte. Er hat sich eingeredet, es sei die Sorge eines Hirten um ein verlorenes Schaf, und dabei war es in Wirklichkeit die Liebe eines Mannes zu einer Frau. Moïra hat immer gewußt, daß er log, und hat es hingenommen. Welcher Wahrheit soll er nun treu sein?

»Ich warte, Roman!«

Bei den Worten des Abts schreckt Roman hoch. Er läßt die

Erde fallen, die sich auf seine Kutte verteilt. Er braucht Zeit, um nachzudenken, um zu beten. In dieser Minute ist er nicht in der Lage, Moïra zu verraten, so wie er Pierre de Nevers nicht verraten kann.

»Pater, vergebt mir meine Verwirrung.« Er schaut Hildbert schräg von unten an. »Ich habe Euch alle meine Verfehlungen bekannt, und ich weiß, daß sie sehr schwer wiegen. Ich verdiene Züchtigung, und ich bin bereit dafür. Doch sorge ich mich um sie! Meine Liebe zu dieser Frau, und mag sie noch so schuldhaft sein, ist durchdrungen von Mitleid, und...«

»In der Buße selbst liegt das Mitleid, mein Sohn«, antwortet Hildebert schon milder. »Eure Sonderstellung als Werkmeister fordert von Euch geistliche Vorbildlichkeit, an der Ihr es habt fehlen lassen. Doch macht Euch eben diese Stellung zu einem unverzichtbaren Teil dieser Abtei, und so sind wir gezwungen abzuwägen. Nun denn, wir brauchen Euch für den Bau der Heimstatt des Erzengels. Aber das Wiederaufkommen von heidnischen Kulten auf seinen Pfründen braucht der heilige Berg keinesfalls! Ich will diese ›Moïra‹ so schnell wie möglich sehen, dann werde ich entscheiden. Es ist Euch strengstens verboten, die Klausur des Klosters zu verlassen und mit dieser Frau in irgendeiner Form Verbindung aufzunehmen. Geht dahin, wo Euer Platz ist, auf den Bau. Ich lasse Euch rufen, wenn ich sie empfange.«

Wie benommen verläßt Roman Hildeberts Hütte und irrt bald darauf über seine Baustelle. Der Lärm von Männern und Materialien, der ihm eben noch wie ein hymnischer Lobgesang vorkam, überfällt seine Ohren wie ein unbeherrschbares Durcheinander.

In der sechsten Stunde, als sich die Arbeiter gerade auf den Flanken des Berges niederlassen und sich die Mönche zur Stärkung im Refektorium versammeln, sieht er einen mit zwei Pferden bespannten Karren, der mit einer befremdlichen Ladung den Berg erklimmt: Vorne thront Almodius und ein Laienbruder, der als Stallknecht in der Abtei arbeitet, hinten zwei kräftige Kerle, Männer aus dem Dorf, die gewöhnlich in der Klosterküche Dienst tun, und Moïra zwischen ihnen, aufrecht sitzend wie eine Gefangene. Romans Nerven können dieses Bild nicht ertragen. Er wendet sich ab und eilt in Hildeberts Zelle.

Wieder sitzt der Abt hinter seinem Schriftentisch unter dem Wandteppich mit dem Erzengel, der die Seelen wiegt, und sein Blick ist der eines Richters: streng, nicht verschlossen, voller Mitgefühl und Güte, aber unnachgiebig gegen die Schuldigen. Hinter dem Abt steht Bruder Robert, der Prior der Abtei. Hildebert gegenüber sitzt Moïra, die Augen fest auf den Wandbehang geheftet, und zu ihren beiden Seiten Roman und Almodius. Zu Almodius' Linker macht sich ein Bruder aus dem Skriptorium neben dem Kaminsims an einem kleinen Schreibpult zu schaffen, auf dem Wachstafeln und ein Griffel liegen. Roman hat Moïra noch nicht in die Augen geschaut; er hat es sorgfältig vermieden. Wenn er darin einen Vorwurf läse, Furcht, Kummer, Leidenschaft oder einen Hilferuf, so würde er daran zugrunde gehen. Er fühlt sich so machtlos, so schuldig, daß er meint, er verfüge nicht mehr über sich selbst. Es ist, als hätte sich sein Geist von seinem Körper gelöst, von diesem Körper, der noch immer dem Verbrechen anheischig ist, und würde die Szene von oben beobachten wie ein Gespenst, das auf der Welt der Lebenden nur zu Gast ist.

Das Knistern der Holzscheite im Kamin dringt nur aus der Ferne zu ihm wie ein Echo. Er zwingt sich, den Blick auf den Händen des Abts zu halten, auf seinen knotigen, faltigen Händen, die den goldenen Ring mit der Gravur seines Siegels tragen und in Erwartung des Kommenden reglos gefaltet auf dem Tisch liegen. Plötzlich werden die Finger lebendig. Der Schreiber nimmt seinen Griffel zur Hand.

»Meine Tochter, nennt mir Euren Taufnamen, den Eurer Eltern und Euer Auskommen«, fordert Hildebert.

Moïra sieht dem Abt direkt in die Augen. Trotz Hildeberts fortgeschrittenen Alters erkennt sie darin einen Scharfsinn, eine Verständigkeit, die von einer so seltenen Menschlichkeit geprägt sind – sicherlich rührt sie von seinem langen Umgang mit den Engeln her –, daß sie etwas weniger verängstigt ist. Als Almodius an die Tür ihres Hauses klopfte, wobei ihn die drohenden Muskeln seiner Eskorte unterstützten, hat sie im Blick des Unterpriors solchen Haß gelesen, daß sie unwillkürlich um Roman fürchtete. Wenn der Herr des Skriptoriums an das Krankenbett seines Bruders getreten war, hatte sie sich stets leicht unwohl gefühlt angesichts der zweideutigen Kälte dieses Mannes, dessen Mund ihr jedesmal, wenn er mit ihr sprach, geschliffene Spitzen zuwarf, während seine Augen sie schamlos abtasteten, wenn er meinte, sie würde es nicht sehen.

Sie empfand sein Verhalten Roman gegenüber ebenso zweischneidig: Er gab sich als Beschützer voller Hingabe und Mitleid, aber eines Tages, als der Kranke nicht bei Bewußtsein war, überraschte sie Almodius, wie seine Hand an Romans Kehle lag, als wollte er ihn eben erwürgen. Hosmund, der Bruder aus dem Infirmarium, hat es nicht gesehen, als sie ins Zimmer traten und Almodius aufsprang und tat, als wäre nichts gewesen. Sie aber ist sich dessen sicher, was sie gesehen hat, selbst wenn es nur flüchtig war…

An diesem Morgen, kurz vor der sechsten Stunde, sagte er nur, der Abt wolle sich mit ihr unterhalten, aber er sagte es so, als würde er sie auf die Folterbank bitten. Obwohl Moïra nachfragte, gab er keinerlei Erklärungen ab. Sie lebt auf den Ländereien des Klosters, ist also Hildeberts Leibeigene, und ein Lehnsherr hat alle Rechte über seine Hörigen. Brewen versuchte, sich zu widersetzen, aber ohne Zögern bleckten die Männer von Almodius' Leibgarde ihre schwarz verfaulten Zähne. Zwecklos – sie bedeutete ihrem Bruder, daß alles gut würde, und stieg auf den Karren. Fragen ohne Antwort bestürmten sie und grenzenlose Sorge um Roman: Er konnte wieder einen Unfall gehabt haben, konnte krank sein oder schlimmer. Natürlich dachte sie auch daran, daß sie selbst in Gefahr sein könnte, aber da sie keinen Augenblick daran glaubte, daß Roman ihr Geheimnis dem Abt verraten hatte, kamen ihre sorgenvollen Gedanken immer wieder zu ihm zurück, während sie versuchte, Almodius und seine Schergen zu vergessen. Beim Anblick der Baustelle war sie erschrocken: Haben sie die Kirche zerstört? Nein, da steht sie noch. Ihr Herz schien einen schlag zu überspringen, als sie in der Zelle des Abts von hinten Roman erkannte, und sie war vollkommen erleichtert: Er lebte! In einer übermenschlichen Anstrengung gelang es ihr, ihn nicht zu berühren, ihn nicht anzusprechen, anzuschauen, während er sie ganz offensichtlich ignorierte…

Während sich neue, noch vernichtendere Fragen in ihren verstörten Sinn stehlen, wendet sich der schöne Greis mit den blauen Augen wider Erwarten an sie und stellt sie zur Rede.

»Ich heiße Moïra«, sagt die junge Frau. »Das ist mein Taufname, er bedeutet Marie. Ich bin die Tochter von Nolwen und Killian, die beide bereits heimgegangen sind. Ich lebe im Wald von Beauvoir, mit meinem kleinen Bruder Brewen, und übe denselben Beruf aus wie mein Vater und der Vater meines Vaters von Urzeit an. Wie Ihr wißt, versuche ich die kranken Leiber zu heilen.« In aufrechtem Stolz blickt sie verstohlen zu Roman, der zu ihrer Rechten sitzt, reglos verharrt wie eine Statue. »Ich lebe von dem bißchen Vieh, das ich züchte, von dem Gemüse in meinem Garten und den Früchten des Waldes.«

»Wie behandelt Ihr die Kranken? Von welcher Art ist Eure Medizin?« fragt Hildebert.

»Bruder Hosmund kann bezeugen, daß meine Medizin die gleiche ist wie die, die die Mönche praktizieren, mein Vater«, versichert sie mit respektvoller Direktheit. »Ich verwende Heilpflanzen, Bäume, Tierprodukte…«

Wieder wirft sie ihrem einstigen Patienten einen Blick zu, unter dem er diesmal rot anläuft.

»Sprecht Ihr zur Behandlung auch Gebete?« hakt der Abt nach, der vorgibt, das Erröten seines Werkmeisters nicht zu bemerken.

In diesem Augenblick aber erbleicht Moïra. Ein Verdacht streift sie. »Ich spreche Gebete, und das nicht nur zum Behandeln«, antwortet sie. »Ich bete zur Heiligen Muttergottes, dem Allerhöchsten und vor allem zum ersten seiner Engel…«

»Dem ersten seiner Engel… hm, dem ersten von welcher Engelszeit, Moïra?«

Zunächst versteht sie nicht, was der Abt meint. Hildebert ist in Beauvoir gewesen, kurz nachdem sie Roman aufgenommen hat. Er kennt ihr Vorgehen bei der Krankenpflege, und er hat den lebendigen Beweis vor Augen, daß sie eine gute Heilerin ist. Verärgert möchte sie fast dieses groteske Verhör abbrechen und fragen, was sie hier eigentlich tut und was der Abt wirklich von ihr will. Aber sie denkt an Roman, der wie versteinert neben ihr sitzt, und hält sich zurück. Erst einmal nachdenken… Engelszeit, die eine andere ist als die der Menschen… Welche Engelszeit? Es muß also mehrere davon geben, wenn er fragt, von welcher. Die Zeit der Engel… Der erste Engel bei Gott ist und war schon immer der heilige Michael! Plötzlich entsinnt sie sich der seltsamen Geschichte von Luzifer, die Roman ihr in der Martinskapelle erzählt hat und die so starken Eindruck auf sie machte. Kann es sein, daß der raffinierte Abt sie damit fragt, ob sie den Teufel anbetet? Was für ein dummer Gedanke! Warum sollte sie einen Verdammten in der Hölle anrufen, den ihr ihr Vater und ihre Mutter immer als Feind Gottes und der Menschen vorgeführt haben?

»Dem ersten seit der Engelszeit, in der Luzifer, der Gottes Liebe für den Menschen mißbilligte, diese so unvollkommene Kreatur, mit den gefallenen Engeln vom Himmel gestürzt ist«, antwortet Moïra schließlich voller Stolz auf ihre christliche Gelehrtheit. »Dem Erzengel, der eben hier seine Heimstatt hat, mein Vater, und der uns allen den Weg weist: dem heiligen Michael!«

Hildebert gestattet sich ein wohlwollendes Lächeln, bevor er fortfährt. Diese junge Frau ist interessant und nicht ohne Zungenfertigkeit. »Gut, meine Tochter. Und wo betet Ihr also zu unserem Erzengel?«

»Nun… in der Dorfkirche von Beauvoir, bei der Messe, an den heiligen Feiertagen, manchmal zu Hause…«

»Kommt Ihr denn nicht, ihn in seiner Wohnstatt anzubeten, die Ihr das Glück habt, ganz in der Nähe zu wohnen, auf den Ländereien seines Klosters, und die Ihr zu seinen Jüngern gehört?«

Moïra spürt die Hintergedanken des Abtes und beginnt den Grund für ihre Vorladung zu erahnen. Ein Bruder muß sie innerhalb des Klosters gesehen haben, als sie sich einmal mit Roman traf, und hat es wohl dem Abt berichtet. Mit ein wenig Glück hat der Spitzel Roman nicht gesehen, und er ist nur hier, weil er sie kennt. Die Mönche haben einige Zeit gebraucht, um herauszufinden, daß sie es war, deshalb sind mehrere Wochen vergangen, bevor man sie holen kam. Drei Wochen ganz genau, die drei Wochen, in denen sie Roman nicht gesehen hat. Sie rechnet sich aus, daß die Martinskapelle außerhalb der Klausur liegt, so daß ihr nichts Schlimmes droht, weil sie sie nachts betreten hat, auch wenn das verboten ist. Taktisch senkt sie den Blick.

»Mein Vater, ich muß Euch gestehen … Ich bin gekommen, ja, aber …« Sie zögert und ringt die Hände.

»Sprecht nur, meine Tochter, habt keine Angst«, redet er ihr sanft zu. »Wann seid Ihr gekommen?«

»Vor ein paar Wochen, in der Fastenzeit. Ich hatte plötzlich das Bedürfnis, ihm nahe zu sein, nahe beim heiligen Michael, ihn in seiner Heimstatt anzubeten. Ich bin hinaufgestiegen und in die Martinskapelle gegangen, aber es war nach Komplet …«

»Wie ist doch Euer Glaube lebendig und drängend, daß er Euch so sehr anstachelt und Euch mitten in der Nacht in die Arme unseres Erzengels treibt, nicht wahr, Bruder Roman?« Der Abt blickt auf den versteinerten jungen Mönch, der wieder weiß geworden ist wie eine Alabasterstatue.

Die Angelegenheit ist also ernster als sie dachte. Man hat sie mit Roman gesehen, vielleicht sogar in einer zweideutigen Haltung, bei ihrer Umarmung auf der Schwelle der Kapelle zum womöglich. Sie müssen alle glauben, daß sie Geliebte sind. Was soll sie tun? Leugnen? Sie hat nichts zu befürchten, aber er. Welch ein Verstoß gegen die benediktinische Regel! Was soll sie nur tun, um ihm eine allzu schwere Bestrafung zu ersparen?

»Es gibt nichts Lästerliches zwischen Bruder Roman und mir«, bringt sie schließlich vor.

»Aha, Ihr gebt also zu, daß Ihr in die Martinskapelle gekommen seid, um ihn heimlich zu treffen?«

Moïra weiß keine Antwort, die Roman nicht schaden könnte. Schweigend blickt sie wieder zu Boden, ein Zeichen der Hilflosigkeit.

»Ich warte auf Eure Antwort!«

»Mein Vater, wir haben nichts Schlechtes getan!« fleht sie ihn an. »Beim heiligen Michael und allen Engeln der Schöpfung, er hat nur seine mönchische Pflicht für mich getan!«

»Lüge!« heult plötzlich Almodius auf, die Augen von Blut unterlaufen.

Moïra und Almodius mustern sich wie zwei wilde Hunde, die kurz davor sind, sich gegenseitig anzufallen.

»Na, na, beruhigt Euch!« Der Abt erhebt sich. »Bruder Almodius, Ihr sprecht, wenn ich Euch dazu auffordere! – Moïra, Ihr sagt, Bruder Roman tat in Euren nächtlichen Begegnungen seine ›mönchische Pflicht‹ für Euch? Warum war er Euch verbunden? Worin bestand seine Schuld Euch gegenüber, und wie bezahlte er sie?«

Almodius verzieht das Gesicht. Roman reißt die Augen auf, wagt aber nicht einzugreifen. Moïra ist wieder verunsichert. Hildebert stützt sich mit den Händen auf den Tisch und mustert sie ungeduldig.

»Aber, aber … So meinte ich das nicht!« antwortet sie. »Bruder Roman war mir nichts schuldig! Ich lasse mich für meine Krankenpflege niemals bezahlen! Das Leiden der Menschen läßt sich nicht in Geld ummünzen. Manchmal bekomme ich ein Huhn geschenkt, und Ihr, mein Vater, habt mich mit Vorräten von Euren Ländereien überhäuft …«

»Es geht nicht um das Materielle«, unterbricht sie der Abt, »sondern doch wohl um eine spirituelle Schuld, wie Ihr es selbst eingestanden habt! Was wolltet Ihr von diesem Mönch haben, wenn es nicht sein Leib war? Vielleicht seine reine Seele, die Seele eines Dieners Gottes, ja, seine Seele?«

Moïra dreht den Kopf von links nach rechts, weiß nicht, wohin sie schauen soll. Ein Schluchzen steigt ihr in die Kehle. Sie schluckt es hinunter, kann aber die Tränen der Verständnislosigkeit nicht zurückhalten, die den Blick ihrer wassergrünen Augen verschleiern.

Sie mustert den Prior, der an dem Michaels-Teppich lehnt und sie vorwurfsvoll anstarrt. Bloß nicht Roman anschauen. Und noch weniger Almodius!

»Romans Seele gehört Gott, und ich wüßte mit ihr nichts anzufangen!« schreit sie dem Abt schließlich ins Gesicht. »Ihr täuscht Euch über mich, Pater!« ergänzt sie gesetzter, aber immer noch zornig. »Ich bete nicht Luzifer an, und ich verschlinge nicht das Fleisch und nicht die Seelen Eurer Mönche – meine Gänse sind mir lieber! Wollt Ihr wissen, welche Speise er mir gereicht hat, ohne daß ich ihn darum gebeten habe?« fragt sie und wendet sich Roman zu, der zu Boden schaut. »Er hat mir die nahrhafte Speise von Gottes Wort gereicht, mir, die ich Christin bin, aber unwissend! Er hat mir die Bedeutung von Christi froher Botschaft eröffnet, die ich herunterleierte, ohne sie zu begreifen! Das ist unser Handel, den Ihr als schuldhaft und teuflisch verurteilt!«

Hildebert läßt sich langsam wieder nieder. »Jungfer, Ihr müßt wissen, daß ich noch kein Urteil gefällt habe«, gibt er ruhig zu verstehen. »So behauptet Ihr also, Bruder Roman habe Euch mitten in der Nacht im Geheimen Lehren über den christlichen Glauben erteilt?«

»Nennt es so, wenn Ihr wollt…«

»Nun haben aber eben die Worte ihr Gewicht.« Er lächelt scherzhaft. »Sie können alles entscheiden, wißt Ihr? Und jetzt geht es darum, genau zu unterscheiden, ob es eine ergänzende christliche Belehrung war, oder aber… christliche Missionierung!«

Diesen Angriff hat sie nicht erwartet. Das also ist die Klinge, die er die ganze Zeit poliert hat, um sie ihr schließlich mit einem offenen Lächeln in die Brust stoßen. Der alte Mann weiß also wirklich alles: Moïra darf nicht in Panik geraten.

»Christliche Missionierung? Mein Vater, ich sagte es bereits, ich bin Christin!« wirft sie in letzter Not ein.

»Ich glaube, auch ich werde Bruder Roman um Belehrung bitten müssen«, sagt er. »Denn mir ist neu, daß zu unseren Heiligen jetzt ein gewisser Ogmios gehört!«

Unter diesem Hieb erstarrt sie. Roman schließt die Augen. Almodius frohlockt im Stillen, seine Augen leuchten. Der Schreiber wartet, den Griffel erhoben. Hildebert verzichtet darauf, seinen Vorteil auszunutzen: Er steht auf und tritt dicht an Moïra heran. »Nun, meine Tochter, lassen wir einstweilen von diesen verbalen Arabesken. Ich will Euch noch eine Frage stellen, die letzte: Von Eurer Antwort hängt alles entscheidend ab. Denkt gut nach, es ist nutzlos, zu lügen, unser Unterprior hier hat Euch am Ufer des Teiches beobachtet. Bekennt Ihr, daß Ihr heidnische Götzen anbetet?«

Almodius! Er war es also, der Spion, der Spitzel, der elende Verräter! Roman hat sie nicht preisgegeben! Einen Moment lang erfüllt sie dieser Gedanke durch und durch. Was soll sie antworten? Er hat sie am Teich beobachtet. Hat er gehört, wie sie Ogmios anrief, damit er das Geheimnis des Berges schützt? Sie muß das Geheimnis des Berges wahren. Roman hat nichts gesagt, sie ist sich ganz sicher. Aber kann es sein, daß Almodius sie in der Martinskapelle belauscht und gehört hat, wie sie Roman die Geschichte anvertraute? Wie kann sie darüber Gewißheit erlangen?

Sie wird sich klar, daß die einzige Möglichkeit darin besteht, ihren Glauben zu bekennen: Hildebert weiß ohnehin schon davon, und sie wird ihn niemals vom Gegenteil überzeugen können, denn dieser Alte ist allzu raffiniert. Wenn sie nichts abstreitet und das Verhör damit vorbei ist, dann weiß er nicht, was sie Roman anvertraut hat. Wenn er jedoch weiterfragt, dann …

»Mein Vater, ich bete zum heiligen Michael, und manchmal bete ich … zu Ogmios, seinem Ahnen. Es stimmt«, sie duckt sich in ihren letzten Rückzugsgraben, »ich bin Christin, aber ich bleibe zugleich weiterhin den alten Göttern meines Volkes treu. Bruder Roman hat es als erster bemerkt, und er hat versucht, mich meinen alten Glauben vergessen zu machen, indem er mir die Schönheit und die Kraft der Bibel aufgezeigt hat, die offenbar keinen Widerpart neben sich duldet. Er hat all seine Kraft aufgebracht, seinen Verstand, sein reines mönchisches Herz, um das meine zu bekehren«, fügt sie weinend hinzu. »Er hat mir von wunderbaren Geschichten erzählt, von Heldenschlachten. Er hat so treffende Worte gesprochen, die so voll sind von Verständnis und Liebe. Er hat mir meinen Irrtum aufgezeigt, ohne mich seiner anzuklagen … Ich habe meine Seele der Botschaft Christi geöffnet, aber ich konnte das Gedächtnis an die Himmelsboten meiner Ahnen nicht auslöschen. Und ich habe diesem Gedächtnis weiterhin gehuldigt. Das ist die Wahrheit, Vater. All meine Sünden habe ich nun bekannt – jetzt macht mit mir, was Ihr wollt.«

Wieder stellt sich lastendes Schweigen ein. Moïra zittert. Die Wahrheit – gleich wird sie aufkommen, wenn der Abt das Wort ergreift. Dann wird er von dem Geheimnis sprechen oder aber für immer schweigen. Sie fühlt, wie an ihrer Seite auch Roman zittert. Hildebert hat die Hände vor seiner Brust gekreuzt. Er ist ganz ruhig. Der Prior, Almodius, der Schreiber verschwinden aus Moïras Bewußtsein. Es gibt nur noch den Abt, Roman und sie. Nur sie drei …

»Es gibt nur einen einzigen Gott, Moïra«, sagt der Abt schließlich in erstaunlich sanftem Ton. »Ihr könnt nicht im Gebet Licht und Schatten vermischen, die Offenbarung Christi und die Anbetung des goldenen Kalbs. Was Ihr an der Vergangenheit ehren müßt, ist das Gedächtnis der Menschen, die Liebe Eurer Eltern, der Schoß Eurer Mutter, die Arme Eures Vaters – und nicht diese todbringenden Geister, die getränkt sind vom Blut der Opfer und die Euch zerren auf den Weg der Dunkelheit!«

Moïra blickt auf. Dankbar läßt sie ihren Blick auf Hildebert ruhen. Ihre rechte Hand ist im Stoff ihres Mantels verkrampft, damit sie nur nicht Romans Finger umfaßt, nur nicht das Gewand dessen an sich drückt, für dessen Treue sie nun endlich den Beweis erhalten hat: Roman hat geschwiegen, Almodius hat nichts gehört, und Roman hat ihr Geheimnis für sich behalten, ihre Bindung, die stärker ist als seine Ehrerbietung gegenüber seinem Vater und seinen Brüdern.

Er liebt sie also wirklich, mit derselben Liebe, die sie für ihn empfindet: der Liebe eines Menschen für einen anderen Menschen. Darin liegt Moïras Kraft, die sie jetzt unbesiegbar macht, wie immer der Abt entscheiden mag. Vergangenheit und Gegenwart sind in ihrem Herzen aneinandergeschweißt, die Zukunft ist nicht länger von Belang.

»Hört Ihr mich, Moïra«, setzt der Abt neu an, »Ihr müßt Ogmios und den Göttern Eurer Ahnen entsagen. Für immer.«

Moïra scheint aus einem süßen Taumel zu erwachen. Entsagen? Die Vergangenheit aufgeben, wo sie eben ihren ganzen Sinn entfaltet!

»Das kann ich nicht, Vater.«

»Wie könnt Ihr es wagen?« braust der Abt auf. »Ihr bekennt frei heraus eine Sünde von größter Abscheulichkeit, und dann erklärt Ihr mir mit dem nächsten Atemzug, daß Ihr in dieser Sünde verharren wollt! Seid Ihr Euch bewußt, was Ihr da vorbringt? Ihr gesteht vor Mönchen, daß Ihr den Teufel verehrt und daß Ihr weiterhin den Teufel zu verehren gedenkt! Meint Ihr, ich werde das hinnehmen? Ihr lebt auf meinem Land, meine Tochter, auf heiligem Land, das der Erzengel für sich erwählt hat! Meint Ihr, ich kann es hinnehmen, auch nur ein Stück davon an den Satan abzugeben? Schwört ab, Moïra, auf der Stelle! Schwört ab, Ihr habt keine andere Wahl!«

»Ich weiß, mein Vater, daß Ihr mir in Eurer großen Güte die Vergebung verheißt, wenn ich diese Bedingung erfülle«, sagt sie tonlos, »und ich danke Euch für Euren Großmut. Doch kann ich diese Vergebung nicht erfahren, denn ich kann das Blut, das in mir fließt, nicht leugnen, von welcher Natur es auch immer sein mag. Ich gehöre Euch, macht mit mir, was Ihr für richtig haltet. Ich bin in Euren Händen und Eurem Willen gänzlich ergeben.«

Bei diesen Worten springt der Abt von seinem Sitz und geht mit anklagend vorgestrecktem Finger auf sie los. »Meinem Willen? Meinem Willen! Er ist allmächtig, in der Tat, angesichts Eures Verbrechens! Wißt Ihr, daß ich Euch der irdischen Obrigkeit ausliefern kann, die noch mehr als ich haßt, was Ihr verkörpert? Richard wird Euch einem Verhör unterziehen, und das ist etwas ganz anderes als diese freundliche Unterhaltung hier! Habt Ihr noch nie von den Manichäern gehört, die behaupteten, sie würden einen Gott des Lichts anbeten und einen Gott der Dunkelheit und zugleich Gut und Böse ehren? Sie wurden verbrannt – ja, bei lebendigem Leibe auf dem Scheiterhaufen verbrannt! Das ist die Gefahr, der Ihr Euch aussetzt, wenn Ihr Euch weigert, dem Teufel in Euch abzuschwören!«

Moïra senkt das Haupt. Ihr leerer Blick trifft auf den Boden der Zelle, die Erde des Berges. Die Ketten, die sie an diese Erde binden, sind stärker als die, mit denen der Abt sie bedroht. Die reine Macht der Bindung, die sie mit Roman vereint, ist stärker als das Überleben ihres Körpers. Diese Liebe ist nie in der Einheit ihres Fleisches wahrgeworden, und plötzlich denkt sie, daß genau daher ihre Stärke rührt, daß genau das sie für die Ewigkeit besiegeln wird: die Vereinigung ihres Geistes, ihrer Seelen. Der Leib ist nichts, er wird ins Nichts zurückkehren, aber ihre Seele wird in einem anderen Körper wandeln bis in alle Ewigkeit. Die fleischlichen Hüllen werden in der Zeit aufeinanderfolgen, wie sie schon seit dem Ursprung der Welt aufeinanderfolgen. Was bleibt, ist die Seele, herumirrend, aber ewig, im Einklang mit der Welt der Ihren und bereichert durch eine neue bedingungslose Wahrheit: die Liebe dieses Mannes.

Moïra denkt an das Leid, das man einem Leib zufügen kann und das Hildebert ihr offenbar in Aussicht stellt: Sie wird nicht wanken dürfen, nicht ihre Seele mit den körperlichen Qualen beflecken. Es überkommt sie ein Hauch von Angst, dann hat sie sich wieder im Griff. Ihr Beschluß ist unumstößlich. Ihr einziger Wunsch bleibt, noch ein letztes Mal mit Romans Geist in Gemeinschaft zu treten. Innig betrachtet sie ihn. Er starrt noch immer auf einen Punkt vor sich, dann beseelt ihn plötzlich ein Lebenshauch, er erbebt, er wird sich ihr zuwenden, er muß sie ansehen, ein letztes Mal...

»Erhofft Euch keinerlei Hilfe von Bruder Roman«, stößt der Abt auf einmal hervor, einen eisernen Blitz in den Augen – und sogleich nimmt Roman seine vorige Haltung wieder ein. »Er kann nichts für Euch tun! Euer Schicksal liegt in meinen Händen – und vor allem in Euren«, ergänzt er weniger schroff. »Ich frage Euch ein letztes Mal, Moïra: Entsagt Ihr Eurem ruchlosen Glauben?«

Wenn es doch nur ein Ende hätte! Moïra weiß nicht mehr weiter, und Roman scheint am Rande der Ohnmacht: kalter Schweiß steht ihm auf der Stirn, und es hat den Anschein, als würde er gleich umkippen. In letzter Entschlossenheit schüttelt Moïra den Kopf und macht sich darauf gefaßt, daß das tobende Gewitter des Abts über sie herfällt.

Doch die Antwort ist eine ganz andere. »Moïra, an diesem Osterdienstag habt Ihr vor Zeugen Eure Sünde bekannt«, erklärt er wie in einem Urteilsspruch. »Ich, Hildebert, dritter Benediktinerabt vom Mont-Saint-Michel, gedenke Jesu, der gestorben ist, um die Sünde der Welt zu sühnen, und der auferstanden ist. Ich lasse Euch vier Tage und fünf Nächte, um zu beten und über das Geheimnis des Glaubens nachzudenken. Am Sonntag, dem ersten Sonntag nach Ostern, komme ich selbst im Morgengrauen zu Euch, um Euch Eure Entsagung abzunehmen. Solltet Ihr Euch weigern, sie auszusprechen, so wird Euer Besitz beschlagnahmt, und Ihr werdet aus der Kirche verstoßen und für immer von meinem Land verbannt, Ihr und Euer Bruder, und es wird Euch und Eurer Abkunft auf immer verboten bleiben, zurückzukehren. Ich habe gesprochen. Und jetzt aus meinen Augen! Kehrt heim in Eure düsteren Wälder und Eure vermaledeite Kate. Ich werde für Euch beten, damit der Herr Euch helfen möge. Geht!«

Moïra ist für einen Augenblick sprachlos, so überrascht ist sie von diesem Urteil. Sie blickt um sich wie ein eingesperrtes Tier, dem man unvermutet den Käfig geöffnet hat. Almodius kocht vor Wut, hält sich aber mit aller Kraft zurück, um nicht zu protestieren, um sich nicht auf sie zu stürzen und ihre Kehle zu umklammern. Roman weint im stillen.

Hildebert dreht ihnen den Rücken zu und tritt langsam an seinen Tisch zurück, wo er, vom Prior gestützt, in einen Sessel sinkt. Er wirkt erschöpft. Sie begegnet seinem himmelblauen Blick, der von etwas anderem gefangen ist und sich offenbar wundert, daß sie noch immer da ist. Sie wirft noch einen verstohlenen Blick auf Roman, dreht sich um, öffnet die Tür und rennt in den Wald von Beauvoir, als würde sie von einem sagenhaften Ungeheuer verfolgt.

*Moïra,*

*daß Meister Roger sich einverstanden erklärt hat, Dir diesen Brief zu bringen, liegt allein daran, daß er nichts weiß von der Erregung, die das Kloster seit gestern erschüttert. Obgleich breitet sich die Bestürzung aus wie eine Seuche, die bald schon alle unsere Ländereien heimsuchen wird. Ich fürchte um Dich, Moïra. Ich fürchte die engherzige Wut der ungebildeten kleinen Leute. Ich fürchte das rächende Feuer der Dorfbewohner gegen die, die nicht sind wie sie. Ich fürchte, daß sie das Leid vergessen, von dem Du sie befreit hast, und daß sie versuchen, ihre Angst zu beschwichtigen, indem sie nun Dich leiden lassen. Roger weiß noch nichts, und so erinnert er sich, daß Du seine Tochter Brigitte geheilt hast. Aber morgen schon sieht er in Dir vielleicht nur noch den Gehilfen des Dämons. Und doch, Moïra, Du hast gesehen, Du hast gehört, wie scharf der Verstand und wie gut das Herz unseres Abtes ist, wie groß seine Bereitschaft, die Sünden zu vergeben, und mögen sie noch so schwer sein.*

*Begreifst Du, daß ich ihm die meinen ohne Rückhalt bekannt habe, so wie auch Du es sogleich getan hast? Das göttliche Licht ist in diesen Mann getreten, der nichts ist als Erbarmen. Er erwartet Dich, er hat eine wichtige Reise verschoben, um Dir nahe zu sein. Er weiß, daß Du nicht fliehen wirst, und Tag und Nacht betet er für Dich, für Deine Rettung, für Deine Seele: Er liebt Dich, wie Gott Dich liebt, und er will Dich in seinem Schoß bewahren. Weise seinen Großmut und sein Wohlwollen nicht zurück, das so selten ist bei einem so großen Herrn. Nimm ihn am Sonntag auf wie Christus, der in ihm wohnt. Öffne ihm Dein Haus und laß zu, daß er Dich von Deinen Sünden reinigt. Du brauchst nur ein Wort zu sagen. Und ich flehe Dich an, Moïra: sag es!*

*Ich schreibe Dir im Geheimnis einer Kerze und von Bruder Hosmund, in der provisorischen Krankenstube, in der ich gestern Zuflucht gefunden habe. Mein Körper hat mich wieder im Stich gelassen, und Du kannst bei ihm nichts mehr ausrichten. Niemand kann es mehr. Ich schreibe Dir von der Liebe Hildeberts, von der Liebe Gottes, obgleich mein ganzes Sein eine andere Liebe herausschreit, auf der der böse Verdacht der Wollust liegt. Dabei ist mir bewußt geworden, so machtvoll wie in einem Dolchstoß, daß ich Dich ohne jeden Schatten liebe, ohne Befleckung, ohne einen anderen Wunsch als den zu wissen, daß es Dich gibt und daß Du mir nahe bist.*

*Wir sind schon in einem Jenseits, über den Körper hinaus. Wir haben die lästerlichen Verlockungen des Fleisches überwunden, die Macht der Dinge und ihrer Zwänge hat uns seinen vergänglichen Freuden und seiner Zerrissenheit entfremdet. Du hast mich geliebt, als ich darniederlag, als ich halb tot war, fieberte und mein Blut verlor. Ich werde Dich als Christin lieben und selbst als heimliche Heidin. Was kümmert es mich, wenn Du nur da bist!*

*Wir werden immer einen Weg finden, uns zu sehen und uns zu verständigen. Doch wie könnten wir das, wenn Du verbannt wärst? Der Himmel hat uns ein Geschenk dargebracht, das Geschenk unseres Zusammentreffens: Ja, Moïra, heute danke ich dem Räuber und seiner todbringenden Klinge, und morgen würde ich ihm offen meine Brust darbieten, könnte sein Messer mich nur zu Dir bringen! Ohne Unterlaß denke ich an jene Tage von Beauvoir in Deinem Haus: Wie scheinen sie mir süß, uneinholbar von der Zeit, losgelöst von den Zwängen der Welt, die uns jetzt bestürmen! Ich habe alles Leid vergessen, das mein Körper dort erlitt: Ich erinnere mich an Deine Stimme, als ich sie zum erstenmal hörte, an Deinen Blick voller Liebe, an Deine bleichen Hände, Deine flüchtige Gegenwart an meiner Seite, gleich der eines Engels.*

*Gestern, Moïra, gestern war die Großmut des Himmels noch größer: Nachdem er schon mir erlaubte, am Leben zu bleiben, hat er Dir dieselbe Gunst erwiesen, und ich hege keinen Zweifel, daß er damit unsere Liebe gutgeheißen hat. Du indessen wolltest es über Dich bringen, alles das zu zerstören, eben in dem Moment, da sich vor uns alles auftut? Warum? Um einer Erde willen, von der Du verjagt wirst, wenn Du ihr treu bleibst? Um einen Kult zu bewahren, der mit Dir verlöschen wird? Darin verbirgt sich der Feind unserer lebendigen Liebe: Er ist eine tote Religion, eine vergangene Zeit, ein armseliger Kadaver, vor Jahrhunderten von seiner Seele verlassen!*

*Mach Dir keine Sorgen, ich habe niemandem ein Wort von Deinem Geheimnis gesagt. Aber ich konnte es nicht über mich bringen, die Pläne meines Meisters zu verändern, in denen sein Testament besteht. Was Dich am Leben hindert, wird vergehen, in einigen Jahrzehnten.*

*Ich bitte Dich, Moïra, schick Dich nicht selbst ins Exil außerhalb des Lebens, das der Himmel uns verspricht. Bewahre unsere Liebe, die wichtiger ist als alles andere, und wir werden eine neue Erde errichten, die keine Leichen umschließen wird, sondern die Wurzeln der Bäume!*

*Überlaß mich nicht meinen Steinen, Moïra. Ohne Dich sind sie kalt und stumm wie meine Seele. Ohne Dich bin ich gefangen in einer düsteren Festung, und mein Herz ist ein Kerker. Ich flehe Dich auf Knien an: Gib uns Frieden, meine Geliebte, gib uns Frieden!*

*Bis bald, mein Engel auf Erden, bis bald, versprich es mir!*

*Roman*

*Vernichte diesen Brief, sobald Du ihn gelesen hast, zur Sicherheit.*

Reglos steht Brewen an der rauchenden Feuerstelle. Draußen ist es dunkel. Moïra schnuppert an dem Schreiben, ihre Augen sind geschlossen. Ihre roten Locken liebkosen den Brief in einem langen Kuß. Sie erbebt in stummem Schluchzen. Sie hebt den Kopf. Ihr Antlitz ist Trauer, eine Trauer ohne Tränen. Dann erhellt es eine Hoffnung, zerbrechlich, bleich, dann allmählich auflodernd und schließlich gleißend wie das Gestirn des Tages. Endlich ist der Zauber der Liebe entschleiert, geteilt, offen erklärt!

Ein Schatten zieht über ihre Züge, die erstarren, bevor sie sich in einem Lächeln entspannen. Sie horcht auf ihr Sehnen. Soll sie es wagen, an Roman zu glauben, an sich selbst zu glauben, an sie beide, und der Vergangenheit entsagen? Alles ist anders, denn er gesteht seine Bindung! Sie werden sich sehen, verborgen vor den anderen, aber in der ganzen Wahrheit ihrer Herzen.

Moïra zögert, innerlich zerrissen. Ihr Finger streift über Romans Worte, seine schöne gerade Schrift auf der Kuhhaut, die die Mönche gegerbt haben.

Plötzlich hämmern kräftige Schläge an die Tür ihrer Hütte. Moïra sieht zu ihrem Bruder und beeilt sich, den Brief an die Flamme einer Kerze zu halten. Das Feuer hat diesen Brief beleuchtet, jetzt frißt es ihn auf. Die Schläge werden lauter. Der Brief, den sie nicht zu erhalten gehofft hat, ist nichts mehr als Asche. Moïra geht zur Tür.

»Hier vollzieht sich ein Wunder!« ruft Roland d'Aubigny, der Bischof von Avranches, angesichts der Bauarbeiten für die Chorkrypta. »Lieber Hildebert, welch Fortschritt in nur einer Woche! Noch letzten Donnerstag war der Berg kahl, als ich das Chrisam zu segnen kam – heute ist er schön! Er wimmelt, er baut, er ragt schon in den Himmel auf!«

»Ja, Eure Exzellenz«, antwortet der Abt, »am Gründonnerstag war das Gewand des Berges unsere bescheidene Kutte, die meiner Söhne und meiner selbst. Jetzt wird er sich auf Jahrzehnte in die einfache Tatkraft und die reine Stärke dieser Leute gewanden, die keineswegs bloß Zierrat sind, sondern ihr Leben dem Bau der Basilika widmen werden.«

Die beiden Männer werfen sich einen eisigen Blick zu. Roland d'Aubigny ist trotz der milden Aprilluft in Bärenpelze gehüllt, während er mit seinen vier Kaplanen und Hildebert zwischen den halb entblößten, schwitzenden Arbeitern umhergeht. Seine plötzliche Ankunft in der Kirche zum Ende der Konventsmesse überraschte die ganze Gemeinschaft. Es herrschte Hochwasser, und er mußte in einem unbequemen Boot Platz nehmen. Doch der Mont-Saint-Michel ist nicht Cluny, und allein die burgundische Abtei hat das Privileg der Exemtion, die sie vom Joch des weltlichen Klerus befreit, so daß sie nur dem Papst Rechenschaft schuldig ist. Auf dem Berg ist trotz des stetigen Unmuts der Äbte und

Brüder der Bischof Herr im Hause, und er kann zu jeder Stunde des Tages oder der Nacht dort auftauchen. Der Herr der Diözese von Avranches und damit Nachfolger von Aubert hegt dem heiligen Berg gegenüber eine wechselhafte Leidenschaft: Bald ist er auf der Insel allgegenwärtig, bald vernachlässigt er sie und kümmert sich allein um die Pfründe seines Bistums. Der Mittfünfziger, der also jünger ist als Hildebert, ist ein enger Vertrauter von Richard II., mit dem er die Insignien des Adels teilt: prächtige Gewänder, Paläste, Bankette, Jagdpartien, Frauen.

Der gutaussehende blonde und feingliedrige Mann mustert Hildebert aus seinen kastanienbraunen Augen. »Dieser Spaziergang hat mich durstig gemacht, lieber Abt«, bringt er vor, während er sich mit seinem pelzbesetzten Ärmel den Schweiß von der Stirn wischt, »und all dieser Staub brennt mir in der Kehle. Gesteht Ihr mir etwas von diesem Wein aus Beaune zu, den Euer Cellerar aus Cluny kommen läßt?«

»Ihr seid hier in Eurem Hause, verehrter Roland, und mein Weinkeller ist der Eure«, gibt Hildebert zurück. Es ärgert ihn, daß er mit diesem mondänen Säufer einen Krug seines bevorzugten Weins teilen muß. »Gehen wir in meine Zelle, dort haben wir mehr Ruhe, und Ihr könnt Euch am Kamin wärmen.«

»Übrigens, ich sehe gar keine Spur von Eurem Werkmeister, diesem angeblich so begabten Schüler des Pierre de Nevers, den ich tagtäglich in meinem Morgengebet beweine.«

»Bruder Roman liegt darnieder, er ruht im Infirmarium. Unser feuchtes Klima läßt manchmal die Wunden wieder aufleben, die er sich zuzog, als er sich, um Pilger zu schützen, gegen einen gemeinen Wegelagerer stellte.«

»Ah, ich entsinne mich dieser Heldentat!« Der Bischof hebt die Hände zum Himmel. »Aber das war zu Kirchweih, und ich dachte, da er doch in Genuß der geschicktesten Pflege kam, sei Euer Mönch genesen.«

Hildebert gibt vor, die Anspielung nicht zu verstehen. Ohne mit der Wimper zu zucken geht er weiter in Richtung seiner Hütte. In der Ferne sieht er Bruder Bernard, Romans Gehilfen, der mit Meister Jehan die Arbeiter beaufsichtigt, die riesige Steinblöcke herauftragen.

»Bruder Romans Geist und Seele sind in den festesten Granit gehauen, den es geben mag, und er erweist sich als hervorragender Werkmeister. Aber sein Körper ist vom Todeskampf gezeichnet. Die Schnittwunde liegt neben dem Herzen. Von Zeit zu Zeit lassen seine Kräfte nach, aber nach ein paar Tagen der Ruhe ist er wieder wohlauf und arbeitet mit noch größerem Eifer.«

»In der Tat ist das Herz bei manchen Menschen schwächer als bei anderen«, bemerkt Roland d'Aubigny. »Ich bitte Euch, lieber Hildebert – nach Euch!«

Der Abt tritt vor dem Bischof in seine Zelle. Er befiehlt dem Laienbruder, der gerade das Feuer schürt, einen Krug seines roten Burgunderweins und zwei Becher zu bringen. Der Prälat weiß nichts davon, daß Hildeberts enger Freund, Abt Odilo, ihm soeben ein paar Fässer von einem wunderbaren Weißwein gesandt hat, den seine Mönche von Cluny auf Weinbergen in der Gegend von Auxerre anbauen, die noch von den Römern stammen. Offenbar ist Roland also nicht wegen seines Weinkellers gekommen. Dieser Gedanke ist erfreulich. Aber trotz der Erklärungen des Bischofs zweifelt der Abt daran, daß er gekommen ist, um die Bauarbeiten zu besichtigen. Die Zweideutigkeiten des Bischofs weisen auf etwas anderes hin und verheißen nichts Gutes.

»Nehmt Platz, Exzellenz!« Hildebert weist auf einen Stuhl gegenüber vom Schreibpult, an dem er sich niederläßt. »Nun also sind wir in der Vertraulichkeit dieser uralten Zelle und in der Wärme dieses Feuers, und so sagt mir: Seid Ihr zufrieden mit Eurem Besuch bei uns?«

»Ich bin begeistert von dem, was ich eben betrachten durfte, völlig begeistert! Indes habe ich Euch noch von einer erstaunlichen Begebenheit zu berichten. Oh, nichts Förmliches, nur eine einfache Mitteilung, die ich Euch in Gegenwart all dieser neugierigen Ohren nicht eröffnen konnte.«

»Ich höre, Exzellenz, und kann Euch versichern, daß die einzigen Ohren hier die meinen sind – und die des Erzengels.« Er weist mit einer Hand auf den Wandbehang.

In diesem Augenblick klopft der Laienbruder, der den Wein

bringt. Er schenkt den beiden Würdenträgern ein und zieht sich zurück. Der Bischof kostet von dem Trunk, beglückwünscht den Abt zu einem so wertvollen Freund wie Odilo, und räuspert sich.

»Es geht um eine Sache, die sich gestern zugetragen hat, am Mittwoch abend«, beginnt er. »In erster Linie betrifft sie mich, aber ich halte es für richtig, Euch davon zu berichten.«

Roland unterbricht sich und sieht den Abt an, den Unruhe und ein ungutes Vorgefühl ergreift. Der Bischof dagegen genießt die Wirkung, die er mit seiner Ankündigung erzielt, und nimmt einen Schluck Wein.

»Stellt Euch vor«, fährt er in gespielter Unbekümmertheit fort, »ich habe eine Ketzerin enttarnt. In meiner Diözese. Und um genauer zu sein: auf Euren Ländereien!«

Hildebert erstarrt wie eine Leiche.

»Die Soldaten Richards haben sie gestern festgesetzt«, fährt der Bischof in unaufgesetzter Zufriedenheit fort. »Sie liegt unter guter Bewachung in einem seiner Kerker in Ketten, in Avranches, ganz in der Nähe des Bischofssitzes. Ich habe sie noch nicht befragt. Es schien mir richtiger, Euch zunächst davon zu unterrichten. Es handelt sich um eine Heilerin namens Moïra.«

Der Abt richtet sich ruckartig auf und stößt mit dem Handrücken seinen Zinnbecher um. Die hellrote Flüssigkeit rinnt über den Tisch.

»Das durftet Ihr nicht tun!« ruft er aus. »Moïra lebt in Beauvoir, auf meinen Ländereien! Sie gehört mir!«

»So kennt Ihr also dieses Geschöpf?«

»Irgend jemand hat geredet! Ich fordere Euch auf, mir zu sagen, wer! Ich habe vor zwei Tagen über diese Frau gerichtet! Sie hat bis Sonntag Zeit, von ihrem ruchlosen Glauben abzuschwören, sonst wird sie aus der Kirche verstoßen und von meinem Land gejagt!«

»Um auf dem meinen Zuflucht zu suchen? Ein schönes Urteil, Pater!« erwidert Roland, dessen Augen Hildeberts Blitze ungemildert zurücksenden. »Ihr könnt nicht einen Eurer Söhne dafür verurteilen, daß er völlig angemessene Weitsicht in einer Angelegenheit bewiesen hat, die von größtem Ernst ist und über die Grenzen Eurer Ländereien weit hinausreicht.«

»Wer?« wiederholt der Abt, aufrecht hinter seinem Tisch sitzend. »Wollt Ihr mir sagen, wer sich das erlaubt hat?«

»Bruder Almodius, Euer Unterprior, hat sich am Dienstag aufgemacht, um meine Meinung in dieser Sache einzuholen. Er tat es in dem klugen Gedanken, ich müsse über die Ketzerei dieser Frau informiert werden. Eine Ketzerei, die eine Beleidigung der Obrigkeit darstellt und sich gegen die gesamte Christenheit wendet, nicht nur gegen Euer Kloster, das wißt Ihr sehr wohl. Daher hättet Ihr mir davon berichten müssen. Ich trage es Euch nicht nach, da Euer Unterprior es an Eurer Statt getan hat...«

»Almodius hat keinerlei Vollmacht, in meinem Namen zu handeln! Dieser Abtrünnige wird hart bestraft werden!«

»Aber, aber, lieber Abt«, beruhigt ihn der Bischof und schenkt neuen Wein in die Becher. »Ich glaube, Ihr geht ein bißchen zu weit. Gewiß, Almodius hat gegen seine Gehorsamspflicht verstoßen, aber es geschah aus einem höheren, einem zwingenden Beweggrund. Das Verbrechen liegt nicht bei Eurem Sohn, sondern allein in der verdammten Seele dieser Heidin. Ihr gebührt Strafe, und das in Form eines Exempels!«

»Was wollt Ihr mit ihr tun?« fragt Hildebert ermattet.

»Das, was Ihr unterlassen habt! Ihre Seele ergründen und ihre Verderbtheit ermessen!«

»Mit Gewalt!« Der Abt lebt wieder auf. »In der Tat, das habe ich unterlassen, denn die Folter ist des Gottesmannes unwürdig, der zu sein ich behaupte, und unwürdig der Kirche, der ich diene! Solltet Ihr das Edikt von Papst Gregor vergessen haben, demzufolge es nicht Sache der Kirche ist, Blut zu vergießen?«

»Blut zu vergießen nicht, aber als Bischof bin ich der Nachfolger der Apostel, daher ist es an mir zu ermessen, welche Gefahr von dieser Frau ausgeht, und das mit den Mitteln, die ich für angemessen halte, um dann im Namen der Kirche ein Urteil über sie zu fällen. Ich werde sie selbstredend nicht selbst strafen. Diese Sorge überlasse ich, wie sich's gehört, dem Herzog Richard. An ihm ist es, hinieden Frieden zu stiften und der Kirche in ihrem Kampf gegen den Teufel zur Seite zu stehen, und wenn es nötig ist, mit Gewalt.«

»Richard ist kein Henker!« wirft der Abt ein.

»Aber nein. Unser Fürst ist ein guter Fürst, durchdrungen von Gerechtigkeit – und ein glühender Christ. Sobald er meinen Boten empfangen hatte, schickte er mir umgehend eine Abteilung seiner Waffenleute, um die angebliche Heilerin zu ergreifen und in festen Gewahrsam zu nehmen. Gottlob gibt es nur wenige Fürsten, die die hochernste Gefahr unterschätzen, die von der Ketzerei ausgeht. Das erinnert mich an etwas: Vor sechs Jahren, im Jahr der Hochzeit von Richard und Judith und ihres Todes, im Jahr, in dem in dieser Zimmerdecke die Reliquien Auberts gefunden wurden«, er schaut nach oben, »im Jahr, in dem der Herzog beschloß, die große Abteikirche zu bauen und in dem Ihr den ehrbaren Pierre de Nevers kommen ließet, da ließ der König von Frankreich Robert II., der den treffenden Beinamen ›der Fromme‹ trägt, jene Kanoniker im Feuer schmachten, die dem Manichäismus anhingen. Die Normandie ist nicht Frankreich, aber ich kann mir gut vorstellen, daß unser guter Richard an diesen Vorfall gedacht hat, als er erfuhr, daß das gesegnete Land an jenem Berg, der ihm derart am Herzen liegt, daß er dort die künftige Abteikirche finanziert, solches Gesindel an seinem Busen hegt!«

Der Angriff ist hinterhältig, aber begründet. Nüchtern bewertet Hildebert die Lage: Moïra befindet sich in den Händen des Bischofs und des Fürsten, im Moment kann er nichts für sie tun. Durch die irre Verstocktheit der jungen Frau, die neulich in seiner Zelle nicht abschwören wollte, und wegen des unverzeihlichen Fehltritts seines Unterpriors hat die Angelegenheit eine neue Tragweite angenommen: Sie ist zu einem Politikum geworden im Machtspiel zwischen drei Männern: Richard, Roland und ihm selbst. Die Autorität des Abts ist schwer beschädigt worden, und Hildebert fürchtet, daß vielleicht gar der Bau der Abteikirche bedroht ist.

Nein, Richard kann nicht diesen großartigen Plan gefährden, der ihm zum Ruhm gereichen wird! Dennoch muß der Abt so schnell wie möglich seinen Lehnsherrn um ein Gespräch bitten und versuchen, seinen Einfluß wiederherzustellen und gleichzeitig Moïra das Schlimmste zu ersparen. Im Moment jedoch muß er sich gegen den gerissenen Bischof schlagen, der alle seine Argumente ausgehebelt hat. Doch eine Waffe hat der Abt noch, und zwar die, mit der er am geschicktesten umgehen kann: das Heilige Wort.

»Es sei mir fern, vor einem Mann predigen zu wollen, der die Lehre des Göttlichen so gut kennt wie Ihr«, setzt er an und schenkt erneut Wein nach, »aber indem ich mit Euch diesen heiligen Trunk teile, denke ich an das letzte Mahl Christi und an seine Worte, als er ergriffen wurde. Petrus zog sein Schwert, um ihn zu verteidigen, und Jesus sprach: ›Stecke dein Schwert an seinen Ort!‹ Wenn nicht einmal das Leben des Herrn selbst Blutvergießen rechtfertigt, dann heißt das, daß niemandes Leben Blutvergießen rechtfertigt. Unser Schwert, die Waffe von uns Dienern Christi, ist das Wort, Sein Wort. Mit Worten und nicht mit Waffen müssen wir die Heiden bekehren!«

»Christus sprach auch: ›Ich bin nicht gekommen, den Frieden zu bringen, sondern das Schwert.‹ Das heißt, das Schwert der Wahrheit ist besser als der Frieden des Irrtums und der Lüge!«

Die beiden Männer messen sich mit Blicken.

»Offenbar gehen unsere Meinungen auseinander, selbst wenn es um die Heilige Schrift geht. So laßt uns denn den Papst anrufen, er soll entscheiden!« Hildeberts Stimme ist scharf wie ein Dolch.

»Ich bin der Vertreter des Papstes!« entgegnet der Bischof und erhebt sich halb aus seinem Stuhl. »Mir scheint, Ihr neigt dazu, den Berg mit Cluny zu verwechseln«, fügt er honigsüß hinzu, während er sich wieder setzt. »Sollte das eine ungewollte Wirkung von Odilos gutem Wein sein?«

»Odilo ist ein heiliger Mann«, antwortet der Abt schroff, »und wie Benedikt und alle Mitglieder unseres Ordens verurteilt er die Gewalt im Kampf gegen die Ketzerei. Das Böse kann nur durch das Zeugnis des Gebets, des Glaubens und der Liebe besiegt werden. Freilich muß man so stark sein, mit den vergeblichen Annehmlichkeiten der irdischen Welt zu brechen, um die Macht dieses Glaubens und dieser himmlischen Liebe zu verspüren!« Bei diesen Worten blickt er verächtlich auf den Pelz des Bischofs.

»Ich verstehe, daß Ihr die Gemeinschaft der Engel als Bestärkung empfindet. Dieses Ideal ehrt Euch, ebenso wie die Leute in Eurem Orden. Aber es ist mir neu, daß Euer lieber Erzengel Michael den Drachen mit glühenden Worten durchbohrte!«

»Der heilige Michael ist ein Engel, der mit dem Schwert gegen einen anderen Engel kämpfte«, erwidert Hildebert, den die Herablassung des Bischofs zur Weißglut treibt. »Luzifer wußte von seiner Verfehlung, er beging die Sünde in vollem Bewußtsein, und in diesem Kampf waren beide gleichberechtigt. Diese Frau hingegen hat aus Unwissenheit gesündigt und nicht aus Hochmut!«

»Aus Unwissenheit? Dabei habe ich sagen hören, daß sie von einem Eurer Söhne grundlegend belehrt worden sei, und das mit der größten Hingabe, in der er gar den kurzen Schlaf eines Mönchs hintanstellte!«

»Leben, Schlaf und Handeln meiner Mönche sind ausschließlich meine Angelegenheit!«

»Ganz wie Ihr wollt. Ich will mich keineswegs in Eure Aufgaben einmischen, lieber Abt. Ich habe die meine, und ich finde sie schon schwerwiegend genug: Ich mache mich auf, diesen Teufel zu befragen. Seid gegrüßt.«

Ohne jede weitere Höflichkeiten steht der Bischof auf und verläßt die Zelle, wo er zu seinen draußen wartenden Kaplanen tritt. Hildebert bleibt allein zurück, benommen von der Wendung, die die Ereignisse genommen haben. Dann fühlt er einen Wirbelsturm auf sich niedergehen, wie er manchmal den Berg heimsucht: ein aus der Natur geborener Zorn, wie er ihn nie zuvor gekannt hat, eine Heftigkeit, ein Überschwang der Wut, der ihm angst macht, so fremd ist er seinem Wesen und seiner Berufung. Jähzorn überflutet den Greis, und er ist unfähig, ihn einzudämmen.

Wie ein Jüngling fährt er hoch und stürzt aus der Hütte, während gerade die Glocke die sechste Stunde schlägt. Er rauscht ins Refektorium, wo ihn seine hungrigen Mönche stehend erwarten. Der Platz des Priors Bruder Robert ist leer; am Vortag hat Hildebert ihn zu einer wichtigen Versammlung hochrangiger Benediktiner ins Anjou entsandt, eine Reise, auf die er selbst verzichtet hat, um am Sonntag persönlich Moïras Entsagung entgegennehmen zu können.

Hinter seinem leeren Napf hebt Roman den Kopf und sieht

den Abt eintreten. Das Gesicht des jungen Mönchs ist von der aschgrauen Farbe seiner Augen, aber als am Morgen Meister Roger in die Krankenstube kam und ihm versicherte, daß er den Brief gut abgegeben habe, ist er aufgestanden und zu seiner Aufgabe zurückgekehrt. Er will sich nicht mehr vor seinen Brüdern und den Leuten vom Bau verstecken, so wie er nicht länger Moïra und sich selbst etwas vormacht.

Der Abt wirft ihm einen blitzenden Blick zu. Roman fühlt den Schmerz der Züchtigung auf seiner Wirbelsäule brennen, aber Hildebert geht an ihm vorbei und tritt zum Unterprior.

»Almodius!« zischt er. »Folgt mir auf der Stelle in meine Zelle! Ihr anderen – eßt!« befiehlt er den verdatterten Mönchen.

Er dreht sich um und schreitet theatralisch aus dem Refektorium, auf dem Fuße gefolgt vom Herrn des Skriptoriums. Er läßt Almodius in seine Kammer und knallt die Tür hinter ihm zu. Im Luftzug erzittert der Mönch, dessen Ohren rot angelaufen sind. Der Abt setzt sich an seinen Tisch und versteinert den unwürdigen Sohn mit seinem Blick.

»Mein Pater, ich…«, bringt Almodius hervor.

»Schweigt!« unterbricht ihn Hildebert mit vor Zorn zitternder Stimme. »Kein Wort von Euch wird die Heiligkeit dieses Ortes beflecken! Ihr, den Euch Abt Maynard als Kind aufgenommen hat, dem wir Körper und Geist genährt haben, dessen Seele wir geformt haben, den ich zum Unterprior ernannt habe, dem ich den Schlüssel zur Abtei anvertraut habe, zugleich mit dem des Skriptoriums, dem gesamten Gedächtnis der Christen und dem Wissen unseres Ordens – Ihr habt uns verraten und seid ein erbärmlicher Schuft!«

»Mein Pater«, antwortet Almodius kleinlaut, denn die ungewohnte Wut des Abts verunsichert ihn, »ich bekenne, daß ich in Mißachtung dessen gehandelt habe, was Ihr befohlen habt. Ich ließ mich vom Glauben leiten, den Euer Vorgänger und Ihr mir seit jüngster Kindheit eingegeben habt, diesem Glauben, der stärker ist als alles und der der Heiligkeit dieses Ortes dient, dessen Makellosigkeit ich bedroht sah.«

»Der Garant für die Makellosigkeit dieses Berges bin ich!« schäumt der Abt. »Mit Eurer Tat seid Ihr es, der sie gegenüber dem Bischof und dem Fürsten gefährdet! ›Gehorsam gegen die Oberen ist Gott geleistet‹, schreibt Benedikt. Durch solchen Ungehorsam spottet Ihr dem Herrn selbst! Ihr habt alles geleugnet: Eure leibliche Familie, die Euch Gott anvertraut hat, Eure Brüder im Kloster, Euren geistigen Vater und die Familie der Engel!«

»Meine Sünde ist nichts neben der meines Bruders Roman, der sich der Wollust des Teufels hingegeben hat«, entgegnet der Unterprior und blickt herausfordernd auf. »Ich war ungehorsam, das ist richtig, aber um die Seele unserer Abtei zu retten, die von diesem Höllenweib verpestet ist und von Eurem gutmütigen Greisenherz!«

Bei diesen Worten erstickt Hildebert fast vor Wut. Mit knallrotem Kopf beginnt er heftig zu husten und muß erst seinen Atem beruhigen, bevor er sprechen kann. »Seit einiger Zeit schon…« Der Abt hält inne und spuckt in ein Leinentuch. »Seit einiger Zeit schon hege ich eine gewisse Unruhe in Bezug auf Euch. Euer Blick ist immer weniger demütig. Nachts Euer Fehlen im Schlafsaal, tags Eure Ausgänge außerhalb des Klosters, ohne daß bekannt war, wohin. Eine plötzliche Abweichung von unserem Tagesablauf, von der ich aber nicht gedacht hätte, daß sie einen so großen Bruch mit unseren grundlegenden Überzeugungen darstellte. Heute sehe ich und höre ich. Dieses alte Herz, das Ihr mir zum Vorwurf macht, empfängt aus Eurem Munde Hochmut, Undankbarkeit und todbringenden Eifer, der Euch ganz und gar zerfrißt. Ja, ich verstehe Euren Haß auf Euren Bruder Roman, auf diese Frau, auf unsere Milde gegen die Sünder, die sich aus Arglosigkeit und Schwäche gegenüber der Welt versündigen und nicht aus Eitelkeit. Das also hat der Glaube aus Euch gemacht«, schließt er in einem Seufzer. »Almodius, ich entziehe Euch mit sofortiger Wirkung all Eure Ämter. Ich werde umgehend die Gemeinschaft zum Rat versammeln, um Euch auszuschließen. Wenn Robert aus dem Anjou heimkehrt, werde ich einen neuen Unterprior ernennen und einen anderen Bruder für das Skriptorium erwählen. Ihr habt uns bereits verlassen, ich besiegele nur Euren Entschluß. Ich hoffe nur, daß Ihr nicht vollkommen verloren seid und auf den rechten Weg zurückfinden werdet.«

Hildebert stützt den Kopf in die Hände, gebrochen wie ein Vater, dessen liebster Sohn ihn zu ermorden kam.

»Ihr wollt einfach nicht begreifen!« schreit Almodius auf und tritt an den Abt heran. »Lieber vergebt Ihr dem Schwachen, Untreuen und verurteilt mich, daß ich nicht erlegen bin! Eure richterliche Willkür dient nur den Schwachen, und ich bedaure es keineswegs, sie dem Bischof gemeldet zu haben, denn er wird das Übel auszulöschen wissen!« brüllt er mit zu Fäusten geballten Händen auf Hildeberts Seufzen hin. »Eure angebliche Milde ist nichts als Feigheit, und Eurer Glauben das Alibi für diese Feigheit! Ich...«

Der Mönch verharrt reglos vor dem Gesicht des Abts. Der ist plötzlich leichenblaß, reißt die Augen auf und öffnet den Mund, aus dem kein einziger Ton dringt. Ein Rinnsal weißen Schaums tropft aus seinen Mundwinkeln. Hildebert greift mit der Hand nach seinem Herz, und in einem Röcheln bricht er krachend auf dem Tisch zusammen.

Almodius weiß nicht, wie ihm geschieht. Ratlos bleibt er ein paar Momente stumm stehen, dann kommt er langsam näher, richtet den Abt vorsichtig auf. Hildebert ist weiß und steif wie eine Leiche. Almodius beugt sich vor. Ein winziger Lufthauch scheint aus Hildeberts Mund zu dringen. Der junge Mönch schiebt die erstarrte Hand des Abts fort und legt seine Finger auf sein Herz. Er meint, es schlüge noch, sehr schwach und unregelmäßig. Hildebert ist nicht tot.

Almodius rennt aus der Hütte.

Kurze Zeit später liegt Hildebert auf seinem Lager, stumm, versteinert, mit leerem Blick. Die Glut im Kamin läßt rötliche Schatten durch den Raum tanzen. Bruder Hosmund beugt sich über den Kranken und versucht mühsam, ihm einen Trank einzuflößen.

Almodius kniet neben dem Lager und betet. Vor der Hütte sind beim ersten Knattern der Ratsche alle Brüder des Klosters, Priester und Laien, zusammengelaufen. Sie singen halblaut das *Credo in unum Deum*. Hosmund richtet sich auf, begegnet Almodius' Blick. Der sieht ihn fragend an.

»Ich weiß nicht, Bruder Almodius«, antwortet der Laienbruder. »Er ist in sich selbst verschlossen, der Welt entflohen. Seine Muskeln und seine Zunge sind erstarrt. Es ist sein Herz; es scheint des Schlagens müde. Kein Fieber, aber eine maßlose innere Müdigkeit, das Alter, die Aufregungen des Baus, die jüngsten Ereignisse ...« Er schaut zu Boden. »Zorn ist immer verderblich für die Seele. Betet für ihn, ich kümmere mich um den Rest. Möge der Herr mir beistehen.«

»Und ich mit ihm, Bruder Hosmund«, erklärt Almodius entschlossen. »Solange Bruder Robert fort ist, nehme ich die Abtei in die Hand – und die Pflege unseres Vaters, bis er genesen ist.«

»Gut, Bruder Almodius. Ich gehe ins Infirmarium, um die Salben zu mischen und die Heilkräuter aufzukochen. Ein Aderlaß mag ihn vielleicht von den üblen Säften befreien. Ach, mein Pater«, sagt er, das bärtige Gesicht plötzlich von Tränen benetzt, »unser geliebter Pater... Meint Ihr nicht, man sollte nach dem Prior schicken und nach dem Bischof, damit er ihm die letzte Ölung gibt?«

Almodius legt dem schluchzenden Pfleger fest eine Hand auf die Schulter. »Nun, nun, mein Bruder, unser aller Betrübnis ist ohne Maß, aber unserem Pater wird sie kaum helfen. Beten müssen wir. Alle müssen wir zum Erzengel beten, damit er seiner Seele hilft. Bruder Robert wird bald zurück sein, um sein Flehen dem unseren anzuschließen. Es ist nutzlos, die Dinge zu überstürzen. Tatsächlich erscheint es mir weiser, den Bischof für die Krankensalbung herzubitten. Ich werde Bruder Guillaume nach Avranches schicken. Unser Vater muß ruhen. Ich werde auch darüber wachen, damit unsere Brüder ihn nicht stören. Ich werde mich mit Euch an seinem Krankenbett abwechseln, während unsere Brüder ihr glühendes Gebet an den Herrn entrichten. Ich verlasse mich auf Euch, Bruder Hosmund.«

Almodius wendet sich um und erblickt durch das einzige Fenster der Hütte die fragenden, unruhigen Gesichter der Mönche. Er tritt hinaus, um ihnen vom Zustand des Kranken zu berichten und seine Anordnungen zu erteilen. Während in seiner Rede halbechte Trauer mitschwingt, begegnet sein Blick dem von Roman, der hart ist wie ein Stein und ihn in wortloser Anklage herauszufordern scheint. Doch der Werkmeister schweigt und reiht sich bei seinen Brüdern ein, die in die Kirche ziehen, um dort mit ihren reinen Tränen und ihrem flammenden Gebet den heiligen Michael anzuflehen.

Am selben Abend ergreift große Ruhe den Berg, eine Ruhe, die nicht Frieden ist, sondern ergebenes Warten auf den allerhöchsten Beschluß. Sogar der Himmel selbst hält seine abendlichen Stürme zurück: Die grauen Wolken lösen sich auf, die schüchterne Sonne erlöscht allmählich, und die dunkle Nacht bricht wie unbemerkt herein. In einem wiegenden Lied ist das Meer gekommen, der Erde zu schmeicheln und am Felsen in raunendem Flüstern zu plätschern. Dort oben ist alles Erwartung. Die reglose Baustelle scheint verlassen, und die aufgerichteten Galgenkräne wiegen unsichtbare Gehenkte. Keine Sterne in der Dunkelheit. Kein Licht in der Kirche. Die Nacht ist von den Menschen entvölkert und von Geistern erfüllt. Erleuchtet sind allein die Rundbogenfenster der Martinskapelle; sie schimmern in gelblichem Schein.

Am nächsten Tag – es ist ein Freitag – galoppiert Roland d'Aubigny bei Ebbe zum Berg. Der Abt schwebt noch immer zwischen Leben und Tod, stumm und steif steht er auf der Schwelle zwischen zwei Welten. Almodius ist keinen Moment von seiner Seite gewichen. Er hat die drei Gebete gesprochen, die gewöhnlich der Prior für die verlorengegebenen Kranken rezitiert, hat für Hildebert, der nicht sprechen kann, das *Confiteor* aufgesagt und ihn persönlich gepflegt, während Hosmund mit seinen Brüdern die ganze Nacht über in der Kapelle gebetet hat. Kurz nach dem Morgenrot hat Roman die Kapelle verlassen, deren Steine ihm von Moïra erzählen, und versucht, zu Hildebert zu gelangen, aber der Unterprior hat ihn abgewiesen und ihm die Zellentür vor der Nase zugeknallt. Der Werkmeister hat es dabei belassen, um keinen neuen Konflikt heraufzubeschwören, und ist auf seine Baustelle gegangen, als gerade die wenigen Handwerker eintrafen, die die Nacht nicht vor Ort verbracht haben. Romans Seele flackert zwischen Hildebert und Moïra hin und her, den beiden geliebten Wesen, deren Los er nicht kennt. Jeden Moment kann es für beide zu spät sein, und er kann für sie nichts tun als zu beten. Ohne Bitterkeit fleht er zum Allerhöchsten, voller Glut und Hoffnung und in der Gewißheit, daß der Himmel ihm zu Hilfe kommen wird. Als er in der Nacht in der Martinskapelle stand, wandte sich sein ganzes Wesen dem Erzengel zu, erfaßt von einer neuen Liebe, die er noch nie empfunden hat: eine Liebe ohne Betrübnis, ohne Unglück, ohne Reue, ganz der Zukunft zugewandt, die er voller Vertrauen dem ersten der Engel in den Mund legt, denn er hat gespürt, wie sein Atem ihn liebkoste. Ja, in der Tiefe der nächtlichen Dunkelheit hat der Unsichtbare ihn in seinen bläulichen Atem gehüllt.

Als Roman den Bischof und sein Gefolge erblickt, ergreift ihn verwegene Hoffnung, die ihn an das mystische Erlebnis der letzten Nacht erinnert. Er stellt sich an den Wegesrand und erwartet den Prälaten.

Doch Roland d'Aubigny trabt an ihm vorüber, ohne haltzumachen, ja ohne ihn zu sehen, und tritt in Hildeberts Zelle. Sogleich wird Bruder Hosmund entlassen, und Almodius und Roland bleiben mit dem Abt allein. Sie salben ihm die Augen, Ohren, die Nase, die Lippen, die Hände, Füße und Nieren, die der Sünde als Zugang dienen, und reinigen ihn von seinen Missetaten, die durch die fünf Sinne in ihn gedrungen sind, indem sie ein Kruzifix mit Wasser und Wein waschen, Zeichen der fünf Wundmale Christi, der für die Sünde der Menschen büßte.

Währenddessen befragt Roman seinen Freund Hosmund, doch der kann ihm nichts Neues über den Zustand des Kranken sagen. Sie müssen weiterhin abwarten und beten.

Samstag. Zweite Nacht des Gebets. Der Abt ist noch immer ohne Bewußtsein, hat Hosmund gesagt, und er wird noch immer streng bewacht vom Höllenhund Almodius, denkt Roman. Nichts ist nach außen gedrungen von dem, was der Bischof und der Unterprior gestern besprochen haben, nachdem der Prälat dem Abt das letzte Sakrament gespendet hat. Nichts über Moïra. Doch eine Stimme, die so süß ist wie der himmlische Atem, befiehlt Roman, den Glauben an sie zu bewahren. In der Abgeschiedenheit eines stillen Gesprächs mit dem heiligen Michael hat er gar Almodius seine Niedertracht gegen Moïra verziehen. Daß der Unterprior sich nun so selbstlos dem alten, kranken Abt hingibt, ist doch ein Zeichen für seine Reue und seinen Willen zur Buße.

Im Laufe des Tages zeigt das Gesicht des Abtes ein krampfhaftes Lächeln, und er öffnet die Augen, bevor er wieder zwischen die beiden Welten sinkt. Man hat einen Boten entsandt, um Herzog Richard zu benachrichtigen, während Hosmund und Almodius ein Büßerhemd auf dem Boden ausbreiten, ein Aschekreuz darauf zeichnen und Hildeberts steifen Leib darauf betten.

Dritte Nacht in der Martinskapelle, die Nacht von Samstag auf Sonntag, zwischen Licht und Schatten, zwischen Engeln und Dämonen. Klamme, eisige Kälte befällt Roman, und er hat Mühe zu atmen. Als der Morgen dämmert, erwacht Hildebert aus seiner langen Lähmung. Almodius blickt auf.

Unter dem Wandteppich des heiligen Michael schauen sich die beiden Männer an. Der Unterprior ist allein mit dem Todgeweihten, und schweigend starrt er ihn an. Der Abt versucht sich zu rühren, Worte herauszubringen, die Decke abzuschütteln, als würde er gleich aufstehen, um eine dringende Aufgabe zu erledigen. Seine Adern schwellen an von dickem Blut, das in der Kälte geronnen zu sein scheint. Gesicht und Hals sind blau angelaufen, er keucht, starrt auf die hölzerne Decke. Auf einen Schlag gibt sein Körper auf: In einer letzten Revolte bäumt er sich noch einmal auf, dann stockt sein Atem, und Hildebert sackt in sich zusammen. Aus seiner Kehle dringt ein letztes Röcheln, und alles fällt zurück ins Schweigen.

# 9

Gemurre wie in einer Schulkantine empfing Dimitri, als er die beiden Wolfsbarsche auftrug, die er eben mit verbrannten Fingern aus dem offenen Kamin gezogen hatte.

»Schon wieder Fisch!« rief Sébastien. »Das habe ich jetzt langsam satt. Können wir nicht zur Abwechslung mal schöne dicke Steaks kaufen?«

»Armer Kerl«, entgegnete Florence, »beklagst dich über erstklassigen Fisch, der heute morgen hier vor Ort geangelt und nicht etwa aus dem Zuchtbecken geholt wurde. Du kannst ja gern Trost suchen bei einem Hamburger mit Ketchup, wenn es dir nicht schmeckt. Und das nächste Mal selbst einkaufen gehen.«

»Schon gut, Flo«, antwortete Sébastien. »Keine Angst, übermorgen bin ich mit Einkaufen dran. Und dann gehe ich in den Supermarkt und hole leckere Koteletts und dicke Würstchen, das verspreche ich euch!«

Dimitri ging die Kartoffeln holen, die in der Glut gegart waren. Es hatte ihn große Mühe gekostet, einen der wenigen Hochseefischer, die noch am Mont-Saint-Michel lebten, dazu zu überreden, ihm die beiden Fische zu einem vernünftigen Preis zu überlassen, die eigentlich für den Großmarkt in Rungis bestimmt gewesen waren und auf den Tellern eines Pariser Restaurants hätten landen sollen. Dimitri war um die dreißig, ein magerer, schüchterner, aber rührender Kerl, kokett und sanft mit seinen weiblichen Gesten, und er reagierte stets zurückhaltend auf die Neckereien, die er von seinen männlichen Kollegen einzustecken gewohnt war.

»Das heißt, Séb«, faßte Patrick Fenoy zusammen, Jeannes Assistent, »du machst es wie die Arbeiter auf den mittelalterlichen Baustellen am Mont-Saint-Michel: Bevor sie herkamen, stellten sie zur Bedingung, daß sie nicht jeden Tag Barsch, Wildlachs oder Stör essen mußten.«

»Wenigstens hält Fleisch ordentlich vor, gerade bei einem Klima wie hier«, legte Sébastien nach. »Ich jedenfalls kann mich an diese Feuchtigkeit nicht gewöhnen. Ich erfriere hier. Habt ihr schon gemerkt, daß die Bettlaken immer klamm sind, wenn man hineinschlüpft? Und die Wäsche muffelt schon, selbst wenn sie frisch gewaschen ist, und wenn sie einmal trocken wird, dann riecht sie nach Seetang. Bäh!«

»Stell dir lieber mal vor, unter welchen Bedingungen die Leute hier im Mittelalter gelebt haben«, antwortete Patrick, »in Häusern ohne Fensterscheiben, nur winzige Öffnungen und davor schlechtes Papier, das vom Ruß von Kaminen und Kerzen ganz schwarz verschmiert war. Man mußte, soviel ich weiß, hier dauerhaft das Skriptorium heizen, obwohl nach dem Brauch der Benediktiner das Heizen der Räume eigentlich auf Küche und Krankenstube beschränkt war, und das nicht etwa, damit es den Buchmalern warm war, sondern weil es in diesem Raum sonst so feucht wurde, daß die wertvollen Bücher vergammelten.«

Es war mal wieder so weit: Wie jeden Abend in den drei Wochen, die die archäologische Ausgrabung bereits dauerte, hielt ihnen Patrick Fenoy einen Vortrag über mittelalterliche Geschichte am Beispiel des Mont-Saint-Michel. Es hätte außerordentlich spannend sein können, wäre der Vierzigjährige etwas zurückhaltender gewesen, und dies galt vor allem hinsichtlich der Blicke, die er Jeanne zuwarf – die Blicke eines höheren Wesens, das gezwungen war, den Anweisungen einer Frau zu folgen, die auch noch jünger war als er und weniger Erfahrung hatte. Er wußte noch nicht, welchen Beziehungen Jeanne ihren Posten verdankte, aber er konnte nicht verwinden, daß sie ihm die Stelle abgeluchst hatte, die ihm rechtmäßig zugestanden hätte, während diese dumme Gans noch nie mit dem großen Roger Calfon zusammengearbeitet hatte.

Jeanne blickte in Patricks kantiges, mageres Gesicht und musterte seine schwarzen, von einer kleinen Brille umrandeten

Augen, seinen Stoppelbart, seine glatten braunen Haare, die schon etwas schütter wurden, seinen aschgrauen Teint, seine Finger, die von den selbstgedrehten Zigaretten gelb verfärbt waren, und seinen grauen, leicht löchrigen Pullover. Sie selbst war mit ihrem dicken Wolljanker auch nicht viel eleganter gekleidet, aber sie hatte genug von diesem arroganten, verächtlichen Schnösel. Insgesamt lief alles ganz gut: Dimitri war ein geschlechtsloser Engel, Sébastien trotz seiner dreißig Jahre ein ewiger Teenager, wie es sie auch in Cluny gegeben hatte, Jacques ein dicker, wegen seiner überzähligen Kilos komplexbeladener Mann, der aber bei der Ausgrabung schon beinahe unheimlich effektiv zu Werke ging, und Florence eine lustige, sympathische kleine Frau, die Jeanne mochte, wenngleich sie sich nicht enger angefreundet hatten.

Nur mit Patrick hatte sie Probleme: Sie konnte ihrem unerläßlichsten Mitarbeiter – ihrem Assistenten – nicht vertrauen. Sie verstand ja den Grund für seine Feindseligkeit, aber sie hatte gedacht, seine Bitterkeit würde mit der Zeit vergehen. Doch er blieb nicht nur hartnäckig nachtragend, Jeanne war auch überzeugt, daß es von Tag zu Tag schlimmer wurde. Eines Abends hatte sie ihn zufällig dabei überrascht, wie er mit seinem ehemaligen Ausgrabungsleiter telefonierte, den er nahezu unterwürfig verehrte: Roger Calfon. Der Anruf war an sich nichts Ungewöhnliches, auch Jeanne rief manchmal Paul an, um nach Neuigkeiten zu fragen und sich bei ihm Rat zu holen. Aber während sie unbemerkt in der Küche gestanden hatte, war sie Zeugin geworden, wie ihr Assistent von sämtlichen professionellen und nicht professionellen Ereignissen in ihrer kleinen Gemeinschaft berichtet hatte, Jeannes kleine Fehler aufgebauscht, ihre Zweifel als Zeichen von Inkompetenz hingestellt und sie sogar persönlich angegriffen hatte, bis er schließlich Calfon gebeten hatte, sich an höherer Stelle über sie zu informieren. Wenn er jemals die Wahrheit erfahren sollte … Doch dann hatte sie es mit einem Schulterzucken abgetan. Schließlich hatte sie niemanden umgebracht. So hatte sie ihre Wut verdrängt – aber an diesem Abend geriet sie an ihre Grenzen.

»Übrigens«, sagte Patrick, »was meinst du zu unserem heutigen Fundstück?«

»Ich finde es faszinierend.« Jeanne schluckte einen Bissen Barsch. »Leider stammt es aus sehr viel späterer Zeit als die, die uns interessiert, und hat keinen direkten Bezug zum Gegenstand unserer Ausgrabung, zu Judiths Grab.«

Am Nachmittag hatten sie ein kleines Stück Stein ausgegraben, die Reste eines Spitzbogens, wahrscheinlich ein Fragment der gotischen Abtei.

»Ich teile deine Faszination für den Spitzbogen«, pflichtete Patrick ihr honigsüß bei. »Aber ich wäre nicht so kategorisch wie du mit der Datierung und dem fehlenden Bezug zu dem, worum es uns geht: Zwar fand der Spitzbogen erst in der Gotik systematische Verwendung, aber wir wollen nicht vergessen, daß er sich schon im 12. Jahrhundert ausgebreitet hat und bereits im 11. Jahrhundert zu finden ist, also mitten in der Romanik, in der er den Höhepunkt darstellte, die absolute Vollendung vor ihrem Niedergang. Stellen wir uns doch einen Augenblick vor, daß es den Spitzbogen auf dem Berg schon vorher gab. Die Martinskapelle wurde für den Bau des Langschiffs und der Konventsgebäude niedergerissen, also zwischen 1080 und 1084, und allgemein datiert man das Ende der romanischen Arbeiten auf 1084. Aber wenn nun etwa zu dieser Zeit der romanische Architekt bereits den Spitzbogen erfunden hätte? Das würde alles in Frage stellen, und wir hätten es mit einem Fund von allererster Bedeutung zu tun, einer archäologischen und architektonischen Revolution, denn das würde heißen, daß der Spitzbogen hier erfunden wurde, auf dem Mont-Saint-Michel!«

Jeanne sah auf ihren Teller. Glaubte er wirklich an das, was er da erzählte, oder stellte er sie auf die Probe? Jedenfalls hatte er es geschafft, sie in ihrem Stolz zu verletzen. Rund um den Tisch herrschte ungewohntes Schweigen, schwer und spannungsgeladen, während sie ihr Besteck zu beiden Seiten des Tellers ablegte. Er sollte schon sehen …

»Ich werde dir in zwei Argumentationssträngen antworten, lieber Patrick«, begann sie und grinste ihn spöttisch an. »Eine Berufskrankheit aus Zeiten der Promotion. Erstens – historische Theorien und ihre praktisches Anwendung: Jedermann weiß, daß der Spitzbogen im 10. Jahrhundert im Orient erfunden wurde, genauer gesagt in Syrien und Armenien, und daß er um 1099, 1100 mit den ersten Kreuzfahrern nach Europa kam. Das erste bekannte Beispiel für den Einsatz des Spitzbogens findet sich in Cluny – eine Abtei, die mir nicht völlig unbekannt ist –, nämlich in Cluny III, mit deren Bau Ende des 11. Jahrhunderts begonnen wurde. Zweitens – die Anwendung dieser Theorie auf den Mont-Saint-Michel: Natürlich wurde die romanische Abteikirche mit ihren rein romanischen Bögen – also Rundbögen – 1084 vollendet, aber du hast vergessen, daß im Jahr 1103 die Nordwand des Langschiffs auf die Konventgebäude stürzte und deren Gewölbe – mit Rundbogen – niederriß, so daß diese neu aufgebaut werden mußten. Um 1106 – also nach Cluny und nach der Rückkehr der Kreuzfahrer – reparierte man die beschädigten Gebäude und verwendete dabei zum ersten Mal auf dem Berg den Spitzbogen, vor allem im Aquilon-Saal. Nun die Schlußfolgerung, ebenfalls in zwei Punkten, wenn ihr erlaubt. Erstens: Was unsere Entdeckung betrifft, neige ich eher zu der Annahme, daß es sich um ein Zeugnis der Umbauten handelt, die Abt Robert de Thorigny in der zweiten Hälfte des 12. Jahrhunderts bei den Arkaden des Beinhauses, der Stephanskapelle oder dem Südgebäude unternahm. Zweitens: Trotz allem haben die Werkmeister, die den Berg errichteten, Genie bewiesen – einerseits der von 1023, der ein sehr ausgefeiltes System für die Auflagerung der Druckkräfte und das Abfangen der Schübe entwickelt hat, und dann noch viele andere, vor allem der zu Anfang des 12. Jahrhunderts, der die Konventgebäude nach dem Einsturz von 1103 wieder aufbaute und dabei eine echte normannische Erfindung einsetzte: die Kreuzrippengewölbe. Man benutzt eine poetische Metapher, indem man sagt, es sei eine Hommage an die Drachenboote ihrer Ahnen, der Wikinger. Und tatsächlich, wenn man ein Kreuzrippengewölbe anschaut, wie es zum Beispiel noch in der Wandelhalle der Mönche existiert, fühlt man sich an die seltsamen Boote der Nordmänner erinnert.«

Nachdenklich hielt sie inne. Sie registrierte, daß Jacques sie bewundernd anschaute und Florence befriedigt grinste, doch der Assistent war noch nicht fertig:

»Ganz gleich, auf wann man ihn datiert«, fing er wieder an,

»trotzdem ist der regelmäßige Spitzbogen von symbolhafter Bedeutung und gegenüber dem Rundbogen ein beträchtlicher technischer Fortschritt: Durch ihn kann man in den Kirchen die Seitenwände öffnen, und endlich kommt Licht herein. Außerdem verringert er die Querschübe und überträgt das Gewicht wesentlich besser auf die Stützen. Kurz: Der Spitzbogen ist der Höhepunkt der Romanik, ihre absolute Vollendung.«

Erneut mußte ihm Jeanne widersprechen, denn er hatte einen sehr heiklen Punkt getroffen: ihre bedingungslose Liebe zur reinen Romanik, dem Rundbogen.

»Tut mir leid, Patrick, aber was die Symbolik angeht, bin ich nicht deiner Meinung. Ich bin einverstanden damit, daß der Spitzbogen einen technischen Fortschritt darstellt, aber abgesehen davon glaube ich genau das Gegenteil, nämlich daß der regelmäßige Spitzbogen den Niedergang der Romanik und des romanischen Weltverständnisses darstellt, nicht sein Ideal. Und zwar aus folgendem Grund: Der Rundbogen, eine perfekte Krümmung nach dem Bild des Himmelsgewölbes, durch den wenig Licht von außen hereindringt, zwingt durch seine Form den Menschen, in sich selbst zu versinken, sich in Demut zu üben, sich auf sich selbst zu konzentrieren – wie sich die romanische Kirche auf sich selbst konzentriert –, um sein Innerstes zu ermessen und sich dann über die irdische Welt hinweg zu erheben, die von Natur aus unvollkommen ist, hin zum Himmelreich, dem einzigen Ziel des Lebens auf Erden. Der Spitzbogen durchbricht den Rundbogen in seinem Scheitelpunkt, und damit spaltet er das Himmelsgewölbe entzwei, erhebt den Bogen in den Raum über dem rein romanischen Bogen und läßt so das Licht herein. Das ist ein bedeutender philosophischer Bruch: Die Bögen des Himmels werden durchbrochen, und die Welt des Profanen, des Irdischen, Zeitlichen gelangt ins Innere der Kirche und des Menschen. Ein radikaler Perspektivwechsel! Ein historisches Beispiel dafür: In dieselbe Zeit fällt auch der Niedergang jenes Klosterordens, der bisher das Abendland beherrschte, des Benediktinerordens. Ende des 11. Jahrhunderts wird die Benediktusregel nicht mehr so streng befolgt, und Bräuche, irdisches und zeitliches Leben werden wichtiger als die Schrift, und deshalb kommt es 1098 zur Abspaltung. Einige Mönche der Benediktinerabtei von Molesmes, die zurückkehren wollen zur Reinheit der ursprünglichen Regel, zu Armut und Handarbeit, gehen fort und gründen in Cîtaux den Zisterzienserorden …«

Genau auf diese Weise hatte sie damals François erobert, und ihre Worte machten auch auf diese Runde Eindruck, ihre Zuhörer am Eßtisch hingen an ihren Lippen. Patrick allerdings mußte den Zauber brechen.

»Was du da sagst, ist interessant«, gestand er ein, »aber es wirkt so, als würdest du der reinen Romanik nachtrauern. Außerdem mußt du schon zugeben, daß es eine ziemliche Vereinfachung ist, die Geschichte über die Architektur deuten zu wollen, auch wenn es poetisch sein mag!«

»Es wäre vor allem schematisch und vereinfachend, wenn man die Symbolik und den Einfluß der Religion auf die Geschichte vernachlässigen würde«, erwiderte sie. »Im 11. Jahrhundert ist alles Symbol, alles macht Sinn, denn wir befinden uns in einem Zeitalter des Glaubens: Wir müssen voraussetzen, daß das wichtigste Kriterium aus dieser Zeit, Kunst zu beurteilen, das der Religion ist, und den Theologen des Hochmittelalters zufolge ist das erste Attribut Gottes die Einfachheit. Für die Mönche dieser Epoche, die sich Gott anzunähern suchten, stellte die Einfachheit das Ziel allen geistigen Lebens dar: sich reinigen, die Leidenschaften ablegen, die menschlichen Widersprüche, die Zwänge des Fleisches. Und was ist die romanische Kunst auch anderes als Nüchternheit und Einfachheit? Die Gotik dagegen bringt einen Sinn für Ästhetik und für das Praktische zum Ausdruck, und das impliziert, daß das spirituelle Leben nicht mehr das einzige Ziel des Lebens ist. Ja«, ergänzte sie nachdenklich, »die Gotik strebt zum Himmel auf, sie ist erigierend, erobernd, maskulin, während die Romanik mit ihren Rundungen eher weiblich wirkt. Die Romanik steigt zur Erde hinab, um in den Himmel zu gelangen.«

»Ich sage noch einmal, ich finde dich nostalgisch«, fing Patrick wieder an, »und zudem noch mystisch! Komisch für eine Archäologin im 21. Jahrhundert. Bei allem, was man über die Mönche von Cluny weiß, glaube ich nicht, daß es ihre Gespenster waren, die dir diese Sehnsucht nach den Benediktinern des 11. Jahrhunderts und nach ihrem Rundbogen eingegeben haben!«

Bei diesen Worten wurde Jeanne bleich im Gesicht. Ihr letzter Satz klang ihr noch in den Ohren: »Die Romanik steigt zur Erde hinab, um in den Himmel zu gelangen«, und dazu Patricks Worte über die Gespenster.

Um in den Himmel zu gelangen, muß man in der Erde graben, dachte sie.

Ruckartig stand sie auf und verließ den Raum, woraufhin sich Patrick freute, daß er sie offenbar beleidigt hatte, und Sébastien ein anderes Gesprächsthema anschlug, um die Stimmung aufzulockern:

»Bald ist Weihnachten. Was macht denn ihr so an den Feiertagen?«

Ich Idiot! dachte sie, während sie mit ihrem dicken Schlüsselbund in der Hand die Treppe zur Abtei hinaufstieg. Ich wußte alles, alles war in mir, und ich habe nichts begriffen, bis dieser Pedant mir gezeigt hat, wo es langgeht! Natürlich hat der enthauptete Mönch gelebt, er hat mir alle Indizien gegeben: Notre-Dame-Sous-Terre, die karolingische Kirche aus dem 10. Jahrhundert, und »Um in den Himmel zu gelangen, muß man in der Erde graben«: Das Leben auf Erden ist nur da, damit man in den Himmel gelangt, man muß in sich selbst hinabsteigen, um in den Himmel zu gelangen! Zehntes oder elftes Jahrhundert, vielleicht Anfang des zwölften, auf jeden Fall romanisch. Meine Lieblingsepoche, was für ein Zufall! Das war Absicht von ihm ... oder von mir. Von dieser Zeit muß ich die Handschriften durchsuchen, die Handschriften aus der Romanik, und er muß mir dabei helfen. Warum ist er nie wiedergekommen, seit ich hier bin?

Während sie in diese Gedanken versunken war, übersah sie, den Blick auf ihre Schuhe gerichtet, daß ihr jemand entgegenkam, jemand, der genauso in Gedanken verloren war wie sie und die Nase in den Sternenhimmel reckte. Sie stießen mit den Köpfen zusammen.

»Oh, Entschuldigung«, sagte sie hastig. »Ich habe Sie nicht gesehen. Ich war nicht ganz bei mir.«

»Ich glaube, mir ging es genauso. Habe ich Ihnen wehgetan?«

»Nein, gar nicht. Entschuldigen Sie, ich habe es eilig.«

»Wenn Sie die Abtei besichtigen wollen, das wird nichts. Im Winter schließt sie sehr früh!«

»Oh, das ist egal, ich habe den Schlüssel!« Sie zeigte ihm ihren Schlüsselbund, so wie ein Baby seine Rassel schwenkt.

»Sind Sie eine neue Fremdenführerin? Ich kenne Sie gar nicht.«

Sie machte sich die Mühe, den Typ zu mustern: groß, etwas zu mager, um die vierzig, schwarze Haare, die in dicken Locken um seinen Schädel standen wie ein Heiligenschein, Augen, die anscheinend grün waren – aber es war zu dunkel, als daß sie es sicher hätte sagen können –, elegant geschwungene Brauen, olivfarbene Haut, blasse Lippen, auf denen ein schüchternes Lächeln stand, ein herrlicher Tweedmantel. Er war schön und hatte ein gewinnendes Auftreten. Sie sah kurz an ihrer ewig verdreckten Daunenjacke hinab, dann antwortete sie, bemühte sich dabei um den Tonfall einer Femme fatale und sah ihm direkt in die Augen.

»Ich kenne Sie auch nicht.«

»Ach ja, entschuldigen Sie. Simon Le Meur.« Er streckte ihr eine Hand hin, die er aus einem Lederhandschuh zog. »Ich bin Antiquar in Saint-Malo, und die Nebensaison verbringe ich hier. Ich bin heute morgen angekommen.«

»Ich bin vor einem Monat angekommen«, antwortete sie und schüttelte ihm die Hand, »und ich leite eine archäologische Ausgrabung in der Abtei.«

»Dann sind Sie also die Vertretung von Calfon?«

Sie musterte ihn in mißtrauischer Verwunderung. »Na, sagen Sie mal, Sie sind ja gut informiert!«

»Sie vergessen – wahrscheinlich wegen der Touristen –, daß der Berg ein Dorf ist«, erklärte er. »Um ganz offen zu sein, ich wohne nicht im Hotel, sondern habe ein Haus hier. Also bin ich ortsansässig und gut bekannt mit dem Bürgermeister, den Einwohnern und den örtlichen Würdenträgern. Und ich weiß gern über alles Bescheid, was auf diesem Felsen vor sich geht. Obwohl ich nicht einmal weiß, wie Sie heißen…«

»Jeanne.«

»Sehr erfreut, Jeanne. Ein sehr schöner Name. Sagen Sie, wollen wir nicht unsere Unterhaltung an einem anderen Ort fortsetzen? Hier ist es doch ziemlich zugig.«

»Im Prinzip gern, aber ich muß etwas wegen der Grabung überprüfen«, log sie. »Ein andermal mit Vergnügen.«

»Mademoiselle, wie Sie sicher schon bemerkt haben dürften, ist der Berg im Winter – und vor allem in den Winternächten – eher verlassen. Freilich ist das genau der Grund, warum ich mich hier aufhalte, dennoch ist es eine angenehme Seltenheit, mit einer so charmanten jungen Frau plaudern zu können, die einen in vollem Schwung mit einem dicken Schlüsselbund überfällt. Mir persönlich passiert das zum ersten Mal, und ich hätte das gern mit Ihnen gefeiert, in aller Freundschaft natürlich. Keine Angst, ich wäre nicht so unverfroren, Sie zu mir nach Hause zu locken. Wir könnten in ein Lokal gehen, wo es schön hell ist – dann könnte ich auch Ihre Augen besser sehen – und gemütlich ein Gläschen miteinander trinken – oder ein Täßchen Kamillentee, wenn Ihnen das lieber ist. Danach könnten Sie Ihre nächtliche Privatbesichtigung der Abtei wieder aufnehmen.«

Sie lächelte. Innerlich war sie viel zu gefangen von einem Mann, sie ging also kein Risiko ein, wenn sie die Einladung annahm. Außerdem war er ein Einheimischer, selbst wenn er nur im Winter hier war, und wußte offenbar über den Berg gut Bescheid. Vielleicht wußte er etwas, was sie auf die Spur des kopflosen Mönchs brachte.

»Lieber wäre mir ein Glas Calvados, und außerdem glaube ich, daß Sie mir das Blaue vom Himmel herunterezählen. Aber ich finde das ganz lustig. Also gehen wir!«

Sie stiegen die Hauptstraße hinunter, durch die der Wind pfiff, und setzten sich in eines der wenigen Bistros, die in der Nebensaison nicht geschlossen hatten.

»Sie sehen ziemlich nachdenklich aus«, sagte Simon Le Meur. »Das liegt doch wohl nicht an meiner Gesellschaft?«

»Überhaupt nicht, keine Bange.«

»Wahrscheinlich sorgen Sie sich wegen der Ausgrabung. Erzählen Sie doch davon. Solche Arbeiten faszinieren mich. Ist ja auch normal für einen Antiquar, werden Sie sagen, vor allem, wenn man weiß, daß sich die ersten Archäologen der Geschichte in der Renaissance Antiquare nannten.«

Jeanne sah ihn aufmerksam an. Seine Augen waren tatsächlich grün, ein erstaunliches Blaßgrün mit smaragdfarbener Umrandung, und ein paar weiße Fäden zogen sich durch das tiefe Schwarz seiner Lockenpracht. Er war wirklich ein schöner Mann, allerdings allzu selbstsicher und vor allem allzu neugierig.

»In welcher Branche arbeiten Sie denn?« fragte sie übergangslos. »Welche Epoche?«

»Ich beschäftige mich mit Marineartikeln: Sextanten, Fernrohre und andere Navigationsinstrumente, Bootsausstattung, Logbücher, Galionsfiguren und sogar Kleidungsstücke und Flaggen. Alle Epochen, auch wenn ich vor allem Dinge aus dem 19. und vom Anfang des 20. Jahrhunderts führe und manchmal unbezahlbare Raritäten aus dem 17. oder 18. Jahrhundert. Meinen Umsatz mache ich im Sommer und Herbst, danach mache ich den Laden dicht und emigriere hierher – voilà. Und Sie? Welche Epoche?«

»Mittelalter, überwiegend Romanik.«

»Ah, verstehe, eine faszinierende Zeit! Das goldene Zeitalter des benediktinischen Mönchswesens, der Bau der großen Abtei auf dem Mont-Saint-Michel. Rundbogen, Herrschaft der Engel, Suche nach der Vollendung der Seele, damit sie in den Himmel aufsteigen kann.«

Sie sagte nichts darauf, beobachtete ihn aber hochinteressiert. Der Kellner brachte ihre zwei Gläser Calvados.

»Nun denn«, erklärte er mit erhobenem Schwenker, »auf Ihre künftige Entdeckung des Grabes von Judith de Bretagne, und bravo für das Spitzbogen-Fragment!«

»Das wissen Sie auch schon? Alle Achtung.«

»Damit Sie mich nicht für einen Magier halten, der Ihre Gedanken liest…«, erklärte er leiser. »Als Sie auf der Treppe in mich hineinrannten, kam ich gerade von einem Abendessen mit Christian Brard. Er hat zwischen Birnenschnaps und Käse davon erzählt. Er hatte seine Zweifel über den Ursprung des Fragments und ordnet es den Umbauten unter Abt Robert de Thorigny zu.«

Innerlich freute sich Jeanne über ihren kleinen Sieg über ihren Assistenten: Der Denkmalschützer war ihrer Meinung!

»Brard ist ein Freund von Ihnen?« fragte sie etwas freundlicher.

»Nicht wirklich ein Freund. Vor allem ist er ein Kunde. Heute abend habe ich ihm ein herrliches Bordbuch von einer englischen Fregatte Ende des 18. Jahrhunderts verkauft, ein Museumsstück. Er ist ein Liebhaber alter Manuskripte.«

»Ah, das wußte ich nicht. Unser Verhältnis ist rein beruflicher Natur.«

»Daß es nicht sinnlicher Natur ist, dachte ich mir schon, immerhin ist Brard homosexuell.«

Jeanne blieb angesichts von Simons Indiskretion fast die Luft weg. Dieser Mann war geradezu das Skandalblättchen des Berges! Sie nahm sich vor, ihm nichts Persönliches anzuvertrauen, aber diese Begegnung konnte sich noch als Wink der Vorsehung erweisen, wenn er über die Vergangenheit des Berges genauso gut Bescheid wußte. Sie mußte ihn zum Reden bringen, ohne ihm etwas zu erzählen: Sie bestellte zwei weitere Calvados.

»Mißverstehen Sie mich nur nicht«, fuhr er errötend fort. »Daß ich mir erlaubt habe, Ihnen das zu erzählen, liegt daran, daß Brard selbst daraus kein Geheimnis macht. Ich bin weder ein Klatschmaul noch ein Flegel.«

»Nein…« Sie beruhigte ihn. »Sie wissen einfach nur über alles Bescheid, was hier passiert – und das interessiert mich sehr. Alles, was irgendwie mit dem Berg zusammenhängt, fasziniert mich. Wie so viele andere vor mir habe ich mich in diesen Berg verliebt.«

»Und ich bin sicher, daß diese Liebe auf Gegenseitigkeit beruht«, antwortete er mit einem düsteren Strahlen im Blick.

Daraufhin war es an ihr, zu erröten. Dieser Mann machte sie neugierig. Er wirkte oberflächlich, spöttisch und aufdringlich und einen Moment später wieder gedankenvoll, ernst und zurückhaltend.

»Was wissen Sie sonst noch über Brard?« fragte sie allzu hastig.

»Das ist ja eine peinliche Befragung hier!« protestierte er.

Nach einem dritten Glas Schnaps erzählte er ihr schließlich doch, daß der Verwalter Freimaurer war, aber Simon wußte nicht, welcher Loge er angehörte. Wie alle Freimaurer war Brard hingerissen von spirituellen und mystischen Orten, und dies ganz besonders vom Mont-Saint-Michel. Er verabscheute das Dutzend Mönche und Nonnen der »Gemeinschaft von Jerusalem«, das sich 2001 nach langen Verhandlungen mit dem Staat, der Eigentümer des Komplexes war, im Kloster niedergelassen hatte. Wären es wenigstens Benediktiner gewesen! Aber die schwarzen Mönche, die 1966 zum tausendjährigen Jubiläum der Klostergeschichte wieder auf den Berg gekommen waren, waren nicht mehr zahlreich genug gewesen, um eine so weitläufige und derart von Touristen überlaufene Abtei zu halten: Ihre kontemplative Berufung in Abgeschiedenheit von der irdischen Welt paßte einfach nicht zu den Besucherschwärmen in Shorts, die mitten während eines Stundengebets in die Krypten strömten. Daher hatten die Benediktiner endgültig auf ihren Berg verzichtet. Die »Gemeinschaft von Jerusalem« hatte sich Ende des 20. Jahrhunderts herausgebildet und bestand aus Männern und Frauen, deren Berufung es war, inmitten der weltlichen Umgebung ein mönchisches Leben zu führen. Sie zelebrierten die Liturgie in der Abteikirche und bewohnten einen Teil des Klosters, der nicht zu besichtigen war. Eine der Glanzleistungen, deren Brard sich rühmte, war es, erfolgreich verhindert zu haben, daß die Tore der Kirche während der mittäglichen Hauptmesse für Besucher geschlossen wurden, was die Mönche und ihre Gläubigen zur Verzweiflung trieb. Brard tat offenbar alles, was in seiner Macht stand, um diese »modernen« Mönche von der heiligen Erde, die er als sein Revier ansah, zu vertreiben. Simon nannte ihn gar den »Abt«.

Insgeheim war der Verwalter der Überzeugung, daß der Berg, seit die schwarzen Mönche – die einzigen, die ein historisches Recht auf ihn beanspruchen konnten – ihr Heiligtum freiwillig aufgegeben hatten, den laizistischen Ritualen der Freimaurer zur Verfügung stehen müßte, denn nur mit ihnen könnte an die symbolische Reinheit und die mystische Schönheit dieses Ortes angeknüpft werden. Schließlich hatten Laien die Abtei vor der Zerstörung gerettet – das war in der 3. Republik gewesen –, der republikanische Staat hielt sie in Schuß, bezahlte die nie abbrechenden Restaurationsarbeiten, gab ungeheure Summen aus, um ihre Vergangenheit zu erforschen und der Öffentlichkeit bekannt zu machen, und so müsse der Berg auch ein laizistischer Tempel sein.

Jeanne hörte sich die Anekdoten des Antiquars an, ohne Partei zu ergreifen, so wie ein Polizist einem Informanten zuhört. Dabei konnte sie Christian Brards Nostalgie nach den Benediktinern sehr wohl nachfühlen und war begeistert darüber, daß sie so viel erfuhr, was ihr bei Gelegenheit vielleicht nutzen konnte.

Als sie sich schließlich verabschieden wollte, erblickte sie Guillaume Kelenn, der in Begleitung einer jungen Frau aus dem ersten Stock des Restaurants herunterkam. Er lächelte Jeanne lange an, wollte zu ihr treten, entdeckte dann aber Simon und ging mit verschlossenem Gesicht schnell davon.

»Ach, Guillaume scheint nicht zu Ihren Kunden zu gehören!« sagte sie zu Simon.

»Dieser kleine Kotzbrocken, der sich für einen Bretonen hält, würde einen Kompaß für ein Thermometer halten!«

»Vielleicht...« Sie lachte. »Aber auch er weiß eine Menge über den Berg. Weniger Aktuelles, aber beeindruckende Geschichten, die ich in der Bibliothek von Avranches nicht gefunden hätte.«

»Was hat er Ihnen erzählt?«

»Er hat über Notre-Dame-Sous-Terre gesprochen.« Sie blickte ihn mit blitzenden Augen an. »Von den unterirdischen Heilkräften, von dem zerstörten keltischen Betplatz, von Auberts Schädel, der angeblich nicht Auberts Schädel ist, sondern der eines durchbohrten Kelten...«

»Wieder seine romanesken Geschichten!« unterbrach er sie. »Dieser Himmelswächter tut so, als wäre das Keltentum eine Rockgruppe.«

»Ich finde Sie ganz schön aggressiv!«

Sofort beruhigte er sich und nahm Jeannes Finger in die seinen. Sie wagte ihre Hand nicht zurückzuziehen.

»Sehen Sie, Jeanne – wie mein Name verrät, habe ich selbst einen bretonischen Vater, eben aus Saint-Malo, und ich habe eine spanische Mutter; noch so ein Seefahrervolk mit wahrlich reicher Vergangenheit. Und ich muß sagen, diese esoterischen Auslegungen unserer uralten Mythen heutzutage verstimmt mich von

Grund auf. Man erfindet die Gegenwart neu, die Vergangenheit, die Zukunft, je nachdem, wie es einem gerade paßt; man schafft sich einen neuen Aberglauben. Das Leben unserer Vorfahren wird als Legende verklärt, dabei war es ein einfacher Kampf gegen die Not und hatte nichts Poetisches an sich. So macht man das eigene Leben zum Märchen, und schon hält man sich für einen Halbgott. Welche Anmaßung! Märchen stehen in Büchern, und nur dort. Dieser große Romantiker Kelenn verteidigt eine sogenannte keltische Identität, aber ich möchte erst mal von ihm wissen, worin sie eigentlich besteht. Morgen wird er uns weismachen, daß er von Merlin dem Zauberer abstammt, und wir müßten ihm glauben.«

»Nein, wir müßten ihn bloß einfach lächerlich finden, was er meiner Meinung nach auch gewohnt sein dürfte. Er ist ein wandelnder Träumer, und er erfindet sich seine Vergangenheit neu. Demnach muß er die Gegenwart als fade und langweilig empfinden.«

»Sie haben recht«, meinte er und zog seine Hand zurück. »Sagen Sie, Sie dagegen scheinen mit beiden Beinen fest auf dem Boden zu stehen!«

Jeanne schaute diskret auf ihre Armbanduhr: halb eins. Noch nicht zu spät für ihren kopflosen Mönch.

Er bemerkte ihren Blick. »Wollen Sie um diese Uhrzeit noch in die Abtei hinauf?« fragte er. »Haben Sie denn keine Angst?«

»Angst wovor?«

»Ich weiß nicht. Die alten Geschichten, Gespenster vielleicht …«

»Ich dachte, Legenden und Märchen gibt es nur in Büchern!« entgegnete sie ironisch.

Er zahlte, und sie traten hinaus aufs Pflaster der Dorfstraße. Feiner, durchdringender Nieselregen stand in der Luft. Jeanne spürte, wie ihr der Alkohol den Kopf und die Beine schwer machte. Sie schlug vor, ihn heimzubegleiten, denn sie mußte etwas laufen, um einen klaren Kopf zu bekommen. Er wohnte an der Stadtmauer, die aus dem Hundertjährigen Krieg stammte, direkt am Fuß des Mauerstücks zwischen dem Nordturm und der Tour Boucle. Sie nahmen also den Wehrgang, dann eine steile

Treppe und gingen am Felsen entlang, unter dem das Meer tobte. Jeanne brauchte bloß noch bis zum Nordturm weiterzugehen, um an die Stufen der Großen Treppe zu gelangen, die in die Abtei hinaufführte.

»Die Benediktiner hätten sich eher erhängen lassen, als zwischen Komplet und Vigil die Kirche zu betreten«, sagte er mit Grabesstimme. »Es heißt, die Mönche hätten nachts oft die Engel in der Kirche singen hören, und alle, die versuchten, sie zu sehen, seien eines Tages deswegen gestorben. Natürlich war es das Schuldgefühl, ein Tabu gebrochen zu haben, das sie umbrachte, und nicht die rächende Hand einer Himmelsmacht, aber ich glaube, sogar unsere Brüder und Schwestern der Gemeinschaft von Jerusalem halten sich an dieses Gebot – tags für die Menschen, nachts für die Engel.«

»Na, Simon.« Sie hakte sich bei ihm ein. »Keine Sorge, ich werde die Tradition wahren. Meine Ausgrabung liegt nicht in der Kirche, und ich bin nicht jemand, der mitten in der Nacht beten geht. Tagsüber übrigens auch nicht. Sagen Sie«, ergänzte sie gewollt beiläufig, »betraf dieses Tabu denn nur die große Kirche von 1023 oder auch die alte karolingische Kirche, die jetzt Notre-Dame-Sous-Terre heißt?«

Sie merkte, daß er zögerte.

»Ich bin mir nicht ganz sicher«, gab er zu, »aber ich glaube, diese Regel hat auch schon für die alte Kirche der Kanoniker gegolten. Ich glaube, da war es sogar noch schlimmer, und man hörte nachts die Dämonen heulen!«

»Das wundert mich nicht; wenn man die Weltsicht des Menschen im Mittelalter bedenkt, ist das ganz logisch«, erwiderte Jeanne. »Aber was Sie da sagen, läßt mir trotzdem das Blut in den Adern gefrieren. Vielleicht aber liegt's auch an diesem verdammten Regen!«

»Wir sind an einem Ort, der noch der mittelalterlichen Logik gehorcht«, sagte er sanft, »wo die Zeit nach dieser Epoche schmeckt. Und genau danach suchen wir ja hier auch alle: ein Stück Ewigkeit. Ich bin ein Kartesianer des 21. Jahrhunderts, ich glaube weder an Engel noch an Dämonen, aber auf dem Berg… Ich kann es nicht erklären, es ist… so lebendig, so hautnah…

Also respektiere ich die Zeit und die Sitten dieses Ortes, die anders sind als unsere, um den Zauber nicht zu brechen und mich der Magie hinzugeben. Kurz, Jeanne, die Nacht gehört den Mächten der Nacht; nachts haben die Menschen anderes zu tun, schlafen, tanzen und so weiter.«

Sie lächelte ihn an. Seine Worte über den Berg hatten sie berührt. Ja, wenn er sich auch dagegen wehrte, dieser Mann war empfänglich für die Märchen des Lebens, er hörte die Legenden, die nicht in den Büchern gedruckt standen, sondern die der Stein erzählte. In Notre-Dame-Sous-Terre sang die Hölle... Vielleicht würde er sich noch an andere Begebenheiten über diese Mauern erinnern – aber nicht an diesem Abend. Wenn sie ihn weiter über die alte Kirche ausfragte, riskierte sie, sich bloßzustellen. Also entschied sie sich, das Thema zu wechseln. Ihr kam Sébastien in den Sinn.

»A propos Feiern«, sagte sie lebhaft, »bleiben Sie über den Jahreswechsel auf dem Berg?«

»Unbedingt! Als alter Junggeselle stelle ich einen abgeschabten Sessel vor den Kamin, lege eine Mahler-Symphonie auf und genieße meine Austern. Dazu ertränke ich mich in einer Flasche Weißwein, und dann gehe ich schwankend das Meer betrachten.«

Sie lachte. »Was für ein Festprogramm!«

»Reizt es Sie?«

»Ich mag Mahler und Weißwein sehr, aber ich denke, ich werde über Silvester nicht auf dem Berg sein. Ich habe eigentlich etwas anderes vor. Aber falls ich meine Meinung ändern sollte...«

»Dann melden Sie sich. Ich würde mich sehr freuen. So, hier sind wir!«

Die Fassade seines Hauses war typisch für die alten Wohnhäuser auf dem Berg: Granit, Sprossenfenster, Läden und Tür dunkelrot gestrichen, und ein alter, verrosteter Laternenhalter. Über das tieferliegende Gärtchen führte eine Treppe mit schmiedeeisernem Geländer, um das sich Rosen und eine Glyzinie im Winterschlaf rankten. Er lud sie schüchtern ein, mit hineinzukommen, doch sie lehnte ab. Er wußte nicht recht weiter, kritzelte seine Telefonnummer auf ein Stück Papier und gab es ihr in einer linkischen Bewegung, dann schüttelte er ihr männlich die Hand und betrat sein Haus mit einem Abschiedswinken.

Sie blieb allein im Nieselregen stehen und machte sich nachdenklich wieder auf den Weg zur Abtei. Was für ein Mensch! Schwer einzuschätzen – er plauderte lieber die Geheimnisse anderer aus als seine eigenen. Und sie, warum hatte sie ihn auf die Feiertage angesprochen? Sie kannte ihn nicht und würde François nicht für ihn opfern. Außer für den Fall, daß François sie allein ließ. Er wußte noch nicht, ob er es schaffen würde, sich freizunehmen. Letztes Jahr hatte er ihr erst am 31. Dezember um 19 Uhr gesagt, daß er den Abend bei ihr verbringen würde. Bis er dann tatsächlich bei ihr war, war sie auf eine Absage in letzter Minute gefaßt gewesen und hatte sich schon Silvester allein verbringen sehen. Es war nicht die Einsamkeit, die ihr angst machte, sondern Silvester selbst. Sie sah diesem schicksalhaften Moment immer mit Beklemmung entgegen, denn sie fühlte sich dann, als würde sie Trauer tragen, während sich um sie herum alle freuten.

Wie fern ihr François dieses Jahr war. Ferner noch, als es ihr schon in Cluny vorgekommen war. Sie riefen sich oft an, aber sie war seit drei Wochen nicht in Paris gewesen, und er hatte es nicht bis in die Normandie geschafft. Und trotzdem hatte sie keine Sehnsucht nach ihm. Am Wochenende zog der Rest der Mannschaft davon, und sie blieb allein mit dem Berg. Am Samstag und Sonntag waren viele Touristen da, aber sie störten sie nicht, so sehr war sie in ihren Träumen versunken. Sie hatte versucht, das Zimmer wiederzufinden, in dem sie als Kind geschlafen hatte, als sie zum erstenmal den kopflosen Mönch gesehen hatte. Aber das Haus war immer verschlossen, nur in der Hochsaison wurden dort für gesalzene Preise ein paar Gäste untergebracht. Das Zimmer der zweiten Erscheinung interessierte sie nicht, weil sie überzeugt war, dort nichts zu finden. Lange Stunden verbrachte sie in Notre-Dame-Sous-Terre, reglos auf einer Steinbank sitzend, den Blick auf die Stufen gerichtet.

Sie hatte ihn überall in der Abtei gesucht, in den unerschöpflichen Büchern über die Geschichte des Berges, in den Handschriften des Klosters, aber sie hatte ihn nirgends entdeckt. Nur ihr Gedächtnis bewahrte das Bild, von dem seine ganze Existenz abhing. Würde er eines Tages oder eines Nachts ein viertes Mal erscheinen, dazu sein Gefolge von Toten und sein lateinischer

Spruch, dann würde er sie vielleicht mitnehmen in den Wahnsinn. Und doch schien ihr das völlig belanglos.

Außer Atem stieg sie noch immer die Große Treppe hinauf und gelangte an die runden Türme des Burgtors, dem Eingang zur Abtei. Sie erklomm die steilen Stufen der Treppe, die im Volksmund »Höllenschlund« genannt wurde, zog ihren Schlüsselbund aus der Tasche und schloß das monumentale Holztor auf. Sie registrierte, daß der feine Regen ihren Anorak und ihre Haare durchnäßt hatte, die sie zu einem Pferdeschwanz zusammengebunden hatte. Sie dachte an das Verbot, an den Aberglauben, von dem Simon erzählt hatte, und plötzlich schauderte sie vor Kälte, ohne daß sie hätte sagen können, ob der Grund dafür die Angst oder der Regen war. Dort oben hinter den Stufen der großen Vorhalle war alles dunkel. Wie alle Archäologen hatte sie immer eine Taschenlampe bei sich. Sie tastete nach ihr, um sich zu vergewissern, daß sie da war. Christian Brard hatte es nicht für notwendig erachtet, ihr die Schlüssel zum Transformator zu geben, der für die Beleuchtung in der Abtei sorgte. Ihr Besuch in dieser Nacht mußte ohnehin heimlich bleiben; sie wollte niemandem erklären müssen, was sie mitten in der Nacht in Notre-Dame-Sous-Terre tat.

Sie stieg noch zwei Stufen empor und ließ den Lichtkegel der Lampe über die dunklen Steine gleiten. Ihre Brille war beschlagen, und sie erkannte nichts als vernebeltes Blau. Als sie gerade nach einem Taschentuch kramte, um die Gläser abzuwischen, spürte sie einen lauwarmen Luftzug auf ihrer Stirn, ein feuchtes, stilles Seufzen wie ein unsichtbarer Kuß, wie ein Aufatmen. Sie setzte ihre Brille wieder auf und blickte sich ängstlich um. Nichts, niemand – nur der Wind.

Der Wind? Plötzlich war sie ganz bleich, schloß das Tor wieder ab, steckte Schlüssel und Taschenlampe weg, rannte die Stufen nach unten und floh über einen Wehrgang, der an den hohen gotischen Mauern entlangführte. Als sie am historischen Museum angelangt war, stieg sie schnell hinunter bis zu ihrem Haus. Keuchend trat sie ins Eßzimmer, wo Florence lesend am Feuer saß.

»Hallo!«, begrüßte Flo sie. »Du siehst ja vielleicht aus!«

»Ist noch Calvados im Schrank – oder Cognac? Nein, ich habe

auch so schon genug getrunken«, stellte sie fest und rieb sich die Stirn. »Ich gehe schlafen. Gute Nacht, Florence.«

»Warte! Deine Freundin Isabelle hat angerufen – sie erreicht dich nicht auf dem Handy – und dann Paul von deiner vorigen Ausgrabung in Cluny. Er klang seltsam, wollte mir nichts sagen, aber du sollst ihn so schnell wie möglich zurückrufen, noch heute nacht.«

Florence beobachtete Jeanne, die so verwirrt schien wie ihr ehemaliger Ausgrabungsleiter eben am Telefon. Offenbar machte einen die Verantwortung verrückt, die man als Chef hatte!

»Danke, Flo. Ich kümmere mich morgen darum. Ich gehe rauf. Gute Nacht!«

Es war zwanzig nach ein Uhr morgens. Als sie in ihr Zimmer kam, tanzte ihr Handy, das sie auf dem kleinen Nachttisch vergessen hatte, vibrierend über die Konsole. Das Rufzeichen der Mobilbox. Sie wand sich aus ihrem durchnäßten Anorak, legte ihn auf einen Heizkörper und zwang sich wieder in die Wirklichkeit. Eine Nachricht von Isa, die sich wie immer um Jeanne Sorgen machte und sie für Silvester zu einem Abend unter Freunden einlud, zusammen mit Leuten von der Zeitung. Kam nicht in Frage. Dann François. Wie immer würde er erst im letzten Moment wissen, ob er für den Silvesterabend freihatte, aber er küßte sie, sie fehlte ihm, und bla bla bla. Er würde sie am 31. versetzen, das spürte sie. Zum Schluß Paul. Es war nicht seine Art, sie grundlos anzurufen. Die Nachricht war ganz lapidar: Er sagte das, was schon Florence ausgerichtet hatte, aber Jeanne spürte eine unterdrückte Erregung, eine Dringlichkeit, die durchscheinen ließ, daß etwas sehr Ernstes geschehen war. Beunruhigt rief sie ihn sofort zurück.

»Da bist du ja endlich!« brüllte er in den Apparat. »Hör zu: Es ist unglaublich, außerordentlich, fabelhaft! Ein sensationeller Fund! Großer Gott, jetzt kann ich es ja zugeben: Ich habe nicht mehr daran geglaubt! Ein Grab, Jeanne, ein Grab! Nur keine Aufregung, es ist nicht Hugo von Semur. Aber es ist beinahe noch besser, weil völlig unerwartet! Er wurde 1022 begraben, hörst du? 1022! Ein großer Herr aus der Gegend, Benediktinermönch und Werkmeister von Cluny II. Das heißt, einer der Werkmeister! Ich denke, es ist der, der die Kirche vollendet hat. Er muß mit Abt Odilo im Chor von Cluny II bestattet und dann in den Chor von Cluny III umgebettet worden sein. Er hieß Pierre de Nevers. Es ist unglaublich, wie gut alles erhalten ist! Und das ist noch nicht alles: In der Grabhöhle wurde ein Manuskript gefunden, das auf 1063 datiert ist – ein Brief an unseren Hugo von Semur, auf lateinisch. Ich habe begonnen, ihn zu übersetzen, und da … Es ist völlig verrückt, unvorstellbar, du wirst deinen eigenen Augen nicht trauen, Jeanne! Du mußt unbedingt herkommen! Ich will dir die Überraschung nicht vorenthalten, und ich schwöre dir, du wirst nicht enttäuscht sein. Schlaf ein paar Stunden, spring in dein Auto und komm!«

# 10

Als Roman davon erfährt, ist er am Boden zerstört. Bruder Robert, der frühere Prior, teilt die Niedergeschlagenheit des Werkmeisters.

»Der Prozeß wurde ihr in Rouen gemacht«, ergänzt Robert, »vor einem Kirchengericht unter Vorsitz von Roland d'Aubigny, also unter der Aufsicht von Herzog Richard. Unsere Brüder Romuald, Martin, Anthelme und Drocus waren unter den Richtern. Du darfst die Hoffnung nicht aufgeben, Bruder. Sie ist eine Frau von Verstand. Sie weiß, daß es irrsinnig wäre, sich starrköpfig zu stellen. Sie wird abschwören, bevor man sie foltern wird – und wird gerettet!«

»Zu welcher Marter haben sie sie verurteilt?« fragt Roman tonlos.

»Nun…« Robert blickt zu Boden, bleich im Gesicht. »Sie haben ihr die Kleider ausgezogen, um zu sehen, ob ihr Leib das Mal des Teufels trägt, und… da haben sie an ihrem Hals hängend ein Stück von einem menschlichen Knochen gefunden, von einem Schädel. Es war in ein goldenes Kreuz eingelegt, ein Druidenkreuz, das die vier Elemente des Kosmos darstellt.«

Den Werkmeister packt eine grauenvolle Vorahnung. »Und?« Roman rüttelt seinen Bruder an den Schultern. »Sprich, Robert, ich flehe dich an!«

»Ich weiß nicht, wer diesen unsäglichen Einfall hatte, Roman«, bringt der ehemalige Prior schließlich heraus, »aber so lautet das Urteil: Da Moïra die vier Elemente am Leibe trug, wird sie von den vier Elementen gemartert werden, bis sie dem keltischen Kreuz und dem Glauben ihrer Ahnen entsagt. Das Urteil wird hier auf dem heiligen Berg vollzogen, am ersten Tag durch die Luft, am zweiten durch das Wasser, am dritten durch die Erde und am vierten Tag – wenn sie dann immer noch nicht abgeschworen hat – durch das Feuer, bis der Tod sich einstellt. Dieser letzte Tag wird Himmelfahrt sein.«

Himmelfahrt – vierzig Tage nach Ostern, der Tag, an dem Christus in den Himmel auffuhr!

In der Martinskapelle kniet Roman einsam vor den Gräbern, niedergeschmettert durch das, was er eben gehört hat, und erdrückt durch die Ereignisse der jüngsten Zeit, in der er machtlos dem Ende einer Welt beigewohnt hat. Die Freude über den Anfang des großen Kirchenbaus, die bisher seine Seele ganz erfüllte, ist in der Bestürzung über Moïras Verhaftung vergangen und schließlich im Schock über den Tod des Abtes. Da nur ein Geistlicher vom selben Rang am Heimgegangenen die Totenriten vollziehen kann, reiste der Abt von Redon an, um in Hosmunds Infirmarium Hildeberts Leichnam auf dem Totenstein zu waschen. Man hat seine Hände unter der zugenähten Kukulle gefaltet und die Kapuze über sein Gesicht geschlagen, bevor seine schwarze Kutte, die nun sein Leichentuch ist, mit Weihrauch und Weihwasser gesegnet wurde. Der Abt von Redon und Bruder Hosmund brachten ihn in die Totenkapelle – die Martinskapelle. Sie bahrten den Leichnam auf und entzündeten zwei Kerzenleuchter: einen neben dem Kreuz zu seinem Haupt, einen zu seinen Füßen. Dann stellten sich Hildeberts dreißig Söhne im Kreis um ihn auf und hielten die Totenwache, ließen ihn nie allein, beteten zum heiligen Michael, daß er ihn auf dem gefährlichen Weg zum Allmächtigen geleiten und beschützen möge. Bruder Robert, der Prior, inzwischen aus dem Anjou zurückgekehrt, verzeichnete den Todestag des Abts im Nekrologium des heiligen Berges, und Bruder Guillaume machte sich auf, um die Todesnachricht in allen befreundeten Häusern und Klöstern zu verbreiten und deren Kondolenzen und Lobeshymnen auf den Verstorbenen auf einer langen Pergamentrolle entgegenzunehmen. Erst in einigen Monaten wird er mit der Totenrolle wiederkehren. Unter Litaneien, Psalmen und dem Klagen des Windes bestatteten die Brüder ihren Pater nahe der Kirche, in der Erde und gleich neben den

Gräbern des Abtes Maynard I. und seines Neffen, Abt Maynard II. Dann stellten sie an dieser Stelle ein Steinkreuz auf, um den Sarg in die Chorkrypta der großen Abteikirche verlegen zu können, wenn erst die Reliquienkapelle vollendet ist. Das ist eine Anordnung von Herzog Richard: Die Mönche und Wallfahrer, die in der Krypta die Reliquien Auberts, des Begründers des Berges, anbeten kommen, sollen ihre Liebe auch Hildebert erweisen, dem Gründer der neuen Abtei. Roman muß sich also mit dem Bau der Chorkrypta beeilen sowie mit dem Bau des Chors selbst.

Das ist sein Auftrag und sein Heil auf Erden. Wie schon Hildebert haben ihn auch Roland d'Aubigny und Richard II. nur dank seiner Stellung als Werkmeister verschont. Gerechtigkeit und Anstand hätten verlangt, auch ihn im Prozeß gegen Moïra wegen Mitwisserschaft der Ketzerei anzuklagen und zu verurteilen, aber über seine Rolle in dieser Angelegenheit wurde willentlich der Mantel des Schweigens gebreitet. Das Klostertribunal im Bußkapitel hat ihm gar angesichts seiner schwachen Gesundheit körperliche Züchtigung erspart und ihm nur eine leichte spirituelle Buße auferlegt, nämlich zusätzliche Gebete. Jedesmal, wenn Roman betet, denkt er an das himmlische Gericht, das unausweichlich kommen und ihn furchtbar strafen wird. Nach dem Verlust seines leiblichen Vaters und des Pierre de Nevers ist er nun erneut verwaist, aber diesmal hat er sich seinem Schmerz nicht hingeben können. Das konnte übrigens niemand auf dem Berg, denn sobald Hildebert unter der Erde war, begann der Machtkampf.

Gemäß der Stiftungsurkunde, die Richard I. den Benediktinern im Jahr 966 erlassen hat, wählen die Mönche ihren Abt aus ihrer Mitte. Oft fällt ihre Wahl auf den Prior. Nun stammt aber Bruder Robert aus Saint-Brieuc und ist mit dem bretonischen Herzog Alan III. verwandt, einem Gegner des Herzogs der Normandie. Robert stand unter Hildeberts Einfluß und war ihm, der vierzehn Jahre lang über den Fels geherrscht hat, stets treu geblieben. Aber der Sohn Richards I. hält an den Prinzipien, die sein Vater aufgestellt hat, weniger getreulich fest: Richard II. und sein Bischofsrat haben Thierry de Jumièges zum Abt ernannt, den Neffen des Herzogs und Kantor der gleichnamigen Abtei.

Empört über diese Vetternwirtschaft wählte die Gemeinschaft auf dem heiligen Berg Robert zum Abt. Da drohte der Herzog damit, den Bau der Abtei nicht weiter zu finanzieren. Robert selbst forderte die Mönche auf, Richards Günstling zu küren, denn der Bau der Heimstatt des Engels sei ihrer aller göttliche Pflicht, die ihnen vom heiligen Michael wie von Hildebert befohlen sei, und diese Aufgabe stehe über den zeitlichen Zwistigkeiten um ihre Obrigkeit. Sie hätten sich dem höchsten Willen zu beugen, der ihnen einen normannischen Abt sandte, und sich über dessen Verwandtschaft mit ihrem Lehnsherrn zu freuen, diesem Pfand für die Unterstützung des Herzogs beim Bau ihrer großen Abteikirche. Die Brüder gaben nach, und Richard verlieh den Abtsstab Thierry de Jumièges. Robert verzichtete auf sein Amt als Prior, bevor der neue Abt es ihm entziehen konnte, und der betraute sogleich Almodius mit dieser Aufgabe.

Die Mönche heißen diese Wahl gut, denn sie reden sich ein, daß der Bibliothekar gegenüber Abt Thierry die Integrität der Abtei zu garantieren weiß. Der Investiturstreit ist nun beigelegt, der Bau geht weiter, und alle haben den Lauf ihres vom Gebet geprägten Lebens wieder aufgenommen. Alle Brüder denken so, bis auf Roman, der nur noch Moïra im Kopf hat, von deren Los er bis eben nichts wußte.

Nun hat ihm Bruder Robert davon berichtet, und seine Worte machen Romans Einverständnis mit der Welt des Diesseits zunichte. Der Blick des Werkmeisters irrt über das Grab von Prinzessin Judith. Die wahre Gerechtigkeit ist nicht von dieser Welt, aber ist es denn möglich, daß die Welt der Menschen so grausam und hinterhältig ist? Wird Moïra ihm für immer genommen werden, gerade da er die Wahrheit seiner Liebe zu ihr erkennt?

Er betrachtet Mauern und Altar der Martinskapelle. Seine Augen sehen den gelben Ginster, den sie dargebracht hat, er sieht die junge Frau wieder auf der Steinbank sitzen und ihm zuhören, wie er aus der Bibel erzählt. Sie ist da, in ihrem langen Kleid in der Farbe des Herbstes, ihre Haare zu flammenden Zöpfen gebunden, mit halboffenen Lippen. Sie beugt sich zu ihm, und sie lacht. Er neigt sich vor, um ihren Atem einzusaugen. Da verzerrt sich auf einmal Moïras Gesicht vor Schmerz, und sie verschwindet. Roman ist allein mit seiner Erinnerung, sein Herz und sein Körper sind leer. Die grauen Steine der Kapelle sind der Spiegel seiner Hoffnungslosigkeit. Bald wird Moïra auf Romans Berg zurückkehren, um an ihrem Fleisch das Martyrium ihres allzu lebendigen Gedächtnisses zu erleiden, und er wird nichts für sie tun können. Er wird sie nur von weitem sehen, wie sie ihren Henkern im Hermelinpelz ausgeliefert ist, und zum Himmel beten, der ihn nicht erhört, und ihr im Geiste zureden, damit sie endlich abschwört!

Sie kommt auf demselben Weg wie die kreuztragenden Mönche am Karfreitag und wie die Steinschlepper Tag für Tag, über den nördlichen Abhang des Felsen. Drei Tage vor Christi Himmelfahrt schleppt sich bei Ebbe ein Karren langsam den Berg hinauf. Die Menschen sind in Massen zu diesem Spektakel herbeigeströmt; bis an die Grenzen der verfeindeten Bretagne haben die Herolde es verkündet.

Sie steht auf dem Karren, an Händen und Füßen gebunden, bekleidet mit einer schmutzigen granitgrauen Kotta. Der Blick ihrer grünen Augen verliert sich in der Ferne, Strähnen ihrer ungekämmten langen Haare verschleiern ihn. Ihre Augen scheinen das zurückgezogene Meer zu suchen. In ihrem Rücken erhebt sich die Insel Tombelaine. Zu beiden Seiten des Trampelpfads, an dem Gemüse- und Obstbaumgärten liegen, haben die Herbergen und die Häuser der Dorfbewohner ihre Insassen ausgespien, die noch den Menschenstrom verstärken, der mit ihr hinaufsteigt und sie mit Haß, Flüchen und schäumender Spucke bedeckt. Manche aber sind stumm wie ihr Bruder Brewen: Meister Roger und seine Familie, die Mönche der Abtei, der kleine Andelme, der alte Herold und verschiedene Menschen, deren Krankheit sie geheilt hat. Andere dagegen, die sich vor Grauen schütteln, daß sie vom Teufel gerettet wurden, heulen noch lauter. Vergeblich sucht sie in der tobenden Menge nach Roman. Die Pferde halten auf dem Platz zwischen dem Dorffriedhof und der kleinen Pfarrkirche, die dem heiligen Petrus geweiht ist.

Umgeben von bewaffneten Soldaten erwarten sie vier Männer: Enguérand d'Eglantier, der Vertreter von Herzog Richard,

Roland d'Aubigny, Bischof von Avranches, Abt Thierry und Bruder Almodius, der Prior. Bei seinem Anblick verzerren sich Moïras Züge. Sie hebt den Blick zu der Abtei dort oben. Zuerst entdeckt sie die hölzerne Zelle des Abtes, die Konventgebäude, dann die Mauern der Martinskapelle, die in einem nebligen Dunst liegen, wie er für Ende Mai sehr ungewöhnlich ist. Der Himmel ist kreideweiß wie im Winter, und im Kontrast dazu wirken die Steine der Kirche noch dunkler; schwarz zeichnet sich ihr Unterbau vor den Schwaden ab. Sie erinnert sich an das Innere der Kapelle, an die bretonischen Gräber, und neben Judiths Grab stellt sie sich auf einer Bank eine ihr teure Gestalt vor.

»Moïra, Tochter von Nolwen und Killian, ansässig im Wald des Dorfes Beauvoir, Lehen der Abtei vom Mont-Saint-Michel«, deklamiert der Bischof laut und deutlich, nachdem er mit einem Handzeichen Schweigen geboten hat. »Du wurdest ertappt, wie du dich heidnischer Riten bedientest, du bekanntest dein Verbrechen, doch du hast dich geweigert, deinem gottlosen Aberglauben abzuschwören. Am Pachomiustag dieses Gnadenjahres 1023 wurde dir in Rouen der Prozeß gemacht, und du wurdest der Todsünde der Ketzerei für schuldig befunden und dazu verurteilt, an diesem heiligen Ort die Folter zu erleiden, bis du deinem teuflischen Glauben abschwörst. Bevor die erste Marter beginnt, frage ich dich also: Willst du der falschen Religion deiner Ahnen abschwören, um den einzig wahren Glauben anzunehmen?«

Moïras Gesicht ist so bleich wie der Nebel, der die Martinskapelle umhüllt. Ihre Sommersprossen verschmelzen mit der durchscheinenden Haut. In kämpferischem Schweigen starrt sie auf das kunstvoll in Gold geschmiedete Kreuz, das Abt Thierry auf der Brust trägt. Das Publikum kostet den Aufschub des Spektakels aus.

»Gut!« erklärt der Bischof. »Da du im Irrtum verharrst, übergebe ich dich Graf Enguérand d'Eglantier, der von unserem Lehnsherrn Richard dem Guten entsandt ist, damit er Gottes Richtspruch an dir vollziehe! Du kannst die Peinigung zu jedem Zeitpunkt unterbrechen und dich dem Allerhöchsten anheimstellen!«

Die letzten Worte des Prälaten werden vom Geheul der

Zuschauer verschluckt. Ein Soldat greift nach den Zügeln des Pferds, das den Karren zieht, andere nehmen rundherum Stellung auf, und die Eskorte macht sich wieder auf den Weg, der an den Gipfel des Berges führt, vor ihnen die vier Würdenträger und hinter ihnen der Pöbel. Der zerfaserte Himmel kommt allmählich näher, langsam und holpernd wie das Fuhrwerk, das nun genau nach Osten rollt. Das Gefährt macht vor einer befremdlichen Kulisse halt: Am Rand des Felsens, unterhalb des steilen Abhangs, scheinen ein ebener Fußboden und von Bögen durchbrochene Mauern mit Insektenfüßen am Berg zu kleben, durch die Zauberkraft hölzerner Apparate errichtet. Da die Baustelle menschenleer ist, könnte man meinen, der Berg selbst habe in einer unglaublichen Verwachsung eine Kirche aus Granit geboren. Unter dem ungewissen Gewölbe, das der Nebel bildet, sind hölzerne Lehrbögen schon zum Teil mit Keilsteinen bedeckt, die über große offene Leitern herangeschafft werden. Erfüllt von plötzlicher Hoffnung richtet Moïra den Blick in die Dunkelheit, die hinten in der unvollendeten Chorkrypta herrscht; sie erahnt die Säulen, aber dort ist kein Mann, keine Kutte. Ein Soldat bindet sie los und bedeutet ihr abzusteigen. Das Geschrei des Pöbels betäubt sie. Diesmal suchen ihre Blicke ihren Bruder. Sein Kopf überragt die Menge, so groß ist er mit seinen nur dreizehn Jahren. Er weint nicht, er steht aufrecht und starr wie ein steinerner Pfeiler.

Man stößt sie zur Baustelle hin. Da sieht sie den eisernen Käfig, der auf der Erde steht. Es ist kein Vogelkäfig, eher ein Käfig, wie ihn die Schausteller wilder Tiere auf Jahrmärkten und Dorffesten benutzen. Augenblicklich begreift sie, und sie kriecht auf Knien in ihr neues Gefängnis. Obwohl Moïra nicht groß ist, kann sie sich in dem eisernen Kerker auch sitzend nicht aufrecht halten: Ihr Rücken und Hals sind zum Boden hin gebeugt. Enguérand d'Eglantier verschließt das kleine Gittertor und wendet sich seinen Soldaten zu.

Einer von ihnen bindet den Käfig an einen langen Balken von Romans Baustelle, während die anderen ihn auf den Abgrund zuschieben. Am äußeren Ende des Gerüsts stürzt der eiserne Kerker hinab und hängt dann frei in der Luft. Da verkeilen die Soldaten das andere Ende mit riesigen Granitblöcken, wobei ihnen die Bauarbeiter zur Hand gehen. Moïra muß würgen. Die Leute heulen auf. Manche laufen ins Watt, um die Gemarterte von unten zu sehen, wie sie dem Wind und seinem Wüten ausgesetzt ist, das mit der kommenden Flut noch zunehmen wird. Moïra versucht sich zu rühren, aber jede Bewegung macht den Käfig zu einer wilden Schaukel, die von rechts nach links ausschlägt. In ihrer Haltung muß sie auf den Sand vierzig Klafter unter ihr schauen, was ihren Schwindel noch verschlimmert. Von Zeit zu Zeit schließt sie die Augen, um den Abgrund zu vergessen, aber da wird ihr übel, und sie muß die Lider heben, um dem Brechreiz nicht nachzugeben. Sie klammert sich an die Gitterstäbe.

Sie muß durchhalten, nicht auch nur einen Fingerbreit nachgeben, des Gedächtnisses ihres Volkes und der Zukunft ihrer Liebe zu Roman willen. Sie denkt an den verbrannten Brief, den schönen Brief von Roman. Glaubt er wirklich, daß alles gut werden wird, wenn sie abschwört? Ihre Liebe ist nicht von dieser Welt. Auf Erden sind sie zur Heimlichkeit verurteilt, zur Flucht, zur Leugnung ihrer selbst, zum Verrat! Ja, ihre Entscheidung ist richtig: Zwischen Himmel und Erde hat sie sich für den Himmel entschieden. Dieser Himmel, der nun ihr Marterpfahl ist, ihre Pein, wird morgen die Erlösung sein, die Freiheit ihrer Liebe und ihre Ewigkeit.

In unendlicher Anstrengung drückt Moïra ihren Oberkörper auf die Beine und dreht die Schultern. Im furchtbaren Schlingern ihres Gefängnisses schafft sie es, ihre Augen vom Ufer zu lösen und ein Stück des bläulichen Äthers zu erhaschen, der blaßgrau und milchig ist wie der Kuß eines Engels. Auf die Schreie der Menschen antworten die der Möwen. Im Laufe des Tages füllt sich die schwerelose Luft mit mehr und mehr Gefahren, während Moïras Leib, von Gliederschmerzen, Krämpfen, Hunger und vor allem Durst gepeinigt, zu einem einzigen Schmerz wird. Doch ihr Geist kämpft, denn er ist bei Roman, so wie sich ihre rot angelaufenen Hände weiterhin an die Eisenstangen des Tierstalls klammern. Das Meer kommt, schleichend zunächst, mit silbernen Zungen, die über lebendige Sümpfe gleiten, dann entfaltet es seine brutale Gewalt: Wellen, die aus dem Nirgends kommen oder aus dem Innersten der Hölle, verschlingen die Erde, bevor sie sich in unglaublicher Wucht miteinander vereinen.

Von oben wäre die Aussicht herrlich, hätte das Wasser nicht den ungehemmten Wind zum Gefährten, das Tosen aus dem Norden, das den Käfig mit klirrender Kälte umschließt und ihn unentwegt schüttelt. In seinen Armen wird Moïra herumgerissen wie eine Feder, ein Staubkorn, an dem der Wind seine Wut ausläßt. Würgende Panik peinigt ihren Kopf und ihren Körper. Mit weit aufgerissenen Augen, laut keuchend, stocksteif vor Kälte und Angst, flüstert sie ein Gebet in die wütenden Lüfte:

»Ogmios! Heiliger Michael! Du Seele dieses Berges, der du den Schlund des Bösen besiegt hast! Ich beschwöre dich, bring mich fort von hier! Befreie mich von den Ketten, die mich an diesen Felsen binden! Ich flehe dich an, erspare Roman die Prüfung meiner Qualen und die der vergeblichen Hoffnung! Mächtiger Geist, der du immer über mein Leben gewacht hast, schenke mir den Tod! Mein Leben ist nur noch ein schmutziger Kerker, und der wird es bleiben, selbst wenn ich abschwöre! Du weißt es – du, der du alles weißt! Ich will nichts von der Erde leugnen, und so bleibt mir nur der Himmel! Befiehl dem Wind, diesen Käfig gegen die Felsen zu schmettern! Zerstöre diesen Leib, den ich freiwillig verlasse, und fang meine Seele auf – um sie wegzuführen, jenseits der Zeit, in einen anderen Körper, in eine andere Welt, in der ich Roman lieben kann!«

Moïra kann ihr Schluchzen nicht unterdrücken, aber sie beweint weder ihr Schicksal noch weint sie über den Schmerz, der ihr die Knochen zermalmt. Ihre Tränen sind Tränen der Hoffnung. Der Nordwind weht stärker, je näher der Abend kommt und je heftiger es regnet, und Moïra freut sich darüber, denn sie meint, das schlingernde Wiegenlied künde ihr von ihrem Tod. Die Nacht, so hofft sie, wird sich ihrer erbarmen. Von der Kirche her sinkt der Dunst zu ihr herab, hüllt sie in ein klammes Leichentuch. Ein Rabe streift sie mit seinem Flügel, und dann überkommt sie das Dunkel.

»Moïra, erneut frage ich dich: Willst du der falschen Religion deiner Ahnen abschwören, um den einzig wahren Glauben anzunehmen?«

Zwei Tage vor Christi Himmelfahrt. Im Morgengrauen haben die Soldaten den Käfig wieder eingeholt. Moïra war bewußtlos, bis auf die Knochen durchnäßt vom Regen, doch sie lebt. Richards Abgesandter hat befohlen, sie aus dem Käfig zu holen und auf dem Boden an den Pfahl zu binden, bis sie zu sich kam. Ihr Körper war aufgedunsen, ihre Hände klebten an den Gitterstäben, so rot angelaufen wie ihr Gesicht. Ihre Knochen krachten, als die Männer sie aus dem Käfig zerrten und fesselten.

Das Volk hat gewartet, benommen zwar von den Schlemmereien, die gestern bis spät in die Nacht angedauert haben, doch glücklich, daß die Hexe noch immer lebt, so daß sie die zweite Marter und noch einen Festtag erleben werden. Zu der Stunde, in der die Bauarbeiter wie gewöhnlich neben ihrem Werkzeug sitzend das nächtliche Fasten brechen, tun es die Dorfbewohner und die vielen angereisten Gaffer ihnen gleich und hocken sich in der Nähe der noch immer bewußtlosen Ketzerin auf den Boden. Abt Thierry hat für seine hochwohlgeborenen Gäste, den Bischof und den Gesandten des Herzogs, im Freien einen Tisch aufstellen lassen. Während er gerade das Stundengebet der Prim zelebriert, schlägt Moïra die Augen auf.

Roland d'Aubigny und Enguérand d'Eglantier sitzen vor fritierten Cancale-Austern, einer Pastete von frischem Stör, in saurem Traubensaft gebratenen Schwänen, Klosterkäse und Krügen von Wein, die Odilo an Hildebert sandte. Moïra will sich aufs Festmahl stürzen, doch dann schreit sie auf, weil die Ketten sie halten.

»Na endlich!« ruft der Bischof. »Wir wurden schon allmählich ungeduldig, Moïra! Du mußt hungrig sein und durstig. Es liegt nur an dir, ob du unser Morgenmahl teilen kannst. Du brauchst nur ein Wort zu sagen, und du kannst all dies hier verschlingen!«

Da sie stumm bleibt, steht er wieder auf, ebenso wie die Zuschauer. Zwei Soldaten ketten die junge Frau los und stützen sie. Da hebt der Bischof die Hand, um der Menge Schweigen zu gebieten, tritt einen Schritt vor und stellt die feierliche Frage. Sie möchte ihm ins Gesicht spucken, doch der Bischof steht zu weit weg, und ihr Mund ist so trocken wie ein altes Stück Pergament. Wasser – viel würde sie für etwas Wasser geben. Aber sie wird nicht das Gedächtnis der Ihren gegen ein paar Schlucke eintauschen. Diese Schmerzen in den Rippen und in den Beinen! Warum hat der Nordwind sie nicht an den Felswänden zerschmettert? Warum hat die Nacht sie nicht fortgetragen, sondern sie in diesen tiefen Schlaf sinken lassen, der ihre Entschlossenheit zu sterben ausgelöscht hat? Nun ist sie wieder bei vollem Verstand, und sie nimmt den stillen Kampf gegen ihre Henker wieder auf.

Angewidert sieht sie den Bischof an. Er steht, sie liegt am Boden, aber dieser Boden ist der ihre, er übermittelt ihr seine Kraft. Der Wind trägt das Echo der Psalmen herüber, die die Mönche in der Kirche singen – die Mönche, unter ihnen Roman –, und der Gesang macht ihr Mut. Sie beschaut sich den Tisch mit dem Morgengelage und wendet stolz das Haupt ab. Diese Provokation erregt Roland d'Aubignys Jähzorn.

»Ganz wie du willst!« brüllt er. »Da unser Wein dir nicht gut genug zu sein scheint, biete ich dir ein Gesöff an, das deinen Durst schon löschen wird, und das auf lange Zeit!«

Auf einen Wink des Grafs hin schleppen die Soldaten Moïra auf den Weg zum Dorf. Die Sonne, die vor nicht einmal zwei Stunden aufgegangen ist, scheint dem Schauspiel beiwohnen zu wollen: Unter einer wässrig blauen Himmelskuppel reckt sie ihre Strahlen dem Berg entgegen, trocknet den klebrigen Morast des Pfades, läßt die Bucht blau erstrahlen und erwärmt Moïra die steifen Knochen. Sie kann kaum gehen, doch die Wächter zerren sie an den Schultern vorwärts. Sie läßt den Kopf hängen, hofft, daß die Folter schnell ist, grausam und endgültig, denn sie will es hinter sich bringen. Sie weiß, daß sie Roman nicht wiedersehen wird, zumindest nicht in dieser Welt. Warum also soll sie noch Widerstand leisten? Die einzige Angst, die sie noch um ihn hegte, ist im Lauf des Prozesses verflogen: Der Name des Werkmeisters ist mit keinem Wort erwähnt worden. Roman ist also frei, er lebt, und er wird ihr Geheimnis hüten. Er wird sein Jerusalem erbauen und als alter Mann sterben, im Frieden mit sich selbst und mit Gott. Wenn Moïras Seele dann noch immer in der anderen Welt weilt, wird er sie wiedererkennen, und sie werden sich ewig lieben, im Reich der Toten oder aber auf der Erde, in neuen Körpern …

Die Prozession gelangt an den Fuß des Berges, über den noch

das weichende Meer leckt. Leere Granitschuten und Fischerboote, die am Ufer festgemacht sind, dümpeln auf den ersterbenden Fluten. Gegenüber sieht die Insel Tombelaine dem Meer zu, das sich so schnell zurückzieht, wie es gekommen ist. Moïra stellt sich vor, ihr Leben wäre eine Welle.

In der Bucht hat man einen Pfahl errichtet, gleich neben dem Aubert-Brunnen, und daran wird sie gebunden wie eine Galionsfigur. Moïra denkt an Roman, so wie sie ihn zum letzten Mal sah: seinen dunklen, vom Schluchzen geschüttelten Rücken in Hildeberts Zelle, diesem gutmütigen Alten mit dem Blick wie das Meer, der an jenem Morgen starb, an dem er in Beauvoir ihre Entsagung hätte entgegennehmen sollen. Ein trauriges Lächeln entspannt ihre Züge, ihr Blick entgleitet ins Ungewisse. Moïra verliert sich in Gedanken, die der Hunger vernebelt, sie hört nichts vom Geschrei des Pöbels, und sie scheint nicht wahrzunehmen, daß sie nun eine Gefangene des Wassers ist, das am Abend mit der Flut ansteigen wird.

In diesem Moment erscheint ein Wesen, das sie für einen dicken, bärtigen schwarzen Engel hält, einen Schlauch in der Hand, und daneben weitere Gewänder, die in der Brandung treiben und im Eilschritt auf sie zukommen. Sogleich halten die Soldaten des Herzogs Bruder Hosmund zurück.

»Exzellenz, Euer Gnaden!« In bittendem Ton wendet er sich an den Bischof und den Grafen und hält einen ledernen Schlauch hoch. »Ein wenig Wein, mit Wasser vermischt! Laßt zu, daß der Herr ihren Durst lindert, nicht ihre Sünden!«

»Der Herr hat über sie gerichtet«, gibt der Prälat brüsk zurück, »und Sein Richtspruch muß nach Seinem Willen durchgeführt werden, ohne jegliche Erleichterung, Laienbruder! Im übrigen«, er weist ironisch auf den Aubert-Brunnen, »steht ihr eine Quelle reinen Wassers zur Verfügung, die sie bis zur Trunkenheit betrachten kann, bevor das Meer sie überspült!«

Hosmund, Drocus, Robert und Bernard fehlen bei der Unerbittlichkeit des Bischofs die Worte. Vor dem Blick der Mönche versucht sich Roland d'Aubigny zu rechtfertigen. »Versteht mich, meine Brüder«, erklärt er, »sie hält daran fest, unseren Herrn zu leugnen, und dabei ist sie von einer Unverfrorenheit, die ein weiteres Verbrechen gegen den Allerhöchsten und gegen die gesamte Gemeinschaft der Christen darstellt! Sie schleudert ihre Verachtung für den Glauben dem Erzengel selbst ins Gesicht, in seinem Hause, und Ihr, seine ergebenen Diener, Ihr kommt ihren Durst zu stillen? Ich habe meine Zweifel, ob Ihr im Auftrag Eures Abtes handelt.«

»Unser Vater Thierry hat es in der Tat nicht befohlen«, gibt der frühere Prior Robert mit einem höhnischen Blick zurück. »Doch wie Ihr richtig sagt, sind wir Diener des Herrn: So sind es also Christus und das Wort der Evangelien, die uns zu unserer Handlung anhalten.«

»Aber die Ketzerin ist Jesus unbekannt!« erklärt der Bischof, die Zornesröte im Gesicht. »Diese Verbrecherin weilt nicht in der Heimstatt Christi, und sie bleibt seines Erbarmens unwürdig, solange sie deren Schwelle nicht übertreten hat.«

»Nun gut«, antwortet Robert und verbeugt sich leicht. »So gehen wir, für sie zu beten. Möge Christus sie in seiner Heimstatt aufnehmen.«

»Betet für das Heil ihrer Seele, das tut höchste Not!« schließt der Bischof.

Schweigend wenden sich die Mönche ab und bahnen sich einen Weg durch die Menge, die vor ihnen zurückweicht.

»Roman!«

Bruder Bernard, der Gehilfe des Werkmeisters, erstarrt einen Moment, bevor er weitergeht. Sie hat die schwarzen Rücken gesehen und den Schrei ihres Herzen nicht ersticken können. Der Strick, der ihren Körper bis zu den Schultern einschnürt, fesselt sie eng an den Pfahl, doch sie verdreht den Hals, um die Mönche zum Felsen hin verschwinden zu sehen, in der Richtung, die dem Weg der Wellen entgegengesetzt ist. Zum erstenmal seit ihrer Ergreifung füllen sich ihre Augen mit Kummer.

Der Bischof tritt zu ihr und flüstert ihr etwas zu, damit der Graf und der Pöbel nichts hören. »Roman kann nichts für dich tun! Du mußt wissen, daß du ihn, selbst wenn du abschwörst, nicht wiedersehen wirst. Niemals! Die einzige Liebe, die er je verspürt hat, ist die zu Gott und zu den Steinen, die er auf diesem Berg aufwachsen läßt zum Ruhme Gottes. Dich hingegen hat er aus seinem Gedächtnis gebannt. Er ist frei und kann sich bewegen, wohin er will. Du siehst, er hätte schon längst zu dir kommen können, selbst ins Gericht, doch er äußerte nicht einmal diesen Wunsch! Ja, für ihn zählt nichts als der Kirchenbau. So denke nicht einmal daran, deinem Verbrechen zu entsagen, um wieder frei zu sein, zu ihm zu gelangen – denn er hat dir schon entsagt, öffentlich, und dein Hurengeifer wird ihn nie wieder beflecken. Hörst du – nie wieder!«

Tränen rinnen über Moïras Wangen. Sie schließt die Augen, konzentriert sich – und spuckt dem Bischof direkt auf die Stirn.

»Es vollziehe sich die göttliche Gerechtigkeit!« heult der Bischof dem Volk zu, indem er sich das Gesicht abwischt. »Der von Gott geschaffene Ozean möge sein Werk tun!«

Das Publikum antwortet ihm in ohrenbetäubendem Lärmen. Enguérand d'Eglantier befiehlt seinen Leuten, die Menge vor der Gemarterten auf Abstand zu halten, und die beiden Hoheiten ziehen sich zurück, um in der karolingischen Kirche der Messe beizuwohnen.

Moïra sehnt sich nach ihrem hängenden Käfig: Immerhin hielt er sie von diesen Menschen fern, die sie zwischen zwei Schoppen Wein oder Honigmet mit Flüchen überschütten. Und ständig kommen noch mehr Pilger hinzu, Gaukler, fahrende Händler und Akrobaten. Der Tag ist so lang wie die flüssigen, gewundenen Schlangen, die in der Sonne verdunsten. In ihrem Strahlen trocknet Moïras Kotta, die vom nächtlichen Regen durchnäßt ist, und macht den Durst unerträglich. Das Meer ist tot, aber der Wind hat sein Salz zurückbehalten, das noch schärfer an ihrer Haut nagt als das Hanfseil. Sie ist ein Fels, der langsam ausgewaschen wird. Sie hat nicht mehr die Kraft, ihren Kopf gerade zu halten. Ihre salzverkrusteten Haare fallen strähnig auf ihre Brüste und verhüllen ihr kalkweißes Gesicht. Ihr Geist beginnt abzuschweifen. Sie stellt sich Roman in der Kirche vor, wie er mit Granitblöcken in den Armen die Stufen über den gleichgestaltigen Altären emporsteigt, bevor er sich umwendet und sie den Gläubigen zur Verehrung darbietet. Dann ist er bei ihr, sie ist zu Stein erstarrt, und er behaut sie, um sie zu der Säule zu machen, die die Kuppel der Chorkrypta stützen soll.

Plötzlich erwacht sie von einem Geräusch: Schon löst der verheißungsvolle Mond den Sonnenschein ab, als das Publikum beim Anblick des Wassers dort hinten in Freudenschreie ausbricht, des Wassers, das zum Lohn für die lange Wartezeit endlich herankommt. Endlich die Wellen… Das Spektakel, das sie gestern von oben aus betrachtet hat, wird sie nun verschlingen. Sie ist dem Nordwind ungeschützt ausgesetzt und wartet, bis er sich in der Ferne mit den aufkommenden Klingen des Meeres vereint, um sie zu durchstoßen. Bald schon erhebt sich sein Wehen wie ein Schwert, durchstößt ihre Ohren, drückt ihr Kopf und Körper hintüber, spannt ihr erschlafftes Fleisch und überfällt ihren Körper mit seiner scharfen Spitze. Die Gaffer feuern das zaudernde Meer an, beklatschen die anschwellenden Schlangen, und sie werden zu Drachen, aus deren Rachen unter Gebrüll von jenseits des Grabes flüssige Flammen lodern.

Angst packt die Menge und die Soldaten, sie weichen zurück, je näher die schäumenden Ungeheuer herankommen. Moïra hingegen ist eine vertrocknete Klippe, die sich nach Umarmung und nach Nässe sehnt. Das Wasser ist ihr Freund, es hat so oft zu ihr gesprochen, am Teich, inmitten der Stürme, auf dem Meer… Das Wasser reinigt sie von all der Besudelung, seine Gräben verschließen die Heimstatt der Götter, und es trägt die kristallenen Boote in die andere Welt. Das Wasser wird sie aufnehmen und sie in das geheimnisvolle Land an der Quelle der Menschheit bringen.

Moïra betet zum Wasser, der Mutter des Lebens, es möge ihre Wangen liebkosen, ihre Haare waschen, ihre Augen streicheln, ihren Mund küssen und ihr Herz überschwemmen.

Ebbe. Raoul, Hauptmann des Regiments, hat Mühe, das Seil zu durchtrennen, das sich im salzigen Wasser mit der Haut verklebt hat. Dort, wo die Schnur hineingeschnitten hat, bluten Beine und Arme. Das Gesicht ist geschwollen und blau angelaufen in der Kälte des Wassers, das mit dem Aufscheinen des Tages zurückweicht. Ihr ganzes Sein ist ein einziges Frösteln von Kopf bis Fuß, ein Zittern, von dem Raoul nicht zu sagen weiß, ob es nun ein Pfand des Lebens ist oder ein Vorzeichen des Todes. Unverständliche Silben, schleimiger Husten und flüssiger Auswurf dringen zwischen ihren blauen Lippen hervor. Es ist, als würde sie ihrer Mutter heftige Vorwürfe machen. Bestimmt hat sie den Verstand verloren.

Mit einem anderen Soldaten legt Raoul sie auf den Karren, während rundum die Gaffer stehen. Dann nimmt das Fuhrwerk unerschütterlich seinen Weg zum Dorf hin auf, durch den Nieselregen. Wo immer möglich, wurden Zelte aufgestellt, um den Strom der Schaulustigen unterzubringen, die den Handel auf dem Berg erblühen lassen. Neben dem Platz und der Pfarrkirche, mitten im Laienfriedhof, heben Raouls Leute gerade die letzten Schaufeln eines Loches aus. Moïra ist zu benommen, ihr Körper zu verbraucht und ihr Geist zu sehr gebrochen, als daß sie vor dem Erdloch noch zittern würde.

Ihr Scharfsinn scheint sie verlassen zu haben. Unter Raouls stützendem Griff rollt ihr Kopf von rechts nach links wie bei einer Verrückten, und die strahlenden Mienen der Zeremonienmeister lassen sie völlig gleichgültig. Nur Almodius, der neben Abt Thierry steht, runzelt die Stirn, und den Bruchteil einer Sekunde lang wirkt sein Blick voller Mitleid. Roland d'Aubigny stellt zum dritten Mal die rituelle Frage:

»Moïra, heute, am Tag vor Christi Himmelfahrt, frage ich dich erneut: Willst du der falschen Religion deiner Ahnen abschwören, um den einzig wahren Glauben anzunehmen?«

Moïra richtet ihren leeren Blick auf den Bischof und bricht in irres Gelächter aus.

»Da ist die Fratze des Teufels!« schließt der Bischof. »Ihr seht es, Herr Graf, Herr Abt, Ihr hört es! Er zeigt sich am hellichten Tage. Die göttliche Marter hat ihm seine Maske vom Antlitz gerissen! Da ist er: Luzifer, der den heiligen Michael auf seinem eigenen Boden herausfordert und sich über uns lustig macht! Du Dämon, der du aus dem Schlund der Hölle heraufkommst«, wendet er sich an Moïra, »fahr zurück in die Verdammnis!«

Bei diesen Worten schleppen Raoul und sein Gehilfe Moïra bis an das Loch und lassen sie an den Armen hinunter. Das Loch ist nicht tief, aber es ist eng und dunkel. Ihr regloser Körper fällt plump hinab. Die vier Würdenträger beugen sich über sie, um ihr

Werk zu betrachten: Moïra bleibt reglos liegen wie ein Leichnam, zusammengekauert und mit geschlossenen Augen, die von salzigem Wasser klebrigen Haare über den Boden gebreitet. Im Nu hat der leichte Nieselregen die Erde in Schlamm verwandelt, in morastigen Lehm, der der jungen Frau am Körper klebt. Ein leichter Stoß am Bein reißt sie aus ihrer Lethargie. Das Publikum ist zornig, weil es nichts sehen kann, und wirft mit Steinen nach ihr und mit Pferdeäpfeln, um sie aufzuwecken. Moïra rollt in ihrem Lehmgefängnis verängstigt mit den Augen. Nur mühsam kann die Garde des Herzogs die Menge zurückhalten. Sie hat beschlossen, wie ein wildes, sich in die Erde einbuddelndes Tier nie wieder menschliche Töne von sich zu geben – und dabei hofft sie, dieses Nie möge von kurzer Dauer sein. Vom Fieberwahn gepackt hockt sie in diesem Grab, lehnt sich an eine Wand, starrt auf die erdene Mauer, ihre Hände vergraben im weichen Boden, den sie durchknetet, als wäre er lebendiges Fleisch. Die Augen geschlossen, atmet sie durch, um sich dem Gestank der Welt zu entziehen.

Sie richtet ein schweigendes Gebet an die Scholle ihrer Ahnen:

Erde dieses Berges, die du die Götter hervorgebracht hast, die Kelten und die Engel. Wind und Meer kämpfen seit jeher darum, dich zu besitzen. Heute sind es die Menschen, die sich gegenseitig die Macht über dich streitig machen. Wind und Meer wollten mich nicht von dir trennen, die ich dir gehöre vom Anbeginn der Gestirne. Ich habe dein Geheimnis einem Mann anvertraut, der dein ist, ohne es zu wissen. Ich aber weiß, daß du ihn erwählt hast, um deine Vereinigung mit dem Himmel zu vollziehen. Er wird dich nicht verraten. Er ist ein Geschöpf des Himmels, aber seine Liebe zu dir ist weit stärker, als er meint. Er befruchtet dich mit Steinen, die der Himmel gesegnet hat. Sie werden dich unbesiegbar machen. Land vom Fels, meine Aufgabe ist erfüllt: Ich habe dich verkörpert, ich habe ihn geliebt und seine Liebe erworben. Es war eine himmlische Liebe nach seinem Bilde, mit der Leidenschaft und Kraft von deinem Antlitz. Luft und Wasser haben mich am Leben gelassen, damit ich heute zu dir heimkehre. Du allein, gesegnete Erde, kannst mich von diesem Körper losreißen. Ich flehe dich an, laß nicht das Feuer meine Seele fressen! Raube meiner Seele nicht das ewige Leben …

Musik. Dorfbewohner und Pilger tanzen mit blumenbesetzten Hüten im Kreis um das Erdloch, dazu erklingen Schalmeien und Fiedeln. Lustig ist der Reigen, er zieht sich über den ganzen Friedhof bis auf den Platz, und der Regen hört auf. Bald wird man die Frucht der Erde ernten, die in langen Prozessionen gesegnet wird.

Moïra lächelt den fruchtbaren Boden an, in der Gewißheit, daß ihr Leichnam ihm in dieser Nacht als Dünger dienen wird.

»Moïra! Moïra, wach auf, ich bitte dich! Meinst du, sie...«

Hosmund schüttelt den Kopf. Er hält seine Fackel vor, aber nein, sie lebt noch, er hört ihren unregelmäßigen Atem. Es ist eine schwarze, mondlose Nacht. Vollkommene Dunkelheit, was Roman nur recht ist, denn er hat Hosmund heimlich begleitet. Almodius hat ihn beauftragt, der Wein und Nahrung zu bringen, die morgen sterben wird. Die letzte Henkersmahlzeit, und für Moïra das erste Essen seit drei Tagen und zwei Nächten. Raoul nutzt den Besuch der Mönche, um mit seinem Trupp auf einen Schoppen in die Schenke gegenüber zu gehen. Vielleicht will die Ketzerin ja ein paar Stunden vor ihrem Tod noch beichten; bei diesen Geschöpfen kann man schließlich nie wissen.

Im Erdloch ist es undurchdringlich schwarz. Und doch erleuchtet der Schein der Fackel eine hellere Gestalt, die sich am Boden des Lochs träge windet wie ein zertretener Wurm.

»Moïra!« wiederholt Roman mit erstickter Stimme.

Sie blickt auf, stützt sich gegen die Erdmauer, taumelt, richtet sich erneut auf, und Hosmunds Laterne beleuchtet das Grauen. Ihr Haar hat keine Farbe mehr, keine Locken – es gleicht dem Fell einer toten Ratte. Die Haut im Gesicht ist aschfahl, mit Schlamm beschmiert, aufgedunsen, und die Augen glänzen vom Fieber. Am Rand des Erdlochs kniend, schlägt sich Roman die Hand vor den Mund, um nicht laut aufzuschreien.

»Bist... bist du das?« Sie wagt es kaum zu fragen.

»Ja, Liebste, ich bin es – Roman!« stammelt er mühsam.

»Nimm diese Fackel von mir fort und erleuchte dein Gesicht!« befiehlt sie.

Roman schlägt die Kapuze zurück, die ihn verbirgt, schluckt seine Tränen, seine Wut, seine Reue und seine Verzweiflung hinunter, um ihr das Antlitz der Liebe zu zeigen, das sie sehen möchte. Sie sagt nichts, doch sie reckt ihre Hände empor, bis sie beinahe Romans streifen, der sich hinunterbeugt.

»Moïra«, setzt Roman erneut an, »ich flehe dich auf Knien an: Schwör ab, jetzt sofort! Schör ab! Tu es für mich, wenn du es für dich nicht willst!«

Sie bleibt lange stumm, bis sie schließlich mit lebloser Stimme antwortet. »Ich bin schon weiter, als du denkst, Roman. Ich habe diese Zweifel längst hinter mir... Ich bin in der Erde eingeschlossen, aber ich weile schon jenseits der irdischen Welt... Mein Körper verlischt, aber ich leide nicht, denn damit unsere Liebe bleibt, muß ich sterben... Ich will sterben, aus Liebe zu diesem Berg... und zu dir... Wenn du mir helfen willst, dann bete, daß ich in dieser Nacht fortgehe und daß meine Seele in den Himmel gelangt...«

»Moïra, was sagst du da?« Roman schluchzt laut auf. »Die Grausamkeit dieser treulosen Bande hat dir den Verstand geraubt! Du kannst ihnen nicht nachgeben und mich verlassen! Ich werde dich nicht gehen lassen! Schwör ab, Geliebte, schwör jetzt sofort ab, dann können wir uns frei lieben! Moïra, ich habe nachgedacht: Wenn du deinem Glauben entsagst, entsage ich dieser Kutte, dem Kloster, dem Berg, und wir gehen gemeinsam fort, weit weg von hier, nach Bamberg! Hab keine Sorge um unseren Unterhalt. Ich bin ein Edelmann, wir werden vom Ertrag meiner Erde leben. Ruf, Moïra, ruf die Wache! Sie müssen den Bischof wecken! Schwör jetzt ab, und wir fliehen von hier!«

»Lieber Roman... Der Ertrag deiner Erde ist das himmlische Jerusalem, und hier ist der Ort, an dem es sich erheben muß. Meinst du, der Schmerz hat mein Herz so sehr verderbt, daß ich dich einem vergänglichen, einem ungewissen Glück opfern will? Roman, die Deinen sind vom Himmel hervorgebracht worden und mein Volk von der Erde... Wir sind die Erwählten des Geistes, der über diesen Felsen herrscht – ich, um seine Vergangenheit zu wahren, du, um seine Zukunft zu zeugen... Meine Vorfahren waren das Fleisch dieses Felsens, ich war der Mörtel deiner Steine. Ich habe dir das Geheimnis des Berges vermacht, das Band zwischen allen Zeiten... Mein Auftrag ist damit erfüllt, und ich muß heimkehren zu meinem untergegangenen Volk. Ich lasse dich und deine Brüder mit der Seele des Berges zurück, damit ihr seinen ewigen Ruhm errichtet!«

»Was sagst du da? Dein Geist ist verwirrt! Du kannst mich nicht alleinlassen. Du kannst nicht Folter und Tod dem Leben mit mir vorziehen!«

»Eines Tages werden wir einander finden, mein Geliebter, aber nicht in dieser Zeit, in der es uns bestimmt war, den Engel des heiligen Berges zu lieben und ihm treu ergeben zu sein ... Hör mich an, Roman, an diesem Abend, am letzten Abend meines Lebens an dieser Stätte, in diesem Zeitalter, gebe ich dir ein Versprechen.« Sie streckt ihm die Hände entgegen. »Meine Seele ist gezeichnet von deiner Liebe und wird das Gedächtnis daran immer bewahren. Und diese Liebe leistet dir diesen Schwur: Wo immer du bist, wer immer du bist, ich werde dich wiedererkennen! Ich werde Meere und Flüsse in der Welt der Lebenden und der Toten durchstreifen, ich werde dein Grab aufbrechen und dich mitnehmen in den Himmel, wo wir uns in Frieden lieben werden bis ans Ende der Welten ...«

Roman bleibt stumm. Diese Worte hat er nicht erwartet, sie schmettern ihn nieder und überfordern ihn.

Das Klirren von Waffen und Schwertgurten ist zu hören.

»Die Soldaten!« murmelt Hosmund halblaut.

»Moïra! Schwör ab! Schwör ab!« fleht Roman nochmals in heiserem Flüstern.

Moïra schweigt. Der Laienbruder greift nach einem Korb, den er an einem Seil in das Loch hinunterläßt. Roman zieht die Kapuze wieder über sein vom Entsetzen entstelltes Gesicht.

»He, meine Brüder!« ruft Raoul leicht angesäuselt. »Immer noch bei der Ungläubigen? Teilt ihr euch ihr Festmahl? Bekommt ihr im Kloster nicht genug zu essen? Dann geht lieber in die Schenke, da geht es lustiger zu!«

Mühsam wuchtet Hosmund sein Schwergewicht hoch, blitzt den Gotteslästerer mit funkelnden Augen an und bedeutet ihm in Gesten, daß Komplet geschlagen hat, so daß es ihm verboten ist zu sprechen. Er schiebt Roman vor sich her, und schnellen Schrittes kehren sie heim in die Abtei.

»Zuerst die dort unten«, sagt Raoul zu einem anderen Wachtposten, »und jetzt sind die Mönche auch noch still wie Gräber. Nun ja, der Wein hier ist billig, aber bei dem Klima und dem Gang der Unterhaltungen gibt es ja sonst auch nichts, mit dem man sich ein bißchen wärmen kann!« Er schaudert, als er hört, wie die Wellen gegen die Felsen schlagen. »Ich werde mich jedenfalls beeilen, nach Rouen heimzukehren, wenn hier erst alles vorbei ist, sonst läßt mir die Gegend hier noch das Blut im Leib gefrieren!«

»Bestimmt, Hauptmann!«

Raoul tritt an das Erdloch und hält seine Laterne nach unten. Die Büßerin kniet am Boden und verbirgt ihr Gesicht in den Händen. Der Essenskorb steht unberührt neben ihr.

»He, Süße! Immer noch da? Weißt du, daß du morgen an den Spieß gesteckt wirst?«

Moïra blickt auf und sieht ihm ins Gesicht. Ihre Augen zeigen keine Spur von Unruhe, keinerlei Trauer: Sie sind starr und hell wie die eines Gespenstes, aber erfüllt von erstaunlicher Sanftheit und Güte. Der Blick einer Heiligen, einer Frau, die die Gnade einer unsterblichen Liebe erfahren hat. Verblüfft sperrt Raoul den Mund auf und bekreuzigt sich. »Ich… Wollt Ihr, daß ich nach Seiner Exzellenz dem Bischof sende? Oder nach dem Herrn Graf? Habt Ihr etwas zu sagen?«

Ohne den Blick abzuwenden, schüttelt sie den Kopf.

»Ich werde für Euch beten«, verspricht er. »Und Ihr solltet etwas essen oder zumindest trinken. Glaubt mir, wenn Euer Körper voller Wein ist, hält er der Hitze des Feuers kürzer stand, und Ihr werdet schneller ohnmächtig. Trinkt Eure Ration, schlaft, und zum Ende der Nacht komme ich Euch noch einmal etwas zu trinken bringen, damit Euch morgen im entscheidenden Augenblick die Trunkenheit einen Teil der Schmerzen erspart.«

Raoul tritt ein paar Schritte zurück. Jede seiner Bewegungen wird von einem länglichen Schatten beobachtet, der sich hinter einem Baum auf dem Friedhof verbirgt. Es ist die schwarze Gestalt eines Mannes.

Der Werkmeister liegt währenddessen, zerschmettert von Moïras Worten, in der Martinskapelle. Seine Gebete und seine Tränen sind versiegt.

Seit Morgengrauen leuchtet ein großes Feuer auf dem Dorfplatz zwischen Pfarrkirche und Friedhof mit der Sonne um die Wette. Der rote Brand knistert wie ein Freudenfeuer, um das herum an diesem Donnerstag ein freudiger Reigen Christi Himmelfahrt feiern wird. Nichts deutet darauf hin, daß es ein Scheiterhaufen ist: kein Todespranger, und ein Quadrat ohne Mörtel aufgeschichteter Steine umgibt die Flammen. Es sieht aus, als könnte daneben ein toter Ochse liegen, der gebraten und an das hungrige Volk verteilt werden soll. Doch nirgends sind Fleisch und Spieß zu sehen, nur ein Hebewerkzeug von der Baustelle, ein hölzerner Galgen mit einer Winde und am Seilende ein Haken, mit dem sonst Balken gehoben werden. Raoul scheint sich nichts aus dieser ungewohnten Maschine zu machen und stochert mit den Bewegungen eines perfekten Küchenchefs in der Glut: Er hat Kettenhemd und Schwert gegen eine große Schürze und eine Eisenstange eingetauscht. Mit einer bloßen Hand fährt er ungerührt über sein schwitzendes Gesicht.

Kurz nach der Morgenmesse, die in der karolingischen Kirche gelesen wird, erreicht eine feierliche Prozession den Gipfel des Bergs: An seiner Spitze schreitet Herzog Richard persönlich, eskortiert von seinem Hof, dem Bischof von Avranches, Thierry und Almodius mit allen Brüdern des Klosters sowie einer riesigen Menge von Gläubigen in Festtagskleidung. Ganz am Ende des Zuges tragen Soldaten ein stählernes Gestell. Bald schon herrscht auf dem Dorfplatz und dem Friedhof ein lebhaftes Gewimmel. Noch immer ungerührt hegt der Hauptmann das Feuer, das allmählich niederbrennt. Vor ihm qualmt ein Meer von hellroter Glut. Gegenüber ihrem Publikum stellen sich Richard der Gute, Enguérand d'Eglantier, Roland d'Aubigny, Thierry de Jumièges und Almodius hinter das Erdloch mit der Gemarterten. Sie alle tragen den Ausdruck im Gesicht, der ihrem Rang und den liturgischen Zeremonien angemessen ist: den Ausdruck ernster, hoheitsvoller Heiterkeit. Auf der Brust des Abtes prangt das ziselierte Kreuz, an seiner Hand der Ring mit dem Wappen des normannischen Herzogsgeschlechts. Die Augen des Priors leuchten so hell wie Edelsteine. Der Bischof trägt die strahlendweiße Mitra und den goldenen Krummstab mit eingelegten Rubinen und Smaragden. Gekleidet in seinem reichen Prachtgewand, läßt Richard II., der unbestrittene Herr des Berges, seinen olympischen Blick über das Volk schweifen und wendet sein erhabenes Antlitz dann seinen Soldaten zu. Daraufhin wird eine Leiter in das Erdloch gestellt, und ein Soldat steigt hinunter. In urplötzlichem Schweigen halten alle den Atem an. Raoul dreht sich zu dem Loch hin, aus dem der Mann wieder emporsteigt, sein Beutetier auf dem Rücken. Vor dem Loch packen zwei Schergen Moïra an den Schultern und stellen sie vor dem Fürsten hin, während ein dritter sie bei den Haaren packt und sie zwingt, den Kopf zum Herrscher zu erheben. Die Zuschauer sehen nur den Oberkörper der Verdammten, die ihnen den Rücken zudreht. Ihre verfilzten Haare sind von der dunklen Farbe der Erde, ihre Kotta von einem undefinierbaren Ton zwischen Schlamm und Blut.

»Moïra, an diesem heiligen Feiertag von Christi Himmelfahrt, der alle Menschen in inbrünstiger Freude verbindet«, tönt Roland d'Aubigny mit großer Emphase, »will ich dir zum letzten Mal die Frage stellen, die ich dir in den letzten drei Tagen bereits dreimal gestellt habe und auf die du dreimal nicht zu antworten geruhtest: Moïra, Tochter von Nolwen und Killian, ansässig im Wald des Dorfes Beauvoir, Lehen der Abtei vom Mont-Saint-Michel, du übtest den verdächtigen Beruf einer Gesundbeterin aus, und trotz deiner Taufe hattest du in heidnischen Riten Umgang mit dem Teufel. Du hast drei reinigende Martern erfahren, damit deine Seele vor den Herrn treten kann. Heute, am heiligen Tage von Christi Himmelfahrt, sage mir, ob dein Herz bereit ist, in die Familie Gottes einzutreten!«

Wieder antwortet Moïra mit Schweigen.

»Da Luft, Wasser und Erde deine verpestete Seele nicht reinigen konnten, verurteile ich dich im Namen des Herrn, im Feuer zu vergehen! Möge deine verdammte Seele niemals in den Himmel fahren, sondern zur Hölle, in die sie gehört!«

Mit gespreizten Armen und Beinen wird Moïra an Handgelenken, Knöcheln und Taille an das stählerne Gestell gebunden. Unter ungehemmten Beifallsrufen tragen sie vier Soldaten zu Raoul, der den Haken des Galgens an dem Seil befestigt, das der jungen Frau den Bauch umschnürt. Dann tritt er hinter die

Maschine und setzt die Winde in Gang: Der improvisierte Grill ist fertig. Moïra hängt waagerecht über der Glut. Der grausame Bratrost schaukelt in der Luft, dann kommt er zur Ruhe. Richard nickt Raoul zu, der die Verdammte etwas nach unten läßt. Die Menge ist in höchster Erregung: Das Spektakel übersteigt alles, was sie in den letzten Tagen gesehen haben. Nur die Mönche bleiben so reglos wie Moïra und schweigen ebenso wie sie: Sie bekreuzigen sich, sie beten.

Als das Gitter in Hüfthöhe über dem Bett der Flammen stehenbleibt, breitet sich ein Zischen wie von brennendem Fett und ein Geruch nach bratendem Fleisch in der sirrend heißen Luft aus. Roman kann sich nicht mehr halten und stößt gewaltsam die vor Zufriedenheit rülpsenden Gaffer zur Seite, um in die erste Reihe zu gelangen.

Moïras Haare verschmoren, der Rücken ihrer Kotta zerfällt in qualmende Fetzen und legt ihre Haut frei, die in schmatzenden Blasen errötet, und das Seil um ihre Hüften beginnt sich zu verschieben. Sie schlägt nicht um sich, ihre Augen und ihr Gesicht bleiben verschlossen. Roman stößt ein Geheul aus, das von dem der Menge überdeckt wird. Er wirft sich auf den Galgenkran seiner Baustelle, um die Winde zu betätigen und die Last wieder hochzufahren, als ihn ein Paar kräftige Arme ergreifen und ihn nach hinten ziehen.

»Um Gottes willen, tu das nicht, Roman!« Hosmund hält ihn gewaltsam fest.

»Laß mich los, Hosmund!« schreit er. »Laß mich los!«

»Beim Allmächtigen, hör mich an!« ruft der Krankenpfleger ihm zu. »Hör zu«, fährt er halblaut fort, indem er sich zum Ohr seines Bruders beugt und seine Arme umklammert, so daß er sich nicht bewegen kann. »Roman, Moïra ist tot, hörst du mich! Sie spürt nichts, denn sie ist tot. Sie war es schon, als sie das Feuer entfacht haben.«

Roman sieht Hosmund an, die Augen starr wie ein Stein.

»Kurz nach Laudes«, erklärt ihm der Laienbruder, »als ich eben wieder einschlief, kam Almodius zu mir und befahl mir, ihm zu folgen. Draußen sprach Pater Thierry mit Seiner Exzellenz dem Bischof, der eben aus dem Bett kam, und mit dem Gardehauptmann, dem, den wir gestern getroffen haben. Er schien sehr aufgeregt. Verärgert sagte mir der Abt, daß die Ketzerin in der Nacht gestorben sei und daß der Hauptmann das soeben bemerkt habe. Ich sollte den Soldaten an den Graben begleiten und den Tod feststellen, aber niemandem etwas davon sagen, und ich gehorchte. Almodius eskortierte mich. Der Hauptmann erklärte uns, sie sei noch am Leben gewesen, nachdem wir gegangen waren. Doch sie wirkte fremd, so sagte er, als wäre sie von einem Geist besessen. Doch sie lebte noch. Sie schwieg, als er ihr versprach, gegen Ende der Nacht wiederzukommen. Als er im ersten Morgengrauen seine Fackel in das Loch hielt, regte sie sich nicht. Er meinte, sie würde schlafen, sprach sie an, um sie zu wecken, aber sie rührte sich nicht. Nach einer Weile entschloß er sich hinunterzusteigen und stellte fest, daß sie nicht mehr atmete. Ihre Augen waren geschlossen, ihr Körper noch warm, ihre Haut blau angelaufen, aber sie war tatsächlich tot. Ich habe es selbst überprüft, es besteht überhaupt kein Zweifel. Die Erde hat sie erhört, Roman, die Erde hat sie mitgenommen zu den Ihren. Diese makabre Inszenierung soll nur den Herzog zufriedenstellen und das Volk amüsieren.«

Roman ist erleichtert, daß der Tod Moïra die Folter des Feuers erspart hat, und bestürzt, daß sie diese Welt verlassen hat. Erneut blickt er auf die demagogische Maskerade: Das Fleisch seiner Geliebten hängt nur noch ein paar Zoll über der Glut. Der beißende Qualm raubt ihm den Atem. Zu seiner Rechten ruft ein Bauer, es rieche wie eine Schweineschwarte, die man nach dem Schlachten in die Flamme halte, um die Borsten abzubrennen. Hosmund läßt die Arme seines Bruders los. Feuchte Rinnsale durchziehen Romans Gesicht. Plötzlich züngeln kleine Flammen aus der Glut und ergreifen Moïra, um sie schließlich in wilder Gier zu verschlingen. Der Körper der Toten wird zu einer Fackel. Das Publikum vergeht vor Begeisterung.

Roman wendet sich ab, dann bricht er zusammen.

Der Tag vergeht mit Messen und Betgottesdiensten unter der Leitung des Abts. Im Sonnenschein hat das Feuer weitergelodert, geschürt von Raoul und bewacht von den bewaffneten Garden, damit niemand ein Stück des Leichnams wegnehmen konnte für irgendeinen heidnischen Kult oder für einen schwarzmagischen Zauber. Nichts darf übrigbleiben von diesem verdammten Körper, und die Einäscherung ist das sicherste Mittel, ihn ein für allemal zu vernichten: Moïras abgesondertes Leben, ihre Verbrechen gegen den Glauben und ihr leidvoller Tod prädestinieren sie dafür, bei den Lebenden zu spuken und sich an den Dorfbewohnern zu rächen, indem sie Seuchen auslöst, Ernten vernichtet und die verschiedensten Katastrophen anzettelt. Unzählige Hexer und Gesundbeter wurden schon zum Tode verurteilt und ohne weitere Vorkehrungen begraben, so daß sie dann ihr Leichentuch verschlangen, im Sarg ihren eigenen Leichnam zerfraßen und damit den Tod derer heraufbeschwörten, die sie angeprangert hatten. Aber in dieser Nacht werden die Bergbewohner ruhig schlafen: Die reinigenden Flammen werden alles verzehren, werden Moïra ein Grab versagen und ein zukünftiges Leben, so daß die Gefahr, sie könnte als Geist wiederkehren, auf immer gebannt ist.

Am Abend dieses Himmelfahrtstages im Jahr 1023 kniet Bruder Hosmund im Gebet auf dem Boden des Infirmariums, als Abt Thierry den Raum betritt. Anders als Hildebert ist Thierry de Jumièges jung und untersetzt.

»Wie geht es ihm?« fragt er und tritt an die Liege, auf der Roman ruht.

»Kommt nicht näher, Vater!« Der Infirmarius steht auf und verstellt ihm den Weg. »Es ist sehr schlimm, ein rätselhaftes Fieber, und ich fürchte, daß es ansteckend ist! Bleibt auf der Schwelle, begebt Euch nicht in Gefahr!«

Verschreckt macht der Abt einen Schritt rückwärts und legt sich ein Taschentuch über Mund und Nase. Er betrachtet den Kranken, der sich im Delirium befindet. Der Werkmeister ist außerordentlich bleich und zittert von Kopf bis Fuß. Im Schweiß gebadet und von Krämpfen geschüttelt, wirft er den Kopf von rechts nach links, seine Augen sind weit hervorgetreten, die Hände in die Luft gereckt, und er stößt kleine heisere Schreie aus.

»Beim Allmächtigen!« ruft der Abt. »So etwas habe ich noch nie gesehen!«

Einen Moment verstummt er hinter seinem Taschentuch, mustert nochmals Roman, dann starrt er in das hilflose Gesicht seines Pflegers.

»Sie ist es!« keucht er vom Grauen geschüttelt. »Sie ist in ihn gefahren! Sie kommt, ihn zu holen, um ihn mit sich in den Höllenpfuhl zu schleifen! Die Ketzerin hat einen Pakt mit der Hölle geschlossen, bevor sie in ihrem unterirdischen Kerker verreckt ist! Sie hält Leib und Seele ihres Geliebten in Händen! Wie grauenvoll, denn sie wird sich nicht mit ihrem schamlosen Gefährten zufriedengeben: Ihre Seele, die Luzifer treu ergeben ist, wird danach auch die reinen Seelen verderben. Beim heiligen Michael, sie schickt uns die Seuche, um unter den Dienern des Erzengels auf Seelenjagd gehen zu können. Wir werden alle umkommen!«

»Zu allem Unglück, mein Vater«, antwortet der Laienbruder mit vor Furcht zitternder Stimme, »ist es in der Tat so, daß Romans seltsames Fieber heute morgen ausbrach, eben als der Leib der Verdammten in Flammen aufging. Im Angesicht des Scheiterhaufens stürzte er plötzlich nieder, und nachdem wir ihn hierher gebracht hatten, erwachte er in diesem Zustand. Meine Heilkunst und meine Gebete sind machtlos gegen dieses Übel, das meine Kenntnisse und meine Erfahrungen übersteigt. Vielleicht sollte man nach Seiner Exzellenz dem Bischof schicken, damit er ihm die teuflische Besessenheit austreibt.«

»Der Bischof ist mit Richard nach Non aufgebrochen«, antwortet der Neffe des Fürsten, der fast so bleich geworden ist wie der Kranke. »Mein Onkel hat ihn auf eine Jagdpartie am Rande des Herzogtums eingeladen.«

»Auch Bruder Bernard wurde schon oft zum Exorzieren gebeten, bevor er sein Gehilfe wurde«, entgegnet Hosmund, den Blick auf Roman gerichtet.

»So laßt ihn denn kommen!« befiehlt der Abt mit sonorer Stimme. »Bleibt bei ihm, mein Sohn, ich gehe Bernard selbst holen. Er muß ohne Aufschub ans Werk gehen!«

Nach Einbruch der Dunkelheit verläßt Bruder Bernard erschöpft das Infirmarium.

»Ich habe meine Pflicht getan, Vater«, erklärt er dem Abt, der ihn draußen, von seinen Mönchen umgeben, ungeduldig erwartet. »Er ruht jetzt. Aber ich weiß nicht, ob er überleben wird. Sobald er wieder bei sich war, habe ich seine Beichte entgegengenommen. Eine beispielhafte Beichte, erhellt vom Odem der Engel! Er hat mir die Pergamente von Pierre de Nevers übergeben, seinen Werkmeisterstab sowie einige Anweisungen, die ich Euch werde vorlegen müssen, falls er sich ins Jenseits aufmachen sollte. Doch heute nacht sollten wir beten, daß er nicht von der Dunkelheit fortgerissen wird, die uns umgibt und ihn beäugt. Wenn er die Sonne wiedersieht, ist er gerettet.«

Während Hosmund bei Roman Wache hält, begeben sich der Abt und die Brüder in die Martinskapelle, um im Gebet zu wachen. Sie singen, damit der Dämon von Roman abläßt – und von ihnen selbst. Ja, diesmal beten sie auch für sich selbst, und sie flehen den Erzengel an, sie vor dem gierigen Drachen zu schützen. Kurz vor Vigil macht sich Abt Thierry auf in Richtung Infirmarium. Almodius begleitet ihn, in der Hand eine nahezu unnütze Laterne: Die Nacht ist hell, voller Sterne, ohne Regen, ohne tobende Böen. Die Elemente ruhen. Diese Nacht sind allein die Menschen in Aufruhr. Ein paar Schritte vor der Krankenstube hört man Geheul durch die Holztür dringen. Der Abt klopft kräftig an die Tür. Bald darauf öffnet Hosmund. Thierry und Almodius treten ein paar Schritte zurück.

»Ach, mein Pater, Bruder Almodius!« Hosmund hebt verzweifelt die Hände zum Himmel. »Es ist schrecklich, noch beängstigender als vor der Teufelsaustreibung! Er ist vor kurzem erwacht, und sein Zustand ist noch viel bedenklicher! Das Fieber ist gestiegen, ohne Unterlaß spuckt er aus, und er brüllt wie ein wildes Tier! Ich… ich mußte ihn anbinden! Ich wage Euch nicht eintreten zu lassen, aber seht nur von der Tür aus, und hört, so hört nur!«

Die beiden Oberen tun es und werden Zeugen einer furchtbaren Szene. Roman ist an seine Matte gefesselt und schreit wie ein Tier, Kinn und Hals mit Speichel besudelt, seine Augen starren ins Leere, seine Züge sind verkrampft, sein Geist gefangen von höllischen Visionen.

»Er ist verloren«, stellt Almodius kaltherzig fest. »Es wundert mich nicht. Aber er ist eine Gefahr für das Kloster.«

»Ihr habt recht, Almodius«, antwortet der Abt. »Wir müssen ohne Verzug handeln, sonst werden wir alle diesem Unglück zum Opfer fallen. Hosmund, Ihr müßt diesen Alp sofort von der Stätte des Engels entfernen. Ihr seid kräftig, Ihr werdet ihn leicht auf eine Barke in der Bucht tragen können, und dann bringt ihn aufs Festland.«

»Aber«, protestiert der Laienbruder bestürzt und ringt die roten Hände, »können wir nicht bis zum Sonnenaufgang warten? Wo sollen wir mitten in der Nacht hin?«

»Die Lage ist von einer Dringlichkeit, die keinen Aufschub duldet, und das Hospiz von Avranches scheint mir eine geeignete Zuflucht«, schlägt Almodius knapp vor. »Wenn Ihr aufhört herumzureden und Euch sofort aufmacht, seid Ihr beim Morgengrauen dort! Was ist Eure Meinung dazu, Pater?« wendet er sich unterwürfig an den Abt.

»Ich teile Eure Ansicht, lieber Prior. Ins Hospiz von Avranches, ja, dorthin werdet Ihr ihn bringen«, befiehlt der Abt. »Ihr werdet ihn dort pflegen, und der Herr wird seinen Willen kundtun. Mein Sohn, warnt die guten Seelen im Hospiz und bringt ihn nicht wieder heim, bevor nicht alle Gefahr gebannt ist! Im übrigen seid Ihr selbst in diesen dämonischen Stunden in Kontakt mit ihm gewesen. Eure Güte ist groß, aber wacht auch über Euch selbst. Und was immer geschehen mag, mein lieber Sohn, Ihr solltet Euch eine Weile von anderen Menschen fernhalten.«

»Es wird geschehen, wie Ihr wünscht, mein Vater«, antwortet Hosmund und verbeugt sich, denn er hat keine andere Wahl, als dem Abt zu gehorchen, selbst wenn dieser Befehl ihn zum Tode verurteilen würde. »Habt keine Angst, ich werde im Hospiz Nachricht geben, und wenn ich selbst befallen werde, werden sie mich vom Berg fernhalten, wie immer es mit mir ausgehen mag. Mein Pater, wir brechen auf der Stelle auf!«

»Almodius«, wendet sich der Abt an den Prior, »laßt etwas Zehrung für die Reise bringen. Mein Sohn!« In feierlichem Ton spricht er zu Hosmund, bleibt aber auf sicherem Abstand. »Ich segne Euch. Möge der Erzengel Euch geleiten und Euer Leben schützen. Mein Sohn, vergeßt nicht, Ihr haltet heute abend die Zukunft unserer Abtei in Händen!«

Kurze Zeit später, im hellen Licht des Vollmonds, sehen der Abt, der Prior und die Brüder dem fülligen Krankenpfleger nach, der den zerbrechlichen Roman gefesselt und geknebelt wie ein Bündel auf der Schulter trägt. Die Mönche sind erleichtert, daß der gefährliche Irre weggebracht wird. Den Teufel selbst bringt der tapfere Laienbruder da aus der Gemeinschaft fort. Möge der Herr ihn an der Richtschnur dieser Aufopferung richten, die er vielleicht mit seinem Leben bezahlen wird.

Die Dankbarkeit der Mönche gegen Hosmund ist bereits grenzenlos. Nur Bruder Bernard, Romans Gehilfe, ist noch immer starr vor Angst: Er ist an der Aufgabe gescheitert, den Verstand seines Herrn zurückzugewinnen, und trägt nun selbst die Pläne der großen Abtei unter seinem Umhang. Er denkt an die, die sie bisher in Gewahrsam hatten: Pierre de Nevers, Hildebert, Roman – alle verschieden oder auf dem Weg in die Hölle. Die Skizzen lasten auf seiner Brust wie ein Quader aus Stein.

Am Ende dieses Himmelfahrtstages im Jahr 1023, zu der Stunde, in der Engel und Dämonen von der karolingischen Kirche lassen, läßt in dem kleinen Kabinett des Bibliothekars eine kniende schwarze Gestalt die Kutte über das Cingulum hinabfallen. Eine Geißel durchfurcht den weißen Rücken des Priors. Bald schon quillt Blut hervor und mit ihm die Klage.

»Moïra... Warum bist du gekommen, diese arme Seele zu holen?«

Wieder schlägt Almodius zu. Alte Wunden desselben Folterinstruments öffnen sich in unerträglichen Schmerzen. Sein Rücken ist aufgerissen, zerfetzt wie sein Herz.

»Moïra... Was immer ich getan habe, habe ich für dich getan... Moïra... Moïra, Moïraaaaaaaaaaaa!«

»Meine Söhne«, spricht der Abt zu seinen Mönchen, die zum außerordentlichen Kapitel versammelt sind, »wie Ihr wißt, hat unser tapferer Hosmund vor bereits zwei Nächten diesen Felsen verlassen, um für uns, für den Engel einen heiligen Auftrag zu erfüllen. Heute morgen erreichte uns ein Bote aus dem Hospiz von Avranches. Meine Söhne, ich muß Euch den Tod unseres

Werkmeisters mitteilen. Dahingerafft von dem teuflischen Fieber, das ihn ergriffen hatte, ist er auf den Fluten der Bucht verschieden, noch bevor er in der Stadt Avranches anlangte. Sein tapferer Wächter hat den Leichnam mit geweihtem Öl gesalbt und ihn am Wegesrand verbrannt, damit die reinigenden Flammen die Krankheit zerstören, seine befleckte Seele reinigen, und damit er nicht wiederkehrt, um uns in seinem übernatürlichen Wüten zu verfolgen. Meine Söhne, der Erzengel und Hosmund haben uns gerettet! Euer Bruder, selbst stark mitgenommen, verbringt im Hospiz eine Zeit der Abschottung. Ich fordere Euch auf zu beten, daß die schreckliche Seuche, vor der er uns bewahrt hat, ihn nicht selbst befallen hat! Seht nur, meine Söhne, wie die Gerechtigkeit des Himmels unverzüglich und schrecklich ist! Wir aber, wir armen Sterblichen, meinten, Bruder Roman verschonen zu müssen, weil er die Heimstatt des Erzengels erbaute. Doch der heilige Michael nahm es nicht hin, daß eine Seele, die mit dem Mal der Unreinheit gezeichnet ist, in seinem Namen handle. Er hat seinen unwürdigen Diener verurteilt, so wie der Herr die gottlose Frau verdammt hatte. Und beide sind untergegangen, beide sind von ihren eigenen Sünden zerfressen worden. Fürchtet die göttliche Strafe, ja, fürchtet sie über alles! Seht, welche Buße dem Apostel auferlegt wurde, der schuldhaft Bindungen mit der Ketzerin eingegangen ist! Gedenkt seiner Leiden, deren Zeugen Ihr geworden seid! Meine Söhne, wir wollen um Hosmunds Errettung beten, unseres Wohltäters, und für die Seele unseres Werkmeisters, damit sie von ihrer unheilvollen Begleiterin befreit werde. Laßt uns seine Sünden sühnen, meine Söhne, laßt uns seine Todsünden sühnen durch die Reinheit unserer Seelen und unserer Taten. Laßt uns seine Vergebung erwirken!«

»Mein Vater«, unterbricht ihn Robert, der frühere Prior, »Hosmund ist Gottes Kind wie alle Seligen, aber er ist kein Priester. Er hat die Asche des Verblichenen nicht entsprechend beisetzen können.«

»In seiner göttlichen Vorsehung hat der Allmächtige eine Gruppe Pilger auf seinen Weg entsandt, die von unserem Berg heimkehrten, mein lieber Sohn«, antwortet Thierry, »Gläubige, die bei uns das Fest Christi Himmelfahrt begangen hatten und die mit ihrem Gemeindepfarrer auf dem Heimweg in ihr Dorf waren. Als am Morgen das Feuer die letzten Reste vom Leichnam des Besessenen verzehrte, stand der Priester Hosmund zur Seite. Gemäß der Eingabe des Erzengels – und nach der Erbauung durch die Marter der Heidin, der er beigewohnt hatte –, versenkte der gute Priester die Überreste des toten Mönchs in einem Sumpf. Zuvor zog er einen Kreis um die Asche, damit Roman nie wieder auf den Berg zurückfindet, und dabei sprach er Absolutionsformeln für den Frieden seiner Seele. Ihr braucht also nichts mehr zu fürchten, weder seine Wiederkehr noch seine ewige Verdammung!«

Schweigen stellt sich ein, es ist erfüllt von friedlicher Ruhe. Dann ergreift wieder der Abt das Wort:

»Da nun, meine Söhne, die Gefahr bezwungen und der Wille des heiligen Michael erfüllt ist, können wir unseren zeitlichen Auftrag weiterverfolgen: die Errichtung der großen Basilika. Unser Werkmeister ist nicht mehr unter uns, aber er hat uns seinen Gehilfen hinterlassen: Bruder Bernard hat die Belehrung von Pierre de Nevers – Gott habe ihn selig – und von Roman – Gott habe ihn selig – erhalten, als der noch nicht verderbt war. Bernards Erfahrung und Eifer fügen sich zu der Unterstützung unseres Fürsten und zu unserer Ergebenheit gegenüber dem geistlichen Herrn dieses Ortes. Gleich morgen, meine Söhne, werden die Arbeiten in der Chorkrypta fortgeführt, unter der Aufsicht von Bruder Bernard. In seiner großen Umsicht hat Euer Bruder mir von Romans Beichte berichtet, die er entgegengenommen hat, als die Dämonen einen Moment lang von der Seele unseres Werkmeisters abließen. Ich werde Euch diese erstaunlichen Bekenntnisse weitergeben, denn sie betreffen die gesamte Gemeinschaft.«

Thierry verstummt und schürt damit die Aufmerksamkeit und Neugierde der Mönche. Auch Hildebert bediente sich hin und wieder solcher Kniffe, aber der neue Abt ist ein regelrechter Meister in der Kunst der Theatralik. Robert sagt sich voller Bitterkeit, daß sich Thierry wahrscheinlich eher von den Narren und Taschenspielern am Hofe Richards inspirieren läßt und nicht so sehr von den heiligen Mysterienspielen in den Kathedralen.

»Ja«, setzt der Abt erneut an, »die Dämonen waren von Roman

geflohen, denn das Weihwasser und die Anrufungen Eures Bruders Bernard hatten sie in die Flucht getrieben. Da ergriffen die Engel Besitz von ihm. Im Geiste und im Herzen erleuchtet vom heiligen Michael, nahm Roman die Stimme unseres Gründungsvaters Aubert an. Bernard hat es mir versichert, und er kann es auch Euch versichern: Er hat seinen Meister in tiefster Ekstase gesehen, unter dem Geleit des Göttlichen Geistes! Der heilige Bischof, der an der Seite des Herrn Zuflucht gefunden hat, befahl, die Pläne der künftigen Abtei zu ändern. Für einen kurzen Moment öffnete sich der Himmel dem, der schon auf dem Weg zu den Schatten war, und in der Gestalt Auberts befahl ihm der Himmel, die Kirche, die sein Heiligtum birgt, nicht zu zerstören. Der erste Bauherr auf dem Berg hat untersagt, an seinen Betraum zu rühren, den er mit eigenen Händen errichtet hat, wie der Erzengel es in seiner dritten Erscheinung befohlen hatte!«

Verblüffung, dann heftige Inbrunst stehen in allen Gesichtern.

»Meine Söhne«, erklärt der Abt in ebensolcher Erregung, »wir wissen, wie teuer es uns zu stehen käme, würden wir der himmlischen Weisung zuwiderhandeln. Wir hören das Geheiß des Engels: Der Engel hat sich an Roman gewandt! Zu unserem Unglück fiel unser Bruder wieder dem Bösen anheim, und er ist daran gestorben. Möge Gottes grenzenlose Güte ihn im letzten Moment vor den Fängen Luzifers bewahrt haben! Wir, die wir den Mächten des Guten dienen, gehorchen dem Willen des heiligen Michael und unseres Gründers: Wir werden die Kirche aus der Zeit der Karolinger beibehalten, die in ihren Mauern auch die Überreste von Auberts Grotte birgt. Die Reliquien dieses heiligen Mannes werden der Anbetung der Gläubigen dargeboten an ebendieser Stätte, die er dazu bestimmt hat, in der jetzigen Kirche, die nach ihrer Umwandlung in eine Krypta dem Langschiff der neuen Kirche als Unterbau dienen wird. Durch Bruder Romans Hand und Mund hat Aubert Zeichnungen angefertigt und sehr genaue Anweisungen gegeben, damit wir sein heiliges Gelübde umsetzen. Hildebert wird, wie von Richard vorgesehen, in der Chorkrypta ruhen, gemeinsam mit seinen Vorgängern. Seinem Wunsch gemäß wird Aubert in der alten Kirche bleiben, die an der Stelle seines ursprünglichen Heiligtums steht. Bernard, Ihr habt mir gesagt, diese Veränderung erfordert den Abriß der Martinskapelle: Ich werde unseren guten Fürsten von dieser materiellen Notwendigkeit überzeugen. Wenn in ein paar Jahrzehnten die Arbeiten für das Langhaus beginnen, wird die Kirche zu einer unterirdischen Krypta werden, in deren Dunkelheit Sammlung und Demut gefördert werden, die Aubert stets verlangte. Und diese dunkle Krypta wird das Schiff der Abteikirche stützen, die von engelsgleichem Licht durchflutet ist. Die unterirdische Krypta wird den Himmel tragen! Meine Söhne, wenn der Herr uns lange genug am Leben läßt, werden wir diese Krypta einst erblicken, aber schon heute will ich dieses Gebäude benennen nach der Statue der schwarzen Madonna, die sie birgt seit den unvergesslichen Zeiten, da das Heidentum zerschlagen und der Berg Christus anheimgestellt wurde. Heute ist der Drachen des alten Glaubens endgültig besiegt! Damit wir uns an den heiligen Befehl des Erzengels und Auberts erinnern, gebe ich ihr den Namen – Notre-Dame-Sous-Terre!«

# II

Es hatte die Jahrhunderte überdauert, zehn Jahrhunderte beinahe, im Schutz eines Kupferrohrs, das aussah wie ein Fernrohr. Es war hermetisch verschlossen und in die steinerne Grabhöhle gelegt worden. So war es vor den Ratten geschützt, den Würmern, dem Schimmel und den Verletzungen der Erde. Mit Handschuhen hatte Paul die Seiten des Pergaments mit größter Behutsamkeit aufgerollt, vorsichtig, damit sie nicht zerbrachen, hatte ihren Feuchtigkeitsgrad überprüft, hatte sie in allen Details abfotografiert und sie schließlich in eine Klarsichtfolie eines Ordners gleiten lassen. Er hatte den Ordner auf den Schreibtisch in seinem Zimmer gelegt, neben das Kupferrohr, ein lateinisches Wörterbuch und einen Schreibblock.

Zuerst würde sie sich zur Ausgrabung begeben. Er hatte ausgerechnet, daß sie vom Mont-Saint-Michel aus ungefähr acht Stunden Fahrt hatte. Paul hoffte, daß sie ein wenig geschlafen hatte, bevor sie sich auf den Weg gemacht hatte. Er selbst hatte kein Auge zugetan, auch nicht nach der spontanen Feier im Team, so erregt war er von seinem Fund. Nach dem Mittagessen kamen die Vertreter vom Denkmalschutz. Die hatten es ja nie eilig, so wie gestern, als es darum ging, einen Bagger herzuschaffen, um den Sarkophag freizulegen. Daß François noch nicht aus seinem Pariser Ministerium hergefunden hatte, war zumindest eine gute Nachricht. Aber Paul hatte ihn auch gar nicht benachrichtigt. Wenn er erfuhr, daß Jeanne kam, würde er ihnen so oder so zwei Stunden später auf der Pelle hocken, doch Paul wollte mit seiner früheren Assistentin allein sein, wenn sie das Manuskript las.

Um drei Uhr nachmittags stand die Lokalpresse vor der Tür,

und Paul ließ sich vor der Grabhöhle fotografieren wie Howard Carter mit Tutenchamun. Allerdings gab er keinerlei Erklärung ab, sondern sagte, seine Arbeit fange gerade erst an, und über das Pergament verlor er kein Wort. Um vier Uhr schließlich kam sie wie ein Wirbelwind bei der Ausgrabungsstätte an, mit zerknitterten Kleidern, verrauften Haaren, tiefen Ringen unter den Augen, die jedoch von einer Leidenschaft strahlten, die Paul tief berührte.

»Er hat neuneinhalb Jahrhunderte gewartet, da kann er auch noch fünf Minuten länger warten!« rief Paul, mit einem Champagnerglas in der Hand mitten in seinem Zimmer stehend. »Zuerst stoßen wir an, und dann erzähle ich dir alles im Detail!«

Jeanne willigte ein, trotz aller Ungeduld und der Müdigkeit, die ihr in den Knochen saß. Auch sie hatte warten müssen, warten, bis es Morgen war, damit sie ihr Team benachrichtigen und ihrem Assistenten Anweisungen für die wenigen verbleibenden Tage vor den Weihnachtsferien geben konnte. Am liebsten wäre sie gleich nach seinem Anruf nach Cluny aufgebrochen, aber sie konnte sich eine so plötzliche Abreise nicht erlauben, denn Patrick Fenoy hätte ihr deswegen nur Ärger gemacht. So hatte sie sich bis gegen sieben Uhr im Bett herumgewälzt und beim Frühstück von der Entdeckung des Grabes berichtet. Ohne daß sie sich erklären konnte warum, hatte sie kein Wort über das Pergament verloren. Sie hatte ihre Handynummer aufgeschrieben, Florence einen Brief an Christian Brard überreicht und sich mit besten Neujahrswünschen bis zum 2. Januar von allen verabschiedet.

Als sie den Berg verließ, hatte sich ein seltsames Gefühl in ihr breitgemacht: Auf dem Damm schaute sie in den Rückspiegel, und ihr war, als würde der Felsen etwas zu ihr sagen. Er erklärte ihr, er selbst hätte ihr diese Überraschung bereitet, die ihr Leben auf den Kopf stellen würde. Wenn Jeanne wieder zu ihm zurückkehrte, würde sie ein anderer Mensch sein, sie würde ihn mit anderen Augen sehen, und ihre Liebe zu ihm würde noch mächtiger sein. Unsterblich. Denn fortan wäre Jeanne mit Leib und Seele sein. Sie würde besessen sein von ihm.

Acht Stunden lang hatte sich Jeanne im Auto alles ausgemalt. Aber Paul hatte mit Absicht noch nicht alles erzählt.

»Das ist das schönste Weihnachtsgeschenk, das mir das Schicksal oder der Zufall je gemacht haben!« sagte Paul in einer Woge der Rührung. »Ich stand schon kurz davor, mich von Hugo von Semur und von Cluny endgültig zu verabschieden, weißt du. Seit du weg bist, ist alles ganz anders, und ich hatte zu zweifeln begonnen. Nun ja, gestern gehe ich also wie immer auf die Ausgrabung, in der Gewißheit, daß meine Tage hier gezählt sind. Und ich schaffe es nicht, in den Graben zu springen. Wie soll ich sagen? Ich fühlte mich schlapp und ausgelaugt, dann die Kälte, die körperliche Erschöpfung – die Erde machte mich fertig, ich hatte genug davon und das Gefühl, mein eigenes Grab zu buddeln... Da habe ich an dich gedacht«, gestand er und wurde ein wenig rot, »und ich bin Firmament besuchen gegangen, wie du, wenn du manchmal den Mut verloren hattest. Er war sehr nervös, stampfte in seiner Box herum, wieherte und schnaubte. Der Stallknecht erklärte mir, daß die Pferde einen sehr feinen Sinn für das Wetter haben und für Dinge, die für die Menschen unsichtbar sind. Ich habe das belächelt, aber neugierig war ich doch. Was konnte dieser Gaul spüren, was für mich nicht wahrnehmbar war? Ich trat heran, und da beruhigte er sich plötzlich und ließ sich die Nüstern und den Hals tätscheln. Er war so warm, so weich. Das tat mir gut. Als ich rausging, ging's mir schon wesentlich besser, und ich habe mich wieder an die Arbeit gemacht. Ohne Grund habe ich das mir zugedachte Planquadrat links liegen lassen und habe ganz anderswo gegraben, wo noch alles unberührt dalag – eine der letzten Stellen, wo das noch so ist, eine Stelle, die im ursprünglichen Arbeitsplan dir zugeteilt war. Ich habe ohne rechte Überzeugung losgegraben, und ich dachte mir, daß du auf deinem Berg wohl gerade dasselbe tust, bloß mit echter Begeisterung.

Und dann, gegen zwölf Uhr«, er stand jetzt am Fenster, »der typische Klang von einem harten Gegenstand. Maßlose Hoffnung, vermischt mit der Angst, es könnte wie so oft etwas Belangloses sein. Gleichzeitig ein unerklärliches Gefühl – Instinkt, Erfahrung, ich weiß nicht. Jedenfalls die Ahnung, daß ich endlich etwas Wichtiges vor mir habe. Aber etwas, was du hättest finden sollen! Langsam hab' ich ein paar Zentimeter abgebürstet – und da sah ich ein R, das in einen Stein aus der Gegend hier graviert war, Kalkstein aus dem Steinbruch. Das Herz setzte mir fast aus! Aber ich wußte sofort, daß das nicht das Grab von Hugo sein konnte. Ich habe versucht, mich zu beherrschen, und weiter gebürstet. Und schließlich hatte ich das ganze Wort freigelegt: PETRUS. Ich war wie gelähmt, in Bann geschlagen, unfähig weiterzumachen. Ich dachte an den Abt Petrus Venerabilis. Dann habe ich die anderen gerufen. Das Grab war im Lauf der Zeit verrutscht, stand schräg, aber es war gut versiegelt und war nicht geplündert worden. Die lateinische Inschrift auf dem Grabstein war von ganz romanischer Schlichtheit: Pierre de Nevers, ein Mönch aus Cluny, Werkmeister der Kirche, verstorben im Jahr des Herrn 1022 – und die üblichen Formeln mit der Bitte um sein Seelenheil. Als ich das Datum sah, hat es mich fast umgehauen: 1022, unter Abt Odilo! Ich wußte, daß dieser Architekt Cluny II fertiggestellt hatte, daß er dabei umgekommen war – ein Unfall auf dem Bau –, aber ich hatte nicht erwartet, daß wir sein Grab finden würden. Ich habe es dir am Telefon gesagt: Meiner Meinung nach verdanken wir es Hugo, daß wir Pierre de Nevers gefunden haben. Er muß mit Odilo im Chor von Cluny II gelegen haben. Sicher hat Hugo sie beide ins Allerheiligste von Cluny III verlegt – oder aber Hugo V. oder Bertrand I. im 13. Jahrhundert, als sie die Gräber im Chor neu anordneten. Wie auch immer, alles das heißt, daß wir recht hatten mit der Lage des Chors von Cluny III, und diese Entdeckung macht den Weg frei für so viele andere. Jetzt ist alles erlaubt, verstehst du? Die Ausgrabungen, um Hugo zu finden, aber auch Odilo, Berno und Petrus Venerabilis!«

»Du hast recht, aber erstens hast du noch keine entsprechende Genehmigung«, unterbrach ihn Jeanne, »und zweitens muß ja wohl zuerst diese Entdeckung vollständig ausgewertet werden. Zunächst mal muß die Archäometrie die Datierung bestätigen.«

»Ja, natürlich!« Er schenkte sich ein weiteres Glas ein, das er sofort leer trank. »Wir haben also den ganzen Tag auf den Bagger und den Typ vom Denkmalschutz gewartet! Und dann haben wir ihn schließlich freilegen können und ihn geöffnet. Ich hatte solche Angst vor einer Enttäuschung! Aber es ging über alle Erwartungen: Er war da, in seine völlig zerfressene Mönchskutte gehüllt. An seiner Seite lag dieser Kupferzylinder. Oh, du wunderschönes Skelett, du bist fortan mein bester Freund!«

Jeanne hielt es nicht mehr aus. Sie stellte ihr Champagnerglas ab, betrachtete die Kupferrolle, dann schaute sie auf den Ordner mit dem Manuskript.

»Eine Sekunde noch, mein Engel«, sagte er leicht angesäuselt. »Ich komme zur Pointe der Geschichte. Denn ich habe es als erster gelesen – und bisher auch als einziger. Ich habe allen verboten, es anzufassen, und es für dich aufbewahrt, damit du die zweite bist, die es liest – nach fast tausend Jahren! Ich habe die ganze Nacht darüber gewacht, und jetzt – hier ist es, leg los!«

»Paul«, sagte sie und ergriff seine Hände, »ich weiß schon, daß ich dir dafür nie genug werde danken können, genauso wie für vieles andere. Ich mag dich unendlich gern, Paul, und ich bin sehr gerührt über alles, was du gesagt hast. Aber das ist *dein* Fund! Die Frucht davon mußt du ernten: die Authentifizierung, die Erforschung alles dessen, was er uns über diese Zeit zu berichten hat, und die Publikation unter deinem Namen!« Sie zeigte auf das Manuskript. »Dennoch würde ich es mir gerne kurz allein anschauen, bevor ich es dir zurückgebe. Bitte, gib mir ein paar Minuten.«

Paul blickte sie aus traurigen Hundeaugen an, dann verließ er ohne ein Wort den Raum, um sich zur Ausgrabungsstätte zu begeben, wo das neue Objekt seiner Forschungen auf ihn wartete.

Eilig sperrte Jeanne hinter ihm die Tür ab. Vor Erregung zitterte sie. Langsam setzte sie sich an den Tisch. Zunächst untersuchte sie den kupfernen Zylinder, der das Pergament vor Luft, Licht und Wasser geschützt hatte, dann legte sie ihn an eine Ecke des Schreibtischs ab. Ihre Finger näherten sich langsam dem Ordner. Sie schloß die Augen, holte tief Luft, und schließlich öffnete sie ihn. Auch dies war ein Grabmal aus einer geheimnisvollen, lange Zeit stummen Erde, ein Grab, das sich ganz von selbst ihrem Blick öffnete. Die Schrift war ein Versprechen: Die ovalen, eng aneinandergedrückten Buchstaben in schwarzer Tinte waren in karolingischer Minuskel geschrieben, die aus der Zeit von Karl dem Großen stammte. Sie zeugten von der Meisterschaft eines Gelehrten, obwohl sie ohne die ausgemalte, komplexe Graphie der Illuminatoren war. Dem Verfasser dieses Manuskripts war der Inhalt wichtiger als die Form gewesen, deshalb die gängige Schrift aus Urkunden und einfachen Dokumenten und nicht die der heiligen Schriften. Und doch – welch eine Schönheit verstrahlten diese beinahe tausendjährigen Lettern, die auf die vergilbte Tierhaut gezeichnet, weggekratzt und korrigiert worden waren! Sie konnte dem Verlangen, sie zu berühren, nicht widerstehen, und sanft wie eine Verliebte befreite sie sie aus dem durchsichtigen Plastik.

Anders, als es im Mittelalter bei gängigen Manuskripten üblich war, war das Pergament von ausgezeichneter Qualität, die eigentlich den Abschriften der Bibel vorbehalten war: eine schöne, makellose Schafshaut, die nach allen Regeln der Kunst gegerbt war, in einer Klosterwerkstatt allerersten Ranges. Welche? Cluny oder anderswo? Jede Werkstatt hatte ihre eigene Herstellungstechnik, aber Jeanne war auf diesem Gebiet keine Expertin. Ein Fachmann würde die Analyse vornehmen müssen.

Wie auch immer, der Verfasser hatte sicherstellen wollen, daß sein Schriftstück erhalten blieb. Jeanne konnte nicht anders, als über die glatte Haut zu streichen, die weich war wie der Rücken eines Mannes. Sie hob sie an ihre Nase. Für den russischen Romancier Bulgakow roch altes Pergament nach Schokolade. Doch dieses hier verströmte einen Duft nach Herbst am Meer, von welkem Laub und Salz. Nein, es roch nicht nach Meeresluft, sondern eher wie der leichte Hauch getrockneter Tränen. Jeanne breitete die neun Rollen vor sich aus. Noch las sie nicht, war schon allein davon benommen, daß diese Seiten vor ihr lagen. Sie vermittelten ihr ein unbestimmtes Gefühl, eine Kraft, die die Jahrhunderte überdauert hatte, ein Gefühl von Ewigkeit. Mit dem Ärmel ihres Pullovers rieb sie die Brille sauber, setzte sie wieder auf, nahm das Wörterbuch zur Hand und machte sich auf die Suche nach der Bedeutung und nach dem Unbekannten, der diese Worte verfaßt hatte.

*Abtei von Cluny, Ostern im Jahr des Herrn 1063*
*An Abt Hugo von Semur*

*Mein Vater in Christo. Seit vierzig Jahren lebe ich nun an diesem Petrus geweihten Ort, dem ersten der Apostel und Träger des Schlüssels zur Himmelspforte. Vierzig Jahre, in denen meine Seele und mein Leib*

*Zerknirschung und Reue übten wie das Volk Israel in der Wüste. An diesem allerheiligsten Tage der Aufstehung des Heilands teile ich nicht die Freude meiner Brüder, denn ich werde Euch verlassen. Diese dringende Reise, die ich an meinem Lebensabend unternehmen muß, ist nicht die, die wir alle voller Hoffnung erwarten. Die wertvolle Stunde ist nahe, doch bevor ich die Erde verlasse, habe ich einen letzten Auftrag zu erfüllen, und diese Pflicht erfordert es, daß ich weit von Euch forteile. Mein Weggehen ist keine Flucht, mein Pater, auch wenn Ihr das glauben mögt. Ich empfinde tiefe Scham, denn ich werde Schande über unser Haus bringen, über diese heilige Bleibe, die mich einst aufnahm, und aus diesem Grunde verfasse ich für Euch dieses Bekenntnis. Ich erbitte nicht Eure Vergebung, denn ich weiß, daß ich ihrer nicht würdig bin. Zumal meine Seele, wenn Ihr diese Zeilen lest, bereits gerichtet sein wird.*

*Ich vertraue dieses Manuskript Bruder Grégoire an, der mir gelobt hat, es Euch im neuen Jahr zu übergeben, sollte ich bis dahin nicht zurückgekehrt sein. Allein der Tod kann meine Absicht vereiteln, heimzukehren und mich Euch zu Füßen zu werfen, um Euer Erbarmen für diese Sünde zu erflehen, die ich zu begehen im Begriff stehe. Ich kenne die Reinheit und die rechtschaffenen Ansprüche Eures Herzens, und so habe ich Euch die Verwirrung, in der ich stecke, verhehlt, denn ich weiß, daß Eure verehrte Hoheit und Eure klare Verständigkeit meinen Entschluß zu Fall gebracht hätten. So breche ich denn auf, in Betrübnis und vollem Bewußtsein meiner Nichtswürdigkeit. Doch zuvor berichte ich Euch von den wahren Gründen dieser Missetat. Um dessentwillen muß ich, der ich ein Greis bin, mich meiner Jugend entsinnen und getreulich eine Geschichte wiedergeben, deren Wunden auch vierzig Jahre der Gebete nicht geheilt haben. Diese Geschichte, mein Pater, lautet wie folgt.*

*Es dürfte Euch nicht unbekannt sein, daß Euer Vorgänger, Abt Odilo, mich im Jahr des Herrn 1023 in diesen Mauern aufnahm. Ich hatte diesem heiligen Manne nicht verborgen, was Euch zu berichten ich mich anschicke, und in seiner großen Güte öffnete er mir dennoch das Tor dieses Klosters. Ich habe mich immer gefragt, ob Odilo, bevor er den Himmelspfad beschritt, Euch wohl das Geheimnis meiner Ankunft in Cluny anvertraut hat. Wenn sich mein greisenhaftes Gedächtnis nicht täuscht, so tratet Ihr um 1040 in Cluny ein, mit etwa fünfzehn*

*Jahren, und bald schon ernannte Euch Odilo, der Eure Tugendhaftigkeit und Eure Verdienste erkannte, zum Großprior. Vielleicht setzte er Euch damals über mich ins Bild. Nie habe ich die unerhörte Tollkühnheit besessen, Euch danach zu fragen, denn Ihr gingt mit mir um wie mit den anderen Brüdern: streng, gerecht und großherzig.*

*In jenem fernen Jahr 1023 war ich also ein Mann von dreißig Jahren, und ich trug die benediktinische Kutte wie heute. Bei meinem Eintritt ins Kloster glaubten meine Brüder wohl, daß ich aus einem der zahlreichen Klöster stammte, die die Regeln von Cluny übernommen haben. Ich gestehe meine ursprüngliche Angst, einer von ihnen könnte sich in den Momenten, in denen zu reden gestattet war, danach erkundigen. So zog ich mich in den ersten Tagen vor ihnen zurück, solange wir sprechen durften. Indessen hatte ich mit dem Einverständnis des heiligen Odilo meinen Taufnamen wieder angenommen und beschlossen, meinen Brüdern einen Teil der Wahrheit zu verhehlen. Gott sei es gedankt, daß ich mich schnell in den Bräuchen der Gemeinschaft einfügen konnte, obgleich ich sie zuvor nicht kannte, und so war ich bald den achtzig Mönchen so harmonisch eingegliedert, als wäre ich als Kind dem Kloster dargebracht worden und hätte seit Jahrzehnten hier gelebt. Wenn ein Priester oder ein Laienbruder mich fragte, woher ich stammte, so gestand ich, daß ich als Edelmann in Franken geboren war und ursprünglich aus einem Benediktinerkloster in Köln kam. Ich verschwieg, daß ich nach Cluny geflüchtet war, aus der Normandie, wo sich eine nicht kluniazensische Abtei erhebt, in der ich mehr als sechs Jahre verbrachte. Sehr lange Zeit gestattete mir der gute Odilo, wenn ein Bruder aus diesem normannischen Kloster in Cluny Station machte, mich vom Chor und vom Refektorium fernzuhalten, damit ich nicht etwa wiedererkannt würde.*

*Diese normannische Abtei kannte Odilo, Gott habe ihn selig, sehr gut. Es ist ein Kloster, das sich auf einem Berg festklammert, zwischen Erde, Himmel und Meer. Die Alten nannten ihn Mont Tombe und wir den Mont-Saint-Michel.*

Jeanne schrie auf. Sie stand auf und trat ans Fenster, wie Paul es eben getan hatte, um ihrer Erregung Herr zu werden. Paul, lieber Paul! Sie schaute auf die Überreste von Cluny III, die in der Ferne im sterbenden Tageslicht lagen. Sie richtete den Blick auf die

Spitze des Weihwasserturms und sah, wie der schwarze Turm des Berges in einem drohenden Himmel emporschien. Dann trat sie zurück an den Tisch und knipste die Lampe an.

*Beinahe sieben Jahre also habe ich auf dem Mont-Saint-Michel verbracht, von 1017 bis 1023, und zwar als Gehilfe von Pierre de Nevers, meinem Meister, dem ich bis in die Normandie nachfolgte, und später als Werkmeister der neuen Abtei.*

Unglaublich, phänomenal! Der Verfasser dieses Briefes war der Architekt der romanischen Kirche auf dem Mont-Saint-Michel! Jeanne spürte das heftige Verlangen, direkt zu dem Namen zu springen, der in der letzten Zeile des Pergaments stand, ein Name, der sich in den Jahrhunderten verloren hatte. Doch dann kam es ihr vor, als würde sie damit diese Schrift entweihen. Sie mußte sich gedulden. Er hatte vierzig Jahre bis zu seiner Beichte gewartet, und seine Worte hatten fast tausend Jahre gebraucht, um sie zu erreichen, und so mußte auch sie die Zeit respektieren, das allmähliche Voranschreiten des Erzählers …

*Die Steine waren mein Leben. Zuerst Gott und dann die Steine. Mein Meister hatte mich in den Bauhütten von ganz Europa ihre Sprache gelehrt. Ich verehrte Pierre de Nevers für alles, was er mir beigebracht hatte, und um seiner selbst willen. Er war fromm und großherzig, ein demütiger Mönch vor dem Herrn, dem er im Gebet diente, vor allem aber, indem er Kirchen von solcher mystischer Kraft errichtete, daß ihre Steine die Seele der Menschen erhoben und festigten. Ich scheue mich keineswegs, es heute zu bekennen: Dieser Mann erfüllte mein Herz mit heftigster Inbrunst, indem er mir seine Kunst beibrachte. Durch ihn begriff ich, daß der Werkmeister vor allem Prediger ist, der mit visionärem Geist das Evangelium verkündet, der baut, um den Menschen den Glauben zu offenbaren, den Ruhm Gottes, jetzt und in alle Ewigkeit, unter dem Geleit des Allerhöchsten.*

*Abt auf dem Berg war damals Hildebert, den Ihr nicht gekannt haben könnt, von dessen unendlicher Weisheit Ihr indes sicherlich gehört habt. Als er meinen Meister holen ließ, um eine neue Abtei zu erbauen, machten wir uns beide auf den Weg in die Normandie, erfüllt von strahlendem Stolz, unserem Herrn mit diesem herrlichen Vorhaben dienen zu dürfen. Ich konnte nicht ahnen, daß mein ganzes Leben und alles, woran ich glaubte, durch diese Reise umgeworfen werden sollte! Und doch lautete so meine Bestimmung.*

*Wir gelangten auf diesen seltsamen Berg, der geschlagen ist von den Elementen, von den Sterblichen abgetrennt und so nah am Himmel, daß der erste Engel ihn zu seiner Heimstatt erwählte. Von 1017 bis zum unheilvollen Jahr 1022 lebten mein Meister und ich unter den Engeln und widmeten uns ganz dem heiligen Auftrag, den der Allerhöchste und sein Vertreter Hildebert befohlen. Ich will nicht die erfinderischen Meisterleistungen beschreiben, die Pierre de Nevers vollbrachte, um dieser märchenhaften Unternehmung auf dem Pergament Gestalt zu geben, die ein Mensch sich nie auch nur vorzustellen gewagt hatte. Das himmlische Jerusalem, das heute auf dem normannischen Felsen aufragt, ohne indes ganz vollendet zu sein, verdanken wir meinem Meister, der dafür die Eingebung des Allmächtigen erhielt.*

*In jenem Jahr wurde Pierre de Nevers von Abt Odilo heim nach Cluny gerufen, damit er dort das Werk vollende, das bereits Abt Majolus geweiht hatte: die Abteikirche Saint-Pierre-le-Vieil, in der ich Euch schreibe. In den vierzig Jahren, die ich unter Euch verbrachte, ist nicht ein Tag vergangen, an dem ich nicht innig diese Steine liebkost hätte, die das Leben und das Grab meines teuren Meisters sind. Sie sind sein letztes Gebet, seine Seele, seine Lebenskraft, und Tag für Tag spendeten sie mir Trost und Wärme. Möge der Herr mir die Gunst erweisen, mein Leben in ihrem Schatten zu beenden! Aber wenn Ihr diesen Brief lest, dann deshalb, weil ich nunmehr unter einem anderen Himmel ruhe.*

*Als Pierre de Nevers zum Ende des Frühjahrs 1022 den Mont-Saint-Michel verließ, als der Blick meiner Augen dem der seinigen zum letzten Mal begegnete, übergab er mir seine Baupläne und seinen Werkmeisterstab und betraute mich so mit der schweren Verantwortung für die Arbeiten bis zu seiner Rückkehr, zu der es nie kam. Indessen nahm ich den Auftrag voller Sorge an, doch auch mit Vertrauen, denn zur Seite stand mir Bruder Bernard, ein Mönch vom Berg, den mein Meister in die Geheimnisse der Steine eingeweiht hatte. Der Baubeginn war auf Ostern festgelegt. Der Sommer verging, das Leben auf dem Berg war hart, er wurde heimgesucht vom teuflischen Wüten der Natur und von Erscheinungen, doch ein mächtiger Patron verteidigte ihn. Gleichwohl wurden unsere inbrünstigen Seelen oft hart auf die Probe gestellt, und auch ich blieb nicht verschont. Die Prüfung, die der Himmel mir sandte, war so groß wie der Auftrag, den er mir zugewiesen hatte und der damals alle meine Gedanken fesselte.*

Gespannt horchte Jeanne auf das nachtgleiche Schweigen und erkannte darin die unnatürliche Ruhe, die großen Stürmen vorausgeht.

*Sie hieß Moïra, Marie in der Sprache ihres Volkes. Ihr Haar hatte die Farbe und die Kraft des Feuers, ihre Augen glichen dem Blattwerk des Frühlings, ihre Haut war von der durchscheinenden Bleichheit der Wolken, übersät von sonnengleichen Tupfen, und ihr Mund war ein fließendes Meer, lebhaft, beseelt und gefährlich und dann wieder, nur einen Moment später, ruhig und heiter. Sie sprach mit den Bäumen, den Felsen und den Teichen, und ihr ganzes Wesen duftete nach dem Wald im salzigen Regen. Sie war die Prüfung, die der Himmel für mich bestimmt hatte, der irdische Engel, die Freude aus Jahrhunderten menschlichen Leids, die ich aus der letzten Heimsuchung retten sollte. Verzeiht mir, Vater, und mißversteht mich nicht. Nach vierzig Jahren des Schweigens spreche ich nun endlich, nach vierzig Jahren des Gebets und des Flehens. Täuscht Euch nicht über diese Verirrung, die unseren Untergang bedeutete: Ich war Mönch, ich bin noch immer Mönch und trotz meines fortgeschrittenen Alters in vollem Besitz meiner geistigen Kräfte, und niemals wurde dieses Gewand der Tugend durch den Bruch meines Keuschheitsgelübdes besudelt. Ihr müßt mir glauben, niemals beging ich diese Sünde, wenngleich andere Sünden meine Seele beflecken. Sünden, für die ich in diesen vierzig Jahren gebüßt habe.*

*Aber erneut verteidige ich mich, der ich schuldig bin, während ich ihr doch zu Hilfe hätte eilen müssen. Denn sie war allein. Allein mit einem jüngeren, taubstummen Bruder von dreizehn Jahren mit Namen Brewen, der mit den Augen sprach. Sein Gebrechen hatte sie nie heilen können. Und doch habe ich nie eine solche Gabe erlebt, das Leid des Körpers zu lindern: Sie war belesen und sehr kundig in der*

*Kunst der Heilpflanzen, und mir war sie über Tage und Nächte ein ergebener Arzt, als ich schwer verletzt darniederlag, nachdem mich die Klinge eines Halsabschneiders, der Jagd auf Pilger machte, durchstieß.*

*Sie pflegte mich, während Bruder Almodius, der Unterprior und Bibliothekar, bereits die Beichte entgegengenommen und mir die letzte Ölung gespendet hatte und Bruder Hosmund, der Infirmarius im Kloster, mit seinen Arzneien nichts auszurichten wußte. Sie heilte mich, und ich wurde – zu ihrem Unglück und zu meinem – wieder zu meinen Brüdern auf den Berg gebracht. Damals liebte sie mich bereits, und ich liebte sie, mein Herz wußte es, doch meine Seele sah es nicht.*

Jeanne hob den Kopf, nahm die Brille ab und rieb sich die Augen. Der Werkmeister der großen Abtei ... Sie hatte episch breite Ausführungen über die Bauarbeiten erwartet, eine Flut technischer Details, abstrakter Ideen, religiöser Symbole – nicht eine Liebesgeschichte mit einem menschlichen Wesen! Und doch war sie kein Stück weit enttäuscht. Der noch immer namenlose Verfasser hatte sie in die Verschlingungen seiner Erzählung verstrickt. Die Beschreibung der Moïra, die Leidenschaft des Mönchs berührten sie zutiefst, und allmählich befiel Jeanne ein seltsames Gefühl, eine Art innere Anziehung, die sie bereits zu kennen meinte, ohne zu wissen, woher sie rührte.

*Nun aber hatte Moïra mir ein Geheimnis anvertraut, das zu unserem Verderben wurde: Moïra war Keltin, Abkömmling eines alten Druidengeschlechts, letzte Hüterin eines Teils seiner uralten Weisheit. Trotz ihrer Taufe und ihrer Verehrung Christi, Mariä und des heiligen Michael frönte sie weiterhin heidnischen Kulten und blieb dem falschen Glauben ihrer Ahnen treu. In der Überzeugung, dies sei der Wille des Herrn, setzte ich mir in den Kopf, Moïra allein und heimlich wiederzutreffen, um sie zu Gott zu bekehren. Das war mein unaussprechlicher Fehltritt, mein Vater. Nicht daß ich sie bekehren wollte – das ist die Pflicht eines jeden Christen –, sondern daß ich meinte, ich täte es im Dienste Gottes. Meinen heiligen Auftrag auf Erden hatte Er mir bereits erteilt, und der bestand darin, Ihm das himmlische Jerusalem zu erbauen! Mit diesem Auftrag hätte ich mich begnügen müssen. Hätte ich nur damals die Selbsterkenntnis gehabt, über die ich heute verfüge!*

*Ich ahnte nicht, daß meine Liebe zu den Steinen im Sterben lag und zu einer Liebe geworden war, die um vieles lebendiger, um vieles gefahrvoller war: zu der Liebe zu dieser Frau.*

*Sie hatte mein Herz eines Werkmeisters in das Herz eines Mannes verwandelt, doch hartnäckig mißachtete ich das, kämpfte weiter, um einen Teil meiner Selbst zu retten, den es nicht mehr gab, da er mit meinem Meister gegangen war. Ich hätte meine Absicht Hildebert anvertrauen müssen, doch verblendet von der Eitelkeit eines Jünglings schwieg ich. Ich ließ Moïra einen Brief überbringen, in dem ich sie eines Nachts in die Martinskapelle bestellte.*

*Dreimal kam sie, und dreimal sah sie, wie ich gegen meine Gefühle für sie ankämpfte, so wie ich ihre Drachen bekämpfte. Und doch wußte sie, daß sie mich besiegt hatte, und sie wartete nur auf den Augenblick, in dem ich ihr meine Waffen zu Füßen legen würde, zu Füßen unserer unleugbaren Liebe. Ich war kurz davor, doch ich haderte noch immer. Sie hingegen sah, wie ich litt, und bei unserem dritten Treffen am zweiten Fastensonntag des Jahres 1023 war sie es, die aus Liebe zu mir Verzicht übte. Sie wollte für immer gehen und mich meinen Steinen überlassen.*

*In dem Moment, in dem ich sie verlieren sollte, gingen mir endlich die Augen auf, und ich hörte auf mein Herz. Ohne daß ich mir ganz bewußt war, was das bedeutete, enthüllte ich ihr die Leidenschaft, die mich bisher belebt hatte: Ich zeigte ihr die Pläne für die große Abtei, die Skizzen von Pierre de Nevers. Und in vollem Bewußtsein über das, was sie tat, vertraute sie mir da das Geheimnis des Berges an, das Rätsel ihres heiligen Auftrags auf Erden, das ich immer im Gewahrsam meines Herzens bewahrt habe. Laßt zu, mein Vater, daß ich das auch heute tue, zu ihrem Gedächtnis, denn es ist alles, was mir bleibt.*

*An jenem Abend hörte ich Moïras Seele sprechen, doch ich verstand sie nicht. Sie war bereits fern, und ich brauchte Zeit, um bis zu ihr zu gelangen. Dabei hatte ich doch wahrlich lange genug gewartet! Dieser zusätzliche Aufschub wurde unser Unglück. Zu Ostern im Jahre des Herrn 1023, auf den Tag vor vierzig Jahren, begannen die Arbeiten für die große Abteikirche. Am Osterdienstag sandte Hildebert nach mir und warf mir vor, schuldhafte Beziehungen zu einer Frau zu unterhalten, noch dazu zu einer Ketzerin. Bruder Almodius hatte uns zusammen gesehen, und schlimmer noch, er hatte Moïra dabei über-*

*rascht, wie sie am Ufer eines Teichs Ogmios anrief, eine heidnische Gottheit. Noch am selben Tag ließ er die junge Frau vorladen, brachte sie zum Geständnis und verlangte, daß sie abschwor. Diese Szene, der ich in stummer Verzweiflung beiwohnte, bleibt in mein Fleisch gegraben wie eine Narbe: Almodius hatte ihre Todsünde an Hildebert verraten, doch der Ungläubige war ich! Sie hatte mir das Leben gerettet, sie rettete vor meinen Augen das, was der Sinn meines Lebens war, und ich leugnete sie mit meinem Schweigen. Sie ging bis ans Ende und weigerte sich abzuschwören. Der Abt drohte ihr mit der ewigen Verbannung aus den Ländereien des Berges, doch fürs erste schickte er sie frei zurück in ihren Wald, nicht ohne ihr zuzureden, sie solle nachdenken, und er kündigte ihr an, er selbst werde im Morgengrauen des folgenden Sonntags bei ihr zu Hause ihre Entsagung entgegennehmen.*

*Ach, wäre ich nur etwas klüger gewesen, so hätte ich mich über dieses wohlwollende Urteil nicht gefreut, ich hätte nicht mehr an meine sakrosankte Baustelle gedacht, erleichtert fast über das, was ich für einen unabwendbaren, aber günstigen Ausgang unserer Geschichte hielt! Hätte ich weniger Schwäche gezeigt, so wäre ich umgehend aus dem Kloster geflohen, wäre zu ihr geeilt, hätte sie mitgenommen, weit weg von diesem unheilvollen Berg, und das, wenn es nötig gewesen wäre, mit Gewalt. Ja, mit Gewalt! Doch statt dessen brach ich mit erkranktem Körper auf einem Lager des Infirmariums zusammen.*

*Am nächsten Tag ließ ich Moïra einen Brief zukommen, in dem ich ihr endlich meine Liebe gestand und sie anflehte, den Befehl des guten Abtes zu befolgen. Schnelles Handeln tat Not, und ich schrieb eigenhändig, flehte sie an, ihren gottlosen Glauben zu leugnen, versprach ihr eine heimliche Liebschaft, ungewisse Stelldicheins, sicherte ihr Tage ohne Zukunft zu. Narreteien eines Gebrechlichen! Während es mir so kläglich an Beherztheit mangelte, blieben andere nicht untätig: Sobald der Abt Moïra freigelassen hatte, machte sich mein Bruder Almodius in seiner Verzweiflung über die Großmut Hildeberts auf, um dem Bischof von Avranches, Roland d'Aubigny, der so anmaßend wie unscheinbar war, die Ketzerin anzuzeigen. Dieser nutzte die Gelegenheit, die Macht des Abtes zu mindern, indem er umgehend unseren Lehnsherrn Richard den Guten informierte. Moïra wurde von den Soldaten des Fürsten verhaftet und in Avranches eingekerkert …*

Jeanne merkte, wie sie zitterte. Sie stand auf und schenkte sich ein Glas lauwarmen Champagner ein. Dieser Mann war noch vierzig Jahre später von solcher Reue geplagt, daß es ihr am eigenen Leib schmerzte. Sie war überzeugt, daß die meisten Männer in einer ähnlichen Situation keineswegs mehr Tapferkeit bewiesen hätten als dieser Geistliche. All die Jahre im Schweigen eines Klosters hatten seine Liebe zu dieser Frau nicht mindern können, hatten sein Leiden nicht gelindert.

Moïra hingegen schien das Unglück vorausgesehen zu haben und hatte sich in ihr Schicksal gefügt. Ja, sie hatte sich verhalten, als wäre alles schon längst vorgezeichnet gewesen, als hätte sie dem düsteren Strahlen ihres Sterns folgen müssen vom Tag ihrer Geburt an. Diese Feststellung bereitete Jeanne Unbehagen. Jedenfalls war sie gefesselt von dem Bericht, der sie tief in ihrem Inneren berührte. Die Leidenschaft dieses Mönchs, der zwischen den kalten Steinen einer Abtei und dem Herzen einer Frau schwankte, war faszinierend, und Moïras Geschichte sogar noch um vieles mehr: Alles lief auf ihren Untergang hinaus, aber sie ging weiter ihren Weg, mit erhobenem Haupt, angetrieben von einem innigen Geheimnis, das der Mönch nicht hatte enthüllen wollen, das ihr aber die Kraft gab, allem standzuhalten, sogar dem Schlimmsten, dem Allerschlimmsten, das auch eingetreten war, das war Jeanne klar. Moïra war darauf gefaßt gewesen, denn sie hatte gewußt, wo ihr Weg enden würde. Und auch Jeanne wußte es.

*Am selben Abend stürmte Hildebert ins Refektorium, auf der Suche nach Almodius. Niemals habe ich meinen Pater mit einem solchen Gesichtsausdruck gesehen. Ja, er, der so ausgeglichen und weise war, war einem unbeschreiblichen Jähzorn anheimgefallen, der ihn von innen heraus zerfraß. Ich habe dieses Antlitz nie vergessen, denn es war das letzte Mal, daß ich Hildebert lebendig sah.*

*Almodius zufolge erlitt unser Pater während ihrer Unterredung in seiner Zelle einen Anfall. In den nächsten Tagen war es Almodius selbst, der die Pflege des Kranken regelte und besorgte, wobei er Hosmunds Hilfe wiederholt ablehnte. Ich hege noch immer Zweifel, denn nichts vom Inhalt jenes Gesprächs, das den Zusammenbruch des Abtes auslöste, ist je nach außen gedrungen, und Almodius hielt uns sorgsam von der Zelle fern, in der Hildebert lag. Es wäre ein leichtes für ihn gewesen, den Abt in Hosmunds Obhut zu lassen, ins Infirmarium zu gehen und Gift in die Arzneien des Laienbruders zu mengen! Natürlich habe ich keinerlei Beweise für das, was ich hier anführe, doch wenn ich Euch eröffne, mein Vater, welche Schandtaten Almodius weiterhin beging, so werdet Ihr meinen ernsten Verdacht nachvollziehen können.*

In keinem Buch wurde deutlich zum Ausdruck gebracht, daß der berühmte Abt Hildebert umgebracht worden wäre. Dennoch erinnerte sich Jeanne, einen Titel durchgeblättert zu haben, dessen Verfasser diese Vermutung andeutete, ohne daß er Beweise vorgebracht oder die genaueren Umstände dargelegt hätte. Auch Almodius' Name sagte ihr etwas, aber sie erinnerte sich nicht mehr an den Zusammenhang, in dem sie auf ihn gestoßen war. Man würde das überprüfen müssen, aber sie war sich fast sicher, daß es dabei nicht um Hildebert gegangen war. Sicherlich würde ihr dieses Manuskript, das bisher noch keiner historischen Veröffentlichung zugrunde gelegen hatte, noch mehr eröffnen.

*Zwei Tage und drei Nächte lang lagen meine Brüder und ich in der Martinskapelle im Gebet. Im Morgengrauen des Sonntags, eben zu der Stunde, die Hildebert bestimmt hatte, um Moïras Entsagung entgegenzunehmen, tat er seinen letzten Atemzug.*

*Fortan ging die Welt, die ich gekannt hatte, über meinen Verstand, so sehr veränderte sie sich, und so verlor ich mich in den Ereignissen, die in mir heftige, verworrene Gefühle auslösten: Mit Hildebert gingen Milde und Bedächtigkeit, und der Fels wurde zur Beute entfesselter Begehrlichkeiten, von Intrigen und Komplotten. Herzog Richard zwang uns einen neuen Abt auf, Thierry de Jumièges, der niemand anderes als sein Neffe war. Almodius wurde zum Prior ernannt und behielt zudem sein Amt als Bibliothekar bei. So übernahmen also die Verräter die Macht auf dem Berg. Was Moïra anging, so wurde ihr in Rouen der Prozeß gemacht. Das Kirchengericht, das unter Richards Kuratel stand und Roland d'Aubigny zum Vorsitzenden hatte, erließ einen Richtspruch, der noch heute mein Grauen und meine Wut erregt!*

So etwas, dachte Jeanne. Was für ein seltsamer Zufall: Jeanne d'Arc, die nach einer Erscheinung des heiligen Michael zu den Waffen gegriffen hatte, war ebenfalls in Rouen der Prozeß gemacht worden, und einer der Wortführer dabei war Robert Jolivet gewesen, der einstige Abt des Mont-Saint-Michel, der seine Söhne, seinen König und den heiligen Felsen verraten hatte, um sich auf die Seite des englischen Angreifers zu schlagen. Und sie – Jeanne d'Arc – war in eben dieser Stadt als Ketzerin verbrannt worden, um den Himmelfahrtstag, am 31. Mai 1431, in der Nähe der Michaelskirche, die zu der Abtei auf dem Berg gehörte.

*Man hielt mich vom Prozeß fern, und ich erfuhr erst davon, als das Urteil bereits ergangen war. Mein Pater, das gestehe ich keineswegs, um mich zu entschuldigen, ganz im Gegenteil: Sie wurde verurteilt, doch schuldig bin ich. Schuldig, weil ich blind war, schuldig, weil ich zuließ, daß Almodius sie dem Bischof und dem Fürsten auslieferte, und schuldig, weil ich nichts unternahm, um sie zu retten. Sie war es, dieser kampferprobte Engel, die mich auch diesmal wieder schützte: Nicht ein einziges Mal sprach sie während der Verhöre meinen Namen aus! Aus einem anderen Grund taten das auch ihre Richter nicht, darunter vier meiner Brüder aus dem Kloster. Sie dachten an die Steine der Abtei und meinten, diese Steine wären mächtiger als meine Liebe zu Moïra. Ich sollte auch weiterhin die Bauhütte leiten. Da meine Brüder, da die Sterblichen mich nicht verurteilten, mein Pater, werden es Gott und die Steine tun. Selbst Almodius hielt sich, als er als Zeuge verhört wurde, an die Anweisung und verschwieg meinen Namen. Dafür ließ er Moïra das Gift seiner Galle spüren. Und vielleicht war er es auch, der diesen widerlichen Einfall hatte, diese teuflische, grausame Phantasie, die schließlich zum Urteilsspruch wurde: Bezugnehmend auf das keltische Kreuz, das sie um den Hals trug, sollte Moïra von den vier Elementen der Natur gefoltert werden, bis sie abschwor oder starb. Das Urteil sollte auf dem Berg vollstreckt werden, zu Christi Himmelfahrt und in aller Öffentlichkeit.*

*Geliebter Pater, meine Hand wird plötzlich starr wie mein Blut, und ich bin unfähig, Euch leidenschaftslos von diesem häßlichen Spektakel zu berichten, dessen Zeuge ich von ferne wurde. Diese furchtbaren Bilder bleiben für immer in mir bestehen, sie sind meine Wunde, die nie verheilen wird, und ich kann nicht ohne Tränen an Moïras Leidensweg denken, der seit vierzig Jahren das Kreuz ist, das ich trage. Die Luft. Einen Tag und eine Nacht. Sie schwor nicht ab und blieb am Leben. Das Wasser. Einen Tag und eine Nacht. Sie schwor nicht ab, blieb am Leben und rief meinen Namen an. Die Erde. Einen Tag und eine Nacht. Sie schwor nicht ab und starb. Die Erde hatte sie getötet. Am Tag, an dem das Auffahren von Christi Seele in den Himmel gefeiert wird, wurde auf dem Dorfplatz ein großes Feuer entfacht. Man verheimlichte dem Herzog und dem Volk, daß sie schon tot war, man ließ ihren Leichnam tanzen wie eine Marionette. Dann band man ihren Leichnam an ein Eisengitter, das mit einem Galgenkran von der Baustelle über einen Glutteppich gehängt wurde. Das Feuer. Einen Tag und eine Nacht lang verzehrten sie die Flammen.*

Jeanne lehnte sich einen Augenblick lang zurück, damit das Wasser aus ihren Augen nicht auf das Manuskript tropfte.

*Ihr werdet begreifen, mein Vater, daß es undenkbar für mich war, meinen Auftrag als Werkmeister weiterhin zu versehen. Die einzige heilige Pflicht, die fortan in mir wohnte, war es, die nicht dem zweiten Tod zu überlassen, die ich im Leben alleinließ und den Steinen der Abtei opferte. Ich mußte kämpfen, um die Seele derer zu retten, die mir ohne Fehl das Leben rettete. Ganz selbstverständlich dachte ich an dieses Haus, mein Vater, diese heilige Zuflucht, die ganz dem Kult der Toten gewidmet ist. Ich dachte an Abt Odilo, Hildeberts Freund, von dem man mir sagte, er habe die gleiche Großmut und Herzensgröße wie weiland mein Pater. Ich dachte an das geliebte Antlitz von Pierre de Nevers, stellte mir sein Grab vor, denn ich wußte, daß es in dieser Kirche liegt, und ich gestehe schließlich, daß ich auch an das Privileg von Cluny dachte, das es der zeitlichen Macht entzieht, der Macht aller Bischöfe und aller Fürsten dieser Erde, und mich erleuchtete diese Erkenntnis: Ich mußte den Berg verlassen und in Cluny um Asyl bitten, und wenn Odilo und mein verstorbener Meister mir dort ihren Schutz gewährten, könnte ich das Schweigen nutzen, könnte für meine Sünden büßen und vor allem die Seele meiner Geliebten erlösen, damit sie mich am Tage meines Todes im Himmel empfängt, denn wir sind einander versprochen für das ewige Leben.*

*Umgehend teilte ich meinen Plan Hosmund mit, der einen weisen Einwand vorbrachte: Thierry de Jumièges und Almodius, der großen Einfluß auf den neuen Abt ausübte, mißtrauten mir, würden mir aber wegen der Baustelle niemals gestatten, die Abtei zu verlassen. In einer plötzlichen Eingebung kam mir die Lösung: Ich mußte meine Brüder glauben lassen, daß ich von Moïras teuflischer Seele besessen wäre, nämlich in Form eines ansteckenden tödlichen Fiebers, das sie alle dahinraffen würde, wenn sie mich bei sich behielten. Ich mußte Hosmund überzeugen, sich zum Komplizen dieser Täuschung zu machen, und das war keine einfache Sache.*

*Ich bekenne diesen Betrug, mein Vater, für den ich Gott viele Male um Vergebung gebeten habe, Vergebung nicht nur für mich, sondern auch für Hosmund, aber unter den gegebenen Umständen sah ich keinen anderen Ausweg als solcherlei Lug und Trug. Vor Vesper trank ich also den Kräuteraufguß, den mein Freund mir bereitet hatte und der mich fiebrig machen sollte, ein körperliches Fieber, das meine geistige Klarsicht nicht beeinträchtige, auf andere aber den Eindruck machte, daß ich von einer rätselhaften, heftigen Krankheit befallen war. Hosmund war völlig verschreckt, was meiner Sache nur dienlich war. Ich hatte auf einer Reise, die mich mit meinem Herrn durch Sachsen führte, eine arme Seele gesehen, die tatsächlich vom Teufel besessen war, und diese Erinnerung machte ich mir zunutze. Das Gebräu brachte mich zum Schwitzen, machte mich ganz bleich, und ich bekam Krämpfe und Schüttelfrost. Zusätzlich gab ich mich verwirrt und schlug mit allen Gliedern wild um mich.*

*Ganz wie ich es vorausgesehen hatte, kam der Abt am Abend des langen Feiertages, um sich nach meiner Gesundheit zu erkundigen. Er überzeugte sich selbst, daß mich die Seele der Sünderin mit ihrem krankhaften Eifer verfolgte und daß sie schon bald alle Brüder der Abtei in gleicher Weise quälen würde. Hosmund brauchte ihm nur noch einzuflüstern, daß der Exorzismus von Bruder Bernard uns retten konnte. Und da betrat mein Gehilfe den Raum. Ich gestehe, mein Vater, daß ich mir den Respekt und die getreue Untergebenheit, die er für mich hegte, frevelhaft zunutze machte. Kaum hatte er mich mit Weihwasser besprengt und die Bußgebete gesprochen, da hörte ich auf, mich herumzuwerfen, und spielte ihm eine gotteslästerliche Komödie vor, die mich noch jetzt mit Scham erfüllt und für die ich noch heute unendliche Reue empfinde. Doch sie gehorchte einem machtvollen Antrieb: Ihr müßt wissen, daß ich an einem Punkt unbedingt die Pläne von Pierre de Nevers verändern mußte, die ich unter meinem Skapulier trug. Diese Skizzen sahen vor, daß unsere von den Kanonikern übernommene Kirche, die noch aus der Zeit stammte, als der Berg bretonisch war, vollständig eingerissen werden sollte bei den Arbeiten für das Langschiff der neuen Abteikirche. Sie steht an der Stelle der ersten Andachtsstätte, die einst Aubert errichtete. Doch diese Kirche mußte erhalten werden. Die Kirche, in der wir den ganzen Tag beteten, während uns nachts ihr Zutritt verboten war, diese heilige Stätte, an der Richard der Gute Judith de Bretagne das Jawort gab, dieser zweischiffige Raum, der zu eng geworden war, was zum Entschluß für den Bau einer großen Abtei geführt hatte, durfte keinesfalls zerstört werden. Es war einfach, diese Kirche zu einer unterirdischen Krypta umzubauen, die nun dem Langhaus der Abteikirche als Unterbau dient, und es war ein leichtes, die Skizzen in diesem Sinne zu korrigieren. Doch es war heikel, diese Veränderung dem neuen Werkmeister beizubringen, ohne ihm einen Grund dafür zu nennen.*

*Deshalb kam mir dieser infame Gedanke, ich könnte Aubert durch meinen Mund sprechen lassen, Aubert, den heiligen Gründungsvater des Berges, der den Bau der großartigen Abteikirche billigte, den Menschen aber verbot, Hand an seinen zur Kirche umgewandelten Betraum zu legen, wo er seine Reliquien verehrt sehen wollte. Sowohl ein Dämon als auch ein Engel kann von einem Besessenen Besitz ergreifen, und so machte ich Bernard glauben, daß er mich von Moïra befreit hätte und daß nunmehr die Mächte des Guten durch mich sprachen.*

Unglaublich! So also war es zu dieser unerklärlichen Veränderung mitten im Verlauf des Baus gekommen! Die Geburtsurkunde für Notre-Dame-Sous-Terre hatte also er, dieser Mann unterzeichnet! Aber warum diese phantastische Inszenierung? Was waren seine geheimnisvollen, seine so unumgänglichen Beweggründe? Er mußte sie enthüllen! Weiter also! Weiter…

*Ich empfinde keinerlei Stolz ob dieser Hinterlist, mein Pater, aber ich gestehe, daß sie besser wirkte, als ich es mir erhoffte. Ich überreichte*

*Bernard, und das nicht ohne große Rührung und nagende Trauer, die Pläne von Pierre de Nevers, die ich in seiner Gegenwart korrigiert hatte. Damit war mein Auftrag am Berg beendet, und mein Geist war von den Steinen der Abtei befreit. Aber mein Leib und meine Seele waren keineswegs frei. Dafür mußte ich noch den letzten Auftritt spielen, den letzten Akt.*

*Sowie Bernard das Infirmarium verließ, beladen mit den Skizzen meines Meisters und der Last von Auberts heiligem Auftrag, überhäufte mich Hosmund mit gerechten Vorwürfen. Der getreue Freund trug schwer daran, daß ich nicht nur Auberts Gedächtnis verriet, sondern auch das von Pierre de Nevers. So mußte ich also auch ihn belügen, den, ohne den ich schon lange tot wäre. Dem treuesten Menschen gegenüber, den zu treffen mir gegeben war, mußte ich behaupten, mein Meister selbst habe diese Änderung aus technischen Gründen ins Auge gefaßt, habe aber mir die Entscheidung überlassen, sie auszuführen oder auch nicht.*

*Ich täuschte ihn desweiteren mit der Behauptung, ich hätte schon zu Beginn der Arbeiten diesen Entschluß gefaßt, doch in der Besorgnis um die jüngsten tragischen Ereignisse nicht die Kraft gehabt, mich dieser Sache anzunehmen, zumal ich nicht geahnt hätte, daß ich so plötzlich würde fortgehen müssen. Hosmund glaubte mir, oder zumindest tat er so. Indessen war ich sicher, daß er mich nicht verraten würde, und in der Tat hat er es nie getan.*

Keinerlei technische Ursache! Kein Beweggrund, der mit der Architektur zu tun hatte! Aber was nur dann?

*So, wie es mir verboten war, Hosmund die Gründe zu enthüllen, die mich zu einer solchen Blasphemie trieben, ist es mir auch noch heute unmöglich, mein Pater, sie Euch darzulegen. Denn die wirklichen Gründe für die Veränderung der Pläne müssen für immer allen Menschen verborgen bleiben.*

*Die Nacht war bereits hereingebrochen, aber zu unserem Glück war sie erhellt vom Gestirn der Nacht und einer Blüte von Sternen. Hosmund gab mir eine Substanz zu trinken, deren Wirkung ich niemals vergessen werde. Es heißt, diese Pflanze, die Alraune, die in menschlicher Gestalt unter dem Galgen der Gehenkten wächst, wird von*

*Hexern und bösen Geistern verwendet. Er hatte sie mit anderen Zaubermitteln vermischt, mit Tollkirsche und Hühnerkot, und es war furchtbar. Mein ganzes Wesen entzog sich meinem Bewußtsein und fiel, diesmal tatsächlich, unerträglichen dämonischen Erscheinungen anheim. Ich wurde bei lebendigem Leibe von Phantasiegeschöpfen verschlungen, die mir die Hände abbissen und die Eingeweide herausrissen. Ich hatte das Gefühl, überall auf meiner Haut zu bluten, und es war, als würde sich in einem langsamen, schmerzenden Todeskampf mein Innerstes nach außen kehren. Die Ungeheuer zerfraßen mir die Augen, die Wangen, die Zunge. Mein Kopf war ein Klumpen voller Eiter, mein Körper eine schwarze Kloake.*

*Ich spürte, wie ich entschwand, ohne indes sterben zu können. Als ich im Morgengrauen am Rande eines Roggenfeldes wieder zu mir kam, war diese Empfindung Wirklichkeit: Ich war entschwunden, aber ich war nicht tot. Hosmund betrachtete mich, er wirkte ausgezehrt und erschöpft, aber er lächelte mich an: Ich war gerettet. Er erzählte mir von meinem schrecklichen Geheul, vom grausigen Rollen meiner geweiteten Augen und von der Eile, mit der der Abt und Almodius mich aus dem Kloster ins Hospiz von Avranches schaffen lassen wollten. Ich hatte darauf spekuliert, daß die unendliche Hingabe des Priors an sein Kloster zusammen mit einer – verzeiht mir, mein Pater – einer gewissen Laschheit des Abtes zu diesem Ausgang führen würde. Ich haßte Almodius, weil er Moïra in einen grausamen Tod geschickte hatte, indem er sie der weltlichen Gerichtsbarkeit auslieferte, und weil er vielleicht auf irgendeine mir unbekannte Weise Schuld an Hildeberts Tod trug, aber all das hatte er im Namen des Glaubens getan. Ihr sollt wissen, daß der Glaube für ihn eine wahnwitzige Leidenschaft war, eine heftige, eifersüchtige Liebe, starrsinnig und beinahe blutrünstig, weit entfernt von jener Sanftheit und Mäßigung, für die Benedikt und Hildebert eintraten, und dieser Glaube verkörperte sich in seiner Abtei. Das habe ich erst später wirklich begriffen, hier in diesen Mauern, doch damals ahnte ich etwas in der Art. Die Abtei war für ihn eine Frau, sie war seine Mutter und seine alleinige Geliebte. Moïra verkörperte all das, was er verabscheute, und ich, der ich vom Dämon besessen war, bedeutete für das Kloster eine schwere Gefahr, eine Gefahr, die er nicht hinnehmen konnte. Hätte er in jener Nacht diese Gefahr von der Abtei abwenden können, indem er mich mit eigenen Händen erwürgt hätte, so hätte er dies getan, dessen bin ich gewiß! Doch er begnügte sich damit, meinen sofortigen Aufbruch ins Hospiz zu veranlassen.*

*Ich trank etwas Wein, um wieder ganz zu mir zu kommen, und knabberte an einem Stück Brot, während Hosmund den Epilog des Schurkenstücks aufführte, das er allein zu Ende bringen mußte: Wenn er in Avranches war, würde er berichten, ich sei noch auf der Überfahrt in der nächtlichen Bucht im Boot verschieden. Er habe meinen Leichnam aufs Festland gebracht und ihn verbrannt, um jede drohende Ansteckung meiner teuflischen Krankheit abzuwenden. Am Morgen habe er den Beistand von Pilgern und einem Diakon erhalten, die vom Berg heimkehrten, um meine Asche in einem Sumpf christlich zu bestatten und damit die Dämonen zu bannen. Aus Furcht, er könnte selbst befallen sein, wolle er sich ins Hospiz begeben, und da er nicht schreiben konnte, würde er darum bitten, einen Boten auf den Berg zu schicken. Nach Ablauf seiner Quarantäne würde er endgültig auf den Berg zurückkehren.*

*Ich schloß meinen Bruder lange in die Arme, sein Bart kitzelte mich. Wir weinten beide, voller Scham über unsere Lüge, selig, daß sie geglückt war, bestürzt, daß wir uns trennen mußten nach all den schmerzlichen Momenten, die wir geteilt hatten. Ich schlug ihm vor, mich nach Cluny zu begleiten, aber augenzwinkernd erklärte er, er habe wohl die Alraune falsch dosiert, so daß ich noch immer im Wahn redete. Mit eingeschnürter Kehle entschloß ich mich also, ihn zu verlassen. Vielmals habe ich für ihn gebetet, auf daß der Allerhöchste ihm verzeihe, daß er sich meiner erbarmte.*

*So nahm ich also meine lange Wanderung zu Odilo auf, zu Pierre de Nevers und zu der Seele meiner Geliebten.*

*Nach zwei Wochen des Weges gelangte ich in diese Abtei. Ich war ausgelaugt, ich zögerte, denn ich zweifelte plötzlich, ob man mir wirklich mit jenem Erbarmen begegnen würde, das ich keineswegs verdiente. Aber in Odilo erkannte ich gleich Hildebert wieder, und ich beichtete ihm, wie ich heute Euch beichte. Er sagte, dieses Haus sei das der Verstorbenen und der Notleidenden, und ich sei beides. Er fügte hinzu, der lange Weg, den ich zu Fuß hinter mich gebracht hatte, sei nichts gegen den, der noch vor mir lag, und den müsse ich auf Knien bewältigen. Er verbot mir, in diesem Kloster jemals ein Amt zu übernehmen. Ich gelobte es, denn die einzigen Ämter, die ich anstrebte, waren Schweigen und Zerknirschung. Die einzige Arbeit, mit der Odilo mich je betraute, war die Verfassung eines Teils im »Liber tramitis«, der der Beschreibung der Klostergebäude gewidmet ist.*

Das *Liber tramitis*, das »Buch des Weges«, war ein Band cluniazensischer Consuetudines, der zwischen 1020 und 1060 entstanden war. Solche Gewohnheitstexte, wie sie auch hießen, beschrieben erstaunlich detailliert die Liturgie, vor allem aber das Alltagsleben der Mönche und ihre Umgebung. Dieser Band war erhalten geblieben, und Jeanne hatte ihn für ihre Dissertation ausführlich studiert, insbesondere den Teil, der die Architektur behandelte – und den also dieser Mönch verfaßt hatte.

*In vierzig Jahren war das meine einzige Begegnung mit den Steinen.*

*Übrigens war diese Arbeit sehr mühsam für mich, denn die Steine sprachen nicht mehr zu mir. Sie duldeten mich, so wie man sich dazu herabläßt, einem engen Freund die Hand zu reichen, der einen eines Tages verraten hat. Die Stärkung, die sie so oft für meine Seele bedeuteten, spendeten sie mir allein im Gedächtnis an meinen verstorbenen Meister, der auch ihr Meister gewesen war. Ich war für sie nur ein kaltes, regloses Herz, das ihnen das einer Frau vorgezogen hatte.*

*Diese Frau ohne Grab, ohne Zuflucht: Tag für Tag, Nacht für Nacht habe ich vierzig Jahre lang für sie gebetet, bei jeder Messe, bei jedem Stundengebet und selbst zwischen den Horen. Auf dem Berg brauchten wir eine Woche, um den Psalter einmal vollständig zu singen, in Cluny psalmodierte ich ihn Tag für Tag in seiner Gesamtheit. Die vielen Messen für die Verstorbenen erfreuten mein vertrocknetes Herz wie eine Wüste. Inständig flehte ich um den Seelenfrieden für Moïra. Ich rief die Jungfrau an. Ich beschwörte Petrus. Ich rief zum Himmel, er möge sie aufnehmen! Ich wachte im Schweigen, aber dieses Schweigen war nicht heiter. Ich lebte inmitten inbrünstiger Gesichter, die für mich nur Gespenster waren. Ich war selbst zum Geist aus Fleisch geworden, zu einem Schatten inmitten des Lichts, zum Trugbild eines verloschenen Lebens, und ich strebte nur noch danach, zu vergehen, um ihren Atem zu küssen und ihre Stimme zu umfangen. Sie erwartet mich, ich werde sie unter allen Seelen des Firmaments wiedererkennen. In diesem Augenblick, in dem Ihr mein Schreiben lest, bin ich vielleicht endlich zu ihr gelangt. Ich habe wohl meine letzte Pflicht auf Erden erfüllt, in ihrem Gedächtnis, getreu dem Geheimnis, das sie mir anvertraut hat, und getreu unserer unsterblichen Liebe.*

*Mein Herz ist mir schwer, denn ich muß fort, ich kann mich nicht verweigern. Betet für mich, mein Pater, der Ihr weise seid und höchste Fürbitte haltet. Betet, daß meine Seele den Frieden finden möge. Lebt wohl.*

*Bruder Johann von Marburg, einst Bruder Roman.*

# 12

Die Rundbögen mit den darin gefaßten Fenstern sind von der Farbe des Himmels: ein Meeresblau mit gelben Flecken, verschleiert allmählich von Streifen rötlichen Azurs, das vom Aufgang der Sonne kündet. Die Sonnenscheibe ist noch unsichtbar, aber der Wind nimmt ab, und die scharfen Klingen der Wellen lockern allmählich ihre nächtliche Umarmung.

*De Angelis... Michael archangele veni in adjutorium...*

Von einer Reihe nachtfarbener Mönche steigt Licht auf, das sanft ist wie das schüchterne bläuliche, himmlische Leuchten, das den Altar des Erzengels umschmeichelt.

*In excelsis angeli laudant te. In conspectu.*

Unter den Fenstern, in denen die Legende des heiligen Aubert dargestellt ist, antwortet eine zweite Reihe Benediktiner, die parallel zur ersten steht, in harmonischem Wechselgesang. Die Diener des Engels stehen in dem runden Chor vor der fünfeckigen Apsis und den Pfeilern, die den Chorumgang begrenzen, und singen, psalmodieren beiderseits des Hauptaltars in Gemeinschaft mit der unsichtbaren Welt. Ihr Herr, der Anführer der himmlischen Heerscharen, hat in der vergehenden Nacht über sie gewacht, so wie sie über die Menschen mit ihrem Gebet gewacht haben.

Die Fürbitte zwischen den beiden Welten verstummt. Die Ansprache des Priesters, der diese Woche die Messe liest, beendet das Stundengebet der Laudes. Die Mönche in ihren Zweierreihen verneigen sich vor einem großen, mageren Greis mit schwarzen Augen, der jeden seiner Söhne segnet, bevor sie das Allerheiligste in einem langsamen, geordneten Zug verlassen.

Draußen schlagen die Männer stumm die Kapuzen hoch, und ihre Gestalten zeichnen sich scharf im hellblauen Morgenlicht ab. Die Mönche an der Spitze des Zugs blasen die nutzlos gewordenen Laternen aus und machen sich auf den Weg zum Dormitorium, entlang am Arm des Querschiffs, das am Chor der Kirche klebt und überragt wird von einem hohen quadratischen Turm. Er wurde 1060, also vor drei Jahren, vollendet und birgt seitdem eine riesige Glocke, die auf den Namen Rollo getauft ist, zu Ehren des Wikingerseefahrers, dem ersten normannischen Fürsten.

Noch von weit her hört man ihren tiefen Klang, und wenn Nebel herrscht, läutet sie ohne Unterlaß, um den Seefahrern den Kurs anzuzeigen, wenn sie sich in den gefährlichen Schwaden verloren haben. Doch an diesem Frühlingsmorgen ist die Luft so rein, daß die Glocke schweigt. Ein Novize hebt den Blick zu den zarten Wolken. So tiefer Frieden ist selten an dieser Stätte, und der Mönch badet darin und nimmt sie als Geschenk. Plötzlich erstarrt er. Der Bruder, der mit gesenktem Haupt hinter ihm geht, rempelt ihn an und grummelt etwas. Das Gesicht nach oben gerichtet, schlägt sich der Novize eine Hand vor den Mund und packt seinen Nachbarn an der Kutte. Der sieht schließlich in dieselbe Richtung und bleibt seinerseits mit einem Schrei stocksteif stehen, den Arm in den Himmel gestreckt.

Bald schon sind die beiden Reihen nur noch Geheul, Unordnung und Angstgeschrei. Man ruft den Abt. Er ist als letzter aus der Kirche getreten und eilt mit den schnellsten Schritten herbei, die ihm seine siebzig Jahre erlauben. Seine Söhne haben sich dem Turm der Kirche zugewandt. Er schaut hinauf und stockt seinerseits: Unter den Bögen des Turms schaukelt ein Gehenkter!

Ein dicker Strick bindet den Hals eines Mönchs an das Gebälk der Glocke, den Kopf zur Seite geneigt, der Körper schwingt leblos im Wind, während sein Weihrauchfass die Steine des Gebäudes streift.

»Wer ist es? Wer ist es nur?« Ratlos bekreuzigen sich die Mönche. »Unmöglich, furchtbar, beim Allmächtigen …«

Der Abt ist so fassungslos wie seine Söhne. Von weitem betrachtet er den Leichnam, der aus dieser Entfernung nur schwer zu erkennen ist, dann nimmt er die Sache in die Hand.

»Nur ruhig, meine Söhne!« sagt Almodius. »Holt ihn auf der Stelle dort runter! Ihr drei da – los! Schnell!«

Kurz darauf legen die drei Mönche dem Abt die sterbliche Hülle von Bruder Anthelme zu Füßen, einem der ältesten Mönche auf dem Berg. Seine blauen Augen sind weit aus den Höhlen getreten, als hätte er den Leibhaftigen erblickt, seine Haut ist bläulich verfärbt, der Mund geöffnet, das Seil hängt noch um seinen Hals wie eine Kette. Die Brüder brechen in Klagegeschrei aus: Alles deutet darauf hin, daß sich der alte Mann das Leben genommen hat, eine äußerst seltene Tat, die für einen Geistlichen, einen Erwählten Gottes, undenkbar ist.

»Wir können einen Selbstmörder nicht in der Klausur behalten«, erklärt Almodius mit vor Entsetzen und Erregung zitternder Stimme. »Wir müssen ihn in einer der Hütten der Bauarbeiter aufbahren. Verbietet ihnen den Eingang, und … Infirmarii! Untersucht ihn auf der Stelle, denn wenn er sich das Leben genommen hat, können wir ihn nicht als guten Christen beisetzen … Meine Söhne, erfüllt Eure Pflicht, betet für den armen Bruder Anthelme! Ich werde Euch sogleich versammeln, sobald unsere Infirmarii fertig sind, damit wir entscheiden, was mit dem Leichnam unseres Bruders geschehen soll.«

Almodius wirft einen letzten Blick auf den Erhängten und wendet sich ab. Bruder Anthelme! Ein Greis! Dabei war er im vollen Besitz seiner geistigen Kräfte, war vom Glauben beseelt und von der Liebe zu seinem Kloster. Was mag ihn nur dazu getrieben haben, eine so furchtbare Tat zu begehen, eine Todsünde, die ihn dazu verdammt, vom Herrn und aus der Gemeinschaft der Gläubigen verstoßen zu werden? Nein, alles das ist wirklich nicht zu glauben.

Anthelme gehörte bereits zur Gemeinschaft des Klosters, als Almodius als Kind auf den Berg kam. Der Abt erinnert sich sehr genau an ihn. Anthelme war ein junger Novize, und er war es, der ihm in den ersten Tagen erklärte, wie das zeitliche Leben an dieser Stätte abläuft.

In verwirrter Nachdenklichkeit tritt Almodius in seine hölzerne Zelle, die Hütte des Abts, in der einst die Reliquien Auberts gefunden wurden. Abt Almodius stellt sich ans Feuer, und ein abwegiger Gedanke will ihm nicht aus dem Kopf: In zwei Tagen und zwei Nächten wird das große Fest zu Christi Himmelfahrt stattfinden, und wie jedes Jahr zu dieser Zeit wird Almodius insgeheim einen unheilvolleren Jahrestag begehen: den Tod von Moïra. Vier Jahrzehnte. 1623, vor genau vierzig Jahren hing sie zu eben dieser Stunde in den Lüften, gefangen in einem eisernen Käfig. Almodius schreckt hoch: Sie schwang in der Luft wie an diesem unseligen Morgen Bruder Anthelme! Die Parallele springt ins Auge.

Der Abt erbleicht und setzt sich an den Schriftentisch, da seine alten Beine auf einmal zittern. Nein, es ist unmöglich, sein überanspruchter Geist macht ihm etwas vor. Nach diesen vierzig Jahren verspürt er eine enorme Erschöpfung. Erschöpfung, ja, und Chaos gar, und noch immer den bitteren Nachgeschmack jener Ereignisse, die nach Moïras Tod den Berg heimsuchten: Drei Jahrzehnte der Intrigen und Kämpfe haben den Berg und die Normandie in Brand gesetzt wie eine unersättliche Feuersbrunst. Ja, dreißig Jahre lang bestimmte ein verworrenes, wankelmütiges Schicksal die Herrschaft über das normannische Herzogtum und über die Abtei am Mont-Saint-Michel. Herzog Richard der Gute und Abt Thierry starben beide im selben Jahr, im Jahre 1026. Einer der Söhne Richards II., Richard III., bestieg den Thron, fiel aber bereits ein Jahr später einem Giftmord zum Opfer. Sein Bruder Robert, der den Beinamen der Prächtige trug, folgte ihm bald nach.

Almodius lebte als Prior in der Stätte des Engels, in der Überzeugung, nach Thierrys Tod zum Abt ernannt zu werden. Doch er rechnete nicht mit der Rache Bruder Roberts, dem einstigen Prior Hildeberts, den Almodius drei Jahre zuvor ausgestochen hatte. Im Kloster ging ein Gerücht um, das darauf hinwies, daß der geheimnisvolle plötzliche Tod Thierrys erstaunlich dem von Hildebert glich, und das, da doch in beiden Fällen Almodius persönlich über die Kranken wachte. In Sorge über den Skandal, den solches Gerede heraufbeschwören konnte, hüteten sich die Mönche, Almodius zum Abt zu ernennen. Sie wählten Aumodius, einen Mönch vom Berg, der aus Le Mans stammte und engen Kontakt zu den Bretonen hielt. Almodius war von diesem Verrat wie vom Blitz getroffen. Er verzichtete auf sein Priorat, suchte in seinem Skriptorium Zuflucht, intrigierte aber bei Robert dem Prächtigen, der im Krieg gegen die Bretagne stand, und denunzierte Abt Aumodius wegen dessen beklagenswerten Sympathien.

Herzog Robert vertrieb die Bretonen aus der Gegend um Avranches und dem Cotentin, zwang sie zum Frieden, und Aumodius fiel bei ihm in Ungnade, weil er mit dem Feind geheime Absprachen getroffen hatte. Er hatte Aumodius verjagen können, aber dennoch wurde Almodius nicht mit dem ersehnten Amt belohnt. Denn der Herzog zog ihm einen Fremden vor! Er selbst ernannte den neuen Abt: Suppo, einen Römer, Abt in der Lombardei, der somit völlig unbeleckt war von den regionalen Konflikten. Herzog Robert meinte, er hätte nun für Ruhe gesorgt.

Er vertraute die Normandie Alan, dem Herzog der Bretagne an, und unternahm eine Pilgerfahrt ins Heilige Land. Auf dem Heimweg starb er, doch konnte er noch einen Nachfolger bestimmen, seinen unehelichen Sohn Wilhelm den Bastard, der damals sieben Jahre alt war, ein Sohn seiner Geliebten Arlette, einer Frau aus dem Volk und Tochter eines Gerbers.

Das Land geriet in Aufruhr, und der Bretone Alan, der sein Gelöbnis an Robert, die Normandie vor dem Chaos zu bewahren, einhielt, griff militärisch ein, nicht etwa, um das Herzogtum in seine Gewalt zu bringen, sondern um die Rechte des jungen Wilhelm zu verteidigen, der vom Feudaladel bedroht wurde. Letztlich konnte Wilhelm der Bastard, der spätere Wilhelm der Eroberer, die Herrschaft über die Normandie antreten. Dieser so junge Fürst zwang den Aufstand der Feudalherren nieder und schaffte es allmählich, einen dauerhaften Frieden zu stiften. Der Gottesfrieden schützte die Bauern, Pilger, Mönche, Frauen, Kinder und Kaufleute vor den blutigen Fehden der Herren. Der neue Herzog erklärte den Landfrieden auf seinem gesamten Herrschaftsgebiet, indem er für die Zeit des Advents, der Fastenzeit, für Ostern und für alle Sonntage jegliche Kampfhandlungen untersagte. Selbstverständlich galt dies nicht für ihn selbst. In Wirklichkeit war diese göttliche Waffenruhe eine fürstliche Waffenruhe.

Der Herzog heiratete eine Königin, Mathilde von Flandern, machte die Normandie zur fortschrittlichsten Region Europas und wurde zum großen Herrscher, der 1066 am Michaelstag zur Eroberung Englands aufbrach.

Wenn auch im Hause des Fürsten wieder Ruhe eingekehrt war, so war dies in der Heimstatt des Engels keineswegs der Fall. Denn Abt Suppo mehrte zwar den Landbesitz, den Kirchenschatz und die Bibliothek der Abtei auf dem Berg, aber zugleich bereicherte er auch seine Familie jenseits der Alpen. Wie seine Brüder entdeckte auch Almodius bald Suppos Simonie, doch er widersetzte sich ihm nicht: Er beschloß, sich in Geduld zu üben, und gab vor, ihn würden die zeitlichen Angelegenheiten des Klosters nicht kümmern.

Anders als Almodius trat Robert, Hildeberts einstiger Prior, in offenen Konflikt zu seinem Abt und mußte den Berg verlassen. Er ließ sich als Einsiedler auf der Nachbarinsel Tombelaine nieder, wo er es sich zur Aufgabe machte, das Hohelied Salomos zu kommentieren. Bald erhielt er den Beinamen Robert von Tombelaine.

Von einem Feind befreit, beschloß Almodius, sich die Freigiebigkeit des prasserischen Römers zunutze zu machen: Er ließ die Bibliothek mit wertvollen Büchern ausstatten und weitete den Tätigkeitsbereich des Skriptoriums aus, das so zu bedeutendem Ansehen gelangte. Der militärische und gesellschaftliche Frieden, den Wilhelm gestiftet hatte, begünstigte den Austausch von Handschriften und die Anwerbung der geschicktesten Kopisten, brillanter Gelehrter, die in Avranches eine Schule gründeten. Zu dieser Zeit bestand Almodius' Welt aus Schafshautpergament und dem feinen Leder totgeborener Kälber. Sie konzentrierte sich auf Federkiele, Tintenhörner, Hasenpfoten, Blattgold und Farbpigmente, deren geheime Alchimie erst die roten und grünen Buchmalereien möglich machte, die für die Arbeit auf dem Berg so charakteristisch sind. Seine Träume waren bevölkert von Arabesken, Palmenzweigen, Initialen mit Hundeköpfen, Drachenmasken, Adlern und Löwen. Der Werkmeister hatte die Legende des Berges mit Steinen erbaut, er schrieb sie auf feinen Tierhäuten nieder und zugleich auf seiner eigenen Haut: Sie war mit den

Jahren verschrumpelt und vergilbt, ausgetrocknet von dem unbefriedigten Warten und den Hieben der Geißel. Das Fleisch seines Körpers war dicht mit Narben übersät, und seine schwarzen Augen, die müde waren von der sorgfältigen Überprüfung der Manuskripte, sahen manchmal die phantastischen Geschöpfe der tiergestaltigen Initialen tanzen.

Er ließ Platon kopieren, die Bibel, Beda Venerabilis, Augustinus, Hieronymus, Ambrosius, Gregor den Großen, zahlreiche Abhandlungen über profane Wissenschaften, doch das Werk, auf das er am stolzesten war, war unangefochten die *Introductio monachorum*, die heilige Geschichte des Mont-Saint-Michel, die Legende von Aubert auf dem Berg, die erzählt wird wie die von Mose auf dem Sinai und in der die benediktinische Abtei als himmlisches Jerusalem dargestellt ist. Der Bau der großen Abteikirche war noch nicht vollendet, doch das Heldengedicht der Benediktiner auf dem »Mont-Saint-Michel zum Trutz des Meeres« lebte schon für die Ewigkeit. Um die Seelen der Pilger zu erbauen, ließ Almodius auch die *Miracula* aufzeichnen, einen Band mit Anekdoten über die Erscheinungen und die Wunder, die dem Erzengel zugerechnet werden, wie etwa die Geschichte jener schwangeren Frau, die der heilige Michael aus der steigenden Flut rettete, indem er das Meer rund um sie teilte; die Stelle wird seither mit einem großen Kreuz markiert, das mit den Gezeiten aus dem Wasser aufsteigt und dann wieder darin verschwindet.

Während sich Almodius mit Leib und Seele seinen Büchern widmete, steigerte sich der Konflikt zwischen Abt Suppo und seinen empörten Söhnen in solchem Maße, daß die Mönche ihren Oberen mit allen möglichen Feindseligkeiten bedrohten. Herzog Wilhelm mußte eingreifen und schickte Suppo in seine Heimat zurück. Wieder meinte Almodius, seine Zeit sei gekommen, und wieder trog ihn seine Hoffnung. Auf dem Berg hatte die Erregung ihren Gipfel erreicht, und trotz der Erleichterung über Suppos Absetzung verblieben die Brüder in bitterer Wut: Ein Abt hatte es gewagt, ihre Abtei zu bestehlen! Damit hatte Suppo Gott selbst hintergangen! Es durften keine Mönche von außerhalb mehr eingesetzt werden, es mußte Schluß sein mit der Einmischung der normannischen Herzöge bei der Wahl des Abtes, die Mönche wollten ihn frei aus ihrer Mitte heraus küren, so wie es die Regel vorsieht.

Almodius war zwar einer der Ihren, aber die Benediktiner mißtrauten ihm, der sich Suppos Laster zunutze gemacht hatte. Sie vergaßen, daß Almodius das Skriptorium und damit die Abtei bereichert hatte und nicht sich selbst. Zutiefst verletzt von so viel Dummheit und Undankbarkeit ließ sich Almodius von dem glühenden Fieber mitreißen, in dem sein Wesen entbrannt war, und er beging einen Fehler, der ihn endgültig das Amt des Abtes kostete: Er warf seinen Brüdern vor, sich an der Unordnung zu weiden, die auf dem Felsen herrschte, und persönlichen Nutzen aus diesen Jahren der Sorglosigkeit gezogen zu haben. Die Weinrationen, die sie im Refektorium erhielten, wurden immer größer, sie stopften sich mit Braten voll, mit fettem Speck und mit Gerichten, die die Regel untersagte. Sie vernachlässigten die körperliche Arbeit, die Benedikt so am Herzen gelegen hatte, und lasen statt dessen immer mehr Privatmessen, für die sie Geld erhielten, das einige von ihnen zudem nicht an die Gemeinschaft weitergaben. In einem Wort: sie hatten es für sich selbst ausgenutzt, daß Suppo die Zügel derart hatte schleifen lassen, und wie bei ihrem alten Abt war auch ihr eigenes Herz verdorben!

Die Mönche ärgerten sich über diese Vorwürfe, und bei der erschreckenden Vorstellung, sie könnten wieder an den Bettelstab gebracht werden und müßten wieder mit Wasser vermischten Wein trinken und Bohnenmus essen, schickten sie Almodius in sein heiliges Skriptorium und weigerten sich, ihn zu wählen. Sie sollten es bitter bereuen: Herzog Wilhelm nutzte die Situation aus, um ihnen wieder einen Fremden aufzuzwingen, einen Mönch aus Fécamp: Raoul de Beaumont.

Es war das Jahr 1048, Almodius war fünfundfünfzig Jahre alt, und seit fünfundzwanzig Jahren machte er sich Hoffnungen auf den Abtstab. Raoul erwies sich als übler Abt, und die Lage auf dem Fels wurde untragbar. Im Jahr 1050 verließ Raoul den Berg, um nach Jerusalem zu reisen. Auf dem Rückweg verstarb er, zermürbt von der Mühsal der Reise wie einst Robert der Prächtige.

Die Mönche wollten es um jeden Preis vermeiden, daß Herzog

Wilhelm ihnen wieder einen seiner Günstlinge aufzwang, und so blieben sie drei Jahre lang ohne Abt und lebten in völliger Anarchie. Zu dieser Zeit überzeugte Almodius in zäher Kleinarbeit einen nach dem anderen davon, daß niemand außer ihm im ganzen Kloster wieder Ordnung und Würde herrichten könnte. Die Lektion, die ihm seine Brüder erteilt hatten, als es um Suppos Nachfolge ging, hatte er sich gemerkt, und so mäßigte er sich und ging sehr diplomatisch vor. Sein Hauptargument war seine langjährige Zugehörigkeit zur Abtei, der er seit nunmehr siebenundfünfzig Jahren hingebungsvoll diente. Nur wenige Brüder konnten sich rühmen, dem Kloster auf dem Berg schon so lange treu zu sein. Er versprach, daß er im Falle seiner Wahl nichts an den üblich gewordenen Privatmessen und an den derzeitigen Sitten im Refektorium ändern würde. So konnte der Bewerber überzeugen. Freilich blieb ein bedeutendes Hindernis zu überwinden: der Herzog der Normandie.

Doch die Mönche nutzten Wilhelms militärische Bedrängnis gegenüber dem König von Frankreich sowie seine Geldnöte, und so erhielten sie gegen eine Geldgabe an das Herzogtum seine Erlaubnis, ihren Abt frei aus ihrer Mitte zu wählen. Es war ein Akt der Simonie, ganz in der Art derer, die sie Suppo zum Vorwurf gemacht hatten, doch diente er in ihren Augen einem höheren Ziel: Der Berg würde in der Hand seiner rechtmäßigen Besitzer bleiben. Die Brüder auf dem Berg, die von da ab »Bocains« hießen, weil sie sich im Streben nach Autonomie und Unabhängigkeit auf ihrer Insel abschotteten wie die normannischen Bauern hinter ihrer Heckenlandschaft, kamen zu ihrer Revanche gegen die normannischen Fürsten.

Der äußere Einfluß auf die Abtei paßte so gar nicht mehr zu ihrer Abschottung und ihrem Wunsch, sich selbst souverän zu verwalten, so daß Almodius und seine Mönche wenige Jahre später sogar so weit gingen, eine gefälschte päpstliche Bulle zu verfassen, die dem Kloster die Wahlfreiheit dauerhaft zusicherte, und Wilhelm ließ sich davon täuschen.

So konnte nun Almodius im Jahr 1053 nach dreißig Jahren Wartezeit endlich über die fünfzig Brüder und über den heiligen Felsen herrschen. Mit sechzig Jahren erhielt er das, wovon er sein ganzes bisheriges Leben geträumt hatte: den Krummstab, das ziselierte Brustkreuz und den Siegelring. Nun gehörte ihm die Abtei, der Mont-Saint-Michel.

Ein Jahrzehnt ist seither vergangen, und das im Frieden, zu dem der Berg des Engels endlich wieder gefunden hat, ohne Zwischenfälle, ohne Verwirrung – bis zu jenem Morgen zwei Tage vor Himmelfahrt im Jahre 1063.

»Bei unserem Bruder Anthelme findet sich keinerlei Spur einer Verletzung, mein Vater«, sagt Bruder Godefroi, einer der beiden Infirmarii, der vor der zum Kapitel versammelten Gemeinschaft steht, »abgesehen von der, die der Strick verursacht hat, und so meine ich, es war ein Unfall: Es war dunkel, und wir wissen alle, daß sein Augenlicht sehr schwach war. In der Dunkelheit muß er sich in den Seilen verfangen haben, muß mit dem Kopf gegen einen harten Gegenstand gestoßen sein – wahrscheinlich die Glocke Rollo – und ist unglücklich gefallen. Dann verlor er das Bewußtsein, und die ineinander verstrickten Schlaufen, die ihn fesselten, haben ihn erwürgt.«

»Er soll aus dem Turm gestürzt sein? Und was hatte er in diesem Turm zu suchen?« hält Almodius dagegen. »Bruder Anthelme war über achtzig Jahre alt. Gewiß war er beinahe blind, aber zudem konnte er nur mühsam gehen. Er machte so wenig Schritte wie möglich und widmete sich ganz dem Gebet. Er hatte keinerlei Grund, Hand an sich zu legen, das ist auch meine Meinung, aber genausowenig eine Veranlassung, sich diesen anstrengenden Aufstieg in den Turm anzutun!«

»Ich weiß nicht, warum er hinaufgestigen ist«, meldet sich Marc zu Wort, ein junger Priestermönch, »aber ich kann vor Euch bezeugen, mein Pater, meine Brüder, daß ich ihn gesehen habe, wie er die Stufen des Turms emporstieg und dann wieder herunterkam!«

Verblüffung läuft durch Reihen der Mönche.

»Wie das, Bruder Marc?« fragt der Abt über das Gemurmel hinweg. »So erklärt Euch doch!«

»Nun, mein Pater: Gott wollte es so, daß ich im Dormitorium an Anthelmes Seite ruhte, und Ihr erwähntet schon, daß er recht gebrechlich war. So war es mir zur Gewohnheit geworden, ihm beim Hinlegen und beim Aufstehen zu helfen, wie es der Respekt vor seinem Rang und seinem Alter verlangt. Heute nacht bemerkte ich nach Vigil mit Verwunderung, daß er nicht in den Schlafsaal kam. Ich fürchtete, es könnte ihm auf dem Weg etwas zugestoßen sein, und so nahm ich eine Laterne und ging zurück zur Kirche, um nach ihm zu suchen. Da sah ich ihn am Fuß des Turms. Er stützte sich auf seinen Stock, ging in den Turm hinein und stieg die Treppe empor, was für ihn sehr beschwerlich war. In Mißachtung der Regel rief ich nach ihm, aber Ihr wißt, daß er auch schwerhörig war. Er hörte mich nicht, oder er wollte mich nicht hören. Besorgt wartete ich in einiger Entfernung vom Turm. Kurz darauf tauchte er am Fuß der Treppe wieder auf, mit hochgeschlagener Kapuze, noch immer auf seinen Stock gestützt, doch statt auf mich zuzukommen, sah ich ihn in Richtung außerhalb der Klausur weghumpeln. Ich zögerte, ihn erneut zu rufen, und wagte es schließlich nicht, den Ältesten unserer Abtei zu belästigen. Ich hatte Angst, er würde mich bitter zusammenstauchen, so wie er es manchmal tat«, fügte er errötend hinzu, »denn er warf mir oft vor, ich würde mich um ihn sorgen wie ein Weib. So ging ich also zurück und lag bis Laudes im Bett.«

»Und schautet Ihr nicht nach oben? Saht Ihr nicht den Leichnam dort hängen?« fragt Almodius.

»Ach weh, nein, mein Pater, ich starrte auf das Turmportal, und das war sehr anstrengend, so dunkel war es, und von dort aus, wo ich mich verbarg, konnte ich auch nicht die andere Seite des Turms sehen, wo unser Bruder am Seil hängend entdeckt wurde.«

Der Abt denkt einen Moment lang nach, fährt sich mit seiner langen, knöchrigen Hand, die voller Tintenflecke ist, über die Tonsur, die ohnehin zur Glatze geworden ist; nur wenige graue Haare umrahmen sie noch. Gleichzeitig flüstern die verschreckten Mönche sich zu, daß das, was Marc aus dem Turm kommen sah, Anthelmes Seele war. Seine Seele – oder aber sein Geist!

»Genug jetzt!« erklärt Almodius, dessen Stimmung immer düsterer wird. »Hört auf mit diesen Ammenmärchen. Die Erklärung für diese Erscheinung ist ganz einfach: Entweder hat Anthelme außerhalb der Klausur gewartet, bis Bruder Marc gegangen war, und ging sodann zurück in den Turm, um die Sünde zu begehen, die die Kirche mißbilligt und die seine Ächtung bedeuten würde, oder aber es war ein Unfall von der Art, wie Bruder Godefroi ihn beschreibt – doch daran zweifle ich. Oder aber – und dies ist die letzte Möglichkeit, die ich in Betracht ziehen möchte – jemand hat unseren Bruder in den Kirchturm gelockt, jemand, der oben auf ihn wartete, der Anthelme erhängte und wieder hinunterstieg, und diesen Jemand, diesen Mörder, hat Bruder Marc gesehen, wie er herauskam und floh, und hat ihn nur für Bruder Anthelme gehalten.«

Die letzten Worte des Abtes hauchen einen eisigen Wind über die Versammlung. Ein Mord! Ein Mord in ihrer Abtei! Aber wer könnte denn nur einem der ältesten und hingebungsvollsten Diener des Erzengels etwas anhaben wollen, es sei denn – der Teufel selbst?

»Meine Söhne, ich beschwöre Euch!« Der Abt spricht in bestimmtem, aber mildem Tonfall. »Laßt Euch nicht von der Panik übermannen! Wir haben noch keinerlei Gewißheit, und der Erzengel wird uns helfen, diese unangenehme Sache aufzuklären. Laßt uns zum heiligen Michael beten, damit er uns erleuchte, wie er es immer getan hat. Laßt uns beten, damit er sich der Seele Anthelmes annimmt, laßt uns die Messe feiern. Ich beauftrage unseren Prior, Bruder Jean de Balbec, die Pilger und die Dorfbewohner zu befragen, aber in aller Unauffälligkeit. Wohlan denn, meine Söhne, auf zum Licht!«

An diesem Morgen findet die erste Messe des Tages wie jeden Morgen in der Krypta Notre-Dame-des-Trente-Cierges, statt, doch diesmal ist die Feier von Trauer durchdrungen, von einem Gefühl der Ungewißheit, dann von ekstatischer Hoffnung, die von der Atmosphäre der unterirdischen Andachtsstätte noch verstärkt wird: Die Krypta besteht aus zwei Kreuzgratgewölben und einer Halbkuppel in der Apsis, und zur Verzierung dienen aufgemalte falsche Friese. So wirkt sie wie eine dunkle Höhle. Die Decke ist niedrig, der Raum eng mit nur einem Schiff, und sie ist der Mutter geweiht, der heiligen Jungfrau, einer weißen Jungfrau der Barmherzigkeit. Ihren Namen hat die Krypta von den dreißig Kerzen, die in ihr aufgestellt sind. Sie liegt innerhalb der Klausur, ist also den Mönchen vom Berg vorbehalten, und in der Krypta wird die erste Messe am Morgen abgehalten sowie Komplet, das letzte Stundengebet am Abend, während die anderen Stundengebete im Chor der neuen Kirche stattfinden. Notre-Dame-des-Trente-Cierges ist der Unterbau des nördlichen Kreuzarms der großen Abteikirche.

Das andere Querschiff im Süden birgt die Martinskrypta: Großartig, monumental mit ihrem durchgehenden Tonnengewölbe von kolossaler Spannweite stellt sie ein perfektes Quadrat dar mit einem reinen Halbkreis als Decke. Sie liegt außerhalb der Klausur, ist also für alle zugänglich, und ihre reiche Ausschmückung stellt den Tod und die lyrische Reise der Seele in den Himmel dar. Die Martinskrypta soll als Begräbnisstätte für die großen Wohltäter des Klosters dienen und bildet den Eingang zu einem neuen Gelände für den Totenkult, einem Friedhof, der sich zwischen ihren Mauern und der früheren Martinskapelle erstreckt, die aufgelassen und zum Beinhaus umgewandelt wurde.

Nach dem Ende der Morgenmesse überläßt Almodius die Priestermönche ihren einträglichen Privatmessen. Zwei Tage vor Himmelfahrt ist die Menge der Pilger unüberschaubar. Almodius geht in Gedanken verloren um die Abteikirche herum und inspiziert das Gelände, dessen unangefochtener Herr er ist. Noch vor zehn Jahren, als er endlich zum Abt ernannt worden war, war seine wichtigste Sorge der Kirchenbau. In drei Jahrzehnten folgte ein Werkmeister auf den anderen, ebenso schnell wie die Äbte selbst, und die grassierende Unsicherheit störte auch die Arbeiten, die langsamer vorankamen als geplant.

Von 1023 bis 1026 mühte sich Bruder Bernard allein mit dem Bau der Chorkrypta ab, aber sein Werkmeisterstab schien ihm in den Händen zu brennen. Nach und nach war er immer fester davon überzeugt, daß ein Fluch auf all jenen lastete, die die Zeichnungen für die neue Abteikirche zur Hand nahmen: Pierre de Nevers, Hildebert und sein Meister Roman waren darüber umgekommen, und er zitterte bei dem Gedanken, daß nun er an der Reihe sein könnte. Abt Thierry erklärte ihm, würde es tatsächlich einen Fluch geben, wäre dieser sicherlich vom heiligen Aubert aufgehoben worden, als er in Bernards eigener Gegenwart die

Skizzen verändern ließ: Der Wille des Gründers, den seine Vorgänger vernachlässigt hätten, würde nun befolgt, und es gebe überhaupt keinen Grund mehr dafür, daß der Tod die Verwahrer der Pläne heimsuche. Bernard glaubte ihm eine Zeitlang, aber der Tod von Jehan, dem Steinmetzmeister, der häufig die Skizzen konsultierte, versetzte ihn dann in Zweifel und schließlich in Panik. Dabei war es ein dummer Unfall gewesen, wie es ihn auf der Baustelle fast täglich gab: Ein Galgenkran mit einem mehrere Zentner schweren Quader war zerborsten, und Meister Jehan, der gleich daneben gestanden hatte, war unter dem riesigen Stein begraben worden. Er war nicht sofort tot, und in Hosmunds Infirmarium, wohin man ihn brachte, heulte er mehrere Tage lang mit zermalmten Gliedern vor sich hin, und höllische Visionen suchten ihn heim, bevor er endlich verschied.

Bernard erinnerte dies schmerzlich an seinen Meister, wie dieser vom Teufel besessen gewesen war, und seine Angst bekam neue Nahrung. Fortan legte er jeden Unfall auf der Baustelle als direkte Bedrohung seiner selbst aus. Oft ließ er seine Arbeit ruhen, um zu beten, und dem Lärmen der Baustelle zog er mehr und mehr die Stille der Martinskapelle vor. Als Abt Thierry und kurz darauf Richard II. starben, verlor Bernard nur wenige Wochen später so plötzlich wie unerklärlich die Fassung. Er behauptete, ein Fluch laste über der Abtei, und schleuderte die Zeichnungen und seinen Werkmeisterstab auf einen der beiden Altäre der karolingischen Kirche, die inzwischen von jedermann Notre-Dame-Sous-Terre genannt wurde, obwohl sie noch vom hellen Tageslicht durchflutet war. Dann verschwand er. Niemand hat je erfahren, was aus ihm geworden ist.

Den Bau des Chors unternahm Aumodius mit einem neuen Werkmeister, den er aus der Bretagne kommen ließ. Der hatte zuvor bereits an der Abteikirche Notre-Dame de la Couture in Le Mans mitgearbeitet, der Stadt, aus der der Abt stammte. Das Allerheiligste, das ausschließlich dem heiligen Michael und den Priestermönchen vorbehalten ist, wurde gemäß den Zeichnungen von Pierre de Nevers errichtet: Seine Spitze ragt über den Felsen hinaus, so daß die Mauern der Chorkrypta dieses Übergewicht stützen müssen. Noch vor der Vollendung des Chors wußten die

Diener des Engels, daß ihr Herr von dem Ort Besitz ergriffen hatte: Es kam zu übernatürlichen Phänomenen, die Almodius' Schreiber umgehend festhielten. Bruder Drogon sah drei Engel, die als Pilger verkleidet des Nachts mit Kerzen in den Händen vor dem Hauptaltar standen. Als er sich nicht sogleich verneigte, wurde er vom Backenstreich eines Unsichtbaren niedergestreckt; am nächsten Morgen war er tot. Ein andermal wurden zwei Mönche, die ihr Brevier nur nachlässig rezitierten, von einer Flamme, die aus dem Altar schlug, verbrannt. Wieder nachts wandelte der Erzengel selbst in der Gestalt einer Feuersäule durch den Chor. Magnetische Stürme begleiteten diese Erscheinungen. So wurde nachts der Zutritt zur Kirche streng reglementiert, wie es bereits für die karolingische Kirche der Fall gewesen war.

An diesem geweihten Ort war die Nacht den Geschöpfen der Zwischenwelt vorbehalten, und kein Sterblicher durfte zwischen Komplet und Vigil die neue Kirche betreten.

Suppo hatte auf der abgeflachten Spitze des Felsens das Querschiff errichtet. Raoul de Beaumont blieb anschließend gerade noch die Zeit, die Vierungspfeiler hochzuziehen und mit dem Bau des Turms zu beginnen, der sich auf diesen Pfeilern erhebt. Die Fertigstellung dieses Glockenturms, der Anthelme den Tod bringen sollte, war die erste Arbeit des Abtes Almodius und des Werkmeisters, den er aus der Gascogne kommen ließ: Eudes de Fezensac, der kein Geistlicher war, in jener Zeit eine äußerste Seltenheit.

Die Klostergebäude, die die karolingische Kirche umstanden, wurden inzwischen abgerissen und auf einem Abhang des Berges durch provisorische Holzhäuser ersetzt; so können neue, steinerne Räume in mehreren Etagen entlang dem Langschiff der Abteikirche errichtet werden, das gerade im Entstehen ist. Almodius möchte, daß er als Vollender der großen Abteikirche in Erinnerung bleibt, und so hat er die Arbeiten beschleunigen lassen. Die karolingische Kirche macht endlich ihrem Namen Notre-Dame-Sous-Terre Ehre: Sie ist von schwerem Mauerwerk umhüllt, ihre Seitenwände wurden verstärkt, der Mittelpfeiler verdickt, ein Vestibül angefügt, damit sie, ohne selbst einzustürzen, die Joche des Langhauses tragen kann, das über ihr errichtet wird. Sie wird von einem aufsteigenden Gang und von den im Bau befindlichen Konventsgebäuden flankiert, und so hat man ihre Fenster zugemauert, so daß kein Lichtstrahl sie mehr erhellt, was ihre Wirkung völlig verändert. Statt jubelnder Wechselgesänge herrscht in ihr düsteres, gefaßtes Schweigen und verschattetes In-sich-gehen, das gerade mal von den Flammen der Kerzen beschienen wird, die auf dem Dreifaltigkeitsaltar und seinem Zwilling mit der schwarzen Jungfrau brennen, der Königin der Engel. Der Schädel des Aubert, der vom Finger des Engels durchbohrt ist, und sein allerheiligster Arm wurden in einer verschlossenen undurchsichtigen Urne niedergelegt, die mit Brokat und Edelsteinbesatz verziert ist. Niemand darf den Blick seiner unreinen Augen auf die Reliquien richten, sonst schlägt ihn sofortige Blindheit, doch gemäß Auberts eigenem Wunsch kann jedermann von ferne den Schatz der Abtei verehren, sein glorreiches, illustres Herz, das an diesem Ort des Geheimnisses schlägt, bevor er in die Erleuchtung der Oberkirche gelangt.

Almodius inspiziert die Baustelle des Langhauses, begleitet von seinem Werkmeister: Über der Krypta Notre-Dame-Sous-Terre liegen unter dem offenen Himmel ein steinerner Boden und ein paar Pfeiler, umringt von Baumaschinen und dem Gewimmel der Arbeiter. Noch sieht es aus wie die Ruine eines römischen Tempels, doch der Abt stellt sich vor, wie diese Stätte in ein oder zwei Jahrzehnten wirken wird: Das Kirchenschiff in der Form eines lateinischen Kreuzes wird sich in seiner eindrucksvollen Länge aus sieben gleichgestaltigen Jochen zusammensetzen, zwischen denen Halbsäulen über die dreifache Untergliederung der Seitenwände bis nach ganz oben reichen werden. Der obere Teil der Wandflächen wird von breiten Fenstern durchbrochen, darüber rundbogige Entlastungsbögen, die den Abschluß jedes Jochs bilden. Auf den Fenstern wird Christi Passion dargestellt sein, und eine schön getäfelte gewölbte Holzdecke wird das Schiff überspannen. Es wird großartig sein, neuartig, mächtig und ewig. Es wird Almodius' Werk sein, von dem er Nacht für Nacht träumt. Doch zu seinem Leid stört Eudes de Fezensac an diesem Morgen den grandiosen Traum des Baumeisters.

»Mein Vater, vergebt mir diese Frage, aber die Träger haben sich befremdet darüber gezeigt, daß sie aus ihrer Hütte vertrieben wurden. Sie haben den Leichnam gesehen, um den Eure Infirmarii standen, und sie sprechen von nichts anderem mehr. Sie haben Angst vor einer Seuche. Wollt Ihr mir erklären, was vorgefallen ist, damit ich ihre Befürchtungen zerstreuen kann?«

Der Abt, in übler Laune, scheint aus seinem Traum zu erwachen.

»Meint Ihr, ich würde, um meine Mönche zu retten, die Männer in den Tod schicken, die an unserer Unsterblichkeit bauen? Verleumdungen, alles Verleumdungen!« brüllt er und starrt seinen Werkmeister mit blitzenden Augen an.

Der Gascogner ist ein kräftiger blonder Kerl mit Voll- und Zwirbelbart, so daß man ihn für einen Wikinger halten könnte. Seine Ergebenheit dem Abt gegenüber ist von einer Spur der Angst gefärbt, denn es ist unmöglich, dessen oft heftige Reaktionen einzuschätzen. Der magere Greis wirkt schmächtig, doch er ist kräftig wie ein Weinstock, und sein Verstand so lebendig und unverwüstlich wie ein Unkraut. Vor allem aber ist er wortkarg und gibt nur wenig über sich preis, während er alles, was die Gemeinschaft betrifft, allein auf seinen Schultern zu tragen scheint. Eudes de Fezensac senkt den Blick und beißt sich auf die Lippen. Verdammt, wie mißtrauisch und düster dieser Mann ist! Es ist doch kein Verbrechen, sich nach einem Toten zu erkundigen, der grundlos im Haus seiner Leute aufgebahrt wird! Ja, *seine* Leute sind es. Jedem die Seinen: Der Abt schützt seine Mönche, ihm aber sind die Leute von der Bauhütte anheimgestellt, die sehr viel zahlreicher sind. Er kann sie nicht daran hindern zu reden. Was soll er tun, wenn sie aus Angst vor einer Krankheit den Berg verlassen? Schließlich werden die Mönche kaum die Steine schleppen und den Mörtel brennen.

Der Werkmeister hebt das Kinn, um Almodius seine Meinung vorzuhalten, doch der Abt ist schon nicht mehr da.

Kochend vor Wut zieht sich Almodius in seine Zelle zurück. Egal, wie Anthelme umgekommen ist, sein Tod stiftet Unruhe auf dem Berg, und das gerade, da er die Unterstützung aller braucht, um die Arbeiten zu Ende zu bringen, und ganz besonders die

Unterstützung des Herzogs. Er wirft die Pläne der Abteikirche auf den Tisch. Beim Anblick dieser Zeichnungen des Pierre de Nevers mit den Korrekturen von Romans Hand und aus Auberts Mund kann er ein Aufwallen des Gefühls nicht unterdrücken. Der alte Mann ist allein in seiner Abtszelle, eben der, in der vor vierzig Jahren Moïra verhört wurde, wo Hildebert und Thierry verstorben sind, wo die verabscheuten Äbte gelebt haben, die so heftig begehrte Zelle, die erst so spät die seine wurde. Die Wände der Hütte lassen aus der Ferne Gestalten aufsteigen, schmerzbeladene Gespenster, die er seit langem bezähmt meinte.

Er streicht über die Pergamente, die Bernard für todbringend hielt, und denkt, daß der einstige Werkmeister vielleicht nicht unrecht hatte. All diese Toten, diese Aufregung, dieser Verrat, diese Intrigen, und dann auch noch das Rätsel um diesen plötzlichen Tod! Er schöpft etwas frisches Wasser aus einer Tonschale und läßt es über seinen Schädel rinnen – er muß wohl gerade den Verstand verlieren. Nein, der heilige Michael wacht über ihn, über sie alle. Ein Beweis dafür ist doch, daß keiner der unwürdigen Äbte, nicht Aumodius, nicht Suppo und nicht Raoul die Ehre und Gnade erfahren haben, an diesem gesegneten Ort zum Himmel aufzufahren. Er hofft, daß er selbst, Almodius, auf dem heiligen Felsen sterben wird. Nach all dieser Zeit, in der er ihn so heftig liebte, um ihn bangte, dafür arbeitete, daß sein Atem eines Tages bis an die Wolken des Erzengels reicht, soll sein Körper in der Erde des Berges ruhen. Ja, alles, was er in seinem langen Leben getan hat, diente diesem Ziel. Möge der Herr ihm die Freude dieser so innig erstrebten Stunde schenken, möge er seine Gedanken beruhigen und ihm gestatten, ihm weiterhin zu dienen und das himmlische Jerusalem zu vollenden!

Der mächtige Almodius spürt seine juckenden Augen feucht werden. Er zwinkert und steht entschlossen auf. Der Himmel wird ihm beistehen und ihm helfen, sich mit der Vergangenheit abzufinden und die Zukunft zu gestalten.

Ein Tag vor Himmelfahrt. Die Erkundigungen des Priors Jean de Balbec bei den Pilgern und den Dorfbewohnern haben keine Erklärungen für Anthelmes Tod zutage gebracht. Bruder Marc scheint weiterhin der letzte, der ihn lebendig gesehen hat. Der verdächtige Leichnam ruht, ohne daß ihm ein Sakrament gespendet worden wäre, in einem Unterstand der Bauhütte. Eudes de Fezensac hat versucht, das Geschwätz seiner Leute abzustellen, doch die Befragungen des Priors und das Geplauder der Mönche haben es nur noch befördert. Immer lauter wird das Gerücht auf dem Berg, und es spricht von Selbstmord oder Mord. Beides ist für das Gewissen eines Christen gleich schlimm, aber für Anthelmes Seele hätte es sehr unterschiedliche Folgen. Im ersten Fall ist es höchst wahrscheinlich, daß sie in der Hölle vermodert, während ihm im anderen Fall der Himmel weit offensteht. Der Abt weiß wohl, daß so oder so schwere Anschuldigungen auf dem Kloster lasten werden. An diesem Morgen muß er über Anthelmes Schicksal entscheiden, und er ist hin- und hergerissen. Es gibt nun einmal keine schlagenden Beweise. Welcher Version soll er also den Vorzug geben, welche würde dem Ruf der Abtei am wenigsten schaden? Am unverfänglichsten für sie alle, einschließlich für Anthelme, wäre die Annahme eines Unfalls.

Almodius glaubt keinen Moment daran, und er weiß auch, daß die wenigsten ihm glauben werden, doch er muß vor allen Dingen an den Ruhm der Heimstatt des Engels denken: Sie darf nicht von einem Verbrechen besudelt sein. Am Ende der Hochmesse in der Kirche entscheidet der Abt unter den offen zweifelnden Blicken der Dorfbewohner, der Bauarbeiter und der Pilger, die sich im Querschiff drängen, daß der beinahe völlig gebrechliche Greis in die Seilzüge fiel und daher als guter Christ begraben werden muß. Die Gemeinde und die Mönche verlassen die Kirche. Almodius bleibt im Chor, um sich zu sammeln. Er kniet mit gesenktem Haupt und geschlossenen Augen vor dem Hochaltar und bittet um Vergebung für die Lüge, die er sich im Namen des Erzengels zu begehen anschickt, als sich eine Hand auf seinen Rücken legt.

»Pater, verzeiht mir, daß ich Euer Gebet unterbreche, aber Ihr müßt sofort kommen...«

Almodius dreht sich um, den Blick so starr, wie sein Körper steif ist. Mit aufgelösten Zügen steht ihm sein Prior gegenüber.

»Nun, Jean, was ist los?«

»Ich bitte Euch, mein Pater, folgt mir! Es ist wichtig!«

Almodius geht mit ihm, eine üble Vorahnung im Herzen. Draußen erwarten ihn zwei Fischer aus der Bucht, Vater und Sohn, die vor Angst ihre schwieligen, rot verschwollenen Hände ringen. Schweigend tritt der Abt zu ihnen.

»Vater«, setzt der Ältere an, »wir Ärmsten… Der Herr sendet uns ein neues Unglück!«

»Jammern werdet ihr später. Was ist los?« fragt der Abt ungeduldig.

»Nun, heute morgen…«, setzt der Sohn an, ein Rotschopf mit gelben Zähnen. »Bei Ebbe überprüften Vater und ich das Boot. Da hörten wir Schreie auf dem Watt, aus Richtung Tombelaine. ›Wieder so ein Michaels-Pilger, der in den Treibsand geraten ist!‹ sagt mein Vater. Wir eilen dem unvorsichtigen Wanderer zu Hilfe. Wir sind das gewohnt, und manchmal geben sie einen Groschen, da sagen wir nicht nein.«

»Schon gut. Und weiter?«

»Wir kommen näher, eine Menge Leute stehen da und schreien, heulen, recken ihre Stöcke zum Himmel. Aber… aber… es war nicht der Treibsand, es war das Meer. Ein Ertrunkener, und es war nicht einer der ihren, Pater, es war einer der Euren!«

Almodius hat den Leichnam direkt ins Infirmarium bringen lassen.

Der Ertrunkene heißt Romuald, ein Greis von sechzig Jahren, der seit über fünfzig Jahren im Kloster lebt. Noch einer der Ältesten. Aber er war jünger als Almodius. Auch ihn kannte der Abt gut, denn er war Kopist im Skriptorium, bis es ihm sein geschwächtes Augenlicht nicht mehr erlaubte. Auch er hatte sich ins Gebet und in die Erwartung des Todes zurückgezogen. An diesem Morgen jedoch hat jemand das Schicksal beschleunigt. Diesmal besteht kein Zweifel mehr: Anthelme und Romuald haben nicht selbst Hand an sich gelegt, und es waren keine Unfälle. Auf dem Berg treibt ein Mörder sein Unwesen.

Die beiden Leichen werden von ihren Brüdern gewaschen, ihre Kukullen zugenäht, die Kapuzen über ihre Gesichter gezogen, danach läßt Almodius sie feierlich in die Martinskrypta tragen.

Sie ruhen Seite an Seite, beweihräuchert und mit Weihwasser besprengt, zu ihren Häuptern und Füßen stehen dem Ritus gemäß Kerzenleuchter. Die Mönche wachen den ganzen Tag über sie, aber kurz vor Komplet liegen die beiden Opfer allein in der dunklen, mächtigen Aura der Totenkrypta: Die Lebenden sind im provisorischen Kapitelsaal versammelt, wo die Stimmung zum Zerreißen gespannt ist.

»Das ist das Werk des Erzengels!« beteuert mit seiner tiefen Stimme Bruder Etienne, einer der Ältesten in der Gemeinschaft. »Es ist kein Mensch, sondern die Hand des Engels, die diese Taten begangen hat, um uns dafür zu strafen, daß wir unser Gelübde brachen, das wir ihm vor vierzig Jahren leisteten!«

»Aber, aber, Bruder Etienne«, beschwichtigt ihn Almodius, »Ihr wißt wohl, daß ich diesen Schritt unternommen habe, eben um dem Gelübde an den Erzengel Folge zu leisten und seine Heimstatt zu vollenden!«

»Unsinn!« tönt der alte Etienne und richtet anklagend den Zeigefinger auf den Abt. »Ihr dient dem heiligen Michael im Schimpf und beleidigt seinen ersten Diener, den heiligen Aubert! Ja, den heiligen Aubert, der sich vor vierzig Jahren zu Wort gemeldet und verlangt hat, daß man nie Hand an die alte Kirche legen soll, die seine heilige Andachtsstätte birgt! Und Ihr, was tut Ihr anderes, als diesen geweihten Ort zu verschandeln? Die Mächte des Himmels rächen sich an uns für diese Schändung, diese beiden Toten sind eine Warnung der Engel. Ich weiß es, meine Brüder, ich versichere es Euch!«

Schreckliche Unruhe ergreift die Zuhörer. Die Mönche rufen sich gegenseitig Fragen zu, bringen ihre Argumente vor und spalten sich in zwei Lager: in die Anhänger von Etienne und die von Almodius.

Der Grund dafür ist der heilige Aubert, die Engel und Notre-Dame-Sous-Terre. Seit mehreren Tagen nämlich ist der Zugang zu der unterirdischen Krypta auf Beschluß von Abt Almodius für jedermann verboten. Neue Arbeiten wurden dort aufgenommen, genauer gesagt Forschungsarbeiten, denn die Fundamente der Kirche werden nach eventuellen Reliquien durchsucht. Der Abt hat dieses unerhörte Unterfangen begonnen, denn er ist in die

Enge getrieben: Der Bau der Abteikirche ist teuer und übersteigt das, was die Ländereien des Klosters einbringen. Zu allem Unglück ist der erste Geldgeber der Abtei, der Herzog der Normandie, weniger freigiebig, seit ihm sein Vetter Edward der Bekenner, König von England, seinen Thron zum Erbe versprochen hat. Wilhelm weiß, daß der englische Adel und insbesondere Graf Harold einer solchen Erbfolge abgeneigt ist, und während er Edwards Tod erwartet, bereitet er sich auf einen Feldzug nach England vor, der in die Geschichte eingehen wird, im Moment aber all seine Mittel bindet.

Almodius, der sich vor allen Dingen um seine Abtei sorgt, erinnerte sich an die Entdeckung der Reliquien Auberts, die die Kanoniker unter der Decke der Abtzelle versteckt hatten: Nach diesem Fund, der in der Legende als Werk des Zufalls dargestellt wird, ließen Richard II., Herzogin Gonor und unzählige berühmte sowie unbekannte Menschen dem Kloster so bedeutende Stiftungen zukommen, daß Hildebert die Bauarbeiten für die große Abteikirche beginnen konnte. Zur Vollendung dieser Arbeiten braucht Almodius nun neue Reliquien, und wo wären sie wahrscheinlicher zu finden als in der alten Kirche, die an jener Stelle steht, wo sich Auberts Betraum befand? Im Notfall ist Almodius sogar bereit, diese allerheiligsten Überreste zu fälschen, so wie es nach den Mutmaßungen einiger Unseliger schon Hildebert tat!

Allerdings gibt es für diese Arbeiten noch einen heimlichen Grund, den der Abt niemals eingestehen wird, eine Frage, die er sich seit vierzig Jahren stellt: Warum hat Roman vor seinem Tod die Zeichnungen seines Meisters verändert? Warum hat er die alte Kirche der Kanoniker erhalten, die doch bei allen verhaßt war? Almodius befielen sehr bald Zweifel, daß sich durch Romans Mund der heilige Aubert zu Wort gemeldet hat, und er hat seinen Schreibern verboten, diese Geschichte in den Aufzeichnungen über die Wunder des Berges zu erwähnen. Daß der Werkmeister von der verderbten Seele dieser Ungläubigen besessen war, mag ja noch angehen, aber daß der ehrbare Begründer des Berges von ihm verlangt haben soll, die Zeichnungen zu korrigieren … Alle wollten es glauben, und auch er selbst hatte so getan, als würde er es hinnehmen, um das Kloster zu schützen und sich

Roman vom Halse zu schaffen, aber im Grunde war er immer skeptisch. Abt Thierry und Bruder Bernard waren von diesem Wunder überzeugt, aber sie sind nicht mehr da, um Almodius von seinem Vorhaben abzubringen.

Der hatte gehofft, ohne jede schriftliche Überlieferung würde die Geschichte in Vergessenheit geraten, doch in der Erinnerung der alten Mönche lebt sie fort, und von Mund zu Mund ist sie an die jüngeren weitergegeben worden, wurde sogar verklärt, ausgestaltet, ausgemalt wie eine Handschrift, die niemals anderswo als in den Gedanken der Brüder existieren wird. Vierzig Jahre später gehen gleichzeitig mehrere mündliche Versionen dieser Geschichte um, aber jeder im Kloster weiß in irgendeiner Form um die damaligen Geschehnisse. Und an diesem Tag versucht Bruder Etienne erneut, den Abt davon zu überzeugen, daß das Wunder echt ist, und mit ihm schlottern alte und junge Mönche vor Angst bei dem Gedanken, daß Auberts Anordnung, man solle niemals unter der Kirche graben, mißachtet wird.

Doch Almodius ist der Herr des Berges, und er braucht den leichtgläubigen, einfältigen Greisen nicht mehr zu gehorchen. Bald schon wird er eine Antwort auf die Frage haben, die ihn seit vier Jahrzehnten bedrängt. Was die Morde anbetrifft, so macht sich ein Gedanke in ihm breit, eine Erklärung, die seiner Ansicht nach weitaus wahrscheinlicher ist als die rächende Hand eines zürnenden Engels.

»Meine Söhne! Hört an, was ich Euch zu sagen habe!« ruft er in die lärmende Versammlung. »Die Engel beobachten uns, behüten uns, und der erste unter ihnen herrscht über dieses Haus. Der heilige Michael hat seinen Willen und seinen Zorn mehrmals zum Ausdruck gebracht, viele von uns sind Zeuge davon geworden und manche seine gerechten Opfer. Aber haltet Euch vor Augen, daß die himmlischen Mächte niemals einen Zweifel über den Sinn ihrer Taten gelassen haben und sie ihre Entschlossenheit mit offenkundigen Zeichen untermauert haben! Gedenkt unseres Bruders Drogon, der die Engel schmähte, indem er zwischen Komplet und Vigil den Chor der neuen Kirche betrat. Als er am nächsten Morgen verschied, sah man auf seiner Wange das Mal des himmlischen Backenstreichs! Aubert selbst trägt am

Schädel das Mal vom Finger des heiligen Michael. Anthelmes und Romualds Leichen dagegen, die Ihr alle gesehen habt, zeigen keine Spur des Überirdischen!«

Almodius hat es geschafft, die Aufmerksamkeit seiner Mönche wieder zu fesseln. Er kann in seiner Verteidigungsrede nun zum Angriff übergehen:

»Haltet Ihr mich für fähig, die Ziele unseres höchsten Herrn zu durchkreuzen, der ich mich immer für den Erhalt der Abtei eingesetzt habe, für Euch alle, für unser gemeinsames Wohl? Unser guter Bruder Etienne erwacht heute aus seiner Lähmung, er benennt einen Schuldigen, aber was hat er in den dunklen Stunden dieses Hauses getan, als es von dekadenten Äbten und durch die Belagerung der normannischen Herren bedroht war?«

Etienne fährt auf. Die Brüder blicken in lastendem Schweigen zu Boden.

»Ich versichere Euch, wenn es der Wille des Erzengels wäre, würde ich die Ausgrabung umgehend einstellen, die kein anderes Ziel hat, als Geld für die Fertigstellung der Abteikirche herbeizuschaffen«, erklärt Almodius. »Seht Ihr, ich bin sicher, daß Anthelmes und Romualds Tode nicht auf Engelshand zurückzuführen sind, sondern auf die eines allzu sterblichen Menschen. Ich habe übrigens auch eine Vermutung, wer diese Morde begangen haben könnte, aber es ist noch zu früh, um Euch davon zu berichten...«

Wieder macht sich Unruhe breit.

»Wen meint Ihr?« fragt Etienne verblüfft.

»Beim jetzigen Stand meiner Überlegungen klage ich niemanden an, aber wenn sich in dieser Abtei ein Mörder verborgen hält, dann verlaßt Euch darauf, daß ich ihn ausfindig machen werde! Nun aber laßt uns das letzte Gebet dieses unheilvollen Tages abhalten und dem Erzengel unsere unumstößliche Hingabe erklären. Laßt uns Komplet singen!«

Die Brüder betrachten sich gegenseitig mit angsterfüllten Blikken, bevor sie sich auf den Weg in die Krypta Notre-Dame-des-Trente-Cierges machen. Als nach dem Stundengebet Schweigen und Dunkelheit eingekehrt sind, gehen die Mönche zum Dormitorium, wo sie bis Vigil zu schlafen versuchen, obwohl die Angst auf ihnen lastet.

Ein paar Brüder begeben sich zur Totenwache von Anthelme und Romuald in die Martinskrypta. Der Abt dagegen kehrt in aller Ruhe in seine Zelle zurück. Er schürt das Feuer in seinem offenen Kamin, setzt sich, schenkt sich ein Glas Rotwein ein und überdenkt seinen Plan, um den Verantwortlichen dieser Morde zu überführen. Er scheint auf jemanden zu warten, und in der Tat klopft es bald dreimal gegen die Holztür.

»Herein!«

Eine breite, bucklige Gestalt, ein gedrungener Mönch in schmieriger, abgetragener Kutte tritt in die Zelle des Abts, die sogleich von Jauchegeruch durchzogen ist. In dem wirren weißen Haar des Mönchs stecken Strohhalme, und auch sein dichter Bart hat schon lange keinen Kamm mehr gesehen. Das zerfurchte Gesicht ist mit roten Flecken übersät. Der dunkle Blick ist verschlossen wie eine zugemauerte Krypta.

»Einen Becher Wein, Hosmund?« fragt der Abt.

Der einstige Infirmarius sieht scheel auf den Zinnkrug und schüttelt den Kopf.

»Wo wart Ihr letzte Nacht und die Nacht davor?« erkundigt sich Almodius, ohne ihm einen Platz anzubieten.

Die braunen Augen des Bartbruders sind ein tiefer Abgrund. Er blickt um sich wie ein gehetztes Tier. »Wo ich war? Wo ich war?« wiederholt er, als verstünde er die Worte nicht. »Verflixterteufelvaderetro, bei meinen Pferden!«

Die Zeit, die Almodius' Leib weniger zugesetzt hat als seine ständige Selbstzüchtigung, hat den Laienbruder in die Knie gezwungen: Der alte Mönch ist nach und nach dem Altersschwachsinn anheimgefallen. Sein einst so fülliges Gesicht ist abgemagert und ist mit schorfigen Stellen bedeckt, denen Hosmund seine Tage widmet, indem er sie dauernd aufkratzt, um die kleinen Blutkrusten hinunterzuschlingen. Er hat sein Latein vergessen und spricht in einer Mischung aus dem Dialekt der Wikinger, der romanischen Volkssprache und selbsterfundenen Wörtern.

Er, der er regelrechtes Grauen vor den Pferden empfand, widmet ihnen nun seine ausschließliche Leidenschaft. Zudem hat ihn diese Anhänglichkeit zu den Vierbeinern vor dem Hospiz von

Avranches gerettet, wohin ihn manche Brüder für das Ende seiner Tage abschieben wollten, denn seine Unzurechnungsfähigkeit entfremdet ihn der Gemeinschaft. Doch er verließ ganz von sich aus das Dormitorium, das Refektorium, die Kirche, um sich vom Futter der Pferde zu ernähren und mit ihnen im Stall zu ruhen.

Obgleich er ein Gutteil seines Lebens lang Heilpflanzen gezüchtet hat, ist all diese Weisheit dahin, und er hält sich mit Heu am Leben. Trotz des Gespötts der Oblaten und der Novizen, die ihn wegen seines ständigen Jauchedufts necken, wird er niemals aggressiv und erweist sich der Gemeinschaft weiterhin nützlich, indem er dem Schmied zur Hand geht und den Laienbrüdern, die sich um die Stallungen der Abtei kümmern.

»Wißt Ihr, was sich letzte Nacht und in der Nacht davor zugetragen hat?«

Hosmund reißt die Augen auf und schüttelt den Kopf.

»Ihr erinnert Euch gewiß an Bruder Anthelme und Bruder Romuald, selbst wenn sie nicht den Pferdestall frequentierten!«

Der Mönch nickt nach einigem Zögern langsam.

»Nun, gestern morgen wurde Anthelmes Leiche in der Luft baumelnd aufgefunden und heute morgen Romualds, in der Bucht ertränkt...«

Hosmund bekreuzigt sich, doch er bleibt stumm und wirkt keineswegs überrascht.

»Das ist eine Tragödie für uns alle. Und ein unerklärliches Rätsel. Denn diese beiden Toten sind ein erschreckend passendes Echo auf Ereignisse, die sich vor langen Jahren hier zugetragen haben. Ein absolut gleichklingendes Echo, denn morgen feiern wir Christi Himmelfahrt.«

Almodius mustert die unbewegte Miene des Bruders.

»Versteht Ihr, was ich meine?« hakt er nach.

Hosmund schweigt hartnäckig. Er neigt nur den Kopf zum gestampften Lehmboden.

»Ich bin sicher, daß Ihr versteht. Und der Zufall wollte es, daß Anthelme und Romuald die letzten Überlebenden jener Richter waren, die diesem Weib vor vierzig Jahren den Prozeß machten. Die Brüder Martin und Drocus sind seit langem nicht mehr auf dieser Welt, genausowenig wie Bischof Roland d'Aubigny, Herzog Richard und Abt Thierry. Die einzigen, die noch am Leben waren, waren Anthelme und Romuald. Das ist erschütternd, findet Ihr nicht? Bis auf mich, der ich nur als Zeuge angehört wurde, ist heute abend niemand von diesem Gericht mehr übrig. Was meint Ihr dazu?«

»Aber… wozu denn, mein Pater?«

Almodius runzelt seine aschgrauen Brauen. Die Wut steigt in ihm hoch. Es scheint vergeblich, diesen senilen Greis befragen zu wollen, doch der Abt ist weiterhin davon überzeugt, daß Hosmund etwas verheimlicht und daß er weniger verrückt ist, als es scheint.

»Dazu, daß alles dies einer verabscheuungswürdigen Rache gleicht, alter Dummkopf!« Almodius schlägt mit beiden Fäusten auf den Tisch. »Ein erstes Verbrechen in der Luft, am Jahrestag von Moïras erster Folter, ein zweiter Mord im Wasser, und die beiden Opfer waren die einstigen Richter über die Ketzerin! Findet Ihr das nicht seltsam, der Ihr der Freund von Bruder Roman wart und der Ihr heute bis auf mich der letzte Beteiligte an dieser uralten Geschichte seid?«

»Die Pferde! Ich war bei den Pferden!« heult der arme Mönch.

»Ihr lügt! Ich weiß, daß Ihr lügt! Und daß Ihr nicht so blöde seid, wie Ihr es mich glauben machen wollt! Eure List gelingt vielleicht bei den Leichtgläubigen in diesem Kloster, die Ihr beschwindelt, so wie Ihr sie vor vierzig Jahren beschwindelt habt, als Ihr Aubert aus Romans Mund habt sprechen lassen! Aber bei mir – hört Ihr mich? – findet Ihr damit keinen Glauben!«

Zum ersten Mal flackert Leben in Hosmunds Augen, und ein paar Herzschläge lang durchstreift sie ein Hauch von Verunsicherung.

Almodius entgeht dies nicht, und er wird ruhiger und nimmt mit erstaunlich sanfter Stimme seinen Monolog wieder auf, mit der Stimme eines Kriegers, der seine Waffen streckt, weil er seines Sieges sicher ist.

»Ich habe in all diesen Jahren viel über meinesgleichen und über mich selbst gelernt«, bekennt er. »Ich habe ungewollt die Abgründe der menschlichen Seele ermessen, und kein Sterblicher kann mich mehr hinters Licht führen. Endlich stehe ich an meinem wahren Platz, diesem Platz, der mir zustand und um den man mich drei Jahrzehnte lang betrogen hat, und ich lasse ihn mir von niemandem streitig machen. In drei Jahrzehnten der Schlachten habe ich die Angst bezwungen, den Verrat, Undankbarkeit, Nachlässigkeit und das Chaos, und sogar Herzog Wilhelm selbst habe ich bezwungen. Da werde ich mir nicht vom blutigen Gedächtnis an eine Tote Angst einjagen lassen. Ihr leugnet, aber ich bin sicher, daß Ihr es seid, der Moïra zu rächen und das Kloster mit einem Bann zu belegen sucht. Ich bin mir im übrigen völlig klar darüber, daß ich selbst auf Eurer makabren Todesliste stehe, die aller Logik nach noch zwei weitere Morde vorsehen muß, nämlich die durch die Erde und durch das Feuer. Ich glaube sogar, daß Ihr mir das Feuer vorbehalten habt, das endgültige Fegefeuer, die Apotheose. Das einzige, was ich mir bis jetzt nicht erklären kann – aber ich werde es bald herausfinden –, ist die Frage, warum Ihr vierzig Jahre lang gewartet habt.«

Almodius lacht zynisch auf, dann erhebt er sich schwungvoll und öffnet die Tür. Zwei respekteinflößende Laienbrüder stehen auf der Schwelle. Hosmund bedenkt sie mit einem angsterfüllten Blick. Auf ein Zeichen des Abts treten sie ein und fesseln Hosmund an einen Stuhl. Der frühere Infirmarius wehrt sich nicht. Die beiden Kerle tragen den armen Hosmund bis vor den offenen Kamin und ziehen ihm die Sandalen aus.

»Bruder Hosmund«, setzt Almodius wieder an, »dieses Feuer, das Ihr mir antun wolltet, biete ich Euch gratis!«

Die Folterknechte packen jeder einen von Hosmunds Knöcheln und zerren seine Füße auf die rote Glut zu. Daraufhin versucht sich der alte Mönch endlich zu wehren und windet sich wie ein armseliger Wurm.

»Erneut stelle ich Euch die Frage: Bruder Hosmund, seid Ihr es, der Bruder Anthelme erhängt und Bruder Romuald ertränkt habt, um den Tod der gottlosen Moïra zu rächen?«

»Ich bin unschuldig!« brüllt Hosmund. »Ich war es nicht!«

»Ammenmärchen!«

Die beiden schmutzstarrenden Füße drücken auf das Glutbett. Rund um das Fleisch steigt Rauch auf, und Hosmund heult qualvoll auf. Die Laienbrüder lockern ihren Griff.

Brüllend windet sich Hosmund in alle Richtungen, und der Stuhl kippt rückwärts um. Unter dem rasenden Schmerz verliert der Alte das Bewußtsein. Da hört man, wie jemand gegen die Tür hämmert, was bisher von den Schreien Hosmunds überdeckt worden war. Almodius wirft einem der Folterer einen Blick zu, der daraufhin eilig öffnen geht.

Der Prior der Abtei steht in der Dunkelheit. Bruder Jean hat kaum einen Blick für den Mann auf dem Zellenboden übrig, der allmählich wieder zu sich kommt. Er wirkt tief verstört.

»Mein Vater, es ist ein Fluch!« erklärt er Almodius. »Ein Feuer, ein schreckliches Feuer ist in der Hütte unseres Werkmeisters ausgebrochen! Eudes de Fezensac ist tot!«

# 13

Ganz schön aufregende Bekenntnisse, was?« fragte Jeanne und blickte mit feuchten Augen von dem Heft auf, in dem sie Romans Beichte niedergeschrieben hatte. »Ich denke an nichts anderes mehr. Ich kann den Text fast auswendig, und du bist der erste, dem ich davon erzähle – bis auf Paul natürlich. Jedenfalls sind du und ich die einzigen auf dem Berg, die davon wissen. Natürlich ist es unvermeidlich, daß es die Runde macht, die Originalhandschrift wird gerade begutachtet... Aber ich habe noch ein bißchen Zeit, bis die anderen von dieser fabelhaften Geschichte erfahren.« Sie drückte die Seiten an ihre Brust. »Noch gehört sie mir, mir allein. Und ich muß es unbedingt vor ihnen herausfinden, ich muß ihr Geheimnis lüften, das Geheimnis von Roman und Moïra, das Rätsel des Berges, verstehst du? Warum, zum Teufel, hat er die Pläne für die Abteikirche abgeändert? Warum hat er Cluny verlassen? Wohin ist er gegangen? Was hat er dort getan? Wann ist er gestorben? Der Schlüssel lag in Cluny, aber ich bin mir sicher, daß die passende Tür dazu hier ist. Er ist auf den Berg zurückgekehrt, ganz bestimmt, ich spüre es. Die Steine wissen es, ich muß sie zum Reden bringen!*«

»Aha, das also hast du in Cluny gesucht. Grausam und wunderbar ist das, wirklich. Aber... von welchen Steinen sprichst du, Jeanne?« fragte Simon Le Meur. Er stand auf, um im Kamin einen Holzscheit nachzulegen. »Von der romanischen Kirche ist ja kaum was übrig, und du hoffst doch wohl nicht, daß deine Ausgrabung bei der alten Martinskapelle noch einen weiteren Kupferzylinder zutage bringen wird, mit einem Pergament, auf dem der Mönch dir die Fortsetzung und das Ende seiner Geschichte erzählt? Warum nicht gleich mit deinem Namen darauf: ›Verfaßt von Bruder Roman, 11. Jahrhundert – bestimmt für Jeanne, 21. Jahrhundert!‹ Komm, sei doch mal realistisch und freu dich über das Geschenk, das das Leben dir gemacht hat: Es ist schon unglaublich genug, daß dieser Text über die Jahrhunderte und die Entfernung hinweg an dich gelangt ist. Jetzt darfst du auch nicht zu viel verlangen.«

Sie bereute es, mit Romans Testament zu Simon gegangen zu sein. Sie hatte sich ihm anvertraut, und er verhielt sich ihr gegenüber so undankbar.

»Du verstehst das nicht«, sagte sie mit tonloser Stimme. »Ich erwarte nichts, aber ich erhoffe alles. Ich muß unbedingt wissen, was ihm widerfahren ist. Also bastele ich mir alle möglichen Theorien zusammen. Ich muß wohl oder übel erfinden, mich dem Gedächtnis der Steine ausliefern, denn von den Consuetudines, den niedergeschriebenen Lebensgewohnheiten der Abtei, ist nichts erhalten, da 1944 in Saint-Lô alles verbrannt ist, und in der Bibliothek von Avranches werden nur die geistlichen Schriften aufbewahrt. Ich verbringe dort meine gesamte Freizeit, aber ich habe noch nicht mal einen Bericht darüber gefunden, wie Aubert durch Romans Mund spricht. Dabei hätten die Mönche das in der Schrift über die Wunder eigentlich festhalten müssen. Ich stieß zwar auf den berühmten Almodius, aber nicht auf Bruder Roman, also muß ich die Steine berühren, die er vielleicht berührt hat, die er jedenfalls liebte, und ich muß hoffen, daß sie mir seine Geschichte einflüstern.«

»Immerhin hat dein Roman ja einen Namen, der hervorragend zu einem literarischen Werk passen würde. Und zu seinem Beruf als Baumeister paßt er auch.«

»Sehr witzig.« Nun stand sie auf. »Ich möchte dich nur darauf hinweisen, daß bis zum 19. Jahrhundert alle mittelalterlichen Bauten als ›gotisch‹ bezeichnet wurden, ohne jede Unterscheidung. Die romanische Kunst wurde erst 1818 als solche benannt, und zwar von einem normannischen Archäologen, Charles Duhérissier de Gerville, bezugnehmend auf die romanische Sprache, die das Volk im Mittelalter sprach, die *rustica romana lingua*, also eine gesprochene Variante des Lateinischen, in der Normandie genauso wie überall im alten Nordgallien – also ganz einfach das Französische! Übrigens war Bruder Roman gebildet wie alle Mönche, und er drückte sich nicht auf romanisch, sondern auf lateinisch aus, und das schriftlich wie mündlich. Und den Roman als literarisches Genre gab es zu Lebzeiten dieses Mannes noch nicht, denn er wurde erst im 12. Jahrhundert erfunden: Er sollte die Phantasie anregen und die höfische Liebe der Ritterschaft feiern, das mystische Ideal der Liebe zur Frau, das sich vom religiösen Ideal der Liebe zu Gott abhob.«

Simon betrachtete sie mit flammendem Blick. »O nein, Fräulein Lehrerin«, sagte er, »ich glaube viel eher, daß genau dieser Mönch, ohne es zu wissen, das Genre des Romans erfunden hat. Was ist denn sein Bericht anderes als eine Hymne auf eine Frau, das Loblied der unmöglichen Liebe, die als etwas Absolutes gesehen wird, und das mit Anklängen von Tragik und vom Traum von einer besseren Welt? Es ist alles da, und das macht die Schönheit dieses Textes aus«, ergänzte er, während er Jeanne an der Taille umfaßte. »Es tut mir leid, wenn ich dich verletzt habe. Das liegt daran, daß ich so romantisch bin: Ich nehme dieses Bekenntnis nicht als historisches Zeugnis, sondern als Zaubermärchen, ganz wie die, die mir meine Mutter erzählte, als ich klein war. Es ist ganz gleichgültig, ob das, was Roman erzählt, wahr ist. Es ist mir egal, ob es diesen Mönch wirklich gegeben hat, was ihm wirklich widerfahren ist. Es ist mir egal, ob diese Geschichte authentisch ist oder nicht. Das einzige, was mir wichtig ist, ist ihre märchenhafte Schönheit, die mich auf die Wege der Phantasie entführt. Und daß ich nicht weiß, wie es weitergeht, frustriert mich überhaupt nicht, denn so bleibt alles möglich, es ist ein offener, grenzenloser Himmel, verstehst du?«

Sie lächelte ihn an. Er war unwiderstehlich. »Verstehe, du bist ein süßer Träumer, der sich für Geschichten interessiert, während ich versuche, *die Geschichte* zu enträtseln. Wir haben nicht denselben Beruf, das ist alles.«

»Oh, weißt du«, sprach er eifrig wie ein Kind, »in meinem Laden erfinde ich oft phantastische Abenteuer für die Gegenstände, die ich verkaufe. Ich lüge nicht, wenn ich behaupte, daß sie der Vergangenheit angehören, ich schmücke nur diese Vergangenheit ein bißchen aus. Die Leute lieben das. Sie wollen nicht nur einen Gegenstand kaufen, sondern die Geschichte dieses Gegenstands gleich dazu. Ich erfinde Stürme, Schiffbrüche, Reisen um die Welt, Schatzsuchen. Die Kunden wissen ganz genau, daß das, was ich ihnen da auftische, nicht stimmt, aber sie hören mir gern zu, sie gehen auf Reisen und…«

»Simon, du hast deine Berufung verfehlt. Du hättest Schriftsteller werden sollen!«

»Nun, stell dir vor, ich habe sogar einen Roman begonnen. Vielleicht lese ich dir eines Tages ein paar Seiten daraus vor.«

»Einen Liebesroman?«

»Natürlich«, hauchte er ihr ins Ohr, »aber er wird niemals die mythische Kraft erreichen, die in Bruder Romans Sage liegt – leider, leider…«

»Simon…« Sie nahm ihn bei der Hand. »Ich verstehe, wie du die Dinge siehst, aber ich mag nicht, wenn du von einer Sage sprichst. Für mich ist das keine Sage – es ist die Wahrheit, und ich werde nicht Ruhe geben, bis ich das bewiesen habe!«

Bekümmert schüttelte er den Kopf mit den schönen braunen Locken. »Genau das begreife ich nicht an dir, Jeanne, und zugleich fasziniert es mich: Du vermischst so hartnäckig Hirngespinste und Wirklichkeit. Du bist eine wahrhaft Besessene, das finde ich sehr anziehend. Doch was immer du behaupten magst, hinsichtlich dieser Handschrift reagierst du nicht wie eine Historikerin, sondern so, als würde diese Geschichte dich persönlich betreffen. Und das nicht etwa, weil du eines Tages das Fragment aus dem *Liber tramitis* studiert hast, das Roman in Cluny verfaßte, es liegt viel tiefer, das spüre ich. Ist dieser Mönch ein Vorfahre von dir, oder was?«

Sie zwang sich zu einem Lachen, um ihm nicht antworten zu müssen. Sie hatte ihm kein Wort von den drei Träumen erzählt, die sie an diesen Ort geführt hatten, und doch durchschaute er sie. Sie kannten sich erst seit kurzem, sie waren kein Paar, und dennoch las er in ihr, als wären sie uralte Freunde. Nie war ihr bisher so etwas passiert, und deshalb verunsicherte es sie. Ihre Körper kannten einander nicht, und doch wußten sie schon von ihrem innigen Einverständnis. Ihre körperliche Vereinigung schien eine

Selbstverständlichkeit, doch noch war es nicht soweit gekommen. Sie war dermaßen unausweichlich, daß sie sich Zeit nahmen, und diese Erwartung war der höchste Genuß. Sie konnte das Warten jederzeit beenden, wenn sie sich bereit fühlte. Sie wußte es, ohne daß sie je darüber gesprochen hatten, doch bisher schob sie es noch auf.

Im Grunde war Jeanne zutiefst verschreckt von diesem neuen, so überrumpelnden Gefühl. Wie sollte sie es erklären, daß François ihr plötzlich wie ein Fremder vorkam und daß sie diesen Silvesterabend mit Simon verbrachte? Sie fühlte sich als eine Verräterin. Isabelle hatte sie beruhigt, hatte sich freundlich über sie lustig gemacht, daß sie offenbar nicht wußte, wie blitzschnell die Liebe zuschlagen konnte. Dann hatte sie Jeanne beglückwünscht und war fürchterlich über François hergezogen, den sie doch bisher gemocht zu haben schien. Jeanne hatte einen bitteren Nachgeschmack davon im Mund. Nichts hatte sie auf eine solche Umwälzung in ihrem Leben vorbereitet.

Sie hatte Weihnachten in Cluny verbracht, mit Paul und seiner Lebensgefährtin Corinne, die angereist war. François hatte wie geplant im Familienkreis gefeiert, in seinem Haus in Cabourg, nur ein paar Dutzend Kilometer vom Mont-Saint-Michel entfernt, aber außer Reichweite von Cluny.

Es war ein so ungewöhnliches wie euphorisches Fest gewesen: Paul hatte von nichts anderem mehr als von Pierre de Nevers gesprochen, Jeanne von Johann von Marburg alias Bruder Roman, und Corinne hatte sie beide schräg angeschaut; sie war eifersüchtig gewesen auf diese beiden Toten, die die Archäologen so lebendig werden ließen, und hatte sich geärgert, daß François nicht da war, um das Gleichgewicht wieder herzustellen. Sie hatte sich erst entspannt, als Jeanne erklärt hatte, daß sie am 26. Dezember auf den Berg zurückfahren würde. Sie hatte das Manuskript fertig abgeschrieben und war voller Ungeduld, in den Steinen der Abtei auf ihren Mönchsbaumeister zu treffen. Sie dankte Hugo von Semur, daß er das Dokument nicht zerstört und nirgends erwähnt, sondern es dem Grab von Romans Meister anvertraut hatte, dem von Pierre de Nevers. Sie ging sich von Firmament verabschieden, dann küßte sie Paul, der auf einmal ganz finster dreinblickte. Er redete ihr zu, sie solle bleiben, aber zu Corinnes Erleichterung fuhr sie.

Am Abend des 26. Dezember war sie am Mont-Saint-Michel eingetroffen, ohne auch nur einen Zwischenhalt bei ihren Eltern in Fontainebleau gemacht zu haben, genausowenig wie in Paris bei Isabelle und erst recht nicht in Cabourg, wo François sie in einem diskreten kleinen Hotel erwartet hatte. Allen hatte sie etwas vorgelogen und behauptet, Christian Brard habe sie dringend zu sich bestellt, und es hatte sie nicht gekümmert, daß François das nachprüfen und herausfinden konnte, daß auch der Verwalter im Urlaub war. Allen hatte sie von Pauls phantastischem Fund erzählt, doch niemandem etwas von der Handschrift gesagt, die im Grab entdeckt worden war. François würde es ohnehin früh genug erfahren, sobald er Anfang Januar wieder in seinem Ministerium war. Als sie dann die unwirklich wirkende Silhouette gesehen hatte, die sich vor der Dunkelheit des Meeres und des Himmels abzeichnete, hatte sie gewußt, daß der Berg ihr dieses Geschenk gemacht hatte: Der Erzengel hatte Roman erwählt, damit er das himmlische Jerusalem erbaute, und die Seele des Bergs hatte Jeanne erwählt, damit sie einen Auftrag erfüllte, den sie noch nicht kannte, dessen Umrisse sich aber allmählich am Horizont abzeichneten wie die der Abtei. Als sie über den Damm gerollt war, direkt vor ihr die steinerne Burg, den Blick auf die vergoldete Kirchturmspitze gerichtet, auf der das Standbild des Erzengels thronte, hatten sich ihre letzten Befürchtungen aufgelöst. Sie nahm ihr Los an. Sie spürte, daß ihr ein aufregendes Abenteuer bevorstand, aber sie war voller Zuversicht. Der Geist, der über den Berg herrschte, würde ihr weiterhin helfen, um sie in den Momenten des Zweifels zu erleuchten, um ihr seine Kampfeslust zu vermitteln. Ja, sie würde für ihn kämpfen, sie würde den Schlüssel ihrer Träume entdecken und das Geheimnis des heiligen Felsens lüften.

Sie ließ ihr Auto auf dem Parkplatz für Einheimische stehen und schritt durch die drei Festungstore, die ins Dorf führten. Zweiundzwanzig Uhr. Das Wetter war eines mittelalterlichen Heldenliedes würdig: Die Kanonen waren ebenso wie das Straßenpflaster von einem Regen aus unsichtbaren Tropfen glasiert.

Die lebhaften Wellen antworteten dem Nordwind, der die Feuchtigkeit ausbreitete wie eisigen Schweiß nach einer erschreckenden Vision. Die Kälte war so beißend, daß sie einem ins Fleisch drang, die Muskeln so unerbittlich lähmte wie die Ketten in einem Kerker.

Sie dachte an die mittelalterlichen Benediktiner, die ohne jede Wärmequelle hatten durchhalten müssen. Die gelblichen Lichter vor den Tavernen schaukelten in der Dunkelheit, und man war jederzeit darauf gefaßt, einem wilden Reiter zu begegnen oder einem Kantor, der von Wein und Lyraspiel berauscht war. Jeanne traf ein Paar junger Verliebter, die sich mit ihrer modernen Kleidung und ihrer Überschwenglichkeit in der stehengebliebenen Zeit verirrt zu haben schienen. Sie lächelte ihnen zu und stieg mühsam die rutschigen Stufen empor. Als sie auf Höhe der Pfarrkirche anlangte, die dem heiligen Petrus geweiht war, bog sie links ab und ging in höchster Erregung auf den Friedhof des Dorfes. Blinzelnd konnte sie eine Aushöhlung im Boden erkennen, aus der Moïra aufflog, gekleidet wie eine keltische Göttin. Sie ließ einen schwarz gekleideten Mönch zurück, der ihr weinend über die Flügel strich.

Jeanne blickte auf und sah ihre menschenleere Unterkunft, die sie zum ersten Mal als ihr wirkliches Zuhause ansah, den schmiedeeisernen Balkon ihres Zimmers, der einer deplazierten Palme auf der Straße zugewandt war. Die Laterne, die an der Mauer hing, warf ein bleiches Spitzenmuster über die Gräber. Sie stellte fest, daß das Grab genau unter ihrem Fenster, neben dem erstaunlicherweise auch eine Palme stand, das eines Soldaten aus dem ersten Weltkrieg war, der mit dreiunddreißig Jahren auf dem sogenannten Feld der Ehre gefallen war, genau in ihrem Alter, und das kurz vor dem Waffenstillstand von 1918.

Sie spürte einen Stich in der Brust und schlotterte vor Kälte. In ihrer Tasche fühlte sie das Gewicht der Schlüssel zur Abtei, und ihr war, als wäre der Schlüsselbund brennend heiß. Sie nahm ihre kleine Reisetasche hoch und stieg die restlichen Stufen zur Abtei hinauf. Als sie das schwere Holzportal des Burgtors entriegelte, dachte sie an die Nacht zurück, in der sie es nicht gewagt hatte einzutreten, in der sie einen seltsamen Atemzug gespürt hatte, der sie so verschreckte. Es war die Nacht von Pauls Anruf gewesen, ein paar Stunden nach seiner Entdeckung. Das war erst letzte Woche gewesen, und doch war es eine Ewigkeit her. Seit letzter Woche waren beinahe tausend Jahre vergangen. Sie lächelte. An jenem Abend hatte sie nicht weitergekonnt, weil sie noch nicht bereit gewesen war. In dieser Nacht wußte er, daß sie es war – er hatte das Nötige getan, damit sie bereit war.

Das Glück, das Jeannes Seele in Cluny umspült hatte, überflutete sie an diesem Ort. Sie schritt mit einer Ruhe und Heiterkeit durch die unheimlichen Säle, die sie bei sich selbst noch nie entdeckt hatte. Erst vor dem geschlossenen Portal von Notre-Dame-Sous-Terre erzitterte sie. Es war das erste Mal, daß sie nachts allein die Kirche betrat, und sie erinnerte sich an Simons Worte über die Engel und Teufel, die an dieser Stätte spukten.

Zögerlich öffnete sie das Tor. Sogleich vermittelte ihr ein Umstand, den sie bisher nicht bedacht hatte, ein Gefühl von Sicherheit: In der Krypta war es erstaunlich warm, während man überall draußen vor Kälte schlotterte. In dem uralten Schoß der Abtei war es gemütlich wie in einem Menschenbauch. Die ammenhafte Erde befruchtete diese Stelle, die der Weiblichkeit anzugehören schien. Ja, diese Orte hatten ein Geschlecht. Der Felsen und der größte Teil des Klosters waren männlich, aber dieser heilige Raum war eine Frau, und er barg einen Mann, den sie mit ihren Blicken auf den Stufen suchte, die über den gleichgestaltigen Altären nach oben führten.

Niemand war da, und doch war die Krypta nicht leer: Undeutlich registrierte sie ein stummes Leben, eine unsichtbare Macht. Guillaume Kelenn hatte ihr erzählt, daß manche Touristen, die nichts über diesen Ort wußten und nicht an Gott und den Teufel glaubten, in Notre-Dame-Sous-Terre in Trance gerieten: Das liege an den Energieströmen der Erde. Jeanne wußte, daß diese Mächte ihr nichts Böses wollten. Sie hatte nichts zu befürchten, denn eine der ihren schützte sie.

Sie zog ihren Anorak aus und lehnte sich an einen Pfeiler. War es möglich, daß es eine Verbindung zwischen dem enthaupteten Mönch und Roman gab? Ganz sicher! Warum hätte er ihr sonst diese Handschrift aus Urzeiten übermittelt?

Denn sie zweifelte nicht mehr daran, daß der Text für sie bestimmt gewesen war. Der geheimnisvolle Geist, der sich in ihren Träumen an sie gewandt hatte, hatte es so eingerichtet, daß dieser Brief sie erreichte, daß sie von der wunderbaren Liebe dieser beiden Wesen erfuhr, die alles trennte und die doch zusammengehörten. In der kuscheligen Wärme der Krypta kam ihr aber auch der Gedanke, daß ihr noch ein entscheidendes Kettenglied fehlte, um endlich alles zu begreifen: das Geheimnis, das Bruder Roman und den kopflosen Mönch miteinander verband. Sie kannte den Anfang und das Ende, aber sie würde die Geschichte nicht vollständig entwirren können, ohne den zentralen Knoten aufzuknüpfen. Dieses unbekannte Bindeglied war das Wissen darüber, was aus Roman in jenem Jahr 1063 nach seinem Weggang von Cluny geworden war.

»Ich weiß, daß ich es hier auf dem Berg finden muß«, flüsterte sie der unsichtbaren Gegenwart zu, »damit ich dich endlich wiederfinde. Ich weiß, daß du mir helfen wirst. Führe mich! Welchen Weg soll ich einschlagen? Zeig ihn mir, ich bitte dich!«

Als sie gegen Mitternacht die unterirdische Krypta verließ, hatte sie das seltsame Gefühl, nicht mehr allein zu sein. Eine wohlwollende Seele begleitete sie, erfüllte die nächtliche Stille mit einem sanften Flüstern. Es war ein alter Gebetshymnus, auf lateinisch, eine Antiphon. Vielleicht war es der Wind, oder die Steine der Abteikirche, die des Stundengebets zur Vigil und der Benediktiner gedachten. Vielleicht war es auch gar nichts.

In den nächsten Tagen nutzte Jeanne den Urlaub ihrer Mitarbeiter, um alle Winkel der Abtei und des Dorfes auszukundschaften: Der Felsen durfte keinerlei Geheimnis mehr vor ihr haben. Tags kamen die unvermeidlichen Touristenbusse, aber gleich mit der winterlichen Dämmerung blieb der Berg wieder den Elementen der Natur überlassen, die seine erschütternde Einzigartigkeit ausmachten. Oft begegnete sie Simon le Meur, der sie zu einer Schiffstour auf sein kleines Segelboot einlud. Aber Jeanne litt an Seekrankheit und begleitete ihn lieber auf einen Muschelfischzug, bei Ebbe und zu Fuß. In Gummistiefeln und mit einem Rechen in der Hand weihte er sie in das Leben der Bucht ein, zeigte ihr herrliche Vögel, erinnerte sie daran, daß der

Berg auch ein Naturschutzgebiet war, stocherte kleine weiße Muscheln aus dem Sand, Michaelsmuscheln, mit denen die mittelalterlichen Pilger ihre Mäntel geschmückt hatten. Sie machten einen langen Spaziergang, und abends lud er sie ein, bei ihm zu Hause mit ihm die Muscheln zu essen, die sie gesammelt hatten. Eben bei diesem Spaziergang an der frischen Luft und an diesem Abend hatte alles angefangen. Jeanne hatte in ihm einen Mann entdeckt, der anders war als das unersättliche Plappermaul, als das sie ihn beim ersten Mal im Café kennengelernt hatte: ein feinsinniges, sensibles und zurückhaltendes Wesen. Sie schob die Rolle des Gerüchtekochers, die er an jenem Abend eingenommen hatte, auf die linkische Distanzlosigkeit, die besonders schüchterne Leute so oft an den Tag legen.

Simons Haus war genauso charmant wie er selbst: Es bot einen herrlichen Blick auf die kleine Insel Tombelaine und wurde von einem steinernen Wasserspeier oben an der Granitmauer bewacht. Über dem Eingang hieß der alte Laternenhalter die Besucher willkommen. Innen hatte der Antiquar die Räume so gemütlich wie elegant eingerichtet, aber ohne jede Affektiertheit, ganz passend zur Stimmung des Berges: eine große Küche mit einem farbigen Kachelofen, verzierten Fliesen und Kupfertöpfen, ein gemütliches Wohnzimmer voller alter Gemälde, Schiffahrtinstrumente, dazu ein riesiger, sehr gelungen restaurierter offener Kamin, weiche Sofas und ein Himmelsglobus aus dem 18. Jahrhundert. Das Büro war eine regelrechte mittelalterliche Schatztruhe, umstellt von Bücherreihen vom Boden bis an die Balkendecke, und in den Schlafzimmern standen überall eindrucksvolle, kunstvoll gearbeitete normannische Schränke, in denen die Bettwäsche nach Lavendel duften mußte.

Dieser erste Abend war locker und heiter: Sie sprachen nicht über den Berg. Simon erzählte äußerst witzig von den bretonischen Kuchen, die seine spanische Mutter unbeirrt für seinen Vater buk, ohne es aber über sich zu bringen, kein Öl mit hineinzumischen, und Jeanne berichtete von ihren erinnerungswürdigen kulinarischen Katastrophen. Er fragte sie diskret über ihr Liebesleben aus, und sie hörte sich sagen, daß sie lange mit einem verheirateten Mann zusammengewesen war, daß diese Beziehung aber beendet sei. Welche Laune überkam sie denn da plötzlich, daß sie ihn dermaßen anlog?

Sie wechselte das Thema, und sie stellten fest, daß sie dieselben Vorlieben für Musik und Literatur hatten. Gegen Ende des Abendessens wiederholte Simon seine Einladung für den Silvesterabend, und Jeanne sagte zu.

Auf dem Heimweg machte sie sich bittere Vorwürfe: Verlor sie allmählich den Verstand? Sie hatte diesem Mann zugesagt, obwohl sie François versprochen hatte, Neujahr mit ihm in Paris zu verbringen. Den ganzen Abend über hatte sie das Gefühl gehabt, jemand anderes spräche an ihrer Stelle und triebe sie in Simons Arme. Es war wie verhext! Jeanne war so durcheinander, daß sie trotz der späten Stunde Isabelle anrief.

Ihre Freundin interessierte sich nur für eines: War Simon Junggeselle, ungebunden, ohne Frau und Kinder, die er irgendwo versteckte? Als Jeanne ihr das bestätigte, hörte sie am anderen Ende einen Freudenschrei, gefolgt von so drängenden Ermunterungen, daß sie ganz verwirrt war davon.

Drei Tage vor dem bedeutsamen Silvesterabend übermannte sie solche Panik, daß sie krank wurde. Eine willkommene Darmgrippe befreite sie aus ihrem Dilemma, denn sie konnte sich nicht ans Steuer setzen, um nach Paris zu fahren. Sie beschwor François, er solle nicht kommen, denn sie wollte nicht, daß er sie in diesem Zustand sah. Sie entschlackte ihr Gedärm, machte eine Reinigungskur, hütete das Bett, und am Abend des 31. Dezember war sie genesen.

Sie hatte das Gefühl, einen ganz neuen Körper zu haben. An jenem Abend bei Simon stellte sie erstaunt fest, daß sie nicht jene melancholische Traurigkeit spürte, die sie sonst immer zum Jahresende überkam. Sie machte eine vollkommene Wandlung durch, und sie hätte schwören können, daß der wohlwollende Geist, von dem sie sich beseelt fühlte, nicht ganz unschuldig daran war. Davon allerdings konnte sie niemandem erzählen …

Simon hatte den Tisch gedeckt wie für eine Prinzessin. Der Abend war ein einziges Märchen. Um Mitternacht bat er Jeanne ans offene Fenster, schmiegte sich an ihren Rücken und reichte ihr ein kupfernes Fernrohr, damit sie Tombelaine und den Mond bewundern konnte, und als sie das Rohr sah, verspürte sie das unwiderstehliche Bedürfnis, ihm alles anzuvertrauen, ihm die Geschichte von Moïra und Roman zu erzählen. Mit verschwörerischer Miene nahm sie das Heft aus ihrer Tasche, das sie stets bei sich trug, ließ sich gegenüber dem Kamin in einen Clubsessel fallen, und während sich in der Luft der Honigduft des holländischen Tabaks ausbreitete, mit dem Simon seine Seemannspfeife gestopft hatte, las sie ihm die Worte des Mönchs vor, die sie ins Französische übersetzt hatte.

Sie verzieh es Simon sofort, daß er sich von der schöngeistigen Seite leiten ließ und nicht von der Rationalität eines Historikers, und das um so lieber, als sie gerade diese romantische Leidenschaftlichkeit so anziehend an ihm fand.

Sie machte sich bewußt, daß auch sie selbst sich immer weiter von der vernunftgesteuerten Kartesianerin entfernte, für die sie sich immer gehalten hatte: Geschichte gehörte zwar nicht zu den sogenannten »harten« Wissenschaften, aber sie verlangte strenge Sachlichkeit und genaue Belege; ein Archäologe war in erster Linie Naturwissenschaftler. Doch sie hatte dieses Manuskript sofort als authentisch angenommen, ohne das Ergebnis der Begutachtung abzuwarten. Schlimmer noch, sie, die sich als atheistisch ausgab, meinte nun, sie sei von einer Art Schutzengel besessen, der eine Kutte trug, aber keinen Kopf hatte. Und zur Krönung des ganzen war sie noch einem Menschen verfallen, der sich noch mit vierzig Jahren den Spaß machte, den Mond anzuhimmeln.

Noch vor ein paar Monaten hätte sie den Antiquar nicht einmal wahrgenommen. Sie war solchen ultrasensiblen Träumern schon manchmal begegnet, doch sie hatte sie immer sorgsam von sich ferngehalten: Das Leben war eine zu ernste Angelegenheit, um der Romantik nachzugeben, und wer es doch tat, war in ihren Augen ein Kind, jemand, der sich weigerte, erwachsen zu werden. Die Liebe zu den Steinen stand für sie vor der Liebe der Menschen, und so hatte sie stets Menschen gemieden, die ihr auch nur einen kleinen Happen ihrer Begeisterung für ihren Beruf stehlen konnten.

Jeanne verehrte die Steine noch immer, aber sie konnte nicht leugnen, daß sie schwer in Simon verliebt war, und das stellte noch nicht einmal einen Widerspruch dar. Sie kämpfte gegen sich selbst an, aber es war vergeblich: Sie begehrte Simon, wie sie François oder irgend jemanden sonst niemals begehrt hatte. Ihr Körper genoß François' sinnliche Umarmungen, aber in diesem Moment war es ihr ganzes Wesen, Leib und Seele in vollkommenem Einklang, das in Wallung geriet. Ein verrückter Gedanke ging ihr durch den Kopf: War es etwa die himmlische Macht, die in ihr spukte, die sie in diese Liebe trieb? Wollte sie Jeanne auf die Probe stellen oder sie einer ebenso heftigen Liebe aussetzen wie die von Roman und Moïra, damit sie diese besser begreifen konnte?

Wenn sie es weniger esoterisch betrachtete, kam sie zu dem Schluß, daß der Bericht des Mönchs sie so beeindruckt hatte, daß ihr Unterbewußtsein versuchte, selbst eine solche Beziehung zu erleben, die ihr jedoch mit François unmöglich war.

Wie auch immer, sie hatte jedenfalls keinerlei Lust, nach Hause zu gehen und sich von Simon zu trennen. Zugleich wollte sie sich ihm aber auch nicht völlig hingeben. Sie dachte an die machtvolle, aber keusche Verbindung zwischen Roman und Moïra, und so erklärte sie Simon, daß sie zwar bei ihm nächtigen wollte, jedoch nicht mit ihm schlafen. Sie kam sich kindisch vor, aber er war einverstanden.

Er lieh ihr einen Pyjama, der nach Lindenblüten duftete, und sie verbrachte die ersten Stunden des Jahres in seine Arme geschmiegt, an seine Brust gekuschelt, während er sie zart auf die Haare küßte wie in einem Ritterroman von Chrétien de Troyes.

Am Neujahrsmorgen hatte Jeanne eine Intuition. Überstürzt verließ sie Simon und eilte zu dem Haus, in dem sie und ihre Mitarbeiter untergebracht waren. Es war wie ausgestorben, die Mitarbeiter würden erst morgen wiederkommen.

Aber eine Stunde später, als sie gerade aus dem Badezimmer kam, klingelte es unten, und François stand vor der Tür. Er hatte seinen Besuch nicht angemeldet. Er gab vor, sich Sorgen gemacht zu haben, da Jeanne ihr Handy ausgeschaltet hatte und niemand abgehoben hatte, als er ihre Festnetznummer wählte. Er hatte schließlich den Abend mit Marianne und den Kindern in Cabourg verbracht, doch da er Angst um Jeanne gehabt hatte – schließlich war sie krank gewesen –, war er anschließend zum Berg gefahren.

Jeanne brachte es nicht über sich, ihm die Wahrheit zu sagen, und erzählte, sie habe ein Schlafmittel genommen und sei früh zu Bett gegangen, weil sie noch immer krank sei, und er wisse ja, wie sehr sie Silvester verabscheute.

Er bemerkte, daß sie in der Tat übel aussah, und meinte, es täte ihr bestimmt gut, etwas an die frische Luft zu gehen. Er schlug einen Spaziergang auf den Stadtmauern vor. Jeanne fühlte sich François gegenüber schuldig und überlegte fieberhaft, wie sie eine Begegnung mit Simon vermeiden konnte. Zu der würde es unausweichlich kommen, gerade weil es nicht passieren durfte, und die beiden Rivalen würden sich auf den ersten Blick als solche erkennen. Ahnte François nicht schon etwas? Er war noch nie aufgekreuzt, ohne ihr vorher Bescheid zu geben, selbst wenn er sie nicht erreichen konnte.

Sie sagte, sie hätte Lust, einmal etwas anderes zu sehen als den Mont-Saint-Michel, und da das Wetter angenehm war, schlug sie vor, den Tag in der Bretagne zu verbringen. Damit er keinen Verdacht schöpfte, fügte sie eilig hinzu, Cancale habe im Mittelalter zu den Lehen der Abtei gehört, und sie würde sich die Gegend dort gern einmal anschauen. François lächelte. Er wollte die Ausgrabung begutachten, und so gingen sie zuerst zur Grabungsstätte der einstigen Martinskapelle.

Zerstreut beschrieb sie ihm die archäolgischen Arbeiten, erzählte von den Skeletteilen, die gerade begutachtet wurden. Und dachte an Romans und Moïras heimliche Verabredungen, die eben an dieser Stelle stattgefunden hatten, und fragte sich, ob auch Simon und sie zur Heimlichtuerei verurteilt waren. Für irgendwen ist die Liebe immer ein Geheimnis, sagte sie sich und dachte an Marianne. Man muß nur aufpassen, daß man sie nicht vor seinem eigenen Herzen versteckt. Auch Roman hatte seine Gefühle für Moïra lange ignoriert. Die Situation war natürlich nicht vergleichbar, Jeanne war schließlich keine Nonne, obgleich auch sie eine Baustelle leitete.

Je mehr sie darüber nachdachte, desto mehr wurde ihr klar, daß ihre Seele der des Werkmeisters glich. Johann von Marburg, alias Bruder Roman… Vielleicht war er ja ihr kopfloser Mönch?

Es wurde ein schöner Tag: Eine riesige Platte Meeresfrüchte im Hafen von Cancale, die türkise Pointe du Grouin, von der aus man in der Ferne den Berg sehen konnte, und zum Abschluß die Stadtmauer von Saint-Malo. In den Stadtkern »intra muros« wollte sie nicht und gab zur Begründung an, daß es dort keine alten Steine gab, denn die Stadt war im letzten Krieg vollständig zerstört worden. In Wirklichkeit fürchtete sie, sie würde ihre Emotionen nicht mehr unter Kontrolle bringen, sobald sie an einem gewissen Antiquariat mit Marineobjekten vorbeikämen. Sie hatte Angst, auf den Berg zurückzukehren, und das nicht nur, weil sie sich vor einer möglichen Begegnung mit Simon fürchtete. Nein, da war noch etwas anderes, etwas Unwirkliches, etwas sehr viel Machtvolleres. Es war ihr, als würde der heilige Berg, der Jahr für Jahr drei Millionen Touristen anzog, François abweisen. Aber François war ja auch kein Besucher wie alle anderen: Er würde in Jeannes Wohnung eindringen, in ihr Bett und in ihren Leib. War dieser Gedanke dem Geist des Berges zuwider? Oder Jeanne selbst? Alles war so verworren, daß Jeanne beides durcheinanderbrachte. Sie gehörte dem Berg, sein Geheimnis verschmolz mit ihr, denn sie hatte ihm ihre Seele geöffnet: Seither konnte sie ihren eigenen Atem nicht mehr von dem des Berges unterscheiden. Dabei war es doch François gewesen, der es ihr ermöglicht hatte, auf dem Berg zu arbeiten! Diese unleugbare Tatsache besänftigte sie, aber doch nicht so weit, daß sie ihn mit auf den Felsen nehmen wollte.

Sie schleifte ihn in einen Gutshof in Courtils, der in ein Hotel umgebaut worden war. Von dort aus hatte man einen herrlichen Blick auf die Heimstatt des Erzengels. Während des gesamten Abendessens sagte sie sich immer wieder aufs neue, daß sie ihr augenblickliches Glück diesem Mann verdankte, und so wurde sie innerlich ruhiger. Sie genoß es sogar, ihm nahe zu sein. Sie lachte, erzählte nochmals von Paul und seinem Fund, von Weihnachten, von Corinne, aber über das Pergament sagte sie nichts. Sie taten, als bewunderten sie durch das Fenster den Mont-Saint-Michel, aber in Wirklichkeit beobachtete er sie. Er überwachte sie. Nach dem Essen erklärte sie ihm, daß sie nicht heimwollte: Ihre Wohnung sei kalt und unpersönlich, sie sei sicher, daß Patrick Fenoy schon zurück war, und der hasse sie, und wenn er sie zusammen sähe, wüßten es gleich alle, und er würde ihr das Leben unerträglich machen, und vielleicht würde Marianne davon erfahren...

Natürlich gab er nach, und sie nahmen ein Zimmer im Hotel. Sie kam zum Orgasmus, sobald er in sie drang – und damit waren sie quitt.

Als sie die Grabungen wieder aufnahmen, herrschte eine düstere Stimmung: Jeannes Kollegen waren mitgenommen von den Ferien, besonders ihre Leber hatte noch zu tun. Nur ihr Assistent hatte nichts von seiner Gehässigkeit verloren, mit der er seine Umgebung ständig bedachte und an erster Stelle Jeanne. Er warf ihr indirekt vor, sie interessiere sich nicht mehr für die Grabungen in der Abtei und sei in Gedanken nur noch bei dem Grab des Pierre de Nevers in Cluny. Zum Teil stimmte das: Die Ausgrabungsleiterin hatte ihren Kopf anderswo, aber nicht in der Bourgogne; ihre Gedanken waren durchaus auf den Berg konzentriert, doch war sie besessen von Roman und Simon. Nach dem einen suchte sie in Notre-Dame-Sous-Terre und in der Bibliothek von Avranches. In der Krypta versuchte sie seine Spuren zu finden, während sie sich in der Bibliothek in herrlichen Bänden verlor, Allegorien in Rot und Grün, Darstellungen von Engeln und Dämonen, die ihr Alpträume bescherten. Schließlich war sie über Almodius' Unternehmungen besser informiert als über Roman, der sich ihren Nachforschungen entzog.

Simon hingegen traf sie jeden Abend, allerdings ohne daß ihr Team davon erfuhr, denn sie wollte Patrick keinen Anlaß liefern, noch mehr Gift zu verspritzen, und den anderen keinen Stoff für weitere Gerüchte. Ihr Assistent hatte bereits geäußert, ihre Abwesenheit beim gemeinsamen Abendessen des Teams sei ein Ausdruck ihrer Verachtung, und so zwang sie sich, diese unerläßliche Tradition mit ihnen zu teilen und die Lektionen über Geschichte und gute Manieren über sich ergehen zu lassen. Sobald das Essen beendet war, schlich sie im Dunkeln an den Hausfassaden entlang, während im Haus der Archäologen die Gerüchteküche brodelte.

Florence und Dimitri waren am gewitztesten und hatten ihren abwesenden Blick sicher zu deuten gewußt, ihre errötenden Wangen, die Tatsache, daß sie sich sorgsamer zurechtmachte als sonst, und vor allem die Ungeduld, mit der sie das Ende des Abendessens herbeisehnte. Doch die beiden waren so diskret, sich nichts anmerken zu lassen.

Jeanne wußte, daß ihr Verhältnis mit Simon irgendwann auffliegen würde. Es wäre kein Skandal gewesen, doch sie genoß es, ihr Gesicht ganz romantisch mit einem Woll- oder Seidenschal zu verhüllen und nach Einbruch der Nacht über die Stadtmauer zu laufen, während ihr Herz vor Angst klopfte, sie könnte jemanden treffen, der sie wiedererkannte, bevor sie im vereinbarten Rhythmus an das Tor des Turms klopfte, in dem ihr Prinz sie schmachtend erwartete. Auf diese mädchenhafte Fröhlichkeit folgte dann der Jubel einer Frau. Sie hatte ihre Zurückhaltung überwunden, seit zwei Nächten war die Sinnlichkeit zwischen ihnen erwacht, und jedesmal war es eine erneute Überraschung, ein nochmals größeres Geschenk. Für Jeanne war es eine nie dagewesene Offenbarung.

François war wütend, als er erfuhr, daß Jeanne ihm die Existenz des Pergaments von Cluny verheimlicht hatte. Das Dokument wurde in der Nationalbibliothek chemisch analysiert, doch am Telefon berichtete er Jeanne, daß der Gutachter schon vorab hatte verlauten lassen, daß die Tierhaut und die Tinte tatsächlich aus dem 11. Jahrhundert stammen und in der burgundischen Abtei gefertigt worden sein könnten. Jeanne mußte lächeln. Natürlich war der Brief echt! Sie beendete ihr Telefonat mit François, der zum Glück den Inhalt des Pergaments nur in groben Zügen kannte – sein Latein war eher schlecht, und der Text war von offizieller Seite noch nicht übersetzt worden –, dann stürzte sie hinauf in Notre-Dame-Sous-Terre, um der Macht zu danken, die ihre Seele erleuchtet hatte. Dort traf sie auf Guillaume Kelenn, der wie ein Truthahn einherstolzierte, umdrängt von einer Gruppe Touristen, die an diesem Samstag morgen sehr zahlreich waren.

»Ah, was für ein glücklicher Zufall!« rief er, als er Jeanne erblickte. »Meine Damen und Herren, darf ich Ihnen die Leiterin der archäologischen Ausgrabung vorstellen, wegen der wir leider den Lastenaufzug und seine unglaubliche Rampe zum Fuß des Felsens nicht bewundern können. – Wollen Sie uns bitte von Ihrer Arbeit und von Judith de Bretagne berichten, Jeanne? Ich habe hier eine Gruppe aus Brest!«

Er störte mal wieder, wie so oft. Doch diesmal nahm sie es ihm besonders übel, daß er sich zwischen sie und die Steine der Krypta stellte. Sie starrte ihn an, die Lippen aufeinandergepreßt. Dann wirbelte sie auf dem Absatz herum und knallte die Tür der Kirche hinter sich zu. Donnerwetter! Selten war sie dermaßen übel gelaunt gewesen. Und hinzu kam auch noch, daß Simon dieses Wochenende nicht da war. Er wollte angeblich seinen Eltern einen Neujahrsbesuch abstatten, in der Nähe von Brest. Machte sie etwa einen Neujahrsbesuch bei ihren Eltern? Sie hatte sich damit begnügt, sie anzurufen. Also wirklich, in seinem Alter drei Tage zu Mama und Papa zu fahren! Und außerdem, daß er zu seinen Eltern gefahren war, mußte noch lange nicht stimmen, nur weil er es behauptete. Die Eifersucht bescherte ihr ein Magengrummeln wie ein schlechter Schnaps. Auch das war etwas Neues, dieses brennende Verlangen, den anderen zu besitzen, jeden Handgriff mit ihm zu teilen, jede Sekunde, jeden Atemzug.

Und dann kam auf einmal noch dieser Aufschneider von Kelenn hinzu und hinderte sie daran, Roman zu treffen oder ihren kopflosen Mönch – oder beide, da ja offenbar eine Verbindung zwischen ihnen bestand. Wenn sie sich zusammenriß, würde sie ein paar Nächte ohne Simon auskommen, aber nichts würde sie dazu bringen, von Roman zu lassen. Sie stand so kurz davor, sein Geheimnis zu lüften. In Windeseile stürmte sie hinunter ins Dorf, stieg in ihr Auto und raste nach Avranches.

»Ich sage Ihnen doch, es gibt ihn nicht!« rief der Chefbibliothekar am Ende seiner Nerven. »Jedenfalls nicht soweit ich weiß!«

»Nur weil Sie nicht in der Lage sind, ihn in Ihren verstaubten Wälzern zu finden, heißt das noch lange nicht, daß es ihn nicht gibt«, entgegnete Jeanne zurück. »Ich bin sicher, er wird in einem dieser Bände erwähnt!«

Der Fünfzigjährige warf einen wütenden Blick auf die Dokumente in den Regalen um ihn herum. Die Folianten mit den abgewetzten Lederrücken reichten vom Boden bis unter die Decke, und eine Galerie verlief an den vollgestopften Regalwänden vorbei, so daß der altehrwürdige Saal wie ein Museum oder eine Nationalbibliothek wirkte.

»Junge Dame«, ranzte er Jeanne an, »die ›verstaubten Wälzer‹, die aufzubewahren wir die Ehre haben, nachdem sie durch ein Wunder die zahlreichen Brände der Abtei überstanden haben, den Einsturz der Gebäude, die Begehrlichkeiten der Fürsten und die indiskreten Prälaten, die Revolution, die Enteignung der Mönche, die Plünderungen, die Kriege, das amerikanische Bombardement von 1944, das Wetter, die Feuchtigkeit, das künstliche Licht, den Salpeter, den Schimmel, die Insekten und nicht zuletzt die mangelnde Sorgfalt übelwollender Leser … diese Werke also, oder das, was davon übrig ist, wurden von uns gerettet, gereinigt, katalogisiert, auf Mikrofilm abgebildet, neu geordnet, an diesem Ort versammelt. Allein für die Abtei vom Mont-Saint-Michel zählt man viertausend Bände, darunter zweihundertdrei mittelalterliche Handschriften. Es sind Überlebende von Katastrophen, Schätze, und ich dulde es nicht, daß Sie sie so beschimpfen! Auf Wiedersehen, Mademoiselle! Es ist zwölf Uhr, wir schließen!«

Jeanne schaute errötend zu Boden. Er hatte recht. Es war, als würde jemand ihren Hugo von Semur oder ihre Judith de Bretagne als alte Knochenhaufen bezeichnen und ihre romanischen Pfeiler als irgendwelchen Schutt. In tiefer Verlegenheit lächelte sie den Bibliothekar schüchtern an. Die Leidenschaft dieses Mannes für alte Bücher machte ihn ihr sympathisch. Es war das erste Mal, daß sie sich an den Chefbibliothekar gewandt hatte; gewöhnlich kam sie selbst mit den Mikrofiches zurecht, oder sie bat einen Angestellten um Hilfe. Aber an diesem Tag hatte sie es so eilig – sie spürte, daß das Ziel ihrer Suche nah war –, daß sie sich entschlossen hatte, Gott zu konsultieren und nicht seine Heiligen, und dann hatte sie den Herrn beleidigt.

»Bitte nehmen Sie meine Entschuldigung an, Monsieur«, bat sie ihn aufrichtig. »Ich … ich weiß nicht, was in mich gefahren ist.

Seit zwei Monaten suche ich jetzt und finde nichts, und deshalb bin ich so unausstehlich.«

»Dabei haben Sie immerhin ein Stück Spitzbogen und ein paar Knochenreste ausgegraben. Das ist doch schon etwas, wenn auch nicht das, was Sie wollten. Und Sie wollen mir doch wohl nicht weismachen, daß Sie nach zwei Monaten die Hoffnung verlieren, nachdem Sie in Cluny zwei Jahre lang gegraben haben.«

»Sie wissen, wer ich bin?«

»Seit zwei Monaten kommen Sie mehrmals pro Woche hierher. Ich hatte genug Zeit, mich zu erkundigen«, erklärte er augenzwinkernd. »Wir sind hier nicht in Paris, hier bleibt man nicht so leicht inkognito. Aber unter uns gesagt, ich verstehe nicht ganz den Zusammenhang zwischen der einstigen Martinskapelle, Judith de Bretagne und diesem geheimnisvollen ›Bruder Roman‹, dem Sie überall nachsetzen. 1063 war Judith schon seit fünfzig Jahren tot…«

Jeanne war wie vor den Kopf geschlagen. Sollte sie ihm vielleicht ihre Abschrift von Romans Handschrift zeigen? Dieser Mann war den Umgang mit solchen Schriften gewohnt, und wenn er es las, blinkte in seinem Gedächtnis vielleicht etwas auf, und er würde sich an etwas erinnern, was er in seinen Büchern gelesen hatte? Sie zögerte. Würde er den Mund halten? Wenn er war wie seine Kollegen, die Archäologen, dann sollte sie besser schweigen.

Der Bibliothekar hatte offenbar Mitleid mit der jungen Frau. »Hören Sie«, sagte er schließlich und schob seine Brille hoch, »ich habe eine Idee. Ich selbst bin noch nicht so lange hier und konnte den Inhalt der viertausend Werke noch nicht studieren. Aber ich kenne jemanden, der ihnen fünfunddreißig Jahre seines Lebens gewidmet hat.«

Jeannes Augen blinkten auf wie ein Leuchtturm auf hoher See.

»Ihm verdanken wir es übrigens, daß wir sie retten konnten«, ergänzte er und hielt sein Opfer mit seinen Blicken gefangen. »Wir hatten Holzwürmer und mikroskopische Schimmelpilze. Da hat er bei der Stadtverwaltung auf die Pauke gehauen, beim Département, und zum Schluß hat er fast das Kulturministerium belagert. 1986 hatte er gewonnen, und wir haben sie alle in die

Nationalbibliothek verlegt, wo sie uns die Schriften geheilt haben, während die Gebäude hier ausgeräuchert und renoviert wurden, um sie zweckmäßig auszustatten. Sie werden es gemerkt haben: Die Temperatur ist immer konstant, achtzehn Grad, und an den Fenstern sind sogar UV-Filter angebracht.«

»Wer ist dieser Mann? Der frühere Bibliothekar?«

»Nein, nein, das nicht. Obwohl er für die Werke, die wir aus der Abtei haben, dieses Amt de facto ausübte. Aber er trug weder den entsprechenden Titel noch die dazugehörige Uniform.« Er kicherte. »Es ist ein Mönch, Mademoiselle, ein bretonischer Benediktiner, der 1966 auf den Berg kam, als dort wieder eine klösterliche Gemeinschaft einzog. Die ersten Benediktiner seit 1791, die wieder den Boden der Abtei betraten, genau eintausend Jahre, nachdem die ersten schwarzen Mönche den Berg eroberten. Stellen Sie sich das vor!«

Das Blinken des Leuchtturms wurde noch heller.

»Nun, der Abt hatte ihn beauftragt, das Schriftgut der Abtei zu inventarisieren. Oder besser gesagt: die Schäden festzustellen. Er verbrachte eigentlich den ganzen Tag hier, und ins Kloster kehrte er erst zu Vesper zurück, auf seinem Mofa, und das bei Wind und Wetter.«

»Wie heißt er?«

»Placide. Pater Placide. Er lebt immer noch in der Bretagne, in einem Altersheim für Geistliche in Plénée-Jugon, zwischen Dinan und Saint-Brieuc. Angeblich trägt der Ärmste schwer daran, daß er von seinen geliebten Handschriften getrennt ist, und wartet nun, im Schweigen verschlossen, auf den Tod.«

Jeanne war bereits auf und davon. Von der Schwelle aus rief sie ihrem Informanten noch ein lautes Danke zu, dann rannte sie zu ihrem Auto. Sie war nicht darauf gefaßt gewesen, an diesem sonnenklaren Tag einem Benediktiner zu begegnen, einem schwarzen Mönch.

Zweimal verfuhr sie sich, fragte nach dem Weg und fand schließlich ein Gebäude aus dem 19. Jahrhundert mit einer Fassade, von der der Putz abbröckelte, ganz hinten in einem von Dornen verwucherten Park, in dem Mönche herumliefen, deren Kutten alle

Farben zeigten, und ihre Gesichter waren ebenso unterschiedlich wie ihre Gewänder. Ihr ganzes Leben lang hatten sie mit Brüdern ihres Ordens gebetet, hatten sich mit ihnen eingesperrt und abgeschottet. Aber im Alter vermischten sie sich: Franziskaner, Dominikaner, Benediktiner, Zisterzienser, Karmeliten … Die einzige Gemeinsamkeit zwischen ihnen war, daß sie alle ein seltsames Leuchten in den Augen hatten, das davon zeugte, daß sie der sterblichen Welt bereits entrückt waren, und daß sie alle alt waren.

Eine Schwester wollte Jeanne zunächst nicht zu Pater Placide lassen. Sie konnte nicht verstehen, was eine junge Frau, die nicht mit ihm verwandt war, von einem alten Mann wollte, der nicht mehr sprechen und nicht mehr zuhören mochte, sondern nur darauf wartete, von seinem Herrn zu sich gerufen zu werden. Doch Jeanne war zu entschlossen, als daß sie sich von dem selbstgewählten Schweigen eines Geistlichen hätte abschrecken lassen. Schließlich nannte man ihr seine Zimmernummer, und sie ging die Treppe hoch, wobei sie immer drei Stufen auf einmal nahm; im Vergleich zu denen auf dem Berg waren sie flach.

Die eierschalengelbe Farbe blätterte von den Mauern und ließ trauriges Grau durchscheinen. Nur die Zimmertüren brachten etwas Fröhlichkeit in das Gebäude, denn sie waren in einem Schweinchenrosa gestrichen, so daß man einen Moment lang meinen konnte, in einer Entbindungsklinik zu sein. Trotz mehrmaligen Klopfens erhielt sie keine Antwort. Sie wagte es, die Tür zu öffnen. Künstliche Hitze und beißender Uringeruch schlugen ihr entgegen. An einer grünlichen Mauer hing dem Bett gegenüber ein Stich vom Mont-Saint-Michel. Auf dem Bett, das von medizinischen Apparaten umstellt war, lag ein leichenblasser Körper, dessen schwarze Kutte in antikem Faltenwurf dahinfloß. Der Kopf war gelb, auf der Glatze waren noch wenige weiße Fäden zurückgeblieben, von denen einige elektrisiert abstanden. Er schien zu schlafen. Oder zu sterben. Die Falten bildeten Wellen, so wie die zu groß gewordene Haut, die sich von Muskeln und Knochen gelöst hatte. Er mußte mindestens achtzig sein, wenn nicht neunzig.

Mit einem Gefühl des Unwohlseins setzte sich Jeanne auf

einen metallenen Stuhl, der unter ihr quietschte. Er öffnete die Augen, deren Pupillen blaß waren wie ein verblichener Himmel.

»Monsieur!« Sie stand auf. »Verzeihung, Pater. Sie kennen mich nicht. Ich heiße Jeanne. Der Bibliothekar in Avranches hat mir Ihre Adresse gegeben.«

Er begnügte sich damit, auf den Stich vom Mont-Saint-Michel zu starren.

»Ich … Ich bin Archäologin.« Sie sprach wie ein Kind, das ein Gedicht aufsagt. »Historikerin mit Spezialgebiet Mittelalter. Und ich leite eine Ausgrabung auf dem Mont-Saint-Michel.«

Als sie den Berg erwähnte, geruhte er sie anzuschauen. Seine Augen waren von einem durchscheinenden Schleier überzogen. Dann drehte er Jeanne den Rücken zu. Obwohl der Bibliothekar und die Ordensschwester sie gewarnt hatten, war sie darauf nicht gefaßt gewesen.

»Pater! Ich möchte Sie nicht in Ihrem wohlverdienten Ruhestand stören«, setzte sie nochmals an, »aber Sie sind der einzige, der mir vielleicht helfen kann.«

Stille.

Verzweifelt suchte sie auf dem Stich mit dem Berg nach Hilfe. Die Radierung hinter dem Glas und in einem eleganten vergoldeten Rahmen trug die Signatur von Georges Gobo und war vom Louvre ediert: sicher ein Geschenk des Denkmalamts, als der Mönch in Ruhestand gegangen war. In der Südansicht ragte der Berg bei Ebbe in einen Himmel empor, über dem wallende Nebelschwaden hingen. Ganz unten sah man den Damm, der gerade gebaut worden war, ein ungepflasterter Weg mit Booten und Fischkuttern zu beiden Seiten. Das Bild zeigte den Berg, wie er ganz zu Beginn des 20. Jahrhunderts ausgesehen haben mußte, als das Gefängnis geschlossen und die Renovierungsarbeiten der Dritten Republik durchgeführt worden waren, zu der Zeit also, in der zufällig Notre-Dame-Sous-Terre entdeckt worden war, zugemauert und entstellt, verloren seit dem ausgehenden 18. Jahrhundert. Für einhundertdreißig Jahre war die uralte Seele des Berges in Vergessenheit geraten. Wie lange würde es noch dauern, bis Jeanne sie wieder zutage gefördert hätte?

Langsam wandte sie wieder den Kopf und schaute auf die liegende Gestalt, die lautstark keuchte. Unvermittelt griff sie nach ihrer Tasche und holte das Heft mit Romans Bekenntnis heraus. Immerhin hatte sie nichts zu verlieren. Sie mußte alles auf diese Karte setzen. Und Pater Placide würde bestimmt nicht weitersagen, was im Testament des Werkmeisters stand.

»Ich habe hier etwas, was ein Kollege vor kurzem in der Abtei von Cluny entdeckte, und zwar im Grab eines gewissen Pierre de Nevers«, sagte sie zur Einführung und setzte sich an den Fuß des Betts. *»Abtei von Cluny, Ostern im Jahre des Herrn 1063. An Abt Hugo von Semur. Mein Vater in Christo ...«*

Während sie ihm vorlas, spürte sie, wie sich Pater Placide rührte, merkte, daß er sie anstarrte, aber sie zwang sich, nicht aufzublicken. Nur ihre Stimme verriet ihre Erregung.

Als sie am Ende war, seufzte sie, und wie eine Angeklagte vor der Urteilsverkündigung musterte sie furchtsam ihren Richter: Er saß im Bett, die Kissen in seinem Rücken, und in dieser Lage sah er ganz anders aus, als gehörte er wieder zur Welt der Lebenden. Sein Blick strahlte, nur seine fleckigen Hände und seine Unterlippe wollten nicht aufhören zu zittern. Jeanne biß sich auf die Zunge, um nicht mit einem Wort alles zu zerstören. Sie wartete.

»Ein sehr schöner Fund, in der Tat«, sagte er schließlich leise. »Und Sie, was suchen Sie?«

»Offiziell suche ich mittelalterliche Gebeine, insbesondere die sterblichen Überreste von Judith de Bretagne. Aber in Wirklichkeit suche ich Bruder Roman, Pater. Natürlich heimlich. Ich muß unbedingt wissen, wie seine Geschichte zu Ende ging.«

»Warum?«

Er hatte die Frage in schroffem Ton gestellt, aggressiv wie eine Drohung, und es hatte sich angehört, als sei er über vieles im Bilde. Sie hatte ihm nichts Persönliches über sich selbst erzählt, aber so wie Simon durchschaute er sie. Er wußte, daß ihre Suche ihr ganzes Leben betraf. Auch dieser Mann war von der übersinnlichen Lebenskraft des Felsen durchdrungen, davon war Jeanne überzeugt.

»Das erste Zeichen erhielt ich bei meinem ersten Besuch auf dem Berg, als ich noch ein Kind war«, begann sie. »Das war vor sechsundzwanzig Jahren. Eines Nachts träumte ich von einem

Benediktiner, der ganz oben an einem hohen Turm baumelte, erhängt an den Seilen des Glockenturms. Dann erschien mir in einem Raum, den ich inzwischen als Notre-Dame-Sous-Terre identifiziert habe, ein enthaupteter Mönch, der auf lateinisch zu mir sagte: ›Um in den Himmel zu gelangen, muß man in der Erde graben!‹ Als ich dann letztes Jahr im September zum erstenmal seit meiner Kindheit wieder auf den Berg kam, habe ich – wieder im Traum – gesehen, wie eine Hand einen schwarzen Mönch vom Felsen herabstieß, und der Ärmste stürzte hinunter in das nächtliche Meer, wo er jämmerlich ertrank, während seine Brüder in der romanischen Abteikirche Vigil sangen. Anschließend erschien wieder der kopflose Mönch, wieder in Notre-Dame-Sous-Terre, der in flehendem Ton seine Worte von damals wiederholte. Und zum dritten und letzten Mal habe ich ihn vor drei Monaten um Allerheiligen herum gesehen, am Monte Gargano in Italien, und wieder nachts im Schlaf. Aber diesmal habe ich ganz deutlich gesehen, wie die Hände eines Mörders eine Strohmatte anzündeten, auf der ein blonder Mann schlief, kein Geistlicher, aber ich kannte ihn genausowenig wie die anderen. Der reglos daliegende Mann verbrannte, und mit ihm ein Wandteppich, auf dem der heilige Michael dargestellt war, der die Seelen wog. Und dann erreichte das Feuer die Wände der Holzhütte. Erneut fand ich mich in Notre-Dame-Sous-Terre wieder, wo mich derselbe kopflose Mönche erwartete, ganz oben auf den Stufen über einem der beiden gleichgestaltigen Altäre. Dreimal wiederholte er: ›Um in den Himmel zu gelangen, muß man in der Erde graben‹, und beim dritten Mal flog er auf mich zu und legte mir seinen Finger auf die Stirn, wie es in der Legende der Erzengel mit dem heiligen Aubert tat, als er ihm zum dritten Mal den Bau einer Andachtsstätte befahl. Das ist meine Geschichte, Pater. Es ist meine Geschichte, und zugleich ist es nicht meine, wie Sie sicherlich erkannt haben, und … und ich weiß nicht mehr, was ich tun soll!« Bei ihren letzten Worten brach sie in Tränen aus. »Seit zwei Monaten lebe ich auf dem Berg, ich suche vergeblich nach dem kopflosen Mönch, in Notre-Dame-Sous-Terre und in der Bibliothek von Avranches. Ich kann ihn nirgends sehen, aber ich spüre, daß er da ist, daß ich von ihm besessen bin, daß er irgend etwas von mir erwartet, ja, daß er wartet wie ein Engel oder ein Teufel, und ich weiß, daß er es ist, der dafür gesorgt hat, daß Romans Testament mich erreichte. Jetzt muß ich wissen, warum er das getan hat, und ich muß wissen, wer er ist, ob er Bruder Roman ist oder jemand anderes, ob ich recht habe oder ob ich mich einsperren lassen muß!« Sie weinte heiße Tränen.

Pater Placide schloß die Augen. Es sah aus, als würde er beten. Dann beugte er sich langsam vor und nahm Jeannes Hände in die seinen. Die Handflächen des alten Mönchs waren rauh und warm.

»Eingesperrt zu sein ist nicht so, wie Sie meinen, meine Tochter«, sagte er mit fester Stimme. »Wenn man im Gebet eingesperrt ist, sitzt man nicht in einem Gefängnis, sondern steht vor einer offenen Tür, einer Tür zwischen Erde und Himmel. In Ihrem Fall, glaube ich, fand die Verständigung zwischen den beiden Welten schon statt, ganz tief in Ihrer Seele. Also machen Sie sich keine Sorgen um Ihren Geisteszustand, und hören Sie auf die Weisheit Ihres Herzens, denn die weist Ihnen den Weg ins Licht!«

Jeanne verstand die Predigt des Geistlichen nicht ganz, aber sie war klug genug, zu schweigen und ihre Hände nicht zurückzuziehen.

»Ihr Herz ist rein«, fuhr er mit immer noch geschlossenen Augen fort, als würde er ihre Seele ergründen. »Nein, Ihr Herz täuscht Sie nicht, denn schon andere haben gesehen, was Sie gesehen haben, und gehört, was Sie gehört haben …«

»Was … was sagen Sie da?« fragte sie erschüttert. »Verzeihung, Pater, aber ich bin so … so glücklich! Zum ersten Mal seit sechsundzwanzig Jahren bestätigt mir jemand, daß es ihn gibt. Es gibt den enthaupteten Mönch! Wie heißt er? Haben auch Sie ihn gesehen?«

»Er kommt aus der Nacht des heiligen Bergs. Ich bin ihm nie selbst begegnet, aber andere haben ihn gesehen und beschrieben, in längst vergangenen Zeiten.«

»Die Handschriften in Avranches! Haben Sie das in den Handschriften in Avranches gelesen? Wo sind sie, Pater? Ich flehe Sie an: Welches Regal, welcher Band? Wo sind diese Archive, mein lieber Pater?«

So ruhig, wie er sie geschlossen hatte, schlug Pater Placide die Augen wieder auf. Doch sein Blick glänzte fiebrig. In ihm brannte ein Feuer, das im Gegensatz zu der Ruhe in seinen Worten und Bewegungen stand. Er ließ Jeannes Hände los, fuhr sich mit der Hand an den Greisenkopf, und indem er seinen rechten Zeigefinger an die faltendurchfurchte Stirn hielt, antwortete er:

»Die Archive … sind hier!«

# 14

Als Almodius die Hütte seines Werkmeisters erreicht, ist sie gerade eingestürzt, und eine gaffende Menge aus Laien und Mönchen äußert in allen erdenklichen Lauten Betroffenheit und Verzweiflung. Der Gehilfe von Eudes de Fezensac, ein kräftiger kleiner Gascogner, steigt zwischen den rauchenden Trümmern umher, um den Leichnam seines Meisters zu bergen. Unter Donnerkrachen räumt er die verkohlten Bretter beiseite, und der Abt sieht einen umgestürzten Weinkrug, einen Zinnbecher und die letzten Reste von etwas, was er in tiefer Betroffenheit vom Boden aufhebt: einen Wandteppich, der zum größten Teil zerstört ist, den Wandbehang mit dem heiligen Michael als Seelenwäger, auf dem man nur noch die drohende Miene des Erzengels und den Knauf des Schwerts erkennt, das er in der rechten Hand hält. Als Almodius vor zehn Jahren Abt wurde, nahm er den altehrwürdigen Teppich in der Abtszelle, in der er stets seinen Platz gehabt hatte, von der Wand, um ihn in der Unterkunft seines Werkmeisters aufzuhängen. Allzu viele bittere Erinnerungen waren mit diesem Teppich verbunden, so heilig er auch sein mochte: das Verhör Moïras durch Hildebert, die Auseinandersetzung zwischen Hildebert und Almodius, Hildeberts Tod und dann der von Abt Thierry und schließlich die Reihe der ungewollten Äbte. Almodius befürchtete, wenn er ihn täglich vor Augen hätte, könnten die Gespenster wieder in ihm erwachen, die er niedergerungen hat; auf Eudes de Fezensac hingegen könnte es eine wohltuende Wirkung haben, den Engel vor Augen zu haben, so daß sich seine Seele der des Berges öffnet, den er nicht kennt.

Während nun der Gehilfe des Werkmeisters und zwei Wasserschlepper den verkohlten Leichnam aus den noch schwelenden Überresten befreien, überkommt Almodius eine Welle des Mitleids.

»Bringt ihn in die Martinskrypta«, befiehlt er den Männern, »dorthin, wo über die unbefleckten Seelen und die Wohltäter des Klosters die Totenwache gehalten wird.« Er wendet sich an seine Mönche: »Meine Söhne, es wird gleich Vigil läuten. Ich bitte Euch, haltet Fürbitte bei Gott für den, der soeben heimgerufen wurde. Erfleht das Erbarmen des Erzengels, betet zu ihm, damit er seine Seele auf dem Weg zum Allerhöchsten beschütze. Auf, meine Söhne – nur zu! Eudes hat in seinem irdischen Auftrag nie gefehlt! So helfen wir ihm, daß er in den Himmel gelangt!«

Die Mönche schauen ihren Abt niedergeschlagen an und schlagen ihre Kapuzen hoch, um sich in den Chor der Kirche zu begeben.

»Bertrand!« ruft Almodius in Richtung des Werksgehilfen und nimmt ihn zur Seite. »Sagt mir, Bertrand, wißt Ihr etwas über die Umstände, die zum Brand geführt haben?«

Der junge Mann schaut zu, wie der Leichnam in Decken gehüllt davongetragen wird. Seine Augen sind rot von Qualm und Trauer. »Wir waren beide in Notre-Dame-Sous-Terre«, beginnt er. »Es war nach Vesper, die Sonne war noch nicht untergegangen, aber da unten herrschte die Nacht, die ewige Nacht. Wir überprüften die Arbeiten des heutigen Tages, aber die Mühsal der Männer hatte sich kaum gelohnt: Schon nach ein paar Zoll lockerer Erde stieß man auf Granit, fest und undurchdringlich. Eudes de Fezensac schaute bitter enttäuscht auf den armseligen Maulwurfshügel vor ihm, da sah ich plötzlich, wie seine Augen aufleuchteten …«

Almodius hält den Atem an und starrt Bertrand gespannt an.

»Er musterte die beiden Altäre«, fährt der Gehilfe fort, »auf denen die Kerzen leuchteten. Genauer gesagt fixierte er den Fuß ihrer Sockel. Dann sah er mich an, und ich begriff, was er dachte: Das war die einzige Stelle, an der seine Männer nicht gegraben hatten! Wir traten zum Altar der schwarzen Jungfrau, und mit ein paar Werkzeugen und sehr viel Mühe schafften wir es, ihn vom Boden zu lösen. Eudes betete laut zu der Muttergottes und

Engelskönigin, damit sie ihm diesen Frevel verzeihe. Aber unter dem Altar war nur Erde, und unter der Erde der Fels – wieder der Fels! Er bekreuzigte sich und schaute dann auf den Dreifaltigkeitsaltar. Ihn zu verrücken war noch mühsamer. Unter dem Altar war Erde, aber unter der Erde sahen wir behauene Steine!«

Almodius reißt die Augen auf, die glänzen wie zwei schwarze Sonnen.

»Mein Meister und ich lösten die Steine. Wir waren schweißgebadet, wir hatten Angst, und wir spürten jene Euphorie, die die Angst manchmal auslöst. Plötzlich schrie er auf: Unter den Granitresten lag eine kreisrunde Öffnung, die breit genug war, daß ein Mensch von mittlerer Größe hindurchpaßte. Sie führte hinunter in den Fels, in dunkle Tiefen. Der Gang, der senkrecht verlief wie ein Brunnenschacht, war von Menschenhand in den Fels gehauen worden. Mein Meister hielt seine Laterne in den schwarzen Schlund, warf einen Kiesel in den steinernen Rachen, und dann hörten wir, wie er auf einem ebenen Boden aufschlug. Da unten ist irgend etwas, bestimmt eine Grotte, und wir sagten uns sogleich, daß es vielleicht ein zweites Gotteshaus ist, das Aubert unter seinem Heiligtum errichtet hat, und daß es die Reliquien birgt, auf die Ihr so hofft!«

Dem Abt stockt der Atem. Freude überkommt ihn: Endlich wird er die Antwort auf die Frage erhalten, die er sich seit vierzig Jahren stellt!

»Da wir wußten, wie sehr die Euren zu Recht an Auberts Werk hängen«, fährt Bertrand fort, »wie heilig es ist, und da es allmählich spät wurde – es war kurz vor dem Ende der Komplet, und die Dämonen warteten schon, um die Krypta zu bevölkern –, wollte mein Meister nicht hinabsteigen. Er fürchtete, er könnte mit seinen profanen Händen einen heiligen Ort entweihen, und vor allem hatte er panische Angst, er könnte Auberts Seele und den Willen des Erzengels verletzen, denn beide haben ja verboten, Hand an die alte Kirche zu legen, und sich ja auch schon an den unseligen Brüdern Anthelme und Romuald gerächt...«

So glaubte also Eudes de Fezensac auch an diese Märchen! denkt Almodius. Dieser Mann war so abergläubisch wie irgendein tölpelhafter Leibeigener!

»Aus Angst, weil er an die geweihten Altäre gerührt hatte«, beschließt Bertrand, »und weil er sich scheute, einen noch größeren Frevel zu begehen, beschloß mein Meister, zunächst nichts selbst zu unternehmen, sondern Euch umgehend zu unterrichten. Wir schoben den Marienaltar wieder auf seinen Platz, ließen ein paar brennende Kerzen zurück und verließen die Krypta. Es war eine Erleichterung, als wir draußen die kühle Nachtluft atmeten. Wir beschlossen, Euch zu wecken – Komplet war vorüber –, aber mit Staunen stellten wir fest, daß die Tür zu Eurer Zelle von zwei Laienbrüdern bewacht wurde, die uns verboten, Euch zu stören, und das mit einer Vehemenz, die ihrem Rang nicht gebührte. Mein Meister mußte sich wohl oder übel damit abfinden, daß seine Entdeckung bis zum nächsten Morgen warten mußte. Er befahl mir, mich zur Ruhe zu begeben, und machte sich selbst auf den Weg in seine Hütte. Er war bleich, in seinem Blick stand das Grauen. Ich bin sicher, daß er schon ahnte, was ihm bevorstand: Das Feuer des Himmels würde auf den herabfallen, der den heiligen Willen Auberts und des Erzengels Michael verletzt hat. Und tatsächlich schleuderten sie einen Blitz auf ihn herab!«

Bertrand schluchzt heftig auf.

»Mein Vater, ich beschwöre Euch: Mit diesen Arbeiten in Notre-Dame-Sous-Terre muß ein Ende sein, sonst wird das Sterben nicht mehr aufhören! Der Himmel ist gegen uns arme Sterbliche, und wir sind nicht so mächtig, daß wir es mit ihm aufnehmen könnten! Mein Vater, ich … ich muß Euch folgendes mitteilen: Sobald mein unseliger Meister unter der Erde ist, werde ich gen Süden ziehen, zurück in die Gascogne. Ich weigere mich, meiner Seele Gottes Gnade zu rauben, indem ich Euch gehorche. Sucht Ihr nur einen anderen Werkmeister, der die Hölle weniger fürchtet.«

Ohne den Abt zu grüßen, macht er auf dem Absatz kehrt und flieht zur Martinskrypta, um sich vor den sterblichen Überresten seines Meisters zu sammeln. Almodius hebt den Blick zu den dunklen Wolken: Das Firmament wirkt unerschütterlich, keine Wolken sind am Himmel zu sehen. Nur der getreue Nordwind schlägt seine ewige nächtliche Schlacht.

Morgen früh wird die Auffahrt Christi in den Himmel gefeiert, mit all der Menschenmenge und den Prozessionen, die dazugehören. Außerdem finden an diesem Tag die drei Beerdigungen statt, die der Abt unter den stummen Vorwürfen der Mönche wird zelebrieren müssen: Anthelme, Romuald und nun auch noch Eudes de Fezensac. Gegen Mittag werden zur feierlichen Hochmesse der Bischof von Avranches und Herzog Wilhelm eintreffen, die ihm gewiß bittere Vorhaltungen machen werden.

Ja, beide werden sie dasein, Bischof und Herzog, wie jedes Jahr und wie ihre Vorgänger vor vierzig Jahren. Aber diesmal wird Almodius der Angeklagte sein, der, den sie für das augenblickliche Unheil verantwortlich machen werden. Der Prälat und der Fürst wissen nicht, wer Moïra war, die, die Almodius vergessen wollte, die aber von den Toten aufersteht, lebendiger als je zuvor. Almodius wird eingestehen müssen, daß die Fertigstellung der steinernen Legende, die seinen irdischen Auftrag hätte krönen und ihm Unsterblichkeit hätte verleihen sollen, vorläufig aufgeschoben ist, weil es keinen Werkmeister gibt. Beim nächsten Stundengebet wird er die Rebellion seiner leichtgläubigen Söhne bezwingen müssen, die vom Zorn des Erzengels überzeugt sind. Und er wird seinem Lehnsherrn von den Grabungen in der Krypta berichten müssen – bisher hat er ihm noch nichts davon gesagt –, von der Entdeckung des unterirdischen Gangs und der Grotte, und er wird ihn überzeugen müssen, daß die drei Morde nichts zu tun haben mit der Erforschung der Höhle, die ganz gewiß einen Schatz birgt. Und wahrscheinlich wird er sich mit Wilhelms Begehrlichkeiten herumschlagen müssen.

Der Abt ballt die Hände zu Fäusten und schreitet mit den steifen Schritten eines alten Soldaten zu seiner Zelle, als hätte er es eilig, es hinter sich zu bringen. Er öffnet die Tür: Hosmunds Stuhl liegt noch immer vor dem ersterbenden Feuer auf dem Boden, aber der Laienbruder ist verschwunden, was den Abt kaum kümmert, da er nun von seiner Unschuld überzeugt ist. Almodius hüllt sich in einen weiten wollenen Umhang, greift nach einer Lampe, und während seine Söhne Vigil singen, schleicht er bis in die Chorkrypta der neuen Kirche. Dort steigt er hinab nach Notre-Dame-Sous-Terre.

Die Kerzen, die Eudes de Fezensac hinterlassen hat, brennen

noch auf dem durchlöcherten Boden zwischen den Hügeln aufgeschütteter Erde. Auf dem linken Altar leuchtet eine Laterne neben der schwarzen Jungfrau. Der rechte Altar, der der heiligen Dreifaltigkeit geweiht ist, steht an einer Seitenmauer, senkrecht zu seinem Zwilling statt parallel dazu; an seinem gewohnten Platz häufen sich Steinpyramiden. Trotz der Kerzen und der Laterne herrscht Zwielicht in der Krypta.

Die Nacht ist kühl, dennoch ist es angenehm warm im Raum. Almodius hüllt sich in seinen schwarzen Umhang und tritt an das geheimnisvolle Loch im Boden. Er blickt um sich, kann aber niemanden sehen. Der Schacht, den Eudes de Fezensac entdeckt hat, ist ganz so, wie Bertrand ihn beschrieben hat: senkrecht, von Menschenhand in den Fels getrieben. Der Abt hält seine Fackel hinein, aber das Licht ist zu schwach, um bis zum Grund zu reichen. Und doch ist da die verborgene Höhle, sie ist eine Zukunftsverheißung – und vor allem eine Erklärung für die Vergangenheit.

»Sie ist bestimmt der Grund, warum diese drei armen Seelen getötet wurden«, flüstert Almodius im Aufstehen.

»Ganz recht!«

Der Abt wirbelt herum, hin zu der Stimme, die klingt, als käme sie von jenseits des Grabes. Dort hinten zeichnet sich bei einem Pfeiler eine schwarze schlanke Gestalt ab, die gekrümmt ist wie die Bögen der Krypta.

Almodius geht um die Erdhügel herum bis zu dem Schatten. Der trägt eine Kutte wie der Abt und einen Pilgerstab und hat einen dichten Kranz weißer Haare. Der Mann ist so alt wie Almodius, aber seine Augen sind voller Leben: grau wie die Abenddämmerung oder ein zartes Morgengrauen, bestrahlt von einem bekümmerten Stern. Der Stab erinnert Almodius an einen anderen, und der Blick…

»Roman!« schreit Almodius, ein paar Schritte von seinem Gegenüber entfernt. »Seid Ihr es, Roman?«

»Wenn ich nicht ein Geist bin, der gekommen ist, den Tod einer Unschuldigen zu rächen, die Ihr kaltherzig ausgeliefert und verrecken lassen habt!«

»Spart Euch Eure Geschichten von Geistern und Besessenen für Bruder Etienne und die anderen Mönche dieser Abtei«, antwortet der Abt, als seine erste Verblüffung verflogen ist. »Sie haben genau solchen Heißhunger darauf wie vor vierzig Jahren! Vernunft und Instinkt haben mich also nicht getrogen, als ich vor vierzig Jahren bezweifelte, daß Ihr wirklich tot wart! Jetzt habe ich den Beweis dafür, daß diese Sache mit dem plötzlichen Fieber, mit der Besessenheit Eurer Seele durch den Teufel und dann durch Aubert nur eine häßliche Inszenierung war, die Ihr mit Eurem Komplizen Hosmund ausgeheckt habt. Ich wußte doch, daß er schwere Missetaten zu verbergen hatte!«

»Ich hatte keine andere Wahl«, gesteht Roman gesenkten Hauptes, »als Hosmund in diese schamlose Komödie mit hineinzuziehen. Ich hatte keine andere Wahl, denn ich mußte aus dieser Abtei fliehen, vor Abt Thierry, vor Euch, vor meinem Auftrag als Werkmeister, und ich mußte sichergehen, daß Ihr mich in Frieden lassen würdet.«

»Ich wußte immer, daß Ihr zu unser aller Unglück dieses Weib mehr liebtet als die heiligen Steine der großen Abteikirche«, sagt Almodius in plötzlicher Milde, während er auf die Rundbögen der Kirche schaut. »Ihr wart der beste Werkmeister, den der Erzengel je auserwählte, und Ihr habt ihn um einer Frau willen verraten, einer Sterblichen und zudem noch einer Ketzerin, deren verdammte Seele dem Höllenpfuhl anheimfiel.«

»Ihre Seele ist nicht in der Hölle!« brüllt Roman. »Wie wollt Ihr wissen, ob sie nicht in den Himmel gelangt ist? Seit vier Jahrzehnten bete ich in der Abtei von Cluny für sie.«

»Aha, dahin also seid Ihr geflohen! Es wundert mich nicht, daß Odilo ein aussätziges Schaf aufgenommen hat. Aber ich wundere mich, daß Ihr nicht das Mönchsgewand abgelegt habt.«

»Warum hätte ich es ablegen sollen? Ich habe gelogen, gewiß, indem ich meinen Tod vortäuschte, aber ich bin Gott und der Regel Benedikts immer treu geblieben.«

»Bruder Roman, wollt Ihr mir weismachen, daß ein Mörder der Benediktinerkutte würdig ist? Diesmal werdet Ihr nicht einmal die Dümmsten in diesem Kloster hinters Licht führen können!«

Roman gibt dem Abt keine Antwort. Almodius nutzt seinen Vorteil.

»Gewiß vertraute Euch Moïra an, daß hier diese Grotte liegt«, erklärt er und richtet den ausgestreckten Finger hin zum Erdloch, »und Ihr seid nach vierzig Jahren zurückgekommen, um mich daran zu hindern, sie zu entdecken. Ich weiß nicht, was für einen sagenhaften Schatz sie birgt, aber er muß bedeutend sein, denn um ihn zu schützen, habt Ihr die Pläne Eures Meisters Pierre de Nevers verändert, und heute sät ihr mit Euren ruchlosen Verbrechen Angst und Schrecken in der Bruderschaft. Eure Opfer sind nicht zufällig gewählt, und Eure Missetaten dienen einem doppelten Ziel, das von teuflischer Gewitztheit zeugt: Mit diesen Morden wollt Ihr meine derzeitigen Untersuchungen in der Krypta unterbinden und vernichtet bei dieser Gelegenheit Eure Feinde von einst. Ja, Anthelme und Romuald waren die letzten Überlebenden des Gerichts, das die Ketzerin verurteilte, also habt Ihr sie für Eure Rache auserwählt. Und der arme Eudes de Fezensac machte den tödlichen Fehler, die Grotte zu entdecken. Außerdem verbitterte Euch seine Stellung als Werkmeister, und indem Ihr ihn tötetet, traft Ihr auch mich.«

»Ihr täuscht Euch«, entgegnet Roman kopfschüttelnd. »Ihr beschreibt das Werk eines Menschen von satanischer Kaltblütigkeit, doch etwas derartiges entspricht Eurem Gemüt eher als meinem!«

Der Abt spürt, wie heiße Wut ihm in die Brust steigt. Anklagend streckt er den Finger vor. »Wollt Ihr etwa zu behaupten wagen, daß alles das nicht vorsätzlich geschehen ist? Unsinn! In ein paar Stunden ist Himmelfahrt. Alles stimmt auf den Tag genau, und Ihr bedient Euch auch der Symbolik der vier Elemente! Und zu unserem Unglück ist alles nach Eurem schwarzen Plan abgelaufen. Die dunkle Gestalt, die Bruder Marc vorgestern nach Vigil aus dem Kirchturm kommen sah und die er mit Bruder Anthelme verwechselte, war die Eure! Ihr habt den Ort Eures Verbrechens in solcher Gelassenheit verlassen, daß Marc nicht einen Moment lang die grausame Wahrheit erahnte.«

Ein eiskalter Windhauch scheint Roman zu streifen. Zitternd stützt er sich auf seinen Pilgerstab und seufzt auf, bevor er antwortet: »In Cluny habe ich vierzig Jahre lang ein Leben der Verbitterung und des Gebets geführt, das erfüllt war von Stille, Reue und Erinnerungen.« Er blickt auf die Kerzen am Boden. »Niemals habe ich vergessen, was hier vorgefallen ist – niemals! Ich versuchte es auch nie, denn es war mein Urteilsspruch, mich daran zu erinnern. Diese offene Wunde wurde mit den Jahren immer größer, und selbst das Flehen um Moïras Seelenheil konnte den Schmerz nicht lindern. Und doch wußte mein Herz nie von Rachegelüsten. Die Rache gehört denen, die gegen das Leben aufbegehren, die sich für die Herren ihres Schicksals halten, obgleich es doch von Gott vorgezeichnet ist. Ich bin nicht von dieser Heftigkeit und dieser Anmaßung. In Cluny dankte ich dem Herrn, daß er mir so viel geschenkt hat, sowohl die himmlische als auch die irdische Liebe. Mein größter Fehler war es, daß ich die zweite zu lange leugnete, daß ich blind war gegenüber der Großartigkeit dieses Geschenks: Meine Reue gilt diesem willentlichen Gebrechen, das ich mir aufzwang und auch Moïra, und das sie schließlich in den Tod stürzte. Die einzige Rache, nach der mich also gelüsten könnte, ist die gegen mich selbst!«

Unter seinem Mantel verschränkt Almodius die Arme und beobachtet Roman mit einem ironischen Blick. Der tut, als merkte er es nicht, und fährt fort:

»Ich habe den Berg verlassen. Ihr wißt jetzt, warum und wie. Ich habe in Cluny unter meinem Taufnahmen Johann von Marburg Zuflucht gefunden, und dort wollte ich meine Tage beenden. Aber es stimmt, daß ich vor vierzig Jahren die Pläne der Abteikirche verändert habe: Ich habe es getan, damit man nicht unter der alten Kirche der Kanoniker grub, um zu verhindern, daß sie zerstört wird und daß dieser Schacht und diese Grotte entdeckt werden. Von meinem Exil in Cluny aus versuchte ich, mich über die Arbeiten in der großen Abteikirche auf dem Laufenden zu halten, und ich war erleichtert, als ich erfuhr, daß die alte Kirche – in Eurem Auftrag – als Unterbaukrypta für das Langschiff dienen und fortan Notre-Dame-Sous-Terre heißen sollte. Ich war sicher, daß die Grotte von da ab vor Euch sicher war, aber damit unterschätzte ich Euch. Während der Fastenzeit ließ mir mein Freund Hosmund heimlich einen Brief zukommen, den einzigen in vierzig Jahren. Ein Pilger hatte ihn für ihn geschrieben. Hosmund weiß nichts von dieser Höhle, aber er wußte, daß es mir außerordentlich wichtig war, daß niemals im Boden dieser Stätte gegraben würde. So hat er mir von Eurer Absicht berichtet, in Notre-Dame-Sous-Terre nach Reliquien zu suchen. Ich gestehe, ohne ihn hätte ich nie davon erfahren oder zumindest zu spät, denn Ihr begannt mit diesen Arbeiten unter dem Siegel der Verschwiegenheit.«

»Dieser alte Hosmund ist also nicht verrückt – ich wußte es! Dieser listige Laienbruder! Und was die Heimlichkeit der Grabungen betrifft, so wollte ich sie nicht vor Eurer Neugier verbergen, sondern vor der Herzog Wilhelms, der des Bischofs und vor der möglicher Reliquienplünderer, die in dieser Gegend immer häufiger werden.«

»Gewiß. Dank dieser Diskretion konntet Ihr ganz so handeln, wie es Euch dünkte, als uneingeschränkter Herrscher über diese Gegend.«

Die beiden Greise starren sich an, und beide fragen sich, wer den anderen besser durchschaut, wer den anderen inniger haßt.

»Ich habe lange gezögert«, spricht Roman weiter, »denn mir grauste vor dem Gedanken, auf den Berg zurückzukommen, den Berg wiederzusehen, den Ort, an dem man Moïra zu Tode folterte, ohne mich zuvor am Ort unserer Verabredungen sammeln zu können, weil die Martinskapelle nicht mehr existiert. Ich fürchtete mich davor, die große Abteikirche zu sehen, von der ich in meiner Jugend so viel geträumt hatte – ein Traum, den ich nie verwirklich konnte. Ich fürchtete mich davor, Euch zu begegnen, Euch und anderen Brüdern. Alles das schien mir meine begrenzten Kräfte zu übersteigen. Doch ich konnte nicht meinem Gelübde untreu werden, das ich Moïra in meinem Herzen geleistet habe. So zog ich einen Pilgermantel über meine Kutte, nahm einen Stock und zog los, die Seele von der Angst gefesselt.«

»Eure Angst hat ja schnell von Euch gelassen!« höhnt der Abt.

»Was von mir gelassen hat, ist die Angst vor mir selbst. Denn ich erkannte, daß ich den anderen Angst einjagen mußte, also den Mönchen der Abtei, so maßlose Angst, daß die Grabungen in der Krypta aufhörten. Ich wußte, wie ich das erreichen konnte, denn alle dachten ja, daß ich tot wäre. Alle – oder zumindest alle die, die damals schon im Kloster lebten und noch immer am Leben waren. Am Ende meiner langen Wanderung kam ich zu Hosmund in den Pferdestall, noch immer in meiner Verkleidung als Pilger. Er wartete seit Wochen auf mich. Es war, als wäre ich erst tags zuvor fortgegangen, obwohl wir beide uns sehr verändert haben. Er erzählte mir alles, was in diesen vierzig Jahren in der Abtei vorgefallen war, er sprach von Euch, von denen, die einst meine Brüder waren. Ich zog ihn ins Vertrauen hinsichtlich meines Plans, und ich wählte Anthelme als mein erstes Opfer, weil er einst Moïra verurteilt hatte und inzwischen im Ruf großer Weisheit stand.«

Almodius grinste zynisch. Endlich gestand Roman seine Verbrechen.

»Vorgestern teilte Hosmund ihm mit, er habe meinen Geist gesehen. Als Gespenst, das seit vierzig Jahren umherirre, sei ich meinem Freund erschienen, denn ich würde spüren, daß Anthelme – mein Feind – bald verscheiden würde. Hosmund machte ihm weis, ich sei durchdrungen von Rachsucht, unfähig, mich der irdischen Angelegenheiten und meines Grolls zu entledigen, und mein größter Wunsch sei es, denen den Weg in den Himmel zu versperren, die einst Moïra verdammten. Wenn Anthelme direkt ins Himmelreich gelangen wolle, ohne daß ich ihn im Diesseits festhielte und ihm dieselben Leiden auferlegte, die Moïra erlitt, so müsse er seinen Frieden mit mir machen…«

»Ah! Ich muß zugeben, diesmal habt Ihr Euch selbst übertroffen«, unterbricht ihn Almodius lachend. »Was für eine teuflische Phantasie – noch sprudelnder als früher!«

»Anthelme ließ sich überzeugen«, fährt Roman unbeirrt von den Sarkasmen des Abts fort. »Der Arme war völlig verschreckt. In dunkelster Nacht, während Vigil, legte ich meinen Pilgermantel ab und stieg in der Kutte ganz oben auf den Kirchturm, um auf ihn zu warten. Er kam pünktlich, bleich und zitternd, überzeugt, daß er einem Gespenst gegenübertreten würde. Ich sagte ihm, daß ich über sein Urteil gegen Moïra zürne, deren verdammte Seele mich seit vierzig Jahren verfolge und mich zur Rache auffordere. Als er mich fragte, was er tun sollte, um mich von ihr zu befreien und zugleich sich selbst von mir, antwortete ich: ›Dem Erzengel dienen, dem heiligen Befehl Auberts gehorchen, den er durch meinen Mund erteilt hat, kurz bevor ich verstarb. Du hast

Zeit bis zum Himmelfahrtstag, um die Schändung der alten Kirche, die Auberts Andachtsstätte ist, aufzuhalten. Bis dahin lasse ich dich in Frieden. Wenn aber am Abend des Himmelfahrtstages die Entweihung der Krypta noch immer fortdauert, werde ich dich heimsuchen, und ich werde dir die Seele rauben, um ihr die schlimmste Strafe aufzuerlegen.«

»Aber warum«, fragte Almodius, »habt Ihr ihn dann noch in derselben Nacht getötet?«

»Eben, eben!« ruft Roman und macht ein paar Schritte nach vorn. »Ich erzähle Euch das alles, weil ich ihn nicht umgebracht habe! Die Engel sind meine Zeugen: Ich wollte ihm nur Angst einjagen und ihn benutzen, damit er seine Brüder überredet, mit den Grabungen aufzuhören. Er hätte diese Geschichte allen erzählt, und das hätte meinen Zielen weit mehr gedient als sein Tod.«

Wortlos kneift der Abt seine durchdringenden Augen zusammen. »Ihr lügt, Roman!« erklärt er schließlich. »Ihr habt immer gelogen – damals wie heute. Ich glaube, Ihr versucht mich zu täuschen, weil Euch wie damals der Mut fehlt, Eure menschlichen Leidenschaften einzugestehen. Ihr habt Anthelme auf den Glockenturm gelockt, wie Ihr es erzähltet. Aber dann habt Ihr ihm keineswegs diese erbauliche Predigt gehalten, sondern Euch auf ihn geworfen und ihn erhängt. Die Situation war allzu symbolträchtig, als daß Ihr hättet widerstehen können, und Ihr seid ähnlich vorgegangen, um Romuald und Eudes de Fezensac zu meucheln.«

»Das stimmt nicht!« widerspricht Roman entschieden. »Als ich vom Turm herabstieg, lebte Anthelme – er lebte! Nein, ich habe ihn nicht angerührt. Aber als ich am nächsten Morgen von seinem Tod hörte, war mir klar, was vorgefallen war. Ihr seid manchmal äußerst scharfsinnig, Almodius, und was Anthelme betrifft, so war Eure erste Eingebung ganz richtig: Er hat selbst Hand an sich gelegt – es ist die einzige Erklärung! Seine Angst überstieg meine Vorstellungen noch bei weitem. Er befürchtete, Euch nicht dazu bringen zu können, die Arbeiten einzustellen, und er würde daher meinem ›Geist‹ wieder begegnen. Lieber riskierte er die Hölle und bewahrte die Hoffnung auf das Paradies, als gemeinsam mit einem Geist die Qualen der Zwischenwelt zu erleiden.«

»Wahrscheinlich werdet Ihr mir jetzt auch sagen, daß Romuald ein Bad nehmen wollte, daß er sich also selbst ins Meer gestürzt hat, und daß es meinem Werkmeister so kalt war, daß er absichtlich Feuer an seine Hütte legte?«

Roman steht mit dem Rücken zu ihm. Langsam dreht er sich um. »Ich war von Bruder Romualds Tod und dem Eures Werkmeisters genauso erstaunt wie Ihr. Ich habe Romuald seit vierzig Jahren nicht gesehen, und diesen unglückseligen Eudes de Fezensac habe ich hier zwar flüchtig gesehen, doch hatte ich nie die Ehre, mit ihm zu sprechen.«

Der Abt schnaubt laut. »Was wollt Ihr mich nur glauben machen! Die Opfer, das Motiv, der Zeitpunkt der Morde und die Art, wie die Taten verübt wurden – durch die Luft, das Wasser und das Feuer – sind allzu symbolträchtig, als daß Ihr unschuldig sein könntet. Allein schon Eure Gegenwart auf dem Berg ist ein Schuldgeständnis.«

»Ich kann Eure Überlegungen sehr gut nachvollziehen, und ich teile sie bis zu einem gewissen Punkt. Ich bleibe weiterhin dabei, daß Bruder Anthelme selbst Hand an sich legte, doch bin ich überzeugt wie Ihr, daß Romuald und Eudes de Fezensac tatsächlich ermordet wurden, und das mit einer Symbolik, die zu Moïras Foltertod eine deutliche Verbindung aufweist. Das Ziel ist, daß die Grabung in dieser Krypta unterbunden wird, damit die Grotte unentdeckt bleibt. Den Beweis für diese Absicht hat uns das letzte unselige Verbrechen geliefert, das an Eurem Werkmeister: Denn Eudes de Fezensac hatte nichts zu tun mit der Tragödie, die sich einst hier abgespielt hat. Die Rache für Moïras Martyrium hätte ihn nicht treffen können, aber er machte sich des Vergehens schuldig, den Eingang zu der Grotte gefunden zu haben, und deshalb wurde er nur kurz nach dieser Entdeckung getötet: Um eben diese Grotte zu schützen, begeht hier jemand diese abscheulichen Morde. Nur müßt Ihr Euch damit abfinden, daß dieser Jemand nicht ich bin.«

»Wer aber dann? Und warum?«

»Warum, das habt Ihr bereits erahnt: um das Geheimnis dieses Ortes zu wahren und zugleich ein Rachegelüst zu stillen, das mit Moïras Tod zusammenhängt. Doch war es gar nicht im voraus geplant, daß bei diesen Taten die vier Elemente eine Rolle spielen sollten, ebenso wie die Auswahl der Opfer erst nachträglich geschah: Erst Anthelmes unvorhergesehener Tod – er hing in den Lüften wie Moïra vor vier Jahrzehnten – hat im Gehirn des Mörders den makabren Plan reifen lassen, sich dieser Symbolik zu bedienen. Ich habe eine leise Ahnung, wer dieser Mörder sein könnte, aber ich werde sie Euch vorenthalten. Auf jeden Fall kann ich Euch versichern, daß es nicht Hosmund ist, den Ihr zu Unrecht gefoltert habt.«

Almodius grübelt schweigend vor sich hin. Die beiden Mönche stehen in den beiden Hälften der Krypta und beobachten sich, mißtrauen einander, und jeden überkommen seine Erinnerungen. In dieser Nacht ist alles wie früher: Wie einst hat die Zeit sie zusammengeführt, ihr Verständnis von den Menschen und den Dingen eint sie, aber zwischen ihnen herrscht ein Mißklang, der so spannungsgeladen ist wie die Atmosphäre in der Krypta. Almodius und Roman gleichen den beiden Altären in Notre-Dame-Sous-Terre: äußerlich gleichgestaltig, aus demselben Granit gehauen, aber in Wirklichkeit völlig unterschiedlich, denn der eine steht im Norden, ist fest im Boden und im Fels verankert und dient der Verehrung der schwarzen Jungfrau, der andere, der südliche Altar, ist dem Vater, dem Sohn und dem Heiligen Geist geweiht, und er wurde von seinem ursprünglichen Platz weggerückt, um einen verborgenen Weg freizulegen, einen steilen, tiefen Weg, der mit viel Mühe gegraben wurde und in den Stein hinabführt bis zu einer bauchartigen Grotte, und Roman weiß, daß sie einen geheimen Schatz birgt, obgleich er sie nie betreten hat.

»Ich will gern einräumen, daß diese Verbrechen nicht von Hosmunds Hand begangen wurden.« Almodius setzt sich auf eine granitene Bank. »Aber wie in der Vergangenheit handelt er im Einvernehmen mit Euch, und Ihr seid gewiß nicht unschuldig. Nein, Eure Beweisführung hat mich nicht überzeugt. Ihr allein seid für mich der Mörder, und ich glaube sogar, daß Ihr diesmal wirklich vom Teufel besessen seid. Wie könntet Ihr es sonst wagen, an einem heiligen Ort solch ruchlose Verbrechen zu begehen, und das, während Ihr die Benediktinerkutte tragt!«

Auch Roman setzt sich dem Abt gegenüber auf eine steinerne

Bank und stützt sich auf seinen Pilgerstock. Es ist sinnlos, sich weiterhin zu verteidigen, denn sein alter Feind will ihn nun einmal für schuldig halten. So geht Roman zum Angriff über, doch sein Tonfall bleibt dabei beflissen friedlich:

»Ihr, Almodius, meint also, daß niemand, der schändliche Verbrechen begeht, diese Kutte tragen sollte – Ihr, der Ihr in diesem Gewand eine Unschuldige zur Marter verurteilt und zudem einen Abt vergiftet habt!«

Almodius deutet ein Grinsen an. Auf einmal sitzt also er auf der Anklagebank in diesem unwirklichen Gericht, in dem die Richter Gespenster sind. »So seid also auch Ihr der Meinung, ich hätte Hildebert vergiftet? Viele dachten so, und andere nutzten dies schäbig aus, um zu verhindern, daß ich Abt wurde. Doch ich versichere Euch, daß mein einziges Verbrechen Hildebert gegenüber darin bestand, in ihm die Wut zu wecken, die ihn dahinraffte. Er war von kalter Natur und konnte dieses plötzliche Feuer nicht verkraften. Ohne daß ich es beabsichtigte, entfachten meine Worte diese Flammen, die ihn versengten, und ich schürte es mitnichten mit irgendwelchen Giften. Im Gegenteil, ich versuchte mit allen Mitteln, seinen Körper wieder abzukühlen, doch vergeblich. Er starb daran, daß er selbst gegen seine Natur ging. Ich trage dafür keinerlei Verantwortung, und doch habe ich für dies Vergehen gebüßt, das ich nicht begangen habe. Anders als Ihr, der Ihr in ewiger Reue lebt, habe ich für mein Handeln geradegestanden, und ich bin am Ende Abt geworden. Es ist besser, auf sich zu nehmen, was einem angetragen wird, selbst wenn es zu Unrecht geschieht, als gewaltsam auf einer Wahrheit zu bestehen, die niemand hören will!«

»Welch befremdliche Gesinnung. Und Ihr werft mir meine Lügen vor!«

»Ich werfe Euch gar nichts vor, Roman, außer daß Ihr Eure Taten leugnet, wie schwerwiegend sie auch sind, und daß Ihr damit Euch selbst leugnet. Ich kenne keine Reue, ich denke und handle.«

»Ihr wirkt mir aufrichtig«, räumt Roman ein, »und doch kann ich mir nicht vorstellen, daß Ihr Hildebert nicht vergiftet haben solltet. Allzusehr diente sein Tod Eurem Ehrgeiz.«

»Vielleicht glaubt Ihr mir, wenn ich gestehe, daß ich wohl Gift verabreicht habe, aber nicht an unseren einstigen Abt.«

Befriedigt sieht Roman ihn an. Almodius erwidert diesen Blick.

»Abt Thierry, vermute ich, um den Hirtenstab an Euch zu reißen?« fragt Roman. »Sein plötzlicher Tod war doch sehr verdächtig. Doch er hat Euch nichts gebracht.«

»Ihr enttäuscht mich, Roman.« Herablassung klingt aus der Stimme des Abts. »Vierzig Jahre Zerknirschung haben Euch nichts über das Wesen des Menschen gelehrt. Seht Ihr, um zu töten, muß man aus tiefster Seele hassen – oder aber leidenschaftlich lieben. Und meine Gefühle gegenüber Hildebert oder Thierry erreichten niemals diesen Grad der Anhänglichkeit.«

Roman sieht den Abt direkt an und ärgert sich, daß er mit seinem Verdacht danebenlag.

»Das einzige, was ich jemals vergiftet habe«, schließt Almodius, »war das Essen, das Ihr einst zu Moïra brachtet, als sie in ihrem Erdloch eingesperrt war.«

Roman erbleicht und ist sprachlos. Almodius kostet seinen Sieg aus wie einen köstlichen Burgunderwein.

»Atropa belladonna, solanum dulcamara, hyoscyamus niger ...«, sagt er, als würde er die größten Weine aufzählen. »Ein Dutzend frischer Tollkirschen, ebenso viele bittersüße Nachtschattenbeeren, die Wurzel von schwarzem Bilsenkraut, das ganze in Hosmunds Infirmarium entwendet, zerstoßen und mit dem Wein und der Mahlzeit vermischt, die für Moïra bestimmt war ...«

Krebsrot vor Zorn springt Roman auf.

»Ihr ... Ihr seid ein Ungeheuer!« brüllt er.

»Wie sehr Ihr mich doch verkennt!« widerspricht der Abt in vollkommener Ruhe, den Blick in den Tiefen der Krypta verloren. »Seid Ihr noch immer blind, so wie Ihr es damals wart? Ist Euch nicht klar, daß ich dies nur deshalb tat, um Moïra den furchtbaren Schmerz zu ersparen, der sie am nächsten Tag erwartete, die Pein des Feuers? Ich habe sie getötet, ja, ich habe ihr geschenkt, was sie erhoffte: den Tod, denn ich wußte von Anbeginn, daß sie niemals abschwören würde. Warum sollte ich sie noch leiden sehen? Ich habe sie von dieser Welt befreit und sie erhört, indem ich sie der Erde zurückgab. Und ich habe es aus Liebe getan.«

»Wie konntet Ihr?« begehrt Roman auf, und seine Augen füllen sich mit Tränen, seine Hände ballen sich zu Fäusten. »Wie könnt Ihr von Liebe sprechen, ausgerechnet Ihr? Ja, ich habe mich schwer in Euch getäuscht, doch erst jetzt sehe ich, wie sehr! Allmächtiger Gott, Ihr habt sie umgebracht, und ich habe ihr die tödliche Mahlzeit gereicht. Ich kam, um sie zu retten, und ich habe sie getötet. Ich habe sie getötet!«

»Ich würde eher sagen, Ihr habt ihr, ohne es zu wissen, endlich das gereicht, was sie wollte. Damit habt Ihr meines Erachtens zum einzigen Mal ihre Erwartungen erfüllt, und Ihr habt es getan, ohne auch nur zu ahnen, was Ihr da tatet. Denn Ihr habt sie niemals verstanden, naiv wie Ihr wart, und niemals hättet Ihr den Mut gehabt, diese Gnade wissentlich walten zu lassen. Ich allein kannte das Geheimnis ihrer Seele, denn unsere Seelen waren in ihrem Wesen gleich. Als Ihr noch Euren einfältigen, verrückten Hoffnungen nachhingt, hörte ich die Stimme ihres Herzens, die den Tod anrief, und ich erhörte sie. Ihre Seele flehte um Beistand, ich gab ihr Antwort – und sie hat mich verstanden! Sie hatte zu viel Erfahrung mit Heilpflanzen, als daß sie nicht das bittere Gift herausgeschmeckt hätte. Wenn sie Euch hätte folgen wollen, hätte sie nicht davon gegessen. Sie aber schlang alles hinunter, und dabei dankte sie – ich bin mir sicher – der liebenden Hand, die sie errettete, und sie wußte wohl, daß es nicht die Eure hat sein können. Vielleicht erahnte sie, daß ich es war, der ihr den einzigen Liebesbeweis lieferte, auf den sie noch hoffte, und den Ihr ihr nicht zu geben in der Lage wart. Ich habe immer gehofft, daß sie es wußte. Ja, in der Stunde ihres Todes wußte sie, wer stark genug war, sie zu lieben, und wer sie feige im Stich ließ.«

»Im Stich ließ? Aber… aber… Ihr habt sie verdammt! Ihr seid es, der sie nicht nur ausgeliefert, sondern obendrein noch zur Folter habt verdammen lassen! Und Ihr habt sie nochmals verdammt – zum Tode, zum Unwiderbringlichen!« Roman wirft in rasender Wut die Arme zum Himmel. »Wie ich mich getäuscht habe! Wie Ihr uns alle getäuscht habt! Herr, sieh auf uns, sei Zeuge bei der Beichte deines Sohnes, der nicht etwa vom Glauben geleitet wird, wie er es sich anmaßt, sondern von blindwütiger Leidenschaft! Ich sehe! Ja, endlich sehe ich Euer wahres Gesicht, Eure Eitelkeit und Euer Aufbegehren gegen Gott. Denn ein Gläubiger hätte bis zuletzt darauf gehofft, daß die Gnade Gottes auf Moïra gefallen wäre, daß sie ihr Herz erleuchtet und sie zur Umkehr gebracht hätte, so daß ihr Leben gerettet worden wäre. Ihr aber wolltet an die Stelle des Schöpfers treten, und Ihr habt Euch die Macht über ihr Leben und ihren Tod angemaßt. Ich dachte, Euer Glaube sei so machtvoll, so dringlich, so heftig, daß er in Euch die Befähigung zur Liebe abgetötet hätte – doch es ist genau andersherum: Die Liebe, die Ihr zu ersticken suchtet, die menschliche Leidenschaft hat den Glauben in Euch abgetötet. Ihr verklagtet Moïra nicht etwa, um die Abtei zu retten, sondern aus Enttäuschung, aus enttäuschter Liebe und dem Gelüst nach Rache, weil sie Euch nicht zugetan war. Euer Glaube ist nur das Deckmäntelchen Eurer Leidenschaften!«

Almodius erhebt sich von seiner Bank. »Sind wir denn so verschieden, lieber Roman?« fragt er honigsüß. »Seid Ihr wirklich so fromm und rein, wie Ihr es behauptet? War es nicht nur ein Vorwand, Moïra zum wahren Glauben bekehren zu wollen, um sie zu Euren heimlichen Verabredungen zu locken und Eure sinnliche Zuneigung zu kaschieren? War nicht der Glaube auch das Deckmäntelchen für Eure Zuneigung zu ihr? Was uns trennt, ist der Umstand, daß Ihr Euren Gefühlen gegenüber immer scheinheilig und feige geblieben seid, während ich dieses mächtige, unheilschwangere Begehren annahm, das mir Seele und Leib zerfraß. Ihr sprecht von Leidenschaft, aber Ihr wißt nicht, was Leidenschaft ist, diese todbringende Seuche, die auf ihrem Weg alles mit sich fortreißt. Ich bin vor diesem tödlichen Feuer nicht geflohen. Ich habe es von mir Besitz ergreifen lassen. Und dann habe ich mich ihm gestellt, habe es in meinem eigenen Fleisch mannhaft bekämpft, und das so lange, wie es notwendig war, damit ich es besiegte!«

»Ihr habt es niedergerungen, indem Ihr Moïra ausgeliefert habt, und da das nicht ausreichte, um das Feuer zu löschen, von dem Ihr sprecht, habt Ihr sie getötet, denn das war das einzige Mittel, Euch von ihr zu befreien. Aber um sie, um ihre Gefühle, um ihr Sinnen und Streben habt Ihr Euch nicht gekümmert.«

»Ihr Streben? Ihre Gefühle? Hofft Ihr vielleicht, daß sie Euch betrafen, Euch, der Ihr erst Zeuge ihrer Folter werden mußtet, um die Liebe dieser Frau zu erhören, und Zeuge ihres Todes, um die Eure einzugestehen? Als sie lebte, habt Ihr die Flamme verachtet, die Moïra Euch entbot. Ihr habt gewartet, bis sie erloschen war, um die verlorene Asche einer Verstorbenen anzuhimmeln. Das ist es, worin die Macht Eurer sogenannten Liebe besteht: Verachtung der Lebenden und Anbetung einer Toten! Eine Ikone, der Totenkult! O ja, es war eine gute Idee, nach Cluny zu fliehen. Denn was hättet Ihr Moïra auch versprechen können, solange sie am Leben war? Ein armseliges Leben an der Seite eines Mönchs, der seine Gelübde gebrochen hat?« Der Abt bricht in dröhnendes Gelächter aus.

Auf der anderen Seite der Krypta spürt Roman, wie sein Blut kocht. Seine Lippen sind aufeinandergepreßt, seine knotigen Hände klammern sich um den Stock mit all ihrer mageren Kraft.

»Solange Moïra lebte, war sie für Euch ein Rätsel, das Ihr niemals lösen konntet«, fährt Almodius fort. »Denn Ihr, Roman, seid vom selben Blut wie Hildebert – ein kaltes Blut, bestenfalls lauwarm, das vom Feuer getötet wird, so fremd ist es Eurer Seele, die so faulig ist wie ein Sumpf. Moïra hingegen war das leibhaftige Feuer, dieses Feuer, das auch in mir brennt und das mir klargemacht hat, daß sie ihren Glauben niemals leugnen würde. Denn damit hätte sie dem abgeschworen, was ihr ureigenstes Wesen nährte, und wie ich hatte sie die Selbsterkenntnis, die Hartnäckigkeit und die Kampflust derer, die den Tod einem farblosen Leben vorziehen. Den Flammentod, diese letzte schreckliche Qual, habe ich ihr aus Ehrerbietung erspart, mit dem heimlichen Einverständnis einer glühenden Seele, aus dem Wahnsinn meines verfallenen Herzens. Aber nicht aus Eifersucht. Und nicht aus enttäuschter Liebe. Dieses Gift, das ihre Eingeweide zerfraß, bot ich ihr dar, um Eure Seele zu retten, die sie verderbte, und um die meine zu schützen, das ist wahr. Aber vor allem, vor allem – damit die Erde dieses Berges nicht besudelt wurde! Denn meine größte Leidenschaft liegt am Gipfel dieses Felsens und durfte nicht befleckt werden! Sie liegt über unseren Häuptern, eine steinerne Burg, die in den Himmel ragt, und niemals habe ich zugelassen, daß jemand sie bedroht, und schon gar nicht Moïra. Ich liebte sie, aber mit ihrer ungeheuerlichen Seuche gefährdete sie unsere Gemeinschaft. Man brauchte sich ja nur anzusehen, was sie aus Euch gemacht hatte! Euch, den ich so bewunderte!«

Almodius macht ein paar Schritte auf Roman zu.

»Euch, den der Erzengel erwählte und der Ihr Euch habt abbringen lassen von ihm und seinen glühenden Steinen. Ihr, zu dem er sprach, damit Ihr ihm den Himmel errichtetet, die Unsterblichkeit, und der Ihr zugleich an der Ewigkeit der Leute auf dem Berg bautet. Euch, den Moïra in ihren stinkenden Pfuhl hineinzog, in dem Ihr Euch immer weiter suhltet, allein und ohne Euch auch nur zu wehren. Wie mich selbst hatte der Erzengel auch Euch mit seinem Schwert zum Ritter geschlagen. Er hatte Euch den Weg gewiesen, und Ihr wart so schwach, daß Ihr Euch davon abbringen ließet. Gewiß war sie kein gewöhnliches Geschöpf, und Ihr wart nicht für den Kampf gewappnet. So konnte nur ich allein sie besiegen. Hättet Ihr nur begriffen, daß ich Euch helfen wollte, indem ich sie dem irdischen Gericht auslieferte, und daß ich Euch von Euren Ketten befreite! Statt mich zu hassen und zu fliehen, wärt Ihr auf dem Berg geblieben, auf unserem heiligen Berg, und gemeinsam hätten wir dieser Stätte all diese Jahre des Chaos erspart.«

Nun macht Roman einen Schritt auf Almodius zu. Dem Abt stehen die Tränen in den Augen.

»Statt dessen seid Ihr noch über ihren Tod hinaus ein Gefangener in den Ketten dieses Weibes. Ihr wart ein begnadeter Alchimist, der den Granit in göttliches Gold verwandelte, und sie hat Eure Kunstfertigkeit versiegen lassen. Ihr wart ein Meister, und sie hat Euch zum Sklaven gemacht. Getötet hat sie Euch vor vierzig Jahren, und ich hoffe, daß sie im Schlund der Hölle dafür bezahlt!«

»Schweigt, in Gottes Namen!« heult Roman dicht vor ihm.

Plötzlich läßt Roman seinen Pilgerstock fallen, fährt mit einer Hand in seine Kutte und holt einen Dolch hervor, den er Almodius entgegenreckt. Überrascht weicht der Abt in Richtung des unterirdischen Ganges zurück.

»Genug damit!« ruft Roman. »Euer Verstand ist verwirrt, Eure

Worte sind die eines Wahnsinnigen. Ihr werft mir meine Schwäche vor, doch wisset, daß ich niemals so schwach war, Euch zu hassen – bis zur heutigen Nacht! Doch Ihr habt Euch eben bloßgelegt wie nie zuvor, und mir ist die Größe Eurer Ruchlosigkeit klargeworden! Niemals habt Ihr Moïra geliebt! Alles, was Euer verkommenes Wesen empfinden konnte, war niedere Lüsternheit und der Drang zu besitzen. Sie ist Euch entkommen, so wie ich Euren Absichten entkommen bin, und Ihr konntet uns das nie verzeihen. Diese Grotte, für die Moïra ihr Leben gab, wollt Ihr mit Eurem verpesteten Atem besudeln. Ihr wollt ihren Schoß vergewaltigen, wie Ihr den von Moïra zu schänden begehrtet! Aber ich werde Euch daran hindern. Denn sie ist tot, das wohl, aber diese Höhle ist ihr schlagendes Herz, dem ich die Treue geschworen habe.«

Almodius steht am Rand der gähnenden Öffnung. Er erstarrt, rafft seinen weiten Umhang vor sich zusammen und bedenkt seinen Feind mit einem verächtlichen Blick.

»Tötet mich, wenn es das ist, was Ihr wollt! Bringt mich um, so wie Ihr schon dreimal getötet habt! Es wird der letzte Mord sein auf jener Erde, in deren Armen Moïra starb. Metzelt mich nieder, wenn Ihr den Mut dazu habt, denn ich bin kein verschreckter Hasenfuß, über den Ihr aus dem Hinterhalt herfallt, indem Ihr Euch als Gespenst ausgebt. Stecht zu, denn andernfalls werden meine Leute hinab in diesen unterirdischen Bauch steigen und alles entdecken, was er umschließt! Was birgt er so Wichtiges, daß so viel Blut dafür vergossen wird?«

»Ihr werdet selbst in diesen Schacht hinabsteigen, so könnt Ihr Eure Neugier befriedigen«, antwortet Roman. »Wenn Ihr darin verschwunden seid, werde ich den Gang Stein für Stein zumauern, den Dreifaltigkeitsaltar wieder an seinen Platz stellen, und Ihr werdet da unten ohne Atemluft langsam ersticken, so wie Moïra in dem Erdloch an Eurem Gift erstickte. Und ich werde gehen in der Gewißheit, daß hier nie wieder gegraben werden wird!«

»Meint Ihr wirklich, daß ich Euch die Freude machen werde, mich selbst in dieses Loch zu werfen, weil Ihr mich mit einem armseligen Messer bedroht? Nein, Roman, noch einmal: Ihr unterschätzt mich. Wenn Ihr meinen Tod wollt, werdet Ihr mich mit eigenen Händen töten und dem Herrn in alle Ewigkeit Rechenschaft dafür ablegen müssen.«

Reglos bleibt Almodius vor dem Loch im Boden stehen. Roman kann sich nicht mehr beherrschen: Er reckt seine Waffe noch weiter empor und stürzt sich auf ihn, um ihn zu erdolchen. Der Abt weicht nicht von der Stelle, doch als Roman eben zustechen will, wird er in seinem Schwung gebremst, sein Körper krümmt sich mittig zusammen. Die Klinge fällt zu Boden. Verblüfft reißt Roman den Mund auf, doch statt eines Wortes dringt ein Rinnsal bräunlichen Blutes heraus: Roman ist auf einem langen Schwert aufgespießt, dem Schwert eines Ritters, das Almodius unter seinem Umhang verborgen gehalten hat. Mit einem Ruck reißt der Abt die Klinge aus Romans Unterleib. Der fällt zu seinen Füßen auf den Boden der Krypta, und ein leises Röcheln entweicht aus seiner Brust.

»Du, der du den Erzengel verraten hast«, sagt der Abt, »der du Almodius zum Narren halten wolltest, den ersten seiner Diener – du, der du in der Gemeinschaft den Tod sätest, du stirbst von meiner Hand, durch das Schwert des heiligen Michael, die Klinge, mit der der Anführer der himmlischen Heerscharen dem Drachen den Kopf abschlug!«

Mit aller Kraft, die er seit vierzig Jahren angesammelt hat, hebt der rüstige Alte die blanke Waffe und schlägt Roman den Kopf ab!

Der Schädel mit dem weißen Haarkranz rollt bis an den Rand des Abgrunds. Almodius keucht. Er läßt das Schwert fahren, bückt sich und hebt Romans Kopf auf.

»Du wirst mich nicht mehr weiter heimsuchen!« erklärt er. »Da du ihr treu geblieben bist sogar über den Tod hinaus, so fahr denn in die Hölle zu jenem Dämon, der deine Seele zerfressen hat, bis du zum Mörder wurdest.«

Er wirft Romans Kopf in das Loch. Man hört, wie der Schädel unten in der lichtlosen Tiefe aufschlägt.

Erschöpft wischt sich der Greis mit dem Ärmel über die Stirn. Dieses unreine Blut soll das letzte sein, das den Felsen des Erzengels befleckt, denkt er. Jetzt will ich hinuntersteigen und das Geheimnis dieser Grotte lüften, und ich werde endlich wissen, warum Moïra dafür ihr Leben gab …

Almodius blickt atemringend um sich. Sein Zorn ist verflogen. In einer Ecke der Krypta liegt eine aufgerollte Strickleiter. Mit seinen knotigen gelben Händen befestigt er ihr Ende an dem Dreifaltigkeitsaltar.

Langsam rollt er die Leiter auf dem Boden aus, führt sie um Romans enthaupteten Leichnam herum und läßt sie in den Schacht hinab. Er ist eigentlich schon zu alt für solche körperlichen Anstrengungen, aber in dieser Nacht ist die Zeit aufgehoben: Der Abt ist vierzig Jahre jünger, er ist munter und kräftig, seine Seele ist gestärkt vom Blut, das er gerade vergossen hat, und er ist erfüllt von einer tiefen Zufriedenheit, da die Rache, die er nahm, für ihn Gerechtigkeit bedeutet.

Mit einer Laterne in der Hand beugt er sich über den steinernen Schlund und genießt die köstliche Ungeduld, die so lange hingehaltene Neugier, die gleich gestillt werden wird. Vorsichtig steigt er die hölzernen Sprossen hinab und verschwindet im Abgrund.

Es vergeht eine lange Weile, bis der Schein seiner Lampe wieder die Krypta erhellt. Der Abt sieht völlig verändert aus: Furchen, die der Schweiß durch sein staubiges Gesicht gezogen hat, scheinen seine Falten noch zu vertiefen, und seine Augen sind starr vor Erstaunen. Almodius stellt seine Füße auf den Boden von Notre-Dame-Sous-Terre. Bleich blickt er auf Romans kopflosen Leichnam, der auf dem Bauch neben dem Schwert des heiligen Michael liegt. Eine lange Weile verneigt er sich vor dieser Szene. Die Augen zum Himmel erhoben, stöhnt der Alte vor Schmerz tief auf. Dann rafft er seine Kutte zusammen, bekreuzigt sich und geht zum Portal der Krypta.

Auf einmal läßt ihn ein dumpfes Geräusch herumfahren. Der Abt starrt auf die gleichgestaltigen Chöre. Eine Gestalt löst sich aus der Dunkelheit und kommt auf Almodius zu, langsam und lauernd wie ein wildes Tier. Mit vor Angst weit aufgerissenen Augen weicht der Abt rückwärts an eine Wand der Kirche. Der unwirkliche Schatten kommt immer näher.

»Nein, das kann nicht sein…«, murmelt Almodius, vom Grauen an die Wand gepreßt.

Da hebt sich eine rächende Hand über seinem Haupt.

# 15

Pater Placide saß auf seinem Bett und konnte den Blick nicht von der Wand lösen, an der der Stich vom Mont-Saint-Michel hing.

»Die drei Grundpfeiler meines Lebens waren immer das Schweigen, die Liturgie und die Bücher«, erklärte er. »Die Stimme der Bücher ist manchmal ohrenbetäubend, aber ich habe die Töne immer geliebt, mit denen sie meinen Kopf erfüllten, denn es ist die Klage der Menschen, die von der Zeit erlöst werden…«

Jeanne zappelte vor Ungeduld. Doch sie schwieg und ließ dem Alten die Zeit, die er brauchte, bevor er weitersprechen konnte.

Dieser wies auf den Berg. »Bevor ich zu ihm kam, arbeitete ich in der Abtei von Solesmes, in der neuen Bibliothek, die nach dem Krieg gebaut wurde. Von den mittelalterlichen Handschriften war rein gar nichts erhalten, und von den Archiven aus der Zeit vor der Französischen Revolution so gut wie nichts. Denn anders als dieser wackere Krieger hier hatte sich meine Abtei nicht zu verteidigen gewußt und war ein Spielball der Geschichte gewesen. Während der Berg den ganzen Hundertjährigen Krieg über standhielt und nie dem Feind in die Hände fiel, wurde Solesmes von den Engländern eingenommen, besetzt und zerstört. Die wertvollen Bücher vom Berg wurden während der Revolution über die Sandbänke nach Avranches gebracht, die Bibliothek von Solesmes hingegen wurde in dieser Zeit geplündert. Nebenbei bemerkt machte England zu dieser Zeit und auch später seine Missetaten aus dem Hundertjährigen Krieg wieder gut, indem es den Mönchen aller französischen Abteien, die von der Revolution verfolgt wurden, Zuflucht gewährte. Ich glaube, im Grunde waren sich die wilden Mönche vom Berg, die ›Bocains‹, und die Engländer ziemlich ähnlich – das sonderliche Temperament der Inselbewohner, die ihre Freiheit um jeden Preis bewahren wollen. Meiner Meinung nach haben die Engländer nur den Sieg von Wilhelm dem Eroberer nicht verkraftet, obwohl der Normanne ihnen auch viel gebracht hat.«

Er schwieg einen Moment und schien dann aus einem Traum zu erwachen.

»Oh, Wilhelm der Eroberer hat hier nichts zu suchen. Meine Worte schweifen ab und irren ziellos durch meinen Kopf. Ich habe sie vor so langer Zeit weggesperrt, daß sie sich rächen, indem sie nun alle gleichzeitig herauswollen.«

»Dann lassen Sie sie doch«, sagte Jeanne mit einem liebevollen Lächeln. »Wir fangen sie ein und stellen sie wieder an ihren Platz.«

»Nein, nein, Mademoiselle. Ordnung und Strenge sind die Söhne der Tugend. In der Unordnung liegt kein Heil. Geben Sie mir ein bißchen Wasser, bitte.«

Jeanne gehorchte. Sicherlich ermüdete sie den alten Mann. Das Sprechen ist für die meisten Menschen eine natürliche Gabe, doch für ihn war es ein Luxus, den er sich als guter Mönch nur selten gegönnt hatte. Als er aber getrunken hatte, sprach Pater Placide weiter, und Jeanne setzte sich wieder an das Fußende seines Bettes.

»Ich war also in Solesmes«, fuhr er fort, »wo ich mich um die vielen Bücher kümmerte, die die Abtei verlieh und erwarb. 1966 gestattete es Kulturminister André Malraux, daß die Mönche während der großen Feierlichkeiten zum tausendjährigen Jubiläum des Klosters vorläufig auf den Berg zurückkehrten. So lebten neun Monate lang an die hundert Brüder aus verschiedenen Orden – Benediktiner, Zisterzienser und Trappisten – nacheinander in der Abtei. Erst 1969 ließ sich eine kleine Gemeinschaft auf Dauer nieder. Mein Abt befahl mich dorthin, damit ich mich um die Handschriften der Abtei kümmerte. Ich war schon fünfzig Jahre alt, aber eben deshalb entsandte mein Oberer gerade mich: Ich war erfahren, das rauhe Klima und die Zwänge des Ortes machte mir nichts und auch nicht die Massen von Gläubigen und Touristen, obwohl die damals noch nicht so zahlreich waren wie heute.«

Er hielt einen Augenblick inne und atmete tief durch. Neben seinem Bett stand eine Sauerstofflasche, doch die schien er nicht zu brauchen, denn neue Energie erfüllte ihn. »Als ich dort eintraf, nahm das großartige Mysterium dieser Stätte von mir Besitz – aber mich ergriff auch der Kummer um die Manuskripte von Avranches. Sie befanden sich in einem erbarmungswürdigen Zustand.«

»Ja, das weiß ich«, unterbrach ihn Jeanne. »Der Bibliothekar hat mir erzählt, wie mühsam es für Sie war, die Schriften zu erhalten.«

»Leider war das, was ich vorfand, nur noch sehr wenig verglichen mit den Schätzen der mittelalterlichen Abtei. Ich weiß nicht, wie es zugeht, aber der Berg und der Erzengel verleiht einem, sobald man zu ihnen kommt, den unstillbaren Wunsch, für sie zu streiten. Unglaubliche Kraft, Mut, Willensstärke!«

Du Guesclin und die französischen Ritter des Hundertjährigen Krieges, die in den hundertfünfzehn Jahren, die dieser Krieg dauerte, und insbesondere während seiner Belagerung, nacheinander den Berg verteidigten, wären mit Pater Placide sicherlich einer Meinung gewesen. Jeanne wartete darauf, daß ihr der Alte von einem Dokument erzählte, das die Regale der Bibliothek von Avranches bargen, ohne daß sie es finden konnte. Sie staunte über die Wendung, die der Bericht des Mönchs nahm.

»Vor ungefähr fünfundzwanzig Jahren, als meine Schlacht um die Rettung der Handschriften ihren Höhepunkt erreichte, erhielt ich den Besuch eines Mitbruders, eines Benediktiners, ein einstiger Kodikologe und ... Engländer.«

Jeanne runzelte ihre dunklen Brauen.

»Er war Prior in der Benediktinerabtei von Ampleforth im Norden von England, in der Nähe von York, und kam nach Solesmes zu einem Treffen der Oberen verschiedener Kongregationen unseres Ordens. Zum Glück sprach er besser französisch als ich englisch, und er überbrachte ein Geschenk an die Abtei des Mont-Saint-Michel: Auf Anordnung seines Abts übergab er mir feierlich ein kleines Heft mit dunklem, abgegriffenem Einband, das er vor ein paar Jahren in der Bibliothek seiner Abtei gefunden hatte, als er die Titel revisionierte. Es stammt aus dem Jahr 1823, und er erklärte mir, der Inhalt des Heftes betreffe unser Kloster, und deshalb schenke er es mir, nun, da es wieder Benediktinerbrüder auf dem Berg gäbe. Er fügte hinzu, daß ich – von ihm selbst und seinem Abt abgesehen – als einziger von diesem seltsamen Text wisse, doch er schien sich nicht weiter über das Thema auslassen zu wollen und machte sich auf zu seinem Kongreß. Ich war neugierig geworden, und als ich das Heft öffnete, sah ich eine verschnörkelte Handschrift, wunderschön, aber – auf englisch! Mit den paar Worten, die ich während des Krieges in den Reihen der Résistance aufgeschnappt hatte, konnte ich das Manuskript nicht lesen. Und meinen Brüdern, die aus Boquen und Bec-Hellouin auf den Berg ›importiert‹ waren, ging es genauso: Die einzige Fremdsprache, die wir praktizierten, war Latein! Mein Prior empfahl mir einen Laien, den wir als besonders fromm und demütig kannten, einen Einheimischen vom Berg in fortgeschrittenem Alter, der bis zu seiner Pensionierung als Geschäftsmann in London gearbeitet und gelebt hatte. Er war bescheiden und sehr gläubig, und er empfing mich mehrere Abende in Folge bei sich zu Hause, um mir den Text vorzulesen, und er hatte vor allem versprochen, niemandem davon zu erzählen. Der Inhalt dieses Manuskripts versetzte mir den Schock meines Lebens.«

Das Geheimnis um das englische Heft reizte Jeannes Neugier.

»Es war also 1823 verfaßt worden, von einem britischen Benediktiner aus der Abtei von Ampleforth namens Aelred Croward. Es stammte aus dem 19. Jahrhundert, aber die Ereignisse, von denen es berichtete, lagen weiter zurück.«

Endlich! durchfuhr es Jeanne. Jetzt kommt er auf das Mittelalter zu sprechen, auf Notre-Dame-Sous-Terre und den enthaupteten Mönch!

»Tatsächlich hatte Aelred Croward einen Bericht zu Papier gebracht, den ihm ein anderer Bruder aus Ampleforth, der allerdings aus der Abtei am Mont-Saint-Michel stammte, auf dem Totenbett anvertraute. Er hieß Joseph Larose, Bruder Joseph oder – nach dem Brauch der Mauriner – Dom Larose.«

»Aber was suchte denn ein Mönch vom Mont-Saint-Michel in England?« unterbrach ihn Jeanne.

»Wie Sie wissen, gab es in England große, sehr alte Benediktinerklöster: Westminster, Canterbury, Gloucester, St. Alban«, antwortete Pater Placide, »doch sie wurden im 16. Jahrhundert von Heinrich VIII. und Elizabeth I. aufgelöst, und die Anglikaner verfolgten die Katholiken. Deshalb gibt es in unserem Orden zahlreiche englische Märtyrer. Kurz, im Jahr 1607 lebte noch ein einziger Mönch aus der Abtei von Westminster: Er hieß Bruder Sigebert Buckley, und er war nach Frankreich geflohen. In seinem Exil in Dieulouard bei Nancy gründete er ein benediktinisches Priorat, das bis zur Französischen Revolution prächtig gedieh. 1791 war es dann an Frankreich, die Mönchsorden zu verbieten und die Geistlichen zu verfolgen, einzusperren, hinzurichten, und da wurde für sie Großbritannien zum Zufluchtsort. Bruder Anselme Bolton ging also mit seinen Mönchen aus Dieulouard zurück in ihre Heimat und gründete im Norden ein neues Kloster – in Ampleforth. Sie nahmen zahlreiche französische Mönche auf, die aus ihrer Heimat geflohen waren, allen voran bretonische und normannische Brüder, für die der Weg nach Albion der kürzeste war. Sie hatten Dom Larose und andere Mönche vom Mont-Saint-Michel auf dem Schiff getroffen, das sie nach England brachte. Und so folgte ihnen Dom Larose bis nach Ampleforth und wirkte beim Aufbau dieser neuen Abtei mit.«

»Jetzt verstehe ich, wie es zu diesem Heft kam«, unterbrach ihn Jeanne. Sie wußte die historischen Kenntnisse von Pater Placide zu schätzen, doch lieber wäre es ihr gewesen, wenn er einfach nur die Geschichte erzählt hätte, um die es ihr ging.

»Das Band zwischen Frankreich und Großbritannien ist viel enger, als man meint, und es hat mich immer interessiert«, fuhr Placide fort. »Seit der Einnahme Englands durch Wilhelm den Eroberer und seit der Herrschaft der Plantagenet sind unsere Geschicke auf seltsame Art und Weise verflochten. Als Völker haben wir uns bitter bekriegt, aber als Einzelne wissen wir, daß uns der andere in seinem Land sichere Zuflucht gewährt.«

»Und Dom Larose wußte das auch!« sagte Jeanne, allmählich ungeduldig.

»Ach, Dom Larose, ja… Kurz gesagt, er kehrte nie nach Frankreich zurück, sondern starb 1823 in Ampleforth. Dieses Heft enthält die seltsame Geschichte, die er Bruder Aelred erzählte, bevor er im Herrn entschlief.«

»Meinen Sie, Sie haben die Kraft, mir diese Geschichte zu erzählen, Pater?«

»Ich bin alt, aber rüstiger, als ich aussehe!« Pater Placide grinste sie an. »Und wenn ich dennoch schwach werden sollte, wird mir der heilige Michael die nötige Kraft schon geben.« Er betrachtete wieder den Stich. »Nun, an die fünfzehn Jahre, bevor die Mönche durch die Revolution vertrieben wurden, um 1775 also, kam es auf dem Berg zu seltsamen Ereignissen, deren Zeuge der junge Dom Larose wurde. Er war damals etwa zwanzig Jahre alt, und zu dieser Zeit war der Berg wie viele Klöster in Händen der schwarzen Kongregation von Saint-Maur, einer benediktinischen Reformbewegung. Sie hatten auf dem Felsen einiges zu tun: Die Bauten verfielen, es fehlte an Geld für die Reparaturen. Der Hundertjährige Krieg und dann die Religionskriege hatten das Kloster in seiner materiellen Substanz ruiniert, und die aufkommende Buchdruckerei hatte schon längst das Ende der Skriptorien besiegelt. Die Mentalitäten hatten sich mit dem Aufstieg der Städte gewandelt, mit dem Aufkommen der Bettelorden und dann der Jesuiten: Die Berufung zum kontemplativen Mönchtum wurde selten, und so war es völlig auf dem absteigenden Ast. Ja, es war ein langsamer Todeskampf. Trotzdem lebten die Brüder so gut es ging in der ›Merveille‹ und widmeten sich dem, was den Ruf der Mauriner ausmachte: historische Forschung und Konservierungsarbeiten. Sie hatten leider nicht die Mittel, um die Abteigebäude originalgetreu zu restaurieren, und staffierten sie recht seltsam aus, aber den Maurinern verdanken wir die Rettung zahlreicher mittelalterlicher Handschriften aus dem Skriptorium des Berges, die bis heute erhalten sind. Dom Larose arbeitete wie die meisten seiner Brüder in der Bibliothek – die jetzt in dem Raum lag, wo im 13. Jahrhundert die Küche war –, befreite die Manuskripte aus ihren mittelalterlichen Einbänden, die von der Feuchtigkeit beschädigt waren, kollationierte die Werke und faßte sie zu zweien oder dreien in einem neuen schwarzen, kalbsledernen Einband zusammen.«

»Und eines Tages stieß er auf eine seltsame Handschrift!« rief Jeanne dazwischen.

»Nicht doch. Eines Tages berichtet der Prior der Abtei beim Kapitel, daß er in der Krypta Notre-Dame-Sous-Terre Zeuge einer übernatürlichen Erscheinung wurde. Auf den Stufen, die über dem Altar der heiligen Dreifaltigkeit nach oben führen, will er einen enthaupteten Benediktiner gesehen haben, und er hätte gehört, wie das kopflose Gespenst auf lateinisch zu ihm sagte: ›Um in den Himmel zu gelangen, muß man in der Erde graben!‹«

Vor Erregung verschlug es Jeanne die Sprache.

»Die Geschichte versetzte der Gemeinschaft einen Schock. Ich sagte Ihnen schon, die Zeiten waren unsicher, und alle fürchteten um ihr Heil. Die Brüder waren überzeugt, daß die Erscheinung ein göttliches Zeichen war, ein Zeichen, das der Erzengel ihrem Prior gesandt hatte, ein himmlischer Auftrag: Wie der kopflose Mönch waren auch die Brüder kopflos, nämlich im Geiste verwirrt. Wenn sie errettet werden und auf den Weg in den Himmel gelangen wollten, mußten sie in der Dunkelheit von Notre-Dame-Sous-Terre graben und das Strahlen eines körperlosen Lichts suchen: die Erlösung von den Sünden, die Reinheit – das ewige Ansinnen eines jeden Geistlichen. Der Prior benannte zu seiner Hilfe drei der weisesten Brüder, und sie begannen unter Notre-Dame-Sous-Terre zu graben, immer auf der Suche nach einem mystischen Ideal: der Erlösung von den menschlichen Sünden. Auf Knien gruben sie im Schein der Laternen mit bloßen Händen im Erdboden, und sie unterbrachen ihre Arbeit regelmäßig mit Beschwörungen und heiligen Bittgesängen um Vergebung. Sie gruben in der Erde, bis sie auf den Felsen stießen, was überall nach ein paar Dutzend Zentimetern der Fall war.«

»Und was fanden sie? Den enthaupteten Mönch?«

»Nein, sie fanden gar nichts. Ich hoffe, daß sie in den Himmel gelangt sind, denn alle vier sind sehr bald gestorben.«

»Gestorben?« wiederholte sie. »Was ist passiert?«

»Dom Larose sagte es nicht genau, und es hat den Anschein, als wurden die Umstände nie ganz geklärt, aber offenbar wurden die vier Mönche ermordet.«

Jeanne riß vor Staunen den Mund auf. Vier Benediktiner ermordet! Konnte es sein, daß das die Morde waren, die sie im Traum gesehen hatte? Wohl eher nicht, denn sie sah im Traum nur drei

Leichen und nicht vier. Zudem war das letzte Opfer, das in der Hütte verbrannt war, ein Laie und kein Mönch gewesen, und zwar ein Laie in mittelalterlichen Kleidern. Und schließlich waren die architektonischen Details, an die sie sich erinnerte, romanisch, und sie hatte keinerlei Spuren der gotischen Aufbauten gesehen, die später unternommen worden waren.

Trotzdem fragte sie nach: »Pater, meinen Sie, diese Mordopfer sind die, die ich im Traum gesehen habe? Schreibt Dom Larose von einem Erhängten, einem Ertränkten, einem Verbrannten?«

»Dom Larose beschreibt überhaupt nichts, meine Tochter. Er erwähnt nur die vier Toten, ohne auf das Wie und Warum näher einzugehen. Dafür führt er aus, welche Reaktion diese vier Toten bei den Brüdern und ihm selbst hervorriefen: einen unglaublichen Schrecken darüber, daß das kopflose Gespenst offenbar ein böser Geist war, ein Dämon, der einen todbringenden Fluch auf sie geworfen hatte. Man grub nicht weiter in der Krypta, und der Abt, der es bereute, daß er seinen Prior den teuflischen Aufträgen hatte folgen lassen, verlangte von seinen Söhnen, dieses Drama mit Schweigen zu belegen. Er selbst erwähnte es dem französischen König Ludwig XVI. gegenüber mit keinem Wort. Dom Larose schwieg, doch sein Gedächtnis sprach: Er erinnerte sich an einen alten Band der Consuetudines, deren Einband er vor ein paar Jahren erneuert und dessen Seiten er gereinigt hatte. Er war sicher, darin auf eine Geschichte über verdächtige Todesfälle in Notre-Dame-Sous-Terre gestoßen zu sein, denen er aber damals keine Aufmerksamkeit geschenkt hatte.«

Jeanne lief es eiskalt über den Rücken.

»Dom Larose grub die mittelalterliche Handschrift in der Bibliothek aus und fand darin zu seiner großen Verblüffung den erbaulichen Bericht eines Mönchs aus dem 13. Jahrhundert. Dieser Bericht allerdings begann mit einer Seite, die ein anderer Mönch zweihundert Jahre später, im 15. Jahrhundert, vorangestellt hatte.«

Pater Placide atmete tief durch. Er mußte unter Parkinson leiden, denn seine Glieder zitterten.

»Der Zusatz aus dem 15. Jahrhundert wurde in der Mitte des Hundertjährigen Krieges verfaßt, während der Belagerung des

Berges, den Hauptmann Louis d'Estouteville und seine neunzehn französischen Ritter verteidigten gegen die Engländer, die den ganzen Rest der Normandie besetzt hielten. Die Engländer hatten den Berg vollständig umzingelt, zu Land und zu Wasser, auch wenn die bretonischen Seeleute aus Saint-Malo den Felsen nachts heimlich mit Nachschub versorgen konnten. Kurz, der Berg war zu einer Festung geworden, die von Mauern und Kanonen umringt war, bevölkert von unbeugsamen Mönchen und Rittern, die nicht daran dachten aufzuhören, dem Eindringling Widerstand zu leisten.«

Jeanne mußte innerlich grinsen, denn sie dachte an einen berühmten Comic über unbeugsame Gallier, die nicht aufhörten, dem römischen Eindringling Widerstand zu leisten.

»Seit Karl dem Großen war der Mont-Saint-Michel – und das ist übrigens bis heute so – das Sinnbild für die Verteidigung der Nation, für den Kampf gegen das Schicksal, und das in geistlicher, geographischer und historischer Hinsicht«, erklärte der alte Mönch, als würde er auf ihren Gedanken antworten. »Und er ist während des Hundertjährigen Krieges nie gefallen. Denn die Männer, die ihn verteidigten, waren tapfer, glaubten an Gott – und an ihren Helden: den kriegerischen Erzengel!«

Jeanne nickte. »Ich habe Berichte gelesen über die tapferen Verteidiger des Berges. Sie schlugen die englische Artillerie in die Flucht, obwohl die deutlich in der Überzahl waren und besser ausgerüstet, aber eben weniger enthusiastisch.«

»Ja, ein frühzeitiges Valmy im Jahr 1434. Aber ich spreche über das Jahr 1425, meine Tochter, das Jahr, in dem der heilige Michael der Jungfrau von Orléans erschien, vier Jahre nachdem mitten während des Stundengebets der romanische Chor der Abtei über den Mönchen einstürzte. In diesem Jahr also berichtet der Bibliothekar des Mont-Saint-Michel als Einleitung zu einer Handschrift aus dem 13. Jahrhundert von dem Abenteuer eines französischen Ritters, der eines Morgens in Notre-Dame-Sous-Terre ein Gespenst gesehen hat...«

Starr sieht Jeanne dem Greis in die Augen.

»Dieser edle Recke wurde von einem schwarzen Mönch ohne Kopf in seinem Gebet gestört, der ihm auf den Stufen über dem

Dreifaltigkeitsaltar erschien und zu ihm sagte: ›Um in den Himmel zu gelangen, muß man in der Erde graben!‹ Ich habe den Namen dieses tapferen Mannes vergessen. Woran ich mich erinnere, ist, daß der Ritter beschloß, nach Einbruch der Dunkelheit allein in die Krypta zurückzukehren und sie von oben bis unten zu durchsuchen. Er war überzeugt, einen Schatz zu finden, den die Mönche vor langer Zeit versteckt hatten, eine Truhe mit Gold, Silber und Edelsteinen.«

»Und was geschah mit diesem getreuen Kämpfer?« Jeanne befürchtete, schon zu wissen, wie die Geschichte ausging.

»Im Morgengrauen fand man ihn tot auf dem Boden der Krypta. Aus seiner Kehle, seinem Mund rieselten Brocken von Erde, die er verschluckt hatte und an denen er wohl erstickt war.«

»Warum sollte er denn die Erde der Krypta gegessen haben?« fragte Jeanne.

»Niemand weiß es, und niemand wird es jemals wissen«, antwortete Pater Placide. »Der Bericht des Bibliothekars endet mit Warnungen vor kopflosen Geistern, mit der Mahnung, niemals an den Boden der Krypta zu rühren, und mit dem aus uralten Zeiten überkommenen Verbot, das Heiligtum zwischen Komplet und Vigil zu betreten. Wer immer diesen Geist sehe und ihm gehorche, indem er in der Krypta gräbt, sei des Todes – dieser schwarze Mönch ist demnach der leibhaftige Tod, der Sensenmann, der die Seelen niedermäht, um sie alsdann in die Hölle zu führen.«

Jeanne versuchte zu schlucken, denn die Angst hatte einen Kloß in ihrer Kehle gebildet, und Pater Placide, der ihre Beklemmung bemerkte, wechselte das Thema.

»Der Verfasser dieser Erzählung schreibt, der nachfolgende Text würde die Gründe offenlegen, warum dieser Benediktiner in der Krypta spukt. Er endet damit, daß er nicht weiß, was mit dem Mönch aus dem 13. Jahrhundert geschah, der diese seltsame Geschichte erzählte, aber sicherlich war es nichts Gutes, schließlich sei diese Krypta ja mit einem Fluch belegt.«

Jeanne war totenbleich geworden.

»Dieser Mönch hieß Bruder Ambroise. Die Ereignisse, von denen er berichtet, fielen ins Jahr 1204, und das ist sehr wichtig.

Dafür muß ich aber vorausschicken, daß es mir scheint, als wenn jede Erscheinung des kopflosen Mönchs im Zusammenhang mit der Zerstörung von Vergangenheit stattfand. 1204 zerstörte nämlich eine riesige Feuersbrunst die romanischen Gebäude nördlich der Abteikirche. 1425 ächzte der Berg, wie schon berichtet, im Schraubstock der Engländer, und der romanische Chor der Abteikirche war eingestürzt; das Juwel der romanischen Kirche war für immer dahin. Der Chor wurde später wieder aufgebaut, aber in spätgotischem Flamboyant-Stil, so wie wir ihn heute kennen. Und 1775 lag die Abtei im Sterben, die Gebäude und die Mönche standen vor dem Untergang, und dieser Todeskampf des Mönchtums auf dem Berg fand schließlich sein Ende mit der Vertreibung der Brüder während der Revolution. Der enthauptete Mönch ist also in der fernen Vergangenheit jedesmal erschienen, wenn eine alte Welt unterging. Interessant, finden Sie nicht?«

»Faszinierend, ja«, pflichtete Jeanne ihm bei. Offenbar war das Erscheinen des Gespenstes tatsächlich an die politische, vor allem aber an die architektonische Geschichte der Abtei gebunden, und insbesondere an die romanischen Bauten, denn sobald diese zerstört wurden, erschien es. Also konnte durchaus Bruder Roman dieser kopflose Mönch sein, der alte Werkmeister der Abteikirche. Doch etwas paßte nicht zu dieser Theorie: Die vierte Erscheinung des enthaupteten Mönchs, ihre Vision nämlich, die sie als Kind gehabt hatte, stand nicht in einem Kontext mit Tod und Zerstörung, sondern im Gegenteil im Zusammenhang mit einer Wiedergeburt. Denn damals waren die Benediktiner gerade auf den Felsen zurückgekehrt – jene Benediktiner, zu denen Pater Placide gehört hatte –, und das Denkmalschutzamt hatte beträchtliche Restaurationsarbeiten durchführen lassen, und zwar insbesondere in Notre-Dame-Sous-Terre. Nein, vor sechsundzwanzig Jahren lag nicht mehr der Schatten des Todes auf den Steinen der Abtei, denn sie erwachte gerade zu neuem Leben. Vor sechsundzwanzig Jahren spukte der Tod allein durch Jeannes Träume, so wie er es noch immer tat, und dieser Tod waren jene drei Leichen, von denen es aber keine Zeugnisse gab. Und dann wurde Jeanne auch klar, daß sie als einzige den kopflosen Mönch im Traum und nicht in der Wirklichkeit gesehen hatte, und daß sie ihn als einzige mehrmals gesehen hatte, zu verschiedenen Zeitpunkten ihres Lebens und auch an anderen Orten als am Mont-Saint-Michel, und schließlich, daß sie die einzige Frau war, der er erschien.

»Seltsam«, sagte sie zu ihrem Gegenüber. »Es ist, als hätte er bei mir eine andere Taktik gewählt.«

»Sie haben recht.« Er lächelte sie an. »Wahrscheinlich wird uns einiges klarer, wenn ich Ihnen erzähle, was Bruder Ambroise in jenem Jahr 1204 sah. Sie wissen bestimmt, daß es im Mittelalter die Vorstellung vom guten oder schlechten Tod gab. Die Ironie der Geschichte will es, daß eben ein Bischof dieses Namens, der heilige Ambrosius, im 4. Jahrhundert nach Christus den Begriff des guten Todes formulierte: Um im Herrn zu entschlafen und direkt in den Himmel zu gelangen, muß man vor seinem Tod den Pfad der Sühne beschreiten – Zerknirschung, Beichte, Buße. Wer plötzlich stirbt, hat nicht die Zeit, diese drei Etappen zu durchschreiten, und so droht er Opfer des schlechten Todes zu werden. Dieser schlechte Tod, der dafür verantwortlich ist, daß die Seele nicht unmittelbar in die andere Welt gelangt, egal, welches Los dieser Seele auch im Jenseits harrt, betrifft zwei Gruppen von Menschen: alle die, die vor ihrer Zeit sterben, durch Selbstmord oder Mord, und die, die ein schlechtes Leben geführt haben – Räuber, Mörder, Hexer, Gesundbeter. Solchen Seelen ist es bestimmt, zwischen den beiden Welten herumzuirren, und diese vagabundierenden Seelen sind die Gespenster, die zwischen Erde und Himmel festgehalten werden als Opfer des schlechten Todes.«

»Ich verstehe, Pater. Erzählen Sie mir, was Bruder Ambroise zustieß.«

»In jenem Mai 1204 – um Christi Himmelfahrt, glaube ich – sichtete Bruder Ambroise, ein Kopist aus dem Skriptorium, die Schäden, die das große Feuer angerichtet hatte. Er schritt allein durch die schwarzen Ruinen. Unter dem Schiff der Kirche ist Notre-Dame-Sous-Terre im Westen unversehrt – nur ein Pfeiler, der Ende des 12. Jahrhunderts bei den Arbeiten unter Abt Robert de Thorigny hinzugefügt wurde, steht mitten im Raum, ändert aber nichts an der dort herrschenden Atmosphäre. Als er gerade in das Zwielicht der Krypta tritt, spürt er, wie ein Windhauch über sein Gesicht streift, und er hört ein seltsames Geräusch, wie von einem Besen, der über den Boden fegt. Da erreicht der Schein der Laterne, die Bruder Ambroise mit sich führt, die Empore über dem Altar der heiligen Dreifaltigkeit, und dort steht die Gestalt eines Benediktiners ohne Kopf, der in einer Geste ungeduldiger Erwartung die Arme vor der Brust verschränkt hat.

Nach einem Moment des Grauens begreift Ambroise, daß er es mit einem Gespenst zu tun hat und daß dieses Gespenst seine Hilfe braucht. Ambroise bezwingt seine Angst. Das Gespenst steht reglos auf den Stufen der Empore. Ambroise weiß, daß er diesen Mönch zu Lebzeiten gekannt haben muß, sonst würde ihn dessen Geist nicht um Hilfe bitten wollen, und Gespenster spuken auch nur dort, wo sie einst als Mensch lebten. Zugleich sagt sich Ambroise, daß die Jagd der Dämonen auf die Seelen der Lebenden ja im Winter stattfindet, und da es Frühjahr ist, wird ihm dieser Geist nichts Böses wollen. Sicher ist es ein guter Geist, der zwischen Erde und Himmel gefangen ist. Ambroise versucht das Gespenst anzusprechen. Er fragt nach seinem Namen. Es antwortet nicht, aber es bringt schreckliche Laute hervor. Ambroise macht sich klar, daß das Gespenst ohne Mund natürlich nicht sprechen kann. Zitternd bekreuzigt er sich. Das Gespenst erhebt die Arme zum Himmel, faltet die Hände zum Zeichen des Gebets und – beginnt zu sprechen, auf lateinisch!«

Instinktiv imitierte Jeanne die Geste und faltete die Hände, und Pater Placide fuhr in feierlichem Ton fort:

»Der kopflose Mönch sagt, daß sein Name geächtet ist, und Ambroise wagt ihn zu fragen, wie es kommt, daß er sprechen kann, obwohl er weder Mund noch Zunge hat. Das Gespenst antwortet, nicht sein Körper spreche, sondern seine Seele, deren Werkzeug der menschliche Körper ist – seine Seele, deren Geisterstimme sprechen könne, weil dies der Wille Gottes sei. Ambroise fragt, auf welche Weise ihm die Lebenden helfen könnten, und das Gespenst erzählt ihm seine Geschichte …«

Todesstille herrschte im Zimmer. Jeanne hielt den Atem an.

»Der kopflose Mönch erklärt, er sei zwischen den beiden Welten gefangen und brauche die Hilfe der Lebenden, um in den Himmel zu gelangen. Er benötige ihre Fürsprache in Form von

Gebeten, Totenmessen und Lobgesängen im Chor der Engel. Die Sterblichen müßten ihm helfen, insbesondere seine Brüder auf dem Berg, unter denen er einst lebte. Denn der Erzengel selbst habe ihn vor langer Zeit zu dieser Gefangenschaft verurteilt. Er sagt, er sei eines schlechten Todes gestorben, plötzlich und vor der Zeit, und so habe er Zerknirschung, Beichte und Buße nicht durchlaufen können. Er berichtet, daß er ermordet wurde, daß ihm in Notre-Dame-Sous-Terre der Kopf abgeschlagen wurde …«

Jeannes blaue Augen schienen aus den Höhlen treten zu wollen, als sie dies hörte.

»Bei seinem Tode sei ihm der heilige Michael erschienen, in seiner Rüstung als Anführer der himmlischen Heerscharen und göttlicher Herold. Sein Blick sei hell und hart gewesen, in der Rechten habe er das Schwert und in der Linken die Waage gehalten.«

Jeanne dachte an ihren dritten Traum, und erneut sah sie das Feuer hochzüngeln an dem Wandteppich, der den Erzengel in ebendieser Haltung darstellte.

»Der heilige Michael habe seine Seele gewogen, die von Sünden beschwert war, aber auch von Liebe und frommen Taten. Nebenan hätten die Dämonen nur darauf gewartet, seine Seele in den Abgrund zu reißen. Doch die Waage habe im Gleichgewicht gestanden, weder dem Paradies noch der Hölle zugeneigt. Da verkündete der Erzengel ihm das göttliche Urteil: Der Mönch habe dem Allmächtigen gut gedient, doch er habe auch schwere Sünden begangen, und so sei er nicht würdig, sofort zum Herrn zu gelangen. Der Engel werde ihn also nicht zu ihm geleiten. Seine Seele müsse erst von der Zeit gereinigt werden. Und so lautete der Richtspruch, daß der enthauptete Mönch zwischen der Welt der Lebenden und der der Toten umherirren müsse, zwischen Erde und Himmel, an der Stelle seines Todes, der Krypta Notre-Dame-Sous-Terre, bis sein Haupt wieder mit seinem Körper vereint sei. Zu diesem schrecklichen Urteil kommt jedoch auch ein Versprechen: Der Engel gelobt dem Mönch, daß der Fluch in dem Moment aufgehoben wird, in dem durch das Eingreifen der Lebenden sein Kopf wieder auf seinen Körper gesetzt wird. Dann wird er von diesem Zwischendasein erlöst, und der Erzengel wird kommen, ihn in die andere Welt zu geleiten, ins ewige Paradies.«

Demnach war also der kopflose Mönch, um wen immer es sich auch handeln mochte, ein armer Vagabund und kein böser Geist. Jeanne dachte natürlich an Bruder Roman und spürte dabei einen Stich in der Brust. Wenn wirklich er der enthauptete Mönch war, so hatte der himmlische Engel nicht nur seine Seele auf die Erde verdammt, sondern verwehrte ihm auch den Weg zu seiner Moïra. Der heilige Michael hatte ihm den Himmel versprochen, doch seit Jahrhunderten wartete der Himmel und vor allem Moïra, denn niemand hatte das Gespenst bisher erlösen können. Roman und Moïra waren noch immer getrennt!

»Ambroise war gerührt von dem Bericht des herumirrenden Mönchs, und so versprach er seinerseits seinem unglücklichen Bruder, ihn in seine Gebete einzuschließen und seinen Kopf und seinen Körper zu suchen, um sie zu vereinen und den Fluch des Erzengels aufzuheben. Er fragte das Gespenst, wie er vorgehen solle. Da antwortete ihm der Geist: ›Um in den Himmel zu gelangen, muß man in der Erde graben!‹ Ambroise hakte ein letztes Mal nach, doch das Gespenst gab dieselbe Antwort.«

Der Boden der Krypta ... Jeanne dachte nach. Die anderen hatten die Worte des Engels so verstanden, daß sie an dieser Stelle graben müßten, und das war auch logisch, denn dort wurde dem Mönch ja der Kopf auch abgeschlagen.

»Und was ist aus Bruder Ambroise geworden?« fragte sie. »Hat er in Notre-Dame-Sous-Terre gegraben? Ist ihm ein Unglück zugestoßen wie den anderen?«

»Ich kann Euch nicht antworten«, sagte Pater Placide und seufzte. »Ambroises Bericht endet mit den Worten *Ad accedendum ad caelum, terram fodere opportet*. Ich weiß nicht, ob Ambroise weiterlebte oder ebenfalls unter mysteriösen Umständen umkam. Auf jeden Fall ist zu vermuten, daß er sein Versprechen nicht hat halten können, denn das Gespenst ist ja erneut erschienen und hat um Hilfe gebeten.«

»Pater«, setzte Jeanne an, »was ist aus der mittelalterlichen Consuetudines-Handschrift geworden, die Dom Larose ausgegraben hatte, also aus dem Bericht von Ambroise und dem Ritter? Ich nehme an, daß sie 1944 in Saint-Lô bei dem amerikanischen Bombardement verbrannte wie die anderen Consuetudines der Abtei, oder?«

Pater Placide machte auf einmal den Eindruck, als würde er einem Gefühl erliegen, das einem Mönch nicht zu Gesicht steht: dem Zorn. »Nein, meine Tochter! Zu unserem Unglück lag sie 1944 schon längst in Staub und Asche. Als Dom Larose dieses Dokument 1775 in der Bibliothek fand, zeigte er es seinem Abt. Der befürchtete, andere Mönche könnten es lesen, an dem verfluchten Ort graben und ums Leben kommen, und so vernichtete er es vor den Augen Dom Laroses, den das zutiefst verstörte.« Der einstige Kodikologe war offensichtlich empört darüber, daß man einer alten Handschrift ein solches Los antun konnte. »Nun ja, bei dem Mauriner-Abt kam es ohnehin auf ein Sakrileg mehr oder weniger nicht an, schließlich hatte er auch schon das alte romanische Dormitorium zur Wandelhalle gemacht, die Küche zur Bibliothek, die Krypta Notre-Dame-des-Trente-Cierges zum Wein- und den Nebenraum zum Bierkeller, den Aquilon-Saal zum Cidrekeller, die Stephanskapelle zum Holzlager und die Martinskrypta zur Pferdemühle. Ach, welch Elend! Der junge Dom Larose konnte bei aller Liebe zu den Handschriften nichts ausrichten und sah die Consuetudines verbrennen. Nur im Gedächtnis bewahrte er diese Geschichte, und nach beinahe fünfzig Jahren gab er sie in Ampleforth an Bruder Aelred Croward weiter, am Abend seines Todes im Jahr 1823. Das Seltsamste ist, daß ein paar Monate, nachdem der Abt die Consuetudines den Flammen übergeben hatte, eine riesige Feuersbrunst die Kirche schwer beschädigte: Die Fassade und der hintere Teil des romanischen Langschiffs – genau über Notre-Dame-Sous-Terre – drohte einzustürzen und dabei die romanischen Unterbauen mit zu zerstören. Da er nicht das Geld hatte, um alles wieder aufzubauen, beschloß Dom Laroses Abt, das, was einzustürzen drohte, niederzureißen, und so wurde das romanische Langhaus um die Hälfte verkürzt und die jetzige Westfassade errichtet – und darunter verschwanden die beiden kleinen Chöre von Notre-Dame-Sous-Terre hinter der Grundmauer dieser Fassade. Derart vermauert, war die verfluchte Krypta allen Blicken entzogen, und somit verhinderte man zugleich neue Erscheinungen des enthaupteten Mönchs. Notre-Dame-Sous-Terre wurde erst Anfang des 20. Jahrhunderts wiederentdeckt, aber es dauerte bis 1960, bis der Architekt Yves-Marie Froidevaux sie von den Mauern befreite, die sie durchzogen, und sie in ihren ursprünglichen Zustand zurückversetzte. Und vielleicht hat ja Froidevaux, indem er der Krypta ihr wahres Antlitz und damit ihre Seele wiedergab, ohne es zu wissen auch jene Seele wieder von ihren Fesseln befreit, die mit Notre-Dame-Sous-Terre verbunden ist: das Gespenst!«

»Meinen Sie, daß Froidevaux es gesehen hat?« fragte Jeanne.

»Ich weiß es nicht. Jedenfalls hat dieser Architekt Notre-Dame-Sous-Terre herrlich restauriert. Doch ich bin sicher, daß weder er noch jemand anderes im 20. Jahrhundert eine wissenschaftliche Grabung unternommen hat. Und auch, daß es keinen verdächtigen Todesfall gegeben hat.«

»Hat sich denn der enthauptete Mönch an keinen seiner benediktinischen Mönche gewandt, als wieder eine Gemeinschaft schwarzer Mönche auf dem Felsen lebte?«

»Ich kann Ihnen versichern, daß er zwischen 1969 und 2001, als wir fortgingen, mit niemandem von uns gesprochen hat. Ich habe zum ersten Mal in dem Heft von Bruder Aelred Croward von ihm gehört, und ich muß zugeben, daß ich hinsichtlich dieser Spukgestalt wirklich meine Zweifel hatte. Seither hat nie wieder jemand dieses Gespenst erwähnt – bis heute, bis Sie zu mir kamen, um mir Ihre Geschichte zu erzählen, die verblüffende Parallelen aufweist zu dem, was in diesem Heft steht.«

»Was ist aus diesem Heft geworden?« fragte sie nervös, begierig darauf, eine materielle Absicherung ihrer Geschichte in die Hände zu bekommen. »Ich würde es sehr gern einmal sehen. Keine Angst, ich kann gut englisch, und ich zeige es niemandem.«

Pater Placide senkte die Lider über seine milchigen Augen und schnaufte laut. »Tja, so wie die alten Consuetudines der Abtei gibt es dieses Heft leider nicht mehr.«

Bei dieser Nachricht war Jeanne wie betäubt.

»Wie Dom Larose zu seiner Zeit für die Consuetudines«, fuhr der Alte fort, »bin ich heute der einzige Zeuge dafür, daß es dieses Heft gegeben hat – und heute nachmittag hat mein Gedächtnis seinen Inhalt so getreu wie möglich wiedergegeben.« Seine Hände und sein Mund zitterten heftig, während er erklärte: »Ich wollte nicht, daß dieser Text irgend jemand Beliebigem in die Hände fällt. Nachdem man ihn mir übersetzt hatte, entschied ich mit dem Einverständnis meines Priors, das Heft nicht in den Archiven von Avranches aufzubewahren, sondern in der Klausur der Abtei, in der kleinen privaten Bibliothek der Mönche. Doch zwei Jahre, bevor wir den Berg verließen, sahen wir eines Morgens, daß das Schloß einer der Türen zu den Konventsgebäuden aufgebrochen war. Alles war aber in schönster Ordnung, und es sah so aus, als sei nichts gestohlen worden. Doch mir fiel auf, daß das Heft von Aelred Croward verschwunden war. Es war das einzige Dokument, das weg war – das einzige, doch es war eine Katastrophe, für die ich verantwortlich war. Hätte ich das geahnt, hätte ich es stets bei mir getragen, unter dieser Kutte.«

Jeanne war bestürzt. Gestohlen! dachte sie. Aber von wem nur? »Es wußte also außer Ihnen noch jemand davon! Wer, Pater? Wer, wenn nicht der, der es Ihnen übersetzt hat?«

»Da sind Sie auf der falschen Fährte. Dieser Mann hätte niemals ein solches Sakrileg begangen. Niemals habe ich an Fernand Bréhal gezweifelt. Übrigens war er zum Zeitpunkt des Einbruchs schon seit mehreren Jahren tot – Frieden seiner Seele!«

»Er hat vielleicht jemandem davon erzählt, bevor er starb.«

»Nein, nein. Ich habe mir diese Frage tausendmal gestellt und mir darüber den Kopf zerbrochen. Nein, Fernand Bréhal hat niemals mit jemandem darüber gesprochen. Er hat es mir geschworen, und er war ein Mann, der sein Wort hielt. Das ging so weit, daß er sogar, nachdem er es mir übersetzt hatte, nie wagte, es mir gegenüber auch nur zu erwähnen.«

»Nun gut, wenn Sie sich für ihn verbürgen... Und trotzdem wußte jemand anderes darüber – Sie können es nicht leugnen, es ist offensichtlich. Verzeihen Sie, aber... und unter den Brüdern auf dem Berg oder bei denen aus der Abtei von Appleforth?«

»Unmöglich«, erklärte er entschieden. »Ein Bruder, wo immer er herstammt, bräuchte nicht das Schloß aufzubrechen, um in das Gebäude zu gelangen. Er hätte sich nur zu bedienen brauchen.«

»Eben, damit hätte er seiner Tat eine Unterschrift gegeben und gezeigt, daß der Diebstahl von einem Mönch begangen wurde, denn niemand anderes kann in die Klausur des Klosters eindringen. Doch indem er das Schloß aufbrach, ließ er es so aussehen, als wäre der Schuldige ein Laie und…«

»Sie irren sich!« sagte er erneut. »Übrigens wußte keiner meiner Brüder davon. In Ampleforth war das Heft vergessen gewesen, und hier habe ich nur mit meinem Prior über den Inhalt gesprochen. Sie werden doch wohl kaum einen Oberen anklagen, daß er sein eigenes Kloster bestiehlt?«

Jeanne deutete ein trauriges Lächeln an. »Offenbar sind in der Vergangenheit leider durchaus solche Untaten in dieser Abtei begangen worden, und auch in anderen Klöstern«, rief sie ihm ins Gedächtnis. »Aber Sie haben recht, das ist lange her, und ich würde mir nicht erlauben, Ihren Prior zu beschuldigen. So wird dieser Diebstahl also ein Rätsel bleiben…«

Vor Erschöpfung vom vielen Reden schloß Pater Placide die Augen und verlor plötzlich die Besinnung. Jeanne stürzte zu ihm. Er atmete – der alte Mann war einfach nur eingeschlafen. Zärtlich richtete sie ihm die Kissen, zog das weiße Laken über die Kutte und setzte sich an seiner Seite auf den Stuhl wie ein Beschützer, der über seinen Schlaf wachte. Jahrhundertelang hatten die Mönche die Nachtruhe der Laien gegen die Dämonen verteidigt, indem sie wachten, sangen und beteten, während die Nichtgeistlichen schliefen. An diesem Tag würde sie schützend den Schild über den Schlummer dieses Mannes halten, der ihr eben ein unschätzbar wertvolles Geschenk gemacht hatte: die Eröffnung, daß der enthauptete Mönch eine historische Realität war, den Beweis für seine Existenz, den Grund für sein Erscheinen und die Bestätigung, daß sie nicht verrückt war. Sie war zwar besessen, jedoch von einem wehrlosen Wesen, das seine Hoffnungen auf Erlösung auf sie setzte. Ja, endlich hatte sie die Antwort auf eine Frage, die sie sich seit sechsundzwanzig Jahren immer wieder stellte: warum sie ihn gesehen hatte und was er von ihr erwartete! Sie wußte zwar noch immer nicht mit Sicherheit, wer er wirklich war, aber diese Frage schien ihr zu diesem Zeitpunkt weniger wichtig…

Sie hatte Glück, daß sie Pater Placide zum Reden gebracht

hatte, bevor er endgültig eingeschlafen war. Sie schaute den Alten mit unendlicher Dankbarkeit an, die von Bewunderung durchzogen war: Wie klar der Geist dieses Mannes in seinem Alter noch war. Was für ein unglaubliches Gedächtnis, fünfundzwanzig Jahre, nachdem ihm Fernand Bréhal das Heft übersetzte, das er nie selbst gelesen hatte. Wie Dom Larose, der seinen Bericht beinahe fünfzig Jahre mit sich herumgetragen hatte, bis zu seinem Tod... Jeanne runzelte auf einmal die Stirn, und eine Sekunde lang durchstreifte sie ein beängstigender Gedanke: Nichts ist fehlbarer und selektiver als das menschliche Gedächtnis, zumal wenn die Überlieferung nicht nur mündlich, sondern zudem noch indirekt verläuft. Nur Geschriebenes garantiert so etwas wie Objektivität. Der Verfasser des Hefts jedoch, Aelred Croward, hatte von dem, was er berichtete, nichts erlebt. Er hatte nur, so gut er konnte, wiederholt, was ihm ein sterbender Greis erzählt hatte, Dom Larose, Ereignisse, die damals bereits ein halbes Jahrhundert zurücklagen, und das auf der Grundlage einer Handschrift, die der einstige Bruder vom Berg ein einziges Mal überflogen hatte. Und nun hatte Pater Placide, auch er ein alter Mann, die Erinnerung – keine visuelle, sondern eine akustische Erinnerung – an die Lektüre dieses Hefts wiedergegeben, das somit schon ein Memoirenbuch aus zweiter Hand war. Wie sollte die Wirklichkeit da nicht verändert worden sein? Es war nur natürlich, daß bestimmte Einzelheiten umgestaltet worden waren. Unbestreitbar war allein die Tatsache, daß es für diese ganze Geschichte keinerlei materiellen Beweis gab.

Da Dom Laroses Abt die Consuetudines verbrannt hatte, beschloß Jeanne, nichts unversucht zu lassen, um wenigstens das englische Heft von Aelred Croward und seinen Dieb aufzustöbern. Der Einbruch war noch nicht so lange her, da konnte es gut sein, daß der Dieb noch lebte und daß der Gegenstand seiner Begierde noch existierte, für das er ein solches Risiko eingegangen war. Im Moment hatte sie keine Ahnung, wer dieser Kriminelle sein konnte, aber...

Plötzlich klopfte es an der Tür, und die Nonne, die sie unten so übellaunig empfangen hatte, trat ein, in den Händen ein Tablett mit einer Schale heißer Schokolade und ein paar Butterbroten.

»Seine Nachmittagsmahlzeit«, erklärte sie Jeanne und betrachtete den alten Mönch, doch er schlief fest. »Ich sehe schon, er ist genauso redselig wie immer«, meinte sie erfreut. »Ich habe es Ihnen ja gesagt!«

»Ja, ja, Sie hatten recht«, log Jeanne. »Aber das macht nichts... Geben Sie nur, ich kümmere mich darum.« Sie griff nach dem Tablett.

»Wie Sie wollen«, entgegnete die Nonne und ging.

»Diese Hexe!« zischte Pater Placide, als die Tür hinter ihr zugefallen war. »Bei der ist man besser taub und stumm.«

»Ah, Sie sind ja wach!« sagte sie und lachte. Dann wurde sie wieder ernst. »Sie sind meinetwegen so erschöpft, Pater. Es tut mir leid. Ich werde sofort gehen.«

»Kommt gar nicht in Frage«, antwortete er. »Ich hatte schon Angst, Sie könnten nicht mehr dasein, als ich aufwachte. Und das, da ich einmal mit jemandem über ihn sprechen kann, der ihn genauso liebt wie ich!« Er wies mit der Hand auf den Stich des Berges. »Das ist mir seit meiner Pensionierung nicht mehr vorgekommen. Deshalb hatte ich auch beschlossen, zu schweigen. Die alltäglichen Unterhaltungen der Alten interessieren mich nicht. – Geben Sie das!« befahl er und zeigte auf das Tablett in ihren Händen. »Heute habe ich Lust darauf.«

Sie half ihm gerne, den Kakao zu trinken. Die Brote aber rührte er nicht an. Jeanne schlang sie statt dessen hinunter, denn auf einmal war ihr bewußt geworden, daß sie an diesem Tag noch nichts zu Mittag gegessen hatte. Zufrieden schauten sie einander an wie zwei alte Freunde, zwei Wesen mit verwandten Seelen, vereint durch ein machtvolles unsichtbares Band.

»Meine Tochter«, flüsterte er und griff nach ihren Händen, »indem Sie mir Ihre Träume anvertraut haben, haben Sie für mich den Bericht von Aelred Croward gedeutet, an dem ich zugegebenermaßen zweifelte. Sie haben ein Stück der Geschichte des Felsens erklärt – dieses Felsens, der, obgleich ich ihn erst spät kennenlernte, im Mittelpunkt meines Lebens stand. Und ich habe, indem ich Ihnen vom Inhalt dieses Heftes erzählte, Ihre Träume und die Bedeutung Ihrer Suche gedeutet, die sich seit Ihrer Kindheit um den heiligen Berg drehen. Und doch muß ich Sie warnen.

Ich sehe Sie heute zum ersten und vielleicht zum letzten Mal, aber ich kann in Ihnen lesen, und was ich lese, erfüllt mich mit Angst. Ich befürchte, daß Sie darauf aus sind, in Notre-Dame-Sous-Terre eine Ausgrabung zu beginnen – und das, meine Tochter, bitte ich Sie inständig nicht zu tun. Denn wenn die Geschichte des enthaupteten Mönchs, wie Bruder Croward und Dom Larose sie erzählen, wahr ist, dann sind auch die Morde an denen, die dort gegraben haben, wirklich geschehen. Machen Sie sich klar, daß jemand über die Jahrhunderte hinweg systematisch alle die niedergerafft hat, die im Boden der Krypta wühlten. Und sagen Sie mir nicht, daß das der dunklen Vergangenheit angehört, die mit der modernen Zeit nichts zu tun hat: Der ungeklärte Diebstahl des englischen Hefts vor nicht allzu langer Zeit mitten in der Klausur ist ja wohl ein Beweis dafür, daß die Gefahr auch heute noch real ist.«

Genau das hatte Jeanne hören müssen, um zu beschließen, nicht mehr eine Minute zu verlieren und in den folgenden Nächten allein und heimlich in der Krypta zu graben. Pater Placides Warnung hatte eine natürliche Angst in ihr geweckt, aber diese Furcht verstärkte nur noch das Gefühl der Dringlichkeit und ihre Gewißheit, daß sie auf dem richtigen Weg war. Sie würde ein Tränengasspray mitnehmen, und im äußersten Notfalls würde sie der Atem des kopflosen Mönchs oder des Erzengels schon beschützen. Allerdings wollte sie die Unruhe des alten Mönchs nicht schüren und hielt es daher für geraten, das Thema zu wechseln, zumal sie ihn auch nicht anlügen wollte.

»Pater, ich habe mich schon immer gefragt, was eigentlich diese Sentenz bedeuten soll: ›Um in den Himmel zu gelangen, muß man in der Erde graben.‹ Sicherlich können Sie mir etwas dazu sagen, oder?«

Pater Placide fiel nicht auf sie herein, argwöhnisch schloß er halb die Augen, antwortete ihr aber: »Ich erinnere mich an eine Passage in Aelreds Heft, in der er berichtete, daß Bruder Ambroise 1204 das Gespenst darüber befragte und der Geist antwortete: ›Ihr müßt die drei Bedeutungen dieser Worte vereinen, damit alles in Erfüllung geht.‹«

»Die drei Bedeutungen? Das haben Sie eben nicht erwähnt!«

Jeanne war überrascht und auch skeptisch, ob Pater Placide nicht vielleicht noch mehr ausgelassen oder ob er die Antwort des kopflosen Mönchs eben erst erfunden hatte. »Die Antwort ist noch rätselhafter als die Frage«, fügte sie hinzu.

»Für eine Atheistin gewiß, aber nicht für einen Gläubigen«, erklärte er pikiert. »Die christliche Symbolik der Zahl drei sollten Sie in Ihrem Beruf doch kennen...«

Jeanne schwieg.

»Drei wie die heilige Dreifaltigkeit«, dozierte der Alte, »die drei göttlichen Wesen: Vater, Sohn und Heiliger Geist... Drei wie die drei theologalen Tugenden: Glaube, Hoffnung, Liebe – die drei Wege, die dem Menschen offenstehen, um zu Gott zu gelangen. Drei wie die drei Erzengel: Michael, der Krieger, Gabriel, der Bote, und Raphael, der Nothelfer...«

»Raphael vergesse ich immer«, gestand sie.

»Die mittelalterlichen Theologen lehrten in ihrer Auslegung der Heiligen Schrift die drei Bedeutungen, die heilige Texte stets haben: einen wörtlichen Sinn, einen symbolischen und einen spirituellen. Diese drei Bedeutungen müssen wir wahrscheinlich in der Sentenz des kopflosen Mönchs suchen und in Einklang bringen.«

»Spirituell betrachtet«, sagt sie, »bedeutet der Auftrag, in der Erde zu graben, um in den Himmel zu gelangen, doch wohl, daß man, wenn man in seinem inneren Morast gräbt, die Befreiung des Geistes erlangen kann. Eine äußerst romanische Vorstellung, und nicht nur das. Denn es ist eine andere Form des ›Erkenne dich selbst‹, dieser philosophischen Maxime, die schon als Inschrift auf dem Pythiatempel in Delphi stand und noch in der modernen Psychoanalyse ihren Niederschlag findet.«

»Ja, und es ist auch das Wesentliche am spirituellen Leben an sich und am klösterlichen Leben im Besonderen: Zu allen Zeiten dienten Selbstbetrachtung und Gebet dazu, die Seele zu reinigen und sie so vollkommen wie möglich zu machen, bereit für den Himmel. Sie haben den spirituellen Sinn begriffen: Das Gespenst fordert uns zu dieser inneren Arbeit auf und trägt uns auf, für sein Heil zu beten. Und das Symbolische und Wörtliche?«

»Die Seele des enthaupteten Mönchs ist in der Zwischenwelt

gefangen, denn er ist ein Gespenst. Indem man buchstäblich im Boden der Krypta gräbt, kann man seinen Schädel und seinen Körper finden, sie konkret wiedervereinen und den Fluch des Erzengels aufheben, so daß die Seele des Mönchs befreit und bis in den symbolischen Himmel geleitet wird: das Paradies. So sind die drei Bedeutungen in Einklang gebracht – die spirituelle, die wörtliche und die symbolische.«

»Ganz richtig. Wie dem auch sei, Jeanne«, sagte er und drückte ihre Hände in den seinen, »ich wiederhole, was ich eben schon sagte: Halten Sie es mit der spirituellen Bedeutung der Sentenz und beschreiten Sie nicht jenen Weg, der mit Leichen gepflastert ist. Sie riskieren Ihr Leben, dessen bin ich mir sicher!«

Jeanne war zwar noch anwesend, doch sie hörte schon nicht mehr zu. Insgeheim rechnete sie sich aus, daß es unmöglich war, heimlich eine Ausgrabung in Notre-Dame-Sous-Terre zu unternehmen, wie sie es sich zunächst überlegt hatte. Sie brauchte starke Arme, Gerätschaften, Informatik, elektrisches Licht – ein solches Unternehmen konnte einfach nicht unbemerkt bleiben. In diesem Fall gab es nur eine Lösung: die Eröffnung einer offiziellen archäologischen Ausgrabung in der Krypta. Das Denkmalschutzamt hatte so etwas noch nie unternommen, denn die Verwaltung kümmerte sich stets lieber um die Erhaltung dessen, was vorhanden war, als um die Suche nach der verschütteten Vergangenheit. Es war also keine leichte Sache. Um die Ausgrabung an der alten Martinskapelle genehmigt zu bekommen, waren Jahre von Verhandlungen und Vorbereitungen nötig gewesen. Wie sollte sie es im Alleingang anstellen, eine zweite Grabung zu eröffnen? Sie dachte an Patrick Fenoy, an Christian Brard, an François … Ja, wieder einmal würde François ihre letzte Rettung sein! Wie weise es gewesen war, ihm ihre Liaison mit Simon zu verschweigen und ihm nicht den Laufpaß zu geben. Doch welches Argument sollte sie vorbringen? Sie konnte niemandem etwas von ihrem Gespräch mit Pater Placide sagen, aber man würde ihr ohne materielle Beweise nicht glauben. Es würde Monate dauern, gar Jahre! Plötzlich leuchteten ihre Augen auf, während zugleich die des Paters wieder vor Müdigkeit und Altersschwäche zufielen. Sie schaute auf ihn hinunter, und eine Träne verschleierte ihren Blick.

Dieser Mann rührte sie, er hatte ihr in ein paar Stunden so viel gegeben. Sie flüsterte ihm zu, daß sie ihn diesmal wirklich in Ruhe lassen würde, doch er antwortete nicht.

Sanft löste sie ihre Hände aus den seinen. Die von Pater Placide fielen mager und leblos auf das Laken. Sie würde ihn wieder besuchen, um ihm Schokolade zu bringen und ihm Gesellschaft zu leisten, bevor er in die der Engel eintreten würde. Langsam stand sie auf, schaute ein letztes Mal auf den Greis, dann auf den Stich vom Berg, und ging auf Zehenspitzen hinaus. Im Gang mit den rosa Türen dachte sie wieder an ihre plötzliche Erleuchtung: Als Argument würde Romans Brief dienen. Er schrieb darin von der Krypta, deutete an, daß sie ein Geheimnis barg, ein Geheimnis, das mit Moïra zu tun hatte, so viel war sicher, und um dessentwillen er die Pläne für die Abteikirche verändert hatte. Das Dokument wurde wissenschaftlich als authentisch eingestuft, sein Inhalt konnte daher nicht angezweifelt werden. Und dieser Inhalt wäre ohnehin bald enthüllt worden. So konnte sich Jeanne dieses Schreiben also zunutze machen, um eine Grabungsgenehmigung für Notre-Dame-Sous-Terre zu beantragen. Sie wollte dort graben, um ihr Versprechen zu halten, das sie in ihrem Herzen dem kopflosen Mönch geleistet hatte: das Versprechen, ihn zu erlösen!

# 16

Christian Brards rasierter Schädel spiegelte wie eine stehende Regenpfütze unter den Strahlen der Frühlingssonne. Durch die Hornbrille fixierten seine Augen ein Schriftstück, während er Jeanne mit einer Handbewegung zum Sitzen aufforderte.

»*... gehorchte einem machtvollen Antrieb*«, las er laut vor. »*Ihr müßt wissen, daß ich an einem Punkt unbedingt die Pläne von Pierre de Nevers verändern mußte, die ich unter meinem Skapulier trug... diese Kirche mußte erhalten werden... die wirklichen Gründe für die Veränderung der Pläne müssen für immer allen Menschen verborgen bleiben...*«

»*In diesem Augenblick, in dem Ihr mein Schreiben lest, bin ich vielleicht endlich zu ihr gelangt. Ich habe wohl meine letzte Pflicht auf Erden erfüllt, in ihrem Gedächtnis, getreu dem Geheimnis, das sie mir anvertraut hat, und getreu unserer unsterblichen Liebe...*«, ergänzte Jeanne aus dem Gedächtnis, denn sie kannte Romans Beichte auswendig.

»Und kennen Sie auch dieses Zitat hier?« fragte er sie. »›Die Steine waren mit Wasser vollgesogene Zuckerstücke‹.«

»Nein, ich...«

»Prosper Mérimée, der Schriftsteller«, erklärte der Verwalter. »Er war auch einmal Generalinspektor des Denkmalschutzes, und diese Worte standen 1841 in seinem Bericht ans Ministerium nach seinem Besuch auf dem Mont-Saint-Michel. Er fand die Abtei in einem solch jämmerlichen Zustand vor, daß er die Behörden alarmierte, wobei er allerdings klarstellte, daß man bloß keine Renovierungsarbeiten vornehmen sollte, weil der Justizvollzug das nur ausnützen würde, um noch mehr Häftlinge dort unterzubringen.

Glücklicherweise begriff der Staat im Jahre 1863, daß die einzige Chance, dieses Juwel der Geschichte zu retten, darin lag, endlich dieses verdammte Gefängnis zu schließen.« Der Verwalter stand auf und nahm seine Brille ab. »In diesem Zustand war der Berg also, als wir ihn anvertraut bekamen. Seit 1872 hat der französische Staat Milliarden für seine Restauration ausgegeben, die bis heute nicht beendet ist, und er gibt immer noch Milliarden für seine Instandhaltung aus. Sie können sich ja vorstellen, wieviel Talent, Phantasie und Energie nötig waren, um ihn zu retten, ihm seine Pracht und seine Seele wiederzugeben und es möglichst vielen Menschen zu erlauben, an ihr teilzuhaben, wie es die republikanische Demokratie verlangt. Ich habe pro Jahr eine Million Besucher in der Abtei, im Sommer neuntausend pro Tag, und ich bin glücklich darüber. Ich weiß, wenn es nach euch Archäologen ginge, würde die Abtei für die Öffentlichkeit geschlossen werden und stünde allein euch zur Verfügung. Sie würde allmählich in sich zusammenfallen, denn ihr würdet sie in einen Schweizer Käse verwandeln, würdet überall graben, weil ihr eine Intuition habt oder weil eine Handschrift aus dem 11. Jahrhundert etwas von einem hypothetischen Mysterium verlauten läßt. Hätte man euch freie Hand gegeben, wäre nichts mehr von dieser Abtei übrig, nichts, nur Löcher, und es stünde kein Stein mehr auf dem anderen. Wir Denkmalpfleger hingegen verwenden Jahre auf den Versuch, eine Stätte zu erhalten, sie allen zugänglich zu machen, damit sie entdeckt und geliebt wird, wohingegen ihr sie schließen wollt, um sie nach Belieben zugrunde zu richten!«

»Sehen Sie«, unterbrach ihn die junge Frau in aller Gemütsruhe, »wir haben beide denselben Arbeitgeber: den Staat, das Kulturministerium. Und wir arbeiten auch für dasselbe Ziel: eine Vergangenheit ans Licht zu holen, die von der Geschichte ausgelöscht wurde, ihr neues Leben zu geben und sie zugänglich zu machen, damit sie unseren Zeitgenossen zur Erkenntnis dient.«

»Ihre Ausgrabung in der alten Martinskapelle zog kein Denkmal in Mitleidenschaft, keine andere historische Stätte!« fauchte er sie an. »Aber eine Ausgrabung in der Krypta … Froidevaux hat über zwei Jahre seines Lebens der Restauration von Notre-Dame-Sous-Terre gewidmet, dem ältesten Bauwerk auf dem Berg! Er hat sie von ihrer Schlacke befreit, hat die nicht mehr vorhandenen Mauern interpretiert, rekonstruiert, die ›Epidermis‹, wie er sagte. Er hatte ein solches Gespür für diesen Ort, hat ihn mit so viel Einfühlsamkeit und Geschick wieder aufgebaut, daß ich jede Wette eingehe, daß niemand das heutige Mauerwerk von dem ursprünglichen unterscheiden kann. Er hat sogar ein Stück Mauer von Auberts Andachtsstätte entdeckt und die Krypta dermaßen nach allen Regeln der Kunst wiederhergestellt, daß diese Restauration als Musterbeispiel gilt, das jeden Besucher einnimmt und bezaubert. Und Sie kommen mit dem Vorwand, eine noch ältere Vergangenheit ausgraben zu wollen, von der wahrscheinlich nichts mehr übrig ist, und wollen alles kaputtmachen!«

»Monsieur, ich verstehe Ihren Standpunkt und Ihre Besorgnis.« Auch sie erhob sich. »Sie lieben Ihren Beruf, Sie lieben diese Abtei. Und ich ebenso, stellen Sie sich das vor. Es ist nicht zu bestreiten, daß der Denkmalschutz hier beträchtliche Arbeit geleistet hat und immer noch leistet, die ich auf keinen Fall beschädigen will. In Notre-Dame-Sous-Terre werde ich an Froidevaux' Restaurierungen keine Hand anlegen.«

»Erlauben Sie mir, daran zu zweifeln. Im übrigen werden Sie ja doch nur Fels finden!«

»Vielleicht, es wird sich zeigen.«

»Sie sagen, Sie verstehen mich, Mademoiselle.« Er setzte sich wieder an den Schreibtisch und putzte seine Brille. »Ich dagegen verstehe Sie nicht. Sie, eine anerkannte und respektierte Spezialistin von Cluny, tun alles, was in Ihrer Macht steht, um sich als Vertreterin für Roger Calfon in eine Abtei versetzen zu lassen, von der Sie – verzeihen Sie – nicht gerade viel Ahnung haben. Das läßt sich ja zur Not noch durch legitimen beruflichen Ehrgeiz erklären und damit, daß die Ausgrabung in der alten Martinskapelle so interessant ist, schließlich ist es die erste so umfangreiche archäologische Arbeit, die hier unternommen wird. Aber nicht begreifen kann ich, daß Sie diese wunderbare Gelegenheit nicht einfach wahrnehmen, sondern daß Sie jedermann gegen sich aufbringen, mich als allerersten, und daß Sie Ihre privaten Beziehungen zum Ministerium mißbrauchen, womit Sie immerhin Ihre Karriere riskieren, um diese Ausgrabung von der alten Martinskapelle in die Krypta Notre-Dame-Sous-Terre zu verlegen. Und das auf der Grundlage eines alten Manuskripts aus Cluny, dessen obskure, sibyllinische Botschaft – das wissen Sie so gut wie ich – nicht ausreicht, um die Eröffnung einer Ausgrabung zu rechtfertigen. Und zur Krönung des ganzen – und das verzeihe ich Ihnen nicht, denn es ist eine Haltung, die eines Beamten unwürdig ist – kommen Sie nicht zu mir, um in aller Offenheit über diese Handschrift und über Ihren Plan zu reden, die den Berg und damit mich selbst direkt betreffen, sondern hintergehen mich und schmieden hintenherum heimlich Ränke, bis man mir diese Entscheidung von oben aufzwingt.«

Sie setzte sich, bevor sie antwortete: »Ich gebe zu, daß ich Ihnen gegenüber damit nicht ganz loyal war. Aber mal ganz ehrlich: Meinen Sie, wenn ich nach der Entdeckung von Bruder Romans Testament zu Ihnen gekommen wäre, hätten Sie meine Anfrage befürwortet? Ich bitte Sie, ich hatte keine Chance, außer in offenen Konflikt mit Ihnen zu treten.«

»Wenigstens hätte ich dann meiner Leidenschaft für alte Handschriften frönen können. Denn die besagte ist ganz außergewöhnlich, und ich hätte sie gern früher studiert. Aber gut, Sie haben recht, ich hätte nicht Ihren Wünschen gemäß reagiert, so viel ist sicher. Gestern wie heute halte ich sie für unbegründet, abwegig und gefährlich, denn sie laufen der Bewahrung der Steine in der Abtei zuwider.«

»Und wenn ich Ihnen sage, daß die Krypta wahrscheinlich einen Schatz birgt?« wagte sie sich vor, als sie erkannte, daß ihr Gegenüber etwas milder gestimmt war als zu Beginn ihrer Unterredung.

Er taxierte sie wie ein Irrenarzt einen unheilbar Schwachsinnigen. »Ich hoffe, Sie machen Witze?« fragte er tonlos. »Sie haben aus Bruder Romans Worten herausgelesen, daß er die Pläne verändert hat, um einen Schatz zu schützen? Ist es das, was Sie zu finden hoffen: einen Schatz der Wikinger, der Kelten, der Kreuzfahrer oder der normannischen Mönche, was weiß ich? Ist das die Grundlage für dieses Komplott, diese ministerielle Maskerade? Aber … das kann einfach nicht wahr sein! Sie haben zu viel Stevenson oder Dumas gelesen, und das ist Ihnen zu Kopf gestiegen!«

Sie bereute ihre Worte, aber es war zu spät. Also konnte sie auch gleich noch nachlegen, um ihre Entschlossenheit zu demonstrieren, ohne ihre wahren Motive offenzulegen. »Monsieur, wenn ich ›Schatz‹ sage, meine ich nicht unbedingt einen Schatz aus Gold und Edelsteinen. Hören Sie, die Krypta birgt ein Geheimnis, das können Sie nicht leugnen: Bruder Roman, der Werkmeister, schützte dieses Geheimnis, das er nicht einmal seinem Abt anvertrauen wollte und für das er sich einer ungeheuren Gotteslästerung schuldig machte. Bedenken Sie nur, daß er Mönch war, und in welcher Zeit! Dieses Geheimnis hat niemand je gelüftet. Es können sehr alte Heiligenreliquien sein, die bis zu den ersten Christen oder zu Aubert selbst zurückreichen, oder Handschriften, Bibeln oder Keramik der Kelten oder der Kanoniker. Oder etwas, was mit Moïra zu tun hat – ja, mit Moïra, der Liebe seines Lebens. Etwas, was sie dort versteckt hat – und was entdeckt worden wäre, hätte man die alte Kirche eingerissen, was Roman verhindert hat. Jedenfalls ist da ein Geheimnis, und zwar ein sehr konkretes. Die moderne Archäologie verfügt über die Mittel, es aufzudecken, ohne dabei die Krypta zu zerstören. Es wäre ein Verbrechen, es nicht zu tun.«

Der Verwalter schlug sich in einer Geste der Verzweiflung die Hände vor den Kopf. »Moïra? O je! Und ich hielt Sie für eine Wissenschaftlerin …« Er klang außer sich. »Alles das tun Sie also einer romantischen Seele zuliebe. In meiner Krypta, Notre-Dame-Sous-Terre, wird das Unterste zuoberst gekehrt, sie wird in einen Feldgraben verwandelt, durchgepflügt, besudelt – weil eine junge Archäologin beschlossen hat, daß die zu Tode gefolterte Geliebte eines Mönchs vor fast tausend Jahren ein ›Geheimnis‹ vergraben hat, das nie gefunden wurde? Das ist ja Irrsinn! Hören Sie, ich will nichts mehr davon hören! Raus mit Ihnen! Ich kann ja ohnehin nichts tun, um diese Schändung zu verhindern! – Warten Sie!«

Er schleuderte ihr den Erlaß des Ministeriums mit der Grabungsgenehmigung entgegen, den er am Morgen erhalten hatte.

»Ich überlasse es Ihnen, das alles Ihren Leuten zu erklären, insbesondere Patrick Fenoy. Morgen werden Sie die Grabung in der alten Martinskapelle absichern – ich lege keinen gesteigerten

Wert darauf, daß ein Tourist in das Loch fällt und sich ein Bein bricht –, und übermorgen fangen Sie in Notre-Dame-Sous-Terre an. Aber denken Sie daran, Mademoiselle: Das Ministerium hat Ihnen nur zwei Monate für die Krypta gegeben, vom 15. April bis zum 15. Juni. Ich beuge mich trotz meiner Ablehnung, denn wenigstens ich respektiere den Dienstweg. Aber Sie bekommen nicht einen Tag, nicht eine Stunde mehr. Am 16. Juni ist die Krypta wieder für Führungen geöffnet und diesen Sommer für die nächtlichen Spaziergänger. Verlassen Sie sich auf mich, ich werde es schon so einzurichten wissen, daß Sie mir die Krypta im selben Zustand wiedergeben, wie Sie sie vorgefunden haben – in perfektem Zustand ohne all Ihre Hirngespinste!«

Sie verließ den Raum, zugleich kleinlaut und zornig, ihren Erlaß in der Hand. Was hätte sie tun sollen? Schließlich konnte sie ihm nicht von dem enthaupteten Mönch erzählen, von Pater Placide, von den verbrannten Consuetudines und dem gestohlenen englischen Heft. Dann hätte Brard sie erst recht bei dem alten Mönch im Hospiz einsperren lassen! Die Handschrift aus Cluny aber, Romans Testament, existierte wirklich und war inzwischen offiziell authentifiziert: Das Pergament stammte aus dem 11. Jahrhundert und war in den Werkstätten der Abtei von Cluny hergestellt worden. Die Tinte war nach der Technik und mit den Zutaten gemischt worden, wie sie in Clunys Skriptorium Verwendung gefunden hatten, und sie konnte aus dem Jahr 1063 stammen, wie es auf dem Brief geschrieben stand. Auch Schrift, Wortwahl und Stil entsprachen dieser Epoche. Die einzige Ungewißheit betraf den Zeitpunkt, zu dem das Schriftstück in das Kupferrohr gelegt worden war, bevor man es im Grab des Pierre de Nevers niedergelegt hatte. Auch die Echtheit dieses Grabmals hatte Paul inzwischen nachgewiesen. Paul vertrat noch immer die Meinung, es sei Hugo von Semur gewesen, der in der festen Überzeugung, daß Roman – beziehungsweise Johann von Marburg – tot war, das Grab des Meisters geöffnet hatte, um darin das Testament seines Schülers zu verbergen. Später dann habe Hugo oder andere Äbte das Grab in den Chor von Cluny III verlegt. Pauls minutiöse Untersuchungen an dem Grabmal und den sterblichen Überresten, die es barg, dauerten seit fast vier Monaten an und schienen seine Theorie zu bestätigen: Er hatte winzige, sehr alte Spuren gefunden, die auf eine Öffnung und eine erneute Versiegelung des Grabes hinwiesen. Die Handschrift war also nicht die Erfindung eines Fälschers, sondern war zu dem angegebenen Datum verfaßt worden. Mit seinem Inhalt setzten sich Latinisten und Mediävisten auseinander, Fachleute für die Geschichte des Mont-Saint-Michel und für Cluny, und dieser Inhalt hatte eine lebhafte Kontroverse ausgelöst: Die einen Spezialisten glaubten an die historische Wahrheit der berichteten Ereignisse und suchten – freilich vergeblich – nach Spuren, die Bruder Romans und Moïras Leben beweisen konnten. Die erwähnten normannischen Herzöge und Äbte stellten kein Problem dar: Daß Abt Hildebert vielleicht vergiftet worden war, vermuteten manche Historiker seit langem, und sein möglicher Giftmörder Almodius war dank seiner Arbeit als Leiter des Skriptoriums über die Jahrhunderte bekannt geblieben.

Ein Johann von Marburg tauchte in den cluniazensischen Consuetudines nicht auf, und es bestand keinerlei Hoffnung, Bruder Romans Namen in denen des Mont-Saint-Michel zu finden, weil alle Überreste davon 1944 im Feuer vernichtet worden waren. Immerhin waren sich alle einig, daß sich dieser Roman im klösterlichen Leben ausgekannt hatte und sehr gut selbst Mönch auf dem Berg und dann in Cluny gewesen sein konnte. Es war auch sehr gut möglich, daß er Pierre de Nevers gekannt hatte, aber dafür, daß er selbst Werkmeister der großen Abteikirche auf dem Berg gewesen war, stand der Beweis noch aus – und er war auch in Zukunft nicht zu erbringen, denn die Archive der Bauhütten gab es ebenfalls nicht mehr. Kurz, Bruder Roman war ein unsichtbares Mönchsphantom, unauffindbar und seine Existenz unüberprüfbar, doch er hatte einen Geist, der dank dieses Dokuments die Zeiten überdauert hatte. Moïra hingegen war ein historisches Nichts, es gab keinerlei Hinweis auf ihre Verurteilung in Rouen oder ihre Folter auf dem Berg: Sie lebte nur in den Worten des Verfassers dieser Handschrift. Und genau deshalb kamen einige Fachleute darauf, dieses Schriftstück nicht länger als historisches Zeugnis zu betrachten, sondern es als ergreifende Erfindung eines Mönchs zu interpretieren, ein originelles Stück Fiktion, das aber seinerseits revolutionär wäre, eine Geschichte, die ein geplagter, lebhafter und phantasievoller Geist erfunden hätte: ein Märchen für Hugo von Semur, ein kurzer Roman, der erste Roman, der im Okzident je verfaßt worden war, hundert Jahre vor den versförmigen, aus dem Lateinischen übersetzten Werken und über ein Jahrhundert vor den Franzosen Chrétien de Troyes, Béroul, Thomas, die man bisher für die Begründer dieses literarischen Genres in Europa hielt.

Als Jeanne von der Kontroverse zwischen den »Verfechtern des historischen Berichts« und den »Verfechtern des Romans« erfahren hatte, hatte sie an Simon gedacht, der, sobald sie ihm an Silvester Johann von Marburgs Testament vorgelesen hatte, es sofort als Werk eines Genies hingestellt hatte, jedoch ohne Verbindung zur Realität. Da hatte Jeanne den Entschluß gefaßt, diese Polemik für ihre eigenen Ziele zu nutzen.

Es war in den ersten Februartagen, diesem düsteren, grauen, verstümmelten Monat gewesen. Sie war von den Offenbarungen von Bruder Placide berauscht gewesen, die sie zutiefst verstört hatten. Sie tat so, als konzentrierte sie sich auf die Ausgrabung in der alten Martinskapelle, aber sie war in die zweite Phase ihres Plans eingetreten: Sie wollte eine offizielle Grabung in Notre-Dame-Sous-Terre durchsetzen und sich dazu auf das einzige greifbare Element stützen, das inzwischen alle kannten: Romans Beichte. Sie behauptete gegenüber Simon, ihre Eltern besuchen zu wollen, und am folgenden Wochenende traf sie François in einem Hotel in Etretat, wo es luxuriös, menschenleer und etwas altmodisch zuging. Als François den Streit über die Handschrift aus Cluny erwähnte, der die Historiker entzweite, ergriff sie die Gelegenheit beim Schopfe, die die Vorsehung ihr bot: Da die historischen Nachforschungen in den Bibliotheken kein Ergebnis gebracht hatten, lag die einzige Möglichkeit, die beiden Parteien zu befrieden, in ihrer Disziplin: der Archäologie! Der Verfasser sagte klar und deutlich, daß die Krypta Notre-Dame-Sous-Terre ein Geheimnis barg, um dessentwillen er die Pläne der großen Abteikirche verändert hatte. Nun, es war ganz einfach: Man brauchte nur in der Krypta zu graben. Wenn diese Erzählung ein historischer Tatsachenbericht war, würden die Archäologen dieses Geheimnis zutage fördern; wenn sie nichts fanden, hatten die Verfechter der Romanthese recht. In beiden Fällen war dieses Dokument von unschätzbarem Wert und verdiente, daß man die Behörden ein bißchen in Bewegung brachte.

François war alles andere als naiv und begriff sofort, was Jeannes Worte implizierten und warum sie auf einmal drei ganze Tage mit ihm verbringen wollte. Es war ein schwerer Schlag für ihn.

»Und wie es der Zufall so will«, hatte er gesagt und seinen Schmerz hinuntergeschluckt, »würde man ausgerechnet dich damit beauftragen, diese Ausgrabung in der Krypta zu leiten?«

»Hör zu, François! Es ist nun einmal so, daß dank eines glücklichen Zufalls gerade ein vollständiges, arbeitsfähiges Team von Archäologen vor Ort ist. Es wäre dumm, das nicht zu nutzen. Das ist einfacher und kostengünstiger, als noch eine Mannschaft kommen zu lassen. Man braucht die Ausgrabung an der alten Martinskapelle nur zeitweise in die Krypta zu verlegen – es würde nur kurz dauern, weil die Krypta klein ist –, und dann würde man mit der begonnenen Arbeit weitermachen. Und um ganz ehrlich zu sein: Natürlich würde ich diese Ausgrabung in Notre-Dame-Sous-Terre gern selbst leiten. Denk doch nur daran, was ich dir letzten September erzählt habe, als du mich auf den Berg mitgenommen hast; du bist der einzige, der davon weiß«, hatte sie gelogen. »Ich glaube, für mich wäre das Graben in der Krypta so etwas wie eine Ausgrabung in meinem Unterbewußtsein und würde mich von meinen kindlichen Alpträumen befreien. Allerdings gibt es da ein Problem: Es muß ganz schnell gehen. Denn ich bin nur vorläufig auf den Berg abgestellt, nur für sechs Monate.«

Sie war so taktisch raffiniert vorgegangen, nicht weiter nachzuhaken und das Thema für den Rest des Wochenendes nicht mehr zu erwähnen. François hatte alle Karten in der Hand, es hätte nichts gebracht, weiter auf ihn einzureden. Nicht zu diesem Zeitpunkt jedenfalls. Jeanne wußte, daß es um Roger Calfons Frau sehr schlecht stand – Patrick Fenoy hatte sie kürzlich im Krankenhaus besucht – und daß der routinierte Archäologe nicht so bald zurückkommen würde. Auch François wußte sicherlich davon, aber es wäre höchst geschmacklos von Jeanne gewesen, darauf anzuspielen.

Daher bemühte sie sich lieber, François zu verstehen zu geben, wie sehr sie sich in den letzten Monaten von ihm entfernt hatte – ohne dabei aber Simon zu erwähnen – und wie leicht sie sich auch endgültig von ihm entfernen könnte, wenn er ihr nicht half. Das war eindeutig eine Erpressung, aber sie hatte deswegen keinerlei Skrupel: Ihre absolute, wenn auch geheime Priorität war es, den Fluch aufzuheben, der auf dem enthaupteten Mönch lastete. Sie mußte ihn befreien, um sich selbst zu befreien, und nichts zählte neben diesem Ziel. Sie würde diese Mission zu Ende bringen, sie würde ihr Versprechen einhalten, und dafür war sie entschlossen, alle Mittel einzusetzen, wirklich alle!

Sie benutzte François, das war richtig, aber hatte sie ihm nicht im Laufe ihres Verhältnisses auch viel gegeben? Und er, was hatte er ihr gegeben außer eine heimliche Affäre ohne Zukunftsaussichten? Jeanne wußte, daß dieses Argument etwas fadenscheinig war, denn sie hatte sich aus freien Stücken für François entschieden, für einen verheirateten Mann, und damit für diese Art von Beziehung mit all dem Frust, der damit verbunden war. Ihr selbst war diese Art Beziehung entgegengekommen, denn dadurch hatte sie sich zu nichts verpflichtet gefühlt. Doch in diesem Augenblick versuchte sie das zu vergessen.

Isabelle hatte recht, sagte sie sich. Das beste, was François ihr bieten konnte, war berufliche Unterstützung, und Jeanne wäre dumm, wenn sie diese nicht in Anspruch nähme. Sie kannte die Männer gut genug, um zu ahnen, daß François keinen Finger rühren würde, wenn er das Gefühl hatte, sie wäre ihm ausgeliefert, schwach und flehentlich. Doch wenn er fürchtete, sie zu verlieren, würde er ihr unter die Arme greifen, um ihr zu beweisen, wie sehr sie ihn brauchte.

Ihre Taktik ging perfekt auf: François hatte solche Angst gehabt, Jeanne könnte ihn verlassen, daß er das ganze Ministerium aufgerüttelt hatte, damit sie eine Grabungsgenehmigung für die Krypta bekam und die Verlängerung ihrer Berufung auf den Berg. Christian Brard hatte postwendend heftigen Widerstand angemeldet, der in einem Punkt sogar gerechtfertigt war: Objektiv betrachtet reichten der Inhalt der Handschrift aus Cluny und der Gelehrtenstreit, der darum ausgebrochen war, nicht aus, daß die Behörde plötzlich die Politik der Denkmalpflege über den Haufen warf, die seit beinahe hundertfünfzig Jahren auf dem Berg betrieben wurde. François hatte sich trotzdem durchgesetzt, dank der Unterstützung einiger bekannter Historiker aus den beiden Lagern, doch er wußte, daß der Verwalter recht hatte. Auf dessen Protest hin war die Ausgrabung auf zwei Monate beschränkt worden.

Als Jeanne Christian Brards Büro verließ, wußte sie, daß eine weitere, mindestens genauso schwere Prüfung sie erwartete: Sie mußte ihrem Team erklären, daß die Ausgrabung verlegt wurde. Es gab bereits Gerüchte, aber nichts Konkretes, denn um seinen Gewaltakt durchzusetzen, hatte François das Projekt im geheimen vorangetrieben, damit nicht irgendwelche Vereine zum Schutz des Berges oder verbitterte Archäologen wie Patrick Fenoy seine Pläne durchkreuzten. Brard hatte die Spielregeln, die seine Vorgesetzten aufgestellt hatten, akzeptiert und war allein vorgegangen, ohne die Sache nach außen dringen zu lassen – obwohl die öffentliche Austragung seinem Protest mehr Gewicht verschafft hätte –, und François war ihm dafür aufrichtig dankbar, denn er selbst hatte bei diesem internen Konflikt einen Mangel an professioneller Loyalität gezeigt. Brard war so feinfühlig, daß er vielleicht alles erahnte, doch bisher hatte er es bei Anspielungen belassen. Jeanne und er mußten aufpassen.

»Das ist ja … sehr überraschend, aber wahnsinnig aufregend!« rief Florence, die neben der Ausgrabung in der alten Martinskapelle am Tretrad lehnte. »Wir haben dann zwar keine Sonne mehr – aber egal!«

»Überraschend, das kann man sagen«, fügte Jacques hinzu. »Ich finde es einen herrlichen Gedanken, an einer Ausgrabung teilzunehmen, die den wahren Wert von Wörtern feststellen soll, die aus der Vergangenheit aufgetaucht sind: ob sie von historischem oder romaneskem Urspung sind!«

»Ja, aber ich persönlich«, erklärte Dimitri, der vorsichtig seine Handschuhe auszog, »würde zum ersten Mal in meinem Leben lieber nichts bei einer Ausgrabung finden, damit diese Handschrift der erste Roman ist, der je geschrieben wurde.«

»Was für ein Romantiker!« mokierte sich Sébastien. »Ich bin auch dabei, Jeanne, aber ich hoffe, daß wir eine herrliche Beute ausgraben, die Aubert und seine Kanoniker dort vergraben haben, Rauchfässer voller Gold und Rubinbesatz, Kelche aus Vermeil, ein diamantenes Tabernakel, das Schwert des heiligen Michael persönlich! Sag mal, Frau Direktorin, Sie waren ja ganz schön geheimniskrämerisch bei dieser Sache. Man merkte zwar, daß etwas im Busch war, aber das haben wir nicht erwartet. Wie hast du es denn angestellt, bei den hohen Tieren im Ministerium die Genehmigung zu erwirken, und das so schnell und ohne daß etwas davon bekannt wurde? Das machen die doch normalerweise nicht so.«

Jeanne errötete. »Nun ja… als in Cluny das Pergament entdeckt wurde…«, stammelte sie hilflos. »Nun, Ihr durftet nichts davon wissen, wegen der Lobbys…«

»Lobbys? So ein Blödsinn!« unterbrach Patrick sie. »Madame hat ihre Beziehungen zum Ministerium, das ist alles. Cluny hat ihr nicht mehr gereicht, da hat sie es so eingerichtet, daß sie hier zur Grabungsleiterin ernannt wurde, und sie hat ihr Vitamin B auch für diese letzte Schnapsidee genutzt, um die Ausgrabung in der Krypta genehmigt zu bekommen. Und wir sollten uns vor allem nicht einmischen, ist doch klar.« Er bedachte seine Kollegen mit einem verächtlichen Blick. »Ihr scheint euch ja richtig darauf zu freuen, daß ihr Madame mit ihren unglaublichen Marotten zu Diensten sein dürft. Na dann viel Spaß! Aber ich habe eine andere Auffassung von unserem Beruf. Niemals werde ich diese groteske, improvisierte Ausgrabung unterstützen, und ich weigere mich, mich wie ein Spielstein behandeln zu lassen und mich vor vollendete Tatsachen stellen zu lassen.« Mit diesen Worten machte er auf dem Absatz kehrt.

»He, Patrick, wo willst du hin?« wagte Florence ihn zu fragen.

»Brard meine Kündigung vorlegen!« zischte er.

Jeanne war fassungslos.

»Vergiß es, das hat nichts zu bedeuten«, tröstete Flo sie. »Das ist bloß die selbstverliebte Überreaktion eines Machos, der sich in seiner Männlichkeit verletzt fühlt. Er ist beleidigt, daß du ihn nicht vorher um Erlaubnis gefragt hast, das ist alles. Das ist eben seine Art, das Gesicht zu wahren. Ich bin sicher, daß er in ein paar Stunden oder spätestens morgen wieder auf seinem Posten ist. In der Krypta wurde noch nie gegraben – das wird er sich um nichts in der Welt entgehen lassen.«

»Es ist ja nicht so, daß ich ihn so besonders in mein Herz geschlossen habe«, erwiderte Jeanne, »aber ich muß zugeben, daß er ein guter Archäologe ist, und für ein Team ist es nie gut, wenn einer der Mitarbeiter so plötzlich weggeht.«

»Mach dir nichts daraus«, beruhigte sie auch Jacques. »Laß ihn ausschmollen. Ich wette eine Flasche Calvados mit dir, daß er niemals kündigt.«

»Die Wette gilt! Wenn du recht hast, Jacques«, erklärte Jeanne, »bekommst du einen zwanzigjährigen.«

Als Sébastien am selben Abend den Küchendienst übernahm – es gab Kutteln mit Karotten und Zwiebeln, eine deftige Spezialität aus Caen, die er nur aufzuwärmen brauchte –, war Jeannes Assistent noch immer nicht wieder bei ihnen. Simon erwartete sie in Saint-Malo, aber sie hatte ihre Abfahrt für den Fall verschoben, daß Patrick zurückkehren sollte: Sie mußten sich unbedingt aussprechen, und sie brannte darauf, klar Schiff mit ihm zu machen. Jeanne schaute auf ihre Uhr, seufzte, schnupperte bedauernd nach den Kutteln, die im Topf langsam zu zergehen begannen, und brach schließlich auf.

Als sie die Stufen der Dorfstraße hinunterging, ganz vorsichtig wegen ihrer hohen Absätze, hob sie den Blick in die rötliche Dämmerung. In spätestens drei Tagen würde die Ausgrabung in Notre-Dame-Sous-Terre beginnen. Sie hätte eigentlich zufrieden sein sollen, aber sie fühlte sich beklommen. Ja, als würde eine unsichtbare Hand sie würgen, und zwar nicht die des Gespenstes.

Auf dem Weg nach Saint-Malo bemühte sie sich, einen Grund für dieses Gefühl zu finden, aber vergeblich. Sie freute sich auf Simon, den sie wegen der Osterferien und der ersten Touristen seit ein paar Tagen nicht gesehen hatte: Er öffnete wieder jedes Wochenende seinen Laden in Saint-Malo und war daher nur noch zeitweise auf dem Berg. Jeanne machte das nichts aus, im Gegenteil, sie war sogar erleichtert darüber, denn sie wollte nicht, daß ihr Verhältnis öffentlich wurde, und hatte sich zu Simons

Leidwesen darauf versteift, es so geheim wie möglich zu halten. Dabei liebte sie ihn, mehr als sie François oder einen anderen Mann je geliebt hatte, aber sie konnte es nicht ertragen, diese so einmalige Liebe dem Tageslicht auszusetzen, diese Augenblicke, die der Dürftigkeit ihrer sonstigen Gefühlswelt abgerungen waren und die, um schön, stabil und dauerhaft zu sein, geheim bleiben mußten. Seit der romantische Schwung der ersten Wochen abgeklungen war, hatten die nächtlichen Rendezvous in Simons Bleibe auf dem Berg die junge Frau ängstlich und scheu gemacht: Die Entfernung zwischen dem Mont-Saint-Michel und Saint-Malo, so gering sie auch war, gab ihr ihre Sicherheit wieder. Natürlich konnte sie so François, Simon und sich selbst vor dem Gerede im Dorf schützen, aber sie spürte, daß das nicht der Hauptgrund für ihren neugewonnenen Frieden war. Eher konnte sie dank dieser kleinen Entfernung die Beziehung unter Kontrolle behalten, brauchte sich Simon nicht vollständig auszuliefern, denn sie hatte das Gefühl, ihn zu verlieren, sobald sie das täte.

Bevor sie an der Tür der prachtvollen Wohnung über seinem Laden klingelte, kaufte sie bei einem Weinhändler eine Flasche gekühlten Champagner: Sie wollte mit Simon den bevorstehenden Beginn der Ausgrabung in Notre-Dame-Sous-Terre feiern.

Er schloß sie in seine Arme, als wäre sie eben von einer zehnjährigen Nordpolexpedition zurückgekehrt. »Ah, ich freue mich schon auf Sonntag abend«, flüsterte er ihr ins Ohr, »wenn ich den Laden schließe und wieder auf den Berg komme. Dann ist es bloß noch eine Woche, bis die Osterferien vorbei sind und ich wieder heimkomme, und dann können wir uns wieder jeden Tag sehen.«

»Aber ich komme gern hierher«, warf sie ein. »Da bin ich mal in einer anderen Umgebung – das tut mir gut.«

»Ja, und vor allem besteht hier keine Gefahr, jemandem über den Weg zu laufen, den du kennst!« Er durchschaute sie. »Ich verstehe dich nicht. Schämst du dich für mich, oder was ist los?«

»Simon, wie kannst du so etwas sagen? Nein, ich habe es dir schon tausendmal erklärt: Mein Privatleben geht nur mich selbst etwas an, und ich habe wirklich keine Lust, Stoff für das Gerede in meinem Team und bei den Leuten auf dem Berg abzugeben.«

»Aber laß sie doch tratschen!« entgegnete er ärgerlich. »Was kümmert uns das schon? Wir sind erwachsen, selbstbestimmt, frei. Ich finde es lächerlich und unzeitgemäß, wie du dich ständig darum sorgst, was die Leute sagen könnten. Oder haben dich die zwei Jahre mit deinem verheirateten Liebhaber so an die Geheimnistuerei gewöhnt?«

»Bitte, Simon, komm mir nicht damit. Ich will mich heute abend wirklich nicht mit dir streiten. Ich hatte einen harten Tag. Hör lieber mal zu, ich habe eine grandiose Neuigkeit für dich.« Sie holte die Flasche Champagner aus der Plastiktüte.

»So etwas Edles?« Verwundert lächelnd umfaßte er ihre Taille. »Habe ich deinen Geburtstag vergessen? Aber mir ist so, als läge der mitten im Sommer.«

Sie stellte die Flasche ab und betrachtete seine schwarzen, von weißen Fäden durchzogenen Locken, seine grauen Koteletten, seine herrlichen Augen, seine Haut, die von den Ausflügen auf dem Meer so braungebrannt war, daß er aussah wie ein südländischer Matrose. Sie schnupperte nach seinem Duft; er roch nach ausgelassenen Ausritten durch einen düsteren Zauberwald. Sie nahm seinen Kopf in die Hände und tauchte ein in seine anisgrünen Augen.

»Der Anlaß ist viel wichtiger als mein Geburtstag«, antwortete sie. »In Wirklichkeit ist es eine zweite Geburt. Ja, eine Rückkehr ins Leben, eine Auferstehung in die Welt der Lebenden. In meine Welt – und die eines anderen.«

»Genau dieses Gefühl habe ich auch, liebe Jeanne«, flüsterte er. »Ich war tot, und du hast mir wieder Leben eingehaucht.«

Sie stutzte. Dann begriff sie das peinliche Mißverständnis. »Ja, stimmt«, stotterte sie, »aber ich meinte nicht uns beide. Ich meinte etwas anderes. Ich werde eine Ausgrabung in Notre-Dame-Sous-Terre leiten, und übermorgen fangen wir an!«

Vor Verblüffung wurde Simon leichenblaß. Jeanne hätte nie gedacht, daß sein tiefbraunes Gesicht so bleich werden konnte. Er hatte gemeint, sie würde ihm ihre Liebe gestehen, und dabei erklärte sie ihm ihre Leidenschaft für eine Krypta und ihren kopflosen Bewohner. Sie kam sich vor wie ein Trampeltier!

Er ließ sie los, und sie meinte in seinen Augen das Aufscheinen von Abscheu zu erkennen.

»Ich bin völlig sprachlos«, gestand er. »Sprachlos und schockiert. Ja, schockiert. Wie alle die, die den Berg lieben, liegt mir dieser Ort besonders am Herzen, die älteste Stelle der Abtei, die vom Ursprung des Berges zeugt und in der eine außerordentliche Stimmung herrscht, in der der mittelalterliche Zauber wirklich wahrnehmbar ist. Ich finde es ein starkes Stück, daß dieser Ort auf den Kopf gestellt werden soll. Das … das ist wie ein Sakrileg, eine Schändung!«

»Keine Sorge«, antwortete sie leise, »du bist nicht der einzige, der dieser Meinung ist.«

»Was erhoffst du dir davon? Und warum hast du mir nicht vorher davon erzählt?« begehrte er auf. »Nein, wirklich, du tust mir leid … Wenn du so wenig Vertrauen in die hast, die dich lieben, mußt du dich ja ganz schön selbst verabscheuen!«

»Nicht so sehr wie du gerade«, antwortete sie tonlos, während ihr Tränen in die Augen stiegen.

»Du verstehst überhaupt nichts! Jetzt meinst du also, ich würde dich hassen? Blind und obendrein noch paranoid! Was ist nur in deinem Leben geschehen, daß du die Liebe der Menschen so von dir weist? Aber ich verstehe: Mit deinen Steinen, deinen alten Gräbern und deinen verheirateten Männern gehst du kein Risiko ein! Keine Gefahr, kein Ehestreit, keine Versprechen, die du halten mußt, keine Verpflichtung! Verrat und Verlassenwerden unmöglich! Aber wirst du mir jetzt endlich antworten, statt mich mit diesem Blick eines Lämmchens anzuschauen, an den ich nicht eine Sekunde glaube?«

Niemals hätte sie ihn solcher Grausamkeit für fähig gehalten. Wie ertappt stand sie da, noch immer im Mantel, stand Simon gegenüber, der vor enttäuschter Leidenschaft kochte und im Flur seiner Wohnung hin- und herging wie ein ausgehungerter Tiger, der nicht an sein Futter kommt. Und wie an jenem denkwürdigen Septemberabend mit François, als sie gerade zum ersten Mal seit ihrer Kindheit Notre-Dame-Sous-Terre wiedergesehen – und wiedererkannt – hatte, übermannte sie grenzenloser Kummer.

Sie rannte ins Bad und sperrte sich ein, um ihren erwachsenen Frauenkörper den Weinkrämpfen und den Kindertränen zu überlassen. Simon war von ihrer Reaktion wie gelähmt, und dann entschuldigte er sich für seine groben Worte so lange, bis sie ihm endlich die Tür öffnete. Er umarmte sie, wie eine Mutter ihr Kind in die Arme schließt, redete ihr zu, wie ein Bruder seine Schwester tröstet, und schließlich saß sie in einem Sessel vor dem Wohnzimmerkamin, von ihren Tränen völlig erschöpft. Auch in dem Haus hörte man noch die Gewalt der Gezeiten, und Jeanne verglich sich mit den steinernen Stadtmauern, die die Schaumklingen zu durchstechen versuchten. Als Simon ihr ein Glas Champagner anzubieten wagte, von diesem Champagner, der alles ausgelöst hatte, schaute sie es erst feindselig, dann abwesend an.

»Laß uns trotzdem anstoßen«, flüsterte er verängstigt. »Immerhin hat er es mir, ohne daß ich nur einen Tropfen davon getrunken hätte, möglich gemacht, dir Dinge zu sagen – wenn auch auf sehr unschöne Weise –, die mir schon lange auf dem Herzen lagen.«

Die Augen, die von verschmiertem Mascara schwarz umrändert waren, rot geschwollen, schickte sie ihm ein trauriges Lächeln. »Ja, und ich glaube, daß auch ich mich erleichtern muß, von Dingen, die mir schon viel, viel länger auf der Seele liegen ...«

Sie hob das Glas in seine Richtung, leerte es auf einen Zug, und begann mit ihrer Geschichte. Sie erzählte von ihren drei Träumen, von Aelred Crowards Heft, von Pater Placide, dem Gespenst, dem Fluch des Erzengels ... Als sie fertig war, stand ihr Glas, das Simon vollgeschenkt, sie aber nicht mehr angerührt hatte, neben der Flasche, die Simon während des Zuhörens leergetrunken hatte. Ohne ein Wort stand er auf, stopfte sich eine kommaförmige Pfeife und zündete sie an, während er am anderen Ende des Zimmers stand.

»Hältst du mich jetzt für verrückt?« fragte Jeanne, der dieses Schweigen peinlich war.

»Jeanne«, sagte er ernst, »du weißt, was ich für dich empfinde. Deshalb kann und will ich dich nicht anlügen. Ich bin glücklich, daß du mir endlich vertraut hast, und ich verstehe jetzt, wie schwierig das für dich war, aber ... ich muß dir sagen, daß mir mit dieser Geschichte ziemlich unwohl ist.«

Sie kniff die Lippen zusammen und wartete, daß er weiterredete.

»Rein rational betrachtet«, fuhr er fort, während er an seiner Pfeife zog wie Sherlock Holmes, »hast du keinerlei handfesten Beweis dafür, daß es dieses Gespenst wirklich gegeben und daß es in der Vergangenheit gespukt hat. Ebenso ist völlig unbelegt, daß es dieselbe ›Person‹ sein könnte wie der Verfasser der Handschrift aus Cluny, von dem man nichts weiß und der dies alles vielleicht erfunden hat – was seinem Talent nichts nimmt. Das Schlimmste ist, daß du die älteste Krypta auf dem Berg ruinieren wirst, um diese Behauptungen zu überprüfen. Nur offiziell natürlich, denn deine inoffiziellen Gründe sind für mich reine Einbildung. Wie kannst du glauben, was dir dieser vergreiste Alte erzählt hat? Wahrscheinlich hat er dir einfach nur aufgetischt, was du eben hören wolltest, so sehr hat er sich über deinen Besuch gefreut. Nein, alles das sind nur Einbildungen einer allzu sensiblen – und sehr neurotischen – Seele mit überbordender Phantasie.«

Sie stand bereits und ging entschlossen auf die Wohnzimmertür zu.

»Warte!« Er faßte sie sanft am Arm. »Ich bin noch nicht fertig. Ich habe nicht vergessen, daß ich es mit einer brillanten Akademikerin zu tun habe, also gehe ich nach zweiteiliger Gliederung vor: Das war jetzt römisch Eins, die kartesianische Sichtweise!«

»Entschuldige, aber mein Studium ist längst vorbei«, entgegnete sie schroff, »und ich bin nicht zum Spaß hier.«

»Tut mir leid, ich wollte das ganze bloß ein bißchen entdramatisieren«, gestand er kleinlaut wie ein Pennäler. »Bitte, setz dich wieder und hör zu, bis ich fertig bin, ja?«

Sie bedachte ihn mit einem stahlharten Blick, ging dann aber wieder zu ihrem Sessel und schlug die Beine übereinander.

»Wo war ich eben?« Er griff nach Jeannes Glas. »Ah ja, das war also der logische, vernunftgesteuerte, zeitgenössische ›normale‹ Gesichtspunkt. Aber – denn es gibt auch ein Aber – du weißt ja, mütterlicherseits bin ich Spanier und väterlicherseits Bretone, also habe ich eine leidenschaftliche, romantische, dichterische Seele. Kurz, manchmal schicke ich mit Freuden die sakrosankte Wissenschaftlichkeit dahin, wo der Pfeffer wächst.«

Er stand hinter Jeanne, seine Finger lagen auf der Sessellehne, und sie meinte, eine plötzliche Woge der Wärme zu verspüren.

»Nehmen wir also an – dies ist eine Hypothese, keine Gewißheit –, daß dieser enthauptete Mönch tatsächlich existiert, daß er von einer unvorstellbaren Strafe des Erzengels geschlagen ist und in Notre-Dame-Sous-Terre gefangen ist, und daß er von Zeit zu Zeit Lebende erwählt, die ihm aus der Patsche helfen sollen. Stellen wir uns vor – ich wiederhole: Stellen wir uns vor! –, daß er in der Vergangenheit wirklich Bruder Ambroise erschienen ist, dem furchtlosen Ritter und dem Prior von Dom Larose und in der Gegenwart, beziehungsweise in der jüngsten Vergangenheit dir, in deinen Träumen. Das wäre verrückt, unerklärlich, abnormal, irrational – aber warum nicht? Ich bin zwar kein glühender Katholik, aber ich glaube auch nicht, daß die Welt nur aus einer materiellen Dimension besteht. Zumindest will ich das nicht hoffen, denn das wäre doch allzu deprimierend. Ich denke, es gibt Dinge, die das menschliche Verständnis übersteigen, und deshalb ist deine Geschichte, so unglaublich und absurd sie auch erscheinen mag, vielleicht in manchen Punkten plausibel.«

Sie drehte sich um und stibitzte ihm das halbleere Champagnerglas.

»Aber ich bezweifle, ob das so wünschenswert ist, denn es wäre furchtbar«, fuhr er gedankenverloren fort, »von geradezu dantesken Ausmaßen! Denn dieses Gespenst ist nicht Roman, dieser arme Bruder, der sich im Labyrinth seiner Phantasie verirrt, dieser frustrierte Mönch! Nein, das ist nicht möglich. Wenn alles das nur ein Körnchen Wahrheit enthält, dann ist dieses Gespenst, das du befreien willst, das schon andere zu befreien versucht haben – ein böser Geist!«

Er stellte sich ihr gegenüber vor den Kamin, die Pfeife in der Hand.

»Hör zu«, setzte er wieder an. »Wenn das, was dein Pater Placide dir erzählt hat, wirklich so vorgefallen ist, dann bringst du etwas durcheinander, indem du den Verfasser der Handschrift, Bruder Roman, mit diesem Gespenst gleichsetzt. Erstens gibt es zwischen diesen beiden Geschichten keinerlei direkte oder indirekte Verbindung. Zweitens hast du die Morde vergessen. Die, die du im Traum gesehen hast, sind nicht die, die angeblich in dem englischen Heft beschrieben waren. In Wirklichkeit sind die

Morde, von denen du geträumt hast, völlig zusammenhanglos, und deshalb wage ich zu behaupten, daß dich dieser kopflose Mönch zum Narren hält, so wie er die beiden anderen ›Zeugen‹ zum Narren gehalten hat. Außerdem glaube ich nicht an diesen angeblichen Fluch des heiligen Michael. Wenn es einen Fluch gibt, dann kann er nicht von einem Engel herrühren, sondern doch wohl vom Teufel! Dieses Gespenst kann, wenn es denn existiert, nur ein böser Geist sein, der über unheilbringende Kräfte verfügt, mit denen er die, die ihn gesehen haben, verführt und dann tötet, wahrscheinlich, um ihre Seelen zu rauben. Ja, offenbar ist er der Mörder, und wenn er diese Männer nicht mit eigener Hand um die Ecke gebracht hat, dann hat er es eben indirekt getan. Er brauchte sich ja nur der kranken Geister dieser armen Menschen zu bedienen, die sich in ihrer Besessenheit selbst zerstörten oder ihre Brüder niedermetzelten. Wenn dieses ganze Märchen einen Funken Wahrheit enthält, darfst du auf keinen Fall in Notre-Dame-Sous-Terre graben!«

Sie beobachtete ihn interessiert und gefesselt, verharrte aber im Schweigen.

»Im Grunde bin ich noch immer extrem skeptisch«, fuhr er fort. »Es gibt zwei Möglichkeiten: Entweder ist alles das nur ein Geflecht von Blödsinn und Aberglauben, das eher in einen Roman gehört als in dein charmantes Köpfchen, und in diesem Fall bedaure ich, daß du daran glaubst, um deiner selbst und um dieser Krypta willen, die zu zerstören du dich anschickst. Oder aber diese Geschichte ist irgendwie begründet, und dann wäre es selbstmörderisch, in Notre-Dame-Sous-Terre eine Ausgrabung zu unternehmen, und das will ich nicht, denn ich möchte nicht, daß dir irgend etwas zustößt!«

»Nett von dir, daß dir so an mir gelegen ist. Aber wenn ich dich recht verstehe, dann bin ich also entweder ein leichtgläubiger Einfaltspinsel oder ein gewissenloser Kamikaze, was ja in beiden Fällen sehr, sehr schmeichelhaft wäre.«

Er kniete sich zu Jeannes Füßen nieder und umfaßte zärtlich ihre Knöchel. »Ich bin zutiefst betrübt darüber, aber genau das denke ich«, gesteht er sanft. »Nimm es mir nicht übel, ich möchte dich nicht mit Samthandschuhen anfassen. Laß mich dir helfen.«

»Und welcher Auffassung bist du eher zugeneigt?« fragte sie in ruhigerem Ton. »Hältst du mich für die Naive oder die Selbstmörderin?«

»Wenn ich genauer darüber nachdenke, ist beides vielleicht nicht so deutlich voneinander abzugrenzen«, wich er der direkten Antwort aus. »Ich gebe zu, an deiner Stelle wüßte ich auch nicht so recht, was ich tun sollte. Alles das ist sehr verwirrend. Ich persönlich habe immer Traum und Wirklichkeit auseinandergehalten, Erfindung und Realität. Aber ich sehe ein, daß das für eine Seele wie deine sehr schwierig ist, deren Schönheit sich an Büchern gelabt hat und die von einem langen Geschichtsstudium gefangen ist.«

»Dieses Kompliment hast du mir schon einmal gemacht«, gab sie zurück und entzog ihm ihre Knöchel, während sie sich erhob. »Als ich an Silvester Romans Beichte vorgelesen habe, hast du mir schon einmal vorgeworfen, ich wüßte Wirklichkeit und Phantasie nicht auseinanderzuhalten. Aber auch wenn es dir nicht gefällt: Ich weiß – Hörst du mich? Ich *weiß* –, daß alles das wahr ist und daß der enthauptete Mönch noch anderswo existiert als in meinem Kopf, daß er kein böser Geist ist, daß er mir nichts antun wird, aber daß er mich braucht und daß es sich bei ihm um Bruder Roman handelt.« Die letzten Worte brüllte sie beinahe.

Verunsichert von Jeannes Erregung richtete er sich auf, und nackter Zorn überkam ihn. »Da du heißhungrig jedes Ammenmärchen herunterschlingst, das man dir auftischt, dann mach mir die Ehre und nimm auch das, das ich dir jetzt erzähle.« Seine Stimme klang schneidend wie ein Messer.

Er machte ein paar Schritte rückwärts und zündete seine Pfeife wieder an. Grauer Nebel mit einem Duft nach vanillierter Lakritze erfüllte den Raum. Steif wie eine Statue und voller Groll beobachtete ihn Jeanne. Er saugte an seinem Mundstück.

»Im übrigen verdächtige ich deinen Alten aus dem Hospiz – du hast ja gesagt, er sei Bretone –, daß er sich von diesem Märchen hat anregen lassen, um mindestens einen Teil der Geistergeschichte zusammenzubasteln, die er dir erzählt hat. Denn es ist eine bretonische Legende, die im Armorique jedermann kennt.

Sie heißt ›Die Geistermesse‹ und spielt im Pfarrhaus von Plougasnou, im Finistère, ein paar Tage vor Allerheiligen in längst vergangenen Zeiten. An einem der letzten Oktoberabende betete einer der jungen Kaplane so inbrünstig in der Kirche, daß er nicht merkte, wie der Küster das Gebäude abriegelte. Als der Kaplan erkannte, daß er eingesperrt war und daß niemand ihn würde rufen hören, beschloß er, die Nacht im Chor zu verbringen. Er setzte sich ins Chorgestühl und schlief ein. Plötzlich weckte ihn ein seltsames Geräusch, und er sah einen unbekannten Priester in schwarzem Ornat von der Sakristei herkommen. Mit einem Leuchter in der Hand schritt er zum Altar, um die Kerzen anzuzünden. Als er fertig war, sprach er mit tiefer, dunkler, hohler Stimme. Dreimal fragte der schwarze Priester: ›Ist da jemand, um bei meiner Messe die Antworten zu sprechen?‹ Zu Tode verschreckt von dieser Erscheinung schwieg der Kaplan. Da löschte der geheimnisvolle Priester die Kerzen und verschwand. Der Kaplan durchsuchte die Kirche, die Sakristei, aber er fand keine Spur von dem unbekannten Priester. Als er am andern Morgen vom Küster befreit wurde, erzählte er sein Abenteuer, doch niemand glaubte ihm, und man sagte ihm, er habe geträumt oder zu viel getrunken. Beleidigt gelobte sich der Kaplan, in der folgenden Nacht wieder in die Kirche zu gehen, abzuwarten und herauszufinden, was dort vor sich ging. Nach Einbruch der Dunkelheit nahm er wieder allein seinen Platz in der Kirche ein. Um Mitternacht erschien derselbe schwarzgewandete Priester, und er stellte die gleiche Frage, die er dreimal wiederholte. Der Kaplan rührte sich nicht. Da blies der Mönch die Kerzen aus und verschwand. Am Morgen erzählte der Kaplan erneut, was er gesehen hatte, und überredete den Dechanten im Pfarrhaus, der ihm weiterhin nicht glaubte, die nächste Nacht mit ihm in der Kirche zu verbringen. In der dritten Nacht um Mitternacht erschien der schwarze Priester, und vor den weit aufgerissenen Augen des Dechanten und des Kaplans machte er den Altar zurecht wie gewohnt. Aber als er seine ewige Frage gestellt hatte – ›Ist da jemand, um bei meiner Messe die Antworten zu sprechen?‹ –, stand der Kaplan auf und zeigte sich ihm. Da begann der rätselhafte Priester die Totenmesse zu lesen, und der Kaplan assistierte ihm. Als die Zelebration zu Ende war, wandte sich der Priester dem Kaplan zu und erzählte ihm seine Geschichte: Dreihundert Jahre zuvor war er selbst Kaplan in dieser Kirche gewesen, und er war plötzlich gestorben, bevor er eine Messe hatte lesen können, um die eine arme Frau ihn gebeten und für die sie ihn bezahlt hatte. Seither erschien er jedes Jahr in der Woche vor Allerheiligen in der Kirche und hoffte, daß ihn jemand bei der Messe unterstützte, die er Gott und dieser Frau noch immer schuldig war. Da er bis zu dieser Nacht niemanden gefunden hatte, ging er stets zurück ins Fegefeuer. Er dankte dem Kaplan, der soeben seine gefangene Seele befreit hatte, und bevor er zum Himmel aufstieg, nannte er seinen Namen – den er dreihundert Jahre lang nicht mehr hatte aussprechen können – und erklärte dem Kaplan, er werde noch vor Weihnachten sterben. Denn wer immer einem Toten antwortet oder einem Gespenst zu Hilfe eilt, wird ganz gewiß binnen kürzester Zeit sterben. Aber die Hilfe, die er der notleidenden Seele gespendet habe, sichere der seinen das Paradies. Er verabredete sich mit dem Kaplan – im Himmel. Und kaum zwei Monate später starb der junge Kaplan ...«

Simon verstummte und schaute auf zu Jeanne. Sie war weiß geworden wie Marmor, auf dem die verschmierte Schminke die schwarzen Adern bildete.

»Wie zauberhaft«, flüsterte sie wie abwesend. »Wer mit der anderen Welt in Verbindung tritt, wird sterben, denn er hat die Grenze zwischen der irdischen und der himmlischen Welt überschritten. Er hat die Kehrseite der Dinge gesehen, und so gehört er fortan der Rückseite des Spiegels an. Noch eine Bedeutung, die ich noch nicht begriffen hatte, für ›Um in den Himmel zu gelangen, muß man in der Erde graben.‹ Wenn ich ihn befreie, indem ich den Boden öffne, wird er in den Himmel gelangen, aber ich auch, und zwar gleich nach ihm!«

Simon trat in großen Schritten auf sie zu, krebsrot im Gesicht vor Verzweiflung und kurz davor, aus der Haut zu fahren. »Du bist völlig verrückt!« schrie er und schüttelte sie an den Schultern. »Begreifst du eigentlich, was du da faselst? Jetzt hat deine Phantasie endgültig deiner Vernunft den Garaus gemacht! Du hast überhaupt keinen gesunden Menschenverstand mehr! Du willst sterben, ist es das? Du bist bereit, dein Leben zu geben, um die Wahrheit einer Legende zu beweisen? Dann sperr dich doch in dieser Krypta ein, du fühlst dich ja nur dort wohl, und erstick dich selbst, indem du die Erde frißt wie dieser Narr von Ritter! Wenn deine Leiche gefunden wird, erkläre ich, daß du nicht mehr ganz richtig im Oberstübchen warst, daß du aber den Kopf des Mannes deines Lebens wiedergefunden hast und mit ihm in den Himmel aufgestiegen bist. Und ich? Denkst du überhaupt an mich?« Er packte sie am Kragen ihrer Bluse und schnaubte ihr ins Gesicht. »Liebst du ein Phantom, das es nicht gibt, oder ein mordendes Gespenst, wenn es denn wirklich existiert, mehr als mich? Was habe ich dir denn getan? Oder besser gesagt: Was habe ich nicht getan? Jetzt sag es mir doch endlich! Muß ich dir andauernd Gruselgeschichten erzählen, damit du mir gütigst zuhörst? Muß ich dir Alpträume verschaffen, damit du mich anschaust? Muß ich zum Mörder werden, damit du mich liebst?«

»Du bist nahe dran«, ächzte sie mit völlig tonloser Stimme. »Gleich erwürgst du mich!«

Sofort ließ er sie los, erschrocken von seinem eigenen Tun. Er schaute auf seine großen braunen Hände und dann auf Jeanne, die um Atem rang. Sie betrachtete ihn mit einem tieftraurigen Blick und ging zur Tür.

Er verharrte zu lange in seiner Verzweiflung. Als er wieder zu sich kam, um jammernd Entschuldigungen vorzubringen und zur Wohnungstür zu rennen, war sie bereits fort. Er lief die Stufen hinab und sah in der hell erleuchteten Straße gerade noch Jeannes Auto davonrasen.

Ein paar Kilometer weiter blieb sie am Rand der Straße, die zum Berg führte, stehen. Sie ließ ihr Handy ausgeschaltet, um Simon nicht antworten zu müssen, und machte sich im Rückspiegel zurecht. Sie sah aus, als wäre sie aus dem Irrenhaus ausgebrochen, mit dem zerzausten Haar und ihrem verheulten Gesicht. Sie ließ den Kopf auf das Lenkrad sinken, aber es war ihr nicht möglich, wegen Simon zu weinen. Sie war schockiert, aber die harten Worte, die Zweifel, die Anklagerede, die er ihr gehalten hatte, waren ihr mehr zuwider, als daß sie sie als tatsächlichen Angriff empfand. Dabei hatte er ja irgendwie versucht, ihr beizupflichten, indem er zugegeben hatte, ihre Geschichte könnte – selbst wenn er nicht daran glaubte – ein Körnchen Wahrheit enthalten. Aber er täuschte sich in der Wahrheit, wenn er den enthaupteten Mönch für einen bösen Geist hielt.

Im Grunde hatte sich Jeanne selbst geirrt, nämlich als sie gedacht hatte, Simons Liebe würde es ihm ermöglichen, ihr zu folgen. Nein, niemand stand an ihrer Seite, nicht einmal dieser Mann, obwohl er sie liebte. Sie war und blieb allein auf diesem Weg, den sie gewählt hatte. Sie war die einzige, die vom Atem des Gespensts berührt worden war, und diese Tatsache entfremdete sie der Welt der Lebenden.

Sie dachte an die Legende, die Simon ihr vor wenigen Minuten erzählt hatte, und sie begriff, wie vergeblich und sinnlos es war, ihre Geschichte wem auch immer anvertrauen zu wollen. Dieser Weg, auf dem sie schritt, verlief am Ende der irdischen Welt, am Rand des Himmels. Es war ihr Weg, und sie durfte niemand anderen darauf wandeln lassen. Ja, auf einmal war ihr alles klar: Sie war weit weg, zu weit schon für die Menschen. Wenn sie ans Ende der Reise gelangen wollte, mußte sie sich den Zwängen und Normen der Welt entziehen, in der sie bisher gelebt hatte. Anders als in Simons bretonischer Geschichte glaubte sie nicht, daß das Ziel des Weges der Tod war – ihr Tod. Nein, das Phantom würde sie nicht mitnehmen in den Himmel, sondern im Gegenteil sie ganz sich selbst zurückgeben. Ihr wurde auf einmal klar, daß sie trotz all der Merkwürdigkeiten, von denen sie umgeben war, seit sie auf dem Berg wohnte, nie so deutlich gefühlt hatte, wer und was sie wirklich war: Auf ihrer Suche hatte sie sich selbst entdeckt, als intuitive, emotionsstarke Frau, die wußte, was sie wollte, die sensibel war, engagiert und – *ganz*. Ja, ganz, das war das richtige Wort. Sie war nicht mehr hin und her gerissen zwischen dem Wünschen ihres Verstandes und dem ihres Körpers, die stets so ziellos und unbeachtet geblieben waren. Aus ihr war ein in sich ruhendes, harmonisches Wesen geworden, das sich einer Suche hingab, die sie manchmal überforderte, die aber ihrem Dasein einen neuen Wert gab: einen Sinn frei von jedem Zweifel. Ganz gleich, ob man ihr glaubte oder nicht, ob man sie für verrückt erklären würde, ob Roman und Moïra wirklich gelebt hatten, ob der enthauptete Mönch nur ein Phantasiegebilde war, das ihrem Kopf entstiegen war… Die strahlende Wirklichkeit dieser ganzen Angelegenheit – und vielleicht die einzige Wirklichkeit überhaupt – war die Tatsache, daß auf einmal Jeanne der Mittelpunkt ihrer eigenen Geschichte war, daß sie das einzige Abenteuer erlebte, das der Mühe wert war: das Zusammentreffen mit sich selbst!

Das mußte den anderen natürlich unverständlich bleiben.

Sie schaute durch die Windschutzscheibe, seufzte auf und beschloß, mit Simon Schluß zu machen. Sie würde seine Handgreiflichkeit zum Vorwand nehmen und behaupten, ihn deshalb nicht mehr sehen zu wollen. Vielleicht war sie ja später, wenn sie ihren Auftrag beendet hatte, bereit, auf ihn zuzugehen und an seiner Seite zu bleiben. Wenn sie sich dann noch liebten. Doch in diesem Moment war es dafür zu früh.

Sie schaltete ihr Handy an, rief ihre Mobilbox ab und hörte sich Simons Reuegesänge an. Dann machte sie sich fest entschlossen wieder auf den Weg in Richtung Berg.

Als sie die Stufen zu ihrem Haus hinaufstieg, bemerkte sie, daß das Gefühl der Beklemmung weg war, das noch vor ein paar Stunden auf ihrem Herzen gelastet hatte, als sie auf dem Weg zu Simon gewesen war. Statt dessen spürte sie nur den Hunger, der ihr den Magen zernagte. Sie hatte seit mittags nichts mehr gegessen, und sie stellte fest, daß es bereits halb ein Uhr nachts war. Wenn sie Glück hatte, war noch etwas von den Kutteln da. Wenn sie großes Pech hatte, war Patrick zurück und erwartete sie im Wohnzimmer für eine Schlacht, auf die sie keine Lust mehr hatte. Es wäre ihr lieber gewesen, wenn er seine Drohung wahrgemacht und gekündigt hätte: Dann gäbe es jetzt immerhin einen Nörgler weniger.

Sie hing diesem Gedanken nach, als sie plötzlich hinter sich eilige Schritte und einen keuchenden Atem hörte. Sie drehte sich um und stand auf einmal Guillaume Kelenn gegenüber.

»Jeanne!« rief er. »Ich habe Sie vorbeikommen sehen. Ich war unten in der Kneipe und… Haben Sie einen Moment Zeit?«

Mit seinen langen blonden Haaren, seinen – sicherlich vom Alkohol – braungrün glänzenden Augen und seinem schmalen

Schnauzbart sah er aus wie ein Wikinger. Für ihn sicherlich unvorstellbar, da er doch so stolz auf seine keltischen Wurzeln war.

Mißtrauisch nickte die Archäologin ihm zu. Sie war dem jungen Mann gegenüber nie besonders gesprächig, denn sie konnte mit seiner Überschwenglichkeit nichts anfangen.

»Wollen Sie nicht auf ein Glas mitkommen?« schlug er vor.

»Tja, also… Ich habe noch nicht gegessen«, gestand sie, »und ich bin sehr müde… Ich gehe lieber nach Hause.«

»Na gut, macht nichts«, sagte er, obwohl sein Gesicht das Gegenteil ausdrückte. »Ich wollte Ihnen bloß gratulieren.«

»Gratulieren? Aber wozu denn?«

»Zu der Ausgrabung in Notre-Dame-Sous-Terre natürlich! Das ist phantastisch!«

Jeanne verbarg ihre Verwunderung nicht. »Danke, Guillaume. Ehrlich gesagt sind Sie der einzige, der sich auf diese Arbeit freut. Das ist eine angenehme Überraschung!« Sie schenkte ihm ihr schönstes Lächeln.

»Oh ja, ich weiß Bescheid«, erwiderte Kelenn. »Und insbesondere auch über Fenoy, der sich übrigens nicht mehr hat sehen lassen. Auch bei Brard hat er sich nicht mehr gemeldet. Ihr Assistent hat ganz einfach desertiert.«

Jeanne freute sich über diese Neuigkeit, und sie fühlte sich immer besser.

»Machen Sie sich nichts daraus. Sie können auf ihn verzichten.« Kelenns Gesichtsausdruck zeigte deutlich, was er von Jeannes Assistenten hielt. »Das ist herrlich, diese Ausgrabung im abgeschiedensten Heiligtum der Abtei… Ich beneide Sie, wissen Sie. Ich wäre so gern dabei. Ich könnte Fenoy ersetzen, wenn Sie wollen?«

Jeanne war ebenso verblüfft wie zufrieden. Wenigstens einer zog nicht über ihr Projekt her.

»Ich fürchte, das wird nicht möglich sein«, sagte sie honigsüß, »aber ich sehe kein Hindernis dafür, Sie über die Ergebnisse unserer archäologischen Arbeit regelmäßig zu informieren und mich mit Ihnen darüber zu unterhalten.«

»Danke!« Er schüttelte ihr überschwenglich die Hand. »Das ist wirklich prima von Ihnen. Sagen Sie, Jeanne, finden Sie nicht, es wäre an der Zeit, daß wir uns duzen?«

# 17

Der Mai kam und mit ihm die Brückentage, die Jeanne aber nicht nutzen würde. Sie blieb lieber auf ihrer Insel, eingegraben in der Krypta, in die der Frühling niemals vordrang. Die von gelblichen Flechten bedeckten Außenmauern der Abtei sahen aus, als wäre die Sonne darauf zerschmolzen. Dabei strahlte sie gar nicht so warm, und die Nächte waren weiterhin vom eisigen Nordwind beherrscht. Mit den Knospen sprossen auch die Touristenbusse, die sich mit der Regelmäßigkeit der Gezeiten auf die mit neonfarbenen Michaels-T-shirts vollgestopften Lädchen ergossen: Alte Steine waren ein Magnet für Plastik. Nur ein Drittel der Besucher war neugierig genug, um bis in die Abtei hinaufzusteigen. Es waren noch nicht die Menschenströme des Sommers, aber dennoch hatten das Dorf und die Kirche bereits ein anderes Gesicht, zumindest tagsüber, und dieses Gesicht, das dicht mit Menschen bespickt war, gefiel Jeanne nicht.

Glücklicherweise war der Berg nachts wie von den Elementen reingewaschen, vom Wind in eine schwarze Rüstung gehüllt, der ihn vor der Masse zu schützen und die Geheimnisse seines Herzens vor ihr zu verbergen wußte. Notre-Dame-Sous-Terre war für Besucher geschlossen, doch in ihrem über neunhundert Jahre alten Schattengewand entzog sich die Kirche dem Zugriff der Archäologen; die Ausgrabung, die seit drei Wochen im Licht großer elektrischer Scheinwerfer stattfand, hatte noch nichts von Bruder Romans Geheimnis offenbart. Trotz Jeannes laienhafter, doch um so inständigerer Gebete hatte sich auch der enthauptete Mönch noch nicht gezeigt. Statt dessen war vor einer Woche Patrick Fenoy zurückgekommen, und an diesem Abend, ein paar

Tage vor dem Feiertag am 8. Mai, gab Jeanne dem Team eine Kiste Bourgueil aus dem Loire-Tal aus und überreichte Jacques eine altehrwürdige Flasche Calvados für ihre verlorene Wette. Sie alle saßen im Wohnzimmer beim Abendessen.

»Oh, danke schön!« rief Jacques, während er das Etikett studierte, und zwinkerte ihr zu. »Also, ich probiere ihn als Apéritif! Kann das sonst noch jemanden verlocken?«

Die anderen verzogen die Gesichter, nur Patrick nicht; er machte sich nicht einmal diese Mühe. Er war so wie immer seit seiner Rückkehr: düster und schweigsam. Sébastien, Jacques, Florence und Dimitri waren der Meinung, daß ihn der Kampf, den er während seiner Abwesenheit ausgetragen hatte, derart erschöpft hatte; Jeanne allerdings befürchtete eine neue Niedertracht. Während seiner Fahnenflucht nämlich hatte Patrick alle Hebel in Bewegung gesetzt, um die Grabungsgenehmigung für die Krypta aufheben zu lassen. Er war in Paris bei Roger Calfon und im Ministerium gewesen, hatte in François' Abteilung herumgeschrien und dann in François' eigenem Büro. Vergeblich. François hatte Jeanne angerufen: Sie würde mit einem Feind im Lager arbeiten müssen, aber das wichtigste war, daß sie weitergraben konnte. Doch die Rückkehr ihres Assistenten hatte sich dann noch um ein paar Tage verzögert, denn Roger Calfons Frau war ihrem Krebs erlegen. François hatte bei der Beerdigung das Ministerium vertreten, und auch Brard war nach längerem Zögern schließlich zur Beisetzung dieser Frau gefahren, die er nie kennengelernt hatte, weniger um der Verstorbenen oder ihres am Boden zerstörten Gatten willen, als vielmehr um einen diplomatischen Schachzug zu führen: Er wollte durch seine Gegenwart seine Unterstützung für Calfon und Fenoy zum Ausdruck bringen, François ein paar Worte der Ergebenheit zuflüstern, um die Stimmung zu befrieden, und Jeannes Assistenten auf den Berg zurückholen.

Im Haus der Archäologen war Patrick in gedrückter, ja, feindseliger Stimmung empfangen worden: Das Team nahm es ihm übel, daß er die neue Ausgrabung zu verhindern versucht hatte. Jeanne hatte sich auf eine Auseinandersetzung vorbereitet und ihr voller Entschlossenheit entgegengesehen. Doch Fenoy hatte mit seiner Haltung alle Erwartungen enttäuscht: Er, der gewöhnlich so anmaßend, besserwisserisch und aggressiv war, zeigte sich auf einmal zurückhaltend, verschlossen, brummig und schweigsam. Er ging jeder Konfrontation aus dem Weg, besonders mit Jeanne, und gab, als er zum ersten Mal die Ausgrabung in der Krypta betrat, keinerlei Kommentar ab. Jeanne blieb weiterhin wachsam und mißtrauisch, aber die anderen überließen sich der guten Frühlingslaune und dem munteren Bourgeuil, von dem sie ein paar Flaschen zum Apéritif entkorkt hatten.

»Ich glaube, unsere Sondierungen in den Mauern sind nicht ausreichend«, erklärte Sébastien, während er den Wein einschenkte. »Wenn eine geheime Aushöhlung dahinter liegt, sind wir mit Sicherheit daran vorbeigeschrappt!«

»Ich bezweifle das«, entgegnete Jeanne. »Es stimmt, ich habe auch schon radikalere Sondierungen gesehen, aber wir wollen das Mauerwerk ja nicht zerstören. Wir können uns nicht erlauben, überall rumzubohren, bis die Krypta aussieht wie ein Emmentaler. Vergeßt nicht, jeder Stein muß so sorgfältig angefaßt werden, daß er nachher wieder aussieht wie vor der Ausgrabung. Und wenn wir engmaschiger sondieren, würde uns das zu viel Zeit kosten, und die haben wir nicht.«

»Aber es gibt doch keine tausend Stellen in der Krypta, an denen man eine Truhe, einen Reliquienschrein oder eine Schatulle verstecken könnte«, stellte Florence fest.

»Oder eine Leiche, die in einer oder mehreren verborgenen Grabstätten verborgen ist«, ergänzte Jeanne, die an den Körper und den abgetrennten Kopf des Gespensts dachte.

»Eine Leiche?« Verwundert setzte Jacques sein Glas Calvados ab. »Aber was sollen wir denn mit einer Leiche anfangen? Wir sind hier nicht mehr in der alten Martinskapelle, Jeanne, und auch nicht in Cluny. Das Grab, das es zu finden gab, hat Paul gefunden, und dieser Mönch namens Roman hätte doch nicht alles das unternommen, um ein armseliges Knochengerüst zu schützen. Es sei denn, dieses Skelett wäre heilig – heilig in seinen Augen – oder eine Schande, vielleicht die Gebeine eines Fötus oder eines Neugeborenen, die Frucht seiner heimlichen Liebe mit Moïra, oder die verbrannten Überreste von Moïra selbst, wer weiß?«

»Und was haltet ihr von den Gebeinen des heiligen Michael in

Person, komplett mit Rüstung, Mantel, Schwert, Schild, Drachenfossil und Waage?« scherzte Sébastien.

»Blödsinn!« grölte Dimitri, der allmählich betrunken war. »Ich sage euch, wir finden nichts, gar nichts! Denn es ist ein Roman, und von einem Roman verlangt keiner, daß er zur Wirklichkeit paßt!«

»Nein, aber jede Fiktion ist irgendwo in der Realität verwurzelt, so daß sie in der Fiktion neu erfunden werden kann«, wandte Jeanne ein.

»Also für mich«, antwortet Jacques, »sieht die banale Wirklichkeit so aus: Moïra war eine Bäuerin, die Bruder Roman gevögelt hat. Das kam wahrscheinlich häufiger vor, als man meint. Er hat ihr ein Kind gemacht, sie ist bei der Entbindung gestorben, oder vielleicht hat sie sich aus Trauer oder aus Scham das Leben genommen, und der nichtswürdige Mönch, der zur Bauzeit der großen Abteikirche lebte, ohne daß er dafür gleich ihr Werkmeister sein muß, wurde zur Strafe vom Berg vertrieben und hat in seinem Exil in Cluny diese abenteuerliche Geschichte erfunden, um sein Gewissen von dieser Sünde zu befeien.«

»Warum mußt du immer alles in den Dreck ziehen, was sauber ist«, brauste Dimitri auf, »und das Schöne trivial und abstoßend machen?«

»Und was hältst du von Guillaumes Vorschlag, den Boden zu sondieren, denn da könnte ja eine unterirdische Grotte liegen?« wandte sich Florence an Jeanne, um den aufkommenden Streit abzuwenden.

Bei der Erwähnung von Kelenn wurde Patricks dumpfer Blick lebendig. Der Fremdenführer war sein neuer Sündenbock: Bei seiner Rückkehr hatte er den jungen Mann in der Krypta angetroffen, wo er alles, was die Archäologen taten, beobachtete und kommentierte und ihnen bei Gelegenheit zur Hand ging. Guillaume verbrachte neuerdings seine gesamte Freizeit auf der Ausgrabung, die ihn schwer begeisterte.

Zu Beginn war Jeanne ihm mit Gleichgültigkeit begegnet, aber Kelenn kannte die Abtei und Notre-Dame-Sous-Terre in- und auswendig, so daß Jeanne ihn inzwischen gern gewähren ließ und sogar hoffte, nebenbei etwas von ihm in Erfahrung zu bringen, etwas, was Guillaume nebensächlich erschien, für sie aber von Bedeutung sein konnte. Zudem hatte er keinen üblen Humor, und das führte dazu, daß ihn auch der Rest des Teams akzeptierte. Allmählich hatte Jeanne diesen Jungen zu schätzen gelernt, er erwies sich als scharfsinnig und großzügig, und ihr gefiel seine Gesellschaft. Gleichwohl war ihr nicht entgangen, daß Guillaume nie das geringste Interesse für die vorige Ausgrabung gezeigt hatte. Sie erklärte sich Kelenns Faszination für das karolingische Gebäude mit seiner Besessenheit für seine keltischen Vorfahren, die in der Jungsteinzeit einen Dolmen auf dem Berg errichtet hatten.

Patrick war sich seines eigenen Wertes zu sehr bewußt, als daß ihm der Gedanke gekommen wäre, der Fremdenführer könnte darauf aus sein, ihn zu verdrängen. Aber er ärgerte sich darüber, daß ein Fremder, ein gewöhnlicher Amateur, der von der Archäologie völlig unbeleckt war, sich in die Arbeit von Profis einmischte, die streng selektiert worden und hoch spezialisiert waren.

»Ja, ich glaube, wir sollten dem Hinweis einer unterirdischen Aushöhlung nachgehen, auch wenn mir diese Hypothese wegen des Felsens wenig wahrscheinlich erscheint«, meinte Jeanne.

»Wenig wahrscheinlich? Lächerlich!« brüllte Patrick plötzlich los, der sich trotz seiner Vorsätze nicht länger zurückhalten konnte. »Warum und wie hätte man denn im 11. Jahrhundert oder irgendwann vorher eine Grotte mitten in das Gestein graben sollen mit den damaligen Werkzeugen und ohne Dynamit? Dieser Dilettant stopft euch den Kopf mit Kinderquatsch voll. Wenn es etwas zu entdecken gibt, dann sind es nur die versponnenen Phantasien einer ewig Pubertierenden. Die Handschrift von Cluny ist, selbst wenn sie authentisch ist, von keinerlei archäologischem Interesse! Aber meinetwegen, schließlich werden wir dafür bezahlt und haben ohnehin keine Wahl. Aber wenn es irgend etwas zu finden gibt, dann ist es für jeden Profi völlig klar, daß es hinter einer der Außenmauern der Krypta liegt, denn die kann einen geheimen Raum umschließen, ein vermauertes Zimmer oder einen Gang zum Beispiel, der beim Bau der Kirche angelegt wurde oder beim Umbau zur Unterbaukrypta für das

Langschiff oder sogar beim Bau der Klostergebäude rund um Notre-Dame-Sous-Terre, um irgendeinen Schatz zu bergen oder den Mönchen für den Fall einer Bedrohung als Notausgang zu dienen. Solche Parallelkonstruktionen waren im Mittelalter sehr häufig. Muß ich euch wirklich daran erinnern? Diese Abtei hat genügend Geheimgänge, die wir schon gesehen haben.«

Plötzliches Schweigen hing über dem kleinen Team. Alle wußten, daß Patrick zumindest zum Teil recht hatte, aber alle warteten auf die Reaktion der »ewig Pubertierenden«. Zu aller Überraschung blieb sie nach außen hin ganz ruhig.

»So etwas war in der Tat sehr geläufig«, sagte Jeanne schließlich und schaute dabei in ihr Rotweinglas. »Genau aus diesem Grund haben wir ja damit angefangen, die Süd-, Nord- und Ostmauern zu sondieren. In der Westmauer brauchen wir nicht zu bohren, denn sie stößt ans Nichts beziehungsweise an die romanische Treppe. Die wahrscheinlichste Hypothese ist die eines geheimen Hohlraumes hinter einer Mauer, darüber sind wir uns alle einig. Aber wir haben ein Problem: Die Sondierungen haben nichts ergeben, einerseits deshalb, weil wir – wie ich eben schon sagte – nicht so genau vorgehen können, wie wir müßten, um das Gemäuer nicht zu beschädigen, und andererseits weil hinter der ersten karolingischen Mauer eine zweite, ältere liegt, die aus dem 8. Jahrhundert und damit aus der Gründungszeit der Abtei stammt: Die Mauer von Auberts Oratorium, die wahrscheinlich um die ganze Krypta herumläuft. Das ist seit langem allgemein bekannt. Und als Froidevaux Notre-Dame-Sous-Terre restaurierte, hat er hinter dem Dreifaltigkeitsaltar ein Stück dieser Mauer freigelegt. Wenn es also einen geheimen Raum oder Tunnel gibt, dann muß er entweder jenseits dieser zweiten Mauer liegen oder zwischen den karolingischen Steinen und denen von Aubert, und dieses Schlupfloch könnte viel älter sein als die romanische Abtei. Aber unser Dilemma ist folgendes: Wie sollen wir daran kommen, ohne die Kirche niederzureißen? Bruder Roman hat unbedingt verhindern wollen, daß die Erbauer der großen Abteikirche diese Kirche schleiften, und der Grund dafür ist ja wohl, daß man, um den Schatz oder was auch immer zu finden, die Kirche zerstören muß!«

»Jetzt, da du es sagst, klingt es völlig unbestreitbar«, unterbrach Florence sie, erleichtert, daß sich Jeanne nicht auf die persönlichen Angriffe ihres Assistenten einließ. »Aber wie sollen wir es anstellen? Wir wollen ja diesen Raum nicht beschädigen! Brard wird das nicht zulassen und die Denkmalvereine auch nicht, da riskieren wir großen Ärger.«

»Ich denke darüber nach«, antwortete Jeanne. »Ich denke jeden Tag darüber nach und jede Nacht«, ergänzte sie und seufzte. »Und ich mache folgenden Vorschlag: Wenn es das, was wir suchen, gibt, dann in jedem Fall im oder nahe beim Chor. Bei den Chören, besser gesagt, denn die Krypta hat ja zwei davon. Ein Schatz muß in der Nähe des Allerheiligsten liegen, nicht im Schiff bei den Pilgern. Demnach müssen wir unsere Untersuchungen dorthin richten: Von morgen an werden wir Stück für Stück die Steine aus Auberts Mauerstück herauslösen, aus jenem Stück Mauer, das Froidevaux hinter dem Dreifaltigkeitsaltar freigelegt hat, um zu sehen, was dahinterliegt. Mit ein bißchen Glück stoßen wir auf einen Gang, der um die Krypta herumführt, und dann müssen wir die anderen Mauern nicht anrühren. Wenn nicht, dann … tut es mir leid, dann werden wir ins Auge fassen müssen, eine Mauer abzutragen, zum Beispiel die hinter dem Marienaltar. Oder überlegen, ob Guillaume Kelenns Gedanke vielleicht doch nicht so dumm ist.«

»Jeanne«, wandte Dimitri ein, »Froidevaux hat den ganzen Boden mit Steinplatten ausgelegt. Da müßten wir alles zerschlagen. Das wird das reinste Vernichtungswerk!«

»So weit sind wir noch nicht, Mitia.« Sie leerte ihr Glas. »Erstmal Auberts Mauerstück, dann sehen wir weiter.«

Patrick verzog das Gesicht. Während des Essens wechselten sie das Gesprächsthema. Jacques löschte den Bratensatz seines mit Äpfeln garnierten Schweinebratens mit etwas von seinem Calvados ab und kippte bei der Gelegenheit in der Küche ein drittes Glas davon. Während des Essens floß mehr Alkohol als sonst, und es wurden auch mehr Witze als üblich gerissen. Beim Käse gestand Dimitri errötend ein, daß er Geburtstag hatte – einunddreißig war er geworden –, und sie gratulierten ihm mit dem leisen Vorwurf, daß er das nicht früher gesagt hatte. Florence improvisierte einen Bananenauflauf, auf den Jeanne eine dicke weiße Kerze stellte wie einen Leuchtturm, der auf einem verkohlten Felsacker gestrandet war. Dimitri wischte sich angesichts seines Geburtstagsauflaufs eine Träne aus dem Augenwinkel, bedankte sich von Herzen und war zu betrunken, um zu merken, daß er mehr und mehr russische Wörter in die Unterhaltung mischte – die Sprache der Gefühle. Dann flüchtete er in sein Zimmer, um seinen Tränen freien Lauf zu lassen.

Während die anderen Jacques' Calvados den Garaus machten – er selbst kam dabei nicht zu kurz –, berichtete Florence, daß Dimitris Freund den Russen soeben verlassen hatte. Sébastien riß die Augen auf vor Staunen, als er von Dimitris Homosexualität erfuhr.

»Was ist schon daran?« grummelte Jacques in schleppendem Ton. »Egal ob Mann oder Frau, ob schwul oder hetero – die Liebe ist ja doch nur die banale Fassade der Einsamkeit.«

»Bestimmt«, antwortete Flo, »wohingegen du die Fassade hast fallen lassen. Die Auslage ist offen zu besichtigen.«

»Ganz genau«, sagte er. »Ich habe das verunstaltende Schaufenster aufgebrochen. Hundert Kilo einsames Fett und darauf das Etikett ›alter Junggeselle‹, und – ich stehe dazu!«

»Von wegen«, meldete sich Sébastien zu Wort, »das Liedchen kenne ich. Du stehst dazu, weil du wohl oder übel dazu stehen mußt. Diese Ware will halt keiner haben.«

»Was bildet ihr euch eigentlich ein?« schrie Jacques und sprang auf. »Wenn ich erstmal mein Leben erzählen würde, würdet ihr euch wundern.«

»Lassen wir Casanovas Abenteuer für ein andermal«, sagte Sébastien und kicherte. »Wir glauben dir schon so aufs Wort.«

»Du kleine Rotznase!«, schnauzte Jacques und versuchte ihn am Hemd zu fassen. »Dich werde ich schon Mores lehren!«

»He, he, immer mit der Ruhe!« rief Jeanne. »Ihr seid auf Kindergartenniveau!«

Jacques warf Sébastien einen bitterbösen Blick zu, trank sein Glas leer und brummte, er wolle ein bißchen frische Luft schnappen gehen. Die Tür knallte hinter ihm zu. Patrick, der die Szene schweigend mit angesehen hatte, deutete ein überlegenes Lächeln an und ging nach oben ins Bett. Grummelnd half Sébastien den beiden Frauen, den Tisch abzuräumen.

»Wir waren nicht gerade sehr nett zu Jacques«, stellte Florence mit einem Seitenblick auf Sébastien fest. »Dabei ist er doch ein guter Kerl. Der Ärmste, ich bin fast sicher, daß er nie eine Frau angefaßt hat. Er sieht überall nur Bettgeschichten – denkt nur daran, wie er vorhin die Geschichte von Bruder Roman ausgelegt hat. Ihm fehlt etwas, und das merkt man daran, wie er die Frauen von unten her anschaut. Oder, Jeanne?«

»Wie du eben selbst gesagt hast, er ist ein guter Kerl«, antwortete Jeanne bestimmt. »Den Steinen sieht er gerade ins Gesicht, und das ist für mich alles, was zählt. Der Rest interessiert mich nicht.«

»Na, na, hör doch einmal auf, uns die Frau Chefin vorzuspielen«, neckte Sébastien. »Es gibt nicht nur die Arbeit im Leben.«

»Das verstehst du nicht, Séb«, sagte Florence. »Jeanne will nicht über die anderen herziehen, denn sie will auch nicht, daß wir ihre eigenen Herzensangelegenheiten bequatschen, das ist alles. Weißt du, Jeanne, trotz all deiner Vorsicht ist es für niemanden mehr ein Geheimnis, und ich bin sogar verdammt neidisch auf dich: Er ist schön wie ein Märchenprinz, dein Simon Le Meur. Was für ein stattliches Auftreten. Und was für Blumensträuße! So etwas habe ich noch nie bekommen.«

Jeanne ließ fast den Stapel Teller fallen, die sie in den Händen hielt, um Florence zu ohrfeigen. Die merkte sofort, daß sie in ein Fettnäpfchen getreten war. Jeanne stellte ihre Last ruhig auf der Spülmaschine ab.

»Es gibt keinen Simon Le Meur mehr«, sagte sie mit Grabesstimme, als wäre er gestorben. »Siehst du, deine Informationen sind nicht mehr auf dem neuesten Stand, Florence. Gute Nacht.«

Sie ließ Florence und Sébastien stehen und verzog sich in ihr Zimmer.

Sie hatte sich gewaltsam am Riemen reißen müssen, aber auf ihrem Zimmer packte sie die Wut. Roman und Moïra zusammen im Bett – was für ein Schwachsinn! Um sich zu beruhigen, hing sie ihrem alten Traum nach, ihrem unerfüllbaren Wunsch, allein zu graben. Immer öfter mußte sie daran denken. Eigentlich konnte sie seit dem Beginn der Arbeiten in der Krypta ihre Kollegen nur mehr schwer ertragen. Wären sie doch alle zum Teufel gegangen!

Nur Guillaume Kelenn fand Gnade vor ihren Augen. Sie beide hegten ein außergewöhnliches, ein mysteriöses Einverständnis, das nichts mit Verliebtsein zu tun hatte und noch weniger mit Körperlichkeit, nicht einmal mit Freundschaft. Es war etwas anderes, ein Band, das außerhalb ihrer selbst lag. Es war eher ihre gemeinsame Leidenschaft für die Krypta, ihre Empfänglichkeit für die Wellen der Erde – die die anderen ganz gleichgültig hinnahmen –, ihr brennendes Interesse an der Ausgrabung, obwohl sie auf unterschiedliche Dinge aus waren.

Jeanne hatte Guillaume nichts von ihrem geheimen Ziel erzählt, und der junge Mann ahnte davon genausowenig wie irgend jemand sonst. Er war von der Lektüre von Romans Handschrift beeindruckt, insbesondere von der Geschichte Moïras, einer Keltin, vielleicht einer seiner Ahnen. Jeanne war der Meinung, daß Guillaume in der Krypta auf Spuren des alten Dolmens oder auf Moïras Seele zu stoßen hoffte, die Seele seiner eigenen Vergangenheit, denn diese Vergangenheit – ob sie Wirklichkeit war oder nur eingebildet – verfolgte ihn dermaßen, daß er sich in der Gegenwart einfach nicht zurechtfand. Wie Jeanne war er mit seiner ganzen Leidenschaft auf der Suche nach einem Teil seiner selbst. Wie für Jeanne war der eigentliche Sinn seines Strebens etwas Materieloses, Persönliches, Mystisches. Wie sie wollte er sein ureigenes Rätsel lösen, grub er in seinem inneren Boden.

Ja, die symbolische Verwandtschaft ihrer Suche hatte Guillaume und sie zu instinktiven Komplizen gemacht, hatte dieses tiefe, wortlose Einverständnis geschaffen, das sie offenbar beide unbewußt spürten.

In einem Schwung geschwisterlicher Zuneigung – der vom Alkohol noch verstärkt wurde – hatte Jeanne gute Lust, Guillaume anzurufen, um ihm von ihren Überlegungen zu erzählen. Aber sie besann sich noch rechtzeitig. Sie erinnerte sich an ihren Vorsatz, auf diesem Weg allein zu bleiben. Sie dachte zurück an ihren letzten Abend mit Simon vor drei Wochen, an dem sie ihre ganze Geschichte offengelegt und damit das Ende ihrer gemeinsamen

Geschichte besiegelt hatte. Sie verbat sich, das zu bereuen. Eine Woche lang hatte Simon alles unternommen, um ihre Vergebung zu erlangen, aber die Blumensträuße, um die Florence sie beneidete, hatten für Jeanne nur den süßlichen Duft ihres eigenen Irrtums verströmt.

Sie bedauerte es nicht, Simon begegnet zu sein, zu gut erinnerte sie sich an die so innigen Momente ihrer gemeinsam verbrachten Zeit. Und doch warf sie sich vor, ihm vertraut zu haben, sich ihm als gefundenes Fressen ausgeliefert zu haben, obwohl sie gewußt hatte, daß er sie so verschlingen würde!

Wer sich einem anderen überläßt, provoziert damit zwangsläufig, daß der andere ihn verläßt, dachte sie.

Zwar war sie es, die ihn verlassen hatte, aber sie hatte damit nur auf seine Zurückweisung reagiert. Sie hatte ihm ihre Seele eröffnet, und er hatte sie angespuckt: Nicht nur hatte er ihr nicht geglaubt, sondern er hatte sie obendrein beleidigt, um sie zum Schluß fast zu erwürgen! Geleugnet – er hatte sie ganz einfach geleugnet.

So sah es Jeanne, und deshalb hatte sie Simons Rosen nach Einbruch der Dunkelheit theatralisch ins Meer geworfen. Bis er es aufgab, hatte sie ihr Handy ausgeschaltet gelassen und die Anrufe auf dem Haustelefon von ihrem Verbündeten Dimitri filtern lassen, dem verläßlichsten der Truppe. Auf dem Berg war sie nirgendwo sonst gewesen als im Haus oder bei der Ausgrabung, um ihm nicht in den Gassen zu begegnen; sie hatte sich darauf verlassen, daß Simon in der Gegenwart ihrer Kollegen keinen Skandal hervorrufen wollte, falls es ihm in den Sinn gekommen wäre, dort aufzutauchen. Am Wochenende war sie nach Paris geflohen, wo sie Isabelle und François getroffen hatte. Sie hatte den Brief, den er ihr geschickt hatte, ungeöffnet weggeworfen.

Schweigen und Flucht waren ihre Rüstung und Simons männlicher Stolz die Stelle, die sie mit ihrer Schwertspitze treffen mußte: Sie hatte richtig gezielt, denn nach einer Woche so unaufhörlicher wie fruchtloser Versuche, sich mit Jeanne in Verbindung zu setzen, hatte sich Simon beleidigt zurückgezogen. Die Anrufe hatten aufgehört, und sie hatte weder neue Blumen noch Post bekommen. Sie mußte nur noch unter der Woche das verminte

Gelände um Simons Haus herum meiden. Doch der Mai mit seinen verlängerten Wochenenden und der Beginn der Hochsaison würden sie endgültig von ihm abschneiden, denn er würde den Berg verlassen, um sich in seinem Laden zu verschanzen, weitab hinter den Mauern von Saint-Malo.

Am nächsten Morgen fanden sich die Teammitglieder wieder am Frühstückstisch zusammen. Dimitris Gesicht war verschwollen, als hätte er eine Schlägerei hinter sich. Sébastien und Florence schämten sich vor Jeanne und starrten in ihre Kaffeebecher, als hofften sie dort den Schatz der Krypta zu finden. Seinem neuen Ich entsprechend saß Patrick unbeirrbar schweigsam vor seinen Marmeladenbroten. Um acht Uhr dreißig fing Jeanne an, sich über Jacques' Fortbleiben Sorgen zu machen, denn niemand hatte ihn heimkommen hören.

»Er hat wohl eine Kneipenrunde gemacht«, sagte Sébastien zögernd, »und weil er so besoffen war, hat er sich nicht mehr heimgetraut, seit er das letzte Mal um drei Uhr morgens solchen Krach gemacht hat und du ihm anständig die Leviten gelesen hast. Er liegt bestimmt in irgendeinem mittelalterlichen Rinnstein.«

Plötzlich klopfte es an der Tür.

»Da ist er ja!« rief Sébastien.

Mit einem unguten Vorgefühl stand Jeanne auf, um zu öffnen.

Kein Jacques, sondern Christian Brard stand auf der Schwelle, umrahmt von einem schönen blauen Himmel und von zwei Polizisten. Alle erhoben sich vom Frühstückstisch. Brard war sehr bleich.

»Guten Morgen… Es… tut mir sehr leid, aber ich habe eine schlechte Nachricht für Sie. Heute am frühen Morgen hat ein Beamter der Gendarmerie unseren Freund Jacques gefunden… am Fuß der Rampe des Lastenaufzugs. Er ist leider… tot.«

Sébastien lief blaugrün an, Patrick ließ seinen Löffel fallen, Dimitri schlug beide Hände vor den Mund, und Florence schrie auf.

»Unglaublich, schrecklich!« faßte Jeanne das Gehörte zusammen. »Was ist geschehen?«

»Sie werden uns helfen, das herauszufinden«, sagte der Polizeibeamte, der einen beeindruckenden Schnurrbart zur Schau trug. »Alles, was man bisher sagen kann, ist, daß er durch das Loch vor dem Tretrad gefallen ist. Ein Sturz über fünfunddreißig Meter. Er sieht nicht gerade schön aus...«

»Wann haben Sie ihn zum letzten Mal gesehen?« fragte Brard im Ton eines Kripobeamten.

Jeanne berichtete kurz, was sich am Vorabend zugetragen hatte.

»Hm...« Der Polizist strich sich über den Schnauzer. »Seine Betrunkenheit könnte die Theorie von einem Unfall unterstützen. Wir werden mehr wissen, wenn der Gerichtsmediziner ihn sich angeschaut hat – und vor allem nach der Autopsie. Sie«, sagte er in die Runde, »bewegen sich nicht von hier fort. Die Kripo wird Sie befragen wollen.«

»Die Autopsie? Die... die Kripo... die Polizei?« flüsterte Florence entsetzt.

»Ja, ja, junge Dame«, bestätigte der Beamte. »Er ist gestürzt. Vielleicht war es ein Unfall, vielleicht aber wurde er auch gestoßen!«

»Jeanne.« Brard nahm sie zur Seite. »Ich zähle darauf, daß Sie die Familie benachrichtigen.«

Frau und Kinder hatte der arme Jacques nicht gehabt, das wußte Jeanne. Sie durchsuchte seine Habseligkeiten und fand ein kleines rotes Adreßbuch, in dem einige wenige Namen, Telefonnummern und Adressen aufgeführt waren. Sie fand die Nummer von Jacques' Eltern, die in Paris lebten, aber sie brachte es nicht fertig, sie anzurufen. Statt dessen wählte sie die Nummer seiner Schwester, die in Straßburg wohnte.

Die Schwester versprach, die Eltern zu benachrichtigen und noch am selben Abend vor Ort zu sein. Jeanne legte auf und ging zurück zu den anderen. Sie waren am Boden zerstört, aber sie ergingen sich trotzdem in ihren Mutmaßungen: Der Lastenaufzug lag direkt neben ihrer vorigen Ausgrabung, und aus irgendeinem Grund mußte Jacques dort hingegangen sein, vielleicht um dort zu schlafen, hatte sich über das Geländer gebeugt, das die große Öffnung nur unzureichend schützte, hatte sich hinausgelehnt, um die Sterne zu betrachten – ja, letzte Nacht war ein herrlicher Sternenhimmel gewesen –, und in seinem Rausch hatte er das Gleichgewicht verloren und war in den Tod gestürzt… Oh, der arme, arme Jacques, er war so sanft, so herzlich, so sachkundig gewesen. Sie hatten ihn alle so gemocht!

Jeanne konnte diese morbiden Ergüsse nicht ertragen und stürzte nach draußen. Wieder kam ihr der Gedanke vom vergangenen Abend, ihre Kollegen loszuwerden und allein in der Krypta zu graben. Ihr war sehr unwohl. Sie mußte tief durchatmen, frische Luft schnappen – wie Jacques gestern abend…

Luft – das Wort traf sie wie ein Peitschenhieb, und plötzlich war da ein furchtbarer Gedanke: Jacques war zu Tode gestürzt – durch die Luft. Ja, durch die Luft war er zu Tode gestürzt – wie der Mönch in ihrem Kindheitstraum, den sie als Gehenkten gesehen hatte. Und Moïra hatte vor beinahe tausend Jahren bei ihrer ersten Folter in ihrem Käfig in der Luft geschaukelt…

Kann das Zufall sein? fragte sie sich. Wenn nicht, würde das bedeuten, daß Jacques ermordet wurde, und irgend jemand, ein Verrückter, hat ihn getötet, nach dem Vorbild von damals! Dabei hat Jacques nicht den enthaupteten Mönch gesehen. Nein, aber als Archäologe hat er die Krypta sondiert. Das ist es: Jemand reproduziert das kriminelle Muster, nach dem damals schon gemordet wurde, so wie es im Heft von Dom Larose steht. Jemand ermordet die, die in Notre-Dame-Sous-Terre graben. Dann ist das ganze Team in Gefahr!

Zitternd stand Jeanne auf den Stufen, die zur Abteikirche hinaufführten, ihr Blick verlor sich in der Ferne über dem Meer, dessen Klingen gerade auf dem Rückmarsch waren.

Das Meer… das Wasser, zweite Folter…, dachte sie. Und wenn die Warnungen aus den Consuetudines, die Dom Larose gelesen hat, begründet waren? Wenn die Krypta verflucht war und das Gespenst ein böser Geist, so wie es manche Mönche meinten und Simon… Nein, nein! Sie täuschten sich! Denk nach, Jeanne, denk nach: Der Mörder ist natürlich der, der das Heft gestohlen hat. Und er ermordete Jacques so, wie er es in diesem Heft gelesen hat. Aber es hat nichts zu tun mit den vier Elementen und Moïras Folter. Und genausowenig mit dem Brief von Bruder Roman. Und erst recht nichts mit einem angeblich ›teuflischen‹ Wesen des kopflosen Mönchs. Da ist sicher ein Psychopath am Werk, aber dieser Mann – oder diese Frau – ist jemand von heute, ein Wesen aus Fleisch und Blut…

In ihren Gedanken versunken ging sie weiter in Richtung Abtei. Sie achtete nicht auf den Weg und fand sich bald ein paar Meter vor der Rampe des Lastenaufzugs. Was sie da vor Augen hatte, war geradezu surrealistisch: Ein Mannschaftswagen der Gendarmerie, ein Feuerwehrauto und ein Rettungswagen versperrten die enge Gasse. Die dazugehörigen Uniformen liefen in alle Richtungen durcheinander und verbargen zur Hälfte eine graue Gestalt, die unter einer Plane am Fuß des Steilhangs lag.

Inmitten der Felsen und des Gebüschs erblickte sie dieses von Menschenhand mit Steinen gebaute Gebilde, das wie eine Raketenabschußrampe aussah: Ganz oben endete es an der Südfassade der Abtei, am Rand einer Öffnung, über die im 19. Jahrhundert, als die Abtei als Staatsgefängnis diente, zwei große Bögen errichtet worden waren, um das Tretrad zu schützen.

Jeanne senkte den Blick auf die »Abschußbasis« und fühlte sich plötzlich in einer anderen Welt, in einer Wirklichkeit, die sie nicht kannte. Sie trat näher. Niemand beachtete sie. Zwei Krankenträger legten die große graue Gestalt auf eine Bahre. Sie hoben sie an, aber da sie das Gewicht unterschätzt hatten, glitt die Masse zur Seite und lag plötzlich rücklings auf dem Boden, die Plane zurückgeschlagen. Niemals hätte Jeanne sich vorstellen können, was sie da zwei Sekunden lang sah, bis die Sanitäter ihren Schnitzer wieder gutgemacht hatten. Es war die Leiche eines Mannes, den sie nicht wiedererkannt hätte. Die Kleider vielleicht, die auf den verrenkten Gliedern lagen. Aber das Gesicht… da war kein Gesicht mehr: Dunkler Brei bedeckte es, ein Magma aus Blut, Knochen, Hackfleisch – eine grauenhafte Schminke, die seine Nase eingedrückt hatte, seine Augen, seinen Mund. Die Maske der unerträglichen Wirklichkeit, mit der es keine Einbildung aufnehmen konnte. Jeanne wandte sich ab und übergab sich auf die Straße.

In einem Nebel meinte sie die glatten Züge von Christian Brard zu erkennen, dann rutschte sie in ein schwarzes Loch, das sich unter ihren Füßen aufgetan hatte.

Eine Stunde später wachte sie in ihrem Bett auf, und Florence saß an ihrer Seite. Ein bitterer Geschmack lag ihr auf der Zunge.

»Hallo«, sagte Flo. »Schön, daß du wieder da bist, Jeanne. Du bist ohnmächtig geworden. Die Sanitäter haben dich hergebracht.«

»Ich erinnere mich. Es war… monströs, unbeschreiblich!«

»Ich weiß, ja. Es wäre mir übrigens lieber, du würdest nicht davon erzählen.«

»Florence, bitte, hol mir einen Tankwagen voll Kaffee.«

»Du solltest etwas essen.«

»Nein, bloß nicht!«

»Okay, ich geh' runter. Übrigens: Patrick wird gerade von einem Kripobeamten verhört.«

Jeanne setzte sich in ihrem Bett auf, und der furchtbare Anblick ergriff wieder von ihr Besitz. Nein, das war kein Theaterstück gewesen, kein Film, sondern die Wirklichkeit! Jacques, der arme Jacques!

Endlich konnte sie weinen. Durch ihr Schluchzen hindurch wurde ihr klar, daß ihre Theorie, nach der Jacques von dem Dieb, der Dom Laroses Heft gestohlen hatte, umgebracht worden war, absurd war, irrational, Ergüsse einer ach so romantischen Seele. Der Anblick von Jacques' Leichnam aber hatte sie auf den Boden der Tatsachen zurückgeholt, in einem plötzlichen Sturz, der aber für sie wenigstens nicht tödlich ausgegangen war. Sie mußte aufhören, alles mit Roman und dem enthaupteten Mönch in Verbindung zu bringen. Die Wirklichkeit ihrer Mitmenschen war eine andere! Und sicherlich hatte genau diese Wirklichkeit Jacques getötet, das heißt: seine Verzweiflung über seine Einsamkeit, die Bitterkeit, die Last des Lebens, die er im Suff zu erleichtern gesucht hatte. Ja, der Alkohol hatte seinen Selbstmord oder seinen Unfall verursacht – für Jacques kam vielleicht beides auf dasselbe hinaus.

Den ganzen Tag über befragte die Polizei die Kollegen und die Leitung des Denkmalschutzamts auf dem Berg. Jacques' Leiche wurde nach Saint-Lô gebracht, wo der Gerichtsarzt die Autopsie durchführen würde. Der Abend im Haus der Archäologen verlief wie eine Totenwache ohne Leichnam: Ein paar Dorfbewohner kamen aus Neugier oder Mitleid, um Jacques' »beruflicher Familie« ihr Beileid auszusprechen. Die Anwesenheit von Guillaume Kelenn gab Jeanne Kraft und brachte Patrick dazu, den Raum zu verlassen: Ihr Assistent hatte seinen gewohnten Mißmut nicht abgelegt.

Am nächsten Morgen gingen die Arbeiten in Notre-Dame-Sous-Terre weiter, aber niemand grub. Dimitri saß schluchzend in einer Ecke, Patrick war wie abgestorben, Sébastien und Florence steckten immer wieder tuschelnd die Köpfe zusammen und tranken Kaffee aus ihrer Thermoskanne. Jeanne starrte auf den Dreifaltigkeitsaltar und das Stück von Auberts Mauer, das Froidevaux hinter dem Sockel freigelegt hatte. Sie fragte sich, ob dahinter ein geheimer Raum lag, in dem das Skelett und der abgetrennte Schädel ihres Mönchs ruhten. Sie brannte darauf, die Steine, die grob zu einer Mauer zusammengefügt worden waren, einen nach dem anderen herauszunehmen, aber angesichts der Stimmung in ihrem Team traute sie sich nicht.

Eine Schwester von der »Gemeinschaft von Jerusalem« riß sie schließlich aus ihrer verzweifelten Lethargie. Um zwölf Uhr mittags kam eine Gestalt, die aussah, als wäre sie in ein weißes Leichentuch gewickelt, und schlug ihnen vor, mit ihnen für die Seele ihres Freundes zu beten und in der Kirche dem Hochamt beizuwohnen. Bis auf Dimitri waren sie alle Atheisten oder bestenfalls Agnostiker, aber sie nahmen das Angebot dankbar an. Sie setzten sich am Rand des hochgotischen Chors auf die Bänke, umgeben von einer Masse von Touristen und Pilgern mit Muschel und Pilgerstab wie im Mittelalter.

Jeanne blickte auf zu dem strahlenden Blau, das die Fenster in himmlisches Licht hüllte und eine fast übernatürliche Atmosphäre schuf. Sie dachte an den romanischen Chor, der 1421 während des Hundertjährigen Kriegs über den Benediktinern eingestürzt war, an den Ritter, dem kurz darauf in der Krypta der enthauptete Mönch erschien, an seinen Leichnam, an seinen Mund voller Erde ...

Sie zwang sich, diese Gedanken zu verscheuchen, und konzentrierte sich auf den Gottesdienst der weißen Brüder und Schwestern. Sie überraschte sich bei einem stillen Gebet an den heiligen

Michael, in dem sie ihn bat, Jacques' Seele in den Himmel zu geleiten. Der Himmel war dort, vor ihr, er schwang sich in Wirbeln eleganter Steine empor, in feinen, majestätischen Linien, die einen unwiderstehlichen Eindruck des Aufstrebens schafften, der frommen Vertikalität.

Ein Gebrumm riß Jeanne aus ihrer architektonischen Andacht: Touristen in Bermudas, den Fotoapparat als Halskette umgehängt und mit Kopfhörern auf den Ohren, schlichen wie neugierige dicke Bienen um die Gläubigen herum. Das Krächzen ihrer Walkmen, auf denen die Besichtigung der Kirche kommentiert würde, schaffte es sogar, die Stimme des Zelebranten zu überdecken. Die Mönche und Nonnen waren diese alltägliche Unsitte gewohnt und sangen weiter, als sei nichts los.

Mühsam konzentrierte sich Jeanne auf die Predigt des Priesters. Sie schaute auf das Kreuz, das wie ein Pendel auf seinem makellosen Meßgewand hing. Ganz allmählich sah sie, wie eine Kutte, ein Skapulier, die Albe ersetzte, und die Kasel wurde immer dunkler. Plötzlich hatte der Zelebrant keinen Kopf mehr. Dann erschien das runzelige, abgemagerte Gesicht von Pater Placide, der dreimal wiederholte: »Ist da jemand, um bei meiner Messe die Antworten zu sprechen?« Und Jeanne antwortete ganz leise: *»Ad accedendum ad caelum, terram fodere opportet.«* Als Florence sie mit dem Ellenbogen anstieß, schlug sie die Augen auf, und als sie aufschaute, sang der weiße Priester mit erhobenen Armen das Pater Noster. Sie schaute um sich: Die Archäologen standen da und sprachen das Gebet in ganz neuer Inbrunst. Jeanne erhob sich und hielt sich mit Mühe aufrecht. Zum Glück schien außer Florence niemand gemerkt zu haben, wie sie weggedöst war.

Die Messe ging zu Ende. Jeanne stürzte nach draußen auf die Terrasse. Der Himmel konnte sich nicht entscheiden zwischen Blau und Grauschwarz: Sein Gewölbe war von dunklen Streifen zerrissen und lastete drückend auf Jeanne wie der Deckel eines granitenen Grabes.

Sie gab ihrem Team für den Nachmittag frei. Sie mußte allein sein, um wieder zu sich zu finden. Sie zog die Tür von Notre-Dame-Sous-Terre hinter sich zu und räumte die Grabwerkzeuge weg, die nachlässig auf dem Dreifaltigkeitsaltar herumlagen.

Dann entzündete sie Kerzen und schaltete alle elektrischen Lampen aus. In der Luft schwebte eine seltsame Regung: Über die weißen Steine der Krypta strichen Schatten, die sehr viel älter wirkten als die Flammen der Kerzen, die sie warfen. Jeanne strich mit der Hand über die zitternden Umrisse. Sie konnte darin die Spuren einer anderen Hand unter der ihren sehen – langgliedrige schwarze Finger wie die Beine einer Spinne, die über ihre Haut krabbelten. Sie legte die Stirn auf die verzauberten Steine, dann ihren Mund. Sie spürte das Herz der Mauern schlagen.

»Roman …«, flüsterte sie. »Wenn ich dich erlöse, steigst du von hier auf. Du wirst zu Moïra gehen und mich verlassen. So lange begleitest du mich jetzt schon. Je näher ich dir komme, desto mehr fürchte ich mich davor, daß du fortgehst. Siehst du, ich brauche dich. Wir beide sind wie diese Krypta – doppelt und gleichgestaltig. Du hast mir so viel von dir gegeben: die Liebe zu deiner Kunst, den unaufhörlichen Dialog mit der Vergangenheit, die lebendiger ist als die Gegenwart, die Einsamkeit und den Trost der toten Seelen … Aber du hast mich zum Schweigen verurteilt! Ich kann mit niemandem über dich sprechen, ausgenommen deinem alten Komplizen, Pater Placide. Simon gab es wirklich, und du hast ihn mir genommen. Aber ich weiß, daß du mit Jacques' Tod nichts zu tun hast. Er ist gestorben, weil er mit sich selbst allein war, während wir beide uns gegenseitig am Leben halten. Zwei parallele Leben. Wir sind tot für die Welt, Roman. Du hast keinen Himmel, und mir bist du der Himmel. Ich weiß, Roman, ich muß dich noch fester halten, ich muß deinen Körper umschlingen, damit du zu dem Stern gelangst, der dich seit fast tausend Jahren erwartet. Doch wer wird dann mein Gestirn sein?«

Sie blieb einen langen Moment an die Mauer neben dem Altar gelehnt. Dann betrachtete sie die rohen, unregelmäßigen Steine von Auberts Oratorium – Aubert, dessen durchbohrter Schädel in Avranches in der Kirche Saint-Gervais thronte. Sie war überzeugt, daß der Kopf und der Körper, die sie ausgraben sollte, hinter diesen Steinen lagen. Aber es war unmöglich, die Steine ohne die Hilfe der anderen herauszulösen. Sie waren riesig, fest aufeinandergeschichtet und sehr schwer. Sie seufzte. So gerne wäre Jeanne die einzige gewesen, die ihn entdecken würde, ihn sehen, ihn berühren! Paul hatte die Handschrift entdeckt, die ihr allein bestimmt gewesen war, Pater Placide hatte ein kostbares Heft geschenkt bekommen, das er nicht hatte bewahren können... Aber sie allein hatte alle Indizien zusammenfügen können, und die Erlösung, der glückliche Ausgang, war ihr vorbehalten!

Fenoy, Dimitri, Florence, Sébastien und sogar Guillaume konnten mit einem Skelett und einem Schädel, die in der Zeit und den Steinen verloren waren, nichts anfangen. Die Umtriebe dieser unglücklichen Seele betrafen sie nicht. Aber dennoch war Jeanne auf diese Menschen angewiesen, wenn sie diese Gesichte zu Ende bringen wollte.

Sie seufzte erneut und betastete Auberts Mauer. Der Begründer des Berges hatte versucht, den natürlichen Felsen nachzuahmen, die Grotte, so wie die auf dem Monte Gargano. Kein Stein war behauen, die Fugen waren sehr ungenau. In dem kreisrunden Betraum mußten Aubert und seine Kanoniker sich gefühlt haben wie in der Mitte einer Höhle, Gottes Heimstatt, ein abgeschiedener, verschlossener Raum.

Jeanne blies die Kerzen aus, schloß die Krypta ab und ging heim. Sie fand das Haus leer vor, bis auf Dimitri, der sich im Wohnzimmer langweilte und zu lesen versuchte.

»Simon Le Meur hat angerufen«, sagte er beiläufig. »Er hat von... von Jacques gehört und wollte sich nach dir erkundigen. Und? Irgendwelche Neuigkeiten über Jacques?«

»Ich weiß nicht. Ich rufe mal Brard an.«

Brard erklärte, die ersten Ergebnisse des Gerichtsmediziners seien für den Abend zu erwarten, und versprach, sie auf dem laufenden zu halten. Die Beerdigung fand übermorgen in Paris statt. Er meinte, es wäre angemessen, die Ausgrabung für eine Woche ruhen zu lassen und allen Urlaub zu geben. Jeanne wehrte Brards Vorschlag ab, die Dauer der Ausgrabung zu verkürzen: Sie hatte eben dem Team für den Nachmittag freigegeben, und Jacques' Beerdigung fand am Tag vor dem 8. Mai statt. Sie würden also die Arbeit über den Brückentag ruhen lassen, aber nicht mehr.

Sie rief Simon nicht zurück, aber sie überredete François, ihr das Wochenende zu widmen. Angesichts der Umstände ließ er sich nicht lange bitten.

Sie aß allein mit Dimitri zu Abend, der nach diesem Drama nur noch depressiver war.

Um neun Uhr abends kam Brard und bestätigte ihr, daß es tatsächlich ein Unfall gewesen war, der Jacques das Leben gekostet und sich gegen zwei Uhr morgens ereignet hatte: Keinerlei Spur eines Handgemenges neben dem Tretrad, keine Spur von äußerer Gewaltanwendung an Jacques' Körper, keine ungewöhnlichen Substanzen in seinem Organismus, nur ein ungeheuer hoher Alkoholspiegel. Er war von selbst hinabgestürzt, aus Trunkenheit oder aus Pech.

Sie hatte es geahnt, aber trotzdem erleichterte sie diese Nachricht. Sie öffnete die Schranktür, um ihrem Chef ein Glas anzubieten, und stieß auf die Flasche Calvados, die sie Jacques geschenkt hatte. Sie war zu drei Vierteln leer. Sie wurde bleich, als wäre es ein Revolver, mit dem sie selbst auf den Archäologen geschossen hätte.

Am nächsten Tag machte sich das Team im Beisein von Guillaume an Auberts Mauer zu schaffen. Mit sicheren Handgriffen lösten sie langsam die obersten Steine von der Stelle, an der sie seit dem Jahr 708 lagen. Dieser Granit stammte nicht von den Chausey-Inseln, sondern war aus dem Berg selbst herausgeschlagen worden. Nach der Legende, die die Kanoniker und dann die Benediktiner überliefert hatten, begab sich Aubert nach der dritten Erscheinung des Erzengels endlich auf den Mont Tombe und stellte fest, daß die Stelle der künftigen Andachtsstätte vom heiligen Michael markiert worden war, wie der Erzengel es ihm im Traum verkündet hatte: Ein Stier, den ein Viehdieb gestohlen und versteckt hatte, um ihn weiterzuverkaufen, erwartete den Bischof in der Mitte eines großen Kreises, den der Morgentau gezogen hatte und in dem zwei dicke Steine aufragten: An dieser Stelle sollte das Oratorium zu Ehren des Anführers der Engel errichtet werden. Und an dieser Stelle errichtete es der heilige Aubert.

Historiker und Archäologen meinten, daß diese beiden Steine, die geschleift wurden, um den Boden einzuebnen, zwei senkrechte Platten eines eingefallenen Dolmens gewesen sein konnten und der kreisförmige Abdruck der des Grabhügels, der den

Megalith einst überdeckt hatte. Die Kelten errichteten ihre Kultstätten an besonderen Stellen, an denen die Macht der Erde spürbar war: So war allgemein anerkannt, daß die – künstliche – Höhle Auberts den Platz eines verlassenen Dolmens eingenommen hatte, so wie das Christentum dem keltischen Glauben übergestülpt worden war. Der alte Glaube wurde christianisiert, aber die heidnischen Tempel wurden zerstört: Von dem Dolmen waren auf dem Berg keinerlei Spuren mehr zu finden, aber Auberts Mauern, die exakt die Form dieses vorchristlichen Heiligtums übernahmen, waren trotzdem eine Reminiszenz daran.

Sobald Patrick und Séb mit dem kleinen Kran die ersten Steine von Auberts Mauer entfernt hatten, stürzte Guillaume Kelenn mit einer Lampe vor, doch Jeanne verstellte ihm mit einem Sprung den Weg.

»Darf ich?« herrschte sie ihn an. »Du kannst hinterher reinschauen!«

Verwirrt trat er zurück. Mit einem triumphierenden Lächeln stellte Patrick eine Leiter an die Mauer. Ihr Herz klopfte, als wollte es zerspringen, während sie hinaufstieg, um dann die Taschenlampe durch die Öffnung zu halten, die sie eben freigelegt hatten: Gegenüber sah sie den Felsen, eine natürliche, unüberwindbare Mauer. Kein geheimer Durchgang, kein versteckter Hohlraum. Aber sie sagte sich, daß weiter unten vielleicht ein paar Quadratzentimeter in den Felsen gegraben worden waren, daß man dort eine Nische eingerichtet hatte, die groß genug war, den Kopf eines Mannes und einen liegenden Körper unterzubringen. Sie krümmte sich zusammen und versuchte, zwischen Auberts Steinen und dem Felsen etwas zu erkennen. Doch sie sah nichts als einen schmalen Spalt, der anscheinend keinerlei Versteck barg.

Sie klammerte sich an die Granitblöcke, darum bemüht, nicht zu weinen. Wo war Roman dann, wenn nicht an dieser Stelle? So gebückt spürte sie, wie ihr ein Anflug von Übelkeit in die Kehle stieg.

»Und, Jeanne, und? Siehst du etwas?« fragten die anderen in glühender Neugier.

Langsam stieg sie die Leiter hinunter. Sie nahm die Brille ab und rieb sich die Augen. Die anderen meinten, die Tränen ihrer Chefin rührten vom Staub her.

»Nichts«, sagte sie tonlos. »Man sieht gar nichts. Eine senkrechte Felswand, das ist alles ... Aber wir werden das ganze Mauerstück abtragen! Wir müssen auf Nummer sicher gehen. Los!«

»Meinst du, das ist nötig?« fragte Dimitri. »Diese Mauer ist der älteste Überrest der ganzen Abtei, fast tausenddreihundert Jahre alt. Wenn du nichts gesehen hast, warum sollen wir sie dann einreißen?«

Sie bedachte ihn mit einem eisigen Gletscherblick. »Weil wir Wissenschaftler sind«, antwortete sie barsch, »und ein Wissenschaftler gibt sich nicht mit einem schnellen Blick zufrieden, um seine Hypothese zu verwerfen. Er entkräftet sie mit Beweisen! Also reißen wir diese Mauer ein, um ganz sicher zu sein, daß sie uns nichts verhehlt. Und wenn es sein muß, reißen wir auch die anderen ein, eine nach der anderen!«

Dimitri schaute betroffen zu Boden. Jeanne war also bereit, ganz Notre-Dame-Sous-Terre zu vernichten. Diese Erkenntnis machte ihm zu schaffen. Er bewunderte Jeanne, aber sie hatte sich verändert: Sie hatte immer mit solcher Leidenschaft von dem Mauerwerk in der Krypta gesprochen, und auf einmal wollte sie es einreißen! Vielleicht lag es an Jacques' Tod. Vielleicht hatte es sie mehr mitgenommen, als sie sich bisher hatte anmerken lassen. Oder es war ihre gestorbene Liebe mit dem Antiquar aus Saint-Malo. Da mußte es ihr ziemlich mies gehen – so wie ihm, Dimitri, der oft das Gefühl hatte, rund um sich den Verwesungsgeruch des Todes wahrzunehmen.

Die Trauerfeier für Jacques war kurz und bescheiden. Der einzige Gottesdienst für den Archäologen war die Messe der »Gemeinschaft von Jerusalem«, bei der das Team dabeigewesen war. Er wurde im Krematorium des Friedhofs Père-Lachaise eingeäschert, und sein Vater nahm die Asche in einer schwarzen Urne mit nach Hause. Danach wollte Dimitri mit Brard zurück auf den Berg fahren.

»Ich habe in Paris nichts mehr zu tun«, erklärte er, »und will zurück in das Dorf, das jetzt auch meines geworden ist.«

Wieder würde er das Wochenende allein verbringen und sich in seinem Liebeskummer wälzen.

»Komm doch mit mir nach Marseille, Mitri«, schlug Flo vor. »Ich treffe ein paar Freunde, man kann da bereits baden und…«

Doch Dimitri lehnte ab und ging zu Brards dickem Wagen, der am Boulevard du Ménilmontant parkte. Sébastien sah den beiden Männern nach und zog eine Grimasse, aber kein Wort kam über seine Lippen. Jeanne befürchtete, Dimitri könnte dem Denkmalschützer erzählen, daß sie jeden Stein der Krypta abtragen wollte, aber dann zwang sie sich, diese Sorge zu vergessen. Patrick grüßte sie ungewöhnlich herzlich, bevor er nach Hause zu seiner Frau und seinen zwei Kindern fuhr, die ihn im Montmartre-Viertel erwarteten. Sébastien fuhr mit dem Zug nach Cergy zu seinen Eltern. Jeanne nahm ein Taxi und ließ sich ans linke Seine-Ufer fahren.

In einem sonnigen Café auf der Place Saint-Sulpice berichtete sie Isabelle von Jacques' Beerdigung. Mitfühlend fragte ihre Freundin, ob sie Simon wiedergesehen hatte. Jeanne erklärte, daß sie ihn völlig vergessen hatte und die nächsten drei Tage mit François verbringen würde. Eine Stunde später trennten sich die beiden Frauen in einer seltsamen Stimmung: Obwohl sie ein so unterschiedliches Leben führten, stand zum ersten Mal seit der Mittelschule wirklich etwas zwischen ihnen, etwas, was sie nicht klar identifizieren konnten. Jeanne fand Isa zu materialistisch und oberflächlich. Sie hatte sich mit ihr gelangweilt. Und Isabelle, die nichts von den letzten Entdeckungen ihrer Freundin wußte, war Jeanne gleichzeitig überschwenglich und kalt vorgekommen, allzu distanziert gegenüber dem, was die Menschen normalerweise zum Leben erweckt: die Liebe.

Jeanne fuhr zu ihrer Wohnung in der Rue Henri-Barbusse, um dort auf François zu warten. Die beiden Zimmer kamen ihr fremd vor. Ganz plötzlich fiel ihr auf, daß sie seit Jahren in einer Straße wohnte, die den Namen eines berühmten Soldaten aus dem 1. Weltkrieg trug, ein Mann aus dem Schützengraben, der in der Erde überlebt hatte, in einer Grube, wo er auf den Tod gewartet hatte, um in den Himmel zu gelangen, der ihn von seinen Qualen erlösen sollte.

Zwei Stunden später war sie noch immer von dieser Überlegung gefangen, als François an der Tür läutete.

Er brachte sie auf neue Gedanken, indem er sie in ein prachtvolles Schloß in der Gegend von Puisaye entführte, nach Prunoy im Norden der Bourgogne und weit weg von Cluny. Das Anwesen stammte nicht aus dem Mittelalter, das Zimmer war im Art-déco-Stil eingerichtet, das Abendorchester spielte Barockmusik, die Wirtin war eine ebenso charmante wie originelle Frau, und im näheren Umkreis gab es keinerlei romanische Kirchen. Kurz: ein gelungener Tapetenwechsel, für den Jeanne François sehr dankbar war.

Sie entspannte sich und schlug vorläufig die Tür zu ihrer Krypta zu. Sie machten lange Spaziergänge durch den Park und um den See, aßen gut, tranken hervorragende Weine, vermieden Gespräche über den Berg und liebten sich. Jeanne fand den Duft von François' Haut wieder, den Rausch seines Schweißes, aber schon bald ging etwas Unmerkliches in ihr vor: Sie überraschte sich dabei, wie sie sich an François' Stelle Simon vorstellte, und die Erinnerung an ihre Umarmungen mit dem Antiquar trat neben die gegenwärtigen Zärtlichkeiten mit dem Staatsdiener. In der ersten Nacht versuchte sie empört, sich selbst klarzumachen, wen sie da küßte. Aber ihr Körper lehnte sich auf, wurde steif und sträubte sich gegen François' Liebkosungen. So akzeptierte sie den Trick ihres Unterbewußtseins und gab sich ihren Erinnerungen hin. Sofort vereinten sich ihr Kopf und Körper lustvoll mit den Küssen ihres Liebhabers.

Am Sonntag mittag mußten sie das Schloß der ruhigen Träume verlassen und wieder in das der unterirdischen Kriege zurückkehren. Im Auto auf dem Weg nach Paris seufzte sie im Gedanken an Auberts Mauerstück, das sie vollständig abgetragen hatten, ohne dahinter etwas zu finden. Sie würde entscheiden müssen, ob sie zuerst die anderen Mauern oder den Steinboden durchbohren sollten.

François bestand darauf, sie bis zum Berg zu fahren, und Jeanne ärgerte sich ein bißchen darüber.

»Ich will noch ein bißchen länger bei dir sein«, säuselte er ihr zu, »und dir das Leben ein bißchen leichter machen. Keine Angst, ich lasse dich auf dem Parkplatz am Damm aussteigen. Ich lege keinen gesteigerten Wert darauf, in den Gassen Brard zu begegnen.«

Erleichtert lächelte sie ihn an. Dieser Mann konnte so aufmerksam und rücksichtsvoll sein. Bei dem herrlichen Wetter hatte François' Haut die Farbe von Honig angenommen, und auf Jeannes Nase tummelten sich neue Sommersprossen.

Bis Paris war viel Verkehr, aber in Richtung Normandie wurde es ruhiger. Am Fuß des Berges umarmte sie François sehr lang. Er sagte ihr, wie glücklich er war, sie wiederentdeckt zu haben. Sie war gerührt, aber sie entschloß sich, ihn gehen zu lassen. Sie war traurig, als hätte sie sich soeben für immer von François verabschiedet. Jede Trennung, egal welche, machte sie ein paar Minuten oder ihr ganzes Leben lang unglücklich.

Sie schaute auf die Uhr: gerade mal fünf Uhr. Zum Glück, die anderen waren sicher noch nicht zurück, und so konnte sie diese letzten friedlichen Minuten allein nutzen, bevor morgen die Schlacht gegen die Steine in der Krypta weiterging. Dimitri war sicher zu Hause und führte seinen Kummer in den vier Wänden spazieren, aber von ihm würde sie sich nicht stören lassen. Im Gegenteil, Mitias von Sehnsucht verschleierte Seele rührte sie. Sie beschloß, sich mit ihm zu unterhalten, ihn sanft zum Erzählen zu bewegen und ihm zuzuhören. Ja, sie mußte versuchen, ihm zu helfen; dieser Junge war der Mühe wert, und diese Mühe hatte sie ihm bisher noch nicht gewidmet.

Auf dem Berg war schönes Wetter. Die Menschenwellen wälzten sich Jeanne entgegen, in Richtung der Cafés und des Parkplatzes. Kinder quäkten, ein Fettwanst stieß sie mit seinem Bierbauch, der so dick war wie der Bauch einer Hochschwangeren, und sie blieb an der Reisetasche einer alten Dame hängen. Endlich der Friedhof, und darüber das schöne Granithaus mit den weißen Läden.

Sie drehte den Schlüssel im Schloß und rief fröhlich nach Mitia. Keine Antwort. Wenn Dimitri ausgegangen war, dann war das ein Zeichen dafür, daß es ihm besser ging. Sie ging in ihr Zimmer, warf ihre Tasche aufs Bett, riß das Fenster auf, reckte sich und beschloß, sich ein Bad einlaufen zu lassen und einen Tee zu trinken, während sie auf Dimitri wartete. Sie legte eine CD mit argentinischem Tango ein und ging hinunter in die Küche, um Wasser zu kochen. Mit einem kleinen Tablett mit Teekanne, Tasse und ein paar bretonischen Butterkeksen stieg sie wieder die Treppe hinauf und stellte alles auf ihren Tisch neben dem CD-Player. Sie öffnete die Tür zu ihrem separaten Bad gleich neben ihrem Zimmer – und erstarrte auf der Schwelle!

Die Badewanne war bereits voll. Reste von Schaum trieben um eine nackte, schrecklich magere Gestalt. Trotz Astor Piazzolas Musik schaut Dimitri sie mit seinen schönen Augen starr und tieftraurig an. Das Weiß seiner Haut schimmerte bläulich, und auf beiden Seiten hingen seine abgezehrten Arme herunter wie tote Äste. Am Ende seiner Arme zeichneten sich auf den glasierten Kacheln zwei schwarze Kreise ab, zwei erstarrte kleine Pfützen: das Blut, das aus seinen durchtrennten Pulsadern geflossen war.

# 18

Dimitris Beerdigung war ergreifender als die von Jacques: So wollte es das Privileg derer, die sich in der Blüte der Jugend das Leben nahmen. Er war gläubig gewesen, und die orthodoxe Kirche in Lille war voll von Menschen und vom Weinen seiner Mutter, deren einziges Kind er gewesen war. Trotz der Autopsie hatte der Gerichtsmediziner die Leiche in perfektem Zustand zurückerstattet, abgesehen von ein paar zusätzlichen Narben.

Jeanne und ihr Team waren von Mitias Tat schwer erschüttert, und die junge Frau bereute es zutiefst, daß sie ihn an diesem Wochenende alleingelassen hatte. Christian Brard, der den jungen Archäologen nach Jacques' Beerdigung auf den Berg zurückgefahren hatte, war ebenfalls befangen, wie es nur natürlich war für den letzten Menschen, der einen anderen lebendig gesehen hat, der mit ihm über Belanglosigkeiten gesprochen hat und der dann schwieg, ohne zu ahnen, daß ein zusätzliches Wort vielleicht alles geändert hätte: Doch der junge Mann war schweigsam gewesen, und Brard hatte dieses Schweigen der Trauer einfach hingenommen.

François versuchte Jeanne mit dem Argument zu beruhigen, daß man gegen gewisse Selbstmordtriebe nicht ankonnte, daß Dimitri eben beschlossen hatte, Schluß zu machen, und daß er es so oder so getan hätte. Jeanne wußte wohl, daß ihr Schicksal vielleicht wollte, daß sie jemanden rettete, aber eben nicht Jacques oder Dimitri, aber sie haderte mit dem brutalen Los, das der heimtückische Tod diesen beiden Menschen aufgezwungen hatte. Ja, der Tod wütete in ihrer Umgebung, und sie hoffte, daß er nur zufällig zugeschlagen hatte.

Außer Christian Brard und der Polizei war Jeanne die einzige, die beide Leichen gesehen hatte. In ihren Alpträumen waren sie nur ein einziger Körper, mit dem formlosen Gesicht von Jacques und dem knochigen Leib von Mitia. Sie legte sich gleich nach dem Essen ins Bett, nahm ein Schlafmittel und schloß die Augen – diese Augen, die immer wieder zur Badezimmertür hinüberschwenkten. Bevor die Polizei sie versiegelt hatte, hatte sie den Raum schon von sich aus abgesperrt. Nie wieder würde sie ihn betreten können und noch viel weniger ein Bad nehmen, ohne daß sie dabei von höllischen Visionen überfallen würde.

An jenem tragischen Sonntag war sie lange auf der Schwelle stehengeblieben, gelähmt von dieser Wirklichkeit, die sie überforderte, die sie aber gezwungenermaßen hinnehmen mußte. Es gab keinen Fluchtweg aus ihrer inneren Festung, das Unausweichliche war da, weiß, kalt, starr wie Mitia mit dem verwunderten Blick. Sie hatte nicht geschrien, nicht geweint. Sie hatte das Gefühl gehabt, eine vergängliche, wankende Sandburg gegenüber einer furchtbaren, unbesiegbaren Felsbastion zu sein, ein zartes Haus, von einem Kind in den Dünen gebaut, das unter den Steinwürfen des Wächters der Wirklichkeit zusammenstürzen sollte. Und doch hatte sie nicht das Bewußtsein verloren, und ganz ruhig war sie mit gemessenen Schritten, die so regelmäßig waren wie das Pendel einer Standuhr, in die Küche gegangen, um bei der Gendarmerie anzurufen. Einen Krankenwagen zu ordern, war nutzlos gewesen.

Sie hatte sogar daran gedacht, Christan Brard zu informieren. Erst als zweieinhalb Stunden später Patrick ankam, hatte sie inmitten der Uniformierten und der Polizisten in Zivil an all ihren Gliedern zu zittern begonnen, ohne einen Laut herauszubringen. Sie hatte zwei Tage lang unter Schock im Bett gelegen, betreut von einem Arzt und den Überresten des Teams: Patrick, Sébastien, Florence und Guillaume. In ihrem künstlichen Schlaf redete andauernd Simon auf sie ein und flehte sie an aufzuwachen. Sie tat es und fand sich inmitten des Friedhofs wieder, dessen Gräber sich auftaten, und die Toten blätterten in einem obszönen Striptease ihre vermoderte Haut ab, um ihr ihre von Würmern zerfressenen Knochen zu zeigen.

»Meinst du nicht, wir sollten ihr vorschlagen, zum Psychiater zu gehen?« fragte Florence, an Patrick gewandt, der im Wohnzimmer an einer Tasse Kaffee nippte. »Inspektor Marchand hat dazu geraten.«

»Ich kenne das Holz, aus dem sie gemacht ist«, antwortete Patrick. »Das heißt, es ist kein Holz, sondern mittelalterliche Steine. Morgen früh machen wir mit der Ausgrabung weiter, und ich bin sicher, daß es ihr besser geht, sobald sie in der Krypta ist. Nein, um sie mache ich mir eigentlich keine Sorgen...«

»Um wen denn dann?« fragte Sébastien.

»Na, um uns«, erklärte Jeannes Assistent.

»Angesichts der derzeitigen Umstände ist das ein logischer Gedanke«, antwortete Séb. »Aber vor allem werden wir mit zwei Paar Armen weniger ganz schön zu schuften haben. Und sicher bekommen wir keinen Vertreter. Ich weiß, daß du ihn nicht magst, aber zum Glück haben wir Kelenn, der uns ein bißchen hilft. Er hat Jeanne zugesichert, daß er jeden Nachmittag kommen wird.«

»Euer Guillaume Kelenn ist mir piepegal«, entgegnete Patrick trocken. »Soll er doch den ganzen Tag hier rumlungern, wenn er Lust hat, und sogar nachts in ihr Bett da oben kriechen!« Er hob den Blick seiner grauen Augen in Richtung Jeannes Zimmer. »Ich meinte nicht ihn und auch nicht die Ausgrabung, als ich eben von ›uns‹ sprach.«

»Aber was denn dann?« Florence wird ärgerlich. »Sag es doch endlich!«

»Kommt euch das nicht komisch vor, ein tödlicher Unfall und ein Selbstmord in gerade mal zehn Tagen?« fragte Fenoy und stand auf.

»Was... was meinst du damit?« Sébastien wurde auf einmal leichenblaß.

»Daß wir uns ein paar Fragen stellen sollten«, antwortete Patrick, der sich eine Zigarette rollte. »Erstens: Was wollte Jacques mitten in der Nacht am Lastenaufzug? Zweitens: Warum wollte Dimitri unbedingt alleine hierbleiben?«

»Du... du machst doch Witze?« stotterte Florence. »Meinst du, daß... daß Jacques nicht aus Versehen abgestürzt ist und daß Dimitri sich nicht selbst umgebracht hat?«

»Ich weiß nicht…« Patrick zündete sich die Zigarette an. »Manchmal finde ich, das sind ein bißchen viele Zufälle. Diese Ausgrabung in Notre-Dame-Sous-Terre bringt mich ganz durcheinander. Zu viele Leute waren dagegen. Ich frage mich, ob nicht vielleicht jemand versucht, die Sache auf diese Weise zu verhindern.«

»Indem er uns alle nacheinander abmurkst wie in einem schlechten Horrorstreifen?« rief Florence. »Was willst du, Patrick? Willst du uns Angst einjagen, damit wir uns aus dem Staub machen? Ist das dein neuester Schachzug gegen die Ausgrabung? Denn ich erinnere dich daran, daß auch du sehr gegen die Ausgrabung in der Krypta warst!«

»Ich weiß«, gestand er und wurde leicht rot. »In der Panik geht mir alles mögliche durch den Kopf. Jedenfalls werden wir ja morgen Bescheid wissen, wenn wir die Ergebnisse der Autopsie haben.«

Am Morgen des 19. Mai stiegen Patrick und Jeanne schweigend zu den Klosterwohnungen hinauf, wo Brard sein Büro hatte. Das Gesicht der jungen Frau wirkte angespannt, und ihre Augen waren geschwollen. Sie dachte an Simon. Fast hätte sie ihn in Saint-Malo angerufen, um sich von ihm trösten zu lassen. Nur ihr Stolz hatte sie dazu gebracht, lieber François' Nummer zu wählen.

»Ich stelle Ihnen Kommissar Henri Bontemps vor«, sagte Brard. »Inspektor Marchand kennen Sie ja bereits. Der Kommissar ist mit den Kriminalfällen im Département betraut.«

»Kriminalfälle?« staunte Jeanne.

»Tja, Mademoiselle«, sagte der fünfzigjährige Polizist, der ein freundliches Äußeres und eine angenehme Stimme hatte, »leider hat die Autopsie von Dimitri Portnoï ergeben, daß die Adern erst nachträglich aufgeschlitzt wurden. Er war schon eine Viertelstunde tot, als man ihn so verstümmelte. Er ist im Badewasser ertränkt worden, seine Lungen waren voll Wasser. Ja, jemand hat ihn ertränkt und ihm dann die Handgelenke aufgeschnitten, um einen Selbstmord vorzutäuschen.«

»Das ist doch unmöglich!« rief Jeanne totenbleich. »Ein Mord!«

»Ich bedaure, aber es besteht kein Zweifel«, bestätigte der Kommissar. »Ich werde auch die Akte Jacques Lucas wieder öffnen, denn wie heißt es bei uns: Mord und Mord gesellt sich gern. Aber machen Sie sich keine Sorgen, die Ermittlungen fangen gerade erst an, und wenn Sie uns helfen, gibt es keinen Grund, warum wir den Täter nicht sehr schnell dingfest machen sollten. Übrigens werde ich das gesamte Archäologenteam befragen, jeden einzeln, auf der Wache. Ich erwarte Sie morgen früh in Saint-Lô.«

»Verzeihung, aber können Sie uns nicht eher gegen Abend befragen?« wandte Jeanne ein. »Bis nach Saint-Lô ist es eine Stunde Fahrt, und wir sind mit der Ausgrabung schon gehörig in Verzug.«

Perplex schaute Kommissar Bontemps sie von schräg unten an, nicht ahnend, daß nach einer solchen Neuigkeit ihr psychologisches Überleben von der Wiederaufnahme der Ausgrabung abhing.

»Achtzehn Uhr, morgen, Sie«, er zeigte auf Jeanne, »Sie«, er schaute Patrick an, »und die beiden anderen.«

Die beiden anderen fielen fast in Ohnmacht, als sie die furchtbare Neuigkeit erfuhren. Sie musterten Fenoy, der nicht von seinem peinlichen Schweigen abließ. Also hatte er recht gehabt! Aber war das Ziel des Mörders wirklich, daß die Grabung abgebrochen wurde? Warum? Und vor allem – wer?

Am nächsten Morgen, den 20. Mai, trafen sich die vier Überlebenden – Jeanne, Patrick, Sébastien und Florence – in der Krypta. Die Ausgrabungsleiterin verhielt sich, als wäre nichts geschehen: Sie stand hinter dem Dreifaltigkeitsaltar und strich mit der flachen Hand über den natürlichen Felsen, der den Platz von Auberts Mauer eingenommen hatte, die inzwischen völlig abgetragen war; ihre Steine lagen zu ihren Füßen. Seufzend kehrte Jeanne in die Mitte von Notre-Dame-Sous-Terre zurück und stellte sich unter die Mauerbögen, die die beiden Schiffe und die gleichgestaltigen Chöre voneinander trennten.

Sie schwankte, ob sie die linke Mauer hinter dem Marienaltar einreißen sollten oder die nördliche oder südliche Seitenmauer der beiden Chöre, oder ob sie die Steinplatten auf dem Boden der Krypta abheben sollten, um dort Sondierungen vorzunehmen.

Sie suchte in der dunklen, warmen Luft der Kirche nach einer Lösung. Als sie die beiden Emporen oberhalb der Tonnengewölbe in den Chören betrachtete, sah es aus, als würde sie beten.

»Dort!« sagte Jeanne wie ein Wünschelrutengänger vor einer unsichtbaren Quelle und zeigte auf die Mauer hinter dem Marienaltar. »Vielleicht hört der Durchgang zwischen den beiden Altären auf und knickt nach Norden ab. Wir müssen uns beeilen, wir haben nur noch drei Wochen!«

»Du verschwendest deine und unsere Zeit!« rebellierte Patrick, der seit dem Vortag nicht mehr so zurückhaltend war wie in letzter Zeit. »Siehst du überhaupt, in welcher Lage wir sind, Jeanne? Wir haben gerade erfahren, daß einer oder vielleicht sogar zwei deiner Archäologen ermordet wurden, hier auf dem Berg, und du...? Alles, was dich kümmert, ist die Frage, welche Mauer wir einreißen sollen? Findest du das nicht unerhört?«

Ganz ruhig nahm Jeanne die Brille ab und baute sich vor ihrem Assistenten auf, wobei sie darauf achtete, auch Sébastien und Florence im Blick zu haben. Diese Revolte hatte sie kommen sehen. Es war ein entscheidender Moment, denn es ging um das Schicksal Bruder Romans, des enthaupteten Mönchs. Nur nicht an ihren heimlichen Wunsch denken, allein nach ihm zu suchen und ihre Gefährten loszuwerden... Nicht an Moïra denken – eine Folter in der Luft, eine Folter im Wasser... Jacques, der durch die Luft fliegt, Dimitri, wie er ertrinkt... Dom Larose vergessen, das Heft, die Leichen der Vergangenheit... An einer Wirklichkeit festhalten, die den Archäologen plausibel erschien. Sie selbst ahnte, was wirklich los war. Aber war das wirklich die Wahrheit? Jedenfalls durfte sie ihre Vermutungen nicht laut aussprechen. Sie mußte stark sein und um die Fortsetzung der Ausgrabung kämpfen.

»Hört zu«, sagte sie zu den drei Wissenschaftlern. »Wie ihr bin ich traurig, und wie ihr habe ich große Angst. Vergeßt nicht, daß ich es war, die Mitia entdeckt hat, und daß ich auch Jacques gesehen habe. Das verfolgt und terrorisiert mich. Aber ich versuche, meine Gefühle unter Kontrolle zu halten. Wenn ich darüber nachdenke, bin ich überzeugt, daß Jacques einen Unfall hatte – seriöse Ermittlungen sind zu diesem Ergebnis gekommen, vergeßt das nicht –, und der arme Dimitri... er wurde wer weiß warum getötet. Aber wir wissen alle, daß er große persönliche Probleme hatte... Wir haben uns um sie gesammelt, wir haben sie begleitet, wir haben sogar für sie gebetet, und wir denken ständig an sie. Und wir werden alles tun, um der Polizei zu helfen, den Täter zu fassen. Aber ich glaube nicht, daß wir jetzt die Ausgrabung aufgeben sollten. Das würde überhaupt keinen Sinn machen. Im Gegenteil, ich sage mir, daß sie hier sind, in dieser Krypta, ganz nah. Sie waren Archäologen, das ist ein schwieriger Beruf, um den sie harte Schlachten geschlagen haben. Ihr wißt wie ich, daß man nicht einfach so aus Zufall Archäologe wird. Sie liebten die Steine – diese Steine hier! Und sie hätten so gerne gewußt, was für ein Schatz hier verborgen liegt. Sie hatten jeder eine eigene Theorie... Ich mache für sie weiter, im Gedenken an sie. Ihr könnt machen, was ihr für richtig haltet.«

Sébastien und Florence zogen nach dieser Predigt die Köpfe ein: Patrick war vorläufig damit gescheitert, daß die Ausgrabung vorzeitig abgebrochen wurde. Er nahm eine Hacke und ging wütend zu der Mauer hinter dem Marienaltar. Bald schon hallten Schläge aus der geschlossenen Krypta.

»Und Sie haben nicht die geringste Ahnung, wer Dimitri Portnoï etwas anhaben wollte?« fragte Kommissar Bontemps, der hinter seinem Schreibtisch saß.

»Ich habe es Ihnen bereits gesagt: nicht die geringste Ahnung!« antwortete Jeanne mit fester Entschlossenheit. »Er sprach nie von seinem Privatleben. Ich habe Ihnen doch erzählt, wie wir erfahren haben, daß sein Freund ihn verlassen hatte.«

»War er gegen die Eröffnung der Ausgrabung in Notre-Dame-Sous-Terre?«

»Nein... Ich... Nein. Er war nicht dagegen, er sträubte sich nur, die Krypta zu beschädigen. Aber das war eine ganz normale Reaktion, die er mit vielen teilte, mich eingeschlossen. Es geht da um das älteste Bauwerk der Abtei und des Berges überhaupt.«

»Wer war gegen diese archäologischen Arbeiten in der Krypta?«

»Dagegen?« Die Frage brachte sie aus der Fassung. »Christian Brard, der Verwalter«, antwortete sie.

»Sie vergessen Patrick Fenoy, Ihren eigenen Assistenten«, warf ihr der Kommissar an den Kopf. »Er hat doch alles getan, um diese Ausgrabung zu verhindern!«

»Aber Sie verdächtigen ihn doch wohl nicht etwa, er wäre so weit gegangen, Dimitri zu töten?« brauste Jeanne auf.

»Ich verdächtige ihn nicht mehr als Monsieur Brard, der mir seine Abneigung gegen diese Arbeiten von sich aus gestanden hat, genauso wie die Ihres Assistenten. Er hat auch von den eigentümlichen Umständen gesprochen, unter denen diese Ausgrabung genehmigt wurde.« Bei diesen Worten errötete Jeanne. »Ich will nur einfach, daß Sie in Ihrer Aussage nichts unter den Tisch fallen lassen.«

»Der Mord an Mitia hat nichts mit der Ausgrabung zu tun!«, rief sie zornig. »Und ich bin sicher, daß Jacques' Tod ein Unfall war!«

»Vielleicht, vielleicht aber auch nicht. Solange wir keinen Beweis für die eine oder die andere These haben, darf ich keine Spur vernachlässigen – obwohl auch ich zu der Annahme neige, daß Portnoï einem Eifersuchtsdrama zum Opfer fiel. Übrigens hat die Pariser Kripo gerade seinen ehemaligen Lebensgefährten in Polizeigewahrsam genommen, denn seine Rolle in der Geschichte ist nicht ganz klar. Anscheinend hat Portnoï die Trennung nicht hinnehmen können und klammerte sich an ihn. Der andere hat ihn heftig bedroht, dafür gibt es Zeugen, und dieser Mann hat kein Alibi für die Nacht, in der Ihr Mitarbeiter getötet wurde. Ich fahre morgen nach Paris, um den Verdächtigen selbst zu vernehmen.«

Jeanne konnte ein erleichtertes Seufzen nicht unterdrücken. Es gab also keine Verbindung zwischen diesem Mord und Notre-Dame-Sous-Terre. Wieder einmal waren ihre Befürchtungen reine Einbildung gewesen. Simon hatte recht gehabt…

Simon… Wie er ihr doch fehlte! Die Presse hatte ausführlich von Dimitris Tod und den laufenden Ermittlungen berichtet – wenn der Wahleinheimische überhaupt die Presse brauchte, um zu erfahren, was auf dem Berg vor sich ging –, aber diesmal hatte er sich nicht gemeldet. Hätte er es getan, so hätte sie ihm gestanden, welches ungeheuere Verlangen sie hatte, mit ihm zu sprechen, seine Haut zu spüren, sich an seine Schultern zu schmiegen!

Doch er hatte kein Lebenszeichen von sich gegeben, und Jeannes Eigenliebe und die Furcht vor einer Zurückweisung verboten es ihr, ihrerseits Kontakt mit ihm aufzunehmen. Allerdings hatte sie gestern schon die Nummer seines Marineladens gewählt, aber bei Simons erstem »Hallo« hatte sie aufgelegt.

François dagegen rief sie mehrmals täglich an. Er war sogar im Ministerium von der Pariser Kripo befragt worden. Brard übte erheblichen Druck aus, um die Ausgrabung zu stoppen, und François machte sich Sorgen um Jeanne. Er hätte Brards Argumenten beinahe nachgegeben, aber die junge Frau hatte sie entkräftet: Dieses furchtbare Verbrechen hatte nichts mit der Ausgrabung zu tun – meine Güte, zum Glück hatte François keine Ahnung von Dom Laroses Heft! –, und nach allem, was er getan hatte, damit diese Ausgrabung stattfindet konnte, nach all diesen Risiken wollte er doch nicht etwa aufgeben und sie im Stich lassen?

24. Mai. Hinter dem Marienaltar die karolingische Mauer. Hinter der karolingischen Mauer Auberts Mauer. Und hinter Auberts Mauer: der Felsen, gerade und hart wie eine Drohung. Kein Versteck, kein Durchgang, kein Kopf und kein Skelett.

Vor zwei Tagen hatten die Polizisten sorgfältig das ganze Haus durchsucht. Wonach sie suchten? Keiner wußte es, bis auf Mitias mutmaßlicher Mörder, sein Geliebter, der noch immer in der Pariser Hauptwache am Quai des Orfèvres festgehalten wurde.

Der Granit des natürlichen Felsens war kalt, dunkel und feucht wie ein Verlies.

Am Morgen war Florence in die Wache nach Saint-Lô bestellt worden, und sie war noch nicht zurück. Nur Florence. Warum? Auch Guillaume war am Nachmittag nicht da.

Die Mauern waren stumm. Taub für jede Klage. Sollten sie sich an dem Boden zu schaffen machen? Roman, wo bist du?

»Wißt ihr schon das Neueste?« brüllte Florence, die wie ein Wirbelwind in die Krypta platzte. »Sie haben eben Mitias Mörder verhaftet!«

»Ah, da bist du ja endlich!« antwortete Jeanne. »Danke für die Neuigkeit, aber gerade taufrisch ist sie ja nicht mehr.«

»Es ist nicht so, wie du meinst. Dimitris Freund wurde gestern freigelassen. Es besteht kein Verdacht mehr gegen ihn!«

Jeanne, Patrick und Sébastien wandten sich Florence zu.

»Er war es nicht«, erklärte Florence wichtigtuerisch. »Ihr werdet euren Ohren nicht trauen, es ist völlig verrückt! Wir haben gerade noch Glück gehabt, glaubt mir.«

Jeanne merkte, wie ihr schwindelig wurde.

»Wißt ihr, wonach sie gestern bei uns oben gesucht haben?« fragte Florence.

Sie konnten nur den Kopf schütteln. Auch Florence schüttelte den Kopf, bevor sie antwortete. Eine blonde Strähne hing ihr in die Stirn. »Haare, meine Damen und Herren! Unsere Haare ... das heißt, vor allem meine.«

Patrick wurde allmählich ungeduldig. »Willst du uns nicht endlich alles erklären?«

»Wie immer bei solchen Ermittlungen«, begann Florence, »enthält die Polizei der Presse und den Verdächtigen wichtige Informationen vor, um den Verbrecher zu überführen. Und im Fall von Dimitris Tod haben sie uns zwei Sachen verheimlicht: Erstens, daß das Fenster im Badezimmer von innen zu aussah, daß es aber in Wirklichkeit nur angelehnt und nicht verriegelt war, was bedeutet, daß jemand auf diesem Weg herein und heraus konnte. Zweitens: Bei einer genauen Untersuchung des Badezimmers haben sie Haare gefunden, die weder von Dimitri noch Jeanne waren, und die Untersuchungen haben ergeben, daß sie keinem von uns zuzurechnen sind, obwohl sie meinen ziemlich ähnlich waren.«

»Blond?« schloß Sébastien.

»Naturblond, mit leicht rötlichem Einschlag, leicht lockig und – lang. Nicht von einer Perücke. Leider – oder eher zum Glück – ist das Blond bei mir nicht echt. Ich bin keine richtige Wikingerin!«

Jeanne hatte ein Brummen in den Ohren.

»In einer Laboruntersuchung kann man die DNA analysieren«, ergänzte Patrick.

»Ganz genau!« bestätigte Florence. »Und dann ist es ein unwiderlegbarer Beweis dafür, daß derjenige am Ort des Verbrechens war. Allerdings ohne daß es unbedingt bedeuten muß, daß er auch der Mörder ist. Also, die Polizisten konzentrierten sich auf den früheren Freund von Dimitri – der dunkelhaarig ist –, und so suchten sie zunächst nicht nach dieser mysteriösen blonden Frau. Bis sie von der Unschuld von Dimitris Freund überzeugt waren. Und dann haben sie eine Razzia auf unsere Bürsten gemacht.«

»Und haben sie diese Frau gefunden?« fragte Séb ganz naiv. »Wer ist es? Blonde Frauen gibt es in dieser Gegend ja nicht gerade wenige.«

Jeanne lehnte sich an den Altar der schwarzen Jungfrau. In ihrem Kopf drehte sich alles.

Florence stemmte die Hände in die Hüften wie eine Fischfrau, die eine feierliche Ansprache an die Menge hält. »Sie haben herausgekriegt, zu wem diese Haare gehören und die DNA-Struktur auch. Jemand, den wir alle kennen, jemand mit herrlichen rotblonden Haaren, rot und lockig, mit schönen grünen Augen mit braunen Sprenkeln und – mit einem Schnurrbart: Guillaume Kelenn!«

Tief hinten in der Krypta platzte eine Bombe des Schweigens.

»Hat er den Mord an Dimitri gestanden?« fragte Jeanne schließlich, die wie gelähmt war.

»Ich weiß nicht. Das haben sie mir nicht gesagt«, sagte Florence. »Jedenfalls hat Micheline am Samstag früh das Badezimmer geputzt, und das Verbrechen wurde in der Nacht von Samstag auf Sonntag begangen, und du hast die Leiche am Sonntag um fünf entdeckt: Guillaume ist also jedenfalls in diesem Zeitraum im Bad gewesen. Warum, wenn nicht, um Mitia zu töten? Doch nicht, um selbst ein Bad zu nehmen.«

»Aber… aber warum?« rief Sébastien, der sich mit Guillaume sehr gut verstand. »Ich kann es nicht glauben! Dieser Kerl sieht nicht aus wie ein Mörder, und er hatte doch keinen Grund, Dimitri zu töten!«

»Noch jemand, der glaubt, daß Mördern das Wort ›Killer‹ in Buchstaben aus Blut auf der Stirn geschrieben steht«, kommentierte Patrick. »Also mich wundert das nicht, daß dieser miese Typ der Täter ist. Er verreckte doch vor Wut, daß er nicht mit uns graben durfte.«

»Wartet, das ist noch nicht alles«, sagte Florence. »Sein Name,

Kelenn, ist nicht sein richtiger Name! Das ist der Mädchenname seiner Mutter, der sehr keltisch klingt, aber der Name seines Vaters ist typisch normannisch: Bréhal! Er heißt eigentlich Guillaume Bréhal!«

Jeanne stürmte aus der Krypta. Sie rang nach Luft. Sie sprang die Stufen der Großen Treppe hinunter und lief über den Wehrgang zu Simons Haus. Die Läden waren geschlossen. Alles war versperrt. In der Ferne erhob sich die Insel Tombelaine im Licht der gelben Sonne.

Bréhal ... Bréhal ..., hallte ein Echo durch ihren Kopf. Fernand Bréhal, der Mann, der für Pater Placide das Heft von Dom Larose übersetzt hat! Bestimmt Guillaumes Vater ... Beim heiligen Michael, dann ist Guillaume bestimmt der, der vor ein paar Jahren das Heft aus der kleinen Bibliothek der Benediktiner gestohlen hat. Er hat das Heft gelesen, er weiß... er kennt die Geschichte des enthaupteten Mönchs! Vielleicht hat auch er die Verbindung zu Bruder Romans Handschrift hergestellt. Guillaume kennt die Vergangenheit, weiß von den Morden in der Krypta, die er heute nachstellt! Nein, das kann nicht sein ... Ich muß ihn sehen, ja, ich muß ihn unbedingt sehen!

27. Mai. In den achtundvierzig Stunden, in denen sich Guillaume im vorläufigen Polizeigewahrsam befunden hatte, hatte Jeanne nicht zu ihm vordringen können. Genausowenig wie zu Simon: Bei zwei Anrufen hatte sie jedesmal nach dem ersten Wort aufgelegt. Die Journalisten hatten sich auf die Geschichte gestürzt; Jeanne ging ihnen aus dem Weg und überließ Brard die komplizierte Medienstrategie. Am Morgen dieses Tages wurde gegen Guillaume das Verfahren wegen Mordes eröffnet. Nichts über Jacques. Die Ermittlungen standen erst am Anfang. Die Steine von Notre-Dame-Sous-Terre hatten sich über dem geschlossen, der sie genauso geliebt hatte wie er sie: Er hatte die Ausgrabungen am Tag überwacht und nachts die Archäologen getötet. Warum? Um die Vergangenheit des Heftes wieder zum Leben zu erwecken? Um den Fluch fortdauern zu lassen, der die Schänder von Notre-Dame-Sous-Terre heimsuchte? In welcher Absicht? Die Krypta konnte sich doch ganz allein verteidigen! Sie entzog

sich ihnen: Sie hatten weitere Mauern abgetragen, aber nichts, nichts außer dem rohen Stein, der die Hand des Menschen nicht kannte, der barbarische Felsen, den der Zauber der Geschichte nicht erfaßt hatte – natürlicher Granit, von Natur aus unfruchtbar.

Kommissar Bontemps hatte gesagt, daß sie Guillaume an diesem Tag würde sehen können. Aber der Polizist wollte zuerst selbst mit ihr sprechen.

Saint-Lô, auf der Wache der Kriminalpolizei, im Büro des Kommissars, 14 Uhr. Bontemps war mittelgroß, schlank, hatte hellbraune Augen, schon Farbe im Gesicht – wahrscheinlich segelte er wie Simon –, trug keinen Trenchcoat, keinen Hut und rauchte nicht Pfeife. Nichts erinnerte an Kommissar Maigret: kein Schinkenbrot, kein Bierkrug auf dem Tisch und auch kein Cognac-Soda. Nur ein Kaffee aus dem Automaten. Nicht einmal ein Espresso. Und dann auch noch mit Süßstoff.

Jeanne schaute aus dem Fenster: Es war schönes Wetter. Zu schön für einen Krimi.

»Er leugnet den Mord an Ihrem Mitarbeiter«, erklärte Henri Bontemps, »und er erzählt uns eine Version der Geschichte, die mir völlig an den Haaren herbeigezogen scheint, der reinste Roman! Wirklich keinen Kaffee?«

»Nein danke. Was sagt er denn genau?«

»Am Abend des Verbrechens – die Todesstunde liegt zwischen halb ein und ein Uhr nachts – machte er einen Spaziergang unterhalb der Abtei. Als er auf dem Wehrgang hinter Ihrem Haus vorbeikam, will er eine schwarze Gestalt gesehen haben – aber er ist nicht in der Lage, sie zu beschreiben –, die aus einem Fenster kletterte, auf die Brüstung sprang und sich eiligst davonmachte. Er trat heran, das Fenster stand weit offen, und er will Ihr Bad erkannt haben, weil das Licht brannte. Von dort, wo er stand, konnte er die Badewanne nicht sehen; sie liegt auf der Seite. Er machte sich Sorgen, fragte sich, ob Sie zurück waren und ob Ihnen nicht etwas zugestoßen war, und so läutete er an der Tür, aber vergeblich. Er hatte keinen Schlüssel, und so, sagt er, ging er wieder zum Badezimmerfenster und kletterte auf die Mauer, um bei Ihnen einzusteigen. In diesem Moment will er dann die Leiche Dimitri Portnoïs entdeckt haben, der ertrunken in Ihrer Badewanne lag, und rundherum lauter Anzeichen eines Kampfes: Wasserpfützen auf dem Boden, umgeworfene Flaschen... Ein Verbrechen, und er hatte eben den Schatten des Mörders gesehen. Ein paar Minuten lang sei er schockiert stehengeblieben. Aber statt uns zu rufen, will er dann beschlossen haben, diesen Mord als Selbstmord zu kaschieren: Er hat das Wasser aufgewischt, alles wieder ordentlich hingestellt und dem Ärmsten die Adern aufgeschnitten, mit der Rasierklinge, die auf der Ablage lag. Dann hat er die Spuren entfernt, die er selbst hinterlassen hatte, ist aus dem Fenster geklettert und hat die Fensterflügel geschlossen, indem er unten an den Vorhängen zog, und dann hat er sich davongemacht wie der Mörder eine Viertelstunde zuvor.«

»Das könnte ja plausibel sein, bloß... Warum sollte Guillaume einen Mord als Selbstmord darstellen, wenn er nicht damit den Mörder schützen wollte, den er also kennen muß?«

»Das ist genau mein Standpunkt: Entweder ist Guillaume Kelenn – oder Bréhal, das ist ein anderes Problem – selbst der Mörder, oder er weiß, wer der Mörder ist, und in beiden Fällen lügt er.«

»Wie rechtfertigt er sich denn selbst?«

Der Kommissar kratzte sich verlegen am Kopf. »Tja, genau da wird es kompliziert, und wenn Sie mir da etwas erklären können, wäre ich Ihnen sehr dankbar.«

Jeanne starrte Bontemps an und räusperte sich.

»Bei diesem jungen Mann bin ich mit meinem Latein am Ende, obwohl ich überhaupt kein Latein kann!« begann er. »Er hat sich von Anfang an sehr seltsam verhalten: Wenn Verdächtige leugnen, leugnen sie normalerweise alles von vorn bis hinten, die Tatsachen ebenso wie die Motive. Aber dieser Kelenn-Bréhal hat gleich, nachdem wir ihn hergebracht und seine Vernehmung begonnen hatten, gestanden, was ich Ihnen gerade berichtet habe, aber er schweigt hartnäckig über die Gründe, aus denen er so gehandelt haben will.«

»Aber er saß ja auch in der Falle – Sie hatten ja einen Beweis: seine Haare, seine DNA!«

»Das haben wir ihm nicht gesagt. Er wußte davon überhaupt nichts. Er hat sofort seine Version der Geschichte erzählt, da brauchten wir diese Trumpfkarte gar nicht zu ziehen. Er redete, als würde er eine nette Geschichte erzählen, ein Märchen, doch in den vierundzwanzig Stunden Kreuzverhör hat er sich geweigert, irgend etwas über seine Beweggründe herauszulassen. Und dann änderte sich sein Verhalten: Es wurde immer enger für ihn, ihm wurde bewußt, was sich da für ihn abzeichnete: daß er des Mordes beschuldigt werden würde. Da wurde er nervös, unruhig, besorgt, und er schaute fast drein, als hätte er Halluzinationen. Wir befürchteten einen Anfall. Der Arzt gab ihm Beruhigungsmittel, und da begann er auf einmal zu sprechen …«

Wie in der Krypta wurde Jeanne auf einmal schwindelig, doch sie ließ sich nichts anmerken.

»Es ist das Gerede eines Verrückten«, fuhr Bontemps fort, »aber ich gebe es trotzdem wieder: Er sagt, ein enthauptetes Gespenst, obendrein noch in Gestalt eines benediktinischen Mönchs, sei vom Erzengel Michael bestraft worden und würde seit Ewigkeiten in Notre-Dame-Sous-Terre spuken, weil es keinen Kopf mehr hat! Nun behauptet unser guter Guillaume, er habe sich fest vorgenommen, den Geist zu erlösen, indem er seine Gebeine wieder zusammensucht, die in der Krypta versteckt sind. Aber – und das ist das Interessanteste – irgend jemand Rätselhaftes, der Gespenster wohl verachtet, soll dagegen sein, dem Mönch seinen Kopf wiederzugeben, und dieser Unbekannte soll deshalb Ihre beiden Archäologen abgemurkst haben, damit die Arbeiten in der Krypta abgebrochen werden. Unser Guillaume behauptet weiterhin, er hätte daher den Mord an Dimitri Portnoï wie einen Selbstmord aussehen lassen wollen, um zu verhindern, daß die Ausgrabung in Notre-Dame-Sous-Terre eingestellt wird. Denn wenn nicht mehr gegraben wird, bestünde keine Chance mehr, die Gebeine des fraglichen Mönchs zu finden. Wir haben es mit reinstem Gefasel zu tun, wie Sie sehen!«

»Hat er etwas darüber gesagt, woher er seine Geschichte hat?« fragte Jeanne mit einem Kloß im Hals, der ihr die Luft nahm.

»Er hat von einem alten Heft gesprochen, das er im Kloster gestohlen haben will, von einem Bruder La Tulipe oder so ähnlich. Aber Sie können sich ja denken, daß wir seine Wohnung durchsucht haben, und wir haben nichts gefunden. Er hat das behauptet, um uns an der Nase rumzuführen und Zeit zu gewinnen. Also, es gibt nur zwei Möglichkeiten: Entweder glaubt er wirklich an das, was er erzählt, dann gehört er ins Irrenhaus, oder es ist ein geschickter Schachzug, um sich für schuldunfähig erklären zu lassen und dem Knast zu entkommen. In beiden Fällen weiß ich, daß ich den Mörder von Dimitri Portnoï vor mir habe und vielleicht auch den von Jacques Lucas, wenngleich er das leugnet und ich bisher nicht nachweisen kann, daß es Mord war. Was bleibt, ist die Frage der Vorsätzlichkeit.«

»Wo ist Guillaume jetzt?« unterbrach ihn Jeanne.

»Da, wo er hinwollte, wofür er uns dieses ganze Theater vorgespielt hat: bei den Irren! So sehr ich mich auch angestrengt habe, ich hab' nichts anderes aus ihm herausgebracht, und so mußte ich ihn also dem psychiatrischen Gutachter vorstellen, und der braucht bloß einen zu finden, der ihm ein hübsches Liedchen vorsingt, und dann geht es los mit den Musikanten. Aber man muß schon sagen, der Refrain mit dem kopflosen Mönch, darauf muß man erstmal kommen, da muß es ja etwas ganz schön Schlimmes sein. Jetzt ist er also vorläufig im Bezirkskrankenhaus von Saint-Lô untergebracht, ganz hier in der Nähe.«

Bontemps machte eine vielsagende Pause.

»Obwohl Sie so hartnäckig darum baten, ihn unter vier Augen zu sehen, war ich am Anfang nicht dafür.« Er warf seinen leeren Kaffeebecher in den Mülleimer. »Das ist nicht vorgesehen, und es ist gefährlich. Aber diese Angelegenheit sprengt alle Konventionen – und ich bin sicher, daß dieser Typ nicht verrückt ist, wenigstens nicht völlig. Vielleicht ist er von uns Polizisten eingeschüchtert, das geht vielen so, und ich dachte mir, daß er vielleicht Ihnen keine Komödie vorspielt. Ich brauche sein Geständnis, verstehen Sie! Also versuchen wir es, ich verlasse mich auf Sie, daß Sie sich bemühen, etwas Sinnvolles aus ihm herauszubringen. Aber Vorsicht: Verrückt oder nicht, er ist ein Mörder, da bin ich mir sicher. Also ist er ebenso gewalttätig wie unberechenbar. Ich begleite Sie und bleibe in der Nähe.«

Saint-Lô, Bezirkskrankenhaus, Fachbereich für Forensik, 15 Uhr. Ein modernes Gebäude erstreckte sich in einem Park, in dem die Natur sorgsam zurechtgestutzt wurde. Im Garten gab es keine Spaziergänger. Weiße Kittel eilten umher. Innen gingen schweigende Gestalten in königsblauen Hausanzügen vorbei an zitronengelben Türen, durch die laute Schreie drangen. Die Königsblauen wandelten umher, eingesperrt mit den Brüdern desselben Ordens, der ihren Augen ein seltsames Leuchten verlieh, das Leuchten des Rückzugs in den eigenen Alptraum.

Unter der Führung eines Hilfspflegers fuhren Kommissar Bontemps und Jeanne in einem Aufzug nach oben. Guillaume durfte nicht aufstehen, er stecket in einer chemischen Zwangsjacke. »Delirante Psychose«, hatte der psychiatrische Gutachter konstatiert, als der Kommissar ihn zu sich bestellt hatte. Doch Jeanne hatte keine Angst: Sie wußte nur zu gut, daß ebensogut sie an Guillaumes Stelle hätte sitzen können.

Als sie vor dem Zimmer des jungen Mannes standen, warf der Wärter einen Blick durch den Spion, entriegelte die Tür und stellte sich mit verschränkten Armen davor. Bontemps machte Jeanne ein Zeichen, daß sie hereingehen konnte, und stellte sich ebenfalls vor die Tür, nachdem der Wächter sie wieder geschlossen hatte. Er konnte nichts hören, aber alles sehen: Beim kleinsten Wink der Archäologin würde er eingreifen.

Der Raum war rund und von oben bis unten ausgepolstert. Kein Fenster. Ein starker Arzneigeruch füllte ihn aus. Jeannes Augen gewöhnten sich allmählich an das Halbdunkel. Guillaume war da, auf dem Bett, Arme und Knöchel in Gurten, die ihn waagerecht auf dem Rücken hielten. Kein Kissen, damit er sich nicht ersticken konnte. Seine langen blonden Haare lagen um sein Gesicht herum wie der Blütenkranz einer Sonnenblume. Diese Haare, die ihn verraten hatten; er hätte sie besser abrasieren sollen, aber mit blankem Schädel und ohne seinen Schnurrbart wäre sein Auftreten als keltischer Krieger dahingewesen. Seine Lider waren geschlossen, und er schien zu schlafen oder auf die Realität zu verzichten.

Es gab keinen Stuhl, nur ein Nachttischchen, am Boden verschraubt wie die Möbel auf einem Boot. Alles war vorsorglich festgeschnallt, falls es zu einem Sturm kommen sollte. Jeanne setzte sich auf die Liege und zwang sich zu vergessen, daß Bontemps sie beobachtete. Sanft berührte sie eine der gefesselten Hände. Die Finger bewegten sich schwach.

»Guillaume! Ich bin es, Jeanne!« flüsterte sie.

Er hatte Mühe, aufzutauchen. Er war verloren in einem künstlichen Nebel.

»Lieber Guillaume«, murmelte sie dicht vor seinem Gesicht. »Was haben sie dir angetan? Guillaume, ich bitte dich, wach auf!«

Er lächelte sie an, während sie weinte, ohne zu wissen, ob ihre Tränen daher kamen, daß Guillaume in diesem Bett lag oder daß sie selbst an seiner Stelle hätte sein können.

»Jea... Jeanne... das freut mich«, artikulierte er mühsam. »Ich... Ich habe ihn nicht getötet... Niemanden... Ich habe niemanden getötet... Er war schon tot...«

»Ich weiß, Guillaume, ich weiß. Ich werde versuchen, dich hier rauszuholen, aber dafür mußt du mir alles sagen«, flüsterte sie. »Woher hast du die Geschichte, die du der Polizei erzählt hast, die Geschichte vom enthaupteten Mönch?«

Sein Mund verzog sich. Auf seiner Stirn bildeten sich Gräben in der Haut. Er sah aus wie ein sehr alter Mann.

»Ich... ich weiß, ich hätte es nicht sagen dürfen«, sagte er. »Ich hatte noch nie jemandem davon erzählt... Ich hätte es nicht tun sollen, aber... Ich war am Ende... Sie ließen nicht locker... Ich konnte nicht...«

»Mach dir keine Sorgen deshalb. Sie haben nichts begriffen, sie konnten es nicht begreifen. Aber ich kann es, denn meine Seele gehört dem Berg und Notre-Dame-Sous-Terre, so wie deine. Vergiß nicht, wer ich bin: die, die in Notre-Dame-Sous-Terre gräbt. Und ich verspreche dir, Guillaume, daß ich weitergraben werde, und das verdanke ich dir, und ich werde um deinetwillen graben, aber ich brauche deine Hilfe...«

Er schien sich zu entspannen. Die Chemie der Infusionen – oder die Alchimie der Geister...?

»Als ich klein war«, begann er, »gab es noch Benediktiner auf dem Berg. Einer von ihnen, der einzige, der noch nach dem alten Brauch gekleidet war wie die ›schwarzen Mönche‹ von früher, kam fast jeden Abend zu meinem Vater, mit einem broschierten Heft, und Papa sollte ihm die Geschichte erzählen, die darin stand, denn sie war auf englisch geschrieben. Meine Mutter schickte mich dann jedesmal in mein Zimmer. Ich tat so, als würde ich schlafen, aber sobald sie weg war, schlich ich nach draußen und horchte an der Wohnzimmertür. Meine Mutter ging zu Bett, aber manchmal stand sie noch einmal auf, um ein Glas kalte Milch zu trinken. Wenn ich ihre Schritte im Gang hörte, versteckte ich mich in einer alten Standuhr, deren Werk kaputt war, und sobald Mama wieder oben in ihrem Zimmer war, nahm ich meinen Posten wieder ein. Mein Vater übersetzte den Text, in dem von Notre-Dame-Sous-Terre die Rede war, von einem Benediktiner ohne Kopf, ohne Namen, einem Gespenst, das sich in der Zeit verloren hat, das dazu verdammt ist, zwischen den beiden Welten herumzuirren. Es war außerordentlich. Es war gefährlich, märchenhaft, aber im Heft stand, was man tun mußte, um den Gefangenen aus der Krypta zu befreien.

Ein paar Jahre später haben sich meine Eltern scheiden lassen. Meine Mutter und ich sind nach Montpellier gezogen. Ich erspare dir die Details, aber es war schwierig, schmerzlich, um so mehr, da meine Eltern relativ alt waren, und ich habe Papa nie wiedergesehen. Ich war verloren, heimatlos. Damals habe ich den Namen meiner Mutter angenommen, Kelenn, und ich begann Geschichte zu studieren. Weit weg vom Berg begeisterte ich mich für seinen Ursprung, der über Mama auch meiner ist: das Keltentum. Beim Tod meines Vaters fuhren wir endlich wieder zum Mont-Saint-Michel. Ich hatte den kopflosen Mönch nie vergessen, und ich war besessen von ihm. Kurz bevor die letzten Benediktiner endgültig den Berg verließen, habe ich das Heft von Aelred Croward gestohlen, denn ich war nun sein einzig legitimer Verwahrer, der einzige noch existierende Nachkomme dieser Vergangenheit – und ich bin Fremdenführer geworden, um so oft wie möglich in Notre-Dame-Sous-Terre sein zu können.

Jahrelang habe ich gehofft, das Gespenst würde mir erscheinen, zu mir sprechen, mich zu seinem Retter erwählen, denn es begleitete mich schon so lange, und ich kannte es besser als mich selbst. Aber ich habe es nie gesehen, und allein konnte ich es nicht befreien. Vor zwei Jahren ist auch meine Mutter gestorben. Ich hatte keinen Vater mehr, keine Mutter, aber Notre-Dame-Sous-Terre mit dem kopflosen Mönch, der durch mein Leben spukt und es befruchtet, obwohl ich ihn nicht sehe. Dann bist du gekommen. Als ich dich zum erstenmal traf, war das ausgerechnet in Notre-Dame-Sous-Terre.«

»Ja, ich erinnere mich sehr gut daran…«

»Irgend etwas an dir hat mich sofort neugierig gemacht. Ich kenne die Durchgeknallten, die durch die Abtei schlurfen wie Schlafwandler, oder die empfindsamen Gemüter, die bei den Erdströmungen in der Krypta ohnmächtig werden. Aber bei dir spürte ich, daß da noch etwas war, etwas anderes, das mit diesem Ort zu tun hatte. Nur was? Als eure Ausgrabung in Notre-Dame-Sous-Terre begann, war ich zunächst sehr erschrocken. Wußtest du etwas über das Gespenst? Hattest du es etwa gesehen und wolltest es an meiner Stelle befreien? Du warst in dieser Zeit nicht gerade sehr liebenswürdig zu mir. Und doch wußte ich, daß du es unmöglich kennen konntest, schließlich gehörte es mir!

Ich begriff, daß diese Ausgrabung für mich eine unverhoffte Chance war, die Gelegenheit, auf die ich gewartet hatte, um meine Pflicht gegenüber dem mittelalterlichen Phantom zu erfüllen. Als du mir erlaubt hast, bei der Grabung dabeizusein, war mir klar, daß wir Verbündete waren, keine Konkurrenten, und daß wir mit vereinten Kräften beide unser Ziel erreichen würden, ein lebenswichtiges Ziel, aber für jeden von uns ein anderes.«

Jeanne zwang sich zu einem Lächeln und legte ihre Hand in seine. Wie falsch sie doch ihre Intuition bezüglich Guillaume interpretiert hatte! Er war wie ein Bruder, der alles wußte, dem sie aber nichts sagen konnte. Denn Guillaume wollte der Einzige sein – der einzige Verwahrer der Worte, des Zaubers seiner Kindheit, des Uhrwerks mit der stillstehenden Zeit. Kein Platz für Jeanne. Sie mußte sich vor seinen Augen weiterhin verstecken, seinen schönen Augen mit den nußbraunen Sprenkeln, die sie beobachteten und in ihren Gedanken zu lesen schienen.

»Die Ausgrabung mußte unbedingt weitergehen, verstehst du?« Er wurde auf einmal lebhaft. »Wir müssen ihn finden! Um jeden Preis! Die Grabung abzubrechen, hätte wie in früheren Zeiten Blutvergießen bedeuten können. Da habe ich seine erstarrte Haut aufgeschnitten… Er hat geblutet… und diesmal wird ihm das Blutvergießen helfen!«

»Guillaume… Du hast den Mörder gesehen, den, der durch das Fenster geflohen ist. Beschreib ihn mir!«

»Im Heft heißt es, die Schatten rächen sich an den Lebenden«, flüsterte er, »denn sie lauern auf die Seele des Gespensts, eine Seele, die fast tausend Jahre Irrweg zwischen den beiden Welten hinter sich hat. Das Dunkel will diese Seele haben, und es setzt den Seelen derjenigen Sterblichen nach, die ihm diese Beute nehmen wollen, indem sie im Schoß von Notre-Dame-Sous-Terre graben. Es war das verbrecherische Dunkel… Aber ich habe es erkannt, dieses Ungeheuer der Vergangenheit! Denn die Krypta selbst ist diese dunkle Macht, sie ist die Schattenwelt, und sie ist es, die ihn für sich behalten will! Der Schatten der Krypta, die den Bauch der Erde schützt, damit er in sein heiliges Dunkel zurückkehrt!«

»Guillaume, beruhige dich. Dieses Heft, von dem du sprichst… Es ist ein Beweis, der einzige Beweis dafür, daß alles, was du erzählst, wahr ist. Die Polizei hat es bei dir zu Hause nicht gefunden. Sag mir, wo du es versteckt hast. Ich hole es, damit wir deine Unschuld beweisen können, und dann kommst du hier raus!«

Die Züge des jungen Mannes erstarrten. Er verkniff die Augen zu schmalen Schlitzen. Die Lage drohte zu kippen. Er mißtraute ihr.

»Was denkst du dir?« brummte er. »So blöd bin ich nicht, daß ich es bei mir zu Hause aufbewahre! Und da, wo es ist, wird niemand es finden, noch nicht einmal du!«

Danach herrschte lastendes Schweigen. Jeanne wußte nicht, wie sie ihn zur Vernunft bringen sollte. Gerade er mußte doch begreifen, daß dieses Heft das unwiderlegbare Verbindungsglied zwischen Phantasie und Wirklichkeit war, zwischen Vergangenheit und Gegenwart!

»Im Grunde glaube ich«, sagte er ganz ruhig, »daß ich mich getäuscht habe. Du bist wie die anderen, und du glaubst nicht ein Wort von dem, was ich dir über das Gespenst gesagt habe. Du hast mich raffiniert zum Reden gebracht, aber alles, was dich interessiert, ist das Heft von Dom Larose. Es ist wie bei Bruder Romans Handschrift: Wenn du diesen Text liest, dann erst glaubst du. Ja, du glaubst dem Papier. Aber hier herausholen wirst du mich nicht, denn wenn du den Text gelesen hast, weißt du ja, was du tun mußt, um das Gespenst zu befreien, und wirst den enthaupteten Mönch selbst erlösen wollen. Du willst ihn mir wegnehmen! Und ich soll hier versauern bis ans Ende der Zeiten! Endlich begreife ich, warum du auf den Berg gekommen bist: um mir das Phantom zu stehlen!« Brüllend versuchte er sich im Bett aufzurichten, doch seine Arme und seine Knöchel waren fixiert. »Du willst mir meine Kindheit und all ihre Geheimnisse stehlen! – Hilfe! Helft mir! Hierher! Zu Hilfe! Sie will mich umbringen!«

Bei den ersten Schreien stürzten Bontemps und der Hilfspfleger in den Raum. Jeanne stand völlig hilflos ein paar Schritte vor dem Bett. Der Kommissar packte sie grob am Arm und schob sie nach draußen. Eine Krankenschwester und ein Arzt eilten in den Raum, um dem Patienten eine Beruhigungsspritze zu geben. Guillaume war hellrot im Gesicht, seine Augen waren hervorgetreten, er riß mit aller Kraft an der Fesselung, überhäufte Jeanne mit Beleidigungen und spuckte nach ihr. Reglos stand Jeanne auf dem Flur, während sich die Weißkittel im Zimmer zu schaffen machten.

Guillaume, dachte sie, ich lasse dich nicht im Stich … Ich lasse dich nicht im Stich …

Verstört ließ sie sich von Bontemps aus dem Gebäude ziehen. Sie dachte an Pater Placide. Sie mußte ihn sehen, ihm von Guillaume erzählen, von dem Mord, ihn nach seiner Meinung fragen … Der Kommissar setzte sie wie eine Puppe auf eine Bank im Garten des Krankenhauses. Er beugte sich zu ihr und befahl ihr, tief durchzuatmen.

»Besser?« fragte er und sah sie fürsorglich an. »Soll ich Ihnen etwas zu trinken holen?«

Sie schüttelte den Kopf, während ihr Gesicht langsam wieder Farbe annahm.

»Es tut mir leid«, murmelte er. »Ich hatte also recht mit meinen Befürchtungen: Bei diesen Typen weiß man nie, wie sie reagieren. Und dabei schien es doch eher gut anzufangen. Er hat Ihnen viel erzählt, wie es aussah. Etwas Neues, oder hat er Ihnen nur dasselbe Märchen aufgetischt wie uns?«

»Dasselbe wie Ihnen – aber ich glaube nicht, daß es ein Märchen ist«, antwortete Jeanne leidenschaftlich, aber mit inzwischen wieder klarem Kopf. »Also, ich meine, ich bin überzeugt, daß er nicht lügt. Er hat niemanden getötet, und er glaubt wirklich an die Legende des enthaupteten Phantoms, das man aus der Krypta befreien muß. Ich weiß, heutzutage wirkt so was verrückt, aber es ist nicht verrückt, wenn man auf dem Berg lebt, wenn man wie er – und wie ich – von der Geschichte des Berges durchdrungen ist und man seine Tage im Mittelalter verbringt. Im Mittelalter glaubte man an Gespenster, und verrückt waren die, die nicht daran glaubten!«

»Ich stelle Ihrer beiden Kompetenzen in mittelalterlicher Geschichte nicht in Frage.« Sein Blick war auf einmal strenger als eben. »Aber wir leben nicht mehr im Mittelalter, ist Ihnen das schon einmal aufgefallen?«

Jeanne wurde rot im Gesicht.

»Hören Sie«, beschwichtigte er, »Sie haben es versucht, und Sie sind gescheitert. Machen Sie sich keine Vorwürfe, es ist ein Zeichen dafür, daß dieser Typ wirklich verrückt ist, das ist alles. Ich habe es Ihnen zu verdanken, daß ich jetzt wirklich davon überzeugt bin. Nicht sein berühmtes Phantom ist in der Zeit hängengeblieben – er ist es selbst, gefangen im Mittelalter. Die Psychologen werden ihn schon wieder ins 21. Jahrhundert zurückholen, machen Sie sich da mal keine Sorgen. Und er wird irgendwann zugeben, daß er Dimitri Portnoï getötet hat. Einstweilen halten wir ihn uns warm. Seien Sie froh, daß er in Haft ist: Wenn man bedenkt, in was für einem Zustand er ist, ist fast sicher, daß er sonst weitergetötet hätte, und zwar ganz bestimmt Leute aus Ihrem Team, vielleicht sogar Sie selbst. Ja, Sie haben Glück, daß wir den Mörder geschnappt haben, Mademoiselle, denn sonst hätte ich diese Ausgrabung stoppen lassen, so wie Monsieur Brard es von mir verlangt hat!«

Auf der Heimfahrt zum Berg fühlte Jeanne die Last der Jahrhunderte auf ihren Schultern, die tausend Jahre, die das 11. vom 21. Jahrhundert trennten.

Guillaume, dachte sie, deine Worte haben dich verurteilt und in dieses Gefängnis ohne rechte Winkel gebracht, ohne Öffnung auf den Himmel. Doch dein Verlies liegt in Wahrheit in deinem Kopf. Wie soll ich es anstellen, um ihn vor sich selbst zu retten? Ohne Aelred Crowards Heft ist es hoffnungslos. Es sei denn, man würde den echten Mörder fassen. Die Luft, dann das Wasser… wie Moïra. Wie meine beiden ersten Träume: der Gehängte am Turm, der Ertränkte in der Bucht. Nein, nur nicht mehr daran denken. Es ist unmöglich, es ist ein Zufall, das kann nicht sein. Die Dinge auseinanderhalten. Klar trennen. Nichts durcheinanderbringen. Sonst erliege ich meinen Träumen wie Guillaume. Aber wer? Warum? Ich muß bei den Fakten bleiben. Und in der Gegenwart. Fürs erste hat Guillaumes Opferbereitschaft ihr Ziel erreicht: Er hat die Ausgrabung gerettet!

30. Mai, ein Tag nach Himmelfahrt. Nur noch siebzehn Tage Ausgrabung, die Wochenenden inbegriffen.

Jeanne hatte nicht mehr länger gezögert und mehrere Bodenplatten in den beiden gleichgestaltigen Kirchenschiffen anheben lassen. Darunter befanden sich ein paar Zentimeter Erde, dann der Felsen. Wieder der Felsen. Die Sondierungen ergaben: Fels, undurchdringlicher Stein.

Alles war zum Erliegen gekommen: Die Ausgrabung, die Ermittlungen der Polizei, die auch nichts Neues ergeben hatten – außer Fachwörtern, die Guillaumes Spinnerei benennen sollten: paranoid-halluzinatorische Schizophrenie. Geschlossene Anstalt und eine Pferdekur mit Neuroleptica. Durch Guillaume wußte Jeanne, daß auch sie verurteilt war. Wenn sie redete, wenn sie die Dinge beim Namen nannte, würde man auch sie für verrückt erklären und an ein Bett fesseln. Ihre Waffe war ihr Schweigen.

Die vier Archäologen kamen von der Mittagspause zurück: Sie nahmen ihre Brotzeit im Freien zu sich, auf der Westterrasse, wenn sie nicht von Touristen überlaufen oder vom Sturm leergefegt war, oder sie nutzten ihr Privileg, sich dorthin begeben zu können, wo Besucher nicht hinkamen, und setzten sich hinter die steinernen Brüstungen außen am Chor der Kirche, mit einem märchenhaften Blick auf die Wasserspeier, die Strebepfeiler, die

Fialen und die sogenannte Spitzentreppe hundert Meter über dem Strand. Nach dem Essen unter freiem Himmel war die Rückkehr in die Erde, in die Krypta immer ein seltsamer Moment, ein Abstieg in die Ursprünge der Menschheit.

Jeannes Blick fiel auf einen Gegenstand, der nicht an diesen Ort gehörte. Auf dem Dreifaltigkeitsaltar stand an einen Bohrer gelehnt ein weißer, rechteckiger Standardbriefumschlag mit einem einzigen Buchstaben darauf: ein J in roter Tinte, stilisiert wie eine Buchmalerei. Instinktiv steckte sie ihn in die Tasche und hoffte, daß die anderen ihn nicht gesehen hatten. Während sie weitere Bodenplatten anhoben, zog sie sich in eine Ecke des Marienchors zurück und riß den Umschlag auf. Ein Blatt Papier, genauso gewöhnlich wie der Umschlag. Nur der Inhalt war es nicht: Sie erkannte die karolingische Minuskel wieder, genau die, in der Bruder Roman die Handschrift aus Cluny verfaßt hatte. Beim Schreiben des Briefs wurde abwechselnd rote und grüne Tinte verwendet, die Farben aus dem Skriptorium des Berges. Die Initiale war ausgemalt wie im Mittelalter. Der Text aber war in modernem Französisch geschrieben, und um ihn zu entziffern, brauchte man kein Fachmann zu sein:

*Schluß mit eurer Schändung*
*in der Krypta Notre-Dame-Sous-Terre,*
*sonst holt euch der Tod – alle!*

Jeanne ließ den Zettel in der Hosentasche verschwinden. Hoffentlich hatte ihn niemand gesehen, und hoffentlich hatte niemand sonst so einen Brief bekommen. Sonst würden sie Angst haben und die Arbeiten einstellen.

Bestimmt hat diesen Brief Dimitris Mörder geschrieben, überlegte sie. Diese Hand, die so geschickt romanische Buchstaben zeichnen kann, ist dieselbe, die Mitias Kopf unter Wasser gedrückt hat. Wie furchtbar! Aber wie ist der Mörder in die Krypta gelangt, um den Brief hier abzulegen? Als wir zur Mittagspause gingen, war auf dem Altar nichts Ungewöhnliches, das wäre mir aufgefallen. Ich erinnere mich genau, daß ich beim Hinausgehen den Schlüssel zweimal im Türschloß umgedreht habe, und als wir zurückkamen, habe ich selbst aufgesperrt. Wenn der Unbekannte nicht durch die Mauern oder durch einen geheimen Durchgang gekommen ist, den ich noch nicht entdeckt habe, heißt das, daß der Mörder einen Schlüssel hat! Aber alle Fremdenführer und die Leute vom Denkmalschutz haben den Schlüssel. Und alle aus meinem Team…

Sie drehte sich um zu Sébastien, Florence, Patrick…

Fenoy! denkt sie. Er ist vor einer Viertelstunde gegangen und wollte angeblich einen Orangensaft kaufen! Fenoy, dieser Verräter, dieser Schuft! Ist er zudem etwa noch ein Verbrecher? Ich muß mir bei der Verwaltung ein zusätzliches Vorhängeschloß beschaffen, für das allein ich den Schlüssel habe. Ja, das ist das wichtigste. Nachdenken kann ich später…

Sie stürzte zu dem großen Holzportal, ging hinaus und traf auf Christian Brard, der eben hereinkommen wollte.

»Ah, Sie suchte ich gerade«, sagte er. »Kommen Sie sofort in mein Büro. Etwas Ernstes!«

Der Verwalter hatte am Morgen den gleichen Brief erhalten wie sie. Ein Original, keine Fotokopie. Doch er hatte natürlich keinen Grund, das zu verheimlichen. Daher hatte er ihn Kommissar Bontemps übergeben. Wie damals Romans Handschrift, wurde der Brief inzwischen analysiert, allerdings diesmal von Graphologen und Experten der Polizei.

Eine falsche mittelalterliche Handschrift, aber ein echter Drohbrief. Romans Testament hatte alles möglich gemacht, doch dieser Wisch konnte alles stoppen. Jeanne war am Boden zerstört. Dem Verwalter gegenüber versuchte sie, die Geschichte herunterzuspielen, aber Brard nahm den Brief sehr ernst. Natürlich, er war ja immer gegen die Ausgrabung gewesen und mußte innerlich jubilieren. Und doch wirkte er nicht befriedigt, sondern eher besorgt.

»Verstehen Sie, ich kann kein neues Drama riskieren«, erklärte er der Archäologin. »Ich kann gut auf die Public Relation verzichten, die uns die Presse so schon beschert. Sie alle wollen die Öffnung am Lastenaufzug sehen, und wir mußten sie versperren. Was meinen Sie, ein Mord oder gar zwei in dieser Abtei, da geht den Leuten die Phantasie durch. Wenn die Journalisten auch noch von dem anonymen Brief erfahren... Kelenn ist gut bewacht, also ist dieser Brief vielleicht ein übler Scherz – aber vielleicht auch nicht! Sie arbeiten unter meiner Verantwortung, und ich weigere mich, dieses Risiko einzugehen. Denken Sie nur daran, daß unser aller Leben in Gefahr ist.«

»Ich glaube, was Sie betrifft, ist das einzige, was in Gefahr ist, Ihre Stelle!« mokierte sich Jeanne bitter. »Und was Guillaume Kelenn betrifft, so beweist dieser anonyme Brief ja wohl seine Unschuld!«

»Erstens heißt das gar nichts – er hat ihn ja vielleicht schon vor seiner Verhaftung geschrieben und ihn uns über einen Komplizen zukommen lassen. Zweitens: Ob Ihnen das gefällt oder nicht, an meiner Stelle hänge ich nun mal.« Sie hatte offenbar seine empfindliche Stelle getroffen. »Ich bräuchte es Ihnen nicht zu sagen, aber ich teile es Ihnen trotzdem mit, daß ich auch die Zahlstelle des Denkmalschutzamts und das Ministerium über diesen... verwirrenden Tatbestand informiert habe. Vorsorglich habe ich erneut offiziell die Einstellung der archäologischen Untersuchung in der Krypta beantragt.«

2. Juni. Saint-Lô, Kriminaldezernat, Büro des Kommissars Bontemps. 11 Uhr.

»Die Analyse unserer Sachverständigen hat bisher eines klargestellt«, eröffnete der Polizist, der Jeanne gegenüber saß: »Der Brief wurde mit der linken Hand geschrieben – Guillaume Kelenn jedoch ist Rechtshänder. Das muß aber nicht heißen, daß er nicht vielleicht einen Komplizen genutzt hat, jemand aus seiner Umgebung, physisch und vor allem psychologisch gesehen: ein Mittelalter-Freak, dem es zu schaffen macht, ihn in dieser Klinik eingesperrt zu wissen. Jemand, der meinte, dieser Brief könnte dazu beitragen, daß er für unschuldig erklärt wird. Jemand, der die Handschrift dieses Bruder Romans kennt sowie die Abtei, der also die beiden Briefe leicht deponieren konnte, weil er sowohl zum Büro des Verwalters als auch zur Krypta die Schlüssel hat.«

»Sie verdächtigen mich, aber Sie vergessen, daß dieser Jemand auch entschieden gegen die Ausgrabung sein muß!« entgegnete sie wütend.

»Keine Sorge, Mademoiselle, ich gestehe, daß ich einen Augenblick lang an Sie gedacht habe, aber der graphologische Test, dem Sie sich unterzogen haben, hat bewiesen, daß Sie eine echte Rechtshänderin sind, nicht mal ein kleines bißchen beidhändig.«

Jeanne brauste auf: »Das ist doch lächerlich! Ich hätte ja nicht nur beidhändig sein müssen, sondern auch allgegenwärtig. Ich war in der Nacht, in der Dimitri ermordet wurde, nicht auf dem Berg, das haben Sie ja ausreichend überprüft. Und alles, was mich interessiert, ist die Ausgrabung in der Krypta. Das wäre ja Selbstsabotage!«

»Es war eben eine Spur wie jede andere. Der Mensch handelt manchmal nach einer komplexen Logik, auch wenn er nicht verrückt ist. Es hätte ja zum Beispiel sein können, daß Sie Ihre Kollegen loswerden wollten, Ihnen Angst einjagen, sie von der Grabung fernhalten. Der Verfasser des Briefs ist nicht unbedingt der Mörder von Monsieur Portnoï, denn diesen Mörder haben wir – jedenfalls glaube ich das. Aber solange wir den mysteriösen Linkshänder nicht identifiziert haben, ist es meine Pflicht, Sie zu schützen – Sie und Ihr Team –, bis diese Affäre vollständig aufgeklärt ist, wie es im Krimi immer so schön heißt.«

»Sie wollen uns doch nicht etwa Bodyguards zur Seite stellen?« fragte sie erschrocken.

»Nein, nein, keine Sorge, das könnten wir nicht bezahlen. Nein, es gibt eine viel wirksamere Lösung, die billiger ist und die Zustimmung Ihres Verwalters zu finden scheint. Sobald Sie diesen Raum verlassen, werde ich ganz einfach Ihren Begleiter in der Bourgogne an jenem besagten Wochenende anrufen, der Ihnen die Grabung in dieser Krypta ermöglicht hat, und ihn auffordern, diese Ausgrabung zu stoppen. Wenn ich ihm erkläre, daß wahrscheinlich Ihr Leben in Gefahr ist, wird er ohne jeden Zweifel alles daran setzen, meinem Wunsch zu entsprechen!«

12 Uhr. 2. Juni. Alles ist aus, dachte sie. Dieser gemeine Bulle! Sie mußte François anrufen – sofort, noch auf dem Parkplatz der Polizei! Wozu eigentlich? Es war vorbei. Warum wollte sie sich noch weiter zur Hure machen. Die Schlacht war verloren, der Krieg zu Ende. Sie würden Notre-Dame-Sous-Terre zusperren.

Und mich gleich mit, dachte sie. Ich bin gescheitert, Guillaume ist gescheitert, Pater Placide ist schon lange gescheitert. Alles das wegen eines Stücks Papier, das ein Linkshänder bekritzelt hat… zum Totlachen!

Sie besah sich die Passanten und dachte: Die hier sind unschuldig. Unschuldig in ihrem trüben, ziellosen Leben, in dem sie umherirren, ohne je zu fragen warum.

Eine Frau in ihrem Alter schob einen Kinderwagen vorbei. Jeanne konnte nicht sagen, ob das Kind schön oder häßlich war. Eine bucklige alte Dame trippelte sehr langsam mit Stock und Einkaufswagen dahin.

Osteoporose, dachte Jeanne. Ein totes Skelett unter noch lebendem Fleisch… die Ärmste, sie kann jeden Augenblick zerbrechen!

Plötzlich kam ein fünfzigjähriger Glatzkopf aus der Gegenrichtung, war zerstreut, hatte es eilig, das Handy ans Ohr gedrückt, und beinahe stieß er die alte Frau um. Jeanne schaute dem Rüpel hinterher. Plötzlich reckte sie den Kopf vor, riß den Mund auf. So blieb sie ein paar Sekunden wortlos stehen, dann stürzte sie in ihr Auto, bevor sie mit aufheulendem Motor durchstartete.

Ein Glatzkopf! Ein Glatzkopf, dem die gesamte Abtei zugänglich war und der ebenso die Schrift der alten Manuskripte beherrschte! Ein Linkshänder, der die restaurierten Steine genauso liebte, wie er Ausgrabungen haßte, und das schon immer: Brard – Christian Brard!

# 19

Brard hat immer noch nicht verdaut, daß in Notre-Dame-Sous-Terre eine Ausgrabung vorgenommen wird, dachte Jeanne. Er hat es über den Dienstweg versucht, vergeblich. Schmähliche Niederlage. Brard mag keine Frauen, mit Ausnahme von Notre-Dame-Sous-Terre, der wir, die Archäologen, seiner Ansicht nach den Bauch aufgeschlitzt haben, eine Besudelung, eine Schändung. Die Steine liegen auf dem Boden herum, das Werk seines geliebten Froidevaux wird mißhandelt, und das im Namen eines Traums, mit dem er nichts anfangen kann. Das einzige, was zählt, ist, daß er es nicht geschafft hat, die Krypta zu schützen und zu erhalten. Er hat versagt.

Brard hat bestimmt nicht Jacques getötet, aber sein Unfalltod hat in ihm die teuflische Idee aufkeimen lassen: die Schänder bekämpfen, ihnen Angst einjagen, damit die Ausgrabung aufhört! Während der Autofahrt mit Dimitri, auf dem Rückweg von Jacques' Beerdigung, muß etwas vorgefallen sein. Wahrscheinlich hat Dimitri erzählt, daß wir am Tag zuvor begonnen hatten, Auberts Mauerstück hinter dem Dreifaltigkeitsaltar abzubauen. Dimitri und ich hatten uns deswegen gestritten, denn Mitia war nicht einverstanden mit meinem Plan, die Mauern der Krypta abzutragen. Wenn er das Brard erzählt hat, muß er damit seinen Haß geschürt haben, und daß Mitia das ganze Wochenende über allein bleiben wollte, gab ihm eine Gelegenheit, seinen düsteren Plan in die Tat umzusetzen.

Vielleicht ist auch etwas anderes vorgefallen. Vielleicht fühlte sich Brard von Mitias zarter Schönheit angezogen, aber der entzog sich seinen Avancen. Der Verwalter hat seinen Stolz und war vielleicht beleidigt, und da erkannte er, daß er sich zugleich an dem jungen Mann rächen und die Arbeiten in der Krypta stoppen konnte. Wie auch immer, eines ist jedenfalls glasklar: Brard hat Dimitri ausspioniert.

Brard lebt allein und nicht weit von uns entfernt, und so war es ganz einfach: Mitia war tief deprimiert, wahrscheinlich konnte er nicht einschlafen. Er muß sich gesagt haben, daß ich bestimmt nichts dagegen hätte, wenn er in meiner Abwesenheit meine Badewanne benutzte. Es gibt nichts Besseres als ein Bad, um sich zu entspannen und richtig bettschwer zu werden. Er öffnete das Badezimmerfenster, um die milde, schöne Nacht hereinzulassen. Aber statt dessen kam ein Mörder herein. Der arme Mitia war nicht stark genug, um sich gegen diesen großen, kräftigen Mann zu wehren, der trotz seines Alters sportlich und muskulös ist. Ein Sechzigjähriger mit rasiertem Schädel, also hinterläßt er keine Haare.

Am nächsten Tag muß Brard ziemlich erstaunt gewesen sein, als er von Dimitris ›Selbstmord‹ hörte. Guillaumes Eingreifen hatte er nicht vorhergesehen. Wenn man an einen Selbstmord glaubte, war sein Plan gescheitert, die Ausgrabung würde weitergehen, er hatte einen Menschen getötet, einen unschuldigen jungen Mann, und das für nichts und wieder nichts. In diesem Moment muß er riesige Wut und Reue empfunden haben. Brard hat Guillaume immer geschätzt. Brard ist begeistert von mittelalterlichen Handschriften. Er besitzt eine Sammlung davon. Und er hat die Handschrift aus Cluny gelesen. Leicht für ihn, die romanischen Lettern und die mittelalterliche Ausmalung zu imitieren. In Rot und Grün natürlich, den Farben des Berges. Er wollte sich die wirkliche Verantwortliche für die Schändung der Krypta vorknöpfen – mich!

Er ist Linkshänder. Er hat den Schlüssel zu Notre-Dame-Sous-Terre. Er weiß, wann wir Pause machen. Er kann sich frei in der Abtei bewegen. Er weiß, daß ich einen Drohbrief nicht herzeigen würde, also hat er sich ein zweites Exemplar in sein eigenes Büro gelegt, um es der Polizei weiterzuleiten. Er weiß, daß auf dem Felsen die Angst umgehen wird, und er denkt sich, daß die Polizei vielleicht an Guillaumes Schuld zweifeln, daß sie aber niemals den höchsten Würdenträger auf dem Berg verdächtigen wird. Er wird keinen weiteren Mord mehr begehen müssen, denn der Kommissar wird seine Arbeit tun: Er wird die Ausgrabung stoppen lassen, und diesmal, so meint er, kann ich nichts dagegen ausrichten und François auch nicht!

Ein geschickter Schachzug. Sehr geschickt, Monsieur Brard. Aber ich falle nicht darauf rein. Ich weiß sehr wohl, daß es im Moment nutzlos ist, die Polizei auf Sie zu hetzen, Monsieur Brard. Bontemps würde mich auslachen. Ich werde auch nicht auf den Berg fahren, um Ihnen meinen Verdacht mitzuteilen, denn es ist nur eine Vermutung. Ich habe die Lektion endlich geschluckt: Um Sie von ihrer Stellung als Abt zu vertreiben, werde ich Beweise brauchen, etwas Konkretes, Reales. Am wichtigsten ist, mich vor Ihnen zu schützen und ein paar Tage Pause einzulegen, damit ich, damit Roman eine letzte Chance bekommt...

Die beiden Portale von Notre-Dame-Sous-Terre lagen an der romanischen Treppe, dem aufsteigenden Weg: Gemäß dem mittelalterlichen Ritus mußten sich nacheinander sieben Türen auftun, bevor die Gläubigen in die große Kirche gelangten, die Heimstatt des Erzengels, den siebten Himmel. So betraten die Pilger die Krypta durch eines der monumentalen Portale, sammelten sich im Halbdunkel und gingen durch die andere Tür wieder hinaus, bevor sie den Gipfel des Gebäudekomplexes erreichten: die Abteikirche.

Eines der beiden Tore dieses initiatorischen Aufstiegs war inzwischen versperrt, für immer, durch ein nicht mehr funktionierendes Schloß. Das andere hingegen diente immer noch als Zugang zur Krypta – und eben dieses Portal mußte Jeanne verteidigen.

Sie hielt vor einem Eisenwarenhändler und kaufte eine dicke Kette mit einem riesigen Vorhängeschloß, dessen Schlüssel sie stets bei sich tragen würde. Kette und Schloß würden die einzige benutzbare Tür der Krypta versperren, und außer ihr und ihrem Team würde niemand mehr hineinkönnen. Erster Teil des Plans erledigt. Es blieb die andere Sache, das Wesentliche: Sie mußte François überzeugen, daß er sie nicht im Stich ließ. Kaum hatte sie das Geschäft verlassen, holte sie ihr Handy hervor. Sie räusperte sich die Kehle frei, stieß die Luft aus und klickte aus dem elektronischen Adreßbuch ihres Telefons François' Nummer ins Menü.

»Ah, Jeanne, dich wollte ich gerade anrufen«, begrüßte er sie, noch bevor sie ein Wort gesagt hat. »Ich habe eben mit Kommissar Bontemps gesprochen und dann sehr ausführlich mit Brard.«

»Ja, ich weiß, ich erkläre dir alles.«

»Du erklärst mir überhaupt nichts«, unterbrach er sie schroff. »Ich weiß schon alles Nötige, und mein Entschluß steht. Diesmal ist die Lage wirklich zu ernst. Es tut mir leid für dich, Jeanne, aber es ist vorbei, ich werde die Ausgrabung offiziell abbrechen.«

»Warte doch, bevor du das tust! François, ich ...«

»Ich bin Stellvertretender Amtsleiter für Archäologie, Jeanne. Das bedeutet, daß ich die Verantwortung trage.« Er wurde lauter. »Wenn ich nichts tue, das heißt, wenn ich euch weitermachen lasse, obwohl Brard und Bontemps mich über die Gefahr ins Bild gesetzt haben, in der ihr schwebt, dann klebt Blut an meinen Händen, wenn euch etwas zustößt. Du kannst nicht von mir verlangen – niemand kann das! –, daß ich dieses Risiko eingehe. Also stelle ich die Arbeiten ein, mit Rücksicht auf euch, aber auch mit Rücksicht auf meine Karriere.«

Er hatte endlich ausgesprochen, worum es in Wirklichkeit ging: Karriere. Was das bedeutete, wußte Jeanne: Ihr privates Verhältnis zählte nichts mehr, nur noch der Job, und in diesem Job war sie seine Untergebene und hatte zu gehorchen.

Es war der 2. Juni, 13 Uhr. François kündigt ihr an, daß am nächsten Tag, am 3. Juni, nachmittags eine Mannschaft auf dem Berg ankommen würde, die er gerade in höchster Eile zusammenstellte: ein Trupp Facharbeiter, der die Krypta in ihren ursprünglichen Zustand zurückversetzen würde, unter der Anleitung des Chefarchitekten vom Denkmalschutz und des Verwalters. Jeanne sagte sich, daß es sinnlos war, François über ihren Verdacht bezüglich Brard in Kenntnis zu setzen. Sie schluckte den schweren Schlag: nach den Zerstörern die Wiederaufbauer. Bontemps hatte François gar zugesichert, daß die Restauratoren während der gesamten Dauer der Arbeiten Polizeischutz erhielten, während er diese Unterstützung für die Archäologen nicht in Betracht gezogen hatte.

François wies Jeanne an, die Ausgrabung sofort einzustellen. Sie antwortete, daß sie die anderen benachrichtigen müßte, das Material einsammeln, den Grabungsort aufräumen – und flehte ihn an, ihr einen letzten Aufschub zu gewähren. Wenn sie doch erst am Abend kämen oder einen Tag später, so daß sie noch ein bißchen Zeit hätte! Er lehnte ab. Unerbittlich blieb er bei »heute abend«. Um diese Zeit müßten die Archäologen Notre-Dame-Sous-Terre verlassen und auf die Ankunft von François' Team warten, das er selbst begleiten würde. Höchstpersönlich. Er duldete keinen Widerspruch. Knallhart. Sie hätte Lust gehabt, ihn zu erdolchen, doch sie mußte sich beugen. In Ordnung, sie hörte auf.

14 Uhr 30. Jeanne fuhr einfach nur der Straße nach. Unmöglich, auf den Berg zurückzukehren, aber sie konnte sich auch nicht zu weit davon wegbewegen. Also nahm sie eine kleine Querstraße, die sie auf die Polder rund um den Berg führte. Eine weitläufige, flache Wüste, auf denen Schilder unbekannte Namen trugen, endlos trauriges Land, das die Menschen im 19. Jahrhundert dem Meer abgerungen hatten, eine niedrige, farblose Grenzenlosigkeit, die zur Versandung des Berges beigetragen hatte. Für die Landwirte, die den ergiebigen Meerschlamm der Bucht gezähmt hatten, waren diese fruchtbaren Felder ein Sieg des Menschen über die wilde Natur. Für Jeanne und die Ihren war es trostloses Land, das den heiligen Berg seiner eigentlichen Natur beraubte: eine abgelegene Insel mitten im Meer zu sein.

Die Straße war schnurgerade. Hier und da standen ein paar düstere Bauernhöfe mitten in der grauen Landschaft. Jeanne fuhr immer weiter geradeaus, ohne irgendeinem menschlichen Wesen zu begegnen. In den Marschen verlor man leicht die Orientierung, aber der Berg, ihre Landmarke, war dort hinten rechts, hinter einer gleichförmigen schwarzen Hecke, die ihr den Blick versperrte. Sie mußte bis ans Ende fahren, um ihn wieder zu sehen, und sie drückte aufs Gas.

Die Straße endete in einer Böschung von schmutzigen Gräsern. Dahinter herrschte ungezähmt das Wasser: der Sand, die Bucht, die Gezeiten. Ein grasbewachsener Weg führte am Deich entlang. Ganz am Ende, etwa einen Kilometer weiter, erhob sich der Berg. Er zeigte seine Westflanke, die Seite, an der die Sonne starb und die Schatten wuchsen, die Seite von Notre-Dame-Sous-Terre, die unter den Steinen der Abteikirche verborgen lag.

Jeanne parkte den Wagen hinter dem Deich und betrat den Weg. Zwei Stunden lang lief sie auf den Berg zu, kehrte um, setzte sich, betrachtete ihn, sah ihn fragend und verzweifelt an. Alles war aus, sie hatte verloren, und sie fühlte sich trist und grau wie die Landschaft, die sie umgab. Aber ihr Kummer wollte nicht ausbrechen. Verbittert war sie, bedrückt, wütend, aber sie konnte einfach nicht klein beigeben. Sie hielt an der Hoffnung fest, daß die Stunde des Abschieds noch nicht geschlagen hatte. Die Ausgrabung war eingestellt, aber ihre Vereinigung mit dem Berg war noch nicht ganz zu Ende.

Plötzlich war ihr, als würde der Fels sie rufen. Um 16 Uhr 30 stieg Jeanne etwas heiterer in ihr Auto, verließ das Marschland und fuhr zu dem heiligen Fels.

Auf dem Damm registrierte sie die Touristenbusse gar nicht mehr, die sich in einer mechanischen Prozession am Fuß des Berges drängten. Dort oben am Turm erhob sich die schlanke Kirchturmspitze mit der Statue des Erzengels. Die Figur stand einhundertsechzig Meter über der Bucht, und ihre fünfhundert Kilo Kupfer bildeten eine Sonne, die in der ganzen Welt berühmt war, eine Sonne mit Flügeln, kriegerisch und beschützend, die über die Menschen herrschte und den Berg im Himmel bekrönte. Jeanne schaute nur auf den Engel, so weit oben, so stolz, wie er ihr zuflüsterte, daß dies ihre letzten Momente der Liebe und des Mysteriums waren. Der goldene Fürst spaltete die Lüfte wie ein himmlisches Metronom.

17 Uhr. Jeanne konnte nicht in die Krypta gehen. Die anderen mußten noch dort sein, um ihr Werkzeug zusammenzupacken, und sie wollte allein sein. Sie ging dorthin, wo schon immer der Chor der Abteikirche gelegen hatte. Sie ließ die Atmosphäre auf sich wirken, auf der Suche nach unsichtbaren Spuren von Roman und auch nach ihrer eigenen Spur, der Spur des kleinen Mädchens, das sie vor sechsundzwanzig Jahren gewesen war, als sie sich zum ersten Mal begegnet waren. In der geschlossenen, menschenleeren Kirche tappte sie durch den Chorumgang, setzte sich auf die

Bank, wo sie mit ihren Eltern am 15. August ihres siebten Geburtstags gesessen hatte. Zum ersten Mal in ihrem Erwachsenenleben betete sie zu Maria, wie ihre Mutter es getan hatte und wie sie selbst als Kind auf Geheiß ihrer Mutter.

»Gegrüßet seist du, Maria, du bist voll der Gnade…«

18 Uhr. Sakramentskapelle. Ein Geräusch von Stoff, der über den Boden schleifte, und das Kreischen eines Gespensts riß Jeanne aus dem Schlaf. Sofort spürte sie die harte Holzbank in ihrem Rücken, auf der sie eingeschlafen war. Sie drehte sich zum Langschiff um, und ihre Augen ohne Brille sahen den zauberhaften Aufmarsch eines Zugs von hell gewandeten Toten, die inmitten von fernen, blutroten Voluten dahinglitten. Sie setzte ihre Brille auf und seufzte im Anblick der zauberhaften Wirklichkeit: Eine Schwester aus der »Gemeinschaft von Jerusalem« kam auf sie zu, in ihrem langen weißen Gewand unter ihrem eng anliegenden Schleier, eskortiert von einem Schwarm Tauben und Möwen: Diese Vögel hielten sich gern in der Basilika auf, wenn nicht zu viele Menschen dort waren. Das Rot war die Farbe der Mauersteine nahe des Portals, unzerstörbare Spuren von den Küssen, die das Feuer bei einem der zwölf Brände in der Kirche dem Granit aufgedrückt hatte. Jeanne deutete ein Lächeln an, das düster war wie das Grau der Ringeltaube, die zu ihren Füßen landete.

»Ich habe Sie gleich wiedererkannt«, sagte Schwester Adèle sanft und ohne Verwunderung darüber, daß die Archäologin in der Kirche geschlafen hatte. »Ich wollte Sie nicht wecken. Ich war gerade auf dem Weg, um die Gemeinde für das Stundengebet zu holen.«

»Oh, ich mußte ohnehin wach werden.« Sie schaute auf die Uhr. »Ich muß heim.«

»In ein paar Minuten feiern wir Vesper. Wollen Sie nicht Ihr Gebet mit dem unseren vereinen?«

»Gern, Schwester. Ich glaube, ich brauche Ihre Fürbitte. Meine ist…« Jeanne unterbrach sich. »Also, danke für Ihr Gebet.«

»Es ist Ihnen immer gewährt.«

Unter dem nördlichen Querschiff lag die Krypta Notre-Dame-des-Trente-Cierges, ein kleiner, niedriger, warmer Raum, der vollständig überwölbt war. Die Halbkuppel hinter dem Altar betonte ein Fenster, das die Mauer durchbrach. Ein einziges Rundbogenfenster von kleinen Ausmaßen ließ durch das schlicht bemalte Glas ein sanftes bläuliches Licht herein, das von der Architektur geschickt in Szene gesetzt wurde: Das Auge war sofort von dem Fenster in Beschlag genommen, es wirkte als Endpunkt der Perspektiven, die die Gewölbe bildeten. Jeanne setzte sich auf eine Bank. Diese Krypta atmete eine romanische Gefühlswelt, ein Leben, das in bescheidener, intimer Frömmigkeit geführt wurde, und an seinem Ende das einfache, ruhige Leuchten, das nicht strahlend war wie eine Offenbarung, sondern der Widerschein eines Weges, der das irdische Leben geleitet hatte: Das Heil kam nicht von außen herein, es kam von innen, und das war das Ziel des ganzen Lebens.

Ein Dutzend Mönche und Nonnen in weißen Kutten knieten am Boden, die Männer auf der einen Seite, die Frauen auf der anderen, und sie begannen damit, ihr Sehnen nach Reinheit zu besingen. Ein paar Besucher von außerhalb nahmen dicht bei Jeanne sitzend an dem Stundengebet teil. Die junge Frau dachte an die schwarzen Mönche, die an diesem Ort die erste Messe des Morgens gefeiert hatten, zu der sie dreißig Kerzen entzündeten, und das letzte Gebet des Abends: Komplet, bevor die Nacht den Fels umhüllte. Sie dachte, daß vielleicht Bruder Roman an diesem Ort gebetet hatte, und sie blähte die Nasenflügel, um seinen Geruch zu wittern. Der Weihrauch antwortete ihr und wiegte sie in einer süßen Trägheit.

Ihr Blick wurde von der Marienstatue angezogen, die gegenüber an einer Mauer thronte. Maria hatte Spuren von rosa und blauer Farbe in den Falten ihres Kleides, sie trug eine Krone, ihre rechte Hand war abgebrochen, und mit der linken schützte sie ein Kind – ohne Kopf!

Jeanne wußte, daß diese Statue nachromanisch war und daß die Revolutionäre schuld waren, daß das Jesuskind ohne Kopf war; sie hatten in allen Kirchen den thronenden Christus enthauptet. Sie wußte es, aber sie war gerührt von dem kleinen Rumpf ohne Kopf, den die Mutter zur Schau trug wie eine Trophäe. Sie richtete ein Gebet an den enthaupteten Mönch, während sie den verstümmelten Jesus betrachtete. Bruder Roman verfügte über die Kraft aus Jahrzehnten von irdischem Leid und das Gespenst über die Demut aus Jahrhunderten einer himmlischen Strafe. Mochte er ihr doch etwas von seiner Stärke geben, damit sie den Ausgang fand, das letzte Fenster mit blauem Schein. Mochte er sie zu diesem letzten Licht geleiten. Heiterkeit. Ein Gefühl von innerer Ruhe überkam sie, als würde sie von einer Wolke durchdrungen. Die Stimmen der Brüder und Schwestern schwebten über den Himmel…

19 Uhr. Zum Ende des Stundengebets dankte Jeanne Schwester Adèle und stieg mit festem Schritt hinunter zum Haus der Archäologen. Ihr Entschluß war gefaßt, und die Momente des Friedens, die sie eben erlebt hatte, hatten ihr geholfen, dorthin zu gelangen: Sie würde noch ein letztes Mal kämpfen. Sie war es sich schuldig, pragmatisch zu bleiben, realistisch und effektiv. Wie die Krieger: Nieder mit dem Gewissen, denn es stand dem Handeln im Weg. Was zählte, war allein das Handeln. Sie hatte noch eine Nacht, um – völlig illegal – zu graben, bevor François aufkreuzte. Sie war entschlossen, sich allein in der Krypta einzuschließen, geschützt von ihrer Kette und ihrem dicken Vorhängeschloß, die sie von innen anbringen würde, damit niemand die Pforte aufbrechen konnte. Niemand würde sie von dort wegbringen: Notre-Dame-Sous-Terre wurde belagert. Der Berg hatte über die hundertfünfzehn Jahre des Hundertjährigen Krieges standgehalten, er hatte die dreißig Jahre widerstanden, die seine Belagerung angedauert hatte, ohne jemals den Engländern in die Hände zu fallen. Da konnte Jeanne doch wohl ein paar Stunden durchhalten. Um ihrer selbst und vor allem um Romans willen.

»Wir haben dich überall gesucht!«, rief Sébastien. »Wir wissen Bescheid! Brard hat uns um halb zwei den Abbruch der Arbeiten verkündet. Er stolzierte mit Pauken und Trompeten in die Krypta, und du warst noch nicht mal da! Wir standen hübsch dumm da.«

»Wir haben uns Sorgen um dich gemacht«, sagte Florence etwas freundlicher. »Brard triumphierte. Er hat uns von der Ausgrabung gejagt wie Aussätzige, und er hat uns verboten, noch einen Fuß in die Krypta zu setzen. Es war fast, als wollte er uns erniedrigen. Jedenfalls wollte er sich rächen. Haben wir dieses ganze Tamtam wegen des anonymen Briefs?« Sie war sich der Antwort sicher.

»Ja«, sagte Jeanne. »Der Einschüchterungsversuch war ein voller Erfolg: Sie verrecken vor Angst, nicht etwa um uns, sondern um ihre Macht, und die ist ihnen sehr, sehr wichtig. Nun, das ist nur menschlich. Ich bin ganz offen zu euch: Ich will die paar Stunden nutzen, die wir noch haben, bis die anderen kommen, und noch mal in die Krypta gehen. Heute abend. Allein. Ich meine zu wissen, wer Mitia getötet und den Brief geschrieben hat, aber ich kann es nicht beweisen. Also halte ich den Mund. Vorläufig. Aber Guillaume war es nicht, da bin ich sicher. Ich glaube nicht, daß der Mörder noch irgend etwas unternehmen wird, denn er hat ja sein Ziel erreicht: die Ausgrabung wird eingestellt. Und wenn ihr nichts sagt, wird es auch niemand wissen. Den einzigen Schutz, den ich habe, ist dies hier!« Sie hielt Kette und Schloß hoch. »Aber das wird reichen. Ihr bleibt draußen, denn was ich tue, ist illegal. Ich bitte euch nur, mich nicht zu verraten.«

»Jeanne, bist du dir klar, wie gefährlich das ist?« Florence war außer sich. »Du erklärst uns ganz kaltblütig, daß der Mörder deiner Meinung nach immer noch in der Abtei herumschleicht, aber egal, du gehst heimlich in die Krypta, heute abend, allein, und riskierst, ihm zu begegnen? Du bist ja verrückt!«

»Ich gestehe, daß ich dir überhaupt nicht mehr folgen kann, Jeanne«, erklärte Sébastien ganz ruhig.

»Na eben!« rief Jeanne. »Ich verlange ja auch nicht von euch, mir zu folgen, sondern bloß ein paar Stunden den Mund zu halten. Hört zu«, fuhr sie etwas ruhiger fort, »ich versuche, euch gegenüber ehrlich und loyal zu sein, und ich sage euch: Setzt keinen Fuß mehr in die Krypta! Ich gehe jetzt noch einmal hin, nicht um zu arbeiten, sondern um Notre-Dame-Sous-Terre auf Wiedersehen zu sagen. Ich kann es morgen nicht tun, mit all den Leuten, die dort sein werden. Ich tue es jetzt oder nie, und wenn es nie ist, werde ich immer das Gefühl haben, daß etwas unvollendet geblieben ist. Etwas sehr Starkes und sehr Persönliches verbindet mich mit diesem Ort. Ich kann das nicht erklären, aber für mich ist diese Krypta ein menschliches Wesen, und ich muß mich von ihm verabschieden. Es ist wie mit der Trauer über jemanden,

den man leidenschaftlich geliebt hat, jahrelang. Den man immer geliebt hat, immer, und der plötzlich nicht mehr da ist. Es ist eine furchtbare Trauer, ein zweiter Tod. Ich muß hin, und mir wird nichts zustoßen. Seid so gut, das zu verstehen und mich gehen zu lassen. Ihr seid genauso verliebt in die Steine wie ich, auch wenn das, was ich tue, nicht gerade sehr vernünftig erscheinen mag.«

Jeannes Worte schienen Séb und Florence zu überzeugen, aber Patrick, der bisher nichts gesagt und die Szene wie unbeteiligt beobachtet hatte, sprang aus seinem Sessel auf. »Kompliment für den Gefühlsausbruch«, sagte er verächtlich. »Ich bin fast zu Tränen gerührt! Das ist ja eine Überraschung, denn normalerweise bist du uns gegenüber nicht ehrlich und loyal. Du läßt uns zum erstenmal an deiner Seelenpein teilhaben. Sonst hältst du uns immer sorgfältig fern von deinen Plänen. Danke für das Vertrauen, das du uns beweist, indem du von uns verlangst, uns zu deinen Komplizen zu machen und mit unserem Schweigen deine illegalen und obendrein absurden Machenschaften zu decken, die uns den schlimmsten Ärger einbringen können. Brard hat Einfluß und kocht ohnehin schon vor Wut. Wenn er erfährt, daß wir seinen Anordnungen zuwidergehandelt haben, wird er keine Sekunde zögern, uns in der Branche anzuschwärzen. Danke, sehr feinfühlig von dir, daß du uns im voraus bittest, den Mund zu halten über dein übergeschnapptes Verhalten, das von Anfang an kein bißchen professionell motiviert war.«

»Ich habe diese Ausgrabung initiiert, und ich werde sie abschließen«, entgegente Jeanne giftig. »Allein. Ein symbolischer Akt, das ist alles. Jetzt tu, was du willst, du wolltest mir ja von Anfang an nichts als Ärger machen. Mach nur weiter so, ich biete dir eine wunderbare Gelegenheit, mir zu schaden, sogar mich endgültig abzuschießen. Geh, schnell, verpetz mich bei Brard! Er wird dich schon zu belohnen wissen, und ich bin dann außer Gefecht, und zwar noch viel radikaler, als du meinst. Geh nur, und ich gehe meine Geschichte mit der Krypta abschließen!«

Jeanne drehte sich zur Wohnzimmertür um. Dieser Fenoy schreckt vor nichts zurück, dachte sie. Sobald ich durch diese Tür bin, wird er zu Brard rennen. Aber egal, ich gehe das Risiko ein …

»Wie schade, daß alles so traurig ausgeht und daß wir den Schatz nicht gefunden haben«, sagte Sébastien, um die Situation zu entspannen. »Jetzt hatte am Ende also doch Dimitri recht: Bruder Romans Handschrift ist eine Geschichte, die er erfunden hat, um uns einen schönen Traum zu bescheren. Der Schatz liegt nicht in der Krypta, sondern in unseren Köpfen.«

»Ja«, legte Patrick nach, »in unseren Köpfen, aber es ist Notre-Dame-Sous-Terre, die unseretwegen entstellt ist! Die Restauratoren werden sich morgen die Haare raufen, wenn sie sehen, in welchem Zustand sich die Krypta befindet.«

Jeanne war auf der Schwelle stehengeblieben. Bei diesen Worten drehte sie sich zu ihrem Assistenten um.

»Du denkst an die Steine, aber du vergißt Jacques' zermalmtes Gesicht«, warf sie ihm an den Kopf, »und das erstarrte Gesicht von Dimitri!«

Patrick setzte eine drohende Miene auf. »Nicht nur vergesse ich sie nicht, sondern ich glaube, daß du sie getötet hast!« schrie er Jeanne an. »Du warst es! Du mit deiner bornierten, egoistischen Halsstarrigkeit, in der du in Notre-Dame-Sous-Terre graben wolltest! Du hast sie auf dem Gewissen!«

Wütend kam Jeanne zurück ins Wohnzimmer, um ihm an den Kragen zu gehen. Sébastien trat zwischen sie, als sie sich gerade auf ihren Assistenten stürzen wollte.

»Jetzt werdet ihr völlig verrückt!« schrie er beide an. »Was ist nur in euch gefahren? Geh, Jeanne! Los, geh in die Krypta! Ich verspreche dir, wir sagen nichts. Und er auch nicht«, ergänzte er mit einem Seitenblick auf Patrick. »Aber bleib nicht lange, es ist gefährlich.«

»In Ordnung, Séb, danke. Und du«, sie warf ihrem Assistenten einen verächtlichen Blick zu, »du verpaßt überhaupt nichts, wenn du ein bißchen wartest. Wir rupfen unser Hühnchen, wenn ich zurück bin!«

»Ich werde auf dich warten«, antwortete er, die Ruhe selbst.

20 Uhr 35. Jeanne schmiegte sich in das schwindende Tageslicht, um unbemerkt das Portal von Notre-Dame-Sous-Terre zu erreichen. Über der Schulter trug sie ihre Reisetasche. Sie entriegelte

das Portal der Krypta, legte den Lichtschalter um und trat ein. Der Kirchenraum sah aus, als hätte hier ein Erdbeben gewütet: Ein Teil der Bodenplatten war herausgehoben und gegen die Mittelbögen gelehnt worden. Die übrigen bildeten ein seltsames Schachbrett auf der gestampften Erde, die unter dem fehlenden Fußboden hervorschaute. Alle Mauern rund um die beiden Altäre waren abgetragen, die Granitblöcke mit ihren Etiketten häuften sich zu Hügeln, und der Fels, der anstelle der menschengemachten Mauern zu sehen war, ließ die Rückwand der Krypta wie eine natürliche, bedrückend schwarze Grotte aussehen. Jeanne holte Kette und Vorhängeschloß aus ihrer Tasche, legte sie von innen vor und befestigte das Schloß: So konnte Brard nicht herein und Fenoy auch nicht. Niemand.

Sie ging ganz in die Krypta und packte auf dem Marienaltar ihre Tasche aus: einen Wollpullover, eine Flasche Wasser, eine Thermoskanne heißen Tee, ein Messer, ihr Handy, das hinter den dicken Mauern aber kein Netz hatte, belegte Brote, Kekse, ihre Abschrift von Romans Manuskript und ein Tränengasspray.

Skeptisch betrachtete sie das Portal. War sie wirklich in Sicherheit? Ihr kamen doch Bedenken. Also schaffte sie mit dem kleinen Kran Steine von Auberts Mauerwerk zum Eingang, wo sie sie zu einer Mauer aufzuschichten begann.

21 Uhr 30. Die Abteikirche lag im Dunklen. Nachts war es, als würden die Steine im Flüsterton Schauergeschichten erzählen, und die Schatten wirkten wie die schwarzen Kutten sämtlicher Benediktiner, die an diesem Ort je zu überleben versucht hatten. Der rauhe Wollstoff der Gewänder der Toten, deren Grab in der Zeit verschollen war. Nachts füllte sich die Abtei mit dem Gedächtnis der Kriege, die einst in ihr gewütet hatten: die mystischen, politischen, brudermörderischen Schlachten gegen sichtbare und unsichtbare Mächte, die Drachen von innen und von außen, die der Natur und die der Menschen. Jeanne war zu sehr von ihrem eigenen Kampf in Beschlag genommen, als daß sie davor Angst hätte haben können. Nein, sie fühlte sich sogar der Seele der Basilika verbunden, verbunden mit den übernatürlichen Kräften, die zwischen Komplet und Vigil in Notre-Dame-Sous-Terre hausten und ihr die Kraft gaben, ihre Bastion zu errichten:

Denn endlich war die Krypta fertig für die Belagerung, Jeanne hatte sich in ihrer Festung verschanzt.

Mit schweißüberströmtem Gesicht betrachtete sie zufrieden ihr Werk: Das Eingangsportal war hinter einer granitenen Mauer fast verschwunden. Die Steine waren grob aufeinandergeschichtet, aber es war ein Symbol: Es waren nicht mehr Auberts Steine, sondern Jeannes. Sie hatte eben ein Heiligtum geschaffen, das sie vor den äußeren Feinden schützte und sie im Schoß von Notre-Dame-Sous-Terre verbarg. In ihrem Schoß. Sie würde eine Weile brauchen, um mit dem Kran die Mauer wieder abzutragen und die Krypta verlassen zu können, aber das machte ihr keine Sorge: Sie dachte noch nicht ans Gehen – vor allen Dingen wollte sie hinein, hinein ins Geheimnis ihrer Träume.

Jeanne stand im Kirchenschiff und knabberte an einem Brot. Es schmeckte nach Staub, nach Granit. Was sollte sie jetzt tun? Roman anrufen, damit er ihr einen Hinweis gab. Das Gespenst beschwören. Aber wie immer verkroch sich das Phantom in den Mauern von Notre-Dame-Sous-Terre.

»Du weigerst dich, in der Wirklichkeit zu erscheinen!« rief Jeanne ihm vorwurfsvoll zu. »Warum nur, da ich doch an deine Echtheit glaube? Es gibt dich wirklich, also hör auf, dich vor mir zu verstecken! Ich habe keine Angst! Ich weiß, daß du da bist, irgendwo hier! Zeig dich doch endlich! So lange habe ich schon auf dich gewartet! Jetzt wird nicht mehr gespielt, wir haben keine Zeit mehr! Jetzt ist der richtige Augenblick – und der letzte, das weißt du! Hilf mir jetzt, oder du wirst nie erlöst! Ich bin deine einzige Chance! Deine einzige Chance! Du hast nur mich!«

Vor Müdigkeit und Verzweiflung fiel Jeanne auf die Knie und brach in Tränen aus.

»Warum?« wimmerte sie. »Warum zeigst du dich mir nur in meinem Kopf? In meinem Schlaf, immer im Schlaf? Dies sind unsere letzten gemeinsamen Minuten, Roman. Morgen muß ich fort, heute abend muß ich dich für immer verlassen. Ich flehe dich an, hilf mir. Heiliger Michael, ich bitte dich. Gib mir ein Zeichen, nur ein Zeichen! Laß mich einschlafen, wenn du willst, Roman. Laß mich in meine Träume sinken und komm!«

Sie schloß die Augen, aber sie war zu erregt, um Ruhe zu

finden. Der Traum war wie die Sonne: Der Mensch kann ihr nicht befehlen aufzugehen, denn sie ist es, die die Erde beherrscht. Der Traum… Eben hatte Jeanne doch geträumt, als sie in der Chorkapelle der großen Kirche geschlafen hatte. Ein seltsamer Traum, wie alle Träume, mit einer eigenen Logik, einem Anteil an unbewußtem Erinnern, das sich in ein surreales Gemälde verwandelt: In diesem Traum hatte Jeanne ein schwarzes Ornat getragen wie der Geist in Simons Legende. Sie war Meßdienerin in der Totenmesse, die Pater Placide in Notre-Dame-Sous-Terre zelebrierte, auf dem Dreifaltigkeitsaltar voller brennender Kerzen. Der Greis hielt eine quadratische Hostie hoch, die blau war wie ein offenes Fenster…

Jeanne öffnete wieder die Augen und betrachtete den Altar. Wie sein Zwilling, der Marienaltar, war er ein Werk von Froidevaux und den sechziger Jahren. Eine gewisse Modernität ging von seiner Marmorplatte aus, deren Seitenrand eine lateinische Inschrift in goldenen Lettern trug. Der Sockel war unvergleichlich häßlich: Seine unverputzten, wie an der Fassade eines Pariser Vororthauses aufgemauerten Steine ruhten auf einer etwas breiteren rechteckigen Basis aus grauen Granitquadern, die aussahen wie Mauersteine für ein Wohnhaus. Froidevaux, der die mittelalterliche Seele der Krypta so gut restauriert hatte, hatte dagegen Altäre aufgestellt, die ganz typisch für die Architektur des 20. Jahrhunderts waren und überhaupt nicht zum Rest des Raumes paßten. Warum? Weil die alten Altäre im 18. Jahrhundert zerstört worden waren, als die Mauriner die Krypta zumauerten und versperrten, und weil es keine Darstellung dieser Altäre gab. Die originalen Altäre waren verloren, so hatte Froidevaux neue ersinnen müssen. Ja, aber warum hatte er diese Sockel errichtet, die dem Geist von Notre-Dame-Sous-Terre so zuwiderliefen? Damit das Auge von diesen zeitgenössischen Altären angezogen und zugleich abgestoßen wurde? Jeanne verzog zweifelnd das Gesicht. Damit die Sockel als nachträglich implantierte Elemente in der Krypta identifiziert wurden, die ihrer uralten Geschichte fremd waren, ihrer Seele, ihren Geheimnissen…

Tatsächlich hatte Jeanne diese beiden Altäre nie irgendwie beachtet. Sie benutzte sie als Werkzeugablage und Stauraum.

Dabei erinnerte sie sich, daß Pater Placide gesagt hatte, das Gespenst sei in der Vergangenheit auf den Stufen über dem Dreifaltigkeitsaltar erschienen. Auch in ihren drei Träumen befand sich der enthauptete Mönch immer über dem Dreifaltigkeitsaltar, und das war dieser, eben der, den sie gerade mit solcher Verachtung anschaute. Ja, dieser Altar war genau so in all ihren Träumen vorgekommen, auch in dem von vorhin! Sollte es möglich sein…? War dies das Zeichen, auf das sie wartete? Es wäre völlig verrückt. Fast die ganze Krypta war umgepflügt worden wie ein Acker, nur an die Altäre war nicht Hand angelegt worden…

Sie hatte keine Sekunde mehr zu verlieren, sie mußte es sofort überprüfen! Sie stand auf, griff zu einer Hacke und schlug mit aller Kraft auf die Basis des Dreifaltigkeitsaltars, um seine Verfugung aufzubrechen. Es war sehr schwierig, aber ihre Kraft vervielfachte sich, je länger sich in ihrem Kopf die Bilder aus ihren Träumen und die Worte des alten Mönchs abspulten, in deren Zentrum der Altar stand. Er barg ein Geheimnis, ja, ganz bestimmt! Er barg ein bedeutendes Geheimnis, sonst hätte er nicht so ausgesehen, und sonst wäre er nicht jedesmal in ihren Träumen aufgetaucht! Froidevaux hatte sicherlich etwas gesehen. Er war sehr gläubig gewesen, aber hatte er auch an Gespenster geglaubt? Er hatte beinahe drei Jahre seines Lebens in Notre-Dame-Sous-Terre verbracht, er hatte etwas gefunden, das war klar, oder er hatte absichtlich nichts gefunden, hatte Angst bekommen und nicht versucht, dem Rätsel auf den Grund zu gehen.

Nach einer halben Stunde gab die Basis nach. Auf allen vieren hockend, fegte Jeanne den Schotter weg und versuchte, den Altar mit bloßen Händen wegzuschieben, aber natürlich gelang ihr das nicht. Sie hätte die Hilfe von Patrick, Séb und Florence gebraucht. Nein, sie mußte es allein schaffen, sie mußte allein graben, das war ihr sehnlichstes Verlangen! Ihr Verlangen, das eine blutige Hand durchschaut hat…

Das Fundament der Basis hielt. Es war tief in den Boden eingelassen. Jeanne änderte ihre Taktik: Die Arbeiter auf den mittelalterlichen Baustellen hatten Teufelskrallen gehabt, diese handbetriebenen Hebezeuge mit Winde, die die Steinblöcke in ihre stählernen Kiefer nahmen. Und sie hatte den kleinen Kran. Jeanne befestigte den Altar an den mächtigen Hauern des Geräts und betätigte die Hebel. Das Manöver war heikel. Los, kleine Maschine, bitte, streng dich an! Geschafft, der Altar hob sich drei Zentimeter in die Luft. Das Gerät war heillos überlastet: Es war gemacht, um Granitblöcke zu heben, nicht solche Konstruktionen mit Marmorplatte. Alles drohte zu kippen. Aber mit vorsichtigen, präzisen Handgriffen schaffte es Jeanne, die Last zu verschieben, ganz langsam, und den Altar ein Stück weiter abzusetzen.

Sie schaltete den Kran aus und stürzte sich auf die Stelle, wo der Altar gestanden hatte. Wenn sie diesmal wieder auf Felsen stieß, würde sie endlich wissen, daß alles vorbei war. Aber anstelle des natürlichen Felsens fand sie ein Loch, einen senkrechten Gang, der nach unten zu führen schien, nach sehr weit unten. Sieg! Sie hatte das Geheimnis entdeckt. Der verborgene Raum lag nicht in der Mauer, sondern in der Tiefe des Bauchs, im unterirdischen Schoß. Also war Guillaumes Intuition richtig gewesen, er hatte ja von einer Höhle gesprochen …

»Guillaume, danke«, sagte sie. »Roman, danke. Kriegerischer Erzengel, danke. Froidevaux, danke! Schnell, schnell an die Arbeit, ich muß den Durchgang freilegen … Kleiner Kran, her mit dir!«

22 Uhr 45. Jeanne holte die letzten Steine heraus, die im senkrechten Schacht verkeilt waren, und diese Steine erzählten ihr erstaunliche Geschichten: Die Granitblöcke waren größtenteils mittelalterlich, manche unbearbeitet, andere behauen und von Narben gezeichnet: Marken der Tagelöhner, Steinmetzzeichen. Jeanne erkannte einige Monogramme wieder, die auch auf den Bodenplatten der Westterrasse zu sehen waren. Auf den Steinen standen noch immer die Signaturen derer, die das romanische Schiff erbaut hatten, und diese Signaturen waren die gleichen wie die, die in die Blöcke graviert waren, die Jeanne aus dem Boden geholt hatte. Mit dem Bau des Schiffs war unter Abt Almodius begonnen worden, und nach dessen Tod 1063 hatte der neue Abt Ranulphe de Bayeux die große romanische Abteikirche vollendet. Diese Steinblöcke stammten aus der Bauhütte für das Schiff der großen Abtei.

Hier ist also damals etwas passiert, erkannte sie. Aus irgendeinem Grund ist der Durchgang zugeschüttet worden. 1063 – Tod des Almodius … 1063 – das Jahr, in dem Romans Handschrift verfaßt wurde … und vielleicht Romans Todesjahr, der eben hier enthauptet und vom heiligen Michael dazu verdammt wurde, zwischen Erde und Himmel umherzuirren. Romans Kopf und Körper müssen am Grund dieses senkrechten Tunnels liegen. Wenn man Größe und Gewicht der Steine in Betracht zieht, müssen mehrere Menschen, vielleicht Mönche oder Arbeiter von der Baustelle, den Schacht zugeschüttet haben, nachdem Roman getötet wurde. Bestimmt haben sie vorher seinen verstümmelten Leichnam hineingeworfen! Aber wer und warum?

Jeanne! befahl sie sich. Hör auf mit der Fragerei, schau hin und hör den Steinen zu! Sie sprechen zu dir. Dieser hier zum Beispiel ist viel älter als das 11. Jahrhundert. Aber genau kann ich ihn nicht datieren. Egal, gleich steige ich in die Höhle hinab und entdecke dort Romans Gebeine. Als Froidevaux das Fundament seiner Altäre baute, muß er den Schacht zwangsläufig gesehen haben, aber ich bin überzeugt, daß er ihn nicht untersuchte. Was ist vorgefallen, daß er nicht weitergrub? Egal, wenn er es getan hätte, wäre der enthauptete Mönch niemals bis in meine Träume vorgedrungen. Es ist mein Auftrag, die Vollendung meines ganzen Lebens, ein Kindertraum, der wahr wird!

Die letzten Quader konnte sie unmöglich heraufholen. Der Schacht war für die Arme des Krans zu tief, etwa fünf Meter. Die einzige Lösung war, die Steine nach unten zu drücken, in der Hoffnung, daß sie wegrollen und nicht den Schacht weiter blockieren würden. Also los – die letzten Anstrengungen vor dem Heben des Schatzes. Flach auf dem Bauch liegend, versuchte Jeanne vom Rand des gähnenden Loches aus mit einer langen Eisenstange, die man für ungezielte Bohrungen verwendete, die Steinblöcke zu lösen und sie in die Tiefe zu stürzen.

Geschafft! Endlich war der Schacht frei. Jeanne zog die Eisenstange zurück und schaute ängstlich in die Röhre. Dunkel. Alles war dunkel. Sie richtete die Taschenlampe in den Schacht. Der senkrechte Weg, der in den Abgrund führte, war von Menschenhand geschaffen. Im Lichtkegel sah Jeanne die Überreste von Stufen, die willentlich zerstört worden waren: Ursprünglich mußte der Gang weniger steil gewesen sein, eine Treppe führte hinein, und aus irgendwelchen unerfindlichen Gründen war er dann unbenutzbar gemacht worden.

Sie würde in den Schacht hinabsteigen müssen. Wieder kamen ihr die Tränen, aus Freude, daß sie es beinahe geschafft hatte, aber auch aus Kummer. Es war der entscheidende Augenblick, aber wollte sie wirklich, daß alles zu Ende ging? Sie spürte die schmerzhafte Umarmung einer Welt, die sich in Auflösung befand, den letzten Atemzug einer langen Wartezeit, die Angst vor der Zukunft, den sehnsuchtsvollen Kuß, der von einem unvermeidlichen Tod kündete. Roman …

In diesem Moment hörte sie durch ihre Verrammelung aus Auberts Steinen kräftige Schläge gegen das Portal der Krypta donnern.

»Jeanne! Bist du da drin? Mach auf!« Sie erkannte Sébastiens Stimme. »Jeanne! Antworte bitte! Ist alles in Ordnung?« hörte sie Florence rufen.

»Ich bin da!« rief sie zurück. »Alles in Ordnung.«

»Laß uns rein!«

»Nein. Ich bin noch nicht fertig!«

»Fertig womit, Jeanne?« rief Florence. »Du bist schon fast drei Stunden ohne Erlaubnis dort drin! Das reicht völlig, um dich von der Krypta zu verabschieden! Komm jetzt mit uns heim, sonst kriegen wir schweren Ärger!«

»Tut mir leid, aber ich kann nicht. Noch nicht. Ich brauche noch ein bißchen Zeit.«

»Du hast keine Zeit mehr!« entgegnete Flo. »Glaub mir, selbst wenn du gelogen hast, was du in dieser Krypta tust, es ist uns egal. Jetzt ist es aus, du mußt rauskommen, und zwar sofort, oder du kannst nie wieder irgendwo graben!«

»Was ist los?« fragte Jeanne; sie ahnte, daß etwas schiefgelaufen war.

»Ich bin schuld«, gestand Sébastien. »Wir haben zu dritt zu Abend gegessen, mit Fenoy, unten. Ich behielt ihn im Auge, damit er nicht Brard anrief, und dann … Auf einmal läutete das Telefon. Ich hab' ihm eine Sekunde lang den Rücken zugewandt, um abzuheben, und das hat er genutzt, um sich aus dem Staub zu machen.

Es tut mir leid, Jeanne. Aber das war erst vor fünf Minuten. Wir sind gleich heraufgekommen, um es dir zu sagen. Beeil dich, komm raus, und wenn er mit Brard in die Krypta kommt, ist niemand da!«

»Macht euch keine Sorgen!« rief Jeanne. »Das macht nichts. Ich bleibe hier, aber sie können nicht herein!«

»Macht nichts?« wiederholt Sébastien. »Können nicht herein? Willst du den Verwalter daran hindern, die Krypta zu betreten, *seine* eigene Krypta? Hast du an die Folgen gedacht, an deine Karriere?«

Bei dem Wort »Karriere« lachte Jeanne laut auf.

»Wenn ihr wüßtet, wie unwichtig meine Karriere geworden ist... Sie ist mir völlig egal. Danke, daß ihr gekommen seid, um mich zu warnen, aber jetzt laßt mich allein! Geht und macht euch keine Sorgen!«

Schweigen.

»Jeanne«, sagte Florence plötzlich, »und wenn du eben recht hattest mit... deiner Vermutung, der Mörder könnte sich noch in diesen Mauern herumtreiben? Daß dir deine berufliche Zukunft völlig egal ist, mag ja sein, aber... deine Zukunft an sich?«

»Oh, jetzt reicht es aber!« Jeanne wurde wütend. »Geht! Ich bin in Notre-Dame-Sous-Terre in Sicherheit! Die Gefahr ist höchstens draußen. Hier habe ich nichts zu befürchten, versteht ihr? Macht, daß ihr wegkommt!«

»Ich weiß nicht, was du da drinnen treibst«, sagte Sébastien schroff, »aber ich weigere mich, ein solches Verhalten zu dulden! Das ist völlig unverantwortlich. Also, es ist jetzt elf Uhr. Wenn du um ein Uhr nachts nicht zurück bist, brechen wir die Tür auf. Tschüs, Jeanne, mach's gut!«

Jeanne grinste zynisch. Sollen sie doch versuchen, die Tür aufzubrechen! dachte sie. Mit der Kette und meiner Mauer wünsche ich ihnen viel Spaß dabei!

Sie drehte sich um und trat wieder an das schwarze Loch. Ein Uhr morgens – also hatte sie noch zwei Stunden, um den Schacht zu erforschen und Romans Kopf an seinen Körper zu legen. Weitaus genug. Sie warf eine Strickleiter in den granitenen Schacht und stellte mit Verwunderung fest, daß sie erst nach sieben Metern den Boden berührte. Sie band das Ende an den Kran, schlüpfte in ihren Kittel und griff nach einer Lampe. Endlich, die Stunde der Wahrheit. Sie versuchte den Schlag ihres Herzens zu beruhigen, und langsam stieg sie hinab in Moïras und Romans Geheimnis.

# 20

Der Schacht war eng. Jeannes Kittel streifte an den steinernen Wänden entlang. Sie fühlte sich, als würde sie in die Hölle hinabsteigen. Doch die Angst war bald verflogen, und statt dessen machte sie sich klar, daß sie Sprosse um Sprosse in die Zeit zurückstieg, sozusagen im Rückwärtsgang der Geschichte. Dann berührten ihre Füße einen mit Geröll bedeckten Boden. Sie ließ die Leiter los und holte die Taschenlampe hervor.

Auf einmal wurde eine Höhle sichtbar. Eine kreisrunde natürliche Höhle, so ähnlich wie die auf dem Monte Gargano. Eine runde Aushöhlung von unregelmäßiger Höhe, zwischen einem und vier Metern etwa, deren Durchmesser aber gut zwanzig Meter betrug. Jeanne hielt den Atem an, um das Schweigen der Schatten nicht zu stören, und sie prüfte den Boden und die Wände: Spuren von Erosion. Demnach war das Gestein von einem unterirdischen Fluß ausgehöhlt worden, der inzwischen versiegt war. Nur der Zugang, durch den sie eben gekommen war, stammte von Menschenhand. Die Höhle selbst war das Werk der Natur.

Jeanne drang in den schwarzen Schlund vor und stockte, als ihr das Licht der Lampe einen verblüffenden Anblick eröffnete: In der Mitte standen zwei archaische Altäre. Zwei gleichgestaltige Altäre, die grob in Granit gehauen waren und aussahen wie Dolmen. Auf beiden verlief eine kleine Rinne, um das Blut der Opfer aufzufangen. In einer Mauernische schien im Lampenlicht eine Skulptur auf, die Statue einer Frau mit langen Haaren und in einem Kleid, die auf einem Pferd saß.

Epona! erkannte Jeanne. Eine der zahlreichen gallischen Darstellungen der Muttergöttin, der Priesterin der Fruchtbarkeit.

Epona, die Beschützerin der Pferde, jener wertvollen Tiere, die die Jagd symbolisieren, den Krieg, den Tod. Epona, die Patronin der Krieger, der Reisenden und derer, die auf dem Weg ins Jenseits sind, in die andere Welt, in die Welt der Toten... Unglaublich! Ein keltisches Heiligtum, ja, es ist ein authentisches keltisches Heiligtum. Aber dieser Ort ist nirgends beschrieben, niemand hat ihn je erwähnt, niemand kennt ihn. Ich habe soeben eine archäologische Entdeckung allerhöchsten Ranges gemacht! Bei allen Göttern, von wann kann dieser heidnische Tempel nur stammen?

Obwohl ihre Hände zitterten, nahm Jeanne mit äußerster Vorsicht die kleine Epona-Statue in die Hand.

Ihre Kenntnisse in keltischer Kunst waren zu begrenzt, als daß sie dieses Objekt genau datieren konnte, aber es schien ihr weitaus älter zu sein als mittelalterlich. Ihre historische Bildung gab ihr ein paar Eckdaten.

Die Kelten stellten ihre Götter traditionell nicht bildlich dar, überlegte sie. Erst die Römer führten die anthropomorphe Darstellung von Gottheiten ein. Also stammt diese kleine Statue aus der Zeit nach der römischen Eroberung der Gallia Comata im ersten Jahrhundert vor Christus und vor der Christianisierung im sechsten Jahrhundert. Die Höhle selbst ist sicher prähistorisch, und dieses Heiligtum kann sehr gut aus der Blütezeit der keltischen Zivilisation stammen, der La-Tène-Kultur um 450 vor Christus. Ich habe keinerlei Gewißheit – aber für die Archäologie ist das ein Wunder. Und ansonsten auch!

Jeanne war völlig gebannt von ihrer Entdeckung. Plötzlich dachte sie an Guillaume. Sie erinnerte sich, was ihr der junge Mann bei ihrer ersten Begegnung in Notre-Dame-Sous-Terre erzählt hatte. Er hatte von den Kelten und dem Gott Ogmios gesprochen, den sie auf dem Berg verehrt hatten.

Ogmios, der Gott des Krieges, der Redekunst, der Schrift, der Zauberei und der Toten, dachte sie. Dieser Psychopompos, der wie Epona und wie der heilige Michael die Seele der Verstorbenen in die andere Welt geleitet. Guillaume wußte nicht, daß Ogmios auch *unter* dem Berg verehrt wurde. Ich befinde mich bei dem heidnischen Vorfahren des christlichen Erzengels. Die Heimstatt des Ogmios sieht aus wie eine primitive Vorform von Notre-Dame-Sous-Terre: rund wie Auberts Oratorium, das die Krypta umgibt, gleichgestaltige Altäre, der Muttergottheit gewidmet, ein heidnisches Pendant zu der schwarzen Jungfrau dort oben …

Die Krypta dort oben wurde Notre-Dame-Sous-Terre genannt, und dabei verdiente diesen Namen eigentlich diese Höhle, denn dies war die älteste Stelle des Berges, der Ursprung, die Wurzel, die Quelle …

Jeanne stellte die Skulptur auf einen der beiden Altäre und trat ein paar Schritte zurück. Mit dem Fuß stieß sie gegen einen Gegenstand und machte vor Schreck einen Sprung. Sie richtete ihre Lampe auf ihre Beine und sah zu ihren Füßen ein Skelett liegen. Unwillkürlich schrie sie auf vor Grauen und vor Freude. Roman! Sie ließ den Lichtkegel über den Boden der Höhle streifen und entdeckte drei Skelette, die rund um die Altäre lagen. Nacheinander betrachtete sie die bleichen Knochen, um festzustellen, daß allen dreien der Kopf auf dem Körper saß. Keines von ihnen war Roman. Dafür trugen alle drei Fetzen von weißem Stoff und ein goldenes Kreuz vor der Brust. Jeanne richtete den Lichtkegel auf das Kreuz: ein Druidenkreuz mit vier gleich langen Enden. Die Toten mußten auf Blumen gebettet worden sein, denn sie sah Blütenstaub. Sie waren umgeben von Keramik, Schmuck und geschwungenen Waffen – die Opfergaben an die Götter.

Himmel! dachte Jeanne. Dieser Ort muß eine Kultstätte gewesen sein, die für diese drei Würdenträger in eine Grabstätte umgewandelt wurde. Bestimmt wichtige Leute aus der Kriegerkaste. So würde sich die Gegenwart Eponas erklären. Wann wurden sie in dieses geräumige Grab gelegt?

Jeanne beugte sich über eines der Skelette.

Man müßt die Überreste chemisch analysieren, per Archäometrie datieren, überlegte sie. Paul würde bei diesem Anblick der Mund offen bleiben. Struktur und Farbe der Knochen deuten auf ein Alter von mehreren Jahrhunderten hin. Wieviel genau? Das kann ich unmöglich sagen …

Da entdeckte sie bei dem dritten Skelett eine Stele, eine Granittafel mit einer Inschrift in einer unbekannten Sprache, einem unbekannten Alphabet. Was mochte dieser geheimnisvolle Grabspruch nur bedeuten? Es waren Ideogramme, eine Reihe von senkrechten, waagerechten und schrägen Strichen, die fast wie Runen aussahen.

Nein, sagte sich Jeanne, das ist Ogham! Ja, genau, die Oghamschrift, die der Gott Ogmios eigens für die Druiden erschaffen hatte! Die heilige Sprache, derer sie sich für Weissagungen und für Grabinschriften bedienten. Ja, nach dem Schriftbild ist das wirklich die Sprache des Totengottes.

Aber Jeanne konnte keltische Hieroglyphen nicht entziffern. Guillaume hätte es gekonnt.

Diese drei Krieger müssen hierher gelegt worden sein, dachte sie. Sie sind vielleicht versteckt worden, nachdem etwas Schlimmes vorgefallen ist. Hat es mit Bruder Roman zu tun? Diese Leichen sind wahrscheinlich älter, und niemand beherrschte im 11. Jahrhundert mehr die Oghamschrift. Niemand bis auf... Moïra. Ja, das ist Moïras Geheimnis, das Roman um jeden Preis hüten wollte! Natürlich, die junge Keltin wußte von dieser Höhle, die wie durch ein Wunder vor den Christen gerettet wurde. 1023 sah der ursprüngliche Bauplan der großen Abteikirche vor, die karolingische Kirche zu zerstören. Aber wenn die Kirche niedergerissen worden wäre, wäre diese Höhle entdeckt worden. Moïra, die ihrem Volk treu war, beschwor den Werkmeister, die Kirche der Kanoniker nicht anzurühren, damit dieser unterirdische Raum geschützt blieb, und deshalb veränderte Roman die Pläne von Pierre de Nevers, bevor er den Berg verließ, und hielt die wirklichen Gründe für diese architektonische Abänderung vor allen geheim. Hätte er die Wahrheit gesagt, so hätten die Benediktiner diesen heidnischen Tempel vernichtet...

Roman war Mönch, gingen ihre Gedanken weiter, und verurteilte den ketzerischen Aberglauben seiner Geliebten. Aber Moïra war gerade gestorben, und er verging vor Kummer. Daher zog er die unglaubliche Maskerade auf, von der er in seiner Handschrift berichtet, um diesen keltischen Friedhof zu retten und Moïras Gedächtnis zu heiligen. Und so wurde die obere Kirche zu der Krypta namens Notre-Dame-Sous-Terre, lichtlos wie die Grotte, über der sie liegt. 1063 ist etwas geschehen, was Roman hat zurückkommen lassen. Dieses Beinhaus muß in Gefahr gewesen sein. Jemand drohte es zu entdecken. Roman hielt sein Versprechen, das er Moïra gegeben hatte, und die keltische Nekropole blieb vor den Christen verborgen, aber er kam dabei um. Wer hat ihn enthauptet? Wo ist sein Leichnam?

Jeanne wandte sich von den drei Skeletten ab und machte sich an die Durchsuchung der Höhle. »Um in den Himmel zu gelangen, muß man in der Erde graben …« Die Erde des Berges ist der Fels. Romans Überreste waren also irgendwo in dieser Höhle, im Herzen des Berges. Festgehalten im Inneren der Steinpyramide wie eine ägyptische Mumie. Eine zweigeteilte Mumie.

Weit weg von den Altären und ihren Grabstätten traf das Licht ihrer Taschenlampe plötzlich einen weiteren menschlichen Leichnam, der gänzlich anders aussah als die drei bisherigen: Das Skelett saß mit dem Rücken an der Wand. Keine Grabbeigabe neben ihm. Kein Bestattungsritus. Schwarze Stoffasern klebten an den Knochen wie Überreste zerschlissener Gewänder. Jeanne berührte sie. Sie zerfielen zu Staub. Es waren Fragmente einer Kutte. An dem ledernen Cingulum hingen ein fast unversehrter Rosenkranz, ein kleines Messer und ein Wachstäfelchen. Ein Mönch. Ein Benediktiner. Zehn Zentimeter neben seinem Körper lag – ein Kopf. Sein Kopf!

Jeanne blieb wie versteinert stehen. Er war es. Sie wollte zu ihm sprechen, ihm alles sagen, was er ihr bedeutet hatte, diese ganze Zeit, während der er in ihr festgesessen und ihre Seele genährt hatte. Die Seele … Von diesem Augenblick an mußte Jeanne den Durst der ihren stillen, die Trennung hinnehmen und sie vollziehen. Ihre Trennung. Mit einem Handgriff mußte sie das blaue Fenster öffnen, und er würde auffliegen, um sich mit Moïra zu vereinen. Ihre beider Seelen würden in der Ewigkeit aufeinandertreffen, und Jeanne würde allein bleiben mit Romans Leichnam, mit diesem Skelett in schwarzem Ornat, nach dem sie ihr ganzes Leben gesucht hatte. Würde sie dann noch graben können, im Herzen belebt von der Suche nach anderen Gebeinen? Keine Suche mehr, kein Sinn mehr, kein Fleisch! Würde sie sich zu einem Leben ohne Mysterium durchringen müssen, das losgelöst war vom Rätsel ihrer Träume? Jeanne kniete nieder, legte die Taschenlampe ab und streichelte über den Schädel. Dann legte sie die Hand an Romans Brust. Mehrere Knochen waren gebrochen, die Rippen, der linke Ellenbogen, am Handgelenk und an den unteren Gliedern. Sie untersuchte den Nacken: keine Spur einer Enthauptung. Eindeutig – der Hals wurde nicht durchtrennt. Als die Leiche vermodert war, hatte sich der Schädel von selbst von den Wirbeln gelöst und war von dem an den Felsen gelehnten Oberkörper gefallen. Es war nicht Roman. Maßlose Enttäuschung breitete sich in Jeanne aus. Wenn »er« es nicht war, wer war es dann?

Sie entdeckte neben seiner rechten Hand einen Griffel. Das Wachstäfelchen – der Unbekannte hatte es beschrieben. Seine letzten Worte waren auf Latein. Diese tote Sprache beherrschte Jeanne in- und auswendig. Sie legte den Schädel auf dem Boden ab und richtete ihre Lampe auf die romanischen Lettern: Die Schrift war ungelenk wie die eines Kindes, die Worte standen durcheinander. Natürlich, er hatte sie in völliger Dunkelheit gezeichnet, und das mit gebrochenen Knochen. Es war das Zeugnis eines Todgeweihten. In höchster Erregung las Jeanne:

*Brewen, Moïras Bruder, hat Bruder Anthelme am Kirchturm erhängt, Bruder Romuald in der Bucht ertränkt, Eudes de Fezensac, meinen Werkmeister, verbrannt. Luft, Wasser, Feuer! Moïras Foltern vor vierzig Jahren. Die Erde, in der seine Schwester verschied, hat er mir vorbehalten: Er hat mir die Glieder gebrochen und mich in dieses ketzerische Heiligtum geworfen, dessen einzigen Ausgang unter dem Altar der Heiligen Dreifaltigkeit er mit mehreren Komplizen verbaut hat. Ich werde sterben wie sie, unter der Erde. Ich fürchte nicht diesen Tod, ich fürchte die Strafe Gottes. Möge der Erzengel bei ihm Fürsprache halten, denn ich bin ein Mörder. Ich habe die beiden einzigen Menschen getötet, die ich liebte. Ich habe Moïra getötet, und ich habe Bruder Roman getötet. Du Engel im Firmament, möge ihre Seele mit Dir im Frieden des Himmels thronen. Du Fürst des Krieges, erbarme Dich meiner Seele, die inmitten der Dämonen umherirrt.*

*Abt Almodius, am Abend des Himmelfahrtstages 1063.*

Jeanne vergaß Epona, Ogmios und die drei keltischen Skelette. Die Höhle verschwamm hinter den aufkommenden Bildern einer anderen Zeit, denen ihrer drei namenlosen Träume, die dank Almodius endlich Fleisch und Gesicht bekamen – Almodius, dessen Überreste sie vor sich hatte.

Almodius... Was für ein Mann war er? fragte sie sich. Ein anerkannter, respektierter Bibliothekar im Skriptorium. Ein Abt, dessen Tod ein Rätsel blieb – in keinem Archiv wird davon berichtet. Seine Leidenschaft für Moïra muß grenzenlos gewesen sein, daß er der jungen Keltin den Tod gebracht hat. Aber Roman, den er zu lieben behauptete... warum sollte er Roman getötet haben? Aus Eifersucht um Moïra wahrscheinlich. Aber Moïra war seit über vierzig Jahren tot. Vierzig Jahre lang verdrängte Eifersucht, zu der sich vielleicht noch andere Gefühle gesellten...

Jeanne würde die Wahrheit niemals erfahren, aber sie konnte dieses Wesen nicht verabscheuen, das vor über neunhundert Jahren in der Grotte erstickt oder seinen Verletzungen erlegen war. Obwohl Almodius die junge Keltin ausgeliefert, obwohl er Roman und Moïra auseinandergerissen und ihren geliebten Roman mit eigener Hand getötet hatte, haßte sie ihn nicht. Im Gegenteil, vor den Gebeinen dieses Abtes ergriff sie tiefes Mitgefühl. Gern hätte sie gewußt, was zwischen ihm und Roman vorgefallen war. Doch nach diesen ersten Enthüllungen schwieg der traurige Leichnam. Nein, etwas hatte er ihr noch zu sagen: Almodius' Skelett trug weder das goldene Kreuz noch den Ring, die Abzeichen der Äbte. Wo waren diese Insignien? Und vor allem: Wo war Roman?

Roman, dachte sie, du bist unschuldig an den Morden, die ich im Traum gesehen habe, aber sie haben 1063 wirklich stattgefunden, das Testament auf dem Wachstäfelchen beweist es. Du hast mir die Vision dieser Verbrechen eingegeben, die also von Moïras Bruder begangen wurden, damit ich die Umstände deines eigenen Todes erfuhr. Es war kein Schuldgeständnis, wie ich immer meinte. Der enthauptete Mönch ist kein böser Geist. Aber wo ist er? Warum hat er mich aufgefordert, hier zu graben?

Sie suchte die restliche Höhle ab, stieß aber auf keine weiteren Gebeine.

Und wenn ich mich doch getäuscht habe? fragte sie sich. Nein, das kann nicht sein. Sein Körper muß hier sein, bei dem Mann, der ihn ermordet hat. Almodius, was hast du mit deinem Opfer gemacht?

Da sah sie einen Meter neben dem Leichnam des Abts einen kleinen Haufen Kiesel. Sie hielt den Atem an, trug ihn ab und entdeckte – einen Schädel und ein goldenes christliches Kreuz, das an einer Kette hing!

Unter Notre-Dame-Sous-Terre, 3. Juni, vier Minuten nach Mitternacht. Tränen liefen aus Jeannes Augen. Sie war gewiß, daß sie ihn endlich gefunden hatte, daß sie am Ende ihres Weges stand. Sie weinte und wagte nicht, die Hand nach dem Kopf ihres geliebten Roman auszustrecken. Almodius hatte dem Schädel seines Opfers ein Grab bereitet, hatte ihn bestattet, so gut er konnte, unter einem Hügel kleiner Steine, und neben ihn hatte er sein eigenes Taufkreuz gelegt.

Almodius hat Roman enthauptet, aber er liebte ihn, dachte Jeanne. Nachdem er ihm dieses seltsame Grab bereitet hatte, betete er für ihn. Almodius versuchte nicht zu entkommen, denn es war zwecklos. Angesichts seiner gebrochenen Beine konnte er sich wahrscheinlich nicht einmal mehr aufrecht halten. Er kroch bäuchlings durch die Höhle, um sich an diese Wand zu lehnen. Dann verfaßte er sein Testament und erwartete im Gebet an die Engel den Tod...

Jeanne streichelte über Romans Kopf. Wo mochte nur sein Körper sein? Sie konnte ihn nirgends entdecken. Wieder schweifte ihr Blick umher, sie schaute in jeden Winkel der Höhle, bis sie plötzlich ein seltsames Geräusch hörte, eine Art Klappern von Holz gegen den Fels, hinter ihr, beim Schacht. Sie griff nach der Taschenlampe und ging zu dem Schacht. In diesem Augenblick merkte sie, daß die Strickleiter verschwunden war. Panik überkam sie.

»Ist dort oben jemand?« heulte sie.

Die Angst überzog ihr Gesicht und ihre Brust im Nu mit kaltem Schweiß. Niemand antwortete, aber dort oben mußte jemand ihre Leiter weggenommen haben. Sie spürte, daß jemand in Notre-Dame-Sous-Terre war. Das Gespenst? Nein, gewiß nicht. Ein Mensch? Unmöglich: das Portal, die Kette, die Barriere aus

Steinen! Unmöglich – und doch … Sie klammerte sich an den Felsen. Zu steil, keine Möglichkeit, sich festzuhalten, so daß man mit bloßen Händen daran hätte emporklettern können. Sie leuchtete mit ihrer Taschenlampe nach oben und sah ein Stück vom Deckengewölbe der Krypta.

»Hallo! Ich bin hier unten!« schrie sie wieder voller Panik. »Ich weiß, daß Sie da sind! Wer immer Sie sind, lassen Sie die Leiter wieder nach unten, ich muß hinauf!«

Schreckliches, ewiges Schweigen. Jeanne brüllte immer lauter. Sie wußte, daß es um ihr Leben ging. Sie mußte unbedingt hier heraus! Platzangst überkam sie. Sie keuchte, erstickte fast in der Tiefe des Steins, ihre Hände klammerten sich an den Felsen, sie starrte den senkrechten Gang nach oben. Plötzlich eine Stimme, die ihre Schreie nicht zu übertönen vermochte. Sie erkannte nicht die Worte, aber den Klang, dieses Timbre, diese Intonation. Sie hörte auf zu heulen. Erneutes Schweigen. Dann tauchte in dem hellen Kreis sieben Meter über ihr ein Kopf auf. Ein Kopf, der umgeben war von schwarzen Locken, mit grünen Augen, olivfarbener Haut.

»Es tut mir leid, Jeanne«, sagte Simon sanft, »aber du wirst nicht heraufkommen. Nie mehr.«

»Du! Du bist es! Aber … was tust du da? Wie bist du in die Krypta gelangt?«

»Durch das Schiff der Abteikirche. Unter den Kirchenbänken befinden sich zwei Falltüren, durch die man von oben in die Krypta gelangt, nämlich durch eine der zwei Türen auf den Emporen über den beiden Altären. Diese Durchgänge hat es immer gegeben. Alle meinen, sie wären zu, aber ich habe den Schlüssel zu dem Gitter, das unter einer der Falltüren den Zugang zum Dreifaltigkeitsaltar versperrt. Ich habe ihn immer gehabt, doch niemand hat je davon erfahren. Du hättest auch zehn Mauern errichten können, um den Eingang der Krypta zu verbarrikadieren, du hättest mich nie daran gehindert, über den Himmel nach Notre-Dame-Sous-Terre zu gelangen.«

»Aber, Simon … was hat das alles zu bedeuten? Ich … ich verstehe überhaupt nichts. Wozu brauchst du diesen Schlüssel, was tust du dort oben?«

»Jeanne, meine Jeanne… Ich habe alle Schlüssel der Abtei, auch die, die die Menschen und die Zeit vergessen haben. Denn ich bin ein Wächter. Ich bin der heimliche Wärter der Höhle, die du leider entdeckt hast. Über meinen Vater bin ich Kelte, Nachfahre eines alten angesehenen Geschlechts – und Abkömmling eines Vetters von Moïra und Brewen. Lange vor ihnen, als der Berg von den Christen erobert wurde, verbargen meine Vorfahren dieses Heiligtum und bestimmten einzelne Familien, die es vor dem Zutritt der Christen schützen sollten. Moïras Familie gehörte zu diesen Erwählten, die geboren sind, diese Stätte zu bewachen. Und Moïra hat ihren Auftrag erfüllt und es mit ihrem Leben bezahlt. Ihr Bruder hat sie gerächt und selbst verhindert, daß die Ungläubigen unsere Vergangenheit entdeckten und zerstörten. Viele andere haben seither diese heilige Fackel getragen, und noch viele andere werden sie in Zukunft tragen.«

Simons Stimme hallte an den Wänden des Schachts wider und drang mühelos zu Jeanne vor, mit seinem feierlichen, ernsten Timbre und einem leisen Echo. Eine Kirchenstimme. Eine Tonlage wie in einer biblischen Predigt. Simon, ihr Simon, der dem alten Aberglauben eines verschwundenen Volkes ergeben war. Er, der Agnostiker, der von der Realität der Dinge besessen war. Er, der Jeanne ihre romantische Ader vorgeworfen hatte, ihre unerschöpfliche Phantasie, Guillaumes Neokeltentum! Niemals hätte sie sich das träumen lassen.

»Ich weiß, was du denkst«, sagte er. »Aber ich habe diesen heiligen Auftrag, den mir mein Vater vererbte, in vollem Einverständnis mit mir selbst übernommen: Ich hüte einen wirklichen Tempel, eine wirkliche Geschichte, wirkliche Gräber. Das Heiligtum gibt es, und mich gibt es. Darin liegt keinerlei morbide Nostalgie. Ich bin der Beweis dafür, daß die Kelten leben, ich bin die Verkörperung einer lebendigen Vergangenheit und damit auch einer Gegenwart und einer Zukunft!«

Jeanne war von Simons Worten ebenso erschüttert wie fasziniert. Roman wußte, daß Moïra die Wächterin des Heiligtums war, überlegte sie. Vor beinahe tausend Jahren hat sie Roman das gleiche Geständnis gemacht wie Simon mir heute. Dann ist sie als Gefangene in ihrem Erdloch gestorben, während Roman dort stand, wo Simon jetzt steht – am Rand der Grube, in der die Gefangene verreckt, und unfähig, sie zu erlösen. Heute abend bin ich die Gefangene der Erde, und ich bin Simon ausgeliefert. Simon war die Verbindung zu Moïra, und ich habe nichts geahnt. Ihn zum Sprechen bringen – ja, ich muß ihn zum Sprechen bringen. Ich muß alles begreifen, er muß alle Rätsel enthüllen!

»Simon, wer sind diese drei Leichen, für die so viel Blut vergossen wurde?« fragte sie. »Krieger?«

»Nein, Jeanne, diese drei Leichen sind das Fleisch der Geschichte. Druiden, die drei Olams, das Zeugnis dafür, daß die keltische Legende kein Märchen ist. Ich bin der Verwahrer dieser Geschichte, aber ich will sie gern mit dir teilen.«

Es folgte Schweigen, das sie nicht zu brechen wagte. Schweigen, das er genoß wie seinen Sieg.

»Im sechsten Jahrhundert«, beginnt er, »als die Christen mit dem gallischen Mönch Samson an ihrer Spitze die Gegend gewaltsam missionierten, war der Berg, der damals Mont Tombe hieß, eine Kultstätte für unsere Götter und ein Zugang in den Sid, die Welt der Unsterblichen. Ein großer Dolmen stand auf seinem Gipfel, aber darunter lag seit Jahrtausenden diese unterirdische Höhle, die den Druiden als geheimes Heiligtum diente. Hier bereiteten sie unter der Ägide von Ogmios und Epona die Riten der Überfahrt in die andere Welt vor. Im Jahr 550 wurde der Tempel oben geplündert, zerstört, und drei Olams, die dort dienten, drei Druiden vom höchsten Rang, wurden gefangengenommen. Die Christen verhörten sie, wollten sie bekehren, doch sie weigerten sich abzuschwören, wie Moïra. Alle drei wurden öffentlich hingerichtet, ihre Leichen hängengelassen, um ein Exempel zu statuieren.

Doch in der dritten Nacht verschwanden ihre Leichen wie durch einen Zauber vom Galgen. Am nächsten Morgen fand man die drei Stricke unversehrt, ohne jede Spur eines Schnitts, leer an den Balken hängen. Die Christen suchten sie überall, doch sie fanden sie nie. Die Leute erzählten, daß die Leichen der drei Olams von unseren Göttern geraubt worden seien und daß diese Götter sie auf den Mont Tombe geschafft hätten, damit sie in den Sid gelangten und als Helden in die Unsterblichkeit eingingen. Diese Sage heißt hier ›Legende von den geraubten Olams‹.«

»Das also sagt die Legende.« Jeanne starrte Simon an.

»Die Legende von den geraubten Olams ist heute vergessen, weil sie nie niedergeschrieben wurde, aber so lautete sie. Und sie ist wahr – bis auf ein Detail. Nicht die Götter haben die sterblichen Überreste der drei Olams gestohlen, sondern ihre Familien, darunter die von Moïra und Brewen, die meine. Die Leichen wurden von den Söhnen der Olams geraubt, die selbst Druiden waren wie ihre Väter und die Väter ihrer Väter seit Anbeginn der Welt – doch wegen der Christianisierung sollten es ihre Söhne nicht mehr sein! Das letzte Kettenglied im Licht, bevor unsere Geschichte im Untergrund fortlebte! Um die Seelen ihrer Väter, der letzten Väter, zu retten und die ewige Legende zu zeugen, die sie für immer tragen sollte, holten sie die Leichen vom Galgen, ohne die Stricke zu durchtrennen. Dann brachten sie die Toten in aller Heimlichkeit auf den Mont Tombe. Sie legten sie in die geheime Höhle und hielten die Bestattungsfeier ab, um des Seelenfriedens der Toten willen und vor allem, damit sie in den Sid gelangten. Dann schufen sie die Öffnung des Zugangs zur Höhle, diesen Schacht, in dem du stehst. Sie versperrten den Eingang und gelobten, die Existenz dieser unterirdischen Grabstätten niemals preiszugeben. Keine Väter mehr, kein Stamm mehr für die Bäume, aber heimliche Wurzeln.

Kurz darauf wurden diese Druiden selbst von den Christen ermordet wie alle Mitglieder der keltischen Priesterkaste. Nur die drei Familien der geraubten Olams hüteten das Geheimnis des Heiligtums und des mysteriösen Begräbnisses. Und sie gaben es, wie alle Geheimnisse der Druiden, von Generation zu Generation weiter. Auf dem Mont Tombe wurde ein Oratorium für den heiligen Stephanus errichtet, dann eines für den heiligen Symphorianus, und harmlose Eremiten lebten hier. Als 708 Aubert kam und genau an der Stelle des eingeebneten Megaliths sein Michaelsheiligtum errichtete, waren meine Vorfahren sehr in Sorge. Aber die erwies sich als unbegründet, denn die Kanoniker entstammten dem keltischen Volk. Sie waren gute Christen, aber sie gedachten des Ursprungs ihres Blutes. Sie respektierten die alten

Sitten und lebten unter uns. Sie kannten die Legende von den drei Olams, sie wußten, daß der Mont Tombe für die keltischen Seelen ein Durchlaß ist. Und sie akzeptierten, daß die Erde des Berges für Kelten ebenso heilig ist wie für Christen, daß der Berg geheime Mächte birgt und daß man ihn schützen mußte.

Mit ihnen kam die Legende von den nächtlichen Erscheinungen an den heiligen Stätten auf und das Verbot, sie zwischen Komplet und Vigil zu betreten, und dieses Verbot gilt bis zum heutigen Tag. Im zehnten Jahrhundert errichteten sie an der Stelle, an der Auberts Andachtsstätte stand, die karolingische Kirche mit diesem doppelten Chor und den gleichgestaltigen Altären, wie die keltischen Tempel sie aufwiesen. Und noch ein Wink der Geschichte: Auf den Schacht, den Zugang zur Höhle und dem keltischen Heiligtum, stellten sie den Altar, der der heiligen Dreifaltigkeit geweiht wurde – dem Vater, dem Sohn und dem Heiligen Geist!

Mit der Ankunft der Benediktiner 966 wurde alles anders. Diese Mönche lebten im Himmel, nur unter ihresgleichen, ohne Körper, beseelt allein vom heiligen Geist. Sie mißtrauten dem Volk, sahen aus wie ›schwarze Druiden‹ und waren genauso gebildet wie Olams. Aber sie hörten nicht auf die keltischen Legenden. Statt dessen hatten sie es darauf abgesehen, unsere Geschichte zu zerstören, denn sie bauten an ihrer eigenen Legende. Als der Bau der großen Abteikirche geplant wurde und Moïra erfuhr, daß die Kirche der Kanoniker eingerissen werden sollte, überzeugte sie den Werkmeister, deinen berühmten Bruder Roman, nicht in der Erde zu graben und das Bauwerk nicht abzureißen. Ohne Gewalt, mit der Überzeugungskraft der Liebe, erfüllte sie den Auftrag, den ihr Vater ihr vor seinem Tode erteilt hatte: das Heiligtum der drei Olams zu behüten und zu verhindern, daß die Christen es entdeckten und zerstörten. Später dienten die weiteren Wächter der gleichen Pflicht, aber sie mußten eine andere Waffe einsetzen: Gewalt und Abschreckung!«

»Jetzt ist mir alles klar: Deine Vorfahren waren es, die im Lauf der Zeit alle die getötet haben, die in Notre-Dame-Sous-Terre gruben: die drei Brüder und den Prior von Dom Larose im 18. Jahrhundert, den Ritter im Hundertjährigen Krieg im 15. Jahrhundert, Bruder Ambroise im 12. Jahrhundert und so viele andere! Das bedeutet auch, daß du, Simon, der du dieser Familie von Mördern angehörst, der Mörder von Jacques und Dimitri bist!«

Simon blieb einen Moment lang stumm. Kalt starrte er hinunter auf Jeanne. Auf diese Entfernung konnte sie die Veränderung in seinem Blick nicht erkennen, aber sie hörte seine verwandelte Stimme.

»Ich dachte, du würdest verstehen, aber du begreifst überhaupt nichts, wenn du meine Familie als Mörder beschimpfst!« stieß er schließlich hervor. »Seit fünfzehn Jahrhunderten, eintausendfünfhundert Jahren, sind wir die Bewahrer unserer Wurzeln! Wir weigern uns, unsere Vergangenheit den Historikern auszuliefern, den Politikern oder den Archäologen. Wir bewahren unsere Freiheit und unser Gedächtnis, ohne jede dogmatische Ideologie, ohne unerreichbare Utopie, ohne blutige Revolutionen. Wir sehen uns manchmal gezwungen zu töten, aber nur, um zu verhindern, daß wir selbst getötet werden. Hätten die Benediktiner die Grotte entdeckt, hätten sie sie aus ihrem Glauben heraus vernichtet – aber würden die Leute von heute sie finden, würden sie sie aus mangelndem Glauben zu einem Museum machen! Das Heiligtum würde Massen von Touristen ausgesetzt sein wie der Rest der Abtei und seiner Seele beraubt und für das Volk, dem es gehört, unbrauchbar werden! Es stimmt, ich habe unsere Seele vor der Verderbnis bewahrt, indem ich alles getan habe, was ich konnte, um diese Ausgrabung zu stoppen, und nach mir wird ein Mitglied meiner Familie, das ich eingeweiht habe, unser Jahrtausende altes Werk fortsetzen, das von Generation zu Generation weitergereicht wird!«

Ein Verrückter. Und dabei wußte Jeanne, daß er nicht vollkommen unrecht hatte: Die Höhle der drei Olams wäre von den Mönchen und den Atheisten aus unterschiedlichen Gründen entweiht worden, hätten sie von ihrer Existenz gewußt. Aber dieser Mensch, den sie geliebt hatte, den sie im Grunde noch immer zu lieben meinte, dieser Mann, der sie mit solchem Begehren berührt hatte, war der Mörder von Jacques und Dimitri.

Ein plötzlicher Brechreiz verknotete ihr den Magen. Seine weichen Hände, sein Mund, sein Geruch, seine Haut... Das zerfetzte Gesicht von Jacques, der aufgedunsene Körper von Dimitri, das Geheul von Guillaume, der an Simons Stelle im Irrenhaus eingesperrt war … Jeanne schaffte es gerade noch, sich vorzubeugen, denn die Übelkeit war stärker als sie. Dann riß sie sich wieder zusammen. Nicht aufhören nachzudenken. Simon war gefährlich, Simon war ein Mörder, Simon war verrückt. Nur ruhig Blut bewahren. Ihn zum Sprechen bringen, ihn weiterhin zum Sprechen bringen. Um seine Logik zu begreifen – Verrückte gehorchten ihrer eigenen Logik, hatte Bontemps gesagt –, ihn mit Worten zu verführen, so daß er ihr die Strickleiter herunterwarf.

»Wie hast du es angestellt, ich meine mit Jacques und Dimitri?« Schon im Gedanken an die Antwort war ihr schlecht.

»Ich wollte es nicht so weit treiben, aber du hast mir keine Wahl gelassen: Ich habe alles versucht, um dich von der Ausgrabung in der Krypta abzubringen, aber meine Worte hatten überhaupt keine Wirkung auf dich! Du erinnerst dich, an dem Abend, an dem du … mich verlassen hast. Du warst so von Romans Brief fasziniert, von dem englischen Heft und deinen Geistergeschichten … Ich mußte dich in die Wirklichkeit zurückholen, mit Gewalt, denn mit Worten ging es nicht. Daraufhin wolltest du mich nicht mehr sehen, nichts mehr von mir hören, und ich war verzweifelt und sah mich zu einer Tat gezwungen, die mich anwiderte. Aber du würdest die Botschaft verstehen, das glaubte ich zumindest. Alle meinten, ich wäre in Saint-Malo, aber ich überwachte euch von Anfang an. Ich habe sogar deinen Wohnungsschlüssel nachmachen lassen …«

»Aha, den hattest du also auch. Ein echter Kerkermeister. Du hast von Anfang an alles bedacht, alles geplant, sogar unser … Verhältnis! Geschickt war das!« Sie war verbittert und angeekelt.

»Nein! Schon wieder verstehst du überhaupt nichts«, antwortet er traurig. »Es stimmt nicht. Am Anfang wollte ich mich mit dir anfreunden, das war alles, aber als ich dich zum erstenmal gesehen habe, war ich … Na, darum geht es jetzt nicht. Jedenfalls hatte ich dich verloren und war verrückt vor Schmerz darüber. Ich träumte jede Nacht und jeden Tag von dir. Ob ich schlief oder wach war, du warst da, überall, wie ein ewiges Phantom, in allen Zimmern. Es war nicht auszuhalten, ich konnte nicht mehr! Dir war mein Leiden völlig egal, du dachtest bloß noch an deinen kopflosen Mönch und daran, in der Krypta zu graben, zusammen mit diesem Idioten, diesem Möchtegern, diesem Guillaume Kelenn. Wenn ich euch freie Hand gelassen hätte, hättet ihr womöglich das Geheimnis meines Volkes entdeckt.

An diesem besagten Abend irrte ich durch die Straßen, in der Hoffnung, dir zu begegnen, und dann hätte ich dich angefleht, zu mir zurückzukommen. Ich war entschlossen, mich dir zu Füßen zu werfen, dir alles zu gestehen – alles! – und dir sogar von der Höhle zu erzählen. Aber statt dessen kam mir Jacques Lucas entgegen. Er kam aus einer Kneipe, war stockbesoffen. Ich begriff, daß mir der Geist des Berges ein bedeutsames Zeichen gesendet hatte: Anders als Moïra bei Roman mußte ich aufhören, dich durch die Liebe an mich binden zu wollen. Es ging leicht, schnell und sauber. Ich sprach Jacques an, holte meinen Flachmann mit Whisky heraus, schlug ihm vor, da oben einen zu heben, und behauptete, ich würde so gern eure bisherige Ausgrabung von ihm gezeigt bekommen – meine Faszination für die alten Steine, Skelette, mein Beruf und so weiter … Wir stiegen hinauf. Ich gab ihm noch etwas zu trinken, nahm meine Flasche wieder an mich. Wir redeten, über dich übrigens, und er zeigte mir die Ausgrabung an der alten Martinskapelle, und ich zeigte ihm vom Lastenaufzug aus den Sternenhimmel. Er beugte sich hinaus, ich mußte ihn nur ganz leicht stoßen – ich bin überzeugt, daß er auch gefallen wäre, wenn ich gar nicht eingegriffen hätte! Mir war klar, daß alle es als Unfall ansehen würden, aber ich wußte, daß du dir nichts vormachen lassen würdest. Er war durch die Luft zu Tode gefallen – unweigerlich würdest du an deinen ersten Traum denken, den in der Luft baumelnden Gehängten, und an Moïras erste Folter. Ich dachte, du würdest die Warnung verstehen, aber du hast mit der Ausgrabung weitergemacht.«

Wieder die Übelkeit. Nein, nicht einknicken, stark sein. Leicht, schnell und sauber – wie furchtbar! Armer Jacques …

»Und Dimitri? Bei ihm muß es ja komplizierter gewesen sein und nicht so ohne Umschweife vonstatten gegangen sein!« höhnte sie.

»Nun ja, Jacques' Ermordung hatte nichts gebracht. Es sah zu sehr wie ein Unfall aus. Ich brauchte einen ganz offensichtlichen Mord, um deine Schergen zu verängstigen, damit sie von der Ausgrabung abließen, denn du warst für alles taub. Ich hatte einen Fehler begangen, indem ich mich allein an dich gewandt hatte, also mußte ich dein Team terrorisieren, so wie Brewen die Mönche in Angst und Schrecken versetzt hatte. Und ich mußte natürlich das Wasser einsetzen, damit du den verborgenen Sinn meiner Tat begreifst.

Brard ist einer meiner treuen Kunden, das weißt du. Er kam am 8. Mai in meinen Laden. Er war am Tag davor mit Dimitri von Jacques' Beerdigung heimgekommen. Von ihm erfuhr ich zufällig, daß der Kleine allein im Haus war. Ich konnte mir denken, daß du weit weg warst, daß du wieder mit deinem Widerling von verheiratetem Familienvater zusammen warst. Die Eifersucht zerfraß mich, aber nie hätte ich dir etwas angetan – zumal sich mir die Gelegenheit für einen großartigen Coup bot. Ich überließ den Laden meinem Mitarbeiter und fuhr auf den Berg, um Dimitri zu beschatten.

Ich wartete auf den geeigneten Augenblick, und am Samstag abend bot er ihn mir. Ich wollte ihn eigentlich in der Bucht ertränken, damit du an Moïras Folter im Wasser und an deinen zweiten Traum erinnert wurdest, aber er setzte keinen Fuß aus dem Haus. Als ich sah, wie er das Fenster deines Badezimmers öffnete, zögerte ich keinen Augenblick. Außerdem würdest dann du ihn finden, und diesmal würdest du ja wohl begreifen! Ich kam in aller Ruhe durch die Tür herein. Ich hatte alles geplant: Handschuhe, Gummisohlen und natürlich schwarze Klamotten. Er plätscherte in der Wanne und war sehr überrascht. Er hatte mich noch nie gesehen, schließlich hast du mich ja immer versteckt. Ich hätte nicht gedacht, daß sich dieser Mickerling so heftig wehren würde …

Nachher kletterte ich durch das Fenster und ließ es offen stehen, damit es so aussah, als wäre ich auch so hereingekommen. Ich hatte nicht eingeplant, daß sich dieser andere Blödmann in die Sache einmischen würde. Ich war stinksauer! Glücklicherweise war er so ungeschickt und die Technik unserer guten Kriminalpolizei so wissenschaftlich ausgereift, daß man schon bald nicht mehr an einen Selbstmord glaubte, und so geschah, was ich erhofft hatte. Die Überlebenden überkam die Panik, die Ausgrabung war von der Einstellung bedroht …«

»Und um ganz sicher zu sein, daß du dein Ziel erreichen würdest«, ergänzte Jeanne, »hast du den Drohbrief geschrieben und dafür Romans Schrift nachgeahmt. So hast du es schließlich geschafft, die Ausgrabung stoppen zu lassen!«

»Oh nein, der Brief stammt nicht von mir!« protestierte er. »Aber ich glaube zu wissen, wer ihn verfaßt hat …«

»Christian Brard, vermute ich.«

»Ja«, bestätigte Simon. »Der Ärmste war noch verschreckter als deine Archäologen. Als ich zu ihm kam, um ihm für seine Sammlung das Logbuch eines deutschen Kriegsschiffs aus dem Ersten Weltkrieg zu zeigen, sah er nicht mehr aus wie ein Mensch. In meiner Gegenwart entspannte er sich aber schließlich ein bißchen. Er gestand mir, daß er angesichts der Beschuldigungen gegen deinen Kelenn völlig durcheinander war – und wegen deiner unglaublichen Starrköpfigkeit, die Ausgrabung um jeden Preis fortzuführen. Er hatte Angst um sich selbst und um die Krypta, die du ohne Skrupel in Einzelteile zerlegt hast. Er hörte nicht auf zu jammern, er suchte nach einer Möglichkeit – die harmlos, aber wirksam sein sollte –, Notre-Dame-Sous-Terre vor deinem ›Zerstörungswahn‹, wie er es ausdrückte, zu bewahren. Er mißtraute den Honoratioren im Ministerium, die er angesichts deiner … deiner ›Beziehung‹ nicht so leicht herumkriegen würde. Aus Spaß schlug ich ihm vor, er könnte es anstellen wie manchmal im Krimi: innerhalb deines Teams einen weiteren Mord begehen, um Kelenns Unschuld zu beweisen und die Ausgrabung stoppen zu lassen. Er fand das natürlich nicht witzig, aber ich bezweckte auch etwas ganz anderes und erreichte es auch: In ihm keimte die Idee, unter den Archäologen einen weiteren Mord anzudrohen, eine Einschüchterung, die endlich die Einstellung der Ausgrabung zur Folge haben würde. Und es funktionierte. Bei allen bis auf dich. Denn bei dir ist es leider mit der offiziellen Einstellung der Ausgrabung nicht getan. Du machtest allein weiter. Du bist unglaublich, weißt du? Du läßt die Menschen im Stich, aber niemals die Steine.«

Jeanne erschauerte im Schoß des Felsens. Sie zitterte vor Kälte und vor Grauen. Wie sollte sie Simon zur Vernunft bringen? Die Vergangenheit, ja, er sollte über die Vergangenheit erzählen. Die würde ihr vielleicht Argumente bieten, die sie gegen Simon einsetzen konnte.

»Simon«, sagte sie sanft, »erklär mir, warum Brewen 1063 bei seinen vier Morden die vier Elemente eingesetzt hat. Doch wohl nicht nur, um den Tod seiner Schwester zu rächen?«

»Nein, natürlich nicht! Du hast recht, das muß ich dir auch noch erzählen. Du mußt alles wissen, bis ins letzte. In Wahrheit hat Brewen nämlich nur dreimal getötet, nicht viermal. Vierzig Jahre zuvor, im Jahr 1023, war er bei Moïras Folter und Tod dabeigewesen, nachdem Bruder Almodius sie dem Bischof und dem Fürsten ausgeliefert hatte. Dann, im Jahre 1063, handelte Brewen, der damals der Hüter des Tempels war, die kriegerische Hand des geheiligten Geistes, der Wächter unserer Toten, der Ruhm unseres Volkes.

Doch der erste Tote war kein Mord. In deinem ersten Traum, dem von dem Mönch, der am Kirchturm hing, sahst du einen Selbstmörder. Doch der Selbstmord Bruder Anthelmes war ein göttliches Zeichen an Brewen, das ihm den Weg wies: Als er sah, wie der Benediktiner im Wind baumelte, dachte er an Moïras erste Folter und wußte, welches Vorgehen Ogmios für ihn ausersehen hatte: Er sollte mit den Elementen der Natur die einstigen Richter töten, im Gedächtnis an seine Schwester, um sie zu rächen, um in der Abtei Furcht und Panik zu säen und um die Arbeiten in der Krypta zum Stillstand zu bringen. Und so setzte er mit dem Wasser dem Leben eines Verbrechers ein Ende: Bruder Romuald – dein zweiter Traum … Dann hatte er keine Wahl mehr, denn der Werkmeister der großen Abteikirche, Eudes de Fezensac, hatte eben den Eingang zum Heiligtum entdeckt. Brewen schüttete ein Schlafpulver, das er aus Pflanzen hergestellt hatte, in seinen Wein und steckte seine Holzhütte in Brand. Das Feuer – dein letzter Traum!

Brewen wollte sodann mit Hilfe der Clanmitglieder, darunter einer seiner Vettern, mein direkter Vorfahre, den Eingang zum Tunnel wieder verschließen und den Dreifaltigkeitsaltar darauf zurückstellen, als ihr Späher sie warnte, weil jemand kam. Sie flohen, aber Brewen und seine Getreuen kamen heimlich durch den oberen Durchgang zurück, den auch ich benutzt habe, und beobachteten, was in der Krypta vor sich ging. Sie wurden Zeuge einer heftigen Auseinandersetzung zwischen Abt Almodius und deinem Roman, in deren Verlauf Almodius zugab, daß er Moïra vergiftet hatte.

Roman schäumte vor Wut, er wollte unser Heiligtum verteidigen, aber er zeigte dabei nur, wie schwach er war. Schließlich spießte Almodius ihn auf dem Schwert des heiligen Michael auf und enthauptete ihn, um dann seinen Kopf in den Schacht zu werfen. Anschließend stieg der Abt hinunter, um die Höhle zu erforschen. Damit hatte er sein Todesurteil unterzeichnet. Als er wieder heraufkam, erwarteten ihn Brewen und seine Familie…«

Jeanne verschlug es die Sprache. Simon kannte Romans ganze Geschichte, er wußte, wer ihn umgebracht hatte, er wußte, daß er hier ruhte!

»In den folgenden Jahrhunderten«, fuhr Simon fort, »machten die Wächter es im Gedenken an Moïra und Brewen zur Tradition, die Schänder durch die vier Elemente zu bestrafen. Einmal, vor nicht allzu langer Zeit, brauchten sie allerdings nicht zu töten. Damals war der Hüter unseres Heiligtums mein Vater. Er war damals sehr jung und hat mir diese Geschichte oft erzählt. Froidevaux restaurierte die Krypta – das war 1960 –, und er fand den Eingang zur Höhle, als er die Stelle untersuchte, an der der alte Dreifaltigkeitsaltar gestanden hatte. Aber Froidevaux glaubte an Gott und den Teufel, er liebte Notre-Dame-Sous-Terre aus tiefstem Herzen, und er kannte alle Legenden über den Berg und respektierte sie. Er begriff sofort, daß sich an diesem Ort, an dieser Stelle ein gefährliches Geheimnis verbarg. Er erschrak sehr – es war ein heiliger Schrecken, den der Geist des Felsens in ihm weckte, und er hörte auf den Geist des Felsens. Er rührte die Steine in dem Schacht nicht an, sondern baute diese beiden soliden Altäre und sagte nie irgendwem weiter, was er gesehen hatte. Friede seiner Seele – dieser Mann war ein Heiliger, sein Glaube war glühend, und die Götter haben sich an ihn gewandt. Leider bist du nicht wie er – du bist zu neugierig, und du hast mich gezwungen, Blut zu vergießen!«

»Simon, lieber Simon!« Jeanne brach in Tränen aus, ihre Nerven waren bis zum Reißen gespannt. »Warum hast du mir das nicht alles erzählt – vorher? Warum hast du mir nicht vertraut, ich … ich hätte aufgehört, wenn du mich darum gebeten hättest. Ich hätte auf dich gehört.«

»Meinst du, ich wäre verrückt?« schrie er. »Du und auf mich hören? Kein einziges Mal hast du auf meine Warnungen gehört! Du hattest es dir in den Kopf gesetzt, nach dem einzigen zu suchen, was für dich von Wert war: dem alten Knochenhaufen deines Roman, und wenn ich dir die Wahrheit gesagt hätte, hättest du nur um so verbitterter weitergemacht! Ich habe dir wieder und immer wieder gesagt, daß ich dich liebe, und es war die Wahrheit, aber du hast nur auf die Worte in der Handschrift und die eines Greisen im Hospiz gehört, der dir etwas von einem verschwunden Heft vorgaukelte. Du hast die toten Worte dem Leben vorgezogen, das ich dir bot. Du bist wie Roman, der Moïra um seiner Hirngespinste willen zurückwies. Du wolltest nichts begreifen!«

Jeanne hielt sich die Ohren zu. Ich bin in Gefahr, dachte sie. Roman, hilf mir! Ich flehe dich an, hilf mir!

»Du … du hast recht, Simon«, stotterte sie. »Ich war blind … Ich habe die Macht deiner Liebe nicht begriffen, denn ich war besessen von meinem Auftrag. Ich mußte, bevor ich mich dir überlassen konnte, Romans Seele befreien, die in den Mauern der Krypta gefangen ist. Der Erzengel hat mir diese Aufgabe als Kind erteilt, und wie du gehorche ich Ogmios und den Geistern des Berges. Ich habe dem Anführer der himmlischen Heerscharen gehorcht, der die Seelen der Verstorbenen in die andere Welt bringt. Verstehst du? Du bist der einzige, der das begreifen kann, und deswegen habe ich dich instinktiv wiedererkannt, habe dich geliebt – und dich verlassen, um diesen Auftrag zu erfüllen! Wir gehören zum selben Geschlecht, wie entstammen einer fabelhaften Vergangenheit und sind berufen, diese Vergangenheit zu bewahren.

Ich habe meine Aufgabe beinahe vollendet, Simon, ich habe

seinen Schädel gefunden. Laß mich auch seinen Körper finden und ihn mit seinem Kopf vereinen, damit der Erzengel ihn erlöst. Laß ihn Moïras Seele treffen. Sie sind einander seit so langer Zeit versprochen und konnten ihre Liebe nie ausleben …«

»Meine arme Jeanne«, antwortete er seufzend. »Von Anfang an war deine Suche vergeblich. Natürlich hätte ich dir sonst geholfen, mit allem, was in meinen Kräften stand! Aber dieses Gespenst ist ein böser Geist, ein Lügner, ein Entsandter aus dem Reich der Schatten. Erinnere dich, ich habe es dir bereits gesagt. Niemals wirst du seinen Kopf mit seinem Körper vereinen. Du läufst einem Hirngespinst nach. Nachdem Brewen Almodius die Knochen gebrochen hatte, hatte er einen genialen Einfall, wie er die Mönche daran hindern konnte, nach ihrem Abt zu suchen und den Eingang zu dem Heiligtum zu entdecken, das die Kelten gerade wieder verschließen wollten.

Er riß dem Abt den Umhang, das Kreuz und den Ring ab, bevor er ihn in die Höhle stürzte. Während sich seine Männer daran machten, den Gang zu versperren, legte Brewen das Kreuz um Romans Hals, dessen kopfloser Körper in der Krypta lag, steckte ihm den Ring an den Finger und legte den Umhang auf seinen Rücken. Neben dem verstümmelten Körper ließ er gut sichtbar das lange Schwert des Erzengels liegen, mit dem Almodius seinem Feind den Kopf abgeschlagen hatte. Almodius und Roman waren beide Greise, sie trugen beide Benediktinerkutten, waren von gleichem Körperbau …«

Jeannes Blick hellte sich auf. »Das heißt, als die Mönche Notre-Dame-Sous-Terre betraten, meinten sie, der kopflose Körper sei der ihres Abts und er sei … vom heiligen Michael getötet worden?«

»Ich weiß nicht recht, ob vom Erzengel selbst, aber von einer übernatürlichen Macht ganz bestimmt, denn Almodius hatte zwei Gebote mißachtet: erstens Auberts Gelübde, daß die alte Kirche der Kanoniker nach ihrem Umbau zur Krypta nicht mehr durch neue Bauarbeiten verschandelt werden sollte, und zweitens das Verbot, die heilige Stätte zu betreten, wenn sie den Engeln und den Dämonen gehörte, also zwischen Komplet und Vigil. Ein paar Mönche hatten schon die drei bisherigen Todesfälle dem

Zorn des heiligen Michael zugeschrieben, der angeblich wütend war, weil in Notre-Dame-Sous-Terre gegraben wurde.

Das ganze Kloster war in Angst und Schrecken, doch die ganze Sache wurde totgeschwiegen: Die Mönche bestatteten die vier Leichen – darunter auch die, die sie für die ihres Abtes hielten –, brachen sofort die Ausgrabung in der Krypta ab und beeilten sich, einen neuen Abt zu wählen, Ranulphe de Bayeux, der den Bau der romanischen Abteikirche vollendete.«

»Aber dann … Romans Kopf ist ja da, und sein Körper ist – in Almodius' Grab!«

»Sein Körper ist nirgends, Jeanne!«, erklärte ihr Simon. »Sein Körper ist wie das berühmte Heft von Dom Larose verloren, zu Staub zerfallen, zerstört, ein für allemal ausgelöscht!«

»Das Heft von Dom Larose ist nicht zerstört, es ist nur irgendwo gut versteckt«, entgegnete sie und biß sich sogleich auf die Lippen.

Sei still, Jeanne! dachte sie. Er bringt es fertig, Guillaume zu foltern, um an dieses Heft zu kommen!

»Glaub an deine Einbildungen, wenn du willst, aber vergiß nicht deinen Beruf!« schimpfte er. »Du weißt genau, daß auf dem Berg wie überall sonst in Frankreich alle Gräber der Äbte, alle Friedhöfe und Beinhäuser während der Revolution geplündert und verwüstet wurden! Sei doch vernünftig, ein einziges Mal: Es gibt auf dem Mont Tombe kein unversehrtes Grab mehr, bis auf das der drei Olams. Das weißt du, du hast doch auf dem Friedhof und in der alten Martinskapelle gegraben und nur ein paar Brocken Stein und namenlose Knochen gefunden! Für die Touristen hat der Denkmalschutz die Grabplatten von Abt Robert de Thorigny und Martin de Furmende wieder an ihrem ursprünglichen Platz angebracht, aber du weißt so gut wie ich, daß diese Grüfte leer sind, völlig leer! Ich habe recht, gib es zu: Almodius' Grab gibt es nicht mehr, Romans Körper ist seit über zweihundert Jahren nur noch Staub, und selbst wenn es Romans Geist je gegeben hat, er ist seit der Revolution niemandem mehr erschienen! Sein Grab wurde damals zerstört, Jeanne, wie alle christlichen Gräber.

Der, den du im Traum gesehen hast, ist ein böser Geist, ein

Betrüger, der dich getäuscht hat, der sich in deine Träume geschlichen hat, um deine Seele zu verderben! Und das ist ihm gelungen! Du hast denselben Fehler begangen wie Roman, der Moïras Liebe im Namen seiner christlichen Religion zu lange zurückwies. Doch Roman hatte zumindest ein Ideal, einen aufrichtigen Glauben, auch wenn ich ihn nicht teile. Du aber bist schlimmer als er: Du hast mich zurückgestoßen, um einer makabren, krankhaften Obsession nachzugehen, einer Psychose, die zwei Menschen in den Tod gestürzt hat und jetzt zu deinem eigenen Verderben wird!«

Unten im Loch brach Jeanne zusammen. Sie spürte, wie die Müdigkeit der letzten Tagen sie niederdrückte in den steinernen Boden.

»Simon, ich beschwöre dich«, brachte sie mit schwacher Stimme hervor, »hol mich hier raus. Du kannst mich nicht hierlassen, du liebst mich doch! Bitte, hab Mitleid! Hilf mir, ich kann nicht mehr ...«

»Ach, Jeanne«, raunte er mit zitternder Stimme, »ich liebe dich, ja, aber es ist zu spät! Du hast alles verdorben. Du wolltest mich nicht haben, als alles noch möglich war, und heute abend ... ist alles aus! Du hast es dir selbst zuzuschreiben, meine Liebe. Du hättest auf mich hören sollen. Aber du wolltest ins Grab der Vergangenheit eindringen, doch man geht nicht einfach ungestraft in der Zeit zurück. Erinnere dich an die ›Geistermesse‹ und an den Kaplan, der verdammt wurde, in die Welt der Toten einzutreten, weil er ihr zu nahe gekommen war. Du stehst auf der Rückseite des Spiegels, Jeanne, ich kann nichts mehr für dich tun ...«

»Simon, hör auf mit deinen Legenden und deinem mittelalterlichen Gefasel!« schrie sie plötzlich, denn sie wußte, daß dies ihre letzte Chance war. »Wir sind hier nicht in einer mittelalterlichen Sage, sondern im 21. Jahrhundert! Dies ist die Wirklichkeit, und du wirst mich nicht symbolisch töten, sondern wirklich! Ich liebe dich, Simon – also rette mich! Ich werde niemandem etwas sagen! Ich werde schweigen, ich schwöre es dir! Und wir werden weit weggehen, um uns im hellen Tageslicht zu lieben!«

Oben schluchzte Simon, sein Gesicht war verzerrt, und sein Mund stieß lautlose Schreie aus.

»Nein, nein!« brüllte er dann. »Das Heiligtum des Ogmios ist den Druiden vorbehalten, den Olams! Es darf nicht von Menschen entweiht werden! Seit eintausendfünfhundert Jahren gelang es nur Almodius, dort einzudringen, und deshalb hat Brewen ihn hineingeworfen, damit er dort verreckte! Das Grab der Hohepriester muß unbefleckt bleiben, und wer immer es schändet, muß darin sterben, Jeanne! Selbst ich bin niemals hinabgestiegen, auch Moïra nicht – niemand, hörst du, niemand! Jeanne, wenn ich könnte... aber damit würde ich dem Glauben meiner Vorfahren abschwören, meine Wurzeln abtöten, Moïras Folterqualen wären umsonst gewesen, die Opfer, die die Hüter erbracht haben! Ich würde meinen Vater leugnen, meine Familie, ja, mich selbst leugnen!«

»Du bist feige, Simon, und ein Fanatiker! Es ist so viel einfacher, in eine tote Vergangenheit zu fliehen, als das Risiko einzugehen, eine unbekannte, lebendige Zukunft zu zeugen. Dein Gedächtnis erstickt dich, trocknet dich aus! Du hängst in den Ästen eines Totenbaums fest, der auf einem Leichenberg gewachsen ist. Tu etwas! Lehn dich dagegen auf! Du bist kein kleiner Junge mehr, der sich einem Menschenfresser von Vater ausliefert. Hör auf zurückzuschauen, sondern blick nach vorne, nach vorne! Ich werde an deiner Seite sein! Ich vergebe dir alles, Simon, alles! Laß uns von vorne anfangen, laß uns unsere eigene Legende schaffen, unser Schloß, das keinem anderen gleicht! Dann sind wir von der Geschichte frei, aber wir schreiben unsere eigene – und sind beieinander!«

»Sei still, sei still!« schrie er. »Du mußt in der Erde sterben wie Moïra!«

»Und du? Was machst du dann?« brüllte sie. »Schließt du dich in ein Kloster ein und betest vierzig Jahre lang für mein Seelenheil? Es reicht, hör auf damit! Sei mutig, wehr dich. Hör auf!«

Auf einmal schien Simon ganz ruhig zu werden. Jeanne wagte kaum zu atmen. Als würde er ein Ritual begehen, nahm er einen Gegenstand aus seiner Tasche und warf ihn in das Loch. Jeanne hob ein Kreuz aus Gold und Knochen vom Boden auf, mit vier gleich langen Enden: ein Druidenkreuz.

»Das ist das Wertvollste, was ich je hatte, bis auf dich«, sagte

Simon mit Grabesstimme. »Es ist Moïras Kreuz, das sie von ihrem Vater hatte und der von seinem Vater und so fort seit Anbeginn unserer Welt. Brewen hat es ihrer Leiche gestohlen, bevor sie verbrannt wurde. Es ist das Zeichen unseres Auftrags, das wir von Hüter zu Hüter weitergeben. Die Symbole, die darauf eingraviert sind, stellen die vier Elemente dar, die Moïras Richter zu ihren Henkern bestimmt hatten: unten das Wasser, oben das Feuer, rechts die Luft, links die Erde, und alle stehen auf vier Kreisen, die Tod und Wiedergeburt der Seele bedeuten. Der eingefaßte Knochen stammt von einem Trepanationsritus, der an einem im Kampf gefallenen Krieger vorgenommen wurde.

Jetzt, Jeanne, sage ich nicht für immer leb wohl, denn ich hoffe dich bald wiederzusehen. Anderswo, wenn es ein Anderswo gibt. Ich bedaure es, aber es war unsere Bestimmung: Wir werden uns nicht auf Erden lieben, sondern im Himmel. Ich lasse dich allein mit der Muttergöttin und dem Seelengeleiter. Mögen sie dich bis in die andere Welt hinein beschützen. Möge die andere Welt existieren ...«

Jeanne protestierte, heulte mit aller Kraft, schluchzte, brach sich die Fingernägel ab, indem sie sich verzweifelt an der Felswand festzukrallen versuchte. Doch Simon verschwand. Wo war er? Sie konnte ihn nicht mehr sehen.

Plötzlich drang das Geräusch eines Motors zu ihr hinab in den Schacht. Der Kran! Die Steine! Nein! Sie konnte gerade noch zur Seite springen, um nicht von einem Granitquader getroffen zu werden. Still weinend und taub für ihre Schreie, verschüttete Simon den Schacht zum Heiligtum.

# 21

Abtei auf dem Mont-Saint-Michel, Westterrasse, in der Nacht vom 2. auf den 3. Juni, 2.16 Uhr. Sieben Gestalten, die schwärzer waren als das Schwarz der Nacht, warteten auf dem Vorplatz der Kirche, dort, wo früher noch ein Teil des Langhauses gestanden hatte, in der Nähe der Grabplatten von Robert de Thorigny und Martin de Furmendi: Sébastien, Florence, Christian Brard, Kommissar Bontemps, Inspektor Marchand und zwei weitere Polizisten in Uniform. Sie sprachen kaum und taten so, als würden sie die Sterne betrachten. Florence kaute an ihren Nägeln. Sébastien versuchte zu begreifen, warum Jeanne hinter dem Portal von Notre-Dame-Sous-Terre eine Mauer errichtet hatte.

Um ein Uhr morgens waren Florence und er sie holen gegangen, wie sie es angekündigt hatten. Sie hatten gegen das Portal geklopft, gerufen, gefleht, aber Jeanne war stumm geblieben. Keinerlei Lebenszeichen, nur hatte Florence einen Moment lang geglaubt, den Motor des kleinen Krans brummen zu hören. Doch Sébastien hatte nichts vernommen. Was konnte sie nur allein dort drinnen tun, warum verweigerte sie so stur jede Antwort? Und wenn sie einen Unfall gehabt hatte? Oder noch schlimmer? Tief beunruhigt hatten sie entschlossen, die Polizei zu rufen. In der Küche hatten sie Patrick angetroffen, der gerade den Kopf unter den Wasserhahn gehalten hatte. Eigentlich war er doch nicht der gemeine Rüpel, für den ihn alle hielten, manchmal sogar er selbst! Er hatte es nicht übers Herz gebracht, seine Ausgrabungsleiterin beim Verwalter zu verpfeifen, denn ihre Anspielungen, was die Identität des Mörders anging, hatten ihn tief getroffen. Er hatte gespürt, daß Jeanne ihn verdächtigte, was völlig unbegründet war, wie er unterstrichen hatte. Vor allem ahnte er, daß sie etwas verschwiegen hatte, etwas Gefährliches und Schlimmes. Besessen von diesem Gedanken hatte er am Tresen der Kneipe im Dorf nach dem Sinn von Jeannes Worten gesucht, doch er hatte dort nichts gefunden als eine wirre Trunkenheit, die ihm das Gehirn verklebte. Weil ihm schlecht war, hatte er beschlossen heimzugehen. Er bedauerte die Auseinandersetzung mit Jeanne, die Vorwürfe, die er ihr gemacht hatte, und vor allem hatte er Angst um sie. Er war überzeugt, daß sie in Gefahr war.

Sébastien und Florence hatten keinen Moment gezögert: Patrick war ein Aufschneider, oft sehr unsympathisch, aber er war intelligent und hatte immer ein gutes Gespür. Sie hatten ihm erzählt, daß sich Jeanne in der Krypta eingesperrt hatte, daß sie sich weigerte herauszukommen und was sie ihnen an den Kopf geworfen hatte, als sie sie um 23 Uhr ein erstes Mal hatten holen wollen. Und daß seither Schweigen herrschte. Patrick hatte nach dem Telefon gegriffen und Brard geweckt, damit der seinen ganzen Einfluß einsetzte, daß die Polizei ohne Verzögerung herkam. Während sie auf Kommissar Bontemps gewartet hatten, hatten Brard und die drei Archäologen versucht, in Notre-Dame-Sous-Terre vorzudringen. Doch die Kette und die Mauer aus Granitsteinen hatten sie daran gehindert. Genau in diesem Moment hatte der Verwalter das Wort »Selbstmord« ausgesprochen, das Florence seither nicht mehr aus dem Sinn ging. Es stimmt, Jeanne war seltsam gewesen, aber deprimiert hatte sie nicht gewirkt. Ja, sie hatte um jeden Preis allein in Notre-Dame-Sous-Terre sein wollen, um sich von den Steinen zu verabschieden, sie hatte etwas von einer Trauer gesagt, mit der sie nicht fertig wurde, von einem »zweiten Tod«... Wenn es nur nicht das war!

Bontemps und seine Untergebenen waren um 2 Uhr eingetroffen, hatten sich geärgert, mitten in der Nacht wegen eines Falls gestört zu werden, den sie für erledigt hielten. Brard hatte die Lage erläutert, und der Kommissar hatte eine einfache Frage gestellt:

»Gibt es denn keinen zweiten Eingang, durch den wir in die Krypta gelangen könnten, ohne stundenlang das Holz des massiven Portals zu durchstoßen und die Mauer einzureißen, die sie dahinter errichtet hat?«

Als sei er eben aus dem Tiefschlaf aufgewacht, hatte sich der Verwalter mit der flachen Hand auf die Stirn geschlagen.

»Durch das Kirchenschiff«, hatte er geantwortet. »Früher gelangte man durch zwei Falltüren von oben nach Notre-Dame-Sous-Terre, aber zu Zeiten des Gefängnisses wurden die Durchgänge dichtgemacht: Der eine ist mit Steinen und Schotter verschüttet, da ist kein Durchkommen, und den anderen versperrt ein massives Stahlgitter, zu dem niemand mehr den Schüssel hat.«

»Ich rufe die Feuerwehr«, hatte Bontemps erwidert. »Die hat auch keinen Schlüssel, aber dafür kräftige Schweißbrenner, mit denen bei Unfällen die Autos aufgeschnitten werden, um Verletzte oder Leichen herauszuholen. Das dürfte ja bei Ihrem Gitter auch funktionieren!«

Patrick war hinuntergegangen, um die Feuerwehrleute am Eingang der Abtei in Empfang zu nehmen und heraufzuführen, während sich die anderen aufgemacht hatten, den Zustand des Gitters zu prüfen. Sie hatten die Kirchenbänke verrückt, unter denen die beiden quadratischen Falltüren sichtbar geworden waren. Wie der Verwalter gesagt hatte, war einer der beiden Durchgänge vollkommen verschüttet.

»Durch diesen hier«, hatte Christian Brard erklärt, »kam man auf der Empore des Marienaltars heraus. Aber da kommen wir nicht durch, wir können die Tür wieder zumachen. Kommt, das Gitter befindet sich unter der zweiten Falltür, der über dem Dreifaltigkeitsaltar. Von diesen Emporen aus wurde den Gläubigen, die unten knieten, die Reliquienschreine aus der Kirche gezeigt, insbesondere der Schrein des Aubert...«

Unter der zweiten Falltür führte eine dunkle, enge Treppe nach unten. An ihrem Ende ging es durch eine Holztür direkt in die Krypta, ein paar Zentimeter unter deren Deckengewölbe, oberhalb der Empore über dem Dreifaltigkeitschor. Doch zwischen der Falltür und der Holztür zu Notre-Dame-Sous-Terre versperrte ein mächtiges Gitter mit dicken Stäben den Durchgang. Das Eisen war von der Zeit und der salzigen Luft korrodiert, aber das Schloß und die Scharniere waren sorgfältig geölt. Keine Spuren von Rost auf dem Schloß und den Scharnieren. Brard fehlten die Worte.

Zurück auf der Westterrasse lief er wie besessen im Kreise, seine Hände im Rücken gekreuzt. Er war ratlos wie ein Gefängnisdirektor, der festgestellt hat, daß ein Häftling geflohen ist, nachdem er mit einem Teelöffel einen Tunnel gegraben hat.

2 Uhr 30. Patrick keuchte auf die Terrasse, gefolgt von einer Eskorte mit silbernen Helmen und einem Klirren wie von Rittern in Rüstung. Der Feuerwehrhauptmann untersuchte zunächst das Gitter. Dann machten sich zwei blaue Flammen, gerade und scharf wie Messerklingen, an die Arbeit. Um 2 Uhr 37 gab das Schloß nach: Die glühend heiße Stahltrommel fiel auf die Treppe, und das Gitter öffnete sich ohne jedes Quietschen. Als Hausherr ging Brard voraus und öffnete mühelos die Tür zum Dreifaltigkeitschor, ohne ein Geräusch zu verursachen.

Er benutzte diesen Weg zum ersten Mal. Das gelbliche Licht in der Krypta ließ ihn blinzeln, weil seine Augen noch an die Dunkelheit im Gang gewöhnt waren. Er stieg die Stufen zur Empore nach unten. Die Feuerwehrleute reichten ihm eine Leiter, die er gegen das steinerne Geländer stellte. Bald schon standen seine Füße auf dem zerwühlten Boden von Notre-Dame-Sous-Terre, und gleich nach ihm Bontemps, Patrick, Marchand, Florence, die Feuerwehrleute und die beiden Polizisten.

Wie am Tag zuvor, als er den Archäologen den Abbruch der Ausgrabung mitgeteilt hatte, schluckte der Verwalter seinen Ärger über den Zustand seiner geliebten Krypta hinunter: Rund um die beiden Altäre häuften sich Steine, insbesondere um den Dreifaltigkeitsaltar herum. Seine Basis und den unteren Teil seines Sockels konnte man nicht einmal sehen, denn sie versanken in einem Haufen von genauestens markierten Granitquadern aus den Mauern, die sorgfältig abgetragen worden war. Nur der obere Teil des Altars schaute zwischen den Steinen heraus. Der obere Rand des Portals zur Krypta überragte kaum eine Steinmauer, die ohne Mörtel gekonnt aufgeschichtet worden war: Die Steine von Auberts Mauer, die aussahen, als hätte ein verrückter Maurer sie aufeinandergeschichtet.

Florence war zunächst erleichtert, nicht Jeannes Leichnam zu sehen. Sie hatte sich nicht umgebracht! Doch wie kam es, daß sie nicht mehr in der Krypta war? Sie hatte sehr wohl Beweise dafür hinterlassen, daß sie hiergewesen war: den Inhalt ihrer Tasche auf dem Marienaltar, darunter ihr Handy.

Sébastien legte seine Hand auf den Motor des kleinen Krans. »Er ist noch warm. Sie hat ihn also noch vor kurzem benutzt. Sie war eben noch hier, als wir sie holen kamen, obwohl sie nicht geantwortet hat.«

»Das ist völlig unzweifelhaft«, erwiderte Brard und schaute auf die Mauer, die den Eingang zur Krypta versperrte. »Sie war wohl dabei, diesen … dieses Etwas zu errichten, deshalb haben Sie das Brummen des Krans gehört. Aber wo ist sie jetzt? Wie ist sie rausgekommen?«

Bontemps brummte: »Jetzt benutzen wir mal unseren Verstand und rekapitulieren die Fakten. Erstens: Jeanne ist nicht mehr in dieser Krypta. Zweitens: Sie war aber um 23 Uhr hier, denn sie hat mit Ihnen gesprochen. Drittens: Gegen ein Uhr morgens antwortete sie nicht, und der Kran, den Sie gehört haben und der tatsächlich benutzt wurde, wurde vielleicht von ihr bedient, vielleicht aber auch von jemand anderem. Aber zu diesem Thema habe ich so meine eigene Theorie. Viertens: Jeanne hat die Krypta nicht durch das Portal verlassen, denn Kette und Schloß sind von innen vorgelegt, und außerdem hätte sie dann die Mauer aus Granitsteinen einreißen müssen. Durch das andere Portal konnte sie auch nicht. Der einzig mögliche Ausgang ist also der über dem Dreifaltigkeitsaltar, den auch wir gerade benutzt haben.«

»Sie hatte keinen Schlüssel für das Gitter, Kommissar«, erinnerte Florence. »Sie hat wie wir alle nicht gewußt, daß es sich öffnen läßt, da bin ich mir absolut sicher! Für uns alle, einschließlich den Verwalter dieser Abtei, wie Sie gesehen haben, war dieser Zugang versperrt.«

»Was die Leute im Kopf haben, ist nicht so sichtbar, wie Sie meinen, Mademoiselle«, sagte Bontemps und brachte Christian Brard damit zum Erröten. »Wenn Sie meine Meinung hören wollen, bitte sehr. Es ist nur eine Hypothese, aber sie scheint mir plausibel. Ihre Chefin hat den offiziellen Abbruch der Ausgrabung sehr schwer verkraftet. So, wie sie sich in meinem Büro verhielt, als ich sie davon in Kenntnis setzte, und dann bei Ihnen, ist das ganz klar. Sie ist allein in die Krypta zurückgekehrt, wahrscheinlich um sich das Leben zu nehmen. Aber sie hat es nicht über sich gebracht. Also hat sie sich entschieden zu verschwinden, ein neues Leben anzufangen. Vielleicht hat sie diese Mauer errichtet, damit wir Zeit verlieren, während sie bereits auf der Flucht ist, denn sie kam nicht auf die Idee, daß auch wir den Zugang über dem Dreifaltigkeitsaltar benutzen könnten, so wie sie selbst es getan hat, um die Krypta zu verlassen und sich auf und davon zu machen.«

»Kommissar«, meldete sich Patrick zu Wort, »ich habe eine andere Theorie: Es entspricht nicht Jeannes Charakter, einfach abzuhauen. Sie geht auf die Dinge zu, und manchmal ist sie ein bißchen explosiv, was unsere Reibungen erklärt. Sie war sehr betroffen, als sie vom Abbruch der Ausgrabung erfuhr, das stimmt, aber sie hat niemals aufgegeben. Sie kam noch mal her, um weiterzugraben, da bin ich mir sicher. Sie hatte eine Idee, eine Intuition, die sie prüfen wollte, allein und ohne jeden Aufschub. Wir sind Wissenschaftler, aber Funde machen wir häufig aufgrund einer einfachen Ahnung oder Eingebung. Und deshalb bin ich sicher, daß Jeanne noch irgendwo auf dem Felsen ist. Wenn sie gegangen wäre, hätte sie nicht alle ihre Sachen hiergelassen, schon gar nicht ihre Abschrift von Bruder Romans Brief. Überprüfen Sie es, aber ich bin sicher, daß ihr Auto noch auf dem Parkplatz steht. Ich habe dafür nicht den geringsten Beweis und weiß auch nicht, wer der Täter ist – nur ganz bestimmt nicht Guillaume Kelenn –, aber irgend jemand wollte meines Erachtens, daß diese Grabung gestoppt wird, und dieser Jemand ist so weit gegangen, für sein Ziel zu töten. Und dieser Mann oder diese Frau besitzt den Schlüssel, mit dem sich das Gitter öffnen läßt. Jeanne ahnte vielleicht, wer es war, und wenn sie noch lebt, dann weiß sie es jetzt ganz sicher.«

Florence ließ einen leisen Schrei hören, Sébastien riß die Augen auf, Brard kratzte sich am Schädel, und Bontemps zog die Brauen zusammen.

»Das ist eine weitere Spur, der wir nachgehen müssen«, dröhnte er. »Aber lassen wir uns nicht von der unheimlichen Atmosphäre beeindrucken, die nachts in dieser Abtei herrscht. Hören Sie: Egal, was Ihre Chefin oder Ihr Monsieur X hier wollten, alles, was wir sicher wissen, ist, daß diese Dame nicht mehr hier ist.« Er griff nach einem kleinen Funkgerät, das an seinem Gürtel hing. »Haben Sie Marke, Farbe und Autonummer ihres Wagens?«

Der Polizist, der in einem der Wagen auf dem Parkplatz geblieben war, bestätigte, daß Jeannes Auto immer noch auf seinem gewohnten Platz stand. Leicht verunsichert räusperte sich Bontemps.

»Das beweist überhaupt nichts«, erklärte er. »Wahrscheinlich ein Trick, um die Spuren zu verwischen. Sie hat vielleicht jemanden angerufen, der sie abgeholt hat, oder sie hat ein Auto gemietet, um unerkannt die Gegend verlassen zu können. Falls sie aber noch auf dem Berg sein sollte, können wir sie ja suchen, schließlich sind wir genug Leute. Obwohl ich stark bezweifle, daß wir sie finden werden. – Hauptmann«, sagte er und schüttelte dem Feuerwehrmann die Hand, »herzlichen Dank für Ihre Hilfe. Gehen Sie nach Hause. Oh, ich beneide Sie, Sie können ins Bett, wir dagegen werden diesen charmanten Ort absuchen. – Lopez, Sie und Sie«, er zeigte auf einen uniformierten Polizisten, Sébastien und Florence, »Sie übernehmen das untere Geschoß der Abtei. Inspektor Marchand, Monsieur Fenoy, Brigadier – Sie kümmern sich um den ersten Stock. Monsieur Brard und ich selbst übernehmen den obersten Teil. – Lopez, ich hoffe, diesmal haben Sie nicht Ihre Dienstwaffe auf dem Nachttisch vergessen?«

Lopez schüttelte den Kopf und hielt die Waffe hoch. Bei ihrem Anblick war Florence zugleich erschrocken und beruhigt. Bontemps war mit sich zufrieden, wie er die Teams der Hierarchie entsprechend auf die Stockwerke verteilt hatte, und gab das Signal zum Aufbruch. Es war 2 Uhr 55.

Dieselbe Uhrzeit. Sieben Meter unter den Füßen von Kommissar Bontemps. Jeanne saß reglos an der Steinwand neben Abt Almodius, dem sie den Kopf zugeneigt hatte. Ihre Taschenlampe umgab die kleine Epona-Statue mit einer weißen Sonne und verwandelte sie in ein mondgleiches Meisterwerk. Niedergeschlagen und ermattet von der traurigen Wirklichkeit, hatte Jeanne im Schlaf Zuflucht gesucht, doch sie hatte es nicht über sich gebracht, die Lampe zu löschen, um die Batterie zu schonen. Die vollkommene Dunkelheit hätte sie an ihre Blindheit erinnert, mit der sie bis vor kurzem Simon gegenüber geschlagen gewesen war, und die Lampe würde ohnehin länger durchhalten als sie selbst. In Notre-Dame-Sous-Terre war es immer lau, und unten war es richtig warm: ein trügerischer Trost war diese warme Luft, die immer knapper werden würde.

Die Flucht in den Schlaf versprach große Hoffnung: Sie hätte in eine befreundete Welt entkommen können, bevölkert von einem Schatten, der ihr vielleicht den Schlüssel zu ihrem Kerker reichen würde. Doch als sie aufwachte, wußte sie, daß sie gescheitert war: Ihr Traum war leer und fruchtlos gewesen, kein blaues Fenster, sondern ein schwarzer Wandschirm. Sie setzte ihre Brille auf und griff nach der Taschenlampe. Sie schwitzte, so warm war es im Schoß des Felsens, so beängstigend der Tod. Denn sie würde an diesem Ort sterben, an Durst, an Hunger, an Erschöpfung, oder sie würde qualvoll ersticken.

Ihre Glieder waren nicht gebrochen wie die des Abts, sie empfand keinerlei körperlichen Schmerz, aber statt der Panik von vor kurzem ein niederträchtiges Grauen: Da war nicht mehr die konkrete Beklemmung, die sie wie eine Woge überflutet und sie heulend gegen die Wand des Schachtes geworfen hatte, sondern ein träger, dumpfer, schleichender Schrecken, ein Schauer von wehrloser Angst, der ihre Haare und Haut durchtränkte, der jede Regung des Widerstands auslöschte, jede Willensanstrengung, jeden Lebenshauch. Und dann war da die Stille, Vorbote des Todes, die Stimme des Nichts, die schon zu ihr durchgedrungen war. Zum erstenmal gab Jeanne klein bei und hörte auf zu kämpfen.

Mein Leben war nur eine Energieverschwendung, ein Verprassen von Illusionen und Lügen, sagte sie sich.

Verwirrung. Sie dachte an Pierrot, diesen Zwillingsbruder, an den sie sich nicht erinnerte, dem sie aber bald begegnen würde.

Drei Monate, dachte Jeanne. Das ist wenig für ein Leben, aber genug, um zu sterben. 15. August, unser Geburtstag ... Dieses Jahr wären wir beide vierunddreißig Jahre alt geworden. Nein, *ich* wäre vierunddreißig Jahre alt geworden, er hat schon in der Nacht vom 14. auf den 15. November unseres ersten Lebensjahres aufgehört zu altern. Meine Eltern hätten mir ja doch bloß wieder mit Trauermiene zum Geburtstag gratuliert. Sie können nicht ertragen, daß sich die Jahre nur auf einer Seite anhäufen – auf meiner Seite. Plötzlicher Kindstod... völlig unerklärlich, völlig überraschend, und auf einmal ist alles vorbei...

Jeanne dachte sonst nie an diesen unbekannten Bruder, der in seinem kleinen Grab aus rosafarbenem Marmor lebte, wo er mit seinen unterirdischen Freunden Sandburgen baute, die ihn besuchen kamen, nachdem sie schöne Gänge gegraben hatten. So hatte sie es sich vorgestellt, als sie klein gewesen war. Sie konnte sich nicht an ihn erinnern, doch sie war bei ihm gewesen, als es passiert war. Angeblich hatte sie geschlafen. Sie hatte wahrscheinlich nicht einmal gemerkt, wie er gegangen war. Sie hoffte, daß er sie würde kommen sehen. Daß er nicht schlief. Daß er sie in Empfang nehmen würde.

Lächerlich! sagte sie sich plötzlich. Es gibt kein Danach. Alles Quatsch! Und trotzdem werde ich mit dem Leben dafür bezahlen, daß ich zwei Tote vereinen wollte. Was für eine Ironie, völlig absurd!

Auf einmal verspürte sie Lust, in der Höhle alles in Stücke zu schlagen, diese grotesken Skelette zu zertrümmern, das Standbild der Muttergottheit gegen die Granitwand zu schmeißen und sich dann selbst an der Mauer den Kopf einzuschlagen, damit es schneller zu Ende war. Aber sie sah Romans Schädel neben sich liegen. Eigentlich unterschied er sich in nichts von Almodius' Kopf, den sie wieder auf seinen Körper gesetzt hatte. Würde ihr eigener Schädel genauso aussehen, wenn ihr Fleisch verwest war?

Sie nahm Romans Kopf in beide Hände und rutschte auf den Knien durch den Lichtkegel zu den beiden archaischen Altären. Mit den Handflächen rieb sie über den Knochen wie Aladin an seiner Lampe, und ein letztes Mal flehte sie die überirdische Macht des Berges an.

»Roman«, flüstert sie, den Blick auf die Göttin mit dem Pferd gerichtet, »vielleicht hast du mich getäuscht, doch selbst in der

Stunde meines Todes kann ich es noch immer kaum glauben. Simon hat mich betrogen. Ich bin hier eingeschlossen, zusammen mit seinen Ahnen, die er nie gesehen hat, aber er ist ein Gefangener ihrer Geister. Ich … er tut mir leid. Ich verurteile seine furchtbaren Taten, aber ich kann ihn nicht völlig verdammen. Er schickt mich in den Tod, aber er ist schon sein eigener Leichnam, ohne Freiheit, und auch ich habe es nicht geschafft, ihn zu befreien. Ich habe das alles vielleicht umsonst getan – ich meine, dein Körper ist verloren, dich werde ich nicht erlösen können, und mich habe ich auch verloren. Ich habe nicht gesehen, was ich hätte sehen müssen, ich bin weitergegangen, ohne nachzudenken, ohne die zu beachten, die mich umgaben. Wie du habe ich zu spät begriffen, denn ich befand mich bereits in einem Kerker ohne Ausgang! Aber dich erleuchtete das Gebet, die Zerknirschung und das Leid deiner Seele, und das Warten in deinem Fegefeuer hat dich hellsichtig gemacht. Ich kann nicht beten, aber ich weiß, daß du mich hörst. Du bist heute in meinen Fingern, ich berühre einen Teil von dir – den Teil, der träumte, der steinerne Burgen entstehen ließ und der Fluchtpläne schmiedete. Schenk mir dein Licht, laß mich nicht sterben wie Almodius, der – wie Simon – tötete, weil er zu lieben meinte, der aber erst wirklich liebte, nachdem er getötet hatte. Verschone mich, denn alles, was ich getan habe, habe ich aus Liebe zu dir getan.«

Roman war seit beinahe tausend Jahren tot. Er war tot, er war nichts, und die Steine waren taub. Trotzdem stand Jeanne auf und tastete die Granitmauer zentimeterweise ab, die Taschenlampe in der Hand. Sie schwitzte, obwohl sie bereits Jacke und Pulli ausgezogen hatte. Ihr leichtes weißes Top war schweißgetränkt. Ihre langen Haare sahen aus wie zerfaserte Schnüre. Ihr ganzes Leben, über das sie nicht mehr verfügte, hätte sie für ein paar Tropfen Wasser gegeben. Das Wasser … der Feind, den die Mönche gefürchtet hatten, ihre Insel, ihre Abschottung … das Wasser, das zu dieser Stunde den Felsen umspülen mußte. Selbst Salzwasser hätte sie getrunken. Der Felsen – sie mußte den Felsen absuchen, ob da nicht ein Ausgang war …

Es kann nicht sein, dachte sie, aber ich muß es versuchen. Such die Mauer ab, Jeanne! Dein ganzes Leben hast du damit verbracht, auf die Mauern rund um dich zu starren, während die anderen mit allen Mitteln versuchten, darüber hinwegzusteigen. Heute nacht sind die Rollen vertauscht. Versuch, hier rauszukommen… Versuch es! Du kannst dir nicht selbst beim Sterben zuschauen! Die Benediktiner nannten den Tod ›die wertvolle Stunde‹ – von wegen! Gemeine, häßliche Stunde!

Sie ließ den Lichtkegel der Lampe über den Felsen schweifen, und ihre Finger strichen über den Granit. Ihr taten die Augen weh und die Schultern auch. Sie rieb sich in einem hautengen Tanz am Stein, ein Tanz, bei dem die Kräfte ungleich verteilt waren.

Unter Notre-Dame-Sous-Terre war Jeanne allein mit den Gebeinen der Vergangenheit und dem ewigen Felsen. Dem nackten Felsen ohne Ausgang. Nichts, nirgendwo, nur kleine Zeichen, die die Kelten in die Wände graviert hatten, kaum sichtbare Markierungen, die sie nicht bemerkt hatte, bevor sie körperlich mit der Höhle eins geworden war: vier Ogams an den vier Seiten der Höhle, sicher Norden, Süden, Westen und Osten, an denen sich die Druiden hatten orientieren können, da die Sonne unter der Erde unsichtbar war.

Jeanne setzte sich wieder neben Almodius. Sie mußte es hinnehmen. In Zukunft war dies ihr Platz. Ihr allerletzter Platz…

»*Ad accedendum ad caelum, terram fodere opportet*«, murmelte sie und lachte bitter auf. »Ach, Roman, das war schon ein guter Einfall – jedenfalls paßt es hervorragend auf mich! Ich habe in der Erde gewühlt, und bald werde ich diesen verdammten Schlund des Himmels sehen! *Ad accedendum ad caelum, terram fodere opportet!*« Wieder lachte sie auf, bevor sie übersetzte: »Um in den Himmel zu gelangen, muß man in der Erde graben… Hübscher Spruch, nicht wahr? Angeblich hat er drei Bedeutungen, die man zudem noch in Einklang bringen muß. Ich habe es für dich getan, Roman. Ich habe buchstäblich in der Erde gegraben, damit du in deinen symbolischen Himmel gelangen kannst, und was folgt daraus: Ins Paradies komme statt dessen ich! Von wegen Paradies – das ist mir völlig egal, ich glaube nicht daran. Und lieber wäre mir ein buchstäblicher Himmel, ein schöner blauer Himmel! Obwohl… ein bleigrauer Himmel wäre mir auch recht! He,

Roman, wie wäre es, wenn wir den Einklang der Bedeutungen umkehren würden? Hättest du nicht vielleicht eine symbolische Erde, in der ich graben könnte, damit ich in den buchstäblichen Himmel gelange?«

Sie lachte laut und gab ihrem Leidensgenossen einen Klaps auf die Schulter, woraufhin er umkippte.

»Entschuldige, Almodius«, flüsterte sie und richtete die Knochen wieder an der Wand auf.

Sie rückte das Taufkreuz auf den Rippen des Abtes zurecht, musterte es – und schlug sich plötzlich an die Stirn!

»Natürlich habe ich eines! Ein Symbol der Erde, und nicht irgendeines!«

Berauscht von der Trunkenheit dieser Extremsituation stürzte sie sich auf ihre Jacke, die in einem Knäuel in einer Ecke lag. Auf allen vieren hockend, durchwühlte sie die Taschen und holte Moïras Schmuckstück heraus, das Simon ihr zugeworfen hatte.

»Schau, Almodius!« Sie leuchtete mit der Lampe auf den Anhänger. »Das hat er mir geschenkt! Die Symbole der vier Elemente – das dürfte dich an etwas erinnern, oder?«

Plötzlich unterbrach sie sich. Leichenblaß inspizierte sie das keltische Halsband genauer, stand auf und richtete den Lichtkegel auf die vier Zeichen, die in den Felsen der Höhle geritzt waren.

»Heiliger Strohsack – so etwas! Ogams! Das sind nicht etwa die Himmelsrichtungen, sondern die vier Elemente! Die gleichen Zeichen wie die, die in Moïras Druidenkreuz eingraviert sind! Warum haben sie sie in die Mauern gemeißelt?«

Jeanne schaut bei den drei Olams nach, die alle ein keltisches Kreuz um den Hals hängen hatten, aber keines davon trug eine Inschrift.

»Luft, Wasser, Erde, Feuer…«, flüsterte sie, während sie Moïras Kette wie einen Rosenkranz durch ihre Finger gleiten ließ. »Beim Erzengel, sollte es möglich sein?« murmelte sie. »Ich muß es versuchen, ja, sofort versuchen… Aber welches der vier Symbole steht für die Erde? Simon hat es gesagt… Was hat er gesagt?«

Wie ein wildes Tier machte sie einen Satz auf die vier Ogams im Felsen zu. Sie untersuchte eines sorgfältiger als das andere. Welches von ihnen stand für die Erde?

»*Ad accedendum ad caelum, terram fodere opportet*«, skandierte sie wie ein kabbalistisches Gebet, während sie sich um sich selbst drehte. »Wenn es eine Lösung gibt, dann ist sie auf jeden Fall hier… Aber wo? Roman, du mußt mir helfen! Was hat Simon gesagt? Er hat es gesagt! Erinnere dich doch!« Flehentlich reckte sie den Anhänger empor.

Sie schloß die Augen, um mit ihm eins zu werden.

»Ich muß mich erinnern… ›Das ist das Wertvollste, was ich je hatte, bis auf dich. Es ist Moïras Kreuz, das sie von ihrem Vater hatte und der von seinem Vater und so fort seit Anbeginn unserer Welt. Brewen hat es von ihrer Leiche gestohlen…‹ – ›Die Symbole, die vier Elemente, Moïras Henker…‹ Roman, streng dich noch ein bißchen an! ›… unten das Wasser…‹ – ja! Unten das Wasser… Das ist die andere Welt, der Sid, der für sie immer unter dem Wasser liegt, am Grund der Seen und der Meere – also unten!«

Sie betrachtete das untere Ende des Kreuzes: Das Wasser wurde von drei senkrechten Linien dargestellt, die von vier waagerechten Strichen durchkreuzt wurden. Dann schaute sie auf die rauhe Granitwand: da, das gleiche Ogam! Das Wasser, ja. Logischerweise mußte also das Feuer auf dem oberen Ende des Kreuzes liegen: eine Raute. Das Feuer war eine Raute, und auf dem Schmuckstück war es oben eingraviert. Wieder schaute sie auf den Granit und fand auch die Raute: der Blitz, der Donner, das Feuer. Danach die Luft – war sie rechts oder links auf dem Kreuz? Sie meinte, er hätte rechts gesagt, doch sie war sich nicht sicher. Vier waagerechte Striche – ist es das? Dann wäre die Erde links, denn auf dem linken Ende sah man drei waagerechte Striche. Drei waagerechte Striche… Jeanne suchte die Wände ab und entdeckte ihr gegenüber das entsprechende Zeichen auf dem Felsen. Darunter auf dem Höhlenboden lagen die Leichen der drei Olams, als wären sie die drei Striche des Symbols!

Natürlich, dachte Jeanne, dieses Volk ist ein Volk der Erde! Sie begriff, stopfte Moïras Kettenanhänger in die Tasche ihrer Jeans und stürzte sich auf das Zeichen im Stein. »Um in den Himmel zu gelangen, muß man in der Erde graben…« Die symbolische Erde, dachte sie. Ich muß in dem keltischen Symbol der Erde graben, um unter das Firmament zu gelangen und hier herauszukommen!«

Verzweifelt kratzte sie an dem Granit.

»Weiter! Such weiter, Jeanne!« sagte sie laut zu sich selbst. »Grab in der Darstellung der Erde! Denn damals war alles Symbol, und auch dieser Berg ist ein Symbol, das Symbol vom Aufeinandertreffen von Erde und Himmel! Ja, das Aufeinandertreffen von Erde und Himmel unter den Augen von Meer und Blitz – dieser Felsen ist der Punkt, an dem sich die vier Elemente vereinen!«

Mit blutigen Fingern versuchte sie in die drei Striche einzudringen, tastete umher auf der Suche nach einem geheimen Hebel, aber nichts geschah. Ihre Finger waren nicht schmal genug, die feinen Striche tief eingegraben, und sie kam mit ihren Fingergliedern nicht in die winzigen Vertiefungen. Sie drehte sich um. Ein Werkzeug! Sie brauchte ein Werkzeug! Etwas sehr spitz Zulaufendes und Hartes! Was nur? Ein Knochen? Zu dick! Sie hatte nichts bei sich, bloß die Lampe, deren Lichtkegel sie auf der Suche nach dem Unmöglichen über die Wände der dunklen Höhle streifen ließ.

Plötzlich traf der Lichtkegel auf ein kleines Werkzeug, bei dessen Anblick ihr ein Freudenschrei entfuhr. Almodius' Griffel! Der, mit dem er sein Testament auf das Wachstäfelchen geschrieben hatte. Sie ergriff ihn und steckte seine metallene Spitze in die Schlitze der steinernen Zeichnung. Oberste Zeile. Mittlere Linie. Unterster Strich. Klack! Ein mechanisches Klicken hatte die Stille durchdrungen! Plötzlich drehte sich ein Stück des Felsens, öffnete sich ein paar Zentimeter, verkantete sich, blieb stehen, unbeweglich. Die geheime Pforte war zu lange nicht benutzt worden.

»Aaaaaaaaaaah!«

Mit all ihren vereinten Kräften warf sie sich gegen die kleine Felsentür, doch sie schwang nicht weiter auf. Jeanne kratzte sich die Schultern blutig, drückte mit ihrem gesamten Gewicht gegen die Felstür, und die gab tatsächlich ein wenig nach. Jeanne richtete sich auf, rang nach Atem. Ein Durchgang – ein geheimer Durchgang, der von Menschenhand in den Stein gearbeitet worden war, genau wie der, den sie genommen hatte, um in die Höhle herabzusteigen, nur daß dieser hier waagerecht verlief – und dunkel war. Jeanne lachte und weinte zugleich. Ein Ausgang – es mußte ein Ausgang sein!

»Roman!« brüllte sie. »Danke, Roman! Und danke, Almodius… Simon… Gegrüßt seist du, Moïra, Königin der Toten!« Sie küßte das Druidenkreuz, das sie aus der Tasche gezogen hatte, und hängte sich das Kreuz aus Gold und Knochen um den schweißtriefenden Hals. Fliehen. Endlich aus den Mauern herauskommen. Vergangenheit und Gegenwart vereinen. Aber nichts vergessen. Almodius' Griffel steckte sie in ihre Jackentasche, mit Erlaubnis des Abts. Dann warf sie Jacke und Pulli in den dunklen Gang und legte vorsichtig Romans Schädel hinein. Sie verneigte sich zum Abschied vor Almodius, berührte das Taufkreuz, das vor seiner Knochenbrust hing, bekreuzigte sich, schaute kurz auf die drei Olams, auf Epona und ihr kreisrundes Gefängnis, dann nahm sie die Taschenlampe und legte sie in den Tunnel.

Sie hielt den Atem an, zog den Bauch ein, und schräg verdreht ließ sie sich in die Öffnung gleiten, glücklich darüber, daß sie nicht kräftiger gebaut war. Gleich am Anfang des waagerechten Ganges mußte sie auf alle viere niedergehen. Sie schlüpfte in ihre Jacke, hüllte Romans Schädel in ihren Pullover, den sie sich auf den Rücken band, nahm die Taschenlampe zwischen die Zähne und drang in den geheimnisvollen Felsenschacht ein.

Im Schoß des Berges, 4 Uhr 51, 3. Juni. Jeanne kroch durch den engen Tunnel. Immer noch Felsen um sie herum. Erstickende Hitze. Schweiß, so zähflüssig wie Blut, auf ihren Händen und Schultern. Ihr Rücken schabte gegen die Wand, aber Romans Kopf war geschützt. Jeanne konnte sich nicht mehr auf allen vieren halten. Sie legte sich hin und robbte auf den Ellenbogen weiter, Millimeter für Millimeter. Sie keuchte wie ein Lasttier. Die Lampe, die sie im Mund hielt, behinderte sie beim Atmen. Nach der Freude der Entdeckung empfand sie wieder Beklemmung. Platzangst. Und sie befürchtete, in eine weitere natürliche Höhle ohne Ausgang zu gelangen oder auf den Felsen zu stoßen, der ihr wie eine Mauer den Weg versperrte: In diesem Fall würde sie nicht umkehren können, um in das keltische Heiligtum zurückzugelangen. Sie würde in diesem Tunnel sterben, mit dem Felsen vereint wie mit einem fremden Körper.

Nicht nachdenken – weiterkriechen. Sich allmählich vorwärtsschleppen. Niemals hatte sie sich so schwer gefühlt. Oder so groß. Wieder spürte sie einen Brechreiz. Keine Zeit. Nein, weiter! Roman führte sie. Alle ihre einstigen Gefährten waren in Gedanken bei ihr. Sie war nicht allein, nein, sie würde es nie wieder sein. Los. Die Geschichte... heute nacht schrieb sie Geschichte. Sie hatte kein Gefühl mehr für die Zeit, die Vergangenheit bedeutete nichts, nur die Gegenwart zählte noch und die Zukunft.

Ein junger, reiner Atemhauch strich ihr über die Stirn. Luft! War das auch die Wirklichkeit? Sie reckte das Gesicht vor. Etwas zitterte vor ihr. Ein Tier? Nein... Schnell... Es war nicht von der Farbe des Granits... Grünlich... dunkelgrün – eine Pflanze! Sie brüllte auf wie ein Tiger. Vor ihr bewegte sich ein Vorhang von Gras und Pflanzen. Natürliches Licht – dahinter war also die Sonne!

Sie stieß einen heiseren Wehlaut aus, der Dampf ihres Schweißes ließ ihre Brille beschlagen. Sie stoppte, beruhigte sich, wischte die Gläser an ihrem durchnäßten Top ab, dann kroch sie weiter. Scharfkantige Steine schabten ihr den Bauch wund, bald häufte sich Schotter an. Sie schob ihn vor sich her wie ein Maulwurf. Ihr war, als würden die Farben anders werden, heller. Da war er, der natürliche Vorhang. Sie schlug ihn zur Seite, stach sich mit Freuden an Dornen und betrachtete das Fenster, das sie soeben geöffnet hatte.

Ein Fenster vom schönsten Blau der Welt, sanft und kräftig zugleich, ohne Makel, ohne Gestirn, voller melodischem Gezwitscher, und sie sagte sich, daß diese Gesänge die aller Toten der Erde waren, die sie im Leben willkommen hießen. Sie knipste die Lampe aus. Der Himmel. Sie hatte in der Erde gegraben, und sie war in den Himmel gelangt, in dem das Morgenrot eine Hostie war.

# 22

Um 5 Uhr 13 wand sich Jeanne aus dem Loch und richtete sich schwankend auf, damit der Himmel ihr die Wunden lecken konnte. Ihre Augen gewöhnten sich nur schwer an den lichtdurchtränkten Morgendunst. Sie schaute auf die Uhr. Die Zeit kehrte zu ihr zurück, und sie vernahm auch den Gesang der Vögel. Das Geschrei der Möwen durchschnitt die Stille, die ihr Gefährte innerhalb der Schatten gewesen war. Das Morgengrauen war die Stunde der Laudes. Laudare. Lobgesang.

*De Angelis… Michael archangele veni in adjutorium… In excelsis angeli laudant te. In conspectu.*

Das klangvolle Timbre der mittelalterlichen Mönche vibrierte tief in Jeannes Innerem. Nicht in ihrem Kopf, sondern in ihrem Körper. Die Luft brachte sie zum Zittern. Sie schaute um sich: Die Kirche lag weiter oben. Und genau unter ihr: der Saint-Aubert-Brunnen, die einzige Süßwasserquelle der Mönche, das Wasser, das sie von dämonischem Fieber geheilt hatte. Jeanne stand genau nach Norden gewandt, im abschüssigen Brachland des Klosters, zwischen dem Dornengestrüpp, den Felsen und den allmächtigen Winden, auf halber Höhe des Abhangs. In der Ferne lag, von der Flut umspült, die kleine Insel Tombelaine. Der Weg… sie stand vor dem Weg, den die ersten Pilger bei Ebbe genommen hatten, über Genêts und Tombelaine. Von Westen her waren sie zur Abtei gekommen, immer auf der Hut vor dem Treibsand, der auf unvorsichtige Wanderer lauerte… Der Weg durch das Wasser, der Weg der Steinschlepper… Norden und Westen, für die Kelten ein und dasselbe, die Schattenseite, die Seite der Katastrophen und Weltuntergänge, an der die Christen anlegten, um in den Südosten hinaufzusteigen, zum Chor der Abteikirche, dem Licht der Auferstehung…

Jeanne stand da, wo sich das erste Dorf auf dem Berg befunden hatte, das seit langem nicht mehr existierte. Die Möwen begrüßten sie lautstark, der Nordwind zauste an ihren Haaren: Mit einer Geste löste sie sie. Dann knotete sie den Pulli von ihrem Rücken, nahm Romans Kopf und legte ihn am Eingang des geheimen Tunnels auf den Boden, wo er hinter dem Dornenvorhang versteckt war. Vorsichtig kletterte sie hinunter ans hochstehende Meer, kniete vor ihm nieder und wusch sich Erde und Blut ab. Die Luft trocknete ihre brennenden Wunden.

Ihr war kalt, sie hatte Durst, sie hatte Hunger. Sie sah, wie der Feuerkreis im Osten aufstieg, auf der Seite des Chors, wie das Versprechen eines neuen Lebens. Die erste Stunde. Jeanne erhob sich und ging auf das schlafende Dorf zu.

Sie kam an der Rampe des Lastenaufzugs vorbei, an der Rückseite des Hauses, in dem sie untergebracht war, ohne auch nur einen Blick auf das Badezimmerfenster zu werfen. Niemand war in den Gassen unterwegs, nur ein paar Katzen, die in den Mülltonnen wühlten. Sie wußte nicht, daß die Suche nach ihr eine halbe Stunde zuvor eingestellt worden war. Der Wehrgang auf der Stadtmauer führte sie zu Simons Bleibe. Auf der Mauer starrte ihr vom Rand des Daches bedrohlich der steinerne Wasserspeier entgegen, aber jedes Angstgefühl war aus ihr entwichen. Sie lächelte das schauerliche Ungeheuer an.

Über der Tür schwang die verrostete Laterne hin und her. Das Gittertor vor der Haustür stand offen. Sie stieg die Stufen hinauf, neben denen eine ersterbende Glyzinie wuchs, und roch den Geruch der halbverblühten blaßlila Dolden. Der Geruch des Himmels, gepudert, berauschend. Sie klingelte, dann klopfte sie gegen die rote Tür. Keine Antwort. Sie drückte erneut auf die Klinke – und die Tür schwang auf.

»Simon!« rief sie. »Simon, bist du da?«

Der Schlüssel steckte im Schloß, von innen. Nichts im Haus schien zu leben, bis auf die alte Standuhr im Wohnzimmer, die unbekümmert die Zeit verpraßte. Jeanne schaute in alle Zimmer im Erdgeschoß, sie war bleich, bedrückt von der Lust und der

Erregung, ihn wiederzusehen. Sie fürchtete nicht mehr um sich, sondern um ihn: Seine letzten Worte waren von der Farbe des Todes gewesen.

Sie beschloß, in den ersten Stock zu steigen, doch auch dort war niemand, nur die antiken Möbel warteten auf sie. Auf das Geländer gestützt machte sie sich langsam auf in den zweiten Stock, wo Simons Schlafzimmer und sein Büro lagen, dieses Büro mit der Balkendecke, dieses Schlafzimmer mit den Leintüchern, die nach Lindenblüten dufteten. Das Bett war gemacht, Simon hatte nicht geschlafen. Jeannes Hand zitterte, als sie sie nach der Klinke der Bürotür ausstreckte. Das Bild eines Erhängten krallte sich in ihr Gedächtnis. Endlich trat sie ein. Sie seufzte vor Erleichterung, als sie feststellte, daß das Zimmer leer war. Auf der mittelalterlichen Truhe, die ihm als Lesetisch diente, lag ein Umschlag, ein Brief an Christian Brard. Jeanne riß ihn auf.

*Mein Freund,*

*such nicht länger nach Jeanne. Die, die ich liebte, ist tot. Wie Dimitri Portnoï und Jacques Lucas habe ich sie getötet. Such nicht nach den Gründen für meine Taten, sie verschwinden mit mir und mit Jeannes Leiche, die ich an diesem 4. Juni morgens mitnehme ans Ende des Meers.*

*Verfolge uns nicht, versuche zu leben!*

*Leb wohl,*

*Simon Le Meur.*

Sein Boot, das in Saint-Malo liegt! dachte sie. Simon hat heute nacht sein kleines Segelboot genommen und ist aufs Meer geflohen, um dieser vermaledeiten Erde zu entkommen! Das Wasser, der Sid, die andere Welt der Kelten, in die man über unterirdische Wege im Herzen der Berge gelangt, am Grund der Seen und der Teiche – oder am Ende des Meeres, im Westen, jenseits der Bretagne, auf der Unermeßlichkeit des Atlantiks! Simon ist ans Ende der Legende gegangen: Wahrscheinlich hat er sich auf hohem Meer ins Wasser geworfen, um mich im Reich der Unsterblichen wiederzusehen, denn durch die Tiefe der Erde sollte ich dorthin gelangen! Simon ... Simon ist tot! Sein Boot werden sie wahrscheinlich finden, aber nicht seine Leiche!

Jeanne zerrriß es das Herz, und sie weinte bittere Tränen.

»Simon, mein armer Simon«, flüsterte sie, »Engel des Himmels, gib, daß seine Seele auf einer Insel an Land getrieben wird, so daß man ihn bestatten kann, damit er in Freiden ruht!«

Sie entzündete ein Streichholz und verbrannte Simons Brief in einem Aschenbecher. Dann rannte sie die Treppe hinunter, verriegelte die Eingangstür, stürzte in den Keller, schloß die Tür ab und stopfte den Schlüsselbund in ihre Hosentasche. Es war ein Keller mit gewölbter Decke, die Regale voller Weinflaschen, deren Korken in der Feuchtigkeit Schimmel angesetzt hatten. Der Boden bestand aus gestampftem Lehm, und es gab ein kleines Kellerfenster mit verrostetem Gitter. Jeanne hörte die Wellen, die ihr berichteten, daß sie Simon fortgetragen hatten. Um diese Zeit würden sie sich zurückziehen, ihr Werk war getan.

Jeanne sprang zum Fenstergitter und riß mit aller Kraft daran. Die Wunden an ihren Händen rissen wieder auf. Um so besser: Für die Polizei würde ihr Blut ein Beweis sein.

Zieh, Jeanne, zieh!

Die metallenen Stangen waren alt und von der salzigen Luft zerfressen. Mit geduldiger Gier nagte diese Salzluft an allem, selbst an den Herzen der Menschen. Jeanne versuchte erneut, das Gitter aus der Verankerung zu reißen. Nach einer halben Stunde gab es auf der linken Seite nach: Sie löste es aus der Mauer, hinterließ ihren Pullover, den sie auf dem Kellerboden ablegte, und zwängte sich durch die Öffnung in das kleine Gärtchen. Am Zaun blieb ein wenig Stoff ihrer Jacke hängen. Gut so, noch ein Beweis zur Bestätigung der Geschichte, die sie Kommissar Bontemps auftischen würde.

Sie versicherte sich, daß sie allein auf der Gasse war, wischte ihre Fingerabdrücke von Simons Schlüsseln und warf den Bund über die Stadtmauer ins Wasser. Es war halb sieben Uhr. Sie schaute ein letztes Mal auf die von der Sonne beschienene Fassade und lief zum Haus, in dem sie wohnte.

3. Juni, 15 Uhr 16. Am Steuer ihres Autos raste Jeanne so schnell wie möglich Richtung Bretagne, zum Hospiz von Plénée-Jugon, wo Pater Placide untergebracht war. Auf ihren gewaschenen und desinfizierten Händen klebten Pflaster, und ihre Haut roch nach der Seife.

Allen hatte sie ihre frei erfundene Geschichte aufgetischt, ein Märchen: Simon war verstört gewesen, er hatte ihre Trennung nicht verwunden und war eifersüchtig gewesen auf alle, die ihr nahestanden, einschließlich Notre-Dame-Sous-Terre. Um sich zu rächen, hatte er mehrere Verbrechen aus Leidenschaft begangen, hatte Jacques und Dimitri getötet und am Ende Jeanne entführt, als sie am vergangenen Abend allein in der Krypta gewesen war. Er hatte sie gezwungen, die Abtei durch den Gang über dem Dreifaltigkeitsaltar zu verlassen, und sie dann bei sich zu Hause im Keller eingesperrt, entschlossen, auch sie zu töten. Doch er hatte ihr nichts antun können und war geflohen, um sich auf seinem Boot im Meer das Leben zu nehmen. Jeanne war entkommen, indem sie das Gitter vor dem Kellerfenster herausgerissen hatte.

Bisher hatte die Polizei die Geschichte der Archäologin nicht angezweifelt: Bontemps und seine Schergen hatten die Tür von Simons Haus aufgebrochen und den Keller inspiziert, und das Hafenamt von Saint-Malo hatte bestätigt, daß das Boot des Antiquars am Morgen sehr früh abgelegt hatte. Im Gedächtnis an Simon und Moïra hatte Jeanne beschlossen, daß niemals jemand von der Existenz der keltischen Höhle erfahren durfte. Sie würde sich selbst davon vergewissern, daß François' Restaurateure den Dreifaltigkeitsaltar wieder solide anbrachten.

Inzwischen muß der neue Hüter erfahren haben, daß fortan er für die Wahrung des Geheimnisses verantwortlich ist, vermutete sie. Simon hat ihn sicherlich auf irgendeine Weise informiert, bevor er verschwunden ist. Vielleicht werde ich ihn eines Tages treffen, eines Tages …

Romans Schädel ruhte in einer Tasche neben ihr auf dem Beifahrersitz. Sie hatte ihn unbedingt mitnehmen müssen. Während sie ihren Kollegen, Brard und den Polizisten ihre Lügengeschichte aufgetischt hatte, hatte Florence ihre Wunden verbunden. Jeanne hatte vor ihren erschöpften Augen die Gestalt der Epona auf ihrem Pferd vorbeireiten sehen, die Skelette der Olams, das Wachstäfelchen des Abts Almodius. Das Schwert des Erzengels erhob sich über Romans Kopf in seinem improvisierten Grab, das ihm der Abt errichtet hatte. Dann trat der enthauptete Mönch an ein blaues Fenster, und das hatte Jeanne an ihren letzten Traum erinnert, als sie in der Chorkapelle der Kirche eingeschlafen war, in der Kapelle ihrer Mutter. Seitdem hatte sie nicht mehr geträumt, aber dieser Traum hatte ihr den Weg zum Dreifaltigkeitsaltar gewiesen – zur verborgenen Höhle, zu Romans Kopf und schließlich zur der Öffnung in den Himmel. Ob dieser Traum ihr noch weiterhelfen konnte?

Am Morgen hatte sie sich an Pater Placide erinnert. Sie mußte mit ihm sprechen! Und sie mußte sich einer weiteren Befragung der Polizei entziehen, der fürsorglichen Pflege von Florence und Sébastien, Patricks Mißtrauen, Brards stummen Befürchtungen – sie hatte Simon nämlich nicht mit den anonymen Briefen in Verbindung gebracht – und François, der am Nachmittag eintreffen wollte. François wiederzusehen schien ihr unvorstellbar. Ein unergründlicher Abgrund trennte sie voneinander, ein Spiegel, und Jeanne stand auf seiner Rückseite. Allein. Sie mußte den Kommissar hintergehen und Zeit gewinnen, um zu dem alten Mönch ins Hospiz zu fahren. Sie hatte es abgelehnt, zum Arzt zu gehen oder Bontemps in Simons Haus zu begleiten. Und dann hatten auf einmal ihre Nerven nicht mehr mitgespielt. Die Anspannung der letzten Stunden war zu stark gewesen, der Druck der kommenden schon zu greifbar, so daß sie plötzlich nicht mehr in der Lage war, zu sprechen. Sie war erschlafft sitzen geblieben, wie ausgelöscht, und das Bild des kopflosen Mönchs hatte sich über alle gelegt, die zu ihr sprachen. Erstaunlicherweise war es Patrick, der dafür gesorgt hatte, daß man sie in Ruhe ließ, und Bontemps hatte sich einverstanden erklärt, noch einen Tag auf ihre Zeugenaussage zu warten. Sie hatten ohnehin genug zu tun mit der Fahndung nach Simon und der Durchsuchung seiner beiden Wohnungen auf dem Berg und in Saint-Malo. Patrick hatte ihr fest seine Hand auf die schmerzende Schulter gelegt und ihr wortlos in ihr Zimmer geholfen. Diese Geste war wohltuend gewesen.

Sie hatte vergeblich zu schlafen versucht. Dabei war sie völlig ausgelaugt gewesen. Nach einer langen wärmenden Dusche hatten sie gegessen, wobei Séb und Florence sie angeschaut hatten wie ein Opferlamm, während hingegen Patrick sie wie ein archäologisches Fundstück gemustert hatte, das noch nicht alle seine Geheimnisse preisgegeben hatte. Der einfache Wein, den sie tranken, wurde für sie zum Zauberelixier, ein Lebenskonzentrat, und nach dem Essen hatte sie erklärt, sie brauche frische Luft, etwas Sonne und müßte ein wenig allein sein. Niemand hatte gewagt, etwas einzuwenden.

Es war sehr schwierig gewesen, Romans Kopf zu holen: Zu dieser Tageszeit waren die Touristen die Herren auf dem Berg und tummelten sich überall. Um 15 Uhr schließlich gelang es ihr, unbemerkt die Nordflanke hinaufzuklettern und ihren Schatz an sich zu nehmen.

16 Uhr 18, Plénée-Jugon. Jeanne betrat das Mönchshospiz. Die Zerberusschwester war auf ihrem Posten.

»Pater Placide geht es überhaupt nicht gut«, erklärte sie. »Wir erwarten den Krankenwagen, der ihn nach Saint-Brieuc ins Krankenhaus bringen wird. Sie können nicht zu ihm.«

»Es ist sehr wichtig, Schwester«, hielt Jeanne ihr vor, »und ich brauche auch nicht lange. Wenn er fortgeht, muß ich … muß ich mich von ihm verabschieden. Fünf Minuten, bitte! Fünf Minuten!«

»Sie brauchen gar nicht weiter nachzuhaken, Mademoiselle! Vorschrift ist Vorschrift!«

Jeanne ging hinaus in den Park. Sie mußte eine Möglichkeit finden, ins Gebäude zu gelangen und mit Pater Placide zu sprechen, bevor er weggebracht wurde. Sie versteckte sich hinter einem Baum und machte ungesehen kehrt. Ein dicker Franziskaner in brauner Kleidung beobachtete sie von einer Bank aus, rührte sich aber nicht. Sie schlich in großen Schritten auf die Rückseite des Gebäudes, schlüpfte in den Notausgang und rannte die Treppe hinauf. Vierter Stock, schweinchenrosa Türen, sein Zimmer – endlich, sein Zimmer …

Sie klopfte und trat ein. Der Alte lag auf dem Rücken, den starren Blick auf den Stich mit dem Berg gerichtet. In seiner Nase steckte ein Schlauch, und sein Bart verschwand hinter einer Sauerstoffmaske.

»Pater!« rief sie. »Ach, Pater, wie glücklich ich bin, Sie wiederzusehen!«

Statt irgendeine Antwort zu geben, schloß er die Augen. Sie setzte sich auf die Bettkante und drückte seine knochige Hand.

»Mein lieber Pater«, fuhr sie ruhiger fort, »ich weiß, Sie ... Sie sind sehr müde, aber ich ... Ich wollte mich von Ihnen verabschieden, bevor Sie nach Saint-Brieuc gefahren werden, und Ihnen etwas zeigen.«

Er schlug die Augen auf. Jeder Atemzug kostete ihn unendliche Mühe, und die Maschine verstärkte noch sein Keuchen. Diesmal war es an ihr, dem Pater ein Geschenk zu machen. Sie öffnete ihre Tasche und holte Romans Schädel hervor, um ihn dem Greisen in die gelblichen Finger zu legen. Er wandte ihr das Gesicht zu und schaute sie fragend an, so daß Jeanne sich zu sprechen traute.

»Ihnen verdanke ich es, daß ich das Geheimnis von Notre-Dame-Sous-Terre lüften konnte.« Sie sprach ganz nah an seinem Ohr. »Es ist alles wahr, was in Dom Laroses Heft stand, Pater. Sie wurden getötet, damit sie nicht ein keltisches Heiligtum entdeckten, das unter der Krypta verborgen liegt. Aber ich habe es gefunden, und ich bin am Leben. Darin fand ich eine Epona-Statue, Druidengräber und – diesen einsamen Schädel, den Schädel des kopflosen Mönchs, der in der Krypta spukt – Bruder Roman. Er wurde 1063 von Abt Almodius getötet und enthauptet, und dessen Leiche ruht auch in der verborgenen Höhle. Romans Kopf wurde ebenfalls hineingeworfen, aber sein kopfloser Körper ist in Notre-Dame-Sous-Terre geblieben; die Mönche hielten ihn für den Leichnam ihres Abts. Romans Körper liegt also im Grab von Abt Almodius! Pater, sagen Sie mir, soll ich aufgeben und den Berg verlassen, oder gibt es noch den Bruchteil einer Chance, daß das Grab dieses Abts nicht zerstört worden ist? Vielleicht ist dieser Körper ja schon ausgegraben worden. Wo soll ich danach suchen? Soll ich die erste Ausgrabung wieder aufnehmen, in der alten Martinskapelle?«

Der Greis drückte Jeannes Hand und schüttelte den Kopf.

»Nein?« fragte sie. »Nein, nicht die erste Ausgrabung? Aber was soll ich dann tun? Bitte, Pater!«

Vorsichtig hob sie seine Sauerstoffmaske an. »M… Montfort…«, flüsterte er mit rasselnder Stimme.

»Montfort?« fragte Jeanne. »Was ist das? Ein Name oder der Ort, wo Almodius' Grab liegt?«

»Montfort…«, wiederholt er mit einem Seufzen. »Montfort, die mittlere…«

Dann sank sein Kopf auf die Seite, während er die Finger der jungen Frau losließ. Sie setzte ihm die Maske wieder auf, aber er schien nicht mehr zu atmen, sondern in einen tiefen Schlaf gefallen zu sein, ins Koma oder noch schlimmer.

Panik überkam Jeanne. Um Gottes willen, sie hatte ihn getötet! Sie mußte Hilfe rufen.

Doch diese Mühe brauchte sie sich gar nicht zu machen. Unversehens flog die Tür auf, und die Ordensschwester stürmte herein, gefolgt von zwei großen Krankenpflegern mit einer Trage.

»Was tun Sie hier?« keifte die Nonne, als sie Jeanne sah. »Um Himmels willen!« schrie sie beim Anblick Pater Placides und prüfte, ob sein Herz noch schlug. »Helfen Sie mir, schnell! Er ist bewußtlos!«

Jeanne legte Romans Schädel wieder in ihre Tasche und machte sich davon.

Armer Pater Placide! dachte sie traurig. Ich bin schuld, daß er diesen Anfall hatte! Hoffentlich stirbt er nicht… Montfort, die mittlere… Was meinte er damit?

Zurück in ihrem Auto entfaltete sie eine Straßenkarte und durchsuchte die Namen der umliegenden Dörfer. Nichts in der Gegend. Nichts im Osten, in der Normandie. Weiter im Westen auch nicht. Und im Süden, in der Bretagne…? Da, ein kleiner Marktflecken namens Montfort, auf dem Weg nach Rennes!

Vielleicht ist es gar nicht das Montfort, das er meinte, überlegte sie. Aber… doch, ich suche ein Grab, also einen Friedhof. Und zwar den Friedhof des bretonischen Dorfes Montfort! Ich muß hin, und zwar sofort. Aber warum sollte da Almodius' Grab liegen? Und was bedeutet ›die mittlere‹? Egal…

Sie ließ den Motor an, schaute gleichzeitig auf die Uhr: In höchstens einer Dreiviertelstunde würde sie dort sein.

Friedhof der Gemeinde Montfort, 17 Uhr 11. Jeanne schritt die Wege ab und konzentrierte sich auf den mittleren der drei Hauptwege, auf die Mittelachse also. Aber die Namen auf den Gräbern sagten ihr überhaupt nichts. Es waren moderne, kalte Gräber wie auf jedem beliebigen Friedhof.

Was tust du hier? fragte sie sich. Wie sollte Almodius' Sarg hierhergekommen sein? Ein Abt vom Mont-Saint-Michel, verstorben im Jahr 1063 – das ist doch lächerlich! Ich habe mich getäuscht, ich hätte nach einem Menschen mit Namen Montfort suchen müssen. Das ist ein alter Familienname, mittelalterlich. Bei diesen neuzeitlichen Gräbern werde ich nichts finden – ich brauche ein Telefonbuch aus der Gegend, Bretagne und Normandie und... Mist, ich habe mein Handy auf dem Berg gelassen! In der Post, ja, da finde ich ein Telefonbuch, wenn sie nicht schon zu ist...

Als sie gerade den Friedhof verlassen wollte, sah sie einen alten Mann mit einem Holzstock, der sich mit Margeriten beladen ehrerbietig einem weißen Grab näherte. Sie ging ein paar Schritte auf ihn zu.

»Entschuldigen Sie, Monsieur, ich suche... ein sehr altes Grab... das von einem entfernten Vorfahren von mir. Auf ihrem Totenbett nannte meine Großmutter mir den Namen Montfort, aber ich kann ihn hier nicht finden. Ich frage mich, ob es nicht anderswo im Dorf vielleicht noch einen Friedhof gibt, der viel älter ist?«

Der Rentner schaute sie geradewegs an und musterte sie, als würde er etwas suchen, was nicht mit bloßem Auge zu erkennen war. Sie fühlte sich unwohl.

»Tja, hier gibt's bloß einen öffentlichen Friedhof, und auf dem sind Sie«, erklärte er mürrisch. »Aber... Wie hieß denn Ihr Ahnherr? War das ein Adeliger?«

»Ja, ja, ein Adeliger aus der Gegend hier!« antwortete sie, einer Eingebung folgend, obwohl sie wußte, daß Almodius ein normannischer und kein bretonischer Grandseigneur gewesen war. »Ein Aristokrat, ja, ganz genau!«

»Na, dann ist er nicht hier«, sagte der Alte und dachte, daß man den Leuten heutzutage ihr Adelsprädikat wirklich nicht mehr ansah, was er sehr schade fand. »Hier liegen bloß die Gewöhnlichen, die anderen bleiben unter sich. Adelige verlassen nicht ihren Grund und Boden, die haben ihr Grab zu Hause.«

»Wo denn, Monsieur, wo denn?« Sie war erregt wie selten zuvor.

»Ich sage es doch: zu Hause! Bei der Familie de Montfort, zum Teufel! Beim Schloß!«

De Montfort ... auf einmal sagt mir dieser Name was, dachte sie. Aber es ist nicht Almodius' Familienname ... Gut, ich denke später darüber nach – jetzt schnell zum Schloß und zum Familiengrab der Montfort!

Montfort-en-Bretagne. Familiensitz der de Montfort, 18 Uhr. Das Gemäuer war nicht mittelalterlich, sondern stammte aus der Renaissance. Und es war ziemlich heruntergekommen. Auch der Park sah halb verwildert aus. So erging es all den alten Gütern und den alten Familien. Sie mußten kämpfen, um ihr kulturelles Erbe zu erhalten, aber dessen Glanz war nur noch eine Erinnerung, die zu Ruinen verkam.

Hinter dem hohen Zaun suchte Jeanne nach der Kapelle. Nichts zu sehen. Sie klingelte. Sieh an, dachte sie, sie haben in eine Gegensprechanlage investiert.

»Ja?« hörte sie eine Frauenstimme.

»Ich ... Guten Tag, ich würde gerne mit ... dem Besitzer des Schlosses sprechen«, bat Jeanne.

»Das Schloß ist nicht zu verkaufen«, entgegnete die Stimme postwendend.

»Nein, ich weiß, deswegen komme ich auch gar nicht. Es geht um eine ... eine private Angelegenheit. Etwas Familiäres, das mit der Vergangenheit zu tun hat, der Geschichte. Ich bin Archäologin, und ich ...«

»Nach 16 Uhr empfängt die Frau Gräfin nicht mehr«, unterbrach die Stimme sie. »Lassen Sie Ihre Karte da und rufen Sie morgen früh an, um einen Termin mit Madame auszumachen und die Gründe Ihres Besuches darzulegen. Dann wird Madame prüfen, ob sie Sie empfangen kann.«

Jeanne war verblüfft wegen der angestaubten Manieren der Hausbediensteten. »Warten Sie!« brüllte sie. »Bitte, ich muß Madame sofort sehen, es ist sehr wichtig! Pater Placide schickt mich! Hören Sie – Pater Placide!«

Schweigen. Jeanne klammerte sich an die Zaunstreben wie an ihre letzte Chance. Plötzlich hörte sie den Kies auf dem Weg knirschen und einen Hund bellen. Schritte kamen heran. Dann entdeckte sie eine kleine rundliche Frau von etwa sechzig Jahren, vielleicht auch mehr, grau von Kopf bis Fuß, und hinter ihr einen schrecklichen orangenen Pudel, der unaufhörlich kläffte. Die Frau taxierte ihre Jeans, ihre ausgewaschene Jacke, ihr fahles Gesicht, ihre ausgebeulte Tasche, ihre zerzausten Haare – und öffnete mit einem mächtigen Schlüssel das Gartentor.

»Madame erwartet Sie«, erklärte die Gouvernante in bedauerndem Ton. »Ermüden Sie sie nicht, sie ist unpäßlich.«

Jeanne nickte. Der dauergewellte Kläffer umkreiste sie japsend. Der Schloßwächter! Sie riß sich zusammen, um nicht nach ihm zu treten.

Sie wurde in einen Salon mit hoher Decke geleitet, der noch viele Zeugnisse seiner einstigen Pracht aufwies: eine Holzverschalung aus dem 17. Jahrhundert an den Wänden, ein monumentaler steinerner Kamin mit Wappen darauf und überall Porzellanfigürchen. Die graue Frau verschwand samt Pudel. Jeanne wagte es nicht, in dem Voltaire-Sessel Platz zu nehmen. Sie besah sich eine Vitrine mit einer Sammlung von kleinen Kristallkatzen. Sehr kitschig. Dann entdeckte sie auch den Inspirator der Ausstellung, der mit wahrlich katzenhafter Anmut auf einer mit Intarsien verzierten Kommode thronte und sich eine Pfote leckte: ein gelbäugiger Kartäuser, dessen Fell so grau war wie der Aufzug der Gouvernante. Jeanne lächelte der Katze zu.

»Bonjour, Mademoiselle … Mademoiselle?«

Sie fuhr herum und nannte ihren Namen, in Erwartung einer Dame mit Perrücke und Krinoline aus dem 17. Jahrhundert, einen künstlichen Schönheitsfleck auf der Wange und eine dicke Puderschicht; beinahe setzte sie schon zu einem Hofknicks an. Doch die Frau, der sie sich gegenübersah, glich in nichts Jeannes banausenhaftem Phantasiegebilde. Sie wirkte fast genauso alt wie Pater

Placide, und ihr Körper beugte sich über einen schwarzen Gehstock mit silbernem Griff. Sie trug ein schlichtes jadegrünes Jersey-Kostüm, das für die Jahreszeit viel zu warm war. Die Augen waren dunkel und lebendig, die weißen Haare sehr kurz geschnitten.

Keinerlei Koketterie in ihrem Auftreten, kein überlegener oder hochnäsiger Blick. Dafür aber eine unauffällige Eleganz. Ihr Adelstitel machte sie weder verächtlich noch großspurig. Da war nur das Wissen um ihre Wurzeln, das Bewußtsein, Sproß eines tausend Jahre alten Geschlechts zu sein, und das verlieh ihr eine Selbstsicherheit, die einen Hauch von einer statischen Pose hatte.

»Hortense de Montfort«, erklärte sie und behielt die Hände auf dem Stock. »Setzen Sie sich bitte. Also, wie geht es meinem lieben Pater Placide?«

»Sehr schlecht, Madame«, antwortete Jeanne leise und nahm vorsichtig auf dem Rand eines Sessels Platz. »Deshalb komme ich so … unangemeldet. Er … wurde soeben als Notfall ins Krankenhaus von Saint-Brieuc überführt.«

Die alte Dame ließ sich Jeanne gegenüber nieder. Sie machte einen tief betroffenen Eindruck. »Das bedrückt mich sehr, Mademoiselle, denn Pater Placide ist meinem Herzen sehr teuer. Freilich ist es sein größter Wunsch, zu unserem Herrn zu gelangen; das war das Ziel seines ganzen Lebens. Und doch wünschte ich, er ginge so spät als möglich. Es ist zu spät für den Tee – wünschen Sie ein Glas Portwein?«

»Nein danke, Madame«, stotterte Jeanne; die alte Dame beeindruckte sie sehr. »Auf Pater Placides Bitte hin erlaube ich mir, mich an Sie zu wenden. Bevor er … das Hospiz verlassen hat, bat er mich, ein Gebet für ihn zu sprechen, am … am Grab des Abts Almodius, dem achten Benediktinerabt auf dem Mont-Saint-Michel, der 1063 verstorben ist.«

»Wer sind Sie, Mademoiselle?« Sie klang auf einmal sehr mißtrauisch.

»Ich bin Archäologin und arbeite zur Zeit auf dem Berg, Madame. Spezialistin für romanische Kunst, und in dieser Eigenschaft traf ich kürzlich Pater Placide in Plénée-Jugon. Ich benötigte Informationen über bestimmte mittelalterliche Handschriften, die er besser kannte als jeder sonst. Ich mochte ihn sehr, und ich habe ihn privat noch einmal besucht, und ich war auch vorhin bei ihm, als er bewußtlos wurde und …«

»Hat er Sie eingeweiht?«

»Ja, kurz bevor er ins Krankenhaus gebracht wurde«, bluffte sie. »Oh, er hat mir nicht alles erzählt, nur ein paar Andeutungen. Der Ärmste, er konnte kaum reden, aber ich habe versprochen, es nie jemandem weiterzuerzählen. Er bat mich, an diesem Grab für ihn zu beten. Es war ein Wunsch, den er sich selbst nicht mehr erfüllen konnte«, log sie. »Ich … ich werde schweigen, das bin ich ihm schuldig. Und ich bin auch nicht als Archäologin hier«, ergänzte sie, »sondern als jemand, der Pater Placide nahesteht.«

»Und in gewisser Weise als sein Testamentvollstrecker!«

Jeanne lächelte. Dies war das reinste Vabanquespiel. Seit sie sich am Morgen aus dem Dunkel der Höhle und ihrem eigenen Tod gewunden hatte, tat sie nichts als zu lügen, zu hintergehen, die Leute zu überlisten. Doch die Suche nach der Wahrheit zwang sie dazu, der Respekt denen gegenüber, die tot waren oder sterben würden – ja, das Leben selbst verlangte es von ihr!

Die alte Gräfin zögerte, suchte in den Augen ihrer Katze nach einer Lösung. Jeanne preßte die Tasche mit Romans Schädel an ihren Schenkel. Roman, dachte sie verzweifelt, auch du hast die Wahrheit verdreht, um deine Liebe zu Moïra zu retten!

»Gut.« Die alte Dame gab schließlich nach, ohne zu erkennen zu geben, ob sie ihr auf den Leim gegangen war oder nicht. »Wenn er Sie eingeweiht hat, und vor allem, wenn er es so will … Aber sagen Sie mir: Warum Almodius und nicht die anderen? Sie liegen schließlich alle dort, wissen Sie?«

Hm … Sie mußte aus dieser heiklen Situation herausfinden, die Gräfin davon abbringen, sie auszufragen, und sie dazu bringen, ihr zu verraten, wo das Grab war!

»Nun …«, begann Jeanne, »bevor Almodius Abt wurde, war er ein berühmter Kopist, dann Leiter des Skriptoriums auf dem Berg, der größte Bibliothekar, den die Abtei jemals hatte, und Pater Placide liebt seine Handschriften – mehrere davon werden in Avranches aufbewahrt –, und wir unterhalten uns oft darüber …«

»Aha. Das wußte ich nicht. Wissen Sie, in meinem Alter läßt

das Gedächtnis nach, und ich weiß nicht, ob ich mich an alle ihre Namen erinnern kann. Schauen wir mal: Maynard der Erste«, sie zählte die Namen an ihren Fingern ab, »Maynard der Zweite – sein Neffe, glaube ich –, Hildebert, Thierry de Jumièges, dann eben Almodius und schließlich Ranulphe de Bayeux... Das ist es – sechs! Die sechs Benediktineräbte, die auf dem Berg verstorben sind, die Gründungsväter der Abtei!«

Jeanne war sprachlos. Ihre Gedanken schweiften ab. Kann es sein, überlegte sie, daß diese Frau mir hier gerade wie nebenbei erzählt, daß in der Erde dieses Anwesens jene begraben liegen, die sie gerade aufgezählt hat? Nein, das wäre ja ein Wunder!

»Sind sie denn alle sechs hier?« fragte Jeanne erzwungen heiter.

»Natürlich!« antwortete Hortense de Montfort. »Wenn ich mich richtig entsinne, fehlen nur drei Äbte: Aumodius, Suppo und Raoul de Beaumont, die zwar auch im 11. Jahrhundert lebten, aber nicht auf dem Berg begraben waren; ich weiß nicht mehr warum. Eloi de Montfort, der Vorfahre meines Gatten, hätte ja gern noch mehr hergeschafft, denn in der Folge hatte es große Äbte gegeben, aber es mußte schnell gehen und unauffällig. Ein paar lagen im Chor, in steinernen Grüften, die sich nur sehr schwer öffnen ließen. Und Auberts Kopf hatten die Revolutionäre bereits mitgenommen. Aber Eloi überzeugte einen befreundeten Arzt, der den Schädel einforderte, um ihn als medizinische Kuriosität aufzubewahren, und so wurde er gerettet und blieb erhalten, bis der Reliquienkult wieder aufgenommen wurde. In jener Nacht stand Eloi in der großen Kirche und auf dem Friedhof vor den Aposteln und allen Heiligen und entschied sich schließlich dafür, die Überreste der Apostel zu retten, die ersten, die Begründer! Wenn ich daran denke, was damals auf dem Berg geschah: 1791 wurden die Mönche von den Sansculotten aus der Abtei verjagt, und der Berg wurde als ›Mont libre‹ eine freie Kommune und die mittelalterlichen Handschriften in aller Eile über das Watt nach Avranches gebracht. Und Eloi de Montfort, ein Adeliger, offizell ein Anhänger der Aufklärung und der Revolution, stahl eines Nachts wie ein Wegelagerer oder ein Grabräuber die Überreste der sechs ersten Äbte aus ihren Gräbern, packte sie in ihre Leichentücher verhüllt in leere Weinfässer und brachte sie auf einem Ochsenkarren in sein Schloß, eben hierher, in das Familiengrab, um sie vor dem zerstörerischen Wüten der Revolutionäre zu retten, die alle Kultstätten plünderten, die Friedhöfe inbegriffen!«

Jeanne riß vor Staunen den Mund weit auf. »Die Legende von den geraubten Äbten«, flüsterte sie im Gedanken an die Olams.

»Was sagen Sie?«

»Das ist ja eine seltsame Geschichte... Ich weiß jetzt, warum mir Ihr Name so bekannt vorkam«, rief Jeanne plötzlich. »Der Hundertjährige Krieg, die Ritter, die den Berg gegen die Engländer verteidigten – da war ein Montfort dabei!«

»Richtig, Raoul de Montfort kämpfte tapfer an der Seite von Louis d'Estouteville und wurde 1470 posthum zum Ritter vom Orden des Heiligen Michael geschlagen. Unsere Familie war dem Berg immer sehr verbunden, zu allen Zeiten. Mehrere unserer Vorfahren waren dort Mönche. Für uns war, ist und bleibt der Berg immer bretonisch. So war es unsere Pflicht, seinen Aposteln unseren Schutz zu entbieten.«

Jeanne hätte am liebsten laut gelacht. Wie unglaublich! dachte sie. Welch maßlose Leidenschaft dieser Berg zu allen Zeiten schürt... Kelten als Märtyrer der Christen, Benediktiner als Märtyrer der Revolutionäre... Und was für Geheimnisse! Placide wußte, daß die Familie der Montfort seit 1791 über die Gräber der Äbte wacht. Und auch die Benediktiner wußten es. Warum haben sie das nie offengelegt? Warum erwähnt das kein Historiker, kein Buch, kein Beamter vom Denkmalschutz?

»Madame, warum haben Sie die Reliquien nicht zurückgegeben, als... nun, als die Zeiten weniger aufregend waren?«

»Nachdem Eloi diese sechs Äbte versteckt hatte, mußte er mit Schrecken zusehen, wie die Revolutionäre ihre schmutzigen Pläne in die Tat umsetzten: Es blieb nichts übrig von den Gräbern der anderen Äbte, die er nicht hatte retten können. Sie machten sich sogar an den Beinhäusern der einfachen Mönche zu schaffen, von den Lebenden gar nicht zu reden: 1792 ermordeten sie in Paris den Generalsuperior der benediktinischen Mauriner Kongregation, und 1794 wurde der Superior von Cluny guillotiniert – unter anderen. Eloi hatte sich der neuen Weltsicht angeschlossen, aber insgeheim half er den Priestern im Widerstand und den bedrohten Mönchen – darunter auch Benediktiner vom Berg –, nach England zu gelangen. Unter der Schreckensherrschaft wurde er für diese Aktionen denunziert und öffentlich guillotiniert. Bevor er aufs Schaffott stieg, nahm er seinen Söhnen das Versprechen ab, daß sie nichts verrieten und die Reliquien der Äbte erst dann zurückgaben, wenn wieder Benediktiner auf dem Berg lebten. Nur ihnen allein konnte man vertrauen, denn es ging um ihre Väter – diese heiligen Reliquien gehörten ihnen, und wir waren nur ihre heimlichen Hüter. Eloi wurde also enthauptet, und das Geheimnis um die Gräber der Äbte wurde in unserer Familie von Generation zu Generation weitergegeben, während die Abtei, aus der man den Glauben verjagt hatte, zu einem liderlichen Staatsgefängnis verkam und auf dem geplünderten Mönchsfriedhof das Tretrad des Lastenaufzugs aufgestellt wurde.«

»Und die Benediktiner kamen erst 1966 auf den Berg zurück!« sagte Jeanne.

»Ja«, antwortete Hortense de Montfort nachdenklich, »zur Tausendjahrfeier des Klosters. Aber erst 1969 richtete sich wieder eine dauerhafte Gemeinschaft in der Abtei ein. Ich dachte, das hätte Ihnen Pater Placide erzählt, denn damals lernten wir ihn kennen, mein verstorbener Gatte und ich. Wir waren so glücklich, daß die schwarzen Mönche zurück waren. Wir dachten, es wäre endgültig, und die wahren Eigentümer des Berges, die, die seine Legende erbaut hatten, würden ihn nicht mehr verlassen. Nun, im Jahr 1969 bat also mein seliger Gatte gemäß dem letzten Willen seines Vorfahren Eloi um eine Unterredung mit dem damaligen Prior – einen Abt gab es nicht mehr – und erzählte ihm die ganze Geschichte. Sie können sich sicherlich vorstellen, wie überrascht dieser Mann war. Und eines Morgens erhielten wir Besuch vom Prior und von Pater Placide, die kamen, um mit eigenen Augen die Reliquien in der Grabkammer zu besichtigen. Der Prior befragte daraufhin die Gemeinschaft, und zu unserer großen Verwunderung lehnte er es anschließend ab, die heiligen Gebeine zurückzuholen, sondern wollte lieber, daß wir sie hüteten und weiterhin Stillschweigen bewahrten.«

»Aber warum denn?« fragte Jeanne erstaunt.

»Weil, Mademoiselle, die Dinge auf dem Berg und die Herzen der Mönche, anders als mein Mann und ich dachten, sich sehr verändert hatten. Die Benediktiner waren nicht mehr dieselben wie früher: Bis auf diesen teuren Placide trug niemand mehr den Habit; statt dessen liefen sie in Zivil herum wie Laien und feierten die Messe auf französisch. Sie waren nicht mehr Herr in ihrem Haus, auch nicht mehr über ihre ruhmreiche Vergangenheit, sondern nur einfache Mieter. Der Staat, der Denkmalschutz, der Verwalter des Berges waren fortan die alleinigen Besitzer der Abtei, die sie dem Massentourismus preisgaben, und in diesem versteinerten, atheistischen Museumsambiente waren die Mönche nur noch Staffage. Wenn ich darüber nachdenke, so glaube ich im besten Fall, daß der Prior befürchtete, daß man die wertvollen Gebeine, statt sie wieder zu bestatten und in Frieden zu verehren, eher examinieren, von Historikern analysieren und dann in einem Raum des Klosters den profanen Blicken der Touristen aussetzen würde. Im schlimmsten Fall befürchte ich, daß die Benediktiner von heute ihrer uralten Geschichte entsagt haben, um ›zeitgemäß‹ zu sein. Ja, die schwarzen Mönche haben dem Erzengel entsagt. Vielleicht ist das die traurige Wahrheit.«

Jeanne schaute zu Boden. Simon hatte ja um seine eigenen Reliquien dieselben Befürchtungen gehegt. Hätten die Benediktiner die Grotte entdeckt, so hatte er gesagt, hätten sie sie aus ihrem Glauben heraus vernichtet – aber würden die Leute von heute sie finden, würden sie sie aus mangelndem Glauben zu einem Museum machen!

»Ich kann kein qualifiziertes Urteil über die Haltung der heutigen Benediktiner abgeben«, antwortete Jeanne vorsichtig. »Aber was die Rolle des Staates auf dem Berg betrifft, bin ich nicht Ihrer Meinung, denn immerhin hat der Staat den Berg gerettet und restauriert...«

»Nachdem er ihn ein Jahrhundert lang verwüstet hat!« versetzte die alte Dame.

»Wenn ich einmal meinen Beruf hinten anstelle und nur auf mein Herz höre, kann ich die Entscheidung des Priors verstehen«, gestand Jeanne.

»Jedenfalls haben mein Mann und ich es nie bereut, den Kontakt zum Prior gesucht zu haben« erklärte Hortense de Montfort, »denn so durften wir Pater Placide kennenlernen, einen Mönch, der stolz ist auf die Vergangenheit, der sie akzeptiert und sie schützt. Und in der Tat kam er seit 1969 Jahr für Jahr allein hierher, um seinen Gründungsvätern eine Messe zu lesen und sich in der Kapelle zu sammeln. 2001 verließen die Benediktiner dann wieder den heiligen Berg, und im selben Jahr starb mein Mann. Danach erschien Pater Placide noch regelmäßig hier, bis auch ihn das Alter und die Krankheit dazu zwangen, seine Besuche einzustellen.«

»Heute bin ich in seinem Namen hier«, sagte Jeanne gerührt, »und ich werde das Geheimnis, das er stets wahrte, nicht verraten.«

Die alte Dame schaute Jeanne prüfend an und nickte schließlich. »Ich glaube Ihnen«, sagte sie. »Eglantine wird Ihnen den Weg weisen – es ist ganz hinten im Park, und meine Beine tragen mich nicht mehr so weit. Mademoiselle, bleiben Sie, solange Sie wollen, beten Sie für ihn und schließen Sie uns in Ihr Gebet ein, wie er es immer tat.«

»Das werde ich, Madame.«

Im Sonnenschein folgte Jeanne der Gouvernante durch den Park, der seinem anarchischen Eigenleben überlassen war. Eine gotische Kapelle erhob sich hinter Ginstergebüsch. Wortlos entriegelte Eglantine das Portal, ließ den Schlüssel im Schloß stecken und machte sich wieder auf den unsichtbaren Pfad zum Haus.

Jeanne preßte ihre Tasche an ihr Herz. Roman, diesmal sind wir so weit! dachte sie, und ehrfürchtig betrat sie das Mausoleum. Ein Altar aus weißem Marmor war mit zwei dicken Kerzen bestückt. An der Wand hing ein Kruzifix. Drei königsblaue Fenster ließen das Licht ein; auf dem mittleren über dem Altar war der thronende Christus dargstellt, der von den Toten auferstanden war, auf dem linken Fenster die Jungfrau, und auf dem rechten der heilige Michael in seiner Rüstung, wie er mit seinem Langschwert den Drachen niederstreckte.

Jeanne lächelte ihrem Engel zu. An den Wänden der Kapelle waren Tafeln angebracht, auf denen die Namen derer standen, die dort ruhten, ihr Titel, ihre Taten, ihre Geburts- und ihre Todesdaten. Die ältesten Toten stammten aus dem 14. Jahrhundert, die jüngste Tafel war die von Hortenses Gatten. Jeanne stellte fest, daß die Gräfin neben der ihres Mannes schon ihre eigene hatte anbringen lassen, es fehlte nur noch ihr Todesdatum. Auch sie war bereit und ersehnte das Wiedersehen mit ihrem geliebten Mann.

Natürlich waren die Äbte nirgends erwähnt. Jeanne besah sich den Boden: drei dicke Steinplatten mit Bronzering bedeckten den Zugang zu den unterirdischen Gräbern, die auf drei Grabkammern verteilt waren. In welcher davon ruhten die Äbte? Hortense de Montfort hatte dazu nichts gesagt.

Jeanne kniete nieder, untersuchte den Stein. Dort war keine Inschrift, die ihr hätte helfen können. Nur drei Platten, eine links, eine in der Mitte, eine rechts.

»Die mittlere!« Die letzten Worte von Pater Placide fielen ihr ein... »Montfort, die mittlere!«

Jeanne lachte laut auf. »Danke, Pater Placide!«

Sie strich über die mittlere Platte: Romans Leiche lag darunter – sie spürte es, sie wußte es!

Almodius, wandte sie sich in Gedanken an den Abt, du hast Roman und Moïra voneinander getrennt, du hast sie beide getötet. Aber im Tod bist du deinem einstigen Rivalen zu Hilfe gekommen. Dafür sei dir gedankt!

Jeanne dachte nach. Nachdem Eloi de Montfort die Überreste der sechs Äbte in der mittleren Gruft niedergelegt hatte, hatten dort zum Schutz seines Geheimnisses sicherlich keine weiteren Toten mehr begraben werden dürfen, deshalb hatte man seitlich noch eine dritte Krypta errichtet. Demnach hatte also seit 1791 niemand mehr die mittlere Kammer betreten, mit Ausnahme des Priors und von Pater Placide im Jahre 1969. Aber wie sollte sie hinuntergelangen? Da war zwar ein Ring auf der Platte, doch Jeanne war nicht kräftig genug, sie mit bloßen Händen anzuheben. Sie bräuchte Werkzeug. Sie konnte sich jedoch nicht vorstellen, daß ihr die Hüterin des Heiligtums erlauben würde, in die unterirdische Gruft hinabzusteigen, und ihr dafür einen Geißfuß leihen würde. Also mußte sie allein und heimlich handeln, doch alle ihre archäologischen Instrumente waren noch in Notre-Dame-Sous-Terre. Wie sollte sie sich behelfen?

Sie schaute um sich, und ein Gedanke ging ihr durch den Kopf. Sie legte Romans Schädel auf eine Ecke des Altars, nahm ihre leere Tasche, ging zurück zum Schloß, erklärte, sie hätte das Meßbuch vergessen, das Pater Placide ihr geschenkt hatte, ging zu ihrem Wagen und wühlte im Kofferraum. Kurz darauf kehrte sie triumphierend in die Kapelle zurück. Sie drehte von innen zweimal den Schlüssel im Schloß herum, bevor sie aus ihrer großen Tasche eine Taschenlampe, einen Stein – und ihren Wagenheber holte.

Es war noch heller Tag, so brauchte sie die Kerzen nicht anzuzünden. Aber Jeanne kletterte auf den Altar. Auf Knien, die Schenkel zwischen den Kerzen, betrachtete sie das blaue Fenster und das Kruzifix an der Wand. Das Bronzekreuz war schön und befremdlich: Jesus verherrlichte das Leiden, seine klaffenden Wunden bluteten, und sein Gesicht war im Schmerz verzerrt: reinster religiöser Kitsch. Der Längsarm des Kreuzes war bestimmt einen Meter zwanzig hoch, der Querarm um die achtzig Zentimeter. Jeanne berührte das Kruzifix sanft, dann wagte sie es anzufassen. Auf einmal packte sie es mit beiden Händen und nahm es von der Mauer; beinahe hätte sie es fallengelassen, so schwer war es. Sie preßte es in ihren Armen und drückte einen Kuß auf die dornengekrönte Stirn.

»Verzeih mir, Jesus, aber ich brauche deine Hilfe…«

Sie legte das Kreuz neben Romans Schädel auf dem Altar ab, sprang von der Marmorplatte und schleppte es mühsam bis zu den drei Bodenplatten. Dann legte sie den Längsarm durch den Ring auf der mittleren Platte, fixierte ihn zwischen den Fugen des Bodens und benutzte ihn als improvisierten Hebel.

Die Grabplatte hob sich leicht. Schnell legte sie den mitgebrachten Stein darunter. Dann schob sie vorsichtig den Wagenheber darunter, schraubte die Kurbel an das Gerät und drehte. Der Wagenheber faltete sich auf, schob die Platte nach oben. Noch ein paar Zentimeter, dann war es geschafft! Der Durchgang war breit genug, daß sie sich hindurchgleiten lassen konnte. Sie knipste die kleine Taschenlampe an und stieg die Treppe in die Grabkammer hinunter.

Es war dunkel, kalt und muffig. Der Schoß der Erde war kühler als der des Felsens. Es roch streng nach verfaultem Fleisch, nach dem der dutzend Leichen, die hier verwest waren. Der Raum war klein, rechteckig, und in den Wänden waren Nischen eingelassen, in denen Holzsärge standen. Dazu der unerträglicher Gestank, die schwere Luft. Instinktiv wandte sich Jeanne der Bodenplatte zu und richtete den Lichtkegel ihrer Lampe darauf. Alles in Ordnung, die Platte stand offen, und der Wagenheber konnte nicht nachgeben. Hätte Jeanne die Wahl gehabt, sie wäre lieber in der runden keltischen Höhle gestorben, in Gemeinschaft mit Epona, den Olams und Almodius, als in diesem Tempel der wohlgeordnet aufgestellten Särge.

Roman, unglücklicher Roman, wo bist du? fragte sie im Stillen. Fühlst du dich auch so unwohl, weit weg von deinem Felsen, von den Steinen deiner Abtei, obwohl die Patres an deiner Seite ruhen? Zum Glück ist deine ewige Seele in Notre-Dame-Sous-Terre geblieben. Und dieses Gefängnis hat deinen Körper geschützt. Über zwei Jahrhunderte lang. Jetzt ist es an der Zeit, daß du die sterbliche Welt verläßt.

Vor Kälte zitternd suchte Jeanne nach dem Grab der Äbte. Auf den Särgen standen die Namen ihrer illustren Insassen, ausschließlich hohe Herren, und wie sie es sich gedacht hatte, war niemand von ihnen nach 1791 verstorben. Nur das 17. und 18. Jahrhundert waren vertreten. Auch mußten die Toten aus den Generationen davor in einer anderen Gruft ruhen. Vor Jeannes Augen lief die Geschichte ab, die der Einzelnen wie die der Welt. Aber keine Spur von den Äbten vom Berg.

Eloi de Montfort wird sie doch aber nicht mit anderen Gebeinen in denselben Sarg gelegt haben! überlegte sie. Nein, das hätte er nicht mit seinem Glauben vereinbaren können. Die Gebeine der Äbte sind heilig. Sie sind die Gründungsväter, die sechs Apostel vom Mont-Saint-Michel. Aber wo mag er sie nur versteckt haben?

Jeanne streifte fieberhaft mit dem Lichtkelgel der Lampe über die Wände und verharrte dann auf einmal. Ihr wurde übel. An einem Wandstück standen ausschließlich – Kindersärge!

Sie dachte an Pierrot, ihren Zwillingsbruder, und trat langsam an die kleinen Kisten heran. Es standen jeweils zwei in einer Nische, so klein waren sie. Sie zählte – einundzwanzig. Einundzwanzig kleine Pierres waren an diesem Ort eingesperrt. In dieser Gruft konnten sie keine Sandburgen bauen und unterirdische Tunnel graben. Aber sie waren beisammen, und vielleicht unterhielten sie sich manchmal miteinander.

Zitternd, von Übelkeit gepackt, beugte sich Jeanne zu einem der kleinen Särge, um den Namen des Toten zu lesen – und ließ in einem Schrei die Lampe fallen. Hinter der winzigen Holzkiste grinste sie der Totenschädel eines Erwachsenen an!

Raffiniert, sehr raffiniert, sagte sie sich. Eloi de Montfort hat die Gebeine der Äbte hinter den Gräbern der Säuglinge verborgen! Natürlich, diese Särge sind kürzer, aber auch schmaler, und die Äbte vom Berg waren in ihrem einfachen Leichentuch bloß Skelette, die wenig Platz brauchten! Die Särge sind also wohl aus einem praktischen Grund so angeordnet, aber auch aus einem spirituellen: Die ehrbaren Ahnen mit ihrem ereignisreichen, langen Leben werden von Wesen geschützt, deren Leben endete, bevor sie groß wurden. Die Seelen der Neugeborenen sind frei von Sünde, und so wachen die, die mit einer reinen Seele geboren wurden, über die ewige Ruhe der Weisen, deren Seelen im Leben rein von Sünde wurden, während die Heiligen wiederum den unschuldigen Kindern Frieden stiften. Maynard I., Maynard II., Hildebert, Thierry de Jumièges, Ranulphe de Bayeux – und vor Ranulphe Roman, an Almodius' Platz…

Jeanne war so aufgeregt, daß sie kaum noch Luft bekam. Sie atmete tief durch und mußte von der Mauer zurücktreten, um zur Ruhe zu finden. Der entscheidende Augenblick war gekommen.

Endlich hatte sie sich wieder im Griff, bekam wieder Luft und spürte nicht mehr die Kälte. Sie hob die Lampe auf, lehnte sich mit dem Oberkörper gegen die kleinen Holzsärge und untersuchte den sagenhaften Schatz, den sie verbargen. Die Leichentücher waren von der Zeit zernagt. Sie entdeckte das Abtkreuz, das auf ihrer Brust ruhte. Sie wußte nicht, wer wer war, keine Inschrift enthüllte es ihr. Sehr gern hätte sie Hildebert identifiziert, aber der, den sie suchte, war leicht zu erkennen. Nach wenigen Minuten fand sie ihn, in der dritten Reihe von unten: Er wirkte in den

Resten seines Grabtuchs noch dunkler und trug das Kreuz und den Ring am Finger – aber er hatte keinen Kopf!

Jeanne stieg wieder hinauf in die Kapelle, um Romans Schädel zu holen. Sie schaute lange auf das Fenster mit dem Erzengel. Dann entzündete sie die beiden Fackeln an der Treppe zur Krypta und eine dicke Kerze, die sie vom Altar genommen hatte. Die Feier konnte nicht bei elektrischem Licht stattfinden. Zurück in der Gruft, stand sie wieder vor der Mauer von kleinen Särgen. Vorsichtig und voller Zärtlichkeit räumte sie die beiden winzigen Holzkisten beiseite, die Romans Leichnam verdeckten. In ihren Armen trug sie sie weg und stellte sie ein Stück weiter auf den Lehmboden. Dann löschte sie die Lampe und hielt die Kerze nach vorne: Die knappe Luft ließ die Flamme senkrecht aufstreben, gerade und kraftvoll wie ein aufsteigender Weg. Das Licht zeichnete eine volle goldene Scheibe, die gleich einer Sonnenblume Romans Körper umhüllte wie ein erstes Morgenrot.

Jeanne kniete vor dem verstümmelten Skelett nieder. Sie nahm den knöchernen Kopf in ihre warmen Hände und klemmte ihn zwischen ihre Beine. Die Rührung hielt ihre Worte im Körper zurück und verschloß ihre bleich gewordenen Lippen. Den Blick auf das Abtkreuz gerichtet, das auf der knöchernen Brust lag, streichelte sie Romans Stirn. Liebe rann aus ihren himmelblauen Augen und lief über ihre fahlen Wangen. Das Schweigen war ihr Gebet, ihre Hoffnung und ihre Sehnsucht. Endlich würde sich ihr das blaue Fenster öffnen.

Sie schloß die Augen. Beinahe tausend Jahre. Tausend Jahre Wartezeit. Voller Leiden, Verzweiflung. *Acedia*, die Trägheit … Sie löste Moïras Kreuz von ihrem Hals, legte es auf Romans Rippen. Das keltische Schmuckstück fiel zwischen den Knochen hindurch in seinen Oberkörper. Es würde sein Herz sein, damit Moïra seine Seele vom Feld des Himmels würde pflücken können. Jeanne erschauerte, als sie an die Vereinigung dieser beiden Liebenden dachte, die für sie selbst die Trennung bedeutete. Sie schaute zu Boden: Ihre langen dunklen Haare umhüllten Romans Schädel mit dem Schleier des Abschieds. Leb wohl, für immer … Sie nahm den Schädel, hielt ihn empor wie eine Hostie, küßte ihn und führte ihn langsam zum Körper, zu seinem wiedergefundenen Körper.

3. Juni, 22 Uhr 47. Auf dem Weg zum Mont-Saint-Michel. Im Dorf Pontorson. Pontorson und seine rosa Neonlichter in der Dunkelheit. Jeanne rast in ihrem Wagen über die Kreuzung. Ihn sehen – als wäre es das erste und das letzte Mal. Da, dort ist es, das »Feenschloß mitten im Meer«. Er steht am Ende der Träume, am Ende der Schatten, er ragt auf, allein in einem dauernden Heiligenschein. Jerusalem. Das himmlische Jerusalem. Gottes Heimstatt, der Felsen vom Ende der Zeiten, wo Bruder Roman sie erwartet. Sein wiedergeeinter Körper ist stumm geblieben, dort in der Totenkapelle unter der fremden Erde.

Du hast dich in Montfort nicht gezeigt, denn dein Herz ist dort, wo deine Seele ist, denkt Jeanne. Und deine Seele ist auf dem ewigen Berg, im granitenen Bauch von Notre-Dame-Sous-Terre. Dort werde ich zu dir kommen. Ich will dir Lebwohl sagen, bevor du den Berg verläßt, den auch ich bald verlassen werde. So gern möchte ich dich sehen, dein Gesicht betrachten, endlich. Sicher wartest du über dem Dreifaltigkeitsaltar, auf den Stufen in den Himmel. Der Erzengel ist aus Gold, er wird sein Schwert und seine Waage fahren lassen, um dir die Hand zu reichen. Er wird sein tausendjähriges Versprechen halten. Die Zeit vereinigt die Engel, wie sie die Menschen vereint.

Sie beschleunigt.

Das Dorf Beauvoir hieß einst Astériac, bis im Jahr 709 ein Blinder dort wieder das Augenlicht erlangte, als er seinen Blick auf den Berg richtete. Jeanne fährt durch Beauvoir. Die Nacht ist recht dunkel für Juni. Es herrscht Flut. Die Steine der Abteikirche flüstern, singen, heulen. Jeanne ist Freude, Trauer und Erschöpfung zugleich. Ihr Kopf und ihr Körper sind schwer wie ein Amboß. Ihre Lider senken sich allmählich, fallen zu, und alles wird schwarz. Langsam gleitet das Auto vom Asphaltband.

Plötzlich ist der Nachthimmel erleuchtet wie eine ausgefranste Wolkenbank. Eine längliche, schlanke Kontur gleitet darüber hinweg, eine dunkle, aufsteigende Gestalt. Allmählich wird das Gespenst deutlicher und nimmt menschliche Gestalt an. Eine pechschwarze Kutte, ein Skapulier mit Kapuze, ein Kranz brauner Haare unter der Tonsur – und ein Gesicht ... was für ein Gesicht!

Das eines jungen Mannes von dreißig Jahren, schön, so schön. Zarte Lippen, hervorspringende Nase, die hohe Stirn, die blasse glatte Haut – und die Augen… groß sind sie und schimmern durch das nebelige Grau, den anthrazitfarbenen Dunst des Geheimnisses. Er öffnet den Mund…

»*Deo gratias*…«, flüstert eine Stimme, die wie eine Liebkosung klingt. »Danke!«

Er kommt heran, fliegt durch den Himmel wie über klares Wasser. Er hebt einen Arm und reckt eine Hand mit den weißen, langen, zarten, spitz zulaufenden Fingern derer, die ihre Hände nicht zur Arbeit gebrauchen. Jeannes Körper wird so leicht wie eine Wolke, ihr Kopf so friedvoll wie der Chor einer Kirche.

»Jeanne…«, wispert er. »Du hast mich von der Erde losgekettet. Ich war vom Erzengel verdammt, zwischen Erde und Himmel umherzuirren wie einst mein Herz. Denn hier unten war mein Herz nur ein Vagabund, zerrissen zwischen dem Allmächtigen und Moïra. Nirgends hatte es seine Heimstatt. Als ich vor dem Seelenwäger, dem Ersten unter den Engeln stand, erklärte er mir, daß sich göttliche und menschliche Liebe, wenn sie wahrhaftig sind, nicht im Wege stehen, sondern sich gegenseitig nähren. Ich hätte Moïra lieben können, indem ich mich Gott widmete, und Gott lieben, indem ich mich Moïra hingab. Doch weil ich mich weigerte, mich zu entscheiden, weil ich meinen Kopf von meinem Körper trennte, weil ich mich weder auf das eine noch auf das andere voll einließ, weder gegen das eine noch gegen das andere Stellung bezog, habe ich sie beide schlecht geliebt. ›Du bist weder kalt noch warm. Ach, daß du kalt oder warm wärest! Weil du aber lau bist und weder warm noch kalt, werde ich dich ausspeien aus meinem Munde‹, sagt der Messias zum Engel von Laodizea in der Apokalypse des Johannes, in unserem Buch. So war ich, weder kalt noch warm, und der heilige Michael hat mich ausgespien.

Dennoch bezeichnete der Erzengel mir Menschen, an die ich mich um Hilfe wenden konnte. Jahrhundertelang aber gelang es niemandem, den Fluch zu brechen. Als ich sah, wie mein unglücklicher Körper vom Berg gebracht wurde, während mein Kopf unter der vermauerten Krypta Notre-Dame-Sous-Terre liegenblieb, verzweifelte ich und meinte, ich würde nie erlöst. Erst viel später führte mich der Herr des heiligen Bergs vor ein kleines Mädchen. Da zitterte ich. Da, wo Mönche und Krieger gescheitert waren, sollte ein Kind, eine Frau es schaffen? Da, wo Mönche und Krieger umgekommen waren, solltest du überleben? Ich sah dich aus der Tiefe der Zeit an, Jeanne, und ich begriff, warum Er dich gerufen hatte: Deine Seele, die so stark ist wie die eines Mönchs und eines Kriegers, liebte mich. Diese Liebe hat mich gerettet. Werde ich dir das eines Tages vergelten können? In dieser Nacht, in der ich dank deiner Hilfe mein Exil verlasse, kann ich nichts als dich über dich selbst aufklären. Ein Teil deiner Seele ist die Schwester der meinen, Jeanne: Sie neigt dazu, die Werke der Menschen mehr zu lieben als die Menschen selbst. Seit Pierres Tod zögerst du, du schwankst zwischen Leben und Tod, ohne dich zu entscheiden. Du überlebst, aber dein Herz ist einsam, ein Gefangener des Phantoms deines Bruders, vergraben in der Krypta deines Gedächtnisses. Du hängst zwischen Erde und Himmel, und du gehörst keinem von beiden.

Heute abend, Jeanne, wirst du dich entscheiden müssen: Wenn du die Erde verlassen willst, wird dich der Erzengel in die Wolken geleiten. Wenn du das Leben vorziehst, mußt du Fleisch werden und deine Angst vor der Liebe überwinden, die Angst, dein Herz an das Herz eines Wesens zu binden, das dich verlassen könnte, so wie du dich an mich zu binden wußtest. Vergiß nicht: Um in den Himmel zu gelangen, muß man in der Erde graben – sein eigener Grund und Boden sein, im Schatten seiner Wunden leben, um zum Licht zu finden! Aber du allein mußt die Entscheidung treffen. Das Ende deiner Geschichte steht nicht geschrieben. Nie tut es das. Du bist frei, du mußt es schreiben ... Leb wohl, meine Freundin!«

Roman zieht seine bleiche Hand zurück, zerschmilzt, löst sich auf in ein Lächeln und verschwindet. Der Himmel hat seine Farbe verloren, ist nur noch Dunkelheit rund um den Berg. Die Nacht von Beauvoir ist heller, ihr bleicher Mondschein blinkt von roten und blauen Feuern, von Blaulichtern und heulenden Sirenen, die auf das Auto zurasen, dessen Hinterräder sich in der Luft drehen. Die Motorhaube steckt in einem Loch voller salziger Halme, einem Graben voller Schlamm und morastiger Erde vor dem rauschenden Meer.

Am Tor des Himmels zu Füßen des Erzengels tritt Roman in eine weiße Wolke, und es offenbart sich das verborgene Antlitz der Zeit. Endlich kann er den unsichtbaren Verlauf seines Geschicks ablesen und das der Wesen, die ihm lieb und teuer sind. Mit brennendem Herzen wendet er sich um und wirft einen letzten Blick auf Jeanne, die bewußtlos zwischen den beiden Welten liegt.

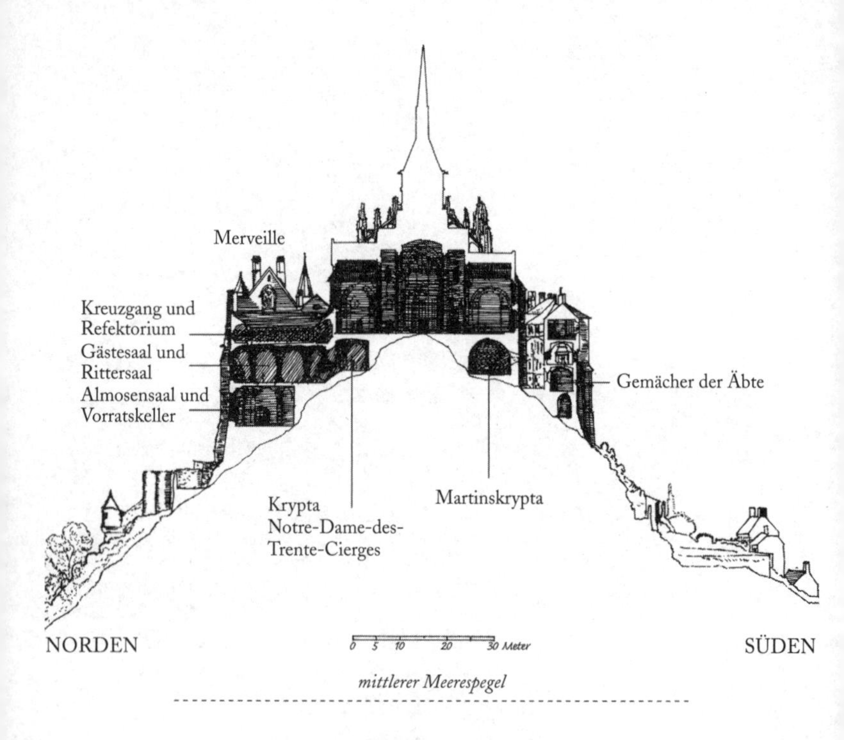


*Querschnitt des Mont-Saint-Michel*
*(von Nord nach Süd), nach E. Corroyer*

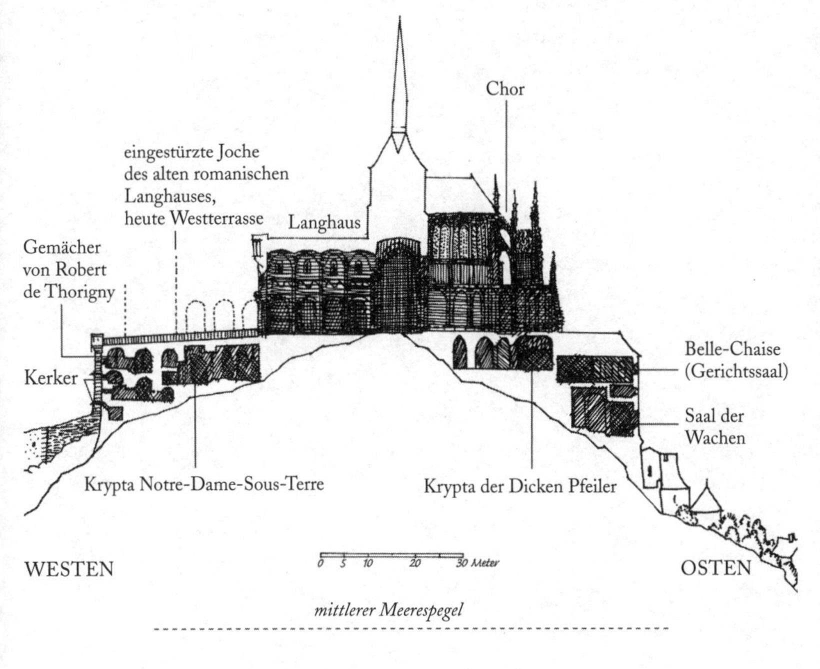


*Längsschnitt des Mont-Saint-Michel*
*(von West nach Ost), nach E. Corroyer*

# DANKSAGUNG

Die Autoren danken denen, die mit Strenge, Begeisterung und kritischer Feder die heikle Rolle der ersten Leser übernommen haben:

Anne Cabesos, Claude Cabesos, Laurence Delain-David, Bénédicte Gimenez, Elisabeth und René Lenoir, Christel Macon, Marie-Pierre Paré, Rémi Savournin, Camille Scoffier-Reeves, Bérenger Vergues.

Dank gilt Michèle Le Barzic, die uns auf dem Mont-Saint-Michel herzlich willkommen hieß und uns die Tore zur Abtei, zum Leben auf dem Berg und zu ihrer Freundschaft geöffnet hat. (Ein Kuß an Elsa, und ein Gruß an alle, denen wir begegnet sind.)

Dank gilt den Historiker Henry Decaëns, der nicht nur unsere Nachforschungen mit seinen spannenden Veröffentlichungen über den Mont-Saint-Michel und die Normandie in der Romanik erhellte, sondern auch persönlich dabei mitgewirkt hat, die historischen Quellen dieses Romans zu überprüfen, wofür er uns seine Zeit, seinen fachmännischen Blick und sein Wohlwollen schenkte.

Dank gilt dem Historiker Marc Déceneux, dessen Veröffentlichungen insbesondere über die alte Martinskapelle, den Bau der Abtei und die Mythologie des Berges uns wertvolle Hilfestellung geleistet haben.

Dank gilt all denen (sie werden sich selbst wiedererkennen), die im Verlauf dieser drei Jahre währenden Arbeit unsere völlige, verzehrende Hingabe an den Berg unterstützt und ertragen haben. Ein Augenzwinkern an den, der uns seine Kraft geliehen und uns oben auf seiner Turmspitze immer treu begleitet hat…